BERNARD MASSON

MUSSET

ET

LE THÉÂTRE INTÉRIEUR

ARMAND COLIN

MUSSET
ET
LE THÉATRE INTÉRIEUR

A SILVIA

A JEAN VILAR
In memoriam

Etudes Romantiques

MUSSET

ET

LE THÉATRE INTÉRIEUR

Nouvelles recherches sur "Lorenzaccio"

BERNARD MASSON

1974

LIBRAIRIE ARMAND COLIN

103, Boulevard Saint-Michel - Paris 5e

LA SOCIÉTÉ DES ÉTUDES ROMANTIQUES, fondée en 1969, se propose de réunir les groupes de recherche, les séminaires, existants ou à créer, les sociétés savantes ainsi que les chercheurs isolés qui se consacrent aux problèmes du romantisme tant dans les domaines de la documentation et de l'érudition que dans celui de la réflexion théorique ou méthodologique.

La Société organise des journées d'étude et des colloques, des expositions. Elle patronne, encourage ou favorise des entreprises collectives ou individuelles de longue durée telles que : publication de correspondances, dépouillements de presse ou d'archives, inventaires de fonds, constitution de fichiers, édition de textes, publication d'ouvrages de synthèse, etc.

La Société publie une revue, « Romantisme » (chez Flammarion) et deux collections, « Etudes romantiques » (chez Armand Colin) et « Nouvelle bibliothèque romantique » (chez Flammarion).

COLLECTION « ÉTUDES ROMANTIQUES »

Pierre Barberis : *Mythes balzaciens*

Jean Decottignies : *Prélude à Maldoror*

Centre de recherches dix-neuvièmistes de l'Université de Lille III : *le Réel et le texte*

OC 01070390

CC

AVANT-PROPOS

Intérieur, le théâtre de Musset l'est à plus d'un titre ou, pour mieux dire, à plusieurs degrés. Il l'est d'abord comme théâtre d'intérieur ou, en un autre langage, comme théâtre de lecture. Rares, en fin de compte, sont les pièces conçues directement pour la représentation, et ce ne sont pas les meilleures. L'existence, pour quelques comédies importantes, d'une version primitive et d'une version remaniée par l'auteur en vue de la représentation permet des comparaisons fructueuses, qui toutes viennent appuyer l'idée que la version primitive est d'autant plus pénétrée de poésie qu'elle s'éloigne des conditions concrètes de la représentation et qu'elle s'inscrit dans un espace et une durée imaginaires. Le théâtre de Musset est, par essence plus que par accident, un théâtre non joué, qui concerne moins le regard du spectateur installé dans une loge que l'imagination d'un lecteur assis dans son fauteuil. C'est même paradoxalement à cette naissance préservée qu'il doit d'offrir au spectateur du XXᵉ siècle, moins rebelle que naguère au libre essor sur la scène d'une poésie en liberté, un visage lisse et presque sans rides.

Mais ce théâtre est intérieur à un autre niveau, en ce qu'il est en état d'échange nourricier et permanent avec la vie intérieure de son auteur. Non qu'il faille continuer à voir dans les *Comédies et Proverbes* une « confession dialoguée », selon l'expression de M. Gastinel [1]. Dans la voie où elle est engagée, notre étude fera apparaître, au contraire, que le théâtre de Musset ne reproduit jamais directement la vie du poète ; il l'accompagne et, d'une certaine manière, la commente, ce qui est tout différent. Musset, en effet, ne s'y confesse pas, il s'y cherche, s'y tâte, s'y invente, s'y fustige à l'occasion. L'œuvre dramatique n'est pas un miroir où l'événement se reflète, mais un spectacle où il s'éclaire, devient déchiffrable, prend tout son sens. C'est même dans cette marge maintenue à dessein entre la vie, telle qu'elle a été vécue, et l'œuvre qui n'en capte le reflet que pour en révéler le sens, que peut jouer librement l'invention poétique. L'écrivain projette dans un espace intérieur des situations imaginaires, qu'il nourrit de ses expériences, de ses obsessions, de ses pressentiments ; ce sont donc bien ses propres difficultés d'exis-

---

1. Introduction aux *Comédies et Proverbes*, les Belles Lettres, 1954, t. 1, p. XLVIII.

tence personnelle qu'il explore, mais comme à distance convenable, quand, soumises à la plus rigoureuse conversion théâtrale, elles cessent de lui appartenir et, représentées dans un espace et une durée autonomes, elles peuvent aussi devenir nôtres. En somme, le théâtre tient, dans la vie intérieure de Musset, le double rôle d'un laboratoire, où il peut à loisir être soi, dans ses contradictions intimes, que les conditions concrètes de l'existence ou les défaillances de la volonté rendent parfois insurmontables, et d'un refuge où calmer ses tourments, en s'inventant un état-civil, une patrie, des aventures, tout un mode d'existence à sa fantaisie, choisi selon ses nostalgies profondes.

S'agissant d'un théâtre, qui est la représentation figurée et significative d'une expérience intérieure, c'est donc au vif des événements de l'histoire, des hasards de la biographie, des pulsions de la vie psychique, des conflits de la conscience morale, des élans de la vie spirituelle que seront le plus souvent cherchées les clés du spectacle. Encore fallait-il respecter d'abord le rythme propre de la croissance personnelle de Musset. Aussi bien, prenant l'écrivain lui-même pour guide, avons-nous cru bon de braquer d'emblée la lumière la plus vive sur la période de son existence qui, à ses yeux d'homme, de citoyen et de poète, lui a paru compter davantage et sur le poème dramatique qui en réfracte le plus complètement l'image. Une étude littéraire qui tend à retrouver, à travers l'évolution d'une œuvre, la démarche d'une conscience d'homme en quête de se faire, se devait de culminer au point précis où se conjoignent la recherche la plus intense et l'œuvre d'art la plus accomplie. *Lorenzaccio* est cette cime où Musset semble s'être vertigineusement hissé d'un seul coup et qui domine de sa masse singulière un paysage généralement moins accidenté. Un second volume[2], s'inspirant du même esprit, distribuera sur les *Comédies et Proverbes* un éclairage plus équitablement partagé : nulle grande symphonie n'y étouffera le chant, fût-il modeste, d'exquises compositions dans l'ordre de la musique de chambre.

Cerné de tout côté par un éclairage exclusif, il importait que *Lorenzaccio* ne sortît point écrasé, mais exalté de l'épreuve. Aussi bien avons-nous pris soin que l'étude de détail ne portât pas préjudice à la perspective d'ensemble, que l'arbre, en somme, ne cachât pas la forêt. C'est donc une sorte de « genèse » de *Lorenzaccio* que nous avons entreprise à notre tour, mais dans un esprit et un dessein différents de ceux de notre devancier[3]. Nous avons, quant à nous, voulu restituer, pour ainsi dire, *Lorenzaccio* à l'histoire du théâtre, en accompagnant la pièce de Musset, par paliers successifs, du laboratoire intérieur, où prennent forme peu à peu les songeries d'un poète, à la vie rayonnante de la scène, où soudain prennent corps les ombres captives d'un texte imprimé. Chaque étape de l'élabo-

---

2. En préparation : *la Condition humaine dans les « Comédies et Proverbes »*.
3. M. Dimoff dans sa *Genèse de « Lorenzaccio »*.

ration du grand drame a requis sa méthode appropriée : étude de sources, proches ou lointaines, quand l'œuvre est encore en gestation ; examen critique des manuscrits, quand la germination est amorcée et que la fluidité des rêves prend consistance ; réflexion sur le texte de lecture, quand la pièce s'anime à la clarté des lampes ; reconstitution de mises en scène, quand elle éclate aux feux de la rampe. Emportées par la dynamique propre à la création théâtrale, des recherches critiques distinctes et apparemment dispersées, loin de faire sécession, trouvent en fin de compte leur point idéal de convergence dans la lecture globale et renouvelée d'une œuvre enfin rendue à sa perfection singulière.

Encore fallait-il, pour mériter leur titre, que ces recherches successives, mais concertées, fussent nouvelles. A cet égard, ou plutôt à l'égard de nos savants prédécesseurs, nous nous sommes fait une règle de saisir autant que possible la balle au bond ou de chercher carrément un autre terrain. C'est dire que nous n'avons marché qu'avec modestie sur les brisées des guides les plus sûrs [4] et que nous sommes resté prudemment en deçà des recherches quelque peu aventurées [5]. Là où M. Lafoscade et M. Pommier, par exemple, ont fait merveille, — notamment dans la découverte des influences ou des sources historiques et littéraires, — il eût été malséant de rivaliser avec eux ; mieux valait poursuivre plus avant sur les chemins qu'ils ont frayés ou obliquer, à la rencontre, vers des terres encore mal reconnues. Toutes les fois, en tout cas, qu'on l'a pu, le recours au document original a été notre souci constant : c'est un garde-fou que l'imagination critique est souvent bien inspirée d'empoigner avec résolution. La bibliothèque de la Comédie-Française, la bibliothèque Spoelberch de Lovenjoul à Chantilly, les collections théâtrales de la bibliothèque de l'Arsenal, les Archives nationales nous ont fourni une abondante moisson de documents précieux, souvent mal connus, quelquefois inédits, dont la liste figure à la fin de l'ouvrage et dont on apercevra, chemin faisant, la résurgence.

Mais, à l'inverse, on doit aussi se défier des documents : la gerbe en est parfois avare et même un peu haineuse. L'érudition est un démon vorace, qu'il ne faut pas craindre d'exorciser. L'analyse dramaturgique a été, à cet égard, notre talisman. Convaincu qu'une œuvre d'art, surtout dramatique, porte en elle, dans sa structure même, sa propre signification, nous avons pris pour tâche essentielle et pour ainsi dire unique cet exercice de déchiffrement. Toutes les recherches de détail ont été subordonnées à cette enquête fondamentale, en ont épousé l'ambition et le mouvement. La pièce n'a sans doute pas livré tous ses secrets. Du moins a-t-elle été sondée dans ses profondeurs, examinée sous toutes ses faces, pressée d'interrogations incessantes et passionnées. Car c'est elle, en définitive, qui détient les réponses. Comme toute œuvre majeure, elle a toujours le dernier mot.

4. Par exemple M. Dimoff.
5. Notamment celles de M. J.-C. Merlant, auxquelles nous ferons référence à l'occasion.

Il reste l'agréable devoir de remercier ceux qui, de près ou de loin, d'une manière ou d'une autre, ont aidé à l'élaboration de ce livre.

Je ne puis les citer tous. Mais je m'en voudrais que ne fussent point nommés en tête de ce livre ceux qui l'ont, pour ainsi dire, conduit à l'existence : M. Pierre Moreau, dont je salue pieusement la mémoire ; Mme Marie-Jeanne Durry, dont le ferme appui et les conseils éclairés m'ont constamment aplani le chemin ; M. Pierre-Georges Castex, dont l'autorité cordiale m'a été précieuse pour mener l'entreprise à son terme.

Je tiens, pour finir, à évoquer la haute figure de Jean Vilar, qui n'a été mêlé qu'un instant, mais décisif, à la rédaction de ce livre. Au cours d'un amical entretien qu'il m'avait accordé en Avignon, Jean Vilar avait souhaité lire le chapitre de mon livre consacré aux représentations du T.N.P. Curiosité ou inquiétude ? Je ne sais. J'ai accédé sans peine à son désir et je lui en ai envoyé copie sitôt qu'achevé. Mon texte m'est revenu annoté au crayon avec une attention et une patience admirables et, je le dis sans vanité, avec l'aval du « patron ». Quinze jours plus tard, Vilar n'était plus. La lecture de mon texte avait été l'une de ses dernières occupations avant sa mort. En dédiant à sa mémoire l'ensemble de ce livre, je n'ai fait que rendre à ce juste ce qu'il m'avait donné. Scellée par la mort, la gratitude se nomme fidélité.

AVERTISSEMENT

I. LES TITRES DES OUVRAGES FRÉQUEMMENT CITÉS SONT ABRÉGÉS DE LA MANIÈRE SUIVANTE :

Genèse désigne *la Genèse de « Lorenzaccio »*, textes publiés avec introduction et notes par Paul Dimoff, Paris, Droz, 1936, LIX-471 p. Deuxième édition revue et corrigée, Paris, Marcel Didier, 1964, LVIII-471 p. Toutes nos citations de la pièce renvoient à cette édition et doivent se lire ainsi : acte, scène, page, ligne, éventuellement note (n.) et note critique (n.c.).

Poésie renvoie à A. de Musset, *Poésies complètes*, texte établi et annoté par Maurice Allem, Paris, Gallimard, Bibliothèque de la Pléiade, 1957, XXVIII-940 p.

Prose renvoie à A. de Musset, *Œuvres complètes en prose*, texte établi et annoté par Maurice Allem et Paul Courant, Paris, Gallimard, Bibliothèque de la Pléiade, 1960, XIV-1326 p.

Théâtre renvoie à A. de Musset, *Théâtre complet*, texte établi et annoté par Maurice Allem, Paris, Gallimard, Bibliothèque de la Pléiade, 1958, XVII-1684 p.

Gastinel I renvoie à A. de Musset, *Comédies et Proverbes*, texte établi et présenté par Pierre Gastinel, Paris, les Belles Lettres, les Textes français, 1934, XLVIII-284 p.

Gastinel II, III, IV renvoie à A. de Musset, *Comédies et Proverbes*, texte établi et présenté par Françoise Gastinel, Paris, les Belles Lettres, les Textes français, tome 2, 1952, 424 p. ; tome 3, 1957, 336 p. ; tome 4, 1957, 372 p.

Lafoscade désigne l'ouvrage de Léon Lafoscade, *le Théâtre d'Alfred de Musset*, Paris, Hachette, 1901, 428 p.

Pommier I désigne l'ouvrage de Jean Pommier, *Variétés sur Alfred de Musset et son théâtre*, Paris, Nizet et Bastard, 1944. Réimp. Nizet, 1966, 209 p.

Pommier II désigne l'ouvrage de Jean Pommier, *Autour du drame de Venise*, Paris, Nizet, 1958, 201 p.

II. LES ABRÉVIATIONS LES PLUS COURAMMENT EMPLOYÉES SONT LES SUIVANTES :

R.D.M.	*Revue des deux mondes.*
R.H.L.F.	*Revue d'histoire littéraire de la France.*
R.L.C.	*Revue de littérature comparée.*
R.P.	*Revue de Paris.*
R.S.H.	*Revue des sciences humaines.*

PREMIÈRE PARTIE

L'ÉCRIVAIN ET SES LECTURES

L A RECHERCHE des sources d'une œuvre littéraire est souvent la meilleure, mais peut être parfois la pire des choses. La meilleure, si l'on a trouvé juste ou du moins vraisemblable, la pire, si l'on a décidé, par principe ou par impuissance, d'en rester là. Le chercheur a donc intérêt à bien définir d'abord le champ d'exercice de son projet critique, puis à employer la méthode d'investigation et de réflexion qui lui paraît la plus féconde.

Ainsi, pour notre part, n'avons-nous jamais voulu séparer, dans les deux chapitres qu'on va lire, la recherche des sources des considérations proprement méthodologiques que cette recherche implique ou provoque. Le premier chapitre découvre une source privilégiée et l'exploite en tous sens ; le second trace au chercheur un chemin à l'écart des chausse-trapes qui pourraient compromettre sa progression régulière. Dans les deux cas, les sources ainsi repérées ont pour justification nécessaire et suffisante de nous faire entrevoir le fonctionnement de l'imagination créatrice d'un écrivain et de nous faire entrer plus avant dans l'intelligence de l'œuvre qui en est le produit. La recherche des sources est comme une tâche préparatoire, obscure et modeste, faite pour disparaître sitôt qu'achevée. L'acte critique proprement dit commence au-delà.

Dans ces conditions, on conviendra qu'il n'y a pas de sources nobles et de sources impures : tout est plomb vil pour l'alchimiste au travail. Que Cellini l'inspire, en ses fulgurantes parades, ou la plus plate notice d'un quelconque *Musée Filhol*, il n'importe. Le creuset où l'or bouillonne, voilà ce qui seul doit nous retenir. On rêve parfois d'une source, la plus évidente, qui resterait à jamais perdue : écho d'une conversation entre amis, que nul secrétaire n'a notée, ou souvenir enfoui d'une lecture insignifiante, et qui, impromptu, à l'occasion, s'éveille, se dresse, devient signe. En tous les cas, l'oreille doit rester attentive. On se croyait voué aux tâches subalternes, et soudain — « O récompense après une pensée » — on entend un cœur qui bat.

CHAPITRE PREMIER

UNE SOURCE PEU CONNUE DE « LORENZACCIO » :

la « Vie de Benvenuto Cellini écrite par lui-même »

Qui croirait, après les minutieuses investigations de Léon Lafoscade et de ses émules, qu'au chaptire des sources de *Lorenzaccio* tout n'a pas été dit et qu'on peut encore venir à point nommé porter modestement, mais efficacement sa pierre à l'édifice commun ? Et pourtant, s'agissant de la *Vie de Benvenuto Cellini écrite par lui-même*, il semble que les mesures aient été mal prises. On a généralement sous-estimé l'influence des Mémoires de l'orfèvre florentin sur le dramaturge, amoureux des choses d'Italie, qui fit *Lorenzaccio*.

Que la source ait été unanimement et depuis longtemps reconnue, qui le nierait ? Il faudrait même s'étonner du contraire. Des deux scènes de *Lorenzaccio* qui n'ont pas été employées dans la rédaction définitive [1], l'une a pour personnage principal Benvenuto lui-même, et M. Dimoff n'a pas eu de peine à repérer les passages des Mémoires de Cellini qui ont servi de support au texte de Musset [2] : c'est un pillage consciencieux, dont le résultat est, du reste, assez insipide. Le nom de Benvenuto paraît également et à plusieurs reprises dans les plans successifs qui ont précédé ou accompagné l'élaboration de la pièce [3]. La figure de Benvenuto se glisse, enfin, en médaillon, dans la rédaction définitive, un peu à la manière du donateur représenté à genoux dans un coin du tableau qu'il a commandité [4]. Que Musset, d'autre part, ait fréquenté assidûment les mémoires de Cellini, un mot, mais chaleureux, au détour d'un article consacré aux *Mémoires* de Casanova, suffit à nous en convaincre : « Ceux qui aiment Benvenuto Cellini aimeront bien son livre ; il y a entre eux ce rapport que tous deux font des contes incroyables, avec

---

1. *Genèse*, p. 169-175 et 176-183.
2. *Ibid.*, p. 170, n. 1.
3. *Ibid.*, p. 152, 1. 8 ; p. 157, 1. 6-7 ; p. 159, 1. 25 ; p. 160, 1. 2 ; p. 163, 1. 28.
4. I, 5, p. 234, 1. 838-845.

cette différence que Cellini ment les trois quarts du temps, et que Casanova ment si peu qu'il dit du mal de lui [5] ». La cause paraît donc entendue et toute contestation sur ce point serait futile et vaine.

Ce qu'on a, en revanche, mal apprécié jusqu'ici, c'est la nature, le volume, la portée de l'influence, directe ou indirecte, exercée par les Mémoires de Cellini sur l'auteur de *Lorenzaccio*. Ou bien on l'étend à l'infini, ou plutôt à l'indéfini, et la *Vie* de Benvenuto devient la source première, mais vague et pourtant privilégiée, dès 1831, d'un drame qui ne prendra forme que deux ans plus tard ; ou bien on opère par économie et, pour ainsi dire, par strangulation et les Mémoires de Cellini deviennent, entre les mains de Musset, comme une peau de chagrin, dont il ne reste à la limite qu'un répertoire de syllabes italiennes bien sonnantes à l'oreille. Dans le premier cas, on s'abandonne à l'hypothèse, sans pouvoir rien établir avec certitude [6]. Dans le second cas, on fait comme M. Lafoscade, qui voit dans les Mémoires de Cellini une sorte de complément onomastique de la *Storia fiorentina* de Varchi. Cherchant à « cadrer » Sand et Musset en voyage et au travail à Venise, l'imagination de ce délicat et sagace mussettiste met en gros plan « le XVe livre de la *Storia fiorentina* ouvert à côté d'un index alphabétique, celui des Mémoires de Cellini [7] ». M. Lafoscade croit même pouvoir, pardessus l'épaule des amants, identifier l'édition dans laquelle Musset se plonge : « ici règne en maîtresse, écrit-il, la collection des " Classici italiani " in-8° de Milan, tant avec Varchi (Storia fiorentina, 5 vol., 1803-1804) qu'avec Cellini (Opere, 3 vol. marqués A, B, C, dans l'index du commentateur Carpani, 1806-1811) [8] ». Impressionné par une aussi tranquille assurance, M. Dimoff enregistre la découverte, fort précieuse au demeurant, comme une certitude acquise et incontestable [9].

Or c'est sur ce terrain-là précisément que la contestation est possible et même fructueuse. Est-il après tout si sûr que Musset a lu ou plutôt relu les Mémoires de Cellini en langue originale, au moment d'entreprendre la composition de son drame ? De ce qu'il lisait l'italien (couramment ? on ne sait ; qu'il le parlât, c'est beaucoup moins sûr [10]), de ce qu'il a lu Varchi dans la langue originale, s'ensuit-il nécessairement qu'il ait lu aussi la *Vie* de Cellini dans le texte italien ? La question, j'en conviens, est d'importance relative ; elle n'en mérite pas moins un examen des plus circonspects. Pour dire d'un mot les choses, je ne pense pas que Musset ait eu besoin de recourir au texte italien des Mémoires de Cellini, puisqu'il

---

5. *Prose*, p. 872.
6. Voir Morgulis, *Revue des études italiennes*, août-septembre 1956, p. 164-165.
7. L. Lafoscade, *le Manuscrit autographe*, juillet-août 1931, p. 73.
8. *Ibid.*, p. 74.
9. Voir *Genèse*, XLVI, n. 2.
10. *Ibid.*, XXI, n. 1.

pouvait trouver en français, à Paris, une sorte d'adaptation libre de l'édition Carpani, offrant sans doute une très médiocre traduction du texte original, mais les mêmes avantages critiques que l'édition milanaise : notes abondantes, empruntées sans vergogne à l'éditeur italien [11], et une « table alphabétique des personnages nommés dans ces deux volumes [12] ». Cet arrangement de l'édition Carpani en français, dû à D.D. Farjasse, venait justement de paraître en librairie, vers le moment où Musset entreprenait son travail. La « Vie de Benvenuto Cellini, orfèvre et sculpteur florentin, écrite par lui-même, et traduite par D.D. Farjasse, 2 vol. in-8°, Paris, Audot, 1833 » est, en effet, annoncée dans la *Bibliographie de la France* du samedi 22 juin 1833 [13]. Elle suscite, en écho, une longue paraphrase de Jules Janin dans le tome 52, publié en juillet 1833, de la *Revue de Paris*. Que Musset, parce qu'il est de ceux qui aiment Benvenuto Cellini, ait eu connaissance de ces publications, qu'il ait eu, de surcroît, entre les mains les deux volumes de l'édition Farjasse durant l'été de 1833, est une de ces probabilités qui ne demandent qu'un petit nombre de preuves pour devenir une certitude. Ces preuves, les voici, d'inégale importance, j'en conviens, spécieuses parfois, mais qui, formées en faisceau, ne manquent pas d'être troublantes.

Tout a été dit sur la confusion volontaire faite par Musset touchant les deux ecclésiastiques nommés Cibo. Dès le premier plan, écrit M. Dimoff, « Musset fait une seule et même personne du cardinal Cibo et d'un autre Cibo, archevêque, frère du premier, de qui Varchi raconte une tentative de meurtre contre Alexandre de Médicis [14] ». Qu'il les distinguât clairement pour mieux les fondre en un seul personnage ou ne retenir que l'un d'eux, cela ressort d'une indication manuscrite que Musset a portée au bas du folio 4 de son troisième plan : « Innocenzo Cibo Malaspina fils d'une sœur de Léon X. Giovan Baptista Cibo archevêque de Marseille [15] ». Là où commencent les difficultés, c'est sur l'origine de cette double indication. M. Dimoff reconstitue la démarche créatrice de Musset de la façon suivante : dans un premier temps, le dramaturge puise le nom des deux Cibo chez Varchi, qui lui fournit quelques détails sur l'archevêque de Marseille [16], mais se montre très laconique touchant le cardinal. Pour obtenir des renseignements complémentaires, Musset consulte alors le dictionnaire de Moreri [17], qui contient d'amples développements généalogiques sur la famille Cibo [18]. Dans le fouillis de ces informations, Musset n'opère pas une sélection

---

11. Farjasse écrit pudiquement dans sa Préface (p. VII) : « Les éditions du savant abbé Carpani m'ont été très utiles sous ce rapport ». Nous renverrons à l'édition Farjasse sous l'abréviation : *Farjasse*.

12. Tome 2, p. 367-411.

13. Sous le n° 3 345, p. 389.

14. *Genèse*, p. 150, n. 4.

15. *Ibid.*, p. 163, n.c. 30.

16. *Ibid.*, p. 163, n. 3.

17. Lequel figure dans la bibliothèque des frères Musset (voir *Catalogue des livres composant la bibliothèque de MM. Alfred et Paul de Musset*, Paris, 1881), sous le n° 260.

18. Voir *Genève*, p. 163, n. 3.

vraiment rigoureuse et, ne prenant pas garde que les Cibo-Malaspina ne sont qu'une branche de la famille, exactement la descendance de Laurent Cibo et de sa femme « Richarde Malespine », n'hésite pas à faire du cardinal Cibo un Cibo-Malaspina.

Cette reconstitution, pour ingénieuse qu'elle soit, ne me paraît pas correspondre à la réalité, à la fois plus simple et plus vraisemblable. En fait M. Lafoscade, dès 1931, avait flairé juste : c'est dans les Mémoires de Cellini que Musset avait puisé tout à la fois son information et son erreur. A dire vrai, il n'avait pas besoin de commettre lui-même l'erreur, car on l'avait déjà commise pour lui et il lui suffisait de la répéter pour son propre compte, ce qu'il fit sans sourciller. Là où, toutefois, je me sépare de M. Lafoscade, c'est sur l'édition des Mémoires de Cellini dont Musset se serait servi. Toute la démonstration de M. Lafoscade, on l'a vu, repose sur l'hypothèse invérifiable que Musset aurait pratiqué Cellini dans le texte original. S'il en était ainsi, on s'expliquerait mal l'anomalie minime, mais troublante que voici : transcrivant le prénom italien de l'archevêque de Marseille, Musset utilise une orthographe assez aberrante — « Giovan Baptista Cibo » — sur l'origine de laquelle on peut s'interroger. Or le texte italien de l'édition des « Classici italiani », dont se serait servi Musset, donne la version suivante : « Giambattista Cibo [19] ». Le passage de l'une à l'autre graphie n'apparaît pas nettement. Tout s'éclaire, au contraire, si l'on se reporte au texte français de l'édition Farjasse, qui, adaptant la note de Carpani, transcrit le prénom de l'archevêque de Marseille sous cette forme bâtarde : « Giovan Battista Cibo [20] ». A une lettre près, c'est la forme même sous laquelle le prénom de l'archevêque figure au bas du f° 4 du troisième plan. Le rapprochement s'impose, avec toutes ses conséquences. C'est très probablement dans l'édition Farjasse que Musset relit son cher Benvenuto Cellini. Chemin faisant, son attention est attirée par deux notes donnant quelques détails généalogiques sur les deux hommes d'Eglise qui répondent au nom de Cibo. Au tome premier des Mémoires, Musset peut lire, page 61, la note suivante : « Innocenzo Cibo Malaspina, archevêque de Gênes, fils d'une sœur de Léon X... » ; et, dans le même volume, à la page 215, note 2 : « ...Giovan Battista Cibo, archevêque de Marseille et cousin de la Marquise ». Heureux de l'aubaine, désireux de ne pas laisser s'envoler d'aussi précieuses indications, Musset jette en hâte, sur le plan de travail qu'il a sur sa table, une note condensée, dont le contenu et la forme reproduisent en tous points, les indications de l'édition Farjasse. Et tant pis si l'une des notes de cette édition contient une erreur d'état civil ! Musset n'est pas généalogiste, mais dramaturge. Il se gardera bien de laisser tomber en poussière un nom propre d'une aussi belle frappe.

---

19. *Opere di Benvenuto Cellini*, Milano, Dalla Societa Tipografica de Classici italiani, 1806, t. 1, p. 268.

20. *Farjasse*, t. 1, p. 215, n. 2.

L'argumentation, j'en conviens, serait mince, si cette preuve demeurait isolée. Mais une autre anomalie vient, si l'on peut dire, épauler la première, trouvant, du reste, sa solution dans des chemins presque similaires. On sait que l'examen du manuscrit de *Lorenzaccio* fait apparaître à quatre reprises, parmi les indications scéniques destinées à fixer sommairement le décor, une leçon biffée qui ne laisse pas d'embarrasser le chercheur. Au premier acte, la scène 3, « Chez le marquis Cibo », comporte la mention biffée suivante : « dans le palais des Pazzi [21] » ; la scène 4, qui a pour décor « une cour du palais du duc », était censée primitivement se dérouler, elle aussi, dans une « cour du palais des Pazzi [22] » ; la scène 4 du deuxième acte est « au palais du duc », que, dans une première leçon biffée, Musset nomme « palais des Pazzi [23] » ; et c'est « devant le palais », nommé d'abord « des Pazzi [24] », que Salviati se traîne, couvert de sang et boitant. Il ne fait pas de doute que, pour Musset, le duc logeait au palais des Pazzi. Et même quand il sera revenu de son erreur, biffant systématiquement toutes les indications inexactes, il laissera, comme par mégarde, traîner, au détour d'une tirade, une indication qui a valeur de témoignage : « ...ils voient une figure sinistre à la grande fenêtre du palais des Pazzi [25] ». Il savait, d'autre part, pour l'avoir lu dans Varchi [26] et en avoir trouvé confirmation dans les Mémoires de Cellini [27], que la marquise Cibo logeait effectivement au palais des Pazzi. Que, pour des raisons purement dramaturgiques, Musset se soit très vite rendu compte qu'il était malséant, voire absurde de faire cohabiter le duc et la marquise, c'est là une probabilité qui a valeur d'évidence. Mais une question demeure : d'où provenait son erreur touchant le palais où habitait le duc ? D'un passage des Mémoires de Cellini, sans doute, mais interprété à contresens, donc mal traduit.

Le texte italien est, en effet, sans ambiguïté et Musset maîtrisait assez cette langue pour le comprendre sans erreur : « il quale io trovai nel palazzo de' Pazzi, nel tempo che ivi era alloggiato la moglie e le figliuole del Signor Lorenzo Cibo [28] ». Le sens est clair : le duc se trouvait [à ce moment-là] au palais Pazzi, qu'habitaient la femme et les filles du Seigneur Lorenzo Cibo. Si, négligeant le texte italien, Musset, comme je le pense, s'est servi de l'édition Farjasse, il se trouvait pris au piège d'un contresens, dont il n'était pas responsable. On lit, en effet, chez Farjasse : « j'allai prendre congé du duc, qui demeurait dans le palais des Pazzi, avec la duchesse de Cibo et ses filles [29] ». Sur la foi d'une telle indication, Musset pou-

---

21. *Genèse*, p. 211, n.c. 401.
22. *Ibid.*, p. 219, n.c. 564.
23. *Ibid.*, p. 304, n.c. 1049.
24. *Ibid.*, p. 311, n.c. 1197.
25. I, 5, p. 235, l. 866-867.
26. *Ibid.*, p. 43, l. 1 193.
27. Voir *Farjasse*, t. 1, p. 215.
28. *Opere*, t. 1, p. 267.
29. *Farjasse*, t. 1, p. 215.

vait, dans un premier temps, faire du palais des Pazzi le cadre commun des scènes chez le duc et chez la marquise ; dans un deuxième temps, le dramaturge corrigeait l'incongruité que le lecteur de Cellini, trompé par une médiocre traduction, avait admis sans rechigner. Il est vraisemblable que la lecture directe du texte italien lui eût évité ce faux-pas.

L'édition Farjasse n'est du reste pas au bout de ses méfaits. Je la crois responsable de deux petites anomalies qu'on s'expliquerait mal, si Musset s'était servi exclusivement d'une édition en langue italienne. On aura remarqué, dans la citation reproduite ci-dessus, que Farjasse, faisant fi du texte original qui ne dit rien de semblable, parle de « la duchesse de cibo et ses filles ». De ce travestissement fantaisiste, on est en mesure de tirer plusieurs conséquences intéressant notre démonstration. Tout d'abord, ne pouvant garder le titre de duchesse, réservé à la femme du duc, qui devait initialement jouer un rôle dans la pièce, comme l'attestent les trois plans[30], Musset a donné à la Cibo le titre de comtesse, sous une influence au reste difficile à déterminer[31]. Puis il l'a rétablie dans son marquisat, dès lors qu'il eut confirmation que telle était bien la vérité, soit en relisant attentivement Varchi ou en consultant Moreri[32], soit tout simplement en feuilletant l'index de l'édition Farjasse, qui lui fournissait, à ce sujet et à quelques pages de distance, deux renseignements contradictoires sur lesquels il faudra revenir[33]. On peut, en tout cas, établir une filiation légitime entre l'indication de Farjasse touchant la « duchesse de Cibo » et la singulière transcription « de Cibo », qui ne cesse d'apparaître non seulement dans le manuscrit, où elle est monnaie courante, mais dans l'édition originale de 1834. Musset a corrigé son erreur après coup, oubliant cependant, comme par mégarde, une « comtesse de Cibo », devenue « comtesse Cibo », en un court passage de l'édition définitive[34].

Une autre graphie aberrante, couramment pratiquée dans les trois plans, éparse et devenue rare dans le manuscrit[35], ne laisse pas d'intriguer : d'où vient que Lorenzo et ses dérivés apparaissent sous la forme bâtarde de « Laurenzo » ? Négligence ? Contamination de la forme française « Laurent » ? Pour un lecteur assidu de Varchi ou du texte original de Cellini, ce serait singulier. Et si, de nouveau, Farjasse entrait en lice et encourait la responsabilité de cette lubie orthographique ? Cette graphie aberrante se trouve, en effet, dans quelques passages de l'édition Farjasse, qui mêle allégrement les contresens aux fantaisies de tout poil. Fait troublant, « Laurenzino »

---

30. Voir *Genèse*, p. 153, l. 30 ; p. 158, l. 16 ; p. 162, l. 17 ; p. 163, l. 30.

31. *Ibid.*, p. 152, n. 1.

32. *Ibid.*, p. 211, n. 2.

33. « Cibo, Lorenzo, Marquis de Massa » (*Farjasse*, t. 2, p. 378) : « Malaspina Ricciarda, fille d'Alberico, Marquis de Massa et épouse de Lorenzo Cibo » (*ibid.*, p. 391).

34. Voir *Genèse*, p. 361, l. 946.

35. Voir, par exemple, *Genèse*, p. 209, n.c. 365 et 368 ; p. 222, n.c. 619 ; p. 255, n.c. 635 ; p. 230, n.c. 770.

revient cinq fois en deux pages dans l'épisode de la médaille et de son revers [36] qui a servi de base à l'une des scènes entièrement rédigées et finalement exclues du manuscrit définitif. Une indication comme celle-ci : « Le duc, Laurenz..., sommeillant », qui figure sur le deuxième plan [37], est directement copiée de Cellini, traduit par Farjasse : « Très souvent, après le dîner, je le trouvais sommeillant avec son Laurenzino qui, plus tard, l'assassina [38] ». Que, sur le folio 4 du troisième plan, l'orthographe soit redevenue correcte et que, dans la scène de la médaille entièrement rédigée, aucune aberration graphique n'apparaisse ne plaide pas forcément pour une lecture directe des Mémoires de Cellini dans leur texte original. Le désir de rendre le manuscrit cohérent et homogène au moment de la rédaction définitive et la fréquentation assidue du texte italien de Varchi suffisent à expliquer la remise en ordre d'une orthographe, qu'une rédaction de travail pouvait sans dommage laisser glissante et quelque peu fantaisiste.

*
* *

Ces préliminaires établis, qui nous ont permis au demeurant de choisir notre édition de référence, si médiocre soit-elle, il reste à dresser l'inventaire des richesses dont Musset saura faire discrètement son profit. On verra, chemin faisant, qu'elles sont multiples et de tous ordres.

Une note de M. Dimoff semble réduire cet inventaire à quatre noms propres, — Fiamma, Mondella, Maffio, Galenzzo —, pillés adroitement, mais un peu au petit bonheur de l'index nominum qui complète l'édition des « Classici italiani [39] ». Le moins qu'on puisse dire, c'est que, même appuyée sur les analyses minutieuses de Léon Lafoscade, cette opinion mérite d'être réexaminée attentivement. Pour Fiamma et Mondella, point de problème : l'un et l'autre figurent dans les notes de l'édition Farjasse et sont reproduits à l'index avec leurs prénoms respectifs : Fiamma Gabriello, Mondella Galeazzo [40]. Fiamma apparaît à l'acte I, scène 1, du premier plan et se multiplie sous trois prénoms de fantaisie [41]. Il est remplacé dans le deuxième plan, à ce même endroit, dans des conditions à peu près identiques, par Mondella, voué lui aussi au dédoublement fraternel [42]. L'un et l'autre disparaîtront du troisième plan, mais connaîtront des fortunes aussi diverses qu'imprévisibles dans la rédaction définitive. Fiamma fera naufrage corps et

36. Voir *Farjasse*, tome 1, p. 230-231.

37. *Genèse*, p. 159, l. 24.

38. *Farjasse*, t. 1, p. 227. Est-il besoin de dire que le texte italien des « Classici italiani », ne pouvait, en aucune manière, suggérer cette orthographe aberrante ? on y lit : « con quel suo Lorenzo de Medici » (*Opere*, t. 1, p. 283).

39. *Genèse*, XLVI, n. 2.

40. Voir *Farjasse*, t. 1, p. 110, n. 1 ; t. 2, p. 78, n. 1, et p. 395.

41. *Genèse*, p. 149, l. 3 et l. 56 ; p. 150, l. 9.

42. *Ibid.*, p. 157, l. 3-4 et 6.

biens, mais son prénom connaîtra l'avatar du changement de sexe :
« Gabrielle, Gabrielle, où vas-tu ?[43] » Mondella, de son côté, loin
de disparaître, se reproduira par scissiparité : le nom de famille
désignera le vieil orfèvre républicain qui apparaît au premier et
au cinquième acte de la pièce, tandis que le prénom Galeazzo,
constituera l'état civil du vieillard banni, dont Philippe Strozzi
plaint le sort au début de l'acte II[44].

Quant à Maffio, son cas est plus complexe, même si son rôle
est épisodique et sa personnalité quelque peu falote. Il ne doit rien,
en effet, à son nom et tout à la situation dans laquelle il vient
s'inscrire. On trouvera là un curieux exemple de création littéraire
par mimétisme ou plutôt par résonance, qui n'est, du reste, pas
unique dans *Lorenzaccio*. On se souvient que la scène initiale des
deux premiers plans comporte quelques situations récurrentes :
deux frères, une dispute, puis une arrestation, dont un innocent fait
les frais, sous l'œil complice du duc et de Lorenzo[45]. Nommé d'abord
Fiamma, puis Mondella, l'innocent s'appellera finalement Maffio,
par un curieux détour à l'origine duquel il y a, une fois encore,
un passage de Cellini. Cellini raconte, en effet, l'aventure survenue
à son propre frère Cecchino, blessé par un archer au cours d'une
rixe dans le quartier des Banques à Rome. Benvenuto, prompt à
venger l'honneur familial, surtout s'il faut tirer l'épée, s'avance,
« enveloppé de sa cape », sur Maffio, « chevalier du guet ». Celui-ci
ne devra son salut qu'à l'intervention musclée d'un jeune homme
« des plus braves », qui, se jetant sur Benvenuto par derrière et
lui saisissant le bras, l'empêchera de faire un malheur[46]. On reconnaît
là quelques linéaments de la première scène définitive de *Loren-*
zaccio, que le caprice du créateur s'ingéniera à modifier à sa guise
et à reconstruire librement. On remarque d'emblée quelques images
en surimpression : Cellini tirant l'épée pour venger son frère
Cecchino, Maffio pour venger sa sœur Gabrielle ; Berlinghieri se
jetant sur Cellini et lui saisissant le bras, Giomo sautant sur Maffio
et le désarmant ; le bargello se retirant prudemment hors du
combat, Maffio invité à se recoucher en paix[47]. D'autres échos
jaillissent çà et là. Le duc et Lorenzo, « couverts de leurs manteaux »,
rappellent Cellini « couvert et enveloppé de sa cape[48] ». Un mot
d'Alexandre à l'égard de Maffio va dans le même sens qu'un autre
mot du même Alexandre en faveur de Cecchino : « va te recoucher,
mon ami, nous t'enverrons demain quelques ducats[49] » ; « ne laissez
manquer de rien ce brave jeune homme[50] ».

43. *Ibid.*, p. 194, l. 77-78.
44. *Ibid.*, p. 252, l. 6.
45. *Ibid.*, p. 149-150, l. 3-10 ; p. 157, l. 2-7.
46. Voir *Farjasse*, t. 1, p. 145-146.
47. *Genèse*, p. 194, l. 86 ; p. 195, l. 96 ; p. 196, l. 116-117.
48. *Genèse*, p. 190, l. 5. *Farjasse*, t. 1, p. 145.
49. *Genèse*, p. 196, l. 116-117.
50. *Farjasse*, t. 1, p. 146.

Mais le fin du fin de l'invention, c'est évidemment la métamorphose insolente de Maffio, dont Musset semble faire ses délices. Transformer un officier de police en bourgeois tranquille, changer le puissant en victime ne manque ni de sel ni d'humour. Et tel est bien, nous le verrons, l'un des traits caractéristiques de l'invention en liberté. Léon Lafoscade compare avec bonheur la création littéraire chez Musset, à ce stade élémentaire du moins, aux combinaisons du jeu d'échecs, où le poète « était de première force [51] ». L'affaire Maffio en est un premier exemple, qui sera suivi de beaucoup d'autres.

Puisque nous en sommes à l'inventaire des noms de personnes tirés vraisemblablement de Cellini, il convient de faire bonne mesure. Distinguons d'abord ceux que Musset ne trouvait pas chez Varchi. Deux au moins s'imposent, dont l'identification ne saurait faire de doute : Agnolo et Ascanio. Agnolo, c'est le prénom d'un ami intime de Benvenuto, Agnolo ou plus précisément Agnolino Gaddi, qui fit partie d'une équipée occultiste, de nuit, au Colisée, en compagnie de Benvenuto et d'un prêtre nécromant. Benvenuto rapporte qu'un jeune garçon encore vierge les accompagnait, dont il ne donne pas le nom [52]. De là à transférer le prénom de Gaddi sur la tête du jeune garçon pour en faire le modèle du page à la fois innocent et pervers de la marquise Cibo, il n'y a qu'un pas, que l'imagination de Musset n'a pas eu grand peine à franchir. Au reste, deux autres Agnolo figurent à l'index ou dans le texte même des Mémoires de Cellini : l'orfèvre Luca Agnolo et un particulier nommé Agnolo da Cesi. Musset n'avait que l'embarras du choix pour désigner son page : ce qu'il fit, de bonne heure, dès le premier plan [53]. Quant à Ascanio, qui désignera dans Lorenzaccio le jeune fils du marquis Cibo [54], c'est le nom de l'apprenti de Benvenuto, un garçon de treize ans, dont l'orfèvre vante la beauté et qu'il déclare « le meilleur serviteur du monde [55] ».

C'est encore chez Cellini que Musset a dû puiser un renseignement précieux touchant le prénom de la marquise Cibo. Varchi ne le donne point ; Cellini non plus, du reste. Mais l'index de l'édition Farjasse, à l'image de l'index de Carpani, fournit la précision qui manque : « Malaspina, Ricciarda, fille d'Alberico, marquis de Massa et épouse de Lorenzo Cibo [56] ». Tout est dit en peu de mots et, cette fois, sans erreur ; le recours au dictionnaire de Moreri ne s'imposait pas. Nanti de cette information, Musset pouvait biffer coup sur coup deux prénoms fantaisistes [57], rétablir le prénom historique, évoquer le père de la marquise et la terre de Massa obtenue par héritage.

51. L. Lafoscade, art. cit., p. 74.
52. Voir Farjasse, t. 1, p. 183.
53. Voir Genèse, p. 152, l. 23.
54. Ibid., l. 3 ; p. 211, l. 403, et p. 214, l. 459.
55. Farjasse, t. 1, p. 268.
56. Ibid., t. 2, p. 391.
57. Gemma, Torquata ; voir Genèse, p. 213, n.c. 438 et 445 ; p. 219, n.c. 558.

Quant à la contradiction que relève, sans l'expliquer, M. Dimoff entre deux répliques de la même scène de *Lorenzaccio*[58], elle a encore pour source ou pour responsable l'édition Farjasse. Sur la foi de Varchi[59] et de l'index de Farjasse[60], Musset, dans un premier temps, ne pouvait guère deviner que Laurent Cibo n'était marquis de Massa que par son mariage avec Ricciarda Malaspina. Il écrit donc tout uniment : « Massa n'est pas bien loin », « *mon* vieux patrimoine », « c'est à moi de compter *mes* vieux troncs d'arbres qui me rappellent *mon* père[61] ». Dans un deuxième temps, consultant l'index Farjasse, non plus à l'article « Cibo », bourré d'erreurs[62], mais à l'article « Malaspina », d'une rédaction plus heureuse, le poète trouve la clé du mystère. Dès lors, il entreprend de corriger ses principales erreurs. Il biffe les prénoms de fantaisie qu'il a donnés à la marquise, il change, dans la proposition « qui me rappellent *mon* père », l'adjectif possessif de la première personne en adjectif possessif de la deuxième personne, — « *ton* père » —, et il rajoute — le manuscrit en fait foi[63] — une précision qu'il ignorait jusque-là : le prénom du père de la marquise, Alberico, qu'il francise en Albérie. Mais il oublie de modifier parallèlement le reste de la scène et laisse subsister ainsi une contradiction entre deux passages, qui ont été rédigés à deux moments différents. Au reste, Musset n'est pas archiviste et ce genre de scrupule ne l'étouffe pas. On ne saurait raisonnablement lui en tenir rigueur.

Restent quelques cas litigieux, sur lesquels la réflexion doit s'exercer avec prudence. Il s'agit, entre autres, d'Octavien de Médicis, de Baccio Valori et de Bindo Altoviti. Ces trois personnages, qui connaîtront des fortunes inégales au cours de l'élaboration du drame de Musset, sont en effet cités à la fois par Varchi et par Cellini. Les deux derniers figurent même dans la scène historique de George Sand, *Une conspiration en 1537*, et ont, de ce fait, subi une première préparation dramatique qui les éloigne de leur origine. Quant à l'existence littéraire du premier, elle n'excède pas le premier acte du premier plan de *Lorenzaccio* et restera enfouie dans les limbes de l'imagination créatrice de Musset. Il semble donc, à première vue, difficile de déterminer avec précision si les Mémoires de Cellini ont exercé quelque influence sur l'avènement de ces trois personnages à la littérature dramatique. Toutefois, l'examen attentif de chaque cas laisse apparaître un détail singulier, qui, par la bande, relance l'intérêt.

S'agissant, par exemple, d'Octavien de Médicis, on notera que, dans l'unique scène où il paraît pour la première et dernière fois[64],

58. *Ibid.*, p. 213, n. 2.
59. *Ibid.*, p. 43, 1. 1189.
60. Voir *Farjasse*, t. 2, p. 378.
61. *Genèse*, p. 213, 1. 448-449 et n.c. 449.
62. On y trouve entre autres, cette coquille singulière : « Cibo Ricciardo, époux de Lorenzo » (*Farjasse*, t. 2, p. 378) ; mais un renvoi sur la même ligne, à l'article « Malaspina » allait aiguiller Musset sur la bonne piste.
63. Voir *Genèse*, p. 213, n.c. 449.
64. *Ibid.*, p. 149, 1. 4 et n. 2.

sa présence est liée à une dispute. Or, c'est au cours d'une dispute que nous faisons précisément sa connaissance dans les Mémoires de Cellini. Le mémorialiste, dans les quelques pages qui précèdent la scène de la médaille et de son revers, nous fait assister en détail aux démêlés qu'il eut avec le tout-puissant Octavien, qui, auprès du duc, « semblait diriger toutes les affaires ». Il nous apparaît sous les traits d'un homme entier et vindicatif, qui ne mâche pas ses mots : « il m'ordonna, écrit Benvenuto, de sortir de sa présence, ajoutant qu'il fallait avaler ce déboire, quand bien même il devrait m'étouffer [65] ». De tels passages plaident en faveur d'une source possible du personnage dans les Mémoires de Cellini.

La même remarque est valable pour Baccio Valori et surtout pour Bindo Altoviti. Que la silhouette générale et le rôle de Valori à la cour du duc Alexandre en qualité de commissaire apostolique soient à chercher d'abord du côté de Varchi, aucun doute n'est permis sur ce point ; Sand et Musset ont ici la même source d'information. Mais une anecdote rapportée par Cellini donne à rêver, d'autant qu'il s'agit de l'unique passage des Mémoires où il soit question de Valori. L'orfèvre évoque avec verve la rencontre qu'il fit de « Messire Bartolommeo Valori, à deux heures de la nuit, à l'angle de l'Hôtel de la Monnaie [66] » et le dialogue qu'ils eurent ensemble touchant les rapports du pape et des artistes. N'y a-t-il pas là, mutatis mutandis, l'amorce de la belle scène 2 de l'acte II, où Lorenzo et Valori, sur le parvis d'une église, échangent des propos sur l'art et la religion en présence du petit peintre Tebaldeo ?

Quant à Bindo Altoviti, on sait qu'il est cité par Varchi en qualité d'oncle de Lorenzo [67]. Sur son état civil, sa silhouette, ses occupations, le chroniqueur florentin est avare de renseignements, et il n'est pas douteux que le personnage dramatique doit beaucoup à l'imagination de George Sand. Un point pourtant reste obscur : pourquoi Musset lui fait-il recevoir en cadeau du duc Alexandre « le titre d'ambassadeur à Rome [68] » ? Fidèle, pour l'essentiel, aux inventions de George Sand, pourquoi, sur ce seul point, s'en sépare-t-il brusquement [69] ? Gratuite en apparence, cette bifurcation s'éclaire d'un jour nouveau, pour peu qu'on relise avec Musset les Mémoires de Cellini. Il y est question assez largement de Bindo Altoviti. Surtout, Musset a pu lire, dans une note de l'édition Farjasse, l'indication suivante, qui lui a sauté au regard : « Il [Bindo Altoviti] était à cette époque consul des Florentins à Rome [70] ». Frappé par le détail, passant outre à la chronologie ou ne s'en souciant guère, Musset glisse subrepticement cette note de vérité historique dans une biographie imaginaire de Bindo, où la fantaisie de George Sand

65. *Farjasse*, p. 56, l. 1600-1601.
66. *Ibid.*, p. 163.
67. *Genèse*, p. 56, l. 1600-1601.
68. *Ibid.*, p. 288, l. 747.
69. Cf. *Genèse*, p. 115, l. 727-730.
70. *Farjasse*, t. 1, p. 360, n.l.

s'était jusque-là donné libre carrière. Une fois de plus Cellini prêtait main forte à Varchi et le texte de *Lorenzaccio* s'enrichissait de ces deux lectures entrecroisées.

*
* *

A partir de là, nous entrons dans le domaine glissant de la conjecture. Il arrive en effet que la lecture parallèle de Varchi et de Cellini soit une lecture confondue et l'on ne sait au juste ce qui vient essentiellement de l'un ou de l'autre. Toutefois, à l'occasion, on verra comment la fréquentation tonique de Cellini, plus stimulante que la lecture grise de Varchi, vient donner à tel détail une vibration imprévue, crée la secousse qui ressuscite l'histoire, fournit à la création imaginaire des matériaux bruts que le génie du poète redistribue à sa fantaisie. On fera bien, en tous les cas, de ne dresser que des nomenclatures sélectives.

Par exemple, Sire Maurice de Milan, le tribunal des Huit, le Marché-Neuf, la naissance « papale » d'Alexandre de Médicis, le séjour de Clément VII à Bologne [71] sont autant de personnes, d'institutions, de lieux ou de faits qui se trouvent simultanément chez Varchi et chez Cellini, dans des formes ou sous des aspects très voisins. Disons, d'un mot, que la place qui leur est faite dans *Lorenzaccio* provient précisément de la convergence des deux livres à leur sujet. La crédibilité historique et le pittoresque dramatique y trouvent chacun leur compte et l'imagination créatrice de Musset ne se plaindra jamais de frapper fort en inventant juste. D'autres détails, par contre, appellent un traitement plus nuancé. Si, par exemple, l'association spontanée de Raphaël et de Michel-Ange est, depuis toujours, un poncif de l'histoire de l'art italien, auquel Musset, conjointement avec Farjasse, imitant lui-même Carpani [72], prête allègrement la main, il n'en demeure pas moins qu'une certaine insistance affectueuse de la voix tient autant à la ferveur que Musset emprunte à Benvenuto qu'à celle qu'il prête à Tebaldeo : le « grand Michel-Ange » [73], « notre divin Buonarotti » [74] sont des expressions directement imitées des Mémoires de Cellini, qui ne parle jamais autrement de Michel-Ange [75].

Deux noms de lieux célèbres, — le Campo Santo de Pise, le Rialto de Venise, — qui ont, tous deux, droit de cité dans *Lorenzaccio* [76], pourraient bien, eux-aussi, provenir des Mémoires de Cellini. S'il est vrai que c'est bien le Campo Santo de Pise qu'évoque Tebaldeo, et l'on verra ultérieurement sur quels arguments je crois pouvoir fonder cette vraisemblance [77], un long développement de Benvenuto

---

71. Voir *Genèse*, p. 87, n. 1 ; p. 309, l. 1174-1175 ; p. 397, l. 279-280.
72. Voir *Farjasse*, t. 1, p. 45, n. 3 ; *Opere*, t. 1, p. 53.
73. *Genèse*, p. 179, l. 65.
74. *Ibid.*, p. 259, l. 146-148.
75. Voir *Farjasse*, t. 1, p. 27 et 29.
76. Voir *Genèse*, p. 262, l. 199-200, et p. 468, l. 685.
77. Voir Ire partie, chapitre II, p. 46.

sur ce haut-lieu de l'art italien [78] me paraît, tout autant que des lectures contemporaines, susceptible d'avoir éveillé chez Musset le désir de lui faire un sort même modeste au détour d'un dialogue. Quant au Rialto, qui n'apparaît que dans la version imprimée de la pièce, en remplacement du Lido, qui figure seul dans le manuscrit [79], j'inclinerais à voir à l'origine de cette mutation de dernière heure, en dépit de l'hypothèse séduisante de M. Pommier [80], un souvenir de Cellini ; et ce d'autant plus aisément que, dans les Mémoires de Cellini, le Rialto sert de cadre à une scène de provocation dont Benvenuto se tire par la fuite : « Le même jour, écrit le mémorialiste, je rencontrai, près du Rialto, Pier Benintendi qui était accompagné de plusieurs autres de ses camarades. Je vis qu'il avait l'intention de me chercher querelle, je me réfugiai dans la boutique d'un apothicaire, jusqu'à ce que sa colère fût calmée [81] ». Or n'est-ce pas une scène analogue qu'a vécue Lorenzo, tandis que, dans le cours d'une de ses promenades vénitiennes, il était suivi, « un gros quart d'heure au bord de l'eau », par un « grand gaillard à jambes nues », qui « portait une espèce de couteau long comme une broche [82] » ? Il n'est pas jusqu'à l'arme du crime qui ne soit, peu ou prou, inspirée d'un autre passage de Cellini : c'est, en effet, d'un « poignard long comme un couteau de chasse [83] » que Benvenuto frappera l'archer coupable d'avoir tué son frère. Voilà bien des coïncidences, qui ont, elles aussi, un air de provocation.

C'est à une autre coïncidence, moins troublante, que nous avons affaire à propos des deux églises florentines où Tebaldeo passe le meilleur de ses dimanches [84]. Bien sûr, l'Annonciade et Sainte-Marie, dans l'esprit du poète, sont avant tout des églises symboliques, dédiées à la Vierge, comme il est naturel en Italie et particulièrement à Florence. Au reste, l'une d'entre elles, l'Annonciade, qui a ses lettres de noblesse artistique, a été déjà évoquée par Musset dans André del Sarto [85]. On trouvera plus loin les commentaires proprement littéraires que ce choix nous a paru mériter. Mais, pour l'instant, où nous ne nous occupons que de sources, — et d'une source précise, — on trouvera bon que nous versions au dossier une pièce assez singulière et digne de retenir l'attention. Cellini, dans la dernière partie de ses Mémoires, raconte en long et en large ses démêlés avec le sculpteur Bandinelli, son ennemi intime, à propos d'une série de travaux d'art exécutés pour le compte du duc Cosme de Médicis.

78. Voir Farjasse, t. 1, p. 24-25.

79. Voir Genèse, p. 468, n.c. 685.

80. Voir Pommier II, p. 77-78 ; « Les souvenirs de son séjour, écrit J. Pommier, le ramenèrent dans Venise même, et tout naturellement, il pensa au quartier du pont sous le Grand Canal et aux bas-fonds où baigne la ville » (p. 77). La substitution du Rialto au Lido s'expliquerait donc par un souvenir de voyage.

81. Farjasse, t. 1, p. 222.

82. Genèse, p. 467, l. 671-675.

83. Farjasse, t. 1, p. 150.

84. Voir Genèse, p. 268, l. 325.

85. Voir Gastinel I, p. 63.

Au plus fort de la querelle se trouve l'histoire d'un crucifix de marbre, qui suscite à la fois et paradoxalement la jalousie de Bandinelli, la rancune de la duchesse et une chamaillerie vétilleuse avec les religieux de Sainte-Marie-Nouvelle. C'est cette querelle qu'évoque Benvenuto en ces termes : « Aussitôt que Bandinello eût appris que j'avais fait le crucifix dont j'ai parlé plus haut, il commença à mettre en œuvre un bloc de marbre et fit cette figure représentant une descente de croix, que l'on voit dans l'église de l'Annunziata, parce que j'avais dédié mon Christ à Santa Maria Novella. J'avais même déjà fait poser les crampons pour le recevoir, et demandé, pour seule récompense, la permission de pratiquer aux pieds de ce Crucifix une petite tombe au niveau du sol pour y être déposé après ma mort. Les religieux me dirent qu'ils ne pouvaient m'accorder cette grâce sans en demander d'abord l'autorisation aux marguilliers. « Frères, leur répondis-je, et pourquoi n'avez-vous pas demandé la permission à vos marguilliers pour que je pusse placer mon beau Crucifix, et m'avez-vous laissé poser les crampons et les autres choses sans vous y faire autoriser ? Cela fut cause que je ne voulus plus donner à l'église de Santa Maria Novella, le fruit de mes immenses travaux : malgré les prières des marguilliers, qui vinrent me rendre visite pour m'y engager. J'eus l'idée d'en faire présent à l'église de l'Annunziata, et je fis la proposition de le donner à la même condition qu'à Santa Maria Novella. Ces vertueux moines me dirent d'un commun accord de le placer dans leur église et d'y construire un tombeau, comme il me plairait. Bandinello, l'ayant su d'avance, termina son groupe de la descente de croix avec la plus grande promptitude et pria la duchesse de lui faire obtenir la chapelle qui appartenait autrefois aux Pazzi : il ne l'eut que difficilement. Néanmoins, il y plaça son ouvrage. Il mourut avant même qu'il fût tout à fait fini [86] ». On me pardonnera cette longue citation, si l'on veut bien considérer qu'il y a là, rassemblées en quelques lignes, plusieurs indications, dont Musset saura faire heureusement son profit.

Pour peu, en effet, qu'on souligne les éléments clés du passage, — la chapelle des Pazzi, le Christ de marbre, l'Annonciade et Sainte-Marie-Nouvelle, — on s'apercevra que rien n'en a été perdu et que ces quatre éléments ont été intégrés, avec des fortunes inégales, dans les scènes de *Lorenzaccio*, utilisées ou non, où figurent ensemble Lorenzo et Tebaldeo. Ce qui, du reste, ne saurait surprendre, puisqu'il est probable qu'à l'origine Tebaldeo devait être, dans la pensée de Musset, un élève de Benvenuto [87]. La chapelle des Pazzi dans l'église de l'Annonciade, par exemple, rentre dans l'anonymat et devient tout simplement « une petite chapelle derrière le chœur » d'une hypothétique église Sainte-Marie [88]. Musset pousse même l'économie des moyens jusqu'à biffer un détail, qui risquait de sonner trop

86. *Farjasse*, t. 2, p. 247-249.
87. Voir *Genèse*, p. 169, n. 1.
88. *Ibid.*, p. 178, l. 55-56.

haut, pour ajouter un renseignement, qui brouille les pistes et rend le lieu purement imaginaire. Il biffe, à cet effet, « de marbre », et remplace ce détail par un autre de son cru : « derrière le chœur [89] ». Quant au crucifix de marbre, son destin est pour le moins imprévu. On le voit, en effet, apparaître brusquement, quelques instants avant l'assassinat du duc Alexandre, au cours du long délire au clair de lune, où Lorenzo libère en fantasmes son émotivité exacerbée : « Ils font un crucifix ; avec quel courage ils le clouent ! Je voudrais voir que leur cadavre de marbre les prît tout d'un coup à la gorge [90] ». Que ce crucifix de marbre, que ces travaux sous le portique d'une église aient un lien nécessaire avec Tebaldeo, donc, par ricochet, avec Benvenuto Cellini et ses Mémoires, on en trouvera la preuve dans les corrections du manuscrit, qui sont ici très instructives. Après la phrase « on taille, on remue des pierres », une première leçon, biffée, constituait l'amorce d'une scène où le jeune artiste, protégé par Lorenzo, devait jouer un rôle : « C'est toi, Freccia ? (Il s'avance) — Freccia : Bonsoir, seigneur Lorenzo [91] ». Nul doute que les travaux de sculpture sacrée, dont il est ici question, ne soient à mettre en relation plus ou moins directe avec la scène entre Tebaldeo et Lorenzo, au cours de laquelle le jeune artiste souhaitait qu'on lui confiât la décoration d'une chapelle « au fond de Sainte-Marie [92] ». Que Musset ait finalement renoncé, d'un trait de plume, à la rencontre des deux personnages, pour des raisons esthétiques sur lesquelles nous reviendrons ultérieurement, n'ôte rien à la vérité d'une source littéraire, sur laquelle l'imagination du poète a brodé de libres arabesques.

Restent les moines de Sainte-Marie ou de l'Annonciade, qui accueillent et costument si gentiment le jeune Tebaldeo le dimanche [93]. Une fois de plus c'est aux Mémoires de Cellini qu'on demandera leur certificat d'origine. Certes, Musset se gardera bien des subtilités de l'irascible orfèvre. Entre les pusillanimes dominicains de Sainte-Marie-Nouvelle et les généreux servites de Marie de l'Annonciade le poète tirera un trait d'union et rétablira la tunique sans couture sous le signe du chant liturgique et du service divin. Quant à Tebaldeo, il sera peintre exclusivement, à l'école de son maître Raphaël, et laissera dans les limbes de l'œuvre achevée ou sous les biffures du manuscrit ses ambitions de fresquiste et de sculpteur, sous la férule du « grand Michel-Ange ». Mais, dans tous les cas, et sans le savoir, Tebaldeo n'aura eu en réalité qu'un Maître et qu'un guide, demeuré dans la coulisse : Benvenuto Cellini.

89. *Ibid.*, p. 178, n. 55.
90. *Ibid.*, p. 423, 1. 768, et p. 424, 1. 769-770.
91. *Ibid.*, p. 423, n.c. 766.
92. *Ibid.*, p. 178, 1. 55.
93. *Ibid.*, p. 268, 1. 325-329.

*
* *

Et la moisson n'est peut-être pas terminée. On peut glaner encore, ici ou là, quelques petits faits vrais, qui germeront à l'imprévu en tableaux, en propos ou en répliques. C'est ainsi que s'élabore spontanément tout un jeu d'échos entre *Lorenzaccio* et les Mémoires de Cellini. A la « cape » de l'Ecolier [94], par exemple, répond celle de Benvenuto, qui est de toutes les occasions [95]. Les « cinquante braves jeunes gens » qu'a recrutés l'orfèvre pour protéger la maison d'Alessandro del Bene [96] semblent avoir inspiré à Musset les « cinquante jeunes gens, tous déterminés [97] », réunis chez les Pazzi pour conspirer contre le duc Alexandre. Julien Salviati, estropié par les Strozzi, se traîne aux portes du palais ducal [98], tout comme Benvenuto, évadé du château Saint-Ange et blessé à la jambe, cherche refuge dans le palais du cardinal Cornaro [99]. Encore ne s'agit-il là que de rencontres ou de réminiscences aisément identifiables. J'ajoute que maints propos tenus par les personnages de Musset doivent leur substance ou du moins leur mouvement à un propos similaire trouvé sous la plume de Cellini. Ainsi se lèvent conjointement à l'appel de la mémoire des répliques par couples, qui excluent l'hypothèse d'une rencontre de hasard : par exemple, ce propos du cardinal Cibo au page Agnolo — « Rien n'est un péché quand on obéit à un prêtre de l'Eglise romaine [100] » — et ce trait du pape Clément VII donnant l'absolution générale à Benvenuto lors du siège de Rome : « Il [le pape] me dit qu'il me bénissait et qu'il me pardonnait tous mes homicides que j'avais commis, et tous ceux que je commettrais au service de l'Eglise apostolique [101] ». Citons encore ces propos complémentaires de deux orfèvres, qui semblent entrer spontanément en résonance : d'un côté, le père Mondella au Cavalier, qui le félicite pour son patriotisme républicain : « si j'étais un grand artiste, j'aimerais les princes parce qu'eux seuls peuvent faire entreprendre de grands travaux [102] » ; de l'autre, Benvenuto répliquant à Baccio Bettini, qui lui reproche d'immortaliser les princes : « je ne suis qu'un pauvre orfèvre, je sers qui me paie [103] ». On pourrait à l'envi multiplier les échantillons de ces rencontres impromptues, où le souvenir, même diffus, d'une lecture a soudain fécondé l'imagination créatrice, l'accouchant d'une réplique heureuse ou d'un trait qui fait mouche.

94. *Ibid.*, p. 198, l. 168.
95. Voir *Farjasse*, t. 1, p. 37 ; p. 145 ; p. 189, etc.
96. *Ibid.*, p. 98.
97. Voir *Genèse*, p. 321, l. 157, et p. 337, l. 479.
98. *Ibid.*, p. 311, l. 1204-1205.
99. Voir *Farjasse*, t. 1, p. 319.
100. *Genèse*, p. 218, l. 544-545.
101. *Farjasse*, t. 1, p. 109.
102. *Genèse*, p. 233, l. 832-834.
103. *Farjasse*, t. 1, p. 256.

D'où vient, par exemple, l'idée première de cette fiévreuse nuit passée « dans les ruines du Colisée antique [104] », au cours de laquelle Lorenzo sent fondre sur lui le mystère d'un destin d'exception, sinon de cette autre nuit de feu passée dans le même Colisée par Benvenuto et quelques compagnons à évoquer les esprits d'un autre monde [105] ? Et cette troupe de bannis qui fait peur à Catherine et pitié à Marie [106], faut-il aller en chercher l'origine dans quelques lignes de mistress Shelley enfouies au plus épais d'un obscur *Salmigondis ou Contes de toutes les couleurs* [107], quand les Mémoires de Cellini nous en offrent le tableau pathétique. Toute la scène imaginée par Musset s'y trouve, en effet, du moins dans ses éléments constitutifs : la longue plainte, au long des routes, des « fuorusciti » florentins exilés par le bon plaisir d'Alexandre, le coucher du soleil tout proche ; la peur elle-même est au rendez-vous [108]. L'invention de Musset consiste, en la circonstance, à emprunter ces éléments et à les organiser selon un autre schéma dramatique, à les faire basculer, si l'on veut, d'un monde dans un autre, ou plutôt à tirer de leur agencement inédit un monde nouveau.

C'est à une transposition du même ordre, plus audacieuse encore, qu'il nous est donné d'assister à la fin du grand monologue au clair de lune, que j'ai déjà évoqué précédemment. On se souvient que Lorenzo éprouve brusquement des envies de danser « qui sont incroyables » : « je crois, s'écrie-t-il, si je m'y laissais aller, que je sauterais comme un moineau sur tous ces gros plâtras et sur toutes ces poutres [109] ». Comme la nuit du Colisée, comme l'adieu des bannis, ce singulier tableau, d'un puissant effet dramatique, a probablement son origine dans les Mémoires de Cellini ; mais la source est devenue méconnaissable, comme on va voir. Que cette source en tout cas soit sûre, je veux dire que Musset l'ait connue et qu'il ait pu y prêter attention, cela ne saurait faire de doute, puisqu'il s'agit d'un passage des Mémoires où Cellini raconte dans quelles circonstances fantastiques il a pressenti, puis appris la nouvelle de l'assassinat d'Alexandre par son cousin Lorenzino. Musset était ici au cœur de son sujet ; une lecture distraite n'était plus de mise.

Une fois de plus, le récit de Cellini fournit les éléments bruts de la scène, comme on peut s'en aviser par l'extrait que voici : « Arrivés à une petite élévation, il faisait déjà nuit, nous jetâmes ensemble un cri d'étonnement, en regardant du côté de Florence, et en disant : "Grand Dieu ! Que voit-on sur Florence ?" C'était

---

104. *Genèse*, p. 342, l. 561-562.

105. Voir *Farjasse*, t. 1, p. 183-186.

106. Voir *Genèse*, p. 247, l. 1087-1090.

107. *Ibid.*, p. 247, n. 1.

108. Voir *Farjasse*, t. 1, p. 216-217 ; on notera, dans le passage mentionné ci-contre, que Benvenuto et son compagnon, le couard Tribolo, se rendent à Venise via Ferrare ; or on lit, dans la scène des bannis de *Lorenzaccio*, l'indication suivante : « Et moi à *Venise* ; en voilà *deux* qui vont à *Ferrare* » (*Genèse*, p. 249, l. 1118-1119). Si c'est une coïncidence, elle est troublante.

109. *Genèse*, p. 424, l. 772-774.

comme une grande *poutre* de feu qui étincelait et jetait une grande clarté. Je dis à Félix : " Nous apprendrons certainement demain que quelque grand événement est arrivé à Florence ". Lorsque nous entrâmes à Rome, il faisait très sombre, je montais un petit cheval qui allait très bien l'amble ; en arrivant près des banques et d'une maison, je ne vis pas, ni mon cheval non plus, *un amas de chaux et de briques rompues* qu'on avait fait au milieu de la rue. Mon cheval le *monta avec vivacité ;* mais en le descendant, il tomba et fit une culbute en mettant sa tête entre ses jambes, de façon que je crois que ce ne fut que par la grâce de Dieu que je ne me fis aucun mal. A ce bruit, les voisins apportèrent de la lumière ; j'étais déjà sur mes jambes, je ne remontai pas à cheval, je *courus* chez moi, en riant d'avoir échappé à cet accident sans me rompre le cou [110] ». Dispersés, sans doute, mais présents, on reconnaît au passage divers ingrédients qui constituent la folle gambade sur les gravats, dont s'inquiète à juste titre la méfiance du cardinal [111] : la poutre, les plâtras, le saut sur le tas de gravats, le départ en courant. Aucun d'eux, j'en conviens, n'est vraiment reconnaissable, mais ne s'en étonneront que ceux qui oublient que l'art est avant tout métamorphose. Il aura suffi d'un battement précipité du cœur, d'un rythme obsédant, d'une musique qui envahit peu à peu la fin du monologue, pour que l'incident devienne drame, la culbute danse, le rire sombre folie, le hasard signe du destin. Ainsi en va-t-il parfois du fait divers que le génie d'un poète métamorphose en tragédie.

Ce dernier exemple, le plus singulier de tous, offre l'avantage de bien mettre l'accent sur le type d'influence que les Mémoires de Cellini ont pu exercer sur *Lorenzaccio*. Rien ou peu dans l'information, tout dans la secousse, dans le branle donné à l'imagination créatrice, tel est, en bref, le bilan. Pour l'information, Varchi, en effet, suffisait ; on s'en rendra compte notamment au cinquième acte, au cours duquel Musset suit pas à pas les données historiques de Varchi. Mais quant au profil dramatique à donner à ce grand final, à sa dynamique propre, fût-elle d'essoufflement et de déception, trois lignes de Cellini suffisent sans doute à provoquer la secousse féconde, à donner l'étincelle créatrice : « Je ne vous reprocherai pas, réplique Cellini aux moqueries de ses détracteurs républicains, votre légèreté, vos folies et vos lâchetés passées ; mais je répondrai à ces rires stupides auxquels vous vous laissez aller que, dans deux ou trois jours au plus, vous aurez un autre duc, et pire peut-être que le dernier [112] ».

Faut-il évoquer le désœuvrement de Lorenzo à Venise et les périls qui le guettent à tous les carrefours ? Là encore, Cellini, par son talent d'écrivain, est un guide plus stimulant que Varchi, tout bardé pourtant de son information de première main. Cellini ra-

---

110. *Farjasse*, t. 1, p. 255 ; c'est moi qui souligne.
111. Voir *Genèse*, p. 426, l. 805-809.
112. *Farjasse*, t. 1, p. 256.

conte, dans le deuxième volume de ses Mémoires, comment il lui
arriva, à Venise, de rencontrer « Messire Lorenzo de Médicis », et il
écrivit à son sujet cette petite phrase grosse de promesses dramatiques : « ne sachant où passer son temps sans courir de grands
dangers, il restait chez moi la plus grande partie de la journée, et me
regardait travailler à mes grands ouvrages [113] ». Peu importe en
définitive que Musset ait été infidèle aux indications de Cellini
sur l'emploi du temps de Lorenzo à Venise. Ce qui compte, c'est
le désœuvrement de l'homme traqué auquel il appartenait à Musset
d'imaginer l'exutoire convenable à son personnage. Car la vraie fidélité au modèle est d'abord esprit et vérité.

Après tant d'emprunts plus ou moins déguisés, dont nous venons
de dresser l'inventaire, qui ne prétend pas être exhaustif, on pourrait légitimement s'étonner que Musset se soit, tout compte fait,
mal acquitté de la dette contractée à l'égard de Benvenuto Cellini, en
réduisant l'orfèvre à la portion congrue d'une silhouette de cabaret. A-t-il sous-estimé l'importance de ses emprunts, dans bien des
cas à peine volontaires ou à demi-inconscients ? On lui saura gré,
en tout cas, d'avoir à sa manière rendu hommage non point à l'artiste, mais au conteur, c'est-à-dire, en définitive, à l'auteur des Mémoires. N'est-il pas dit, en effet, dans *Lorenzaccio* que ce « hâbleur
de Cellini » est « curieux à entendre, et probablement quelque bonne
histoire en train [114] ». Bonne histoire, en vérité, s'il s'agit, comme on l'a
vu, de celle d'une cité, d'une époque, d'une civilisation. Bonne
histoire, si elle permet de vivre, de l'intérieur, un moment critique de
l'histoire des mœurs, de la culture et des arts en Occident. Si, par
certains côtés, *Lorenzaccio* est le tableau musclé et pathétique d'une
décadence, c'est à Benvenuto d'abord qu'il le doit. Musset n'était pas
tenu de nous le dire, car son œuvre répond pour lui. Il suffisait
après tout, et après d'autres, qu'un lecteur curieux et indiscret le dît
à sa place, non pour lui en faire grief, mais pour qu'il en tire un surcroît de gloire.

113. *Ibid.*, t. 2, p. 153.
114. *Genèse*, p. 234, 1. 844-845.

CHAPITRE II

DES LIEUX ET DES HOMMES

Introduction au commentaire concerté

Les études réunies sous ce chapitre m'ont été suggérées par une réflexion critique sur ce que je voudrais appeler l'annotation « insulaire », pratiquée par la majorité des éditeurs de *Lorenzaccio*. Je mets toutefois à part l'édition critique procurée par M. Dimoff sous un titre à la fois ample et restreint : *la Genèse de « Lorenzaccio* [1] » ; c'est là, en effet, un titre qui circonscrit rigoureusement son objet. Paul Dimoff met sous nos yeux, avec un scrupule exemplaire, toutes les pièces d'archives qui jalonnent, à découvert, l'itinéraire d'un écrivain au travail, sans se soucier outre mesure des démarches souterraines de l'imagination créatrice. De là, au bas d'un texte généralement sûr et dont les variantes ont été collationnées avec soin, une annotation abondante, mais essentiellement orientée vers la découverte des sources littéraires certaines et le rapprochement des textes significatifs. Le lecteur curieux ou simplement attentif reste souvent sur sa faim, mais Paul Dimoff ne le prend pas en traître, puisqu'il affirme, d'entrée de jeu, que son commentaire « ne vise point à être explicatif ni historique [2] ». On ne saurait être plus loyalement prévenu. Quant aux autres éditions, d'entre les meilleures, du drame de Musset [3], elles ont toutes en commun un défaut capital : la plupart des notes qui accompagnent le texte de la pièce sont conçues, pour ainsi dire, par îlots séparés et privés de toute perspective d'ensemble. Il en va un peu, — mutatis mutandis —, de l'éditeur de *Lorenzaccio* comme de l'homme de

---

1. Textes publiés avec introduction et notes par P. Dimoff, Paris, Droz, 1936 ; 2e édition revue et corrigée, Paris, Didier, 1964.

2. *Genèse*, LIX.

3. Je retiens particulièrement les éditions suivantes : *Lorenzaccio* introduction et notes de F. Ségu, Paris, Didier et Privat, 1936 ; *Théâtre complet*, texte établi et annoté par Philippe Van Tieghem, « les classiques verts », Paris, les Editions nationales, 1948 ; *Comédies et Proverbes*, tome 2, texte établi et présenté par Françoise Gastinel, Paris, les Belles Lettres, 1952 ; *Théâtre complet*, texte établi et annoté par Maurice Allem, Bibliothèque de la Pléiade, Paris, Gallimard, 1958.

théâtre appelé à porter le drame à la scène : selon qu'il s'interroge ou non sur la signification globale de la pièce, selon qu'il met ou non en valeur tel aspect du texte qui lui paraît essentiel, l'éclairage se déplace, l'accent se modifie, des reliefs nouveaux apparaissent ; le pire étant, en la matière, l'absence complète d'interrogation et de choix.

Au commentaire « insulaire », dont on constatera plus loin les mécomptes et les limites, il faut, me semble-t-il, opposer résolument ce que j'appellerai le commentaire « concerté[4] ». J'entends par-là celui qui, loin d'isoler chaque détail pour en chercher l'origine, possible ou probable, ou pour dénoncer éventuellement l'erreur historique qu'il contient, tiendra compte, pour l'explication de détail, du dessein général de la pièce, des habitudes de composition de Musset, du mécanisme subtil de l'imagination créatrice. Commentaire historique, si l'on veut, commentaire vétilleux à l'occasion, mais commentaire littéraire avant tout. Entendez qu'on ne devrait jamais oublier que Lorenzaccio est d'abord une œuvre d'imagination et que celle-ci tend par essence au plaisir esthétique du lecteur. Le reste lui est donné par surcroît. La recherche d'une source, historique ou littéraire, n'aura donc de sens qu'autant qu'elle mettra en valeur le jeu de l'imagination créatrice transformant cette source en sa propre substance. La découverte d'une erreur historique n'aura d'excuse qu'autant qu'elle nous aidera à suivre les cheminements secrets par lesquels un faux-pas, — erreur ou mensonge —, dans l'ordre de la vérité historique peut devenir bond, — musique et harmonie —, dans l'ordre de la vérité d'art.

De ces gloses que j'ai appelées « insulaires », on aura le meilleur échantillon à propos d'un des personnages secondaires du drame : Léon Strozzi, prieur de Capoue. *Prieur* de Capoue ? Qu'est-ce à dire ? Les commentateurs oscillent entre deux pôles opposés : mettant l'accent sur le contexte[5] ou, ce qui revient au même, prenant le mot « prieur » dans le sens habituel que lui donne le langage de l'administration ecclésiastique, s'agissant du clergé régulier, certains font carrément de Léon Strozzi un prêtre[6], ce qui s'arrange assez mal avec ce que nous savons de la carrière militaire qui fut la sienne ; ou bien alors, choisissant la lettre contre l'esprit ou, si l'on préfère, laïcisant le titre et la fonction, on fait de Léon, au mépris du contexte, une sorte de magistrat civil[7], comme du reste y invite sans peine l'histoire des institutions florentines[8]. La difficulté de faire coexister

---

4. C'est ce qu'a tenté, souvent avec bonheur, mais sous la forme un peu trop ductile du commentaire continu, M. André Lebois dans son « Analyse spectrale de *Lorenzaccio* », reproduite dans ses *Vues sur le théâtre de Musset*, Avignon, Aubanel, 1966.

5. « J'ai prêché quelquefois » (I, 5, p. 238, l. 925) ; « je ne vois de robe ici que la vôtre, Prieur » (*ibid.*, l. 932-933) ; « Diable de prêtre que tu es ! » (II, 1, p. 256, l. 91), etc.

6. « Le Prieur, type du bon prêtre, en face de Cibo, type du mauvais prêtre... » (D. et P. Cogny, in *Lorenzaccio*, Petits classiques Bordas, Paris, Bordas, 1963, p. 59).

7. « Prieur, c'est-à-dire magistrat, mais non ecclésiastique » (J. Nathan, in *Lorenzaccio*, Nouveaux classiques Larousse, Paris, Larousse, 1964, p. 18, n. 10).

8. Cf. Y. Renouard, *Histoire de Florence*, Paris, P.U.F., 1964, p. 52 ; P. Bargellini, *Florence*, Paris, P.U.F., 1964, p. 82-83.

sur les épaules du même personnage deux fonctions radicalement différentes a été bien ressentie par Mme Gastinel, qui pose le problème plus qu'elle ne tranche la controverse dans une note ainsi conçue : « M. Philippe Van Tieghem donne comme définition de *prieur :* titre de magistrats suprêmes dans quelques républiques italiennes. Ne semble-t-il pas qu'il s'agisse ici d'un titre ecclésiastique ? Son frère l'appelle prêtre (...) ; lui-même dit : « j'ai prêché quelquefois » ; Salviati parle de la robe du prieur [9] ».

En fait, la réponse coule de source et il n'y a pas à proprement parler de difficulté. Il suffit, pour y voir clair, de reprendre Varchi et d'en lire avec des yeux attentifs l'extrait que voici : « Essendo dunque innanzi a una di queste botteghe un cerchio di gentiluomini, dove erano messer Ione Strozzi cavaliere Ierosolimitano prior di Capua, fratello della Luisa di sopra dette, e Giuliano Salviati ... [10] ». Ainsi commence en effet le texte de Varchi qui a servi à nourrir la seconde moitié de la scène 5 du premier acte. Texte limpide, qui ne semble pas avoir inspiré à F. Ségu, qui le cite et le paraphrase utilement, la conclusion qu'il impose. Cédant, en l'occurrence, au démon de l'annotation « insulaire », Ségu définit, d'une part, « prieur » comme le « titre de magistrats suprêmes dans quelques républiques italiennes [11] » et note, d'autre part, que « Strozzi Léon (1515-1554) entra dans l'ordre de Malte, devint prieur de Capoue et fit sur mer la guerre aux Turcs ... [12] » ; puis, sans trop se soucier d'expliquer par quel mystère un titre, rendu ainsi polyvalent, semble pouvoir recouvrir trois fonctions différentes, respectivement civile, militaire et religieuse, il accompagne un hors-texte représentant Léon Strozzi de la remarque suivante : « Le prieur n'a pas la véhémence de son frère Pierre. Musset a laissé de côté le marin aventureux ; il a seulement gardé le caractère du « prêtre [13] ».

Le « mystère » s'éclaircit, dès lors qu'on saisit ensemble les deux bouts de la chaîne et qu'on se souvient que, dans la réalité, Léon Strozzi n'était, en rigueur de termes, ni prêtre, ni laïc, mais membre d'un ordre religieux *et* militaire. « Chevalier de Jérusalem », comme dit Varchi, il appartenait à l'Ordre souverain et militaire des Hospitaliers de Saint-Jean-de-Jérusalem, plus connu sous le nom abrégé d'ordre de Malte. Les membres de l'Ordre se répartissaient en trois classes : chevaliers, chapelains, servants ; seuls les chapelains étaient prêtres. Les chevaliers, qui appartenaient toujours à la plus haute noblesse, n'étaient pas prêtres, mais, en leur double qualité de frères et de guerriers, étaient astreints tant à l'assistance des malades qu'au service armé contre les ennemis de la Foi. A ce titre, ils devaient se soumettre aux exigences de la vie conventuelle et prononcer les trois vœux monastiques

9. *Gastinel II*, p. 362, n. 5 de la scène v.
10. *Genèse*, p. 35, 1. 939-943.
11. *Ségu*, p. 51, n. 7.
12. *Ibid.*, p. 93, n. 4.
13. *Ibid.*, p. 92.

d'obéissance, de pauvreté et de chasteté. Léon Strozzi était l'un d'eux ; il l'était même éminemment, puisqu'il occupait, dans la stricte hiérarchie de l'ordre, une dignité élevée. Chacune des huit « langues » de l'ordre était, en effet, subdivisée notamment en grands prieurés, administrés par un Grand Prieur : c'est le titre exact que portait Léon Strozzi, qui occupait la charge administrative de grand prieur de Capoue [14].

Que Musset ait vraiment conçu Léon Strozzi comme un chevalier de Malte, rien n'est moins sûr. Il est même probable que l'ambiguïté du titre de prieur et sa consonance monastique l'auront amené à concevoir Léon Strozzi comme un ecclésiastique et à l'investir d'un sacerdoce dont, en fait, il n'eut jamais la plénitude. Ce qui importe, en l'occurrence, c'est la lumière qui se fait ainsi sur quelques mécanismes créateurs de l'imagination de Musset. En peignant Léon Strozzi sous les traits d'un « bon prêtre », humble de cœur, chaste, vertueux et proche du peuple [15], en l'opposant au cardinal Cibo [16], haut dignitaire ambitieux, corrompu et cynique, en coiffant même Valori du chapeau de cardinal que lui avait, en réalité, refusé Clément VII [17] et en lui octroyant, de plus, le libéralisme cultivé d'un courtisan diplomate, Musset, loin de simplifier l'échiquier politique florentin et le tableau d'histoire ecclésiastique, le nuance, évite les contrastes outrés, accroît ses chances de faire vrai. En mettant, d'autre part, Cibo et Léon Strozzi dans des camps rivaux, non seulement Musset choisit ses couleurs, mais accentue la démarcation qui sépare haut et bas clergé, hiérarchie ecclésiastique et fidèles [18]. Ajoutons enfin que le libéral de 1833, tout en partageant sans ambiguïté l'anticléricalisme ambiant des premières années de la monarchie de juillet, pouvait être, comme tout observateur aigu, sensible au fossé en train de se creuser entre

14. On pourra consulter sur ce sujet : « Cartulaire générale de l'ordre des Hospitaliers de Saint-Jean de Jérusalem » par J. Delaville Le Roulx, t. 1, Paris, Ernest Leroux, 1894 (notamment les p. CXXX-CXXXXI, consacrées au grand prieuré de Capoue) ; « L'ordre souverain et militaire des Hospitaliers de Saint-Jean-de-Jérusalem » par M. de Pierredon, Paris, 1925 ; on trouvera à la page 75 du livre de R. Prokapowski, « Ordre souverain et militaire jérosolymitain de Malte », éd. Ecclesia, Cité du Vatican, 1950, un portrait de Léon Strozzi avec cette légende : « Portrait de Frà Léon Strozzi ; Grand Prieur de Capoue, Capitaine Général des Galères de l'Ordre 1515-1554 (il vainquit la flotte turque aux îles Merlines en 1537) ».

15. « Cette noblesse des Strozzi est chère au peuple, parce qu'elle n'est pas fière » (I, 5, p. 238, l. 918-919).

16. « S'il faut parler franchement, j'ai trouvé le sermon trop beau — J'ai prêché quelquefois, et je n'ai jamais tiré grande gloire du tremblement des vitres — Mais une petite larme sur la joue d'un brave homme m'a toujours été d'un grand prix » (I, 5, p. 238, l. 924-928) ; si, comme on peut le penser, le sermon incriminé a été prononcé par le cardinal Cibo (v. Genèse, Plan I, III, p. 154, l. 41 ; I, 5, p. 232, l. 811-812 et n. 1), on perçoit déjà là une discordance intentionnelle et significative.

17. V. Genèse, p. 187, n. 4 ; En fait, on reconnaît à certains signes que Musset s'est avisé très tardivement de faire de Valori un Cardinal de l'Eglise Romaine (v. p. 187, l. 8 et n.c. 8 ; une première leçon biffée donne : « Valori » ; c'est après coup que Musset a écrit en toutes lettres : le cardinal Baccio Valori. Aucun des trois plans en tout cas ne semble donner le chapeau à Valori). L'idée a dû germer d'un rapprochement entre le titre de commissaire apostolique, emprunté à Varchi et à George Sand (v. Genèse, p. 83, l. 7 et n. 3), et le titre moderne de nonce apostolique, traditionnellement réservé aux prélats représentant le Saint-Siège.

18. Cf. I, 5, p. 232, l. 807-809 ; II, 3, p. 272, l. 390-391 et l. 395-397.

hauts dignitaires de l'Eglise, restés carlistes et réactionnaires, et jeunes clercs souvent gagnés aux idées libérales et travaillés par l'influence mennaisienne. Car telle est bien la perspective de Musset, sa vision « binoculaire » du passé : peintre d'histoire sans cesse tenté par l'anachronisme, dramaturge politique soucieux de comprendre les événements du passé à la lumière des événements contemporains, « Janus bifrons » tourné à la fois du côté de la Florence médicéenne et de la monarchie restaurée. Tel est, en tout cas, le singulier destin de ce Léon Strozzi, grand ferrailleur devant l'Eternel, qui, pour les besoins d'un dramaturge épris de vérité contemporaine, a été la victime d'une sorte de mutation d'état civil et de caractère. Et l'on pourra, selon l'humeur, se divertir ou s'affliger de cet avatar imprévu du chevalier de Malte comme type littéraire de notre littérature [19].

Un autre ecclésiastique, prêtre authentique celui-ci, et même évêque, propose à la sagacité des éditeurs une assez curieuse énigme. Il s'agit de l'évêque de Marzi, dont il est question à plusieurs reprises dans Lorenzaccio : « Prenez garde à Lorenzo, Duc. Il a été demander ce soir à l'évêque de Marzi la permission d'avoir des chevaux de poste cette nuit [20] » ; « A propos, pourquoi donc as-tu fait demander des chevaux de poste à l'évêque de Marzi ? [21] » Qui était donc ce tout puissant évêque de Marzi, auquel Musset, avec une fidélité exemplaire, a donné, dans son drame, les pouvoirs et le rôle même que lui attribue Varchi ? La plupart des éditeurs restent muets à son égard : prudence oblige. Les plus audacieux, et, de toute façon, leur audace est louable, font preuve de plus d'ingéniosité que de rigueur. M. Van Tieghem, par exemple, qui n'a pas pour habitude d'esquiver les difficultés, propose de Marzi la traduction suivante : « Sans doute Marsico, évêché du royaume de Naples » ; mais, circonspect, il ajoute aussitôt : « Nous ne savons pourquoi c'est à cet évêque que s'adresse Lorenzo, mais l'indication est dans Varchi [22] ». M. Nathan, de son côté, nous met sur la bonne voie, mais d'une manière encore trop évasive : « C'est un nom de personne, pas un nom de ville [23] ». M.P. Gauthiez, dont l'ouvrage classique sur Lorenzino de Médicis est vraisemblablement à la source de la note de M. Nathan, donne quelques détails sur la ruse employée par Lorenzo pour obtenir de l'évêque de Marzi des chevaux de poste nécessaires à sa fuite [24], mais rien sur l'origine et la nature des fonctions exercées par l'évêque.

---

19. Mme Claire-Eliane Engel a consacré à ce sujet, pour une période déterminée, une étude très documentée dans la Revue des sciences humaines, 1953, p. 215-229, sous le titre : « le chevalier de Malte, type littéraire au XVIIIᵉ siècle ».

20. IV, 10, p. 425, l. 788-790.

21. IV, 11, p. 420, l. 873-875 ; voir aussi, V, 2, p. 446, l. 268-269.

22. Coll. des Classiques verts, p. 196, note.

23. Coll. des Nouveaux classiques Larousse, p. 124, n. 1.

24. P. Gauthiez, Lorenzaccio (Lorenzino de Médicis), 1514-1548 ; Paris, Fontemoing, 1904, p. 254 sq.

La première mention un peu détaillée du personnage nous a été fournie par un vieux *Guide de Florence et de ses environs*[25], qui à propos de la Fortezza da Basso[26], donne les indications suivantes : « On en posa la première pierre le 15 juin 1537 [*sic*], et l'inauguration se fit par Angelo Marzi, évêque d'Assisi, en présence du duc Alexandre et de toute sa cour[27] ». Passons sur la chronologie, fort douteuse, donnée par le guide, car, en juin 1537, le duc Alexandre eût été bien en peine de présider quelque cérémonie que ce fût. Il ressort de l'information qu'Angelo Marzi agissait en familier du duc, auprès de qui il devait exercer des fonctions officieuses, tenant à la fois du grand aumônier et du préfet de police. Les détails complémentaires, propres à fixer les idées, c'est chez un chroniqueur italien contemporain de Varchi qu'on les trouvera à profusion. Les *Storie fiorentine di messer Bernardo Segni* font, en effet, toute la lumière sur la personne et le rôle de l'évêque Marzi à Florence en un court paragraphe que voici : « ... n'andò a Messer Agnolo Marzi vescovo d'Ascesi, che faceva come fidato del Duca, molte faccende a uso di Segretario, e soprattutto aveva commissione sopra il dar le poste, che senza sua licenza non si potevano dare ad alcuno. Chieseli per tanto Lorenzo la licenza di potere avere tre cavalle, allegando un bisogno necessario d'andare al Trebbio a vedere Giuliano suo fratello, che si moriva. Il vescovo, che sapeva l'autorità e la fede di Lorenzo verso il Duca, senza penzar punto all'ufficio suo gliene dette...[28] ». Que Marzi ait été évêque d'Assise, cela nous est confirmé par toutes les nomenclatures ecclésiastiques que nous avons pu consulter[29]. Qu'il ait résidé à Florence et non dans le diocèse dont il portait le titre, qu'il ait, d'autre part, occupé les fonctions privées d'homme de confiance du duc Alexandre, cela ressort de la chronique de Segni. Qu'il ait été, enfin, apparenté aux Médicis, on en trouvera le témoignage dans l'inscription funéraire (« Angelo Marzi Medici ») portée sur le tombeau monumental de l'évêque, sculpté par Francesco da Sangallo en 1546 et qu'on peut voir encore dans le sanctuaire de la Santissia Annunziata à Florence.

Tous ces détails, qui intéressent l'historien et mériteraient de figurer dans les annexes d'une édition annotée, appellent deux mots

25. *Guide de Florence et de ses environs* par l'abbé A. Bulgarini et traduit en français par A. Le Rendu, 2ᵉ éd., Florence, 1842.

26. Au sujet de cette Citadelle, dont il est fréquemment question dans la pièce, on peut lire dans l'*Histoire des républiques italiennes du moyen âge* de Sismondi (1818, t. 16, p. 86) les précisions suivantes : « Il (Alexandre) fortifia sur les bords de l'Arno un bastion qui pût lui servir de refuge, en cas d'insurrection du peuple ; mais ne se croyant point assez assuré par là, il fit jeter, le 1ᵉʳ juin 1534, les fondements d'une citadelle à l'endroit où était auparavant la porte de Faenza, et il y fit travailler avec tant d'activité, qu'avant la fin de l'année elle fut en état de défense ».

27. *Guide de Florence...*, p. 21.

28. « Storie fiorentine di messer Bernardo Segni, gentiluome fiorentino... », Milano, anno 1805, Classici italiani, tome 2, livre VIII, p. 131 sq.

29. Dans Gams, *Series Episcoporum Ecclesiae Catholicae*, Ratisbonne 1873, p. 669, on lit, dans le chapitre consacré au siège épiscopal d'Assise, l'indication suivante : « Angelus Marzi, 1529-1541 ; † 1546 Florentiae » ; renseignement confirmé dans « Hierarchia Catholica medii et recentioris Aevi », vol. 3, 1923, p. 120 ; « Assisi » ; Angelus Martius de S. Geminiano (1529-1541) ; † 1546 ».

de commentaire proprement littéraire. Car s'il est probable que Musset ignorait tout de ce qu'on vient de rapporter, si sa source essentielle et presque unique est Varchi, fort avare de renseignements sur l'identité de l'évêque de Marzi, on comprendra aisément que ce n'est pas sans raison qu'il a maintenu dans son texte trois ou quatre répliques, dont les arrière-plans étaient, comme on vient de le voir, noyés d'ombres. En dramaturge sûr de ses effets, il a conçu la scène 10 de l'acte IV à la fois comme un écho et comme une revanche de la scène 4 du premier acte : mêmes personnages, moins Valori ; mêmes entrées successives, mais en ordre inverse, des accusateurs de Lorenzo : le cardinal, puis Sire Maurice. Toutefois la scène de l'épée a porté ses fruits. Le duc fonce, tête baissée, dans le piège tendu par Lorenzo. Gorgé de vin, échauffé de lubricité, il obéit, quasiment sous hypnose, au thaumaturge de ses plaisirs. Pour l'humilié, quelle revanche !

Dans ce schéma dramatique, l'appel à l'évêque Marzi trouve sans effort sa place. Pour le clan des ennemis de Lorenzo, c'est l'argument massue propre à éveiller la méfiance du duc et à conjurer le sort ; il vient à point et s'ajoute à d'autres signes, — la folle conduite de Lorenzo « sautant » sur des poutres et des pierres [30] » ou ses fanfaronnades sur les « lungarni [31] ». Un faisceau serré d'indices s'organise, où l'affaire des chevaux de poste tient la première place. Une preuve que l'argument est fort, c'est qu'une légère inquiétude semble soudain tracasser le duc « in extremis » : « A propos, pourquoi donc as-tu fait demander des chevaux de poste à l'évêque de Marzi ? [32] » Mais la réponse vient, logique, satisfaisante ; au surplus elle s'emboîte exactement dans la supposition émise, quelques instants auparavant, par le duc lui-même [33]. Dès lors, les jeux sont faits. L'intoxiqué court à sa drogue, l'hypnotisé a son obsession. Sur un tel cerveau, dans un tel moment, l'avertissement n'a plus de prise. Victoire complète pour Lorenzo, enfin payé de ses peines et parvenu à ses fins.

Ainsi voit-on à plein la technique de l'innutrition d'un texte de théâtre par Musset : intégrer un incident mineur, glané au détour d'une chronique riche en circonstances de cette sorte, dans un schéma dramatique qui, à la lettre, scelle le sort d'un homme. Il n'y a pas de meilleur exemple, dans toute la pièce, d'un fait divers atone élevé, par l'intuition créatrice du dramaturge, à la dignité de rouage nécessaire dans le mécanisme même du destin.

On aura remarqué, à propos des deux exemples qui précèdent, le soin délibéré que nous prenons de toujours rechercher, quand cela est possible, la justification littéraire d'un emprunt. Il y a tout à gagner, en effet, à se rappeler que, dans une œuvre d'imagination, le

30. IV, 10, p. 426, 1. 807.
31. IV, 7, p. 414-416, 1. 571-630.
32. IV, 11, p. 429, 1. 873-875.
33. Cf. IV, 11, p. 429, 1. 877-878 ; et IV, 10, p. 425, 1. 802-803.

souci d'architecture dramatique et d'effet esthétique l'emporte sans cesse sur le service de la vérité historique. Il est bon, d'un autre côté, de ne pas exiger de l'écrivain d'imagination la rigueur de lecture ou le respect scrupuleux du détail exact qu'on attend, par exemple, de l'historien. Car, lorsqu'elles ne sont pas volontaires, et l'on peut poser en principe que, dans *Lorenzaccio*, l'erreur volontaire est la règle et non l'exception, les libertés prises par Musset avec la vérité historique ou géographique sont dues, le plus souvent, à une lecture hâtive ou à une traduction approximative de la source écrite. A moins qu'il ne s'agisse purement et simplement d'une distraction, dont, au reste, comme on le verra plus loin, il n'est pas toujours dénué d'intérêt de retrouver l'origine ni de reconnaître, pour ainsi dire, la pente.

La plus évidente de ces erreurs de lecture ou de traduction concerne Montolivet, que Musset s'obstine à confondre avec San Miniato [34]. Cette confusion n'a, du reste, guère été aperçue par les éditeurs, même les plus avertis, puisqu'on peut lire dans les notes d'une édition justement appréciée : « Montolivet, bourg proche de Florence, sur une colline où s'élevait l'église San Miniato [35] ». Le souci de la vérité topographique commande de dissocier les deux noms et de leur donner l'exacte répartition qui leur convient. Un simple coup d'œil sur un plan ou dans un guide touristique, et, à plus forte raison, la vérification sur place, nous permettent de redistribuer ainsi le paysage : la colline de San Miniato, surmontée de la basilique romane de San Miniato al Monte, appartient à ce décor des collines du sud « qui entourent et parfois surplombent le quartier d'Oltrarno [36] » et d'où la perspective, sur Florence, « est la plus large et la plus agréable [37] ». Quant à la colline du Monte Oliveto, elle surplombe bien, elle aussi, l'Oltrarno, mais beaucoup plus à l'ouest, en contrebas de la colline de Bellosguardo. Là s'élève, outre l'église Renaissance de San Bartolomeo, « le couvent de Monte Oliveto, qui appartient aux moines d'un ordre toscan réformé, celui des Olivétains, fondé en 1313 par le bienheureux siennois Bernard Tolomei », et dont « le centre fut, et est toujours, Monte Oliveto Maggiore, près de Sienne [38] ». Ce dernier détail a son importance et c'est à dessein qu'on l'a relevé, car il est à l'origine de l'erreur de lecture commise par Musset. Il suffit, en effet, pour en comprendre le mécanisme de se reporter au texte même de Varchi dont Musset s'est servi : « Chaque année, tous les vendredis de Mars, la Sainte Eglise romaine accorde pardon et indulgence plénière à quiconque visite l'église de San Miniato, bâtie par la comtesse Mathilde, et *habitée alors par les moines de Montolivet*, ainsi que l'Eglise de San Salvadore (...). Ces deux églises sont si-

---

34. « Devant l'église de Saint-Miniato, à Montolivet » (I, 5, p. 231, l. 800).
35. *Théâtre*, p. 1261, n. 1.
36. P. Bargellini, *Forence*, Paris, 1964, p. 243.
37. II, 2, p. 263, l. 231-232.
38. P. Bargellini, *op. cit.*, p. 277.

tuées sur la hauteur que l'on appelle mont San Miniato, en souvenir
de Saint-Miniato, martyr[39] ». Une lecture un peu distraite et des
connaissances sans doute assez vagues sur la congrégation bénédic-
tine réformée, dite congrégation du Mont-Olivet, dont la maison
mère est le monastère de Monte Oliveto Maggiore, près de Sienne,
ont amené Musset à confondre San Miniato et Montolivet ou plutôt,
par mimétisme géographique, à situer l'église de San Miniato,
« habitée alors par les moines de Montolivet », — entendez : la
congrégation dite des Olivétains, sur une colline florentine répondant justement au nom bucolique de Monte Oliveto, en français
Montolivet.

Une autre « erreur » mérite d'être soumise aux feux croisés de
la microanalyse et du commentaire concerté. Il s'agit de celle qui
concerne un personnage très secondaire de la pièce, « Roberto
Corsini, provéditeur de la forteresse[40] ». Chose étrange, alors qu'on
n'a aucune peine à identifier la source littéraire d'où l'écrivain
a tiré le nom du personnage et l'épisode qui le concerne[41], alors
qu'il signale lui-même son emprunt en notant le nom et le titre
de ce fonctionnaire florentin en marge de l'un de ses plans[42],
Musset, brusquement, en modifie le prénom dans la rédaction
définitive. De Bertoldo, que donne Varchi et que note Musset lui-
même sur le feuillet 5 de ce plan, le dramaturge fait Roberto Corsini.
Pourquoi ce nouveau baptême, apparemment sans raison et, en
tout cas, sans intérêt évident ? Lecture inattentive de Varchi ?
Distraction d'écrivain pressé ? La psychologie moderne nous a appris que même les distractions pouvaient avoir un sens. Il fallait
retrouver la piste, mettre au jour la pente secrète, par où se glisse
subrepticement l'erreur. Cette piste, on va le voir, a emprunté un
itinéraire assez imprévu.

Roberto Corsini n'est pas, en effet, une invention de Musset :
le personnage avait, avant lui, son existence littéraire. Il est à la
fois le titre et le héros d'une nouvelle de Léon Gozlan, publiée
dans le tome 19 de la *Revue de Paris* d'octobre 1830[43]. Que Musset
ait lu cette nouvelle, voire conservé le recueil où elle était publiée,
c'est probable, pour la simple raison que le texte de Gozlan voisi-
nait, dans les colonnes de la *Revue de Paris*, avec « Les Vœux
stériles ». J'ajoute, pour renforcer notre certitude, que la nouvelle de
Gozlan traitait d'un sujet qui ne pouvait guère laisser Musset indifférent. « Roberto Corsini » est l'histoire d'un gentilhomme florentin
qui, joueur invétéré, joue toute sa fortune et jusqu'à son nom ;
il devient, du coup, « l'homme sans nom ». La substitution de

---

39. Trad. L. Lafoscade, *le Théâtre d'A. de Musset*, p. 384 ; on trouvera le texte original
dans *Genèse*, p. 34-35, 1. 917-927.

40. *Genèse*, p. 138, 1. 14.

41. *Genèse*, p. 63-64, 1. 1819-1820.

42. Le deuxième, selon la restitution que j'en propose dans le présent ouvrage ; selon
M. Dimoff, il s'agirait du 3e plan (v. *Genèse*, p. 165, n.c. 39).

43. « Roberto Corsini », par Léon Gozlan, p. 133-155.

Roberto à Bertoldo ne semble pas avoir d'autre origine que la résurgence spontanée de ce souvenir d'une lecture, resté gravé au fond
de la mémoire, à l'appel d'un nom similaire. Mais sous quelle subtile impulsion, cette résurgence ? Car le spontané lui-même a ses
lois. Sur ce point, je ne puis qu'avancer une hypothèse, mais fortement articulée sur le psychisme du créateur. Concevant, en effet,
dès le troisième plan[44], d'ouvrir sa pièce sur une scène de bal,
parachevant cette invention dans la version définitive, en déployant
les fastes d'un mariage mondain, où se croisent trois de ces thèmes
familiers, le masque, l'ivresse et la débauche[45], il était assez naturel
que, par le libre jeu de l'association des images, Musset rencontrât
spontanément le souvenir de la brillante scène de bal, de mariage et
d'orgie mondains, qui constitue précisément le morceau de bravoure
de la nouvelle de Léon Gozlan. On en trouvera, à titre documentaire, le
texte ci-dessous[46]. D'un mariage florentin à un autre mariage florentin,
d'un bal mondain à un autre bal mondain se sont tissés des liens
de mémoire affective ; et même si, comme il est évident, la scène de
Musset ordonnée avec la rigueur d'un ballet, ne doit rien à la plume
essoufflée de Gozlan, il n'est pas interdit de penser que deux tableaux
en association de souvenirs ont ainsi trouvé pour commun dénominateur un prénom commun et que Musset ne s'est peut-être même
pas aperçu de cette mutation irraisonnée, à laquelle le cœur seul
s'intéresse.

Parmi les personnages de second plan, il convient de faire un sort
particulier au petit peintre Tebaldeo Freccia. Plus question ici d'erreur
ou de distraction : tous les commentateurs s'accordent à reconnaître
en Tebaldeo une pure invention de Musset. Le personnage, en tout cas,
devait lui tenir étroitement au cœur, puisqu'il n'a pas rechigné à
composer deux scènes, achevées l'une et l'autre[47], où Tebaldeo
converse avec Lorenzo de Médicis, et la scène du portrait, où son
rôle est important, mais laconiques ses interventions dans le dialogue. On a vu, au chapitre précédent, que Musset avait même
songé à placer, au cours du grand monologue de l'acte IV, une brève

---

44. V. *Genèse*, p. 160, l. 2 et 3.
45. I, 2, p. 196-210, l. 125-399.
46. « La rue est déserte ; mais il est là, mais son palais étincelle de bougies ; de
larges coupes d'or qu'on passe chargées de fruits, de liqueurs en feu, de parfums qui
fument ; des femmes de soie, de brocard, de satin, de velours, aux épaules indécentes,
aux bras nus, aux regards tendres et dépravés, rejettent au loin, en dansant, leur
guimpe baignée d'une voluptueuse sueur ; des draperies écarlates sont balancées par
le vent, comme une flamme d'incendie, tantôt dans la rue, tantôt dans les appartements ;
au fond des places se dessinent en profil, en face, comme des épées brisées au soleil, des
têtes ardentes de danseuses, avec des voiles et des pierreries dans la chevelure ; partout
des vases de fleurs, des lampes qui mêlent leurs rayons à cet arc-en-ciel éblouissant ; le
fracas de l'or qui roule sur les tables, la joie, les chants, des cris, le timbre des
cymbales, les résonnements du cor, des verres qu'on brise, des toasts qu'on proclame :
l'air est ivre. Enfin des fenêtres toutes grandes ouvertes, des orangers sur les balcons ;
puis sur les balcons des femmes qui font semblant de contempler les étoiles du ciel,
et qui livrent leurs épaules à des baisers silencieux. On s'enivre, on se ruine, on s'embrasse :
on n'en peut plus de vins, de parfums, de femmes ; c'est une orgie. C'est un mariage »
(p. 152-153).
47. *Genèse*, p. 176-183 ; p. 257-269.

apparition du personnage, dont témoignent les biffures du manuscrit [47bis] et à laquelle il semble avoir aussitôt renoncé.

Qu'il ait finalement ramené le personnage de Tebaldeo et les
scènes où il intervient à des dimensions modestes pose en soi une
foule de problèmes auxquels il sera temps de faire face, quand
on abordera l'étude des particularités du manuscrit de la pièce.
C'est là, en effet, et là seulement qu'on peut surprendre sur
le vif les voies par lesquelles mûrit une pensée, s'approfondit
une vision, s'élabore une vérité dramatique. On se bornera
pour l'instant à s'engager sur une voie oblique ou du moins
étroite, afin d'examiner une question incidente : les avatars d'une
fiche d'identité. Car il n'est pas indifférent, surtout dans la création
d'un poète, que Musset ait une fois encore, et non sans quelque
hésitation, procédé à une mutation de nom ou, pour être plus
exact, à une création de prénom, sur laquelle il semble bien qu'on
ne se soit guère interrogé jusqu'ici. De Freccia à Tebaldeo, il y a en
effet plus qu'un changement de patronyme. Au vrai, ce changement
de surface traduit une métamorphose en profondeur et qui concerne
à la fois l'éthique et l'esthétique du personnage. C'est de ce point
de vue, étroit sur ses bases, mais large dans ses conséquences,
que nous nous proposons de suivre pas à pas la singulière promotion de celui qui se nommera lui-même « un desservant bien
humble de la sainte religion de la peinture [48] ».

Au point de départ Freccia est le nom d'un domestique de
Lorenzo : il apparaît à deux reprises dans Varchi [49]. Sous ce nom,
nous le retrouverons dans les trois plans de la pièce. Rien n'indique
toutefois qu'il y soit présent comme peintre ou même comme artiste. Qu'il chante [50] n'est pas une preuve suffisante de ses dons
créateurs ; Giomo, après tout, chante, lui aussi, au début de la
scène du portrait [51], mais son talent particulier est, on l'a vu dès
la première scène de la pièce, tout entier dans la force de ses
bras. Le certain, en ce qui regarde Freccia, c'est que, d'une part,
un dialogue avec Lorenzo est prévu, sur les bords de l'Arno, à la
fin du premier acte [52] et que, d'autre part, Freccia a partie liée
(mais comment ?) avec Benvenuto Cellini [53]. Rien n'empêche, dans
ces conditions de supposer, — comme le fait ingénieusement
M. Dimoff [54] — que Musset songeait d'abord à faire de Freccia un
apprenti graveur travaillant pour le compte de Benvenuto, précisément « l'ouvrier digne de s'acquitter [55] » du revers de la médaille

47 bis. Voir notre chapitre I, p. 26 et Genèse, p. 423, n.c. 766.
48. II, 2, p. 260, l. 165-166.
49. Genèse, p. 55-56, l. 1561-1563 et 1574-1575.
50. Si du moins l'on admet la lecture que je propose du manuscrit (Genèse, p. 159, l. 25
et p. 163, l. 28), d'accord en cela avec Gastinel II (p. 355, III, 1, et p. 356, III, 1).
51. II, 6, p. 304, l. 1052-1060.
52. V. Genèse, p. 151, l. 17 ; p. 158, l. 13 ; p. 161, l. 12.
53. Ibid., p. 152, l. 27-28 ; p. 159, l. 24-25 ; p. 163, l. 27-28.
54. Ibid., p. 169, n. 1.
55. Ibid., p. 173, l. 45-46.

promise au duc, dont il est question dans la scène avec Cellini restée inemployée dans la version définitive du drame.

Dès lors que le rôle de Cellini disparaît de la pièce pour se réduire à une figuration muette[56], il est naturel que le monde des artistes florentins trouve en Freccia son représentant le plus qualifié : tel est le point de départ de sa promotion. Encore son identité est-elle d'abord quelque peu flottante. C'est du nom de Freccia qu'il est désigné presque exclusivement dans la scène non employée[57]. C'est sous ce nom qu'il apparaît encore dans une partie du manuscrit de la scène au portail d'une église[58]. Mais il est à noter que là où le nom de Freccia décidément l'emporte, la personnalité du jeune homme manque de la netteté et de la vigueur qui caractériseront son avènement définitif à l'existence théâtrale sous le nom de Tebaldeo. Je remarque, en tout cas, que dans la scène non employée, par exemple, et quelle que soit la destination exacte ou supposée de cette scène, sur laquelle je m'expliquerai le moment venu en examinant le manuscrit, Lorenzo met à rude épreuve les forces vacillantes du jeune artiste. Celui-ci restera, tout au long de la scène, sur une prudente et craintive défensive, incapable de surmonter l'infériorité qui lui vient de son humble origine et de son très jeune âge[59]. Au reste, son enthousiasme créateur, à la merci des tentations diverses qui s'offrent à lui[60], semble encore chercher sa voie entre la peinture à fresque, la sculpture et la musique[61]. Cette disponibilité fébrile explique sans doute qu'à se choisir un maître et un modèle, c'est à Michel-Ange qu'il songe d'abord, en rêvant, à distance respectueuse, de lui emboîter le pas[62]. Cependant pour la première fois il est nommé par son prénom : Tebaldeo[63]. Ainsi la chrysalide n'est-elle pas encore entièrement papillon. Mais on doit comprendre, à cet appel d'un nom nouveau, que la métamorphose est proche et l'envol imminent.

Car qui est donc ce Tebaldeo, dont l'invocation baptismale semble soudain ouvrir un chemin nouveau sous les pas du jeune Freccia ? Le nom n'est pas, comme on l'a cru souvent, de l'invention de Musset : il appartient tout ensemble à l'histoire de la peinture et de la poésie italiennes de la Renaissance. Antonio Tebaldeo, poète de tradition pétrarquiste, précurseur du marinisme, contemporain de Sannazzaro et du cardinal Bembo, doit à son amitié pour Raphaël de figurer dans le Parnasse, — l'une des quatre grandes

---

56. I, 5, p. 234, l. 838-841.

57. *Genèse*, p. 176-183.

58. *Ibid.*, p. 265 à 269, l. 260 à 335.

59. « Je ne suis qu'un pauvre enfant du peuple » (*ibid.*, p. 177, l. 31) ; « Je suis un enfant » (*ibid.*, p. 180, l. 95).

60. « Ces livres, cet instrument, ces couleurs me font trembler, et je ne sais si c'est de joie ou de terreur ; tout cela ressemble à une tentation ». (*Ibid.*, p. 182, l. 128-130.)

61. *Ibid.*, p. 178-179, l. 55-60 ; p. 181, l. 110-119.

62. *Ibid.*, p. 179, l. 64-71.

63. *Ibid.*, p. 178, l. 50 ; p. 179, l. 75.

fresques de la chambre dite de la Signature au Vatican [64] —, aux côtés d'illustres poètes de l'Antiquité, Homère, Virgile, Ovide. Raphaël lui a même consacré un portrait de grande réputation, malheureusement égaré. En donnant à Freccia le nom de ce poète pour prénom de baptême et, pour ainsi dire, de vocation, Musset mettait définitivement et d'une manière intentionnelle le jeune artiste dans la mouvance raphaëlique. On sait le rayonnement de ce peintre auprès des écrivains romantiques [65]. On n'ignore pas non plus la passion durable de Musset pour la personne et l'œuvre de Raphaël. D'entre la douzaine de textes [66], où le poète fait mention du peintre, le moins émouvant n'est pas le témoignage, fût-il tardif, que Paul de Musset verse au dossier de cette sympathie en profondeur qui liait son frère aux anciens maîtres de la Renaissance italienne : « ...Il s'en trouvait deux dont il aurait avec bonheur préparé les couleurs et taillé les crayons : Raphaël et Léonard de Vinci [67] ». Ce rêve d'une vie à l'ombre et au service des grands peintres, Tebaldeo a été créé et modelé tout exprès pour l'incarner un court instant. Musset va le vivre par procuration dans le visage d'ange et l'idéalisme tranquille de ce jeune étudiant florentin qui avoue si fièrement qu'il eut pour maître Raphaël [68].

Désormais, Tebaldeo, puisque telle est sa désignation presque unique [69], prend une stature nouvelle : il tient tête crânement à son tentateur. En matière d'art, son choix est fait : il est peintre et sera peintre, exclusivement ; les autres arts, qu'il ne saurait négliger, seront au service de la peinture, dont ils orchestrent la sublime mélodie [70]. Raphaël l'emporte sur Michel-Ange dans la hiérarchie des maîtres, dont il revendique le patronage et reconnaît l'ensei-

64. V. A. Chastel, *l'Art italien*, Paris, 1956, t. 2, p. 18-19 ; D. Redig de Campos, « Dei ritratti di A. Tebaldeo e di alti nel Parnasso di R. », *Archivio Societo romana Storia*, LXXV, 1952.

65. Cf. Mme de Staël, *Corinne*, livre VIII, chap. 3 ; Delacroix, « Essai sur les artistes célèbres, Raphaël », *Revue de Paris*, t. 11, fév. 1830 ; Stendhal avait entrepris en 1831 une *Vie de Raphaël* ; sur Balzac et Raphaël, voir J. Adhémar, « Balzac et la peinture », *R.S.H.*, 1953, fasc. 70, p. 160 sq.

66. V. *Prose*, p. 295 (Roman par lettres, VII, p. 312 (le Poète déchu, III) ; p. 447 (le Fils du Titien, VIII) ; p. 754 (le Tableau d'Eglise) ; 805 (Revues fantastiques, XVI) ; 883 (Un mot sur l'art moderne) ; 955, 968, 977 (Salon de 1836), 931-932 (Sur Raphaël et Rubens), etc.

67. P. de Musset, *Biographie...*, p. 330.

68. I, 2, p. 262, l. 213-214.

69. Dans les plans, seul apparaît le nom de Freccia ; dans la scène non retenue, le peintre est désigné treize fois sous le nom de Freccia dans les indications de dialogue, et, dans le corps du texte, deux fois sous le nom de Tebaldeo et une fois sous le nom de Freccia ; dans la liste des personnages, il figure sous le nom de « Tebaldeo, peintre » (sur le manuscrit, Tebaldeo est en surcharge de Freccia) ; dans la scène 2 de l'acte II, il apparaît 24 fois, dans les indications de dialogue, sous le nom de Tebaldeo et une fois sous celui de Tebaldeo Freccia ; il est désigné une seule fois, dans le corps du texte, sous le nom de Freccia. Notons enfin que le manuscrit porte Freccia au lieu de Tebaldeo dans la dernière partie de la scène (*Genèse*, p. 265-269, l. 260-335) ; c'est aux épreuves que Musset a opéré les corrections nécessaires. Il en est de même pour la scène 6 de l'acte II, où Tebaldeo figure dans le manuscrit sous le nom de Freccia (cf. *Genèse*) p. 304, l. 1 050 ; p. 305, l. 1 083 ; p. 307, l. 1 124) ; V. sur ce point, *Pommier* II, p. 69-70.

70. « ... Il me semble que je ne puis admirer ailleurs Raphaël et notre divin Buonarotti. Je demeure alors durant des journées devant leurs ouvrages, dans une extase sans égale. Le chant de l'orgue me révèle leur pensée, et me fait pénétrer dans leur âme » (II, 2, p. 259, l. 146-151).

gnement [71]. Bien mieux que ne l'eût fait Benvenuto Cellini, trop réel, trop « hâbleur », trop bretteur aussi, bref trop à l'unisson d'une Florence de boue et de sang dont le dramaturge dénonce à l'envi les tares, le jeune peintre raphaëlique incarne avec éclat la passion exclusive de l'art, l'idéalisme généreux, le mysticisme contemplatif, où Musset n'est pas éloigné de voir l'unique port où l'on soit à l'abri des remous et des périls de haute mer. Il ne fait pas de doute que Musset, s'il eût été moins avare de confidences sur son art, eût pu reprendre à son compte l'expression célèbre de Stendhal touchant la Sanseverina : « Tout le personnage (...) est copié du Corrège ». Ainsi Tebaldeo est-il copié de Raphaël, c'est-à-dire produit sur son âme le même effet que Raphaël. Pure création de poète, qui, par retouches successives, d'avoir été appelé par son nom, trouve enfin l'accent, la lumière, l'« aura » qui lui conviennent.

Reste une difficulté, qui pourrait bien être insoluble, mais sur laquelle on ne risque rien à jeter la lumière d'une hypothèse vraisemblable. Dans quel livre ou sous quelle influence Musset a-t-il découvert le nom de Tebaldeo, qui s'est progressivement substitué, sans pourtant l'éliminer entièrement, au nom de Freccia, initialement prévu ? Vasari le cite, sous la forme inhabituelle de Tibaldeo [72]. Mais Musset a-t-il jamais lu Vasari dans le texte ou même en traduction [73] ? J'ai bien l'impression qu'il a surtout lu ceux qui avaient lu Vasari et qui se contentaient de le piller et de l'adapter systématiquement dans leurs propos écrits [74]. Au reste, l'amour qu'il porte à son cher « Musée Filhol [75] » tendrait à prouver assez clairement que Musset ne répugnait pas aux notices de seconde main et à l'érudition par ricochet. Le Dictionnaire de Moreri n'ignore pas Tebaldeo, qu'il nomme Tibaldei. La Biographie universelle de Michaud l'orthographie correctement et lui consacre une notice copieuse [76]. Mais est-il concevable qu'il ait rencontré

---

71. « Ce que j'ai appris vient de lui » (ibid., p. 262, l. 213-214).

72. « ... En compagnie des Muses et auteur d'Apollon, on voit Ovide, Virgile, Tibaldeo et une foule d'autres poètes de notre âge » (G. Vasari, Vie des peintres, sculpteurs et architectes, trad. L. Leclanché, Paris, 1841, t. 4, p. 220).

73. En 1833, Musset pouvait disposer d'une traduction (inachevée) par C.-C. Le Bas de Courmont ; Paris, an XI (1803), 3 vol. La traduction classique (et mauvaise) de L. Leclanché parut de 1839 à 1842, en 10 volumes. Comme édition originale, il pouvait éventuellement disposer de l'édition Bottari, Rome, 1759-1760, 3 vol. ; ou de l'édition Audin, Florence, 1822-1823, 6 vol. On ne possède aucun indice qui permette de savoir s'il a jamais eu à sa disposition une édition italienne de Vasari et s'il l'a jamais lu dans le texte original ou même en traduction.

74. Un texte sera, à cet égard, plus éloquent que bien des commentaires : « ... Le Corrège, dit-on, mourut pauvre, après avoir vécu presque inconnu. C'est Vasari qui a fait ce conte — Sept écrivains ont prouvé le contraire : Ratti, Tiraboschi, le père Affo, Mengs, Lanzi, l'Orlandi et le Scannelli » (Prose, p. 954 ; Salon de 1836, I). Qui oserait prétendre, pour peu qu'il ait le sens de l'humour, que cet étalage de fausse érudition peut être le signe et la preuve que Musset avait lu Vasari et quelques-uns de ses émules ? Je pense au contraire que cette désinvolte mystification montre impudemment que Musset ne dédaignait pas, comme son contemporain Stendhal, de piller, fût-ce en singeant leur pédantisme, les compilateurs professionnels.

75. V. P. de Musset, Biographie, p. 115 : « un des livres qu'il aimait le plus et qu'il feuilletait sans cesse ».

76. Biographie universelle, ancienne et moderne, Paris, Michaud, 1811-1828, tome 45, p. 92-93 ; cette biographie, en 83 volumes, y compris les divers suppléments, figure dans

ce nom en feuilletant au hasard les pages d'un dictionnaire ? On ne découvre vraiment que ce qu'on a longtemps cherché, fût-ce à tâtons.

Je préfère, pour ma part, penser que c'est d'une lecture récente, et quelque peu orientée dans le sens de ses préoccupations, que Musset a tiré ce nom prédestiné. Or la *Bibliographie de la France* du 17 août 1833 (la concordance des dates ne laisse pas d'être troublante) donne, sous le n° 4380, à la page 509, la notice suivante : « Histoire de la vie et des ouvrages de Raphaël, ornée d'un portrait, par M. Quatremère de Quincy. Deuxième édition, revue et augmentée, in-8° (...) à Paris, chez Ad. Leclère ». L'ouvrage, qui n'est guère, à nos yeux, qu'une élégante mais assez insipide compilation, obtint une large audience. L'amateur passionné de Raphaël qu'était Musset n'a pas pu l'ignorer. Or, on peut y lire le propos que voici : « Le portrait du poète Tebaldeo ne nous est connu que par un mot d'éloge du cardinal Bembo. Mais l'éloge d'un tel juge, et la comparaison qu'il fait de ce portrait avec celui de Castiglione, que nous connaissons, suppléeront, pour l'opinion qu'on doit s'en former, au suffrage des yeux. « Raphaël (écrivait Bembo au cardinal de Santa Maria in Portico) vient de peindre notre ami Tebaldeo « avec tant de vérité, qu'il ne se ressemble pas autant à lui-même, que cette peinture lui ressemble. Pour moi, je n'ai jamais vu de ressemblance plus frappante [76bis] ». De là à évoquer soi-même par la plume le sujet d'un portrait perdu peint naguère par Raphaël, il n'y a qu'un pas, qu'aide à franchir une sorte de pari exaltant qu'on fait avec soi-même et qui est, à sa manière, un hommage au peintre qu'on admire. Quant à trouver un modèle, Musset pouvait bien s'inspirer encore de son vieux maître, lui qui avait dû contempler plus d'une fois, au Louvre, le portrait de ce jeune homme de quinze ans [77], dont Quatremère de Quincy écrit précisément que « le pinceau de Raphaël n'a rien fait de plus aimable, d'une plus belle manière, d'une couleur et d'une harmonie plus parfaites [78] ». Y a-t-il, pour un écrivain, hommage plus précieux que de payer ainsi le plaisir de la peinture son poids de poésie ?

La lumière raphaëlique jetée sur Tebaldeo comporte encore une conséquence inattendue : elle enlève une part de l'ombre qui enveloppe le Campo-Santo [79], dont le jeune peintre a jeté l'ébauche sur sa toile. Cimetière de Florence, avancent la plupart des éditeurs ;

---

le catalogue de la bibliothèque des frères de Musset sous le n° 258 ; le Grand Dictionnaire historique de Moreri y figure, de son côté, sous le n° 260.

76 bis. Quatremère de Quincy, *Histoire de la vie et des ouvrages de Raphaël*, 2e éd., Paris, 1833, p. 195.

77. Il figure, accompagné d'une courte notice, dans le *Musée Filhol*, sous la mention que voici : « Raphaël, Portrait d'un jeune homme, gravé par Boutrois ». La référence complète est la suivante : *Cours historique et élémentaire de peinture ou Galerie complète du Musée Napoléon*, publié par Filhol, graveur, Paris, an XII, 1804 ; tome 5, 62e livraison, planche V, gravure n° 371.

78. *Op. cit.*, p. 395.

79. II, 2, p. 262, l. 199-200.

« d'où l'on découvre un panorama magnifique [80] », précise l'un d'eux, en veine de pittoresque touristique. Pourquoi compliquer ce qui est simple, isoler ce qui n'a de sens que dans un contexte et sous un certain éclairage ? Le Campo-Santo peint par Tebaldeo, c'est, bien sûr, celui de Pise, non tant à cause de sa célébrité que parce qu'il est, lui aussi, indirectement un haut-lieu raphaélique. Il n'est, du reste, pour en avoir le cœur net, que de se reporter à Musset lui-même, en un texte connu qui fait toute la lumière, précisément parce qu'il baigne dans la même lumière que la personne de Tebaldeo : « L'étranger qui visite le Campo Santo à Pise s'est-il jamais arrêté sans respect devant ces fresques à demi-effacées qui couvrent les murailles. Le voyageur les salue avec un profond respect, quand on lui dit que Raphaël est venu travailler et s'inspirer devant elles [81] ». Faut-il s'étonner, dans ces conditions, que le jeune disciple de Raphaël ait voulu à sa manière, en faisant ses premières armes, rendre hommage au maître dont il se réclame et à l'une des sources de son inspiration ?

C'est dans la lumière d'un autre peintre que s'explique un second détail, qui jaillit, le temps d'un éclair, au détour du dialogue entre Lorenzo et Tebaldeo : il s'agit de la Mazzafirra, dont Musset a tenu à perpétuer sinon le souvenir, du moins le nom, en le mentionnant flanqué de contextes différents, dans les deux scènes consacrées au jeune peintre [82]. Si l'on veut bien se rappeler que c'est au peintre Cristofano Allori (1577-1621) que cette Mazzafirra se rattache, de la façon qu'on verra plus loin, on concèdera volontiers au commentateur, dont l'érudition s'impatiente de toutes les désinvoltures, le droit de parler ici d'anachronisme [83], si du moins le mot garde un sens dans un domaine où la couleur du temps importe plus que les exigences du calendrier. La Mazzafirra est, en tout cas, bien « en situation », comme l'on dit, dans un dialogue où les arts plastiques sont aux avant-postes. Elle n'appartient, en effet, pas moins que Tebaldeo, quoique de façon fort différente, à l'histoire de la peinture en Italie.

Pour être tout à fait exact, il faudrait dire que c'est à l'histoire anecdotique de la peinture qu'elle appartient. Car c'est à la légende d'un tableau, pour lequel elle a posé sans le vouloir, qu'elle doit sa notoriété. Voici cette légende, telle que Musset pouvait la lire en feuilletant les pages d'un de ses livres de chevet, le fameux *Musée Filhol* : « ...Cristofano Allori aimait passionnément une femme alors renommée par sa beauté ; cependant la Mazzafirra (c'était son nom) ne le rendait point heureux. Insensible aux dépenses extravagantes qu'Allori faisait pour lui plaire, elle le tourmentait

---

80. *Comédies et Proverbes*, coll. les Grands maîtres, Paris, Audin, 1949, tome 1, p. 322, n. 168.

81. *Théâtre*, p. xv ; extrait de l'Avant-Propos qui ouvre le second *Spectacle dans un fauteuil* ; ce texte est donc d'une rédaction antérieure au 23 août 1834.

82. *Genèse*, p. 178, l. 40, et II, 2, p. 263, l. 216.

83. *Théâtre*, p. 1633, note *.

par ses infidélités ; la jalousie abreuvait ses jours d'amertume, d'inquiétudes et de chagrins. Pour faire entendre à sa maîtresse que sa conduite le conduisait au tombeau, il fit ce tableau de Judith ; il représenta cette juive sous les traits de la Mazzafirra, et donna à sa suivante ceux de la mère de cette femme, qu'il soupçonnait complice des désordres de sa fille. Quant à la tête d'Holopherne, ce fut sa propre figure qu'il prit pour modèle ; elle n'était point agréable ; sa barbe qu'il laissa croître en accrut encore la laideur : quand il crut avoir donné à sa tête la forme convenable à son dessin, il fit d'après elle toutes les études dont il eut besoin, choisit celle qui lui parut remplir le mieux son objet, termina son tableau et l'exposa. Il excita la curiosité générale, et le pauvre Allori n'en fut pas plus heureux, car cette extravagante vengeance ne corrigea point sa dame [84] ». Belle légende, en vérité ; et l'on comprend le désenchantement de Musset quand, paraît-il, un peintre de ses amis eut l'imprudence de lui dire « que le personnage de Judith pouvait bien représenter la maîtresse d'Allori, mais que la figure d'Holopherne n'était point le portrait du peintre [85] ». Le tableau, en tout cas, était célèbre parmi ses contemporains : Stendhal en parle dans ses *Ecoles italiennes de peinture* [86] ; Balzac lui fait un sort dans *la Cousine Bette* [87] ; Vigny note une curieuse ressemblance entre La Judith d'Allori et ... George Sand [88]. Dans la famille Musset, le tableau et sa légende semblent avoir occupé une place importante. Sans doute Paul de Musset cèdera-t-il, sous l'empire de la rancune, au petit jeu malveillant des ressemblances [89]. Mais, dès 1830, Alfred paraît avoir subi la fascination de la tête coupée suspendue à « la blanche main d'une perfide amante [90] ». Sa vie durant, ce souvenir l'obsédera, sans pourtant donner naissance à rien d'autre qu'à des projets sans suite ou à des œuvres avortées [91]. Au reste, tout cela est bien connu et ne mérite pas d'être repris ici.

Un point obscur ou mal connu mérite, en revanche, l'examen. A quel hasard, — rencontre ou lecture —, Musset doit-il d'avoir reçu le choc de ce beau nom sonore, dont il a voulu conserver l'écho dans son drame, fût-ce au prix d'un anachronisme ? Il faut d'emblée éliminer deux hypothèses opposées, qui ont, toutes deux, trouvé des défenseurs. D'un côté, on élimine la difficulté en sugérant, contre le bon sens, qu'en citant la Mazzafirra dans son drame,

84. *Galerie du Musée Napoléon*, Paris, chez Filhol, volume V, 1808 ; 54e livraison, planche première.

85. P. de Musset, *Biographie...*, p. 293.

86. Stendhal, *Ecoles italiennes de peinture*, Paris, le Divan, 1932, I, 85-86.

87. Balzac, *la Cousine Bette*, éd. Conard, XVII, 407.

88. Vigny, *Journal d'un poète*, éd. Conard, 1935, p. 173 (« J'ai fait la connaissance de Mme Sand, auteur d'*Indiana* (...). Son aspect est celui de la Judith célèbre du Musée » ; le texte date des environs de mai 1832) ; cf. *Corresp.* de G. Sand, éd. Lubin, t. 2, p. 369, n. 1 et p. 994, n. 6.

89. V. *Lui et Elle*, chap. VIII, p. 107-108.

90. *Poésie*, p. 136 et p. 658, n. 32 (le Saule, II).

91. V. P. de Musset, *Biographie...*, p. 216 sq. et p. 23 sq. ; *Théâtre*, p. 1632-1634.

Musset ne songeait pas « alors à la maîtresse d'Allori [92] ». Y aurait-il une autre Mazzafirra ? Au reste, Musset n'était-il pas un habitué de ce Musée imaginaire, où, par les soins de Filhol et de ses collaborateurs, figurait en bonne place la légende de cette Judith indigne, comme je l'ai montré tout à l'heure ? D'un autre côté, sous l'influence du témoignage de Paul de Musset, M. Lafoscade n'hésite pas à écrire : « La Mazzafirra qui hanta longtemps l'âme du poète suppose une visite des musées de Florence [93] ». Les travaux de M. Pommier, touchant la chronologie de composition de *Lorenzaccio* [94], rendent cette hypothèse caduque. Au reste, elle souffre, en elle-même, d'une contradiction : si la Mazzafirra a dès longtemps hanté l'âme du poète, pourquoi supposer nécessaire la visite du Palais Pitti, quand le Musée dans un fauteuil pouvait suffire ?

De toutes les manières, c'est au *Musée Filhol* qu'on revient. Mais quelle preuve a-t-on que là est bien la source vive de la Mazzafirra, à l'époque de *Lorenzaccio* ? A défaut de preuve, je puis fournir un indice. En face de deux hypothèses gratuites un indice, même fragile, doit bien valoir une preuve. Partant du fait que Musset, si l'on en croit son frère, — et pourquoi mentirait-il sur un point aussi secondaire ? —, « feuilletait sans cesse » son cher *Musée Filhol*, j'ai cru expédient de suivre son exemple à propos du Ve volume, un peu comme, en justice, les enquêteurs procèdent à la reconstitution des faits. Alors la lumière soudain est apparue. La notice consacrée à la Judith d'Allori accompagne la planche première. La planche II, qui suit immédiatement et dont la notice occupe la page de droite, tandis que la fin de la notice précédente occupe celle de gauche, est consacrée, par un de ces contrastes dont le hasard a parfois le secret, à « La Mère des douleurs » de Ph. de Champaigne ; et le commentaire de la gravure commence par ces mots : « Le célèbre auteur de ce tableau semble avoir pris ici pour texte ce verset :

> Stabat mater dolorosa,
> Juxta crucem lacrymosa, etc.

En effet, « il a placé la Vierge au pied de la Croix... » Or qui cite très exactement ce verset, dans la même orthographe, avec la même ponctuation ? Musset lui-même, précisément dans la scène non employée où figure le jeune artiste, lorsque Tebaldeo se met à l'orgue et, s'accompagnant, entonne une hymne sacrée [95]. Le doute est-il permis ? Bien sûr. Mais, tout de même, le rapprochement par hasard de deux gravures et des notices qui les accompagnent dans un album d'art fécondant soudain l'opposition, habilement concertée, de deux univers en lutte, — Lorenzo et Freccia, — et de leurs symboles respectifs, — la courtisane à vendre et la Vierge des douleurs, — voilà qui ne laisse pas d'être troublant et révèle assez bien le passage même de l'esprit créateur.

92. *Théâtre*, p. 1633, note *.
93. L. Lafoscade, « La Genèse de *Lorenzaccio* », R.D.M., 15 nov. 1927, p. 434.
94. Voir *R.H.L.F.*, juillet-septembre 1957, p. 356-364, et *Pommier II*, p. 51-89.
95. *Genèse*, p. 181, l. 114-115.

Un mot encore, pour finir, où l'hypothèse reprend ses droits : pourquoi la Mazzafirra est-elle nommée dans les deux scènes ? Et pourquoi « toute nue », dans la version définitive ? M. Lebois a dit là-dessus des choses si pertinentes qu'on ne peut pas ne pas le citer. D'abord la Mazzafirra, c'est un nom à conserver : « il fallait, écrit-il, sauver ce nom magnifique, que Musset enrichit encore d'une *r* [96] ». On ne querellera M. Lebois que sur ce dernier détail : le « Musée Filhol » lui ayant fourni deux *r*, Musset n'avait rien à ajouter. Là où M. Lebois fulgure, c'est dans les deux mots de commentaire qu'il donne de la courtisane nue : « L'image de la Mazzafirra toute nue, qui n'était que boutade libertine, inspire à Lorenzo son plan : le Duc nu, sans cotte de mailles, vulnérable [97] ». C'est bien ainsi, en effet, que procède ordinairement l'imagination du poète au théâtre et singulièrement dans *Lorenzaccio :* pouvoir suggestif donné aux mots et aux images, schéma dynamique mettant, à distance, en relation de causalité deux situations de même signe, entre lesquelles passe l'action dramatique. Toute la pièce est faite de ces scènes en écho ou en appel, où joue à plein le pouvoir du langage.

Je me demande, toutefois, s'il n'y a pas à la fois plus et moins dans cette image singulière et apparemment gratuite, sa charge de libertinage mise à part ; moins, quant à sa valeur dramatique ; plus, quant à son pouvoir de suggestion psychologique. Car enfin, c'est la Mazzafirra qui est citée et non pas une quelconque Rosalinde ; le nom n'est pas choisi au hasard. Et la Mazzafirra tient, on l'a vu, une place importante parmi les hôtes et les thèmes familiers de l'imagination de Musset : elle est, à bien des égards, une des incarnations de l'infidélité et de la rouerie féminines. Nul doute que Musset ne se soit senti quelque peu solidaire d'Allori-Holopherne comme il s'est montré solidaire d'André del Sarto. Une vieille hantise l'habite, qui le fait redouter le démon femelle, ne pas se remettre d'avoir été naguère trahi [98], jouer les libertins de peur d'être ganté [99]. En dénudant la femme qu'Allori a si chastement et si richement drapée, Musset ne céderait-il pas, dans une de ces représentations imaginaires qui expriment et libèrent tout ensemble ses obsessions familières, au goût secret d'humilier, à son tour et à sa manière, la femme dont la beauté et les trahisons ont fait le malheur de l'homme attaché à ses pas ? Simple hypothèse, j'en conviens, mais qui est dans le droit fil de l'imagination créatrice de l'écrivain. Car enfin entre la note isolée, qui constate l'anachronisme et se montre prête à en faire grief à son auteur, et le commentaire de sympathie, qui cherche à reconnaître, partout où il se manifeste, le souffle d'une inspiration cohérente, le choix ne me semble pas faire de doute : s'agissant d'un poète, il faut choisir la poésie.

---

96. A. Lebois, *Vues sur le théâtre de Musset*, Avignon, Aubanel, 1966, p. 34.
97. *Ibid.*, p. 68.
98. V. *Poésie*, p. 324 (la Nuit d'octobre).
99. V. *Il ne faut jurer de rien*, I, 1 ; *Gastinel III*, p. 105-106.

DEUXIÈME PARTIE

LE DRAME ET SON HÉROS

A VOULOIR conduire méthodiquement son enquête, on bute aussitôt sur une difficulté qu'on serait bien tenté, n'était la présomption ou l'entêtement, de déclarer insurmontable. De toutes les pièces de Musset, *Lorenzaccio* est en effet celle sur laquelle nous avons le plus de renseignements et le moins de certitudes.

Quant à la genèse de l'œuvre, par exemple aucune pièce essentielle du dossier ne manque. L'itinéraire de composition est, on le sait, balisé de documents aussi irréfutables que la *Storia Fiorentina* de Varchi, la scène historique de George Sand, trois plans successifs de la pièce de Musset en son premier état, le manuscrit du drame corrigé et surchargé de la main même de l'auteur, deux scènes rédigées, mais non retenues dans la composition définitive. Et pourtant notre curiosité demeure mal satisfaite. L'on se heurte sans cesse au feu roulant des questions sans réponses : qui a amené George Sand à Varchi ? Sous quelle influence Musset a-t-il été amené à se passionner pour cette sombre histoire d'assassinat politique ? Qu'a-t-il voulu d'abord montrer en construisant cette ample fresque historique, qui ressemble si peu à son œuvre antérieure ? Tel est le jeu obsédant des questions toujours renaissantes, auxquelles on devra le plus souvent donner des réponses conjecturales et des solutions discutables.

Du moins le chercheur est-il averti qu'une seule méthode d'approche et d'examen peut et doit être efficace : jamais la genèse d'une œuvre littéraire, — j'entends la genèse interne, reconstituée d'après des documents objectifs auxquels une sympathie en profondeur devra donner éclairage, direction et convergence —, n'aura été un exercice moins gratuit. C'est à la source même de la pièce, j'entends à l'étincelle initiale, qu'on peut espérer valablement s'orienter dans la bonne direction, du moins éviter les voies secondaires ou les chemins sans issue.

Mais cette conduite prudente, loin de borner l'horizon, débouche au contraire sur une vaste perspective : le libre déploiement du spectacle. C'est la mise en scène *imaginaire* de *Lorenzaccio*, rêvée par Musset, qu'il faudra surprendre et, si possible déchiffrer. C'est le théâtre *intérieur* qu'il faudra, pour ainsi dire, mettre au jour. Car il n'y a pas de lecture vraie du chef d'œuvre de Musset sans approche de son mystère même : ce froissement d'ailes, partout sensible, cet envol irrépressible d'un théâtre en liberté, né de l'imagination d'un poète moins attentif aux contingences et aux routines de la scène qu'aux exigences fondamentales de la théâtralité.

CHAPITRE PREMIER

ESQUISSE D'UNE GENÈSE INTERNE
DE « LORENZACCIO »

Toute genèse interne doit s'appuyer d'abord sur une chronologie externe irréfutable. Cette chronologie, depuis les travaux décisifs de M. Jean Pommier, on peut considérer que nous la possédons. Avant que celui-ci n'ait justifié, par la publication d'un document capital [1], ses intuitions antérieures [2], l'hypothèse la plus vraisemblable trouvait en M. Paul Dimoff [3], son défenseur le plus éclairé. Il s'agissait d'abord de faire justice définitivement des allégations de Paul de Musset, prétendant [4], au mépris de toute vraisemblance, que son frère avait lu les chroniques de Varchi sur place, durant son court séjour à Florence [5], et conçu, en quelque sorte, sa pièce dans un tête-à-tête pathétique avec les monuments florentins ; il s'agissait ensuite et surtout de répartir les délais de composition sur une tranche de temps assez large, couvrant trois périodes inégalement favorables à la fécondité créatrice de Musset : « avant, pendant et après le voyage d'Italie [6] ». En publiant la lettre d'Alfred de Musset à Buloz en date du 27 janvier 1834, M. Pommier a permis de trancher la difficulté sur laquelle achoppaient jusque-là les commentateurs les plus attentifs de *Lorenzaccio*. Car il paraît risqué, et, pour tout dire, impossible d'interpréter d'autre façon que M. Pommier la phrase clé que voici : « Avez-vous commencé Lorenzaccio ? Si vous tenez à le publier, et si vous croyez qu'un retard dans cette publication peut vous être préjudiciable, faites ce que vous voudrez. Je suppose que mon frère s'est chargé des épreuves... » L'information est limpide et la conclusion semble s'imposer d'elle-même : « le manucrit (*de Lorenzaccio*)

---

1. Lettre d'A. de Musset à François Buloz en date du 27 janvier 1834, publiée dans la *R.H.L.F.*, juillet-septembre 1957, p. 356-364, puis commentée dans *Pommier II*, p. 20-89.
2. Voir *Pommier I*, p. 117-131.
3. Voir *Genèse*, Droz, 1936, p. XXXVIII-XLV.
4. Voir *Biographie d'A. de Musset*, p. 127-128.
5. Du 23 décembre au soir au 28 décembre 1833 ; voir A. Poli, *l'Italie dans la vie et dans l'œuvre de G. Sand*, p. 56-58.
6. *Genèse*, p. XXXVIII.

avait été livré à Buloz avant le départ pour l'Italie [7] ». Ce qui revient à dire que l'œuvre de Musset, dès avant le voyage de Venise, offrait un texte en état d'être publié, c'est-à-dire un texte achevé.

Là où la discussion demeure possible et tolère les hypothèses divergentes, c'est sur l'étendue des retouches apportées par l'auteur à sa pièce entre la date de son retour d'Italie (12 avril 1834) et celle de la publication du drame en librairie (23 août 1834) [8]. Simple révision des épreuves ? C'est l'hypothèse, fortement motivée, de M. Pommier [9]. Retouches plus profondes, modifications plus substantielles ? C'est le point de vue de ceux que laisse insatisfaits la puissance d'affirmation de M. Pommier et chez qui les questions demeurées en suspens engendrent un certain scepticisme prudent [10]. Nous n'avons pas, quant à nous, l'intention de reprendre au fond un débat qui excède les limites de notre sujet. Tout juste sera-t-il bon de noter, au passage, que le temps de révision a été si court [11], l'état de santé physique et mental de Musset si précaire, les sollicitations si nombreuses, — à commencer par la rédaction forcée d'une comédie promise à Buloz [12] et qui paraîtra le 1er juillet dans la *Revue des deux mondes*, sous le titre d'*On ne badine pas avec l'amour* —, qu'on a peine à concevoir la possibilité d'un sérieux bouleversement du manuscrit de *Lorenzaccio*, tel que Musset l'avait confié à son directeur avant le départ pour Venise. Ces remarques faites, qui n'ont pas la prétention d'épuiser le débat, ce qui nous importe maintenant, au premier chef, c'est de déterminer les incidences littéraires et esthétiques que cette chronologie rectifiée peut avoir sur notre connaissance et notre intelligence de la pièce.

INCIDENCES

Ces incidences concernent principalement trois aspects de la pièce : l'élaboration proprement dite, le contenu autobiographique, la forme esthétique.

En resserrant la mise en œuvre du drame entre des limites étroites, soit, dans la meilleure hypothèse, du début d'août à la première quin-

---

7. *R.H.L.F.*, juillet-septembre 1957, p. 362.

8. Encore faut-il corriger cette dernière date, qui est théorique ; dès le 10 mai, Musset considère que la pièce est à l'impression ou tout au moins bonne à être imprimée ; voir *Pommier II*, p. 79.

9. *Op. cit.*, p. 66-85.

10. Voir J.-C. Merlant, « Connaissance de Musset », *l'Information littéraire*, mai-juin 1959, p. 106-108 ; R. Chollet, in *Théâtre complet de Musset*, Lausanne, 1964, p. 274 ; *Genèse*, éd. de 1964, p. XLIV.

11. De la mi-avril aux premiers jours de mai 1834.

12. « De mon côté, je ne sais même pas comment faire à Buloz une malheureuse comédie (faire une comédie !) dont je lui dois déjà le prix » (Lettre de Musset à George Sand, 19 avril 1834, in *Correspondance*, éd. Evrard, p. 81).

zaine de décembre 1833[1], on est amené à constater que l'œuvre s'est constituée selon un rythme de croissance rapide et homogène. Des six scènes d'*Une conspiration en 1537* aux trente-neuf scènes de *Lorenzaccio*, c'est à la croissance vivante d'un arbre que nous assistons. On imagine sans peine que les problèmes et les difficultés rencontrés par Musset sur sa route ont été de forme plus que de contenu. C'est d'une organisation interne incessamment reprise et perfectionnée que témoignent, à l'examen, tant les plans préalables que le manuscrit définitif. Nos développements annexes ne laissent aucun doute sur ce point[2].

De cette rédaction rapide, mais homogène, par croissance forcée, mais harmonieuse, on pourra accepter deux conséquences. D'abord, on ne devra pas s'étonner que, parmi les sources aisément identifiables de maints détails de la pièce, il y en ait d'« impures », je veux dire de seconde main, auxquelles puisent les gens pressés[3], et que certaines données provenant de sources « nobles[4] » aient été déformées par une lecture hâtive ou interprétées sans beaucoup de rigueur. On peut également mettre au compte d'une rédaction rapide certaines difficultés de chronologie interne, auxquelles se heurte le commentateur épris d'ordre et de logique, mais dont Musset ne semble pas s'être inquiété outre mesure. Tout se passe même comme si Musset prenait soin de multiplier les repères chronologiques et, dans le même temps, négligeait de rendre cohérente la succession des événements[5]. Mais peut-être s'agit-il, dans bien des cas, de négligences calculées, dont on devra tirer le moment venu toutes les conséquences esthétiques qu'elles comportent.

En rejetant la rédaction active de *Lorenzaccio* dans la période qui précède le voyage en Italie, la chronologie de composition ainsi révisée nous oblige d'autre part à mettre en lumière un aspect de la pièce qu'une chronologie plus conjecturale avait tendance à oblitérer : son aspect politique. Il va de soi, en effet, que toute mise en sourdine du drame sentimental vécu par Musset profite, si l'on peut dire, au drame politique. S'il y a répercussion de la vie personnelle de l'auteur sur son œuvre, c'est moins de sa vie privée et affective que de sa vie publique ou du moins civique. L'enfant du siècle y fait, avant l'heure, sa confession, — ou plutôt, s'il y a « confession » de l'enfant du siècle, c'est au chapitre II du roman ainsi nommé que prélude *Lorenzaccio*, non à l'aventure de Venise, à laquelle le reste du roman allait amplement suffire[6]. Il convient enfin d'ajouter qu'en

---

1. Voir *Pommier II*, p. 59-60.
2. Voir annexes I et II.
3. Par exemple, des guides de voyage comme : Valéry, *Voyages historiques et littéraires en Italie, pendant les années 1826, 1827, et 1828 ou l'Indicateur italien* ; tomes 1 à 3, Paris, 1831-1832 ; tomes 4 et 5, 1833.
4. La *Storia Fiorentina* de Varchi ou la *Vie de Benvenuto Cellini écrite par lui-même*.
5. Un exemple : Philippe Strozzi déclare Julien Salviati blessé (III, 2, p. 319, l. 1928) ; « seulement frappé » (III, 3, p. 331, l. 343) ; trois scènes plus loin, il le déclare mort (III, 7, p. 374, l. 1202-1203). Tous les écrivains sont sujets à de telles distractions : Flaubert, dans l'*Education sentimentale*, n'a-t-il pas fait, par inadvertance, durer la grossesse de Rosanette plus de deux ans ?
6. Voir H. Lefebvre, *Musset*, p. 64.

délestant *Lorenzaccio* de toute allusion à l'aventure de Venise et à ses séquelles, on peut prêter à Musset ce que d'aucuns ont tendance à lui dénier : la capacité de porter toute son attention sur un sujet rigoureusement circonscrit et de le traiter pour lui-même, dans toutes ses dimensions, et non pas seulement de s'en servir comme d'un prétexte ou d'un support commode pour une confession strictement personnelle. *Lorenzaccio*, coupé de l'aventure de Venise, redevient alors ce qu'il est : la reconstitution d'une réalité politique à la fois passée, présente et de toujours, que l'imagination de l'écrivain doit faire vivre avec le maximum de vraisemblance historique, d'actualité contemporaine et de vérité générale.

Autre conséquence et non la moindre de la chronologie révisée : la réduction du pittoresque topographique, de la « chose vue » à sa plus modeste expression. Si le manuscrit publiable de *Lorenzaccio* a été achevé avant le départ pour l'Italie, on voit mal, en effet, comment Musset eût pu mêler à l'évocation de Florence des souvenirs de voyage. Tout juste aura-t-il pu, lors de la correction des épreuves avant publication en librairie, apporter, à touches légères, correctifs ou précisions. En fait, la chronologie restrictive, qu'on peut difficilement, malgré qu'on en ait, ne pas adopter, se borne à nous faire constater à l'évidence l'illusion d'optique dont ont été victimes maints critiques d'entre les plus avertis, jadis et même naguère. On a cru reconnaître des souvenirs de voyage là où s'imposent ou du moins suffisent des sources le plus souvent livresques, dont beaucoup, on le verra, sont aisément identifiables.

Sans prétendre dresser le bilan complet des arguments échangés de part et d'autre sur la délicate question du pittoresque et singulièrement du pittoresque visuel dans *Lorenzaccio*, — l'intérêt en serait le plus souvent rétrospectif —, c'est plutôt une leçon de prudence et de modestie qu'on tirera de l'examen des preuves le plus généralement avancées à l'appui de la thèse d'un pittoresque des lieux évoqués par le drame de Musset, tant la fragilité de ces preuves est désormais éclatante. Léon Lafoscade, par exemple, qui s'était borné dans sa thèse de 1901 à quelques conjectures [7] directement inspirées des informations données par Paul de Musset [8], est revenu sur le sujet en 1927, d'une manière moins vagabonde, mais non moins critiquable : « Et puis, écrit-il, le drame ne reflète-t-il pas le voyage ? (...) La Mazzafirra (...) suppose une visite des musées de Florence. Et ces lanternes des palais, cette tristesse des rues sombres (...) et ce Campo-Santo peint par Freccia (...) ? Ce même Freccia, s'il voulait faire une vue de Florence, se placerait sur la rive gauche de l'Arno du côté de l'Orient. Musset, à coup sûr, avait contemplé la ville, des hauteurs de San Miniato [9] ». Or, abstraction faite de ce que nous savons maintenant sur la chronologie de composition de *Lo-*

---

7. *Le Théâtre d'Alfred de Musset*, p. 134.
8. *Biographie...*, p. 128.
9. *R.D.M.*, 15 novembre 1927, p. 434.

renzaccio, il est assez évident qu'aucun des arguments invoqués ici n'est susceptible de résister à un doute méthodiquement conduit. Car tous les détails cités peuvent avoir une ou plusieurs sources livresques ou orales indépendantes de toute vérification sur place.

Peintres, tableaux, ateliers de peinture florentins avaient, par exemple, déjà fait l'objet d'une évocation précise dans *André del Sarto*, et la lecture de Vasari ou tout simplement du *Musée Filhol* avait suffi à la documentation du poète. Pourquoi supposer indispensable la fréquentation directe des musées florentins, quand il s'agit de mettre en place un détail minime ou d'animer une scène qui n'est sûrement pas la plus importante ni la plus longue de la pièce ? La même remarque vaut pour le « Campo Santo », qui venait justement d'être chanté par Auguste Barbier dans son poème « Il Pianto », paru dans la *Revue des deux mondes* du 15 janvier 1833 [10]. Au demeurant, bien d'autres publications que Musset avait pu connaître et même consulter en vue du voyage en Italie, faisaient un sort à ce haut lieu de l'Italie touristique : ainsi Dupaty, dans ses *Lettres sur l'Italie*, rééditées en 1829, évoquait en termes lyriques le célèbre cimetière de Pise [11]. Même remarque pour « le meilleur point de vue » sur Florence ; il n'est pas un guide touristique de l'époque, pas un récit de voyage qui ne signalent, sous une forme ou sous une autre, le point de vue de la rive gauche, du haut des collines [12]. Il se pourrait bien, du reste, que la source du détail fût orale et provînt de l'entourage de Musset et de Sand. Enfin, son caractère purement topographique, j'allais écrire cartographique, tant il semble relevé sur le plan, et, pour tout dire, assez abstrait, dénote une prudence qui exclut d'emblée la vibration personnelle du souvenir. Etait-il, enfin, bien nécessaire d'imaginer le poète recueillant sur place, touchant la tristesse des rues sombres, des renseignements directs, quand il pouvait trouver l'indication dans tous les récits de voyage qu'il compulsait à Paris ? Par exemple, le *Journal d'un voyage en Italie et en Suisse pendant l'année 1828* par M. R. C. (Romain Colomb), paru précisément en 1833, et où l'on peut lire dès les premières pages : « Promené dans Florence ; première vue de beaucoup de belles choses. L'aspect général de la ville est plutôt triste que gai ; sauf un petit nombre de rues, toutes sont étroites ; mais on ne fait pas cent pas sans rencontrer un monument ou une statue ».

Au vrai, un examen sans prévention de *Lorenzaccio* fait apparaître chez Musset une volonté de céder le moins possible au pittoresque et même de l'éliminer chaque fois qu'il lui apparaît un peu trop

10.   Je t'aime, ô vieux Campo Santo,
       Je t'aime de l'amour qu'avait pour toi Giotto.
       Tout désolé qu'il est, ton cloître solitaire
       Est encore à mes yeux le plus saint de la terre (p. 118).

11. « Tous ces marbres, toutes ces épitaphes, ce long cloître, ce silence, cette solitude, cette terre, ces grands murs, ces siècles. Que le cœur est ému et pressé parmi tout cela ! » (tome 1, p. 69).

12. Cf. Mengin-Fondragon, *Nouveau voyage topographique, historique, critique, politique et moral en Italie*, fait en 1830, Paris, 1833, tome 3, p. 214 ; Valéry, *op. cit.*, t. 3, p. 155, etc.

appuyé. Deux observations de détail donneront la mesure de cette retenue constante dans l'éclat du pinceau. La première concerne la haute figure de Benvenuto Cellini, qui devait d'abord occuper deux scènes de la pièce, comme en témoignent les 3 plans ; l'une de ces scènes a même été entièrement rédigée, puis abandonnée. Or, dans le texte définitif, il reste de Benvenuto un médaillon, l'image furtive d'un figurant qui « frappe son verre sur la table », mais dont on n'entendra même pas la voix [13]. A ce personnage historique et haut en couleur, Musset préférera substituer l'imaginaire Tebaldeo Freccia, au frêle visage copié de Raphaël. Sans doute d'autres raisons, non point tant de forme que de fond, ont motivé cette substitution, et nous les examinerons le moment venu. Du moins était-il bon de noter cette brusque défiance de Musset à l'endroit d'un personnage dont la truculence naturelle et le relief historique étaient comme une concession à la facilité et au goût du jour.

On retrouvera une défiance analogue à propos d'un autre détail, emprunté pourtant à Varchi, mais dont la couleur historique pouvait avoir quelque chose d'insolite ou de trop insistant ; je veux parler de ce cri : « les boules, les boules », jeté, au dire de Varchi, par les gens du peuple comme un hourra en l'honneur du nouveau duc [14]. Que Musset ait fait sur le sens de ce cri populaire une erreur patente, l'interprétant comme un appel à l'élection, comme un signe de ralliement des consciences libres face aux manœuvres souterraines des partisans du despotisme, est ici de peu d'importance ou plutôt manifeste la cohérence de sa pensée dramatique, puisque ce cri de liberté vaudra au vieil orfèvre un coup de hallebarde [15] à la jambe et que les étudiants se feront massacrer pour l'avoir fièrement poussé [16]. Ce qui mérite l'attention, c'est que Musset ait éprouvé le besoin, en revoyant et en corrigeant son texte pour l'édition Charpentier des *Comédies et Proverbes* (1853) de retrancher systématiquement l'allusion aux boules partout où elle apparaissait [17]. Il ira même jusqu'à sacrifier entièrement la scène 6 du Ve acte, où les « boules » jouaient un rôle capital. A supposer qu'il se fût aperçu du contresens qu'il avait commis sur la signification réelle du cri poussé par les étudiants, rien ne l'obligeait à retrancher la totalité des mentions qui en étaient faites ; il lui suffisait de le maintenir là où son sens exact l'imposait [18]. Mais en pratiquant systématiquement l'amputation, Musset se conformait à une habitude constante de son esprit : éliminer tout exotisme dépaysant, toute ostentation dans le pittoresque anecdotique. Le même souci lui avait sans doute dicté les notes dont il avait cru bon d'accompagner l'évocation de

13. I, 5, p. 234, l. 840-841.

14. *Genèse...*, p. 68, l. 1969. Les armes des Médicis étaient d'or à six tourteaux mis en orle, cinq de gueules, celui en chef d'azur chargé de trois fleurs de lis d'or. Ce sont ces tourteaux que les gens du peuple appellent plus prosaïquement les boules, symboles des Médicis.

15. V, 5, p. 458, l. 510-511.

16. V, 6, p. 463.

17. P. 457, l. 500 ; p. 458, l. 511 ; p. 463 (scène retranchée), p. 469, l. 715.

18. P. 469, l. 715.

deux coutumes typiquement florentines, empruntées, elles aussi, à Varchi : le ballon du Carnaval [19] et la foire de Montolivet [20]. En évoquant Longchamp à propos de cette dernière, Musset la dépouillait de son pittoresque local et, loin de miser sur le dépaysement, plaçait au contraire volontairement l'imagination de son lecteur en pays de connaissance.

Il est tout à fait évident qu'en éliminant ainsi le pittoresque gratuit Musset a voulu garder à chaque indication topographique sa nécessité et sa fonction propres. L'évocation de Florence se réduit alors à quelques repères symboliques, d'où semble volontairement exclu tout pittoresque monumental : la forteresse [21], emblème d'oppression et de tyrannie ; San Miniato [22], haut lieu du commerce et de la vie mondaine ; le palais ducal [23], symbole du pouvoir corrompu et corrupteur ; le palais Strozzi [24], refuge de l'opposition libérale ; et si, au détour de deux répliques, apparaît soudain le marché-neuf [25], c'est que la notation est dans Varchi [26] et qu'elle symbolisera, à elle seule, toute la vie quotidienne florentine, splendeurs et misères conjuguées. Quand on songe d'autre part, à l'incroyable richesse de Florence en édifices religieux, on ne peut pas ne pas être surpris de la pauvreté de *Lorenzaccio* en ce domaine. Hormis San Miniato, qui est une église hors-les-murs, toutes les églises florentines s'y ramènent en effet à trois : une église sans nom, dont le portail sert de décor à la scène 2 du deuxième acte, et les deux sanctuaires évoqués par Tebaldeo [27], l'Annonciade et Sainte-Marie. Pour l'Annonciade, pas de difficulté : l'église est célèbre [28] et, du reste, elle a déjà été citée par Musset dans *André del Sarto* [29]. Mais Sainte-Marie ? Quatre églises, au moins, portent à Florence le nom de la Vierge : Sainte-Marie-de-la-Fleur, Sainte-Marie-Nouvelle, Sainte-Marie-du-Carmel, Sainte-Marie-Majeure. Se demander à laquelle songe précisément Musset, c'est poser un faux problème ; il n'avait cure d'une telle précision. Sainte-Marie, l'Annonciade, deux églises mariales de Florence ; autant vaut dire deux sanctuaires symboliques, où semble s'être réfugié, sous le patronage de la Madone chère à Raphaël et à ses disciples, tout ce que la ville compte encore d'inviolé, de pur et de saint ; double témoignage de l'union

---

19. P. 201, l. 221-222, et note a.
20. P. 231, l. 800, et p. 232, note a.
21. I, 2, p. 203, l. 264 ; I, 5, p. 233, l. 819-821.
22. I, 2, p. 201, l. 232-236 ; p. 202, l. 238-242.
23. I, 4, p. 219, l. 564, etc.
24. II, 1, p. 252, l. 3, etc.
25. P. 396, l. 250 ; p. 458, l. 510.
26. *Genèse*, p. 58, l. 1664.
27. II, 2, p. 268, l. 235.
28. On lit, par exemple, dans le *Nouveau guide du voyageur en Italie* (6e édition originale Artaria, Milan, 1842) que cette église « compte parmi les temples les plus célèbres de Toscane » (p. 286) et qu'elle renferme des œuvres d'André del Sarto et du Pontormo, peintres que l'auteur d'*André del Sarto* avait de bonnes raisons de connaître.
29. I, 2, *Gastinel I*, p. 63.

intime de l'art et de la foi religieuse, selon une idée chère à Musset, qui voyait en cette vivante symbiose l'essence même de la Renaissance italienne [30], en son âge fort.

Ainsi commence à s'ébaucher sous nos yeux le visage singulier d'une pièce, qui doit son relief et son unité à la fermeté d'un projet fondamental auxquels tous les détails semblent ordonnés. Aussi bien faut-il abandonner Pierre Gastinel dans son interprétation « réaliste » de la couleur des lieux dans *Lorenzaccio* : « La Florence de ses rêves, écrit-il, Musset l'a dépeinte dans *Andrea del Sarto*. Ici ce n'est plus la même ville ; une sorte de sévérité grise règne partout (...). La teinte générale de *Lorenzaccio* répond donc au souvenir que garde le poète [31] ». Argumentation spécieuse, s'il en est, et quasiment réversible, car cette « sévérité grise » n'est-elle pas la couleur même imposée par le drame ? En vérité la corruption de Florence imprègne les murs, comme elle ronge les cœurs ; c'est la logique de la pièce, en son mouvement même. Un portrait vraisemblable de la tyrannie vivante, avec laquelle Lorenzo a rêvé de se « prendre corps à corps [32] », appelait, exigeait même cette cité terrorisée et transie, ces rues sombres et inquiètes, ces murs rudes et désolés. Il exigeait ce froid partout sensible, cette odeur de mort partout respirée, cette lente et inexorable montée de la nuit. On peut même se demander, à l'inverse de ce que pense P. Gastinel, si cette rude vision imaginaire d'une Florence en décomposition n'aurait pas exercé, les rigueurs de la saison aidant [33], son influence délétère sur l'âme du voyageur encore tout imprégné de son sujet et n'expliquerait pas, pour une part, sa déception [34]. S'il est vrai, en tout cas, qu'on ne voyage bien souvent que « pour vérifier ses songes [35] », dans le cas de Musset la ville aperçue en songe ne brillait pas d'un vif éclat et le contact direct avec les lieux ne pouvait qu'être décevant. Hypothèse aventureuse, j'en conviens, mais, après tout, assez conforme aux habitudes mentales de Musset, chez qui la vie et l'œuvre sont dans un tel échange que l'écrit sert parfois de préface ou de modèle au vécu.

Insister, comme on vient de le faire, sur l'unité initiale du drame, c'est frôler, une fois de plus, le secret des *Comédies et Proverbes* et retrouver ce tour de main ou plutôt ce don de vision poétique, qui donne au théâtre de Musset un accent si personnel. En ce sens, Florence, dans *Lorenzaccio*, n'est pas seulement un décor, si sobre, stylisé et symbolique qu'il soit, mais un thème à la fois lyrique et dramatique, modulé et orchestré avec l'ampleur savante qui sied à l'imagination

30. Cf. *Prose*, p. 883 et p. 955.
31. *Le Romantisme d'A. de Musset*, p. 435.
32. III, 3, p. 344, l. 609-610.
33. C'est en effet le 28 décembre 1833 que Sand et Musset ont quitté Florence ; il faisait beau, mais froid.
34. « Florence est triste, c'est le Moyen-Age encore vivant au milieu de nous. Comment souffrir ces fenêtres grillées et cette affreuse couleur brune dont les maisons sont toutes salies » (*Confession d'un enfant du siècle* ; *Prose*, p. 228). Cf. *Pommier II*, p. 22 et p. 30.
35. A. Lebois, *Vues sur le théâtre de Musset*, p. 23.

d'un poète. Thème de la *ville,* — Florence ou Paris, qu'importe —, conçue ou plutôt sentie comme un être vivant, personnel, modelé par une longue histoire, carrefour et croisement de toutes les vertus, de toutes les passions, de tous les vices. Thème permanent dans l'œuvre entière de Musset, comme l'a noté avec beaucop de pertinence M. Claude Duchet, et qui, peu à peu, — précisément vers l'époque de *Lorenzaccio* —, s'infléchit dans un sens exclusivement pessimiste, toute cité devenant « cloaque, égout et fange, fumier où pourrit la liberté[36] ».

On aura l'occasion de revenir sur ce thème urbain et de méditer sur ses diverses significations dans *Lorenzaccio.* Bornons-nous, pour l'instant, à constater la faillite de toute perspective critique tendant à « désintégrer » Lorenzaccio, je veux dire à mettre l'unité apparente de la pièce au compte d'une habile technique d'assemblage. A procéder ainsi, en effet, on risque de donner à la rhétorique le pas sur la poésie. C'est, en tout cas, l'impression que laisse la « formule » proposée par M. Gastinel : « *Lorenzaccio* apparaît comme le manuscrit de Lélia corrigé d'après les conteurs italiens, et interprété selon les principes de Shakespeare, par la sensibilité du poète[37] ». Non que l'itinéraire ainsi tracé soit inexact, mais on semble y faire bon marché de l'unité initiale de vision. Les analyses qui précèdent ont montré et celles qui vont suivre mettront mieux encore en évidence que *Lorenzaccio* n'est, à aucun degré, une œuvre composite, mais, d'entrée de jeu, une œuvre composée. Fond et forme, sens et structure, éthique et esthétique y sont rigoureusement indissociables. Tout chef-d'œuvre est, du reste, à ce prix.

UNE ŒUVRE DE CIRCONSTANCE ?

On évitera toutefois de tomber d'un excès dans un autre. Car la pièce de Musset, si concertée qu'elle soit, n'est pas née, tant s'en faut, d'un bond et dans la facilité. En ce sens, si paradoxal que cela paraisse, on peut dire qu'elle vient à son heure, mais par le plus grand des hasards, et qu'elle doit sa naissance autant à sa nécessité propre qu'à la sollicitation des circonstances. Les chefs-d'œuvre ne sont pas rares, qui doivent ainsi leur éclosion à la rencontre du fortuit et de l'inéluctable. *Lorenzaccio* est l'un d'eux. C'est, par excellence, une œuvre de circonstance ou, pour être plus exact, *des* circonstances. En déterminant maintenant, avec la plus grande rigueur possible, le moment créateur de Lorenzaccio, ce que M.J.C. Merlant a intitulé, mais dans une perspective entièrement différente, le « moment de *Lorenzaccio* dans le destin de Musset »,

36. « Musset et la politique », *R.S.H.,* oct.-déc. 1962, p. 528.
37. *Le Romantisme d'A. de Musset,* p. 448.

en reconstituant, à l'aide de l'exacte chronologie que nous possédons, son atmosphère et ses alentours, on peut donc espérer retrouver l'intuition d'ensemble d'où est sortie la pièce de Musset et dont nous n'avons fait jusqu'ici que reconnaître les signes furtifs, le projet fondamental dont l'imagination créatrice du poète allait développer progressivement le contenu et déployer largement les richesses implicites.

La part du hasard dans *Lorenzaccio* est, à un certain point de vue, celle du lion : sans la liaison avec George Sand, point de drame historique, cela est sûr. Car il est vain d'imaginer une rencontre de l'écrivain avec son sujet antérieure à la liaison ou hors d'elle. Ce qui compte, en effet, c'est la rencontre fécondante, la déflagration créatrice, et l'on peut, à cet égard, douter des vertus provocatrices contenues en puissance dans Ginguené ou Sismondi. La parole, en revanche, et plus encore l'écrit de George Sand pouvaient exercer et exercèrent en fait tout leur attrait. C'est donc d'*Une conspiration en 1537* que doit assurément partir toute genèse interne ou externe du drame de Musset. Certes, bien des mystères demeurent et demeureront sur les circonstances particulières de cet échange littéraire ou plus exactement de ce don fait à Musset d'une pièce inédite que Sand conservait dans ses cartons. Pour en tenter une reconstitution vraisemblable, on sera bien inspiré, en tout cas, de brider toute fantaisie romanesque. Une lecture attentive de la correspondance de George Sand, en ses deux premiers volumes [1], fait apparaître chez elle une générosité naturelle et maternelle que l'amour naissant ne peut qu'aiguiser. De là ce don spontané d'un texte dont elle n'a que faire et que Musset, peut-être en mal de sujet, mais en veine de travailler et de vendre à Buloz de la « copie », se chargera d'exploiter. Et ce don prend même une forme symbolique, chère à tout fétichisme amoureux : George arrache du « Cahier rouge [2] » les pages manuscrites de la scène historique qu'il contient et les abandonne à son amant en toute propriété [3]. Il est même assez vraisemblable qu'elle poussera la sollicitude jusqu'à assortir ce don d'indications complémentaires touchant les sources et les documents qu'elle a elle-même utilisés. Car si nous ignorons leur nature, nous ne pouvons douter de leur existence, attestée formellement par le postscriptum d'une lettre de George Sand à Emile Regnault [4].

Quant à savoir pourquoi George n'a pas exploité pour son propre compte un texte dont elle était l'auteur, bien des hypothèses ont été émises. La raison majeure en apparaîtra à l'évidence pour peu qu'on soit sensible au ton des deux lettres où la débutante s'entretient avec Emile Regnault de l'œuvre dont elle est en train d'accoucher : « Bon-

---

1. G. Sand, *Correspondance*, éd. G. Lubin, Garnier, t. 1, 1964, et t. 2, 1966.
2. *Genèse*, p. XXIV-XXV.
3. Voir l'hypothèse, plus ingénieuse que fondée, de M. Dimoff dans *Genèse*, p. XL-XLI, et la critique de cette hypothèse dans A. Poli, *op. cit.*, p. 29.
4. « Vous allez recevoir un gros paquet contenant la diablerie [Une Conspiration en 1537] dont je vous ai parlé. Vous recevrez de même un autre paquet de documents relatifs au premier envoi ». Lettre du 21 juin 1831, in *Correspondance*, t. 1, p. 900-901.

soir, mon bon Emile, vous ne vous douteriez pas qu'avec tant de
gentillesse et de grâce dans l'esprit, je travaille à une sorte de *brin-*
borion [*sic*] littéraire et dramatique, noir comme cinquante diables,
avec conspiration, bourreau, assassin, coups de poignard, agonie, râle,
sang, jurons et malédictions. Il y a de tout ça, ce sera amusant comme
tout. J'en fais la nuit des rêves épouvantables [5] ». Et quelques jours
plus tard : « Il ne s'agit pas de s'amuser cette fois, mais de faire un
bel et bon drame, qui fasse avorter de peur toutes les femmes en-
ceintes du boulevard [6] ». Assurément, cela sent la gageure, le jeu,
l'exercice de style, à l'égard duquel l'auteur sait garder ses distances
et qu'il n'a pas la fatuité de prendre trop au sérieux. Il fallait
bien que l'apprenti fît ses gammes et s'exerçât la main dans le goût
du jour. Assez lucide, au demeurant, pour laisser le divertissement
dormir dans ses cartons. Que soudain s'offre l'occasion de donner
au « brinborion » refroidi les ailes qui lui manquent, George n'hésite
pas : c'est Musset, dont elle n'ignore pas les talents de dramaturge,
qui s'en chargera, en toute propriété, sans que nul n'en sache rien,
jusqu'au jour où les hasards de la postérité et la curiosité des chercheurs exhumeront les preuves irréfutables d'une singulière création
littéraire par relais et, pour ainsi dire, à distance.

Mais on mesure sans peine l'intérêt immense du service ainsi
rendu par George à son amant. Un sujet découpé dans le fatras foisonnant d'une vieille chronique florentine et déjà dégrossi, des sources
d'information repérées et peut-être en partie dépouillées, un montage
dramatique assez rigoureux, l'ébauche d'un héros central en son ambiguïté même et la silhouette de quelques comparses, — le butin
n'était pas mince. On comprend que Musset, qui travaille vite et par
accès, ait profité largement de l'aubaine, qu'il ait emprunté sans
vergogne à l'œuvre de sa maîtresse quinze expressions textuelles, vingt
répliques à peine modifiées, plus de quarante passages directement
inspirés du texte de George Sand, que les six scènes d'*Une conspi-*
ration en 1537 se retrouvent dans les divers plans de *Lorenzaccio* et
que cinq d'entre elles subsistent dans la rédaction définitive du drame.

Reste à savoir pourquoi la scène historique de G. Sand a soudain
fécondé l'imagination créatrice de Musset. Problème beaucoup plus
délicat, sur lequel l'examen des alentours, la reconstitution d'une atmosphère intellectuelle pourront nous apporter, à défaut de certitudes
objectives, quelques lumières très éclairantes.

Trois lignes de force apparaissent en relief à l'observateur soucieux de ne pas se perdre en nuances trop subtiles : le rêve italien, la
conjoncture politique, le débat littéraire. Ces feux croisés dessinent
comme un espace spirituel où *Lorenzaccio* trouve sa place et prend
ses vraies dimensions. Ce sont, en tout cas, trois points de vue privilégiés d'où l'on peut espérer prendre la mesure exacte du chef-
d'œuvre au point critique de son élaboration.

---

5. *Correspondance*, t. 1, p. 893.
6. Ibid., p. 901 ; cf. également p. 826 : « Les monstres sont à la mode. Faisons des
monstres ».

LE RÊVE ITALIEN

Le rêve italien, ce n'est pas la première fois que, dans la carrière de Musset, nous le rencontrons. Mais un concours particulier de circonstances au moment même où le poète entreprend son drame ne peut que donner à ce rêve familier, un surcroît de force obsédante. Il y a d'abord le projet de voyage en Italie, médité par George Sand, avec ou sans Musset [1], puis les préparatifs du départ de la romancière avec son nouvel amant [2], les documents consultés à cet effet [3], sans oublier l'excitation de l'imagination entretenue par les lectures italiennes qu'exige l'œuvre en gestation : lecture obligée de Varchi et reprise certaine de la « Vie de Benvenuto Cellini écrite par lui-même », sans doute dans la traduction nouvelle procurée par D.D. Farjasse, ainsi que je l'ai montré au début de cet ouvrage [4]. Il y a encore, — c'est au moins vraisemblable —, les conversations exaltées avec George Sand. La romancière a depuis longtemps la tête enfièvrée par l'Italie [5]. Au surplus, son ancien amant, Jules Sandeau, voyage précisément dans la péninsule au moment même où elle devient la maîtresse de Musset [6]. Ajoutons qu'elle a fait récemment la connaissance et qu'elle reçoit fréquemment la visite ou des lettres de Charles Didier, voyageur et italianisant averti, qui échange avec elle livres et services dont l'orientation « italienne » ne fait pas de doute [7]. Il y a enfin les alentours d'une époque et notamment l'engouement de l'opinion cultivée pour tout ce qui touche à l'Italie.

Cet engouement, qui peut prendre les formes les plus diverses [8], se manifeste, entre autres, dans les revues littéraires auxquelles il n'est pas malaisé de concevoir que Musset puisse s'intéresser. Après avoir publié, en 1832, deux articles d'Hortense d'Allart consacrés aux « Grands écrivains de l'Italie [9] » et une étude d'H. de Latouche

1. « Ne mourez pas avant que nous n'ayons exécuté ce beau projet de voyage dont nous avons parlé » (lettre de Musset à G. Sand, 20 (?) juillet 1833, in *Correspondance*, Evrard, p. 25, et *Correspondance*, Lubin, t. 2, p. 367) ; « Je suis un fou de me priver du plaisir de vous voir pendant le peu de temps que vous avez encore à passer à Paris, avant votre voyage à la campagne, et votre départ pour l'Italie où nous aurions passé de si belles nuits, si j'avais la force » (lettre de Musset à G. Sand, 26 (?) juillet 1833, in *Correspondance*, Evrard, p. 28 et *Correspondance*, Lubin, t. 2, p. 381).
   2. Cf. A. Poli, *op. cit.*, p. 51-52.
   3. Vraisemblablement les ouvrages de Valéry et du baron de Mengin-Fondragon, déjà cités ; peut-être l'anonyme *Itinéraire et souvenirs d'un voyage en Italie 1819-1820*, Paris, 1829, 4 vol. ; sûrement le Guide Artaria, mais dans quelle édition ? Contrairement à ce que semble suggérer A. Poli, il faut exclure la 6ᵉ édition originale, la plus ancienne que nous ayons pu avoir entre les mains, mais qui est de 1842.
   4. Iʳᵉ partie, chapitre I, p. 14 sq.
   5. A. Poli, *op. cit.*, p. 3-42.
   6. Jules Sandeau part pour l'Italie sans doute le 26 mars 1833 ; cf. *Correspondance*, Lubin, t. 2, p. 211 ; *R.S.H.*, oct.-déc. 1959, p. 493-494 ; et aussi p. 466.
   7. Voir *R.S.H.*, oct.-déc. 1959, p. 466, fr. 15 ; A. Poli, *op. cit.*, p. 39-42.
   8. Voir A. Poli, *op. cit.*, p. 15 sq.
   9. *R.P.*, tome 37 (av. 1832), p. 76-83 ; tome 41 (août 1832), p. 29-43.

sur « Benvenuto Cellini [10] », la *Revue de Paris* revient sur les Mémoires de Cellini par la plume de Jules Janin, en juillet 1833 [11]. Dans le même temps, la *Revue des deux mondes* paye largement son écot à l'italomanie environnante en publiant tour à tour une série de G. Libri sous le titre général « Revue scientifique et littéraire de l'Italie [12] », l'important poème d'A. Barbier « Il Pianto [13] », des « Fragments d'un livre de voyage : Venise » par A. Brizeux dans la livraison même où paraît *André del Sarto* [14], encore des poèmes sur l'Italie [15] dus à la plume d'Antoni Deschamps, pour nous en tenir aux textes essentiels. Le lecteur le moins attentif se trouvait ainsi cerné par une réalité italienne sans cesse reprise et célébrée dans les discours les plus variés.

On aura noté, d'autre part, que l'Italie évoquée dans la plupart de ces articles est moins souvent géographique qu'historique, plus souvent d'hier que d'aujourd'hui. Une époque semble obséder les esprits : la Renaissance italienne, considérée non point tant dans sa réalité historique précise et mouvante que comme symbole d'humanisme et style de civilisation. Là encore Musset participe au mouvement général des esprits, mais en y apportant sa réserve naturelle, son intelligence aiguë de l'histoire, les ressources propres de son imagination visuelle. Déjà *André del Sarto* a préparé le terrain sur lequel s'élèvera *Lorenzaccio*. Tout un aspect essentiel de ce dernier drame resterait, en tout cas, dans l'ombre, si l'on négligeait de situer *Lorenzaccio* dans la longue suite des œuvres du XIXe siècle qui ont contribué à façonner une certaine image romantique de la Renaissance italienne. C'est dans le droit fil d'une revendication de liberté individuelle et en réaction contre la pression d'un certain obscurantisme clérical, d'un certain conformisme bourgeois qu'un Stendhal dès les premières années de la Restauration, un Nietzsche ou un Jacob Burkhardt dans la deuxième moitié du siècle élaborèrent une image de la Renaissance italienne à leur convenance et conforme à certains désirs profonds dont ils se sont fait les interprètes.

Dès le début du XIXe siècle, Simonde de Sismondi avait ouvert la voie aux curiosités italiennes et mis à la mode les vieilles chroniques dans sa savante *Histoire des républiques italiennes du Moyen Age*. Quand Musset, en 1831, se rangeait publiquement parmi « ceux qui aiment Benvenuto Cellini [16] », nul doute qu'il exprimait là un sentiment de curiosité passionnée qui était loin d'être sans écho dans l'opinion cultivée de son temps, prête à voir en Cellini, fût-ce au mépris de toute rigueur chronologique, le type même de l'artiste de la Renaissance. A cet égard, on pourra reconnaître sans peine, en

10. *Ibid.*, t. 44 (nov. 1832), p. 166-179.
11. *Ibid.*, t. 52 (juillet 1834), p. 46-70.
12. *R.D.M.* des 15 mars, 15 juin, 1er août 1832, 15 février 1833.
13. *Ibid.*, 15 janvier 1833 ; cf. note 37.
14. *Ibid.*, 1er avril 1833.
15. *Ibid.*, 15 mars et 15 avril 1833.
16. *Prose*, p. 872.

dehors même d'emprunts directs, sur lesquels je me suis expliqué ailleurs en détail [17], une certaine couleur « cellinienne » partout répandue dans *Lorenzaccio*. Une imprégnation diffuse des Mémoires de Benvenuto garantissait à Musset une invention de ton constamment juste, sans l'obliger aux recherches savantes dont il n'avait ni le goût ni surtout le temps. Cela valait bien la présence même fugace, au sein du drame, d'un personnage dont le témoignage avait été capital. Ainsi figure parfois le donateur dans la peinture des grands maîtres d'autrefois. Il passe, en tout cas, dans la pièce de Musset, un peu de cet air de violence, de cette odeur de sang, de cette passion mystique des arts plastiques, puisés à bonne source, et dont l'enchantement avait suggéré naguère à Stendhal l'*Histoire de la peinture en Italie* (1817), en attendant les *Chroniques italiennes* (1839).

C'est à cette image quelque peu déformée et quasiment mythique de la Renaissance italienne qu'il faut rattacher, dans le drame de Musset, le cynisme cru de la première scène, le langage dru d'Alexandre de Médicis et le foisonnement des jurons de tout poil qui émaillent sa conversation, l'immoralisme retors du cardinal Cibo, les meurtres facétieux [18] et les vengeances sauvages [19], l'empoisonnement de Louise, l'idéalisme raphaélique de Tebaldeo, sans oublier d'infimes détails, dont la touche discrète complète un tableau d'ensemble. Car pourquoi ces allusions gratuites, — ou du moins sans rapport nécessaire avec l'action —, au meurtre d'Hippolyte de Médicis [20] ou à la mort du jeune Evêque de Fano, violé et éventré par Pierre Farnèse, neveu du pape Paul III [21], sinon pour restituer au tableau sa couleur d'époque, pour témoigner, fût-ce au prix d'une entorse à l'exactitude chronologique [22], de la sombre vitalité d'un peuple que n'avait pas encore énervé le conformisme bourgeois des temps modernes ?

Mais il faut aller plus loin encore. Car le rêve italien de Musset ne se contente pas seulement d'être confortablement adossé au mythe vécu par l'opinion cultivée de son temps. Il prend corps au fil du discours et découvre d'une manière très personnelle un horizon à la fois réel et imaginaire, historique et poétique, œuvre d'un écrivain qui a le don d'éveiller le passé et de donner au vraisemblable la saveur du vrai. Aucune autre pièce de Musset, — et surtout pas *André del Sarto* —, n'offre aussi distinctement la sensation d'une Italie vivante, d'une Florence rencontrée, reconnue et aimée. On comprend sans peine que bien des critiques aient pu être abusés par cette puissance insolite d'imagination visuelle au point d'être tentés de lui trouver des racines dans les souvenirs vécus. Car, pour être stylisée et réduite à des lignes emblématiques, comme je

17. Ire partie, chapitre I, p. 13-31.
18. II, 6, p. 305, l. 1078-1079.
19. II, 5, p. 301, l. 994-1005.
20. I, 3, p. 217, l. 514-515.
21. I, 4, p. 223, l. 634-635.
22. Le fait s'était en réalité produit en 1538, c'est-à-dire après la mort d'Alexandre de Médicis ; Voir *Genèse*, p. 223, n. 1.

l'ai montré plus haut, une Florence monumentale authentique n'en est pas moins éveillée par la force même dont est doué par excellence un poète : celle des mots. Une confrontation sur ce point d'*Une conspiration en 1537* et de *Lorenzaccio* en manifestera l'évidence. Dans la scène historique de George Sand le décor de Florence — j'entends par-là non seulement les lieux où l'auteur situe les phases successives de l'action, mais également ceux qu'il évoque dans le cours du dialogue — se limite à un minimum de notations sèches et sans écho : la place Saint-Marc[23], un palais : celui du Grand Duc[24], deux maisons : celle des Médicis Soderini[25] et celle des Sostegni[26], une église : Santa Reparata, mentionnée comme point de rassemblement d'une manifestation politique[27], et naturellement l'eau froide de l'Arno[28]. C'est tout et c'est maigre.

En regard, la Florence de *Lorenzaccio* est d'une autre richesse tant descriptive que lyrique. Quatre églises, seulement, je l'ai dit, mais toutes ont, peu ou prou, leur connotation harmonique. San Miniato résonne encore d'un sermon à briser les vitres et son parvis s'anime des allées et venues d'une foule en liesse[29]. L'Annonciade et Sainte-Marie éveillent en nous l'écho d'une « cantoria » où prend place Tebaldeo en costume de chœur[30]. Quant à l'église sans nom devant laquelle se déroule la rencontre de Lorenzo avec Tebaldeo, elle inspire à Valori un développement lyrique sur les « pompes magnifiques de l'Eglise romaine » d'autant mieux venu que Musset y préludait, sur le même ton, dans un article de la *Revue des deux mondes*[31], où perçait une émotion à la fois esthétique et religieuse dont il n'y a pas lieu de suspecter la sincérité. Même remarque en ce qui concerne l'Arno. Avant d'être, chez Musset, la rivière des suicidés[32] ou une commodité de la conversation[33], l'Arno est le paysage familier des Florentins, ses rives le lieu de leur promenade favorite ; c'est sur ses bords que Catherine et Marie viennent chercher le réconfort et la paix du cœur ; il plaît au cœur virginal de Catherine d'y contempler mystiquement le coucher du soleil[34].

On remarquera au passage que, pour rendre vivantes et présentes Florence et la vie florentine, Musset n'a pas besoin de recourir à la forme italienne des noms propres qu'il emploie. On peut même prétendre qu'il ne cède à l'italianisme que dans un dessein esthétique

---

23. *Genèse*, p. 131, l. 1066.
24. P. 85, l. 22.
25. P. 100, l. 354.
26. P. 131, l. 1080.
27. P. 87, l. 67.
28. P. 99, l. 330.
29. I, 5, p. 231-241.
30. II, 2, p. 268, l. 325-328.
31. *R.D.M.*, 1er sept., 1833 ; *Prose*, p. 882-883.
32. III, 3, p. 357, l. 856-857.
33. « Avaler ainsi une couleuvre aussi longue que l'Arno, cela s'appelle avoir l'estomac bon » (V, 3, p. 453, l. 408).
34. I, 6, p. 242, l. 995-1000.

déterminé. George Sand, encore qu'elle n'abuse pas des termes
en langue originale, n'avait pas eu les mêmes scrupules. Dans *Une
conspiration en 1537*, la mère de Lorenzo s'appelle pompeusement
Madonna Maria Soderini et sa jeune sœur Madonna Catterina [35]. Soucieuse de se conformer au goût supposé du public, l'élève de Latouche ne répugne pas au pittoresque historique gratuit. Même
francisé, le tribunal des « Caparions [36] » n'est sans doute pas plus
limpide à l'esprit de l'honnête lecteur que les « Caporioni » cités
par Varchi [37]. La même remarque s'applique à Giovanni della Casa [38],
à la maison des Sostegni [39], voire aux « Popolani » [40]. Quand Musset, de
son côté, cède au même démon, le résultat est plus discret. Les « fuorusciti », par exemple, figurent dans le texte de *Lorenzaccio*, mais en
note, dans le manuscrit, avec la traduction [41], et ne seront pas maintenus dans la version imprimée. Caffagiuolo sonne sans doute très
italien à l'oreille et à l'imagination du lecteur, mais l'effet recherché
n'est pas gratuit : car Caffagiuolo, c'est en quelque sorte le Combray
de Lorenzo, et les yeux du héros sans cesse fixés sur l'horizon de
l'enfance [42] en disent long sur la nostalgie de pureté et la quête d'enracinement de cette âme à la dérive. L'italianisme gratuit est à peu
près inconnu de l'auteur de *Lorenzaccio*.

Quand Musset intègre à son texte, une réalité florentine précise,
— institution ou personnage —, on peut, dans presque tous les cas,
justifier ou du moins s'expliquer l'orientation de son choix. S'agit-il,
par exemple, d'évoquer une institution florentine caractéristique de
la tyrannie ? Musset ne retient que le « tribunal des Huit » dont
le nom figure à plusieurs reprises, mais épisodiquement, dans
Varchi [43]. Quant aux raisons de ce choix, elles ne sont pas mysté-
rieuses : le côté énigmatique de son titre « chiffré », la figure impitoyable de Sire Maurice, son chancelier [44], sont autant d'éléments qui
composent sa réalité dramatique ; et le tableau se complète, au plan
lyrique, des commentaires de Philippe Strozzi, qui en évoque, à la
façon du chœur antique, la toute-puissance impitoyable et sans
cesse menaçante : « Les Huit ! un tribunal d'hommes de marbre !
une forêt de spectres, sur laquelle passe de temps en temps le vent
lugubre du doute qui les agite pendant une minute, pour se résoudre
en un mot sans appel... [45] ». Le pittoresque est au service de l'effet dramatique, un détail historique, très librement interprété, est mis en
place dans la forme littéraire la plus propre à susciter l'émotion du
lecteur.

35. *Genèse*, p. 84, l. 15-16.
36. *Ibid.*, p. 96, l. 260.
37. *Genèse*, p. 50, l. 1388.
38. *Ibid.*, p. 118, l. 791.
39. *Ibid.*, p. 131, l. 1080.
40. *Ibid.*, p. 109, l. 584.
41. *Ibid.*, p. 248, l. 1110 (note).
42. *Ibid.*, p. 423, l. 751.
43. *Ibid.*, p. 38, l. 1041 et 1043 ; p. 39, l. 1057.
44. *Ibid.*, p. 38, l. 1042-1045.
45. III, 3, p. 336, l. 441-445.

Des remarques voisines pourraient être formulées à propos du choix fait par Musset de la forme originale ou de la traduction en français des noms propres italiens : presque toujours une raison d'esthétique dramatique peut être avancée sans hésitation. Il est bien vrai que, d'une manière générale, Musset préfère à la forme italienne des noms propres leur forme francisée et M. Pommier a tiré naguère [46] de cette tendance habituelle des conclusions pertinentes, mais sans s'interroger, dans le même temps, sur les raisons exactes de l'étrange coexistence, au sein de la pièce, de termes laissés en langue originale et de termes traduits en français. S'il y a, en effet, Sainte-Marie et l'Annonciade, Saint-Miniato et Montolivet, Sire Maurice et Léon Strozzi, le Marché-Neuf et le Vieux-Marché [47], on trouve aussi le Campo Santo (et non pas le Cimetière), Guicciardini (et non pas Guichardin), « Cattina » pour diminutif de Catherine, Ricciarda Cibo et Roberto Corsini [48], sans compter les multiples contorsions, toutes italiennes, que l'écrivain fait subir au prénom du héros principal, Lorenzo (et non Laurent, réservé au marquis Cibo), Lorenzaccio, Lorenzino, Renzo, Renzino, Renzinaccio, Lorenzetta [49]. Vu de haut, tout cela paraît anarchique ou de libre fantaisie. A la réflexion, les choses s'ordonnent selon des pratiques constantes, dont la justification ressortit presque toujours à une esthétique du langage dramatique. Il vaut la peine de regarder les choses d'un peu près.

Dans un premier temps, disons dans la phase préliminaire des lectures et des recherches, Musset recueille indifféremment les noms propres en italien ou en français, mais avec une prédilection marquée pour la forme italienne. Ainsi, dans la liste de personnages que Musset a tirés de Varchi et dont il a recopié les noms dans les marges de son troisième plan [50], sur vingt et un prénoms mentionnés, quatre seulement sont transcrits en français. Or il n'est pas douteux qu'une dizaine d'entre eux avaient des équivalents en langue française. Au stade de la première ébauche, la même constatation s'impose. La mère de Lorenzo, par exemple, figure uniquement sous le prénom de Maria dans les trois plans. Si Catherine et Catterina coexistent, le prénom italien revient cinq fois, le prénom français quatre fois. Le prénom du vieux Strozzi, quatre fois mentionné, est orthographié deux fois à la française et deux fois à l'italienne. Sire Maurice n'apparaît qu'une fois dans les plans, mais sous la forme originale de Ser Maurizio. Or on sait que tous ces personnages figureront dans le texte définitif de la pièce sous leur prénom français.

46. *Pommier I*, p. 128-129.

47. II, 2, p. 268, l. 325 ; I, 5, p. 231, l. 800 ; p. 187, l. 7 ; p. 188, l. 13 ; V, 5, p. 458, l. 510 ; I, 5, p. 234, l. 852.

48. II, 2, p. 262, l. 199-200 ; p. 259, l. 148 ; V, 1, l. 4 ; I, 6, p. 247, l. 1078 ; I, 3, p. 213, l. 439 ; p. 188, l. 14.

49. P. 187, l. 3 ; II, 4, p. 281, l. 611 ; I, 4, p. 223, l. 636 ; II, 4, p. 288, l. 753 ; IV, 7, p. 415, l. 589 ; I, 4, p. 230, l. 775.

50. *Genèse*, p. 164-165, l. 39 (note).

Bien qu'il soit difficile de mettre de l'ordre dans un domaine où semblent régner le caprice et le hasard [51], on peut affirmer que, sauf les cas particuliers de prénoms intraduisibles (Baccio Valori, Palla Rucellai, Alamanno Salviati, Bindo Altoviti, Tebaldeo Freccia) et de personnages désignés sous un seul vocable (Scoronconcolo, Giomo, Maffio, Guicciardini, Niccolini, Vettori, Capponi, Acciaiuoli, Canigiani, Corsi, Pippo), Musset n'a conservé la forme italienne des prénoms attribués à des personnages figurant réellement dans l'action que dans quatre cas précis, qui relèvent d'explications différentes : Roberto Corsini, Baptista Venturi, Ricciarda Cibo, Lorenzo de Médicis.

Roberto Corsini se prénomme, en réalité, chez Varchi, Bertoldo ; Alfred de Musset ne l'ignorait pas, puisque c'est sous ce prénom qu'il l'a noté dans les marges de son troisième plan [52]. En substituant un prénom à un autre par une inadvertance dont j'ai cru pouvoir démonter le mécanisme ou du moins indiquer l'origine [53], Musset n'a sans doute pas songé à modifier la forme italienne d'un prénom fixé dans son esprit par le souvenir obsédant d'une lecture ; il s'est contenté de mettre en français la fonction occupée par le personnage. Baptista Venturi, qui est désigné, au demeurant, sans prénom dans la liste des personnages de la pièce [54], a droit, dans la scène où il figure, à un prénom hybride, italien par sa désinence, mais français par son orthographe [55]. A vrai dire, pour d'évidentes raisons de symétrie rhétorique, il était difficile de donner à Venturi un prénom de consonance française, quand Bindo Altoviti était condamné à conserver à la fois son prénom et son nom italiens. En imaginant Lorenzo présentant ensemble au duc de Florence Bindo Altoviti et Baptista Venturi [56], Musset s'imposait de lui-même le respect d'une loi implicite d'équilibre au sein du langage dramatique, dont, au surplus, George Sand lui avait donné l'exemple dans une scène qu'il a imitée de fort près [57].

Le cas de Ricciarda Cibo est à la fois plus complexe et plus simple. Jamais Musset n'a envisagé de donner au personnage de la marquise un prénom français. L'examen des variantes du manuscrit fait apparaître une continuité frappante sur ce point : d'abord Gemma (1re leçon biffée), puis Torquata (2e leçon biffée), enfin

51. Deux exemples seulement, mais très révélateurs de cette aimable anarchie : « *Guillaume* Martelli est un bel homme et riche. C'est un bonheur pour *Nicolo* Nasi d'avoir un gendre comme celui-là » (I, 2, p. 205, I, 289-291) ; « *Le Seigneur Jules* et la *signora Julia*, ses enfants naturels » (V, 7, p. 470, l. 728-729).

52. *Genèse*, p. 165, l. 39 (note) : « Bertoldo Corsini, proveditore de la forteresse » ; cf. *ibid.*, p. 63, l. 1819-1820.

53. Voir Ire partie, chap. II, p. 40-41.

54. *Genèse*, p. 188, l. 19.

55. Musset n'ignorait pas l'orthographe italienne du prénom de son personnage, puisqu'il l'a fort bien respectée en notant son nom dans les marges de son 3e plan (cf. *Genèse*, p. 165, l. 39, note critique). C'est par inadvertance et surtout par contamination des formes italienne et française du même prénom que *Battista* est devenu sous sa plume *Baptista* (II, 4, p. 283, l. 646, et p. 287, l. 734).

56. II, 4, p. 287, l. 731-735.

57. *Genèse*, p. 114, l. 703-709.

Ricciarda[58], quand Musset eut découvert que tel était le prénom authentique du personnage. Il convient d'ajouter que ce prénom italien est fréquemment utilisé dans la pièce par les interlocuteurs de la marquise[59] et fait un curieux, mais, somme toute, assez bon ménage avec les prénoms français de son mari (Laurent) et de son père (Albéric) et le prénom italien de son fils (Ascanio). Ce nœud de bizarreries sera tranché sans peine si l'on veut bien considérer la question sous l'angle où elle peut recevoir le meilleur éclairage, celui de l'esthétique dramatique et de l'équilibre des contrastes. Car, en vérité, cette fière italienne, sensuelle et ardente, imprudente et généreuse, patriote et républicaine, qui, de surcroît, comme l'a bien montré M. Pommier[60], devait sans doute plus d'un trait à la princesse Belgiojoso, appelait, à l'évidence, l'éclat d'un prénom transalpin, tandis que des prénoms français et familiers, Catherine, Marie, Louise[61], convenaient mieux aux autres femmes de la pièce, plus passives, plus effacées, chœur pathétique de victimes innocentes. Après tout, Musset se comportait là en poète, qui sait le poids des mots, leur couleur pour l'imagination, l'adéquation des noms aux personnes, leur pouvoir de révéler parfois l'être profond. Ainsi s'explique le feu d'artifice des surnoms donnés au héros de la pièce. Un être polymorphe et ployable à merci exigeait cette brassée de prénoms multiples et la nuance singulière attachée à chacun d'eux selon les circonstances : affectueuse (Lorenzino), amicale (Renzo, Renzino), méprisante (Lorenzaccio, Renzinaccio), infâmante (Lorenzetta).

Ainsi nous apparaît, une fois encore, par un biais inattendu, une des constantes du drame de Musset. Rien n'y est extérieur au dessein fondamental ou isolé de lui, rien n'y est gratuit ou insignifiant ; le pittoresque, même en sourdine, y est toujours significatif. En jouant, dans la plupart des cas, sur la disparité entre un prénom français et un nom de famille italien, Musset s'autorise des effets qui appartiennent soit à l'esthétique propre de l'action dramatique soit à la philosophie générale de la pièce. Dans les deux cas, leur caractère concerté ne manque jamais d'être évident. Tant il est vrai que *Lorenzaccio* procède d'une dramaturgie sans équivoque.

Au plan esthétique, le poète sait mieux que personne qu'il y a, selon la pensée célèbre de Pascal, « des lieux où il faut appeler Paris, Paris, et d'autres où il la faut appeler capitale du royaume ». Ainsi en va-t-il du jeu des noms propres dans *Lorenzaccio*. On nous permettra un exemple unique, mais qui ouvre le plus d'horizon. Il concerne le cardinal Cibo. Que Musset ait cru par erreur que Malaspina était un nom de famille, voire le prénom du cardinal

---

58. I, 3, p. 213, l. 438, et note critique, l. 445 et note critique.

59. Par son mari (I, 3, p. 213, l. 439 et l. 445) ; par le cardinal (I, 3, p. 219, l. 558 ; II, 3, p. 277, l. 524) ; par elle-même (IV, 4, p. 400, l. 340-341 et l. 342 ; cf. aussi p. 373, l. 1186, note critique).

60. *Pommier I*, p. 114-116.

61. Auxquels il faut ajouter, pour être complet, celui de Gabrielle, sœur de Maffio, dont on ne fait qu'entrevoir la silhouette dans la nuit (cf. I, 1, p. 194, l. 77).

Cibo, importe peu à l'affaire. Ce qui compte, c'est qu'il ait su jouer, quand et où il le fallait, tantôt de la dignité, tantôt du nom du dignitaire. Dans la scène de la confession[62], la montée de la tension dramatique, qui donne en quelque sorte la mesure de la profanation du sacrement, est comme rythmée par la métamorphose des appellations.

On commence, comme il est normal, par le langage rituel : « mon père », « ma fille ». Puis, quand le confesseur tourne à l'inquisiteur le rituel de la confession craque soudain et un autre rapport naît entre les interlocuteurs : « mon beau-frère » (l. 465) trahit la confusion des situations et des rôles, le scandale d'un sacrement détourné de son sens et de son but. Et quand le cardinal se fait plus pressant, le rapport se modifie à nouveau, vire à la haine domestique : « Malaspina » (l. 478) éclate alors comme un cri de colère, claque comme une insulte. Debout, la marquise n'est plus la pénitente agenouillée devant Dieu, mais une femme blessée face à son insulteur. Pour éviter la rupture, dommageable à ses desseins secrets, le cardinal use alors d'une tactique nouvelle ; il laïcise volontairement le dialogue, fait glisser la confession vers une conversation d'alcôve : « marquise » (l. 483) traduit ce radoucissement prémédité. Mais un subtil désaccord s'installe entre les personnages. A la froide politesse du courtisan répond la colère indignée et tumultueuse de la marquise : « Cibo » (l. 497), lancé comme un trait, vise l'homme sous la fonction, l'âme secrète dissimulée sous la pourpre cardinalice ; une apostrophe au « prêtre » (l. 520), assortie d'un tutoiement irrévérencieux et presque vulgaire, va plus loin encore dans le mépris, vise le sacerdoce lui-même, fustige l'imposture. Le cardinal oppose à cette marée montante de l'indignation verbale une tactique toute d'esquive et de finesse. Au titre de « marquise », qui crée la distance, il substitue un prénom familier, « Ricciarda » (l. 524), qui recrée l'intimité ; mais une note de sensualité équivoque passe dans cette appellation exclusivement réservée jusqu'ici à l'expression de l'intimité conjugale[63]. En fin de parcours, Musset affirme sa maîtrise du dialogue en jouant admirablement de la litote. La force du cardinal, sûre d'elle-même, s'affirme dans le ton, tandis que le titre de « marquise » maintient le rapport des personnages dans les limites strictes d'un code de politesse mondaine[64]. La faiblesse de la marquise, demeurée seule, tremblante, vaincue, se trahit dans une sorte de démonétisation des patronymes, naguère fièrement utilisés comme des armes offensives : « Cibo » n'est plus qu'une force mystérieuse, dont il faut tout craindre, « Malaspina » qu'une présence redoutable qui l'« a laissée toute tremblante[65] ». Au bout du compte, apparaît, comme toujours,

---

62. II, 3, p. 269-279.
63. I, 3, p. 213, l. 439 et 445 ; III, 6, p. 373, l. 1186 (note critique) ; le cardinal emploie aussi ce prénom, mais quand il est seul (cf. I, 3, p. 219, l. 558 ; II, 3, p. 271, l. 365).
64. II, 3, p. 278, l. 529.
65. II, 3, p. 278, l. 543 ; p. 279, l. 566.

la cohérence d'un art dramatique, qui ne fait fi d'aucun moyen loyal, fût-il de pure dextérité verbale, comme c'est ici le cas, mais pour le faire concourir à la peinture exacte des caractères et à la représentation sans équivoque de situations significatives.

Une expérience analogue peut être faite à propos d'un autre nom propre italien, dont la présence dans le drame appelle des réflexions de même signe, mais touchant moins à la forme de la pièce qu'à son esprit général et à son contenu. Il s'agit des Pazzi, fort modestement représentés dans l'action par le seul François Pazzi [66], mais qui n'en ont pas moins une existence dramatique dont Musset tire un parti très habile. Il avait d'abord songé, un moment, à situer plusieurs scènes de la pièce dans le palais des Pazzi [67]. Ayant dû renoncer à cette intention première, pour des raisons d'ordre à la fois esthétique et pratique, sur lesquelles je me suis expliqué ailleurs [68], Musset n'en a pas moins gardé l'indication dans le corps même du dialogue, où elle trouve sa pleine valeur. Ainsi peut-on entendre un bourgeois libéral protester contre le pouvoir tyrannique du duc Alexandre, en évoquant en ces termes les circonstances de sa mise en place : « ...Et puis un beau matin ils se réveillent tout engourdis des fumées du vin impérial, et ils voient une figure sinistre à la grande fenêtre du palais des Pazzi [69] ». L'indication topographique cesse alors d'être une notation pittoresque pour devenir le symbole historique des révoltes inutiles et des conjurations écrasées. Le nom des Pazzi circule du reste tout le long de la pièce à la fois comme un souvenir et comme un talisman à l'usage des républicains. Le souvenir de la conspiration des Pazzi, déjà présent dans la scène historique de George Sand [70], insère l'action de *Lorenzaccio* dans le contexte vivant d'une longue et vaine résistance à la domination des Médicis. La conspiration contre Alexandre s'inscrit dans une continuité historique par où elle échappe au fait divers criminel, à l'anecdote isolée. Le nom des Pazzi est le révélateur privilégié des contradictions où s'épuisent les clans de l'opposition aux Médicis. Au cri résolu et fougueux de Pierre Strozzi : « Je vais chez les Pazzi [71] », répondent les craintes, l'atermoiement, le doute de Philippe [72]. Lorsque la contagion de l'exemple et les vertus de l'éloquence ont réussi à entraîner le vieux Strozzi à l'action, c'est encore autour du nom magique des Pazzi que se cristallisent ses velléités d'agir : « Voilà qui est certain, je vais aller chez les Pazzi » ; « Adieu, je vais chez les Pazzi [73] ». Mais ce velléitaire ne résistera guère aux sarcasmes et

66. François Pazzi paraît deux fois dans la pièce (II, 5, p. 300, l. 992 ; IV, 7, p. 415, l. 601) et prononce en tout trois répliques (IV, 7, p. 415, l. 603 ; p. 416, l. 608 et l. 613).

67. Voir *Genèse*, p. 211, l. 401 (note critique) ; p. 219, l. 564 (note critique) ; p. 304, l. 1049 (note critique) ; p. 311, l. 1197 (note critique).

68. Ire partie, chapitre I, p. 17-18.

69. I, 5, p. 235, l. 864-867.

70. *Genèse*, p. 112, l. 644 ; p. 146, l. 1395.

71. III, 2, p. 320, l. 147-148.

72. III, 2, p. 323, l. 199-203 et l. 202 (note critique).

73. III, 3, p. 337, l. 478 ; p. 338, l. 485.

aux avertissements de Lorenzo: « je vais rassembler mes parents [74] » fait écho, en fin de parcours, à « je vais chez les Pazzi » du début de la scène. En dissociant deux décisions qui étaient à l'origine complémentaires l'une de l'autre [75], en subordonnant toute action politique immédiate à la libération de ses fils emprisonnés, Philippe ne se doute guère qu'il amorce une conduite de repli et d'abandon, qu'un nouveau malheur familial rendra aussitôt définitive.

Du reste le mythe des Pazzi ne résistera pas à l'épreuve des faits : c'est un Pazzi qui reçoit la confidence décisive de Lorenzo quelques instants avant le coup, mais il n'en fera rien [76]. Le mythe s'effondre, à l'acte V, d'une manière d'autant plus cruelle qu'il ne subsiste, en tant que tel, que dans l'esprit du vieux Philippe, mais que les faits lui ont déjà donné un ironique et cinglant démenti. A l'espérance naïve et bavarde de Philippe Strozzi répond le scepticisme incorrigible de Lorenzo et nous savons, par un agencement audacieux de l'intrigue, que le doute de Lorenzo a le goût amer de la vérité [77]. Ainsi les Pazzi, sans jouer aucun rôle de premier plan dans l'intrigue, en se réduisant le plus souvent à un nom chargé d'histoire, qui retentit, de loin en loin, au cours de la pièce, constituent-ils un arrière-plan historique, dont profite l'analyse politique, un point d'optique où se concentrent les fausses espérances et la lâcheté des hommes. Il fallait, assurément, tout le talent d'un poète pour donner à un simple mot, par la magie d'autres mots, une aussi rigoureuse existence dramatique.

L'exemple privilégié des Pazzi, intéressant en lui-même, jette en outre des lumières précises sur l'orientation secrète du drame de Musset. En dissociant sans cesse nom et prénom, sonorité italienne et consonance française, Musset joue d'une ambiguïté calculée. Le nom italien éloigne de nous les personnages, les situe dans leur temps plus que dans le nôtre, évoque de vieilles rivalités de clans, tout un passé de gloire aristocratique et de haines ancestrales, qui réjouissaient si fort un amateur de mœurs italiennes comme Stendhal. Bien des passages du dialogue de *Lorenzaccio* sont empreints de cette fierté aristocratique d'un nom. On peut citer à foison et presque au débotté : « La vertu d'une Strozzi, ne peut-elle oublier un mot d'un Salviati ? » ; « Ah ! Léon, j'ai beau faire, je suis un Strozzi » ; « Imbécile ! qui arrête un Strozzi sur la parole d'un Médicis ! » ; « L'honneur des Strozzi souffleté en place publique, et un tribunal répondant des quolibets d'un rustre ! » ; « nous sommes tout autant que les Médicis, les Ruccellaï tout autant, les Aldobrandini et vingt autres [78] ».

Mais, dans le même temps où Musset magnifie ainsi les grandes familles et fait tinter leurs noms chargés d'histoire, il en indivi-

---

74. III, 3, p. 359, l. 909-910.

75. Voir III, 3, p. 337-338, l. 478-486.

76. Voir IV, 7, p. 416, l. 613.

77. Voir V, 2, p. 447-448, l. 281-304.

78. II, 5, p. 295, l. 883-884 ; p. 297, l. 923-924 ; III, 3, p. 327, l. 268-269 ; p. 331, l. 348-350 ; III, 7, p. 375, l. 1223-1225.

dualise les membres sous leurs prénoms très familiers : Léon, Philippe, Pierre, Alexandre, Maurice. On ne répugne pas même au sobriquet ou à l'appellation intime. Thomas Strozzi, pour l'étudiant des Beaux-Arts, c'est Masaccio, à cause de sa petite taille [79]. Dans les tête-à-tête du cardinal avec sa belle-sœur se glissent parfois des familiarités qui cachent plus de mépris qu'elles ne trahissent d'amitié : « Et le bonnet de la Liberté, n'est-il pas vrai, petite sœur ? [80] » Toute une complicité équivoque se cache dans le « mignon » dont le duc et Lorenzo se gratifient mutuellement. Les conversations entre Philippe et ses fils prennent parfois un tour bourgeois, que réprouverait une dramaturgie d'essence classique. C'est le même Philippe Strozzi, par exemple, qui interrompt une de ces belles envolées politiques et morales dont il a le secret, pour entamer avec ses fils ce dialogue à ras de terre : « *Ph.* — Ah ! bonjour Léon — *Le Prieur.* Je viens de la foire de Montolivet — *Ph.* Etait-ce beau ? Te voilà aussi, Pierre ? Assois-toi donc ; j'ai à te parler [81] ». Commencé dans les faits divers, puis tendu à l'extrême jusqu'à la rupture dramatique, l'entretien s'éteint brusquement dans une retombée vers les occupations quotidiennes ; « *Pierre.* Je n'ai rien à faire ; allons dîner, le dîner est servi [82] ». Courbe insolite, comme on peut voir, et digne de provoquer la surprise. Ce n'en est pas l'exemple unique.

Ce mode singulier d'écriture dramatique, évoqué ici d'un point de vue très particulier, mais que des analyses ultérieures ne manqueront pas de mettre en évidence dans toute son ampleur, autorise dès maintenant quelques remarques touchant l'orientation profonde du drame de Musset. Il semble bien, tout d'abord, que le dramaturge ait voulu démythifier les héros de la chronique italienne, — tels du moins que George Sand les lui avait légués —, qu'il ait cherché à les dépouiller de toute une patine quelque peu légendaire propre à gommer les aspérités trop vives et à altérer la vérité des traits. Ainsi les personnages du drame de Musset sont-ils, à bien des égards, des hommes très ordinaires, aux passions égoïstes, aux tares secrètes, aux emportements déraisonnables, aux bassesses sans éclat. Toute évasion dans le romanesque, l'idéalisme, le pittoresque, l'exotique est systématiquement bridée. Musset cherche à briser la vitre que la distance dans le temps et l'idéalisation du passé pourraient interposer entre le spectacle de Florence en 1537 et le lecteur contemporain. Un certain style composite de *Lorenzaccio*, qu'on a pu assimiler à un « style de traducteur [83] », s'expliquerait assez bien, comme on aura encore l'occasion de le montrer, par le souci du dramaturge de provoquer l'éveil critique

79. I, 2, p. 207, l. 321-322.
80. I, 3, p. 217, l. 517-518.
81. II, 1, p. 253, l. 35-41.
82. II, 1, p. 256, l. 107.
83. A. Brun, *Deux proses de théâtre*, p. 97.

du lecteur au moyen des secousses du langage, en corrigeant sans cesse la langue soutenue propre à la fresque historique par le langage direct et familier du drame politique et psychologique moderne. Que ce langage artificiel soit l'effet de l'art et non de l'inadvertance, qu'il procède d'une volonté délibérée et non d'une impuissance de son créateur, c'est ce qu'il restera à démontrer. Nos analyses ultérieures pourront y contribuer.

Une deuxième remarque vient compléter la première, en en prolongeant les conséquences. L'entreprise de démythification des héros de la chronique italienne paraît procéder d'un dessein plus secret, qui tient à la vie spirituelle même de l'écrivain. En ramenant les personnages de l'histoire à leur humanité de tous les jours, en forçant les traits presque toujours dans un sens péjoratif, Musset semble avoir voulu régler un compte avec toute une époque, qui a pourtant exercé sur lui, comme sur la plupart de ses contemporains, une constante fascination. Démythifier les acteurs d'une conspiration à Florence en 1537, c'était, d'une certaine manière, s'en prendre au mythe même de la Renaissance italienne. Certes, on aurait beau jeu de rappeler que cette rupture est déjà en germe dans *André del Sarto*. Mais rien dans ce drame psychologique, où il est question d'abord de l'amour et de l'amitié, n'est comparable à cette ample et impitoyable entreprise de destruction à laquelle Musset s'abandonne dans *Lorenzaccio*. Et l'on ne se porte pas au secours du poète en suggérant qu'il s'agit là d'un tableau d'histoire, circonscrit dans des limites chronologiques précises. Car cultiver dans le fond de son cœur une certaine image idéale de la Renaissance italienne et choisir de brosser, quand l'occasion s'en présente, le tableau de sa décomposition, cela révèle chez l'écrivain un désir secret de destruction qui sent, au mieux, l'amour déçu et, au pire, — et probablement au vrai —, la rage de s'interdire un chemin de fuite, de se priver des facilités d'une rêverie consolatrice.

Car enfin tout est décomposition dans *Lorenzaccio* : la décomposition des corps sociaux (l'Eglise, la Cour, l'aristocratie, la bourgeoisie, le peuple même) s'accompagne d'une décomposition des consciences individuelles. Même les meilleurs de ceux qui participent au mouvement de l'action ont des tares secrètes qui paralysent l'exercice de leurs vertus : Philippe sincère et désintéressé, mais rêveur, bavard, velléitaire ; Pierre courageux, mais brouillon, emporté, un peu fier-à-bras ; Léon bon et pieux, mais impuissant à dominer les forces de mort que ses confidences ont déchaînées ; la marquise Cibo généreuse, mais équivoque dans ses intentions et dépassée par les événements auxquels elle rêvait de commander. Une grande nuit froide tombe sur Florence. Le « soleil ardent de l'Italie », naguère chanté à tous les échos, semble s'être soudainement éteint [84]. Les barbares sont déjà dans la place, armés de hallebardes impitoyables. Tous les citoyens semblent se ruer à la servitude, les simulacres de résistance se résorbent, pour ainsi dire,

84. Cf. *Prose*, p. 808 ; *Poésie*, p. 127.

d'eux-mêmes et Musset poussera au noir la veulerie universelle jusqu'à supprimer la courte scène des étudiants mourant pour la liberté. Même si d'autres raisons peuvent expliquer cette suppression, on ne peut pas ne pas voir dans cette amputation la continuité d'un dessein dont on vient de sonder les inquiétantes profondeurs. Ainsi Musset, le jour où s'offre l'occasion de peindre à fresque un de ses rêves favoris, ne peut-il se retenir de représenter le spectacle d'une agonie. Flaubert ne s'y prendra pas autrement, quand il voudra fouailler sans pitié son bovarysme intérieur ou liquider, avec tous les honneurs de la création littéraire, les illusions de sa jeunesse.

On pourrait même pousser assez loin la comparaison et se demander si, dans le drame de Musset, on ne retrouve pas aussi ces personnages miraculeusement préservés des médiocrités ou des vices au milieu desquels ils vivent sans les apercevoir ou sans en subir la contagion : le petit Justin de *Madame Bovary* ou Dussardier de *l'Education sentimentale*. Musset en a, il est vrai, créé l'équivalent en la personne du jeune peintre Tebaldeo. J'ai montré ailleurs[85] de quelle manière progressive ce personnage avait été conçu. Sa seule présence d'artiste, dans le drame de Musset, suffit à sauver d'une civilisation en péril ce qui peut en être sauvé et à faire équilibre, au plan spirituel du moins, à l'universelle décadence dont Lorenzo, son interlocuteur principal, est à la fois l'agent d'exécution, la victime pathétique et la conscience impitoyable. C'est sous cet angle d'observation qu'apparaît soudain le plus clairement la raison principale pour laquelle Musset a substitué inéluctablement cette noble et frêle figure imaginaire à la puissante carrure de Benvenuto Cellini, réduite en fin de compte à une silhouette de cabaret. En intégrant Cellini à l'action du drame, même d'une manière épisodique, comme c'était d'abord son intention, Musset obtenait difficilement le contraste à la fois esthétique et moral qu'autorisait Tebaldeo. Comment, en effet, ce florentin haut en couleur, aux muscles puissants et aux mœurs douteuses, lutteur, joueur, assassin à l'occasion, vantard, effronté et même un peu menteur, au demeurant grand artiste, écrivain de talent et esprit universel, eût-il pu justifier, au plan des valeurs, un univers auquel il adhère par toutes ses fibres, qu'il ratifie par sa conduite, et qui lui renvoie, en maintes circonstances, sa propre image ? Tebaldeo, au contraire, c'est le meilleur de la Renaissance florentine qui s'incarne en lui : une foi religieuse humaniste et sincère, la passion mystique des arts, l'esprit même de Michel-Ange et surtout de Raphaël, dont il se reconnaît l'élève et dont il perpétue anachroniquement et comme à contre-courant la leçon. Ainsi, à travers lui, c'est une Renaissance sauvée qui trouvait sa place au sein d'une Renaissance en crise. « Ce hâbleur de Cellini », par sa taille de géant et sa trop encombrante réalité, n'eût point permis cet affrontement idéal et inégal de l'épanouissement des arts et de la déca-

---

85. Voir Ire partie, chap. II, p. 41 sq.

dence des sociétés, auquel se prêtait sans peine la fragile et attachante silhouette du disciple d'un grand maître. Printemps anachronique au sein du plus cruel hiver, Tebaldeo offrait aussi l'avantage d'être une figure, pour ainsi dire, hors de l'histoire, créée à dessein non point seulement pour corriger un tableau historique poussé au noir, mais pour dessiner, en filigrane, ses lignes profondes de signification.

En ce sens, Tebaldeo témoigne moins pour l'art pictural des grands maîtres de la Renaissance que pour l'art éternel considéré comme la seule activité susceptible de justifier un univers irrémédiablement pourri et de nous empêcher d'y perdre cœur. Car *Lorenzaccio* procède d'une philosophie pessimiste de l'histoire, qui nous enseigne, une fois de plus, mais avec une ampleur et une profondeur encore jamais atteintes, qu'en dépit de nos désirs et de nos rêves, il n'y a pas d'époque privilégiée, que tôt ou tard vient la décadence, que d'âge en âge les hommes ne changent guère, que la fuite imaginaire dans le passé, même drapée en tragédie, n'est que mensonge et illusion, que seule une foi religieuse ou la « sainte religion de la peinture [86] » peuvent nous préserver d'un désespoir sans mesure comme sans remède. Pour suggérer valablement cette jeunesse éternelle de l'art dans un monde atteint de décrépitude, la verte adolescence d'un peintre imaginaire avait plus de poids et d'attrait que la maturité trop réelle d'un Benvenuto Cellini. Mais il faudra revenir à l'occasion sur le message de Tebaldeo, personnage secret, poétique et capital, dont nous n'avons perçu pour l'instant que la fonction historique et les exigences d'ordre esthétique et moral auxquelles il doit son existence.

LES CIRCONSTANCES POLITIQUES

Mais le « rêve italien », qui, en de certains détours, vire, on l'a vu, au cauchemar, ne saurait rendre compte à lui seul du besoin éprouvé par Musset de mettre en forme dramatique une « scène historique » oubliée dans les cartons d'une femme de lettres dont il a fait, par hasard, la connaissance foudroyante. Une autre circonstance intervient dans cette impulsion créatrice : la conjoncture politique. Sur ce plan là aussi, *Lorenzaccio* est une pièce de circonstance. Encore faut-il s'entendre sur le sens et la portée de l'expression. Dire que le drame de Musset renvoie peut-être à Florence en janvier 1537, mais sûrement à Paris en juillet 1830, c'est à la fois constater une évidence et rester à la surface des choses. Il ne fait pas de doute que Musset ne se soit souvenu de la révolution « escamotée » de 1830 en restituant pour le public de 1834 l'histoire d'une conspiration manquée à Florence trois siècles plus tôt. Les

---

86. II, 2, p. 260, l. 165-166.

contemporains ne s'y sont du reste pas trompés, du moins les plus politiques d'entre eux, si l'on en juge par ces commentaires parus, dès le 1er septembre 1834, dans la *Revue des deux mondes*, sous la signature d'Hippolyte Fortoul, le futur ministre de l'Instruction publique de Napoléon III : « Ces marchands se laissent escamoter la République, à peu près aussi imprudemment qu'on l'a fait ces temps derniers »[1]. Reprendre à son compte cette intuition globale de Fortoul et multiplier ensuite les analyses destinées à en justifier la clairvoyance était une tâche assez simple, encore qu'indispensable, qui a été menée à bien notamment par Herbert J. Hunt[2] et que l'on peut considérer, au moins dans ses grandes lignes, comme achevée. Il semble qu'on ne puisse guère ajouter que des détails à cette lecture en transparence de *Lorenzaccio* que résume ainsi M. Pommier : « Pour quelqu'un qui avait assisté à la révolution de Juillet, qui avait vu Laffitte et Thiers amenant des environs de Paris le duc d'Orléans pour qu'il recueillît la succession de la branche aînée, la substitution de Côme, qu'on fait venir de Trebbio, à la République comme héritier du pouvoir d'Alexandre, avait un sens que nous ressaisissons imparfaitement[3] ». Aussi bien n'y a-t-il à peu près rien à glaner de ce côté. Tout juste pourrait-on, le cas échéant, garnir les rez-de-chaussée d'une édition commentée de la pièce de Musset. La curiosité du lecteur y trouverait son compte d'allusions plus ou moins déguisées à l'actualité contemporaine[4], mais notre intelligence politique du drame y gagnerait peu.

Car on sait mieux maintenant, depuis les recherches de M. J.-C. Merlant, et surtout de M. C. Duchet[5], que l'attention vigilante que Musset porte aux problèmes que posent le gouvernement de la cité des hommes et, d'une manière plus générale, la vie en société, se développe curieusement sur un fond d'indifférence aux événements contemporains, par nature fragmentaire et contingents. Ce qui explique, au passage, une double série de faits ou d'écrits qui ne sont contradictoires qu'en apparence, puisque situés à des plans différents : d'un côté, un secret désir de faire sa cour aux puissants du jour, voire de devenir poète de cour, sans trop se soucier des palinodies ou des reptations que cela peut impliquer et, dans le même temps, une fidélité constante à l'idéal[6] de liberté politique, tradi-

---

1. M. C. Duchet note, textes à l'appui, dans son article « Musset et la politique » (*R.S.H.*, oct.-déc. 1962, p. 545) : « Le mot *escamotage* entre alors dans le vocabulaire courant ».

2. H.-J. Hunt, « A. de M. et la révolution de Juillet ; La leçon politique de Lorenzaccio », *Mercure de France*, t. 25 (1), 1934, p. 70-88.

3. *Pommier I*, p. 132.

4. Un exemple : l'indication scénique « Des valets portant des tonneaux pleins de vin et de comestibles passent dans le fond » (V, 1, p. 435, l. 50-51) prend soudain son poids d'actualité, pour peu que l'on songe aux journées anniversaires des Trois Glorieuses (27, 28, 29 juillet 1833), pour lesquelles le gouvernement prépare de grandes réjouissances populaires ... conjointement avec des mesures de police. Voir, sur ce point, *Correspondance*, Evrard, p. 24 ; Duchet, *art. cit.*, p. 548.

5. J.-C. Merlant, *le Moment* ... et « Connaissance de Musset », *l'Information littéraire*, sept.-oct. 1958, p. 150-153 ; cf. Duchet, *art. cit.*, *R.S.H.*, oct.-déc. 1960, p. 515-540.

6. « Il obtiendra comme sinécure la conservation de la Bibliothèque du Ministère de l'Intérieur, en attendant qu'entre deux vins il écrive *le Songe d'Auguste* en l'honneur de Napoléon III » (*Pommier I*, p. 133).

tionnel dans sa famille, chaque fois que l'événement vient à le mettre en cause gravement [7]. L'intérêt porté par Musset *au* politique plus qu'à *la* politique rend compte ainsi sans peine et des maigres échos suscités dans son œuvre par les événements de son temps et de l'abondance des thèmes politiques qui y sont développés, au premier rang desquels M. Duchet a bien raison de placer « les rapports entre l'individu et la société, et plus précisément l'insertion de l'homme dans la cité, dans une communauté organisée selon des lois » [8]. Aussi bien était-il inévitable qu'un écrivain tel que Musset, dont la conduite habituelle était toute d'indifférence à *la* politique comme événement de l'actualité et la pensée toute d'attention *au* politique comme philosophie de l'existence trouvât un jour ou l'autre l'occasion parfaite de justifier l'une et d'approfondir l'autre : *Lorenzaccio* a été cette occasion.

La méthode de recherche la plus féconde devrait donc consister non pas à négliger de parti pris la présence de l'actualité contemporaine dans *Lorenzaccio*, mais à découvrir comment cette actualité sert pour ainsi dire de support et de fondation à l'édifice de philosophie politique qu'est, pour une grande part, la pièce de Musset. *Lorenzaccio* est, à la lettre, œuvre de conjoncture, en ce qu'elle est au point de rencontre d'événements politiques propres aux débuts de la monarchie de Juillet et de thèmes de réflexion propres à Musset lui-même, mais auxquels l'actualité a donné un regain de vigueur et d'urgence.

L'atmosphère politique a joué un rôle difficile à mesurer, mais incontestable dans l'élaboration du drame. Sans prétendre être exhaustif, on peut retenir à coup sûr les faits suivants et leur donner la place qu'ils méritent :

1° L'ANTICLÉRICALISME. La remarque n'en est pas nouvelle [9]. Le sac de l'archevêché dont George Sand nous a conservé une relation prise sur le vif [10], a été, comme l'on sait, la manifestation la plus spectaculaire d'une revanche prise par le peuple de Paris sur la domination trop longtemps soufferte du clergé. George Sand n'avait pas manqué de dénoncer dans *Une Conspiration en 1537* les pouvoirs exorbitants de l'Eglise sur les consciences, comme en témoigne une réplique de ce genre : « Prenez garde que le regard perçant de Valori ne surprenne le sourire sur vos lèvres. Le pape est comme Dieu. Il est partout [11] ». Mais paradoxalement, aucun rôle de prêtre ne figurait dans la scène historique de George Sand. Plus logique, Musset multipliait, au contraire, les rôles de prêtres dans son drame : le Cardinal Cibo, synthèse idéale des deux Cibo de l'histoire, Jean-

7. Cf. La loi sur la Presse, *Poésie*, p. 477-484 ; lettre à A. Tattet du 1er juillet 1848, *Correspondance*, Séché, p. 243-244. Voir aussi le commentaire restrictif que M. C. Duchet donne des écrits « engagés » de Musset dans son article, déjà cité, de la *R.S.H.*, p. 515.

8. *Art. cit.*, p. 517.

9. Voir *Pommier I*, p. 131-132.

10. *Correspondance*, Lubin, t. 1, p. 808-811.

11. *Genèse*, p. 87, l. 55-57.

Baptiste, l'évêque, et Innocent, le cardinal, qu'il charge de toutes les tares d'une Haute Eglise corrompue ; Valori, auquel il donne libéralement, contre la vérité historique, la pourpre et le chapeau ; Léon Strozzi, qu'il assimile à un prêtre, sans trop se soucier de la rigueur des termes [12]. Ainsi peut-il à la fois nuancer le tableau qu'il fait du clergé et proposer, sous les traits du seul cardinal Cibo, l'hypocrisie du prêtre vicieux, machiavélique, équivoque, ambitieux, tout-puissant, impuni, cher aux imaginations romantiques [13] et propre à purger de vieilles rancunes anticléricales.

2° LE TYRANNICIDE. On a généralement moins insisté sur ce point. Du moins, les commentateurs de la pièce de Musset ont-ils recherché plutôt du côté de la Renaissance italienne et notamment de la pensée machiavélienne la source d'un thème habilement orchestré tout au long de l'action. Or ce thème est vécu tout autant dans la conscience contemporaine que médité à travers les écrivains politiques de la Renaissance. De la tentative anonyme d'assassinat de Louis-Philippe le 19 novembre 1832 à l'attentat manqué de Fieschi le 28 juillet 1835, le pays respire une atmosphère de régicide. L'idée d'assassiner le prince s'épanouit dans la presse comme dans l'opinion publique. En Vendée, par exemple, les curés recommandent en chaire à leurs ouailles de prier pour le roi des Français « qui ne pouvait manquer d'être assassiné ». On prête à Cavaignac ces paroles quasi prophétiques : « Le Roi ne vivra qu'aussi longtemps que nous le voudrons bien ; nous avons dans la Société des Droits de l'homme une centaine de séides dont l'aveugle dévouement n'a besoin que d'être contenu [14] ». Le National avait beau s'opposer à ce mouvement passionnel et sans doute inutile, l'idée d'un grand crime, « à l'italienne », commis dans un accès de patriotisme exacerbé, ne manquait pas de flatter les imaginations échauffées. Il n'est pas impossible, dans ces conditions, que le sujet traité, puis oublié par George Sand dans ses cartons ait paru à Musset un sujet couleur du temps et susceptible d'épouser les impulsions secrètes d'un public non seulement friand des violences et des meurtres complaisamment étalés sur les scènes contemporaines, mais prompt à envisager l'éventualité de l'attentat politique. Dans cette perspective, une expression équivoque de Musset dans la lettre à George Sand du 10 mai 1834 entre soudain dans la lumière : « Je vais publier ces deux volumes de prose de Lorenzaccio. Cela ne peut que me faire tort » [15]. Car même s'il est politiquement un échec, l'assassinat d'Alexandre n'en est pas moins un régicide « techniquement » réussi. C'était d'un assez mauvais exemple. Du côté du pouvoir, du reste, la répression s'organisait méthodiquement et progressivement. La seule Tribune, le journal

---

12. Voir Ire partie, chap. II, p. 33 sq.

13. Voir Pommier I, p. 131-132.

14. Cité par J. Lucas-Dubreton, la Restauration et la monarchie de Juillet, Paris, 1926, p. 208-209.

15. Correspondance, Evrard, p. 99 ; cf. le commentaire de cette phrase dans Pommier II, p. 85-89.

de Marrast, eut à soutenir 114 procès, entre 1830 et 1834, suivis, il est vrai, de 91 acquittements, mais aussi de 23 condamnations qui lui valurent 150 000 francs d'amendes[16]. La loi d'avril 1834 sur les associations et les « lois de septembre » 1835 couronneront une action politique obstinément orientée vers l'abolition de la liberté d'expression. Dans un tel contexte Musset était assez lucide pour reconnaître que sa pièce tombait en un moment plutôt mal choisi et qu'elle n'allait pas précisément dans le sens souhaité par le pouvoir et réclamé par la bourgeoisie possédante.

3° LES RÉVOLTES NATIONALES DE BELGIQUE, DE POLOGNE ET D'ITALIE. Il est connu que les mouvements nationaux qui éclatèrent à partir de 1830 dans ces trois pays et qui tendaient à secouer des tutelles étrangères, respectivement hollandaise, russe, et autrichienne, eurent en France un retentissement populaire considérable. Chez les bourgeois les moins belliqueux on parlait de voler au secours des « héroïques Polonais ». George Sand, dans sa correspondance, se fait l'écho de la consternation indignée qui salua la nouvelle de la prise de Varsovie par les Russes : « Nous avons laissé tuer la Pologne ? Est-ce infâme ! Mais croyez-vous que c'en soit fait ? Une nation peut-elle périr ? Je sais bien que cela ne regarde pas les femmes, mais il n'est pas défendu de pleurer les morts[17] ». Une sollicitude analogue devait se déployer pour les Italiens en lutte contre la tutelle autrichienne et papale. En février et mars 1831 des mouvements insurrectionnels éclataient dans les petits Etats de Parme et de Modène, que devaient fuir leurs souverains, ainsi que dans les Etats pontificaux de Romagne, des Marches et d'Ombrie. Il fallait l'intervention autrichienne pour rétablir les souverains dépossédés sur leur trône et remettre, par la force, sous l'autorité du pape les provinces libérées de l'Etat pontifical. On perçoit sans peine, sous cet éclairage particulier, la secrète saveur d'actualité que pouvaient comporter certains propos « patriotiques » mis par Musset dans la bouche de la marquise Cibo[18].

On est d'autant plus tenté de le penser que Musset avait pu contempler de ses yeux, au moment où il écrivait son drame, la vivante image du nationalisme intransigeant, l'âme même de la révolte des Romagnes : Cristina Belgiojoso. Tout ce qui peut être raisonnablement dit, ou supposé, sur les liens subtils qui semblent unir la marquise Cibo à la princesse Belgiojoso et ceux, moins évidents, qu'on peut déceler entre le mari de la Belgiojoso et Alexandre de Médicis, l'a été par M. Pommier, dans un article convaincant[19],

---

16. Voir J. Lucas-Dubreton, *op. cit.*, p. 203 ; voir les procès intentés aux journaux de cette période ; C. Ledré, *la Presse à l'assaut de la monarchie, 1815-1848*, Paris, 1960, p. 128-139.
17. Lettre à H. de Latouche, 21 septembre 1831, in *Correspondance*, Lubin, t. 1, p. 949 ; cf. Musset, « A la Pologne », *Poésie*, p. 507.
18. Par exemple : « Et vous, son bras droit, cela vous est égal que le duc de Florence soit le préfet de Charles-Quint, le commissaire civil du pape, comme Baccio est son commissaire religieux ? Cela vous est égal, à vous, frère de mon Laurent, que notre soleil, à nous, promène sur la citadelle des ombres allemandes ? », etc. (I, 3, p. 217, 1. 520-525).
19. *Pommier I*, p. 107-116.

dont M. Van Tieghem a, pour ainsi dire, prolongé l'écho en ces termes : « l'amant de la Marquise ressemble singulièrement au mari de la Princesse, et qui sait si Musset, en le faisant poignarder par Lorenzo, n'a pas assouvi par procuration quelque jalousie naissante pour le mari d'une femme plus fascinante que séduisante, et pour un mari qui la rendait malheureuse »[20]. L'hypothèse est hardie, j'en conviens, et, de plus, rigoureusement invérifiable. Mais elle permet de bien saisir un des mécanismes familiers de la création littéraire chez Musset. Des détails comme ceux-ci montrent clairement que la perspective de Musset n'est pas, à proprement parler, celle de l'historien occupé à la résurrection du passé, mais d'abord une adhésion passionnée à un drame qui se situe en même temps autrefois et aujourd'hui, ici et ailleurs. Aussi bien ne néglige-t-il rien de ce qui peut l'aider à épouser la chronique italienne comme s'il s'agissait d'une chronique contemporaine. Actualiser l'histoire, c'est la vivre passionnément, intensément. Tout ce qui peut réchauffer cette passion, le poète n'a garde de le négliger. L'actualité, les souvenirs récents, les figures familières, voilà en l'occurrence le foyer où peut s'alimenter l'acte créateur.

Tels sont, schématiquement présentés, les événements susceptibles de constituer l'environnement de *Lorenzaccio*. Encore fallait-il que ceux-ci trouvassent en Musset un écho favorable, qu'ils n'allassent pas à contre-courant de ses préoccupations personnelles, bref que Musset réagît, d'une manière ou d'une autre, à la provocation des circonstances. C'est le deuxième élément de ce que j'ai nommé la conjoncture politique de *Lorenzaccio*. Cela revient à poser la délicate question des opinions politiques de Musset en 1832-1833.

La manière la plus simple et la plus contestable de régler la difficulté est de rejeter entièrement sur George Sand la responsabilité d'une certaine conversion politique — ou plutôt à la politique — de Musset en 1833. C'est ce qu'ont fait, avec une imprudente légèreté, M. G. Renard dans un article consacré aux « Opinions politiques d'A. de Musset[21] », où il crédite en quelque sorte George Sand de la « poussée libérale et démocratique » sensible dans les ouvrages de Musset de 1833 à 1836, et, avec une réserve plus nuancée, M. P. Gastinel dans sa thèse sur *le Romantisme d'A. de Musset*, où l'on relève, entre autres, le jugement suivant : « Dans certaines formules : « la République, il nous faut ce mot-là. Et quand ce ne serait qu'un mot, c'est quelque chose, puisque les peuples se lèvent quand il traverse l'air », se reconnaît l'influence de Lélia[22] ». Une telle opinion suppose deux jugements implicites, qu'il faut bien assimiler à des préjugés : qu'en 1833, George Sand est une fervente militante républicaine, une femme « de gauche », pour parler le langage mo-

---

20. *Théâtre complet de Musset*, 1953, p. 146.
21. In *Revue politique et parlementaire*, octobre-décembre 1902.
22. P. 450.

derne, et que Musset, de son côté, est par nature un dilettante détaché de la politique, un aristocrate incapable de s'enflammer pour l'idée républicaine. Sur ces deux points, des publications récentes permettent de réviser les jugements hâtifs et les opinions traditionnelles.

Un coup de sonde, même rapide, jeté dans la correspondance de George Sand, telle que nous l'offre l'excellente édition procurée par M. G. Lubin, nous permet tout d'abord de nous rendre compte qu'entre 1831 et 1835, George Sand n'est pas ou pas encore l'écrivain « avancé » et la militante socialisante dont on garde, au fond de soi, malgré qu'on en ait, l'image globale et assez indistincte. La déception de Juillet 1830 [23] a été par elle si vivement ressentie qu'elle a laissé dans son esprit un sillon profond et tenace de désespérance politique. On s'en convaincra sans peine en confrontant, sur la même période donnée, le témoignage de la correspondance et l'esprit général de scepticisme politique qui imprègne *Une conspiration en 1537*.

Voici, dans leur ordre chronologique, quelques textes significatifs susceptibles d'ébranler les opinions généralement reçues ou admises sans contrôle : 12 octobre 1830 : « Peuple imbécile, qui (...) porte sur le pavois ceux qui le ruinent, et qui après tout ne se rend qu'à la force, et de furieux devient rampant [24] » ; 20 mai 1831 : « J'ai de la politique plein le dos et je veux respirer en paix dans ma retraite de Nohant, oublier le Roi et la république, les saints, le diable et le reste. Croyez-moi, laissons-les débrouiller leurs affaires, nous n'y ferions rien de bon, parce qu'il n'y a rien de semblable à tirer de l'espèce humaine, pour le moment [25] » ; 17 juillet 1831 : « Moi je hais tous les hommes, rois et républicains, absolutistes, prétendus modérés, je les confonds tous dans mon mépris et dans mon aversion. Il y a des instants où j'aurais du bonheur à leur nuire. Je n'ai de repos qu'alors que je les oublie [26] » ; 27 janvier 1832 : « La révolution de Juillet tombée dans le ruisseau, nos libéraux d'hier devenus tyrans aujourd'hui, ah ! mon pauvre ami, quel soufflet pour les bonnes gens, comme nous, qui nous disions du parti de ces gredins-là ! Il n'y a plus d'opinion possible en France [27] » ; 13 juin 1832 : « J'ai horreur de la monarchie, horreur de la république, horreur de tous les hommes [28] » ; 8 octobre 1833 : « je la (la société) crois perdue, je la trouve odieuse et il ne me sera jamais possible de dire autrement [29] ». A ce florilège, qui est loin d'être exhaustif, on pourrait même joindre, çà et là, par ironie, quelques couplets où nous surprenons celle qui ne permettait pas qu'en 1830 on doutât de son

---

23. Voir *Corr.*, Lubin, t. 1, p. 723-724.
24. *Ibid.*, p. 715.
25. *Ibid.*, p. 874.
26. *Ibid.*, p. 917.
27. *Corr.*, Lubin, t. 2, p. 15.
28. *Ibid.*, p. 104.
29. *Ibid.*, p. 431.

républicanisme[30] se laisser aller à faire, en 1832 et en 1834, l'éloge du gouvernement absolu[31].

Tous ces textes, souvent convergents et parfois contradictoires, enveloppent d'une lumière fort crue *Une conspiration en 1537*. Car il n'est pas interdit de penser que cet exercice de style, composé selon des recettes en vogue en 1831, comporte çà et là une touche personnelle, une confidence vécue, une opinion sincère. Ainsi se font jour et s'expriment, sous le manteau et dans le porte-voix du mélodrame, une certaine défiance aristocratique du peuple, une haine tout individualiste pour l'humanité, un tenace pessimisme politique. Il est même piquant d'extraire d'*Une conspiration en 1537* toute une série de maximes désolantes sur la politique, qui concordent trop bien avec le témoignage de la correspondance pour qu'il faille les mettre seulement au compte des exigences de la fiction littéraire. Voici cet autre florilège : « Après vous deux [Madonna Maria et Catterina], le reste du monde me fait horreur et pitié[32] » ; « ne point trop compter sur le peuple et (...) vous rappeler la conjuration des Pazzi, qui, pour prix de la mort des tyrans, furent portés pièce à pièce au bout des piques, tandis que ce grand peuple dont ils avaient voulu consommer la délivrance couvrait de boue leurs lambeaux palpitants[33] » ; « je hais les hommes, et plus ils sont grossiers, plus je les méprise[34] » ; « jamais Lorenzo n'a travaillé pour les hommes, et dans ceci moins que jamais. Partons. Echappons à cette bête féroce qu'on appelle le peuple et qui a dévoré les Pazzi...[35] ».

De cette confrontation des textes il ressort clairement que si d'aventure l'influence de George Sand s'est exercée sur Musset dans les premiers mois de leur liaison, ce ne saurait être dans le sens de l'enthousiasme républicain, mais plutôt du scepticisme politique ; et l'on ne peut qu'approuver la clairvoyance de M. H.J. Hunt, quand il écrit : « Il y a toute apparence que le brouillon de George Sand suggéra à Musset l'idée du scepticisme politique comme base de son drame[36] ». Mais il faut aller plus loin encore.

Le fort de l'influence de Sand sur Musset est à chercher dans l'ordre psychologique plus que dans l'ordre proprement idéologique. Des conversations, d'où la politique n'a pas dû être absente[37], des lectures en commun[38], le changement d'horizon social que le milieu Sand n'a pas manqué d'apporter au dandy qui s'y trouve soudain mêlé, des liens neufs qui se scellent entre les collaborateurs de la très libérale *Revue des deux mondes*, c'en est assez pour créer

30. *Corr.*, Lubin, t. 1, p. 704.

31. *Corr.*, Lubin, t. 2, p. 105 et p. 671.

32. *Genèse*, p. 102, l. 415-416 ; cf. *Lorenzaccio*, II, 4, p. 280-281, l. 589-601.

33. *Ibid.*, p. 112, l. 643-648.

34. *Ibid.*, p. 113, l. 672-673.

35. *Ibid.*, p. 145-146, l. 1392-1395.

36. H.-J. Hunt, *art. cit.*, p. 80.

37. Voir lettre de G. Sand à A. Gueroult, 9 novembre 1835 (*Correspondance*, Lubin, t. 3, p. 116).

38. Voir *Corr.*, Evrard, p. 83, *Prose*, p. 498.

chez Musset les conditions d'un renouvellement, voire d'une nouvelle naissance de l'inspiration. M. Henri Guillemin me semble toucher juste quand il décèle chez Musset, en ces années 1832-1833, un souffle neuf « qui dilate sa poitrine » et les traces fourmillantes, quand on y prend garde, « de l'intérêt qu'il porte alors à cette affaire essentielle qu'est le destin des hommes asservis [39] ». Mais la hargne souvent injuste que M. Guillemin nourrit à l'endroit de George Sand l'empêche de reconnaître l'évidence. Car ces heureuses dispositions civiques, cette ouverture nouvelle à la réalité politique, il est impossible que le contact de George Sand ne les ait pas renforcées, si elle ne les a pas suscitées. Parce qu'elle vient d'un horizon social différent et qu'elle est par nature plus sensible que lui aux courants d'opinion qui traversent la société de son temps, George Sand oblige Musset à se révéler à lui-même, à « se déclarer » sans équivoque sur un terrain qui n'est pas habituellement le sien et sur des sujets qu'il préférait naguère aborder avec la désinvolture d'un journaliste mondain [40] ou la pudeur hautaine et masquée de l'indifférent. En sorte qu'il est probable qu'à la provocation des circonstances il faut ajouter, si l'on peut dire, la provocation de Lélia. Le texte qu'elle lui offrait pour canevas d'un ouvrage nouveau et plus encore sa présence à ses côtés allaient obliger Musset à exprimer le fond de sa pensée, à dire, en somme, comme son héros, « ce qu'il avait à dire » sur le sujet capital de l'action politique et du gouvernement des hommes.

Encore fallait-il, pour que le rôle de « révélateur » échu à George Sand eût son plein effet, qu'il y eût du côté de Musset une réflexion personnelle à révéler. C'est l'autre versant de la question : les opinions politiques du poète. La difficulté d'une réponse entièrement satisfaisante tient à ce que les textes sur le sujet n'abondent pas et qu'on en est le plus souvent réduit aux conjectures ou aux déductions vraisemblables. Contrairement à celle de George Sand, la correspondance de Musset est à peu près muette en ces matières. Au demeurant, Musset est de la race des écrivains qui ne s'expriment vraiment qu'au second degré et qui ne délivrent leur cœur que sous l'affabulation et le déguisement. On peut toutefois se fier au flair d'H. Guillemin, quand il incline à croire que, des deux écrivains, c'est George Sand qui, en 1833, « se soucie le moins des choses politiques [41] ». Disons plutôt que Musset s'en soucie autrement, selon une dimension plus intérieure. Là où George Sand cède parfois à la curiosité ou vibre d'une sensibilité périphérique et éphémère [42], Musset sent qu'il y va du bonheur d'un peuple et de la qualité d'une civilisation [43]. H. Guillemin a en tout cas raison de faire état d'une lettre de Sand à l'ouvrier-poète Charles Poncy, en date du 26 janvier

39. *Temps modernes*, fév. 1963, p. 1473 et p. 1476.
40. Voir *Prose*, p. 757-818 (Revues fantastiques).
41. *Art. cit.*, p. 1475.
42. « J'aime le bruit, l'orage, le danger même et si j'étais égoïste je voudrais voir une révolution tous les matins, tant ça m'amuse » (*Corr.*, Lubin, t. 1, p. 810).
43. Cf. C. Duchet, *art. cit.*, p. 536.

1844, où il est question d'un Musset « devenu talon rouge et conservateur [44] ». Devenu ? « Preuve, commente H. Guillemin, qu'il ne l'était pas onze ans plus tôt, lorsqu'ils se rencontrèrent, elle et lui [45] ». Et il n'y a pas de raison non plus de soupçonner de mensonge le témoignage de Paul de Musset touchant le civisme discret, mais constant de son frère, qui se révèle, ou se réveille, en quelques grandes occasions [46].

Pour nous limiter strictement aux opinions politiques de Musset en 1833, telles du moins qu'elles intéressent notre propos, il semble qu'on puisse légitimement les faire tenir en deux propositions complémentaires, entre lesquelles a jailli l'étincelle de la création littéraire : un amour passionné de la liberté ; une grande espérance déçue. L'accent souvent incomparable de certaines répliques de *Lorenzaccio* tient à ce fait. Car l'amour engendre le chant lyrique, la déception le cri de révolte et de désespoir ; et l'on peut douter que ce chant ou ce cri doivent rien à l'influence de *Lélia*.

Le chant lyrique en l'honneur de la liberté est, avant tout, chant inspiré. Entendons par là que le thème de la liberté fait éprouver au poète le singulier « battement de cœur », dont il parle dans une lettre à son frère [47], et qui est selon lui le signe infaillible d'une certaine perfection de l'expression poétique. L'esprit de la « liberté guidant le peuple » d'Eugène Delacroix semble à son tour le visiter [48]. Quand on sait, par exemple, le prix infini que Musset attache généralement à l'amour [49], on n'est pas peu surpris de rencontrer sous sa plume une hiérarchie des valeurs où l'amour cède le pas à la liberté : « la Fortune est moins que la vie, la vie moins que l'amour, l'amour moins que la liberté ! oui, la liberté ! Il faut bien que ce mot soit quelque chose, puisque voilà cinq mille ans que les peuples s'enivrent lorsqu'il traverse l'air [50] ». Et ce texte est vraisemblablement rédigé au cours du premier trimestre de 1833 [51], en un temps où Musset n'a pas de raison particulière de songer à George Sand ni, à plus forte raison, d'en subir l'influence. Or c'est précisément en des termes très voisins que Philippe Strozzi évoquera la liberté et le régime qui en garantit le mieux l'exercice, la république : « la république, il nous faut ce mot-là. Et quand ce ne serait qu'un mot, c'est quelque chose, puisque les peuples se lèvent quand il traverse l'air... [52] ». Et comment ne pas entendre la voix même du poète, comment ne pas surprendre la confidence d'un jeune parisien de

44. *Corr.*, Lubin, t. 6, 1969, p. 408.
45. *Art. cit.*, p. 1475.
46. Voir *Biographie d'A. de Musset*, p. 147.
47. *Corr.*, Séché, p. 27.
48. Le tableau de Delacroix avait été présenté au Salon de 1831 ; cf. les textes divers cités par M. Allem (*Théâtre*, p. 1302, n. 11).
49. Voir *Prose*, p. 294 (Roman par lettres, lettre VI), et p. 295 (lettre VII).
50. *Prose*, p. 301 (Roman par lettres, lettre X).
51. « Puisque Musset en a utilisé quelques fragments dans *André del Sarto* qui parut dans la *R.D.M.*, le 1er avril de cette année là » (*Prose*, p. 1087, n. 1) ; cf. *Prose*, p. 68 (*Confession*) ; Lafoscade, *op. cit.*, p. 418, n. 5 et p. 420, n. 2.
52. II, 1, p. 253, l. 32-35.

20 ans, habité par la grande espérance de Juillet 1830, dans cette allégorie mystique de la liberté, où Lorenzo, en dépit de sa haine de l'éloquence, cède soudain à l'éloquence et aux séductions du langage : « Prends-y garde, c'est un démon plus beau que Gabriel. La liberté, la patrie, le bonheur des hommes, tous ces mots résonnent à son approche comme les cordes d'une lyre ; c'est le bruit des écailles d'argent de ses ailes flamboyantes. Les larmes de ses yeux fécondent la terre, et il tient à la main la palme des martyrs. Ses paroles épurent l'air autour de ses lèvres ; son vol est si rapide, que nul ne peut dire où il va. Prends-y garde ! une fois dans ma vie, je l'ai vu traverser les cieux. J'étais courbé sur mes livres, le toucher de sa main a fait frémir mes cheveux comme une plume légère [53] ».

Au reste, cette déclaration n'est pas isolée, ni sans lendemain, car l'organisation même du drame répond assez clairement, par certains détails, à cette exaltation poétique de la liberté, fût-elle, en fin de compte, au plan des résultats, humiliée et vaincue. Entre les oppresseurs et les défenseurs de la liberté, Musset se garde bien d'établir un équilibre du mépris. Le poète, — je dis le poète, non pas l'homme —, choisit son camp, en ce qu'il donne aux tenants de la liberté une qualité de cœur, de mœurs et de langage qu'il refuse aux hommes de la tyrannie. Le duc est grossier, sensuel et sans scrupule, Sire Maurice malsain, violent, couard à l'occasion, le cardinal Cibo immoral et cynique ; Giomo n'est qu'une brute, Salviati qu'un débauché vulgaire. Dans l'autre camp, l'air qu'on respire est moins malsain. Hors même des Strozzi, qui semblent capitaliser toutes les vertus publiques et privées de l'humanité florentine, — noblesse de Philippe, courage de Pierre, piété de Léon, pureté de Louise —, le camp républicain compte d'honnêtes gens : Palla Ruccellai ne manque pas de dignité dans des circonstances difficiles [54] ; Corsini offre aux « amis de la liberté » les clés de la forteresse [55], avec les provisions et les armes qu'elle contient ; le vieil orfèvre, qui tenait de nobles et fermes propos républicains au début de l'action, reçoit un coup de hallebarde dans la jambe en volant au secours de la liberté à l'heure décisive [56] ; les ouvriers, « en voyant passer les Huit » leur crient : « Si vous ne savez ni ne pouvez agir, appelez-nous, qui agirons [57] » ; de jeunes étudiants meurent pour la liberté, au moins dans la version primitive de la pièce. On chercherait en vain dans la scène historique de George Sand une peinture aussi favorable des hommes de la liberté. Philippe Strozzi y est une grande ombre absente et lointaine qu'on évoque avec le respect dû aux vieilles gloires nationales [58]. Les seuls républicains qu'on voit,

53. III, 3, p. 338-339, 1. 493-504.
54. V, 1, p. 442, 1. 179-196.
55. V, 5, p. 458-459, 1. 515-530.
56. V, 5, p. 458, 1. 510-511.
57. V, 5, p. 457, 1. 492-494.
58. « Notre grand Strozzi nous prédisait que ton nom vivrait parmi ceux des héros de la liberté » (Genèse, p. 105-106, 1. 494-496) ; « Dis-moi, cet infernal Strozzi ? Toujours à Venise... » (ibid., p. 117, 1. 767-769) ; « Je veux la (la clef) porter à Venise à notre Strozzi... » (ibid., p. 146, 1. 1404).

l'aristocrate Bindo Altoviti et le bourgeois Capponi, nourrissent en secret des ambitions personnelles, que Lorenzo démonte avec la dextérité d'un expert en psychologie politique [59]. Quant au peuple, qui s'agite dans l'ombre, mais qu'on ne voit ni n'entend guère [60], il n'inspire le plus souvent qu'horreur et mépris [61].

Avec un sens plus nuancé de la vérité, Musset maintient bien, parmi les républicains, les deux citoyens de paille et de sable inventés par George Sand, mais en les découronnant de tout prestige social comme de toutes responsabilités politiques [62], et, dans le même temps, rehausse le camp de la liberté de la présence des Strozzi, dont il déploie à plaisir les vertus et les mérites. D'un autre côté, George Sand avait fait du duc Alexandre un débauché par délassement, mais doué d'abord d'une forte tête politique, qui exerce lucidement la tyrannie par goût du pouvoir, mépris des hommes et volonté de revanche personnelle [63]. En dissociant l'exercice du pouvoir tenu par Alexandre et l'intelligence politique exercée par le cardinal Cibo, Musset gagne sur deux tableaux : il approfondit l'analyse des conditions réelles de fonctionnement d'une tyrannie, — et c'est un gain pour la vérité politique de son drame ; il déconsidère d'autre part le régime du pouvoir absolu en mettant à sa tête un Prince aussi obtus, grossier et corrompu que le « garçon boucher » imaginé par ses soins, — et c'est un gain pour l'esprit de liberté.

Mais cet esprit de liberté n'est rien, s'il n'est qu'un vœu pieux et stérile. Musset a peut-être choisi son camp, mais c'est le camp des « hommes sans bras [64] » ; et le dramaturge consommera leur désastre avec une ironie et une hargne qui sont le signe d'une profonde blessure. Car la liberté n'est rien, si elle n'est pas victorieuse, et les républicains se sont condamnés eux-mêmes pour n'avoir pas agi. C'est l'autre pôle de sa pensée politique : l'incoercible désespoir qui suit une grande espérance trahie. A cet égard, Lorenzaccio porte l'empreinte et presque le stigmate des lendemains de Juillet 1830. Ce que George Sand, au jour le jour, dans sa correspondance, sème à tous vents, déception profonde, amertume à l'égard des hommes, tentation de l'apolitisme et du repli sur soi [65], Musset le conserve, sans doute à son insu, dans son cœur le plus secret. Il s'en délivrera en poésie, d'une manière quelque peu délirante, par boutades,

---

59. *Genèse*, p. 110-112, 1. 606-653.

60. *Ibid.*, p. 85-86, 1. 31-77 ; p. 87, 1. 66-68.

61. *Ibid.*, p. 112, 1. 643-648.

62. Chez G. Sand, le duc porte sur Bindo et Capponi un jugement de nature politique : « En vérité ? cet hommage de deux sujets que j'avais soupçonnés de favoriser la rébellion me serait agréable, s'il était bien sincère » (*ibid.*, p. 114-115, 1. 711-713) ; en substituant au nom illustre de Capponi l'obscur nom de Venturi, en insistant sur le lien familial qui unit Bindo à Lorenzo plus que sur sa noblesse ou ses ambitions, en les rendant inconnus d'Alexandre, Musset modifie le caractère représentatif et, pour tout dire, symbolique des deux personnages ; il les fait, en quelque sorte, rentrer dans le rang et l'anonymat.

63. « La véritable vengeance, ce n'est pas le délire d'un instant, c'est la jouissance de toute une vie. Tuer son ennemi, c'est s'en défaire et non s'en venger. C'est une justice de maître, une mesure de sûreté, mais le faire souffrir longtemps, le fouler aux pieds, l'avilir, c'est une conquête de vainqueur, c'est un plaisir de prince » (*ibid.*, p. 92, 1. 177-183).

64. IV, 9, p. 421, 1. 718.

65. *Corr.*, Lubin, t. 1, p. 723-726 (lettre à Charles Meure, 31 octobre 1830).

apostrophes, mythes, paradoxes, où ses contradictions intimes trouveront à s'exprimer simultanément : ce sont les *Vœux stériles* [66], cette sonate de poésie, toute bruissante encore du canon de Juillet. Mais déjà y sont pressentis tous les thèmes et déposées toutes les pensées qui trouveront leur expression la plus complète, leur orchestration la plus ample dans *Lorenzaccio*.

L'exégèse des *Vœux stériles* et celle de *Lorenzaccio* doivent être menées de front, comme l'a bien vu M. Claude Duchet dans l'article auquel nous avons déjà fait référence. Alors apparaît clairement la profondeur du sillon qu'a creusé dans la réflexion morale et politique de Musset la révolution escamotée de Juillet. L'interrogation angoissée des *Vœux stériles* sur la valeur et le sens de l'action trouve en *Lorenzaccio* la réponse désespérée qu'elle postulait implicitement. Quand M. Duchet suit, d'une manière aussi pénétrante qu'insolite, les sillages d'inquiétude sous-jacents aux élans d'éloquence du poème de 1830, c'est déjà le grand chant funèbre du drame de 1833 dont il perçoit les premiers accents : « Si l'action s'enfermait dans (le) mal et n'avait d'autre sens que lui ? Si l'histoire n'était pas l'idée en marche qui transfigure la violence, mais cette violence même qui vient d'en bas ? Si Juillet avait révélé à Musset au-delà de sa faiblesse intime une laideur de l'histoire que ses rêves lui cachaient ? [67] » Au remords de n'avoir point agi, quand il en était temps encore, succède, ainsi qu'en témoigne *Lorenzaccio*, la certitude d'avoir bien fait de ne point agir.

Car il est désormais trop clair que le monde appartient aux gens sans conscience et sans scrupules, que les hommes de cœur sont éliminés, qu'une mutation profonde des institutions et des mœurs est sans doute nécessaire, mais, les hommes étant ce qu'ils sont, que cette mutation est impossible, que les choses changent, mais qu'en fin de compte elles demeurent toujours en l'état. Telle est, dans ses grandes lignes, la philosophie politique qui se dégage de l'action du drame : philosophie générale, en un sens, mais qui a pour support l'expérience de Juillet et les mécomptes de la liberté. Sans cette expérience intime et douloureuse, il est possible que Musset eût dit son amertume en un autre langage. Car il n'est que d'écouter cette voix blessée : « J'ai vu les débris des naufrages, les ossements et les Léviathans [68] » ; « s'il s'agit de tenter quelque chose pour les hommes, je te conseille de te couper le bras [69] » ; « qu'importe que la conscience soit vivante, si le bras est mort ? [70] » ; « O bavardage humain ! ô grand tueur de corps morts ! grand défonceur de portes ouvertes ! ô hommes sans bras [71] ». Ce langage de mutilation, ce goût du cadavre et cette odeur de cendre refroidie, cet acharnement contre les autres autant que contre soi, cette communion intime à

66. *Poésie*, p. 113-117.
67. *Art. cit.*, p. 539.
68. III, 3, p. 347, l. 668-669.
69. III, 3, p. 348, l. 684-686.
70. *Ibid.*, p. 352, l. 764-765.
71. IV, 9, p. 421, l. 716-718.

l'abaissement et au désastre collectifs, voilà la part des circons-
tances et de l'expérience vécue, reconnaissable sans hésitation.
Encore fallait-il entendre leur appel, répondre à leur stimulation.
C'était la part du poète, alchimiste du langage et voleur de feu.

Un troisième aspect de la « conjoncture politique » mérite enfin
d'être retenu, encore que l'actualité et l'événement ne paraissent y
jouer qu'un rôle indirect : la présence, dans le filigrane de la méditation politique du poète après 1830, de deux « hommes-symboles »,
Machiavel et Napoléon, auxquels le renvoie « la foule en armes de
Juillet [72] ». L'un et l'autre, en effet, animent et illustrent la réflexion
sur l'action humaine qui sous-tend les mouvements successifs des
Vœux stériles. Que d'autre part la haute figure de Napoléon hante
les premières pages de la *Confession d'un enfant du siècle* [73], c'est
une évidence qui a été bien souvent constatée. Mais il est beaucoup
moins évident que le souvenir de Machiavel soit présent à l'esprit
de Musset au moment où il compose *Lorenzaccio*. Cela mérite, en
tout cas, d'être reconnu.

Que Musset ait lu Machiavel dans le texte original ou même en
traduction [74], voilà ce qu'en dépit des affirmations de maints bio-
graphes [75] on ne saurait prétendre avec certitude. Au reste l'influence,
voire la hantise que peut exercer un grand homme de jadis ou de
naguère sur l'esprit d'un jeune écrivain au talent précoce n'exige
pas forcément la lecture approfondie de ses œuvres. Son exemple,
le mythe qui l'enveloppe, la situation historique qu'il occupe suffisent
à nourrir l'esprit et à exalter l'imagination du poète. Une connaissance de seconde main de l'homme et de son œuvre peut alors remplacer la lecture directe de ses écrits. Ainsi en va-t-il sans doute de
Musset en face de Machiavel. Et, pour cette connaissance de seconde
main, la documentation contemporaine ne manquait pas, comme on
va voir. Car il y a une ou plutôt des lectures romantiques de Machiavel, ainsi que l'a montré M. Pichois dans un article suggestif [76]. Détail singulier, toutes donnent une place de choix à la célèbre lettre
de Machiavel à Vettori, en date du 10 décembre 1513, dans laquelle
l'ancien secrétaire de la Deuxième Chancellerie raconte à son ami
les occupations tant matérielles qu'intellectuelles auxquelles il
consacre, dans ses terres de San Casciano, le loisir forcé qu'il doit
à sa destitution. L'homme d'action rongeant son frein dans l'oisi-
veté, le haut esprit contraint aux basses besognes, le grand homme
victime de l'ingratitude de sa patrie, quelle aubaine pour une imagination romantique après 1830 ! Musset ne se prive pas, on s'en
doute, d'y chercher à son tour une stimulation créatrice et Machia-

---

72. L'expression est de M. Duchet, *art. cit.*, p. 538.
73. *Prose*, p. 65-79 (*Confession*, 1re partie, chap. II).
74. Œuvres trad. par J.-V. Periès et publiées, à Paris, chez Michaud, en 12 volumes,
de 1823 à 1826.
75. P. Gastinel, *op. cit.*, p. 212.
76. « Deux interprétations romantiques de Machiavel ; de Rousseau à Macaulay », in
Hommage au doyen Gros (Gap, 1959), p. 211-218.

vel à San Casciano se dresse soudain au seuil des *Vœux stériles*, comme une grande ombre fraternelle [77] ; une paraphrase de ses propres confidences servira de conclusion [78].

Il convient d'ajouter que Machiavel et son œuvre sont, de 1815 à 1833, fréquemment mis en relief ou en question dans des publications auxquelles Musset a tout lieu de s'être intéressé. Dès 1819, P.L. Ginguené consacre, au tome 8 de son *Histoire littéraire d'Italie*, près de deux cents pages à l'œuvre de Machiavel, citant et commentant, entre autres, la lettre à Vettori [79]. Cette même lettre est reproduite, en 1820, dans la notice consacrée à Machiavel au tome 26 de la célèbre *Biographie universelle ancienne et moderne*, dite plus communément *Biographie Michaud*. Or il se trouve que les volumes de Ginguené comme la *Biographie Michaud* figurent au catalogue de la Bibliothèque des frères Musset [80] et qu'ils ont dû, plus d'une fois, être consultés ou feuilletés avec intérêt. On notera également que des publications plus récentes, que le poète ne devait pas ignorer, ont pu, le cas échéant, réveiller sa curiosité pour l'exilé de San Casciano. Hortense Allart, consacrant un Essai à « Quelques-uns des grands écrivains d'Italie » dans *la Revue de Paris*, fait une place importante à Machiavel et cite à son tour la lettre à Vettori [81]. A la même époque, Libri analyse en quelques pages la pensée machiavélienne dans la troisième livraison de la « Revue scientifique et littéraire de l'Italie » qu'il publie dans *la Revue des deux mondes* [82]. Les liens étroits entretenus par Musset avec ces deux revues laissent à penser qu'il n'a pas pu ignorer ces modernes illustrations de Machiavel. Il n'est pas jusqu'à *l'Indicateur italien* de Valéry [83] qui ne fasse référence à Machiavel, citant même quelques lignes significatives de la lettre à Vettori et les accompagnant d'un commentaire pertinent, dont les termes mêmes ne pouvaient qu'être suggestifs pour l'auteur de *Lorenzaccio* [84].

Mais c'est évidemment la source Ginguené qui doit occuper dans le cas de Musset une place privilégiée. Sur le sujet tout a été dit

---

77. *Poésie*, p. 113.

78.   ...Mais si loin que la haine
De cette destinée aveugle et sans pudeur
Ira, j'y veux aller — J'aurai du moins le cœur
De la mener si bas que la honte l'en prenne (*Poésie*, p. 117).

Ces vers sont le commentaire poétique des quelques lignes de Machiavel que voici : « C'est dans une pouillerie pareille qu'il me faut plonger pour empêcher ma cervelle de moisir tout à fait ; c'est ainsi que je me détends de la méchanceté de la Fortune envers moi, presque content qu'elle m'ait jeté si bas et curieux de voir si elle ne finira pas par en rougir » (cité par E. Barincou, *Machiavel*, 1962, p. 163).

79. P. 34 à 43.

80. Respectivement sous les numéros 277 et 258.

81. *R.P.*, tome 41, août 1832, p. 29-43.

82. *R.D.M.*, 12 août 1832, p. 347-367, et surtout p. 350-352.

83. *Voyages historiques et littéraires en Italie, pendant les années 1826, 1827 et 1828 ou l'indicateur italien*, tome 3, p. 196-197.

84. « Le double aspect sous lequel Machiavel s'est peint à San Casciano semble assez présenter l'image des deux hommes qui existent en lui : de l'homme moral et de l'homme littéraire ; de sa vie faible, souillée, vulgaire, et de son noble et vigoureux génie » (p. 197).

par M. Jean Giraud [85], ou presque tout. Car on ne voit pas dans son article, au demeurant informé et ingénieux, qu'il ait fait mention ni mesuré l'importance d'un texte de Ginguené capital pour l'exploration des sources de *Lorenzaccio*. Ce texte, le voici : « ...Brutus contrefaisant l'insensé pour tromper la tyrannie, et se résignant à servir de jouet aux fils de Tarquin, le [Machiavel] conduit, par une série d'idées qui lui appartient plus qu'à Tite-Live, à conseiller aux ennemis secrets d'un prince, qui ne sont pas assez forts pour l'attaquer ouvertement, de s'insinuer adroitement dans son amitié, d'épier ses goûts, de prendre part à ses plaisirs, moyen doublement avantageux, dit-il, puisque d'abord il vous fait partager *sans aucun risque* [86] la vie agréable du prince, et qu'ensuite il vous procure l'occasion favorable pour vous venger de lui. Ce moyen fut celui que Lorenzaccio employa quelques années après pour assassiner son cousin le duc Alexandre de Médicis ; Alexandre était un odieux tyran, mais il n'y a certainement rien de plus lâche que de donner ou de suivre un semblable conseil [87] ».

Ce texte est important pour plusieurs raisons. D'abord, il a pu fournir à Musset le vecteur fondamental de son drame. Car, si la scène historique de George Sand offrait un découpage commode au dramaturge, son Lorenzo en revanche ne pouvait guère séduire le psychologue. Ce débauché par feinte semblait passer par la débauche sans en recevoir les stigmates et Musset savait mieux que personne que c'est là une vue idéaliste de l'esprit. Entre le Lorenzo de George Sand que le tyrannicide régénère soudain [88] et le Lorenzo de Musset qui succombe à l'avilissement, on peut donc sans crainte supposer le relais du texte de Ginguené mentionné ci-dessus et flairer le scandale provoqué par ce « sans aucun risque » dans la conscience d'un homme aussi instruit à ses dépens des risques de l'aventure que Musset. S'il est pour un écrivain des lectures vraiment « séminales », pour parler le langage claudélien, le texte de Ginguené, à coup sûr, en est une, en ce qu'il était, par nature, propre à susciter la réaction de Musset, à le contraindre à la riposte, à dessiner dans son esprit un schéma dynamique, dont il appartenait au dramaturge d'exploiter la force, au psychologue de mesurer les incidences, au poète d'épouser lyriquement les détours.

Il n'est pas indifférent, d'autre part, de constater que ce texte illustré par l'exemple du Brutus florentin s'inscrit dans une analyse détaillée du chapitre des *Discours sur Tite-Live* que Machiavel a consacré aux conjurations [89]. Ainsi se trouve vérifiée notre proposition de départ et se confirme le lien intérieur qui unit, dans la pensée de Musset, l'image de Machiavel et le personnage de Lorenzo. Une méditation implicite sur la vie et la pensée de Machiavel, qui

---

85. « A. de Musset et Ginguené », in *Mélanges Lanson*, 1922, p. 398-406.
86. C'est moi qui souligne.
87. Ginguené, *Histoire littéraire d'Italie*, tome 8, p. 147-148.
88. « Lorenzaccio n'est plus ; Lève-toi, Laurent de Médicis ! » (*Genèse*, p. 140, l. 1261-1262).
89. Ginguené, *op. cit.*, p. 144 sq.

n'avait jusqu'ici qu'affleuré sporadiquement au-dehors, trouve soudain à s'exprimer d'une manière plus complète par le truchement de l'image dramatique : le cas Lorenzo bénéficiera de ces réflexions antérieures. Par exemple, dans le dédoublement du Machiavel de l'exil, dont l'être social s'avilit en d'ignobles compagnies tandis que l'être intérieur et secret s'exalte au commerce des anciens [90], il n'est pas malaisé de voir un premier crayon de ce Lorenzo, tel que Musset le peindra au cœur même de son drame, disloqué entre ce qu'il a été et ce qu'il est devenu, entre le souvenir radieux d'hier et la conscience douloureuse d'aujourd'hui [91].

La méditation sur Brutus et le tyrannicide antique [92] passe aussi par Machiavel, qui sert, pour ainsi dire, de relais entre les souvenirs classiques de l'élève du collège Henri IV et les secousses de l'actualité contemporaine. Il n'est pas impossible non plus que l'anticléricalisme qui imprègne Lorenzaccio ait autant sa source dans la pensée machiavélienne [93] que dans l'atmosphère du moment. L'une peut fort bien avoir épaulé et nourri l'autre. De même, la philosophie désespérée de l'homme, éparse dans maintes répliques de la pièce, a pu trouver sa confirmation et emprunter une part de sa vigueur d'expression à la lecture du Prince ou de ses commentateurs. Peut-être n'est-il pas indispensable de recourir à l'influence de Machiavel pour justifier certaines allusions aux « signes » prémonitoires des grands événements : Plutarque, Benvenuto Cellini ou tout simplement Varchi y pouvaient suffire. Mais il est bien certain qu'en créant l'inquiétante figure du cardinal Cibo, Musset a tenté tout à la fois un portrait et une réfutation de ce qu'on est convenu d'appeler le « machiavélisme », tant il est vrai que le portrait frise par moments la charge et que dans la conception générale du personnage le dramaturge n'a pas craint de recourir, non parfois sans ironie, à l'épaississement du trait cher au mélodrame.

L'intrusion de l'image de Machiavel dans la genèse de Lorenzaccio offre à tout le moins l'avantage de nous éclairer sur certains aspects du fonctionnement de l'imagination chez Musset. Chaque fois que cela est possible, le poète cherche à poser, sur les problèmes politiques, esthétiques ou moraux que le sujet qu'il traite lui suggère, un double regard : celui de l'historien tourné vers le passé révolu, celui du citoyen dont les yeux sont ouverts sur le présent en train de s'accomplir. Pour superposer ces deux regards de telle manière que la vraisemblance historique soit sauvegardée et que l'anachronisme, loin d'être d'inadvertance, soit le fait d'une esthétique concer-

---

90. « Le soir tombe, je retourne au logis. Je pénètre dans mon cabinet et, dès le seuil, je me dépouille de la défroque de tous les jours, couverte de fange et de boue, pour revêtir des habits de cour royale et pontificale ; ainsi honorablement accoutré, j'entre dans les cours antiques des hommes de l'Antiquité » (cité par E. Barincou, op. cit., p. 163).

91. Voir III, 3, p. 341, l. 551 sq.

92. Voir III, 3, p. 343, l. 582-583 ; l. 595-596 ; p. 346, l. 648-651 ; p. 354, l. 796-798 ; p. 359, l. 895.

93. « Nous avons, nous autres Italiens, à l'Eglise et aux prêtres cette première obligation d'être devenus irréligieux et méchants » (cité par Ginguené, op. cit., p. 136).

tée, Musset use à l'occasion du truchement d'un tiers, auquel sa culture classique l'identifie sans peine. Il découvre et médite les problèmes contemporains à travers le regard et la pensée d'un homme d'autrefois tourné vers son propre temps : problèmes esthétiques, par exemple, à travers Cellini ou Vasari, problèmes éthiques ou politiques à travers Varchi ou Machiavel.

Ainsi s'ébauche, dans ce dernier cas, une curieuse parenté intérieure, bien faite au demeurant pour séduire un amateur de déguisements et de masques, entre un Machiavel revêtant le soir, dans le secret de son cabinet d'études, ses habits de cour et vivant dans la familiarité des grandes figures de l'antiquité, auxquelles il demande des leçons pour le présent, et Musset, revêtant, en imagination, son bel habit de page de la Renaissance et demandant, à son tour, à l'exilé de San Casciano son aide pour comprendre, juger, voire refuser son temps. *Lorenzaccio* vit, par certains côtés, de cette interrogation passionnée et lui doit sans doute une bonne part de sa substance politique. On mesure sans peine, d'autre part, tout l'intérêt qu'offre ce mimétisme de l'imagination créatrice : il permet tout à la fois à Musset de coller, de toute sa culture classique, au passé qu'il évoque sans s'abîmer dans une archéologie de brocanteur et de coller à son temps sans perdre jamais le contact avec ces « temps heureux, temps aimés [94] » qui habitent le fond de sa mémoire et nourrissent son imagination poétique. Entre le drame moderne et le théâtre de reconstitution historique, Musset retrouve d'instinct le secret d'équilibre qui fait les chefs-d'œuvre : *Jules César, Cinna, Britannicus.* A croire que la symbiose de l'histoire et de l'actualité trouve son terrain d'élection dans les arcanes de la réflexion politique.

Ainsi la patiente méthode d'approche et, pour ainsi dire, d'encerclement de l'œuvre que nous avons adoptée commence-t-elle à porter ses fruits. Les obscurités ou les incertitudes de départ se résorbent progressivement et ce que nous avons appelé le projet fondamental de *Lorenzaccio* commence à révéler clairement sa nature. Si le drame de Musset peut être à juste titre considéré comme une somme, il s'agit d'abord d'une somme de pensée politique. En déposant la plume après l'ironique serment de Cosme aux « très illustres et très gracieuses Seigneuries [95] », le poète pouvait affirmer comme son héros : « J'aurai dit aussi ce que j'ai à dire [96] ». Entendez : ce que j'ai à dire aux hommes d'aujourd'hui et de demain, quand le pouvoir se fait oppressif, mais que les hommes sont lâches, quand la révolte gronde, mais que les opposants ne parviennent pas à unir leurs efforts, quand un idéaliste se donne pour tâche la liberté de sa patrie, mais qu'il s'y souille le cœur, s'y salit les mains, y laisse l'honneur, l'estime de soi et jusqu'à la saveur de l'existence personnelle.

---

94. *Poésie*, p. 115 (*Vœux stériles*).
95. V, 7, p. 471, l. 742-743.
96. III, 3, p. 358, l. 891.

LE DÉBAT LITTÉRAIRE

Mais cette perspective politique, qui commande en définitive l'esprit et la structure de l'œuvre, n'était pas exclusive, tant s'en faut, de préoccupations plus proprement littéraires et esthétiques. Le drame historique, — théories et pratique —, les problèmes qu'il pose, les remous qu'il suscite, les débats qu'il provoque, un observateur aussi attentif et féru de théâtre que Musset ne pouvait pas y être indifférent. C'est à la lumière de ces problèmes, de ces polémiques et de ces débats que *Lorenzaccio* nous révélera encore d'autres traits qui composent peu à peu son vrai visage.

Fixer les contours du « moment esthétique » de *Lorenzaccio*, comme on l'a fait pour le moment psychologique ou le moment politique, relève plus d'un calcul de probabilités que d'un inventaire des certitudes. Musset n'est pas George Sand, encore moins Gustave Flaubert, et le critique est amené à regretter une fois de plus que sa correspondance soit si rarement le journal d'un écrivain. Mais on peut tout de même reconnaître la vérité à certains signes furtifs, auxquels il convient de donner toute leur importance. Commençons par quelques certitudes simples. Le jeune homme qui voulait être « Shakespeare ou Schiller[1] » en 1827 et qui n'avait sans doute pas abandonné sa secrète ambition deux ans plus tard, quand éclatait l'appel de Vigny, son ami et « père *in litteris*[2] », en faveur d'une tragédie moderne[3], voit soudain, dans le sujet de *Lorenzaccio* tel que le lui propose George Sand, la chance s'offrir de marcher d'un pas ferme sur les brisées de l'un et de l'autre : *Hamlet*, côté anglais, *la Conjuration de Fiesque*, côté germanique. Belle occasion de tenir la gageure faite avec soi-même devant témoin et d'être fidèle à son propre rendez-vous. Le pari sera tenu.

Deuxième chance : le poète des élans du cœur, qui semblait avoir un peu imprudemment circonscrit son domaine[4], trouve dans les cartons de sa maîtresse un simple sujet dynastique, tel que les aiment les dramaturges en vogue, un matériau historique déjà découpé et organisé en œuvre d'art, selon l'esprit et les recettes d'un Ludovic Vitet et autres faiseurs de scènes historiques[5], dont se réclament

---

1. *Corr.*, Séché, p. 11 (lettre à P. Foucher, 23 septembre 1827).

2. *Ibid.*, p. 21 (lettre à A. de Vigny, 17 décembre 1829).

3. « La scène française s'ouvrira-t-elle, ou non, à une tragédie moderne produisant : dans sa conception, un tableau large de la vie, au lieu du tableau resserré de la catastrophe d'une intrigue ; dans sa composition, des caractères, non des rôles, des scènes paisibles sans drame, mêlées à des scènes comiques et tragiques, dans son exécution, un style familier, comique, tragique et parfois épique ? » (Lettre à Lord *** sur la soirée du 24 octobre 1829 et sur un système dramatique).

4. *Poésie*, p. 256-257 (Namouna, chant II, st. IV et VII), p. 128-129 (A mon ami Edouard B.).

5. R. Baschet, « Vitet, Mérimée, Musset », *R.S.H.*, oct.-déc. 1962, p. 573-581.

précisément ces mêmes dramaturges à la mode[6]. Quelle aubaine pour un écrivain de théâtre qui a déjà fait largement ses preuves, mais n'a pas encore donné toute sa mesure dans une œuvre grave et de longue haleine, ainsi que l'ont fait ses grands aînés, Hugo et Dumas !

Troisième chance : le collaborateur de la *Revue des deux mondes*, qui ne nourrit plus d'ambition d'ordre scénique depuis la chute de *la Nuit vénitienne*, est assuré de trouver dans la revue de Buloz ou dans ses dépendances l'organe d'édition et de publication de sa production dramatique. Belle et bonne liberté d'expression, qui permet à Musset de faire fi des contraintes extérieures et de concevoir une dramaturgie délivrée de toutes les servitudes étrangères à sa propre nécessité.

Une dernière chance, enfin, sourit à Musset : 1833 est, du point de vue de l'histoire du drame romantique, une année privilégiée. C'est comme un observatoire d'où l'amateur de théâtre peut prendre une vue cavalière des grandes tendances du drame contemporain, un miroir grossissant et même quelque peu déformant de ses goûts, de ses procédés, de ses poncifs. Les fidèles du Cénacle, pour applaudir les œuvres de leur chef, n'ont que l'embarras du choix : *le Roi s'amuse, Lucrèce Borgia, Marie Tudor* occupent tour à tour la scène avec des fortunes diverses. Ceux qui ont le goût plus timide ou un attachement tenace aux traditions littéraires peuvent trouver en Casimir Delavigne un auteur à leur mesure : *Louis XI* et *les Enfants d'Edouard*[7] sont des triomphes de « Juste-Milieu[8] ». Dupuis et Cotonet, en somme, n'avaient pas tort de croire que le romantisme était, à cette époque, « le genre historique » ou, « si vous voulez, cette manie qui, depuis peu, a pris nos auteurs d'appeler des personnages de romans et de mélodrames Charlemagne, François Ier, ou Henri IV, au lieu d'Amadis, d'Oronte ou de Saint-Albin[9] ». Le tour ironique de ce texte aide à comprendre quelle pouvait être, au moment où il concevait son grand drame historique, l'attitude intérieure de Musset : lucide et critique, sans aucun doute.

On aura une assez juste idée des réserves que pouvait formuler sur le drame historique, tel qu'il était pratiqué principalement par Hugo, un esprit un peu rigoureux, « déhugotisé » de bonne heure, et ennemi par principe des nouvelles conventions imposées à l'art dramatique, en se reportant au feuilleton que Gustave Planche consacre au *Roi s'amuse* dans *la Revue des deux mondes* du 1er dé-

---

6. « Je ne me déclarerai pas fondateur d'un genre, parce que, effectivement, je n'ai rien fondé. MM. V. Hugo, Mérimée, Vitet, Loève-Veymars, Cavé et Dittmer ont fondé avant moi, et mieux que moi, je les en remercie ; ils m'ont fait ce que je suis » (A. Dumas, Avant-propos d'*Henri III et sa Cour*).

7. Rappelons, pour mémoire, le calendrier des représentations : *Louis XI* (11 février 1832) ; *le Roi s'amuse* (22 novembre 1832) ; *Lucrèce Borgia* (2 février 1833) ; *les Enfants d'Edouard* (18 mai 1833) ; *Marie Tudor* (6 novembre 1833).

8. L'expression est d'A. Thibaudet (*Histoire de la littérature française de 1789 à nos jours*, p. 197).

9. *Prose*, p. 828 (Lettres de Dupuis et Cotonet, 1re lettre).

cembre 1832 [10]. Tout, dans cet article, sent la préméditation et le manifeste : l'occasion, saisie au bond, des remous suscités par une pièce qui n'a connu qu'une représentation, puis a été aussitôt suspendue et interdite d'ordre du pouvoir [11] ; la longueur insolite de ce feuilleton et le soin méticuleux avec lequel il est composé et écrit [12]. Que Musset ait lu cet article, c'est plus que probable [13] ; qu'il ait eu, d'autre part, dès cette époque, des raisons personnelles de ne pas nourrir une sympathie bien vive à l'égard de son auteur, c'est plus que certain [14]. Mais l'important n'est pas là. L'important, c'est que fussent exprimées et publiées, dans une revue qui était loin d'être réactionnaire tant en politique qu'en littérature, les réserves et les déceptions que commençait à susciter le romantisme à la scène [15].

Musset avait d'autant plus de raison de reconnaître dans l'article de Planche ses propres idées que ce dernier ménageait, en leur faisant une place à part dans le concert des dramaturges de son temps, deux hommes dont Musset respectait le talent : Mérimée et Vigny [16]. Enfin le feuilleton de Planche pouvait avoir d'autant mieux frappé son attention qu'il concernait une pièce dont il ne fait pas de doute que le dramaturge de *Fantasio* et de *Lorenzaccio* avait reçu le choc, sinon l'influence : Triboulet a sa place dans les propos de la gouvernante d'Elsbeth [17] et sa réplique en Fantasio contrefaisant le bouffon Saint-Jean [18]. On ne peut pas, d'autre part, ne pas remarquer d'étranges similitudes de situations ou de personnages entre le drame de Hugo et celui de Musset. Le prince débauché, grand amateur de femmes, le bouffon pourvoyeur de ses plaisirs et qui joue double jeu, le tueur à gages, ici Scoronconcolo, là Saltabadil, voilà quelques rapprochements qui s'imposent d'eux-mêmes. M. Pommier suggère également avec raison que Louise Strozzi rappelle Blanche du *Roi s'amuse* et que Musset n'avait sans doute pas oublié « les plaintes paternelles de Saint-Vallier et de Triboulet » (...) « quand il traitait

10. P. 567-581 ; Planche y avait préludé, dans la même publication, le 15 février 1832, en consacrant un feuilleton sévère à « Louis XI et Thérésa : MM. C. Delavigne et Alex. Dumas », dans lequel il égratignait Hugo au passage ; voir M. Regard, *l'Adversaire des romantiques : Gustave Planche*, p. 83-84.

11. Représentée le 22 novembre 1832, suspendue le 23 novembre, interdite le 10 décembre ; Hugo plaidera en vain le 19 décembre.

12. M. Regard, *op. cit.*, p. 96-97.

13. Sainte-Beuve collaborait à la *R.D.M.* et était l'ami de Musset ; c'est dans la livraison du 15 janvier 1833 que parut l'étude de Sainte-Beuve sur Musset. Autre argument, qui pourrait être péremptoire : peut-être à cette époque déjà Musset collaborait anonymement à la *R.D.M.* ; cf. sur ce point S. Jeune, « Musset caché », *R.H.L.F.*, juillet-septembre 1966, p. 438, note 2 (« ...il semble bien que du 15 août 1832 au 15 février 1833 Musset ait été l'un des principaux rédacteurs de la « Chronique de la Quinzaine »).

14. P. de Musset, *Biographie...*, p. 88-89 ; M. Regard, *op. cit.*, p. 48-49 et p. 85-86.

15. « Il est assez plaisant (...) de noter que la Revue créée au début du romantisme, presque sous sa protection, devint le refuge des dissidents, des « défroqués du romantisme », comme Sainte-Beuve et Planche » (M.-L. Pailleron, *la Vie littéraire sous Louis-Philippe*, p. 368).

16. *R.D.M.*, 15 février 1832, p. 520-521, M. Regard, *op. cit.*, p. 83-84 ; sur les relations de Musset avec Mérimée, voir *Correspondance*, Séché, p. 32-33, avec Vigny, *ibid.*, p. 20-22.

17. *Fantasio*, II, 1 (*Gastinel I*, p. 206).

18. *Fantasio*, I, 2, (*Gastinel I*, p. 198).

la scène des douleurs de Philippe [19] ». Là d'ailleurs s'arrêtent les correspondances, car, dans l'exécution, les différences éclatent au regard. Quoi de commun, par exemple, entre l'interminable et mélodramatique meurtre de Blanche [20] et la mort brutale, instantanée de Louise foudroyée par le poison [21], entre la grandiloquence de Triboulet penché sur le corps agonisant de sa fille [22] et l'égarement de Philippe, fou de douleur, qui, brusquement atteint de claustrophobie, préserve à grand-peine sa santé mentale dans la fuite [23]. La sobriété, la justesse psychologique de Musset procédait d'une autre esthétique : voilà le vrai.

De cette esthétique, Planche fournissait justement les conditions d'un point de vue critique. En quelques formules justes et sévères, il instruisait le procès du drame hugolien dans ses excès et ses faiblesses. Procès de la vérité psychologique d'abord : « Triboulet, avili par la domesticité de sa profession, est-il capable », demande Planche, « de cette poétique et profonde mélancolie qui rappelle les pensées de Pascal et les poèmes de Byron ? (...) n'a-t-il pas dû souvent servir de pourvoyeur à la couche royale ? n'a-t-il pas dû s'accoutumer de longue main aux débauches de son maître, comme à l'air qu'il respire ? Quand les plus grands noms de la monarchie afferment au libertinage du prince la jeunesse et la beauté de leurs sœurs, de leurs femmes et de leurs filles, est-il probable que Triboulet demeure seul vertueux, pur, fier, impitoyable ? qu'il résiste à l'exemple et le flétrisse de ses mépris ? Si cela est, il ne lui reste qu'un parti, le suicide [24] ». L'analyse est pénétrante, mais la conclusion contestable. Entre la complicité cynique et le suicide, il y a place pour une vérité plus ambiguë. Le Lorenzo de Musset, précisément, l'occupera.

Planche requiert également contre Hugo au nom de la vérité historique : « Le drame de M. Hugo », concède Planche, « n'appartient pas à l'histoire et ne relève que de sa libre fantaisie. Cependant, (...) la critique a le droit, après avoir accepté ou discuté franchement la vérité *humaine* des caractères, supérieure pour le poète à la vérité *historique*, de lui demander compte du cadre qu'il a choisi (...). Pour dater une pièce, il ne suffit pas du costumier, du décorateur, et de quelques noms consignés aux pages de Mézerai ou de Sismondi. Un

19. *Pommier I*, p. 135 ; faut-il aller plus loin et esquisser des rapprochements de détail ? Sans trancher la question, sans doute insoluble, de savoir si telle rencontre est de hasard ou de souvenir, j'ai relevé les coïncidences suivantes : « C'est un morceau de roi » (*le Roi s'amuse*, II, 5, éd. Ollendorff, p. 305) ; « Catherine est un morceau de roi » (*Lorenzaccio*, IV, 1, p. 386) ; « pauvre jeune homme ! » (*le Roi s'amuse*, IV, 4, p. 342) ; « pauvre jeune homme ! » (*Lorenzaccio*, I, 5, p. 230) ; « Elle est évanouie, n'est-ce pas ? elle est morte » (*le Roi s'amuse*, V, 5, p. 364) ; « C'est un étourdissement, n'est-ce pas ? Pauvre jeune fille ! elle est morte » (*Lorenzaccio*, III, 7, p. 379).
20. *Le Roi s'amuse*, IV, 5, p. 344-352 ; on y trouve, en un ragoût qui n'est pas sans saveur, l'humour noir (« Comment veux-tu qu'on prenne un fagot pour un mort ? C'est immobile, sec, tout d'une pièce, raide. Cela n'est pas vivant »), p. 347 ; le sac de Scapin (Si l'on t'écoutait on ne tuerait personne ; Raccommode le sac), p. 346 ; et le détail horrifique du mélodrame (« Ciel ! j'entends le couteau qu'ils aiguisent ensemble ! »), p. 351.
21. III, 7, p. 377-378, 1. 1267-1276.
22. V, 4, et 5.
23. III, 7, p. 381-383, 1. 1338-1392.
24. G. Planche, *art. cit.*, p. 571.

poète qui prend son art au sérieux, et M. Hugo est du nombre, ne peut se contenter d'une indication aussi superficielle (...). Puisqu'il s'agit de François Ier et non pas d'un autre, le poème doit être la vivante expression des mœurs et des passions de son temps[25] ». Et Planche pousse plus avant son propos en suggérant une sorte d'arrière-pays historique et politique, sur lequel se fût détaché l'intrigue principale, pour la situer et l'éclairer : « Au Louvre, écrit Planche, on devait se souvenir de Marignan, les courtisans devaient s'entretenir de Charles-Quint, les envieux se rallier à l'échec du roi dans l'élection impériale ; les fats se vanter de leurs dépenses au *Camp du Drap d'or...*[26] ». N'était-ce pas montrer la voie où allait si superbement s'engager Musset dans *Lorenzaccio* ? Car enfin, si Musset, travaillant sur le canevas linéaire de G. Sand, développe si largement les intrigues secondaires, déploie les circonstances, multiplie les personnages, ce n'est pas d'abord pour faire plus ample, mais pour faire plus vrai. La pièce de Musset n'est pas une tragédie de palais ; il y va du sort et du bonheur de tout un peuple. Si donc il fait alterner scènes de plein air et scènes d'intérieur, vision de foule et pas de deux, c'est moins pour imiter Shakespeare ou rappeler Corneille[27] que par souci de capter une vérité historique globale, dont il lui importe de saisir les aspects divers. Pas un détail, fût-ce de costume ou de mœurs, n'est, en tout cas, gratuit ou noté pour la montre. Car pour Musset la « poésie dramatique » n'est pas une « mascarade », elle est, au contraire, « nourriture pour l'âme » et non « pâture pour les yeux », ainsi que le réclame Gustave Planche[28].

Deux exemples significatifs éclaireront ce propos. S'agit-il de faire vivre sous nos yeux la foire de Montolivet ? Musset n'y saurait être infidèle à la réputation mercantile traditionnellement attachée à la capitale de la Toscane. Les dentelles au point de venise et les soieries[29] seront présentes au rendez-vous. Mais cette « scène des marchands », loin d'être un tableau de genre, est comme le diagramme d'une situation politique. Elle suggère avec force l'atmosphère collective au moment où l'assassinat préparé de longue main par Lorenzo est devenu imminent ; elle en explique même, en partie, l'échec inéluctable. Toute une série de traits, qui se croisent et s'entretissent, modèlent le visage vivant d'une cité. Par exemple, l'atmosphère de piété mondaine et de frivolité mêlées, qui est le signe d'une adultération de l'authentique religion[30] ; le climat de délation et de peur[31] ; la solidarité de fait des courtisans avec la puissance

---

25. *Ibid.*, p. 574.

26. *Ibid.*, p. 575.

27. Encore que le rapprochement avec *la Galerie du Palais* (acte I, scènes 4, 5, 6, 7) s'impose de lui-même, mais l'hommage du souvenir, en pareille matière, s'accommode assez bien de la plus entière liberté créatrice ou recréatrice.

28. In *R.D.M.*, 1er juin 1833, p. 527 sq.

29. I, 5, p. 236, l. 881-890.

30. *Ibid.*, p. 232, l. 811-815.

31. *Ibid.*, p. 236, l. 873-874.

occupante, qui assure la tyrannie sur ses bases[32] ; la tendance de la bourgeoisie libérale à battre sa coulpe sur la poitrine des autres, en accusant la foule de servitude grégaire sans analyser sa propre impuissance[33] ; le nationalisme un peu trop verbeux et le libéralisme impur, moins de conviction que de situation, de l'artisan en orfèvrerie, l'égoïsme mercantile et l'échine souple du marchand d'étoffes[34] ; par-dessus tout, l'esprit badaud des florentins, qui émousse toute volonté de résistance. L'analyse va loin et nous offre l'image bigarrée d'un peuple bavard et léger, prêt à courber la tête ou à servir celui qui l'amuse ou l'enrichit, un peuple spectateur d'une comédie politique dont l'enjeu lui échappe et sur laquelle il n'a pas de prise. A travers le cérémonial des emplettes et les propos de kermesse jaillit une vérité de nature politique qui donne l'une des clés du dénouement : l'impuissance d'un peuple paralysé et spectateur de son propre destin.

Un autre détail, insignifiant en apparence et qui figurerait en bonne place dans un drame de Dumas, donnera mieux encore la mesure du vigoureux génie dramatique de Musset : les « gants parfumés » que porte le duc Alexandre dans la scène où il se fait portraiturer[35]. Il s'agit là d'abord d'un détail vestimentaire qui peint bien l'homme. Signe de raffinement, qui nuance la figure brutale d'Alexandre ou plutôt, évoqué conjointement avec la cotte de mailles, manifeste en lui l'union du soudard tudesque et du prince florentin. Signe aussi d'une vie principalement vouée aux plaisirs sensuels et aux arts d'agrément : on parle chasse, chiffons, peinture, musique, femmes ; le parfum des gants est à sa place, en bonne compagnie. Il est à sa place également au point de vue dramatique, et c'est le fait essentiel. Car l'heure est grave. Il s'agit pour Lorenzo de désarmer l'adversaire en le privant de son ultime protection. Acte décisif, d'où dépend pour une part le succès final de l'entreprise. La partie est serrée, aucun faux-pas n'est permis et Giomo veille.

Alors commence l'étrange séance de manipulation et d'escamotage[36], où le noble jeu de la muleta et le boniment de l'illusionniste conjuguent leurs vertus. Le duc, comme à son habitude, fonce, tête baissée, dans le piège, et se désarme pour ainsi dire lui-même et définitivement, en reconnaissant implicitement que, cette cotte disparue, il ne saurait en porter d'autre[37]. A la sollicitude de Lorenzo[38], il répond par une sorte d'aveuglement touchant de naïveté[39]. A la lettre, il se démobilise. Lorenzo peut alors cueillir les fruits de son habileté. Il exorcise, par le langage, cette cotte, dont nous nous rendons bien compte qu'elle le fascine et — nous le saurons plus tard —

---

32. *Ibid.*, p. 236-237, l. 875-904.
33. *Ibid.*, p. 234-235, l. 856-871.
34. *Ibid.*, p. 233, l. 832-836, p. 233, l. 825-826.
35. II, 6, p. 307, l. 1112-1113.
36. *Ibid.*, p. 306, l. 1089-1107.
37. *Ibid.*, p. 306, l. 1092-1097.
38. *Ibid.*, p. 306, l. 1107.
39. *Ibid.*, p. 307, l. 1109-1110.

qu'elle lui fait peur [40]. Il lui ôte son caractère agressif d'armure impénétrable et la transforme en un vêtement décoratif assorti à l'habit et aux gants [41], il en fait un objet inoffensif et d'apparat. Il raffine encore sur son succès, en se faisant offrir un alibi par le duc lui-même [42] et en se payant le luxe d'une phrase à double entente, qui dit le regret feint, mais lance, à qui peut l'entendre, un avertissement sibyllin. L'illusionniste peut alors escamoter l'objet. Le duc, sous le charme d'un esprit plein de sollicitude et de talent, n'y verra que du feu. Au reste, ces gants parfumés, qui font si bon ménage avec la cotte, nous les retrouverons en un autre moment, plus décisif encore. Au duc qui, devant que d'aller à l'amour, c'est-à-dire à la mort, demande à Lorenzo : « Quels gants faut-il prendre ? ceux de guerre ou ceux d'amour ? » Lorenzo répond sans hésiter : « ceux d'amour, Altesse [43] ». Ainsi s'établit entre deux scènes, dont l'une est la préparation de l'autre, un écho intérieur qui les met en harmonie. Le leit-motiv des gants devient le signe même du destin. Mais il faudra revenir sur ce jeu sensible et savant des échos intérieurs dans *Lorenzaccio*, car il est œuvre de poète.

Ces deux exemples, choisis entre vingt ou trente, montrent clairement que Musset n'est pas, comme on l'a dit, « devenu l'adversaire de la couleur locale [44] ». Seulement, il en a changé le sens, se refusant à la prendre pour fin. Ainsi la vision est autre. Là où Hugo voit en décorateur et en peintre [45], Musset voit en historien et en moraliste. C'est dire qu'il dessine, pour reprendre le langage de Gustave Planche, « les lignes du paysage et de l'horizon », cet horizon étant, en l'occurrence, le seizième siècle de Florence, et, pour pasticher encore Planche, « dans le seizième siècle (...) la première moitié [46] ». Cette fidélité à l'esprit général d'un pays et d'une époque est un trait qui frappe tout lecteur averti. Une lecture simultanée de *Lorenzaccio* et des ouvrages classiques consacrés à la civilisation de la Renaissance en Italie [47] fait apparaître combien Musset invente juste ou, quand il puise dans Varchi, donne à chaque détail trouvé une saveur de vérité et de vie. L'air des choses et du temps y circule à l'aise. Le répertoire ci-dessous, qui ne prétend pas être exhaustif,

40. IV, 9, p. 421, l. 722-726.

41. II, 6, p. 307, l. 1112-1115.

42. *Ibid.*, p. 307, l. 1115.

43. IV, 10, p. 427, l. 348.

44. *Pommier I*, p. 128.

45. Un exemple, extrait justement des indications scéniques pour l'acte premier du *Roi s'amuse* : « Une fête de nuit au Louvre ; Salles magnifiques pleines d'hommes et de femmes en parure. Flambeaux, musique, danses, éclats de rire (...). La fête tire à sa fin, l'aube blanchit les vitraux. Une certaine liberté règne, la fête a un peu le caractère d'une orgie. Dans l'architecture, dans les ameublements, dans les vêtements, le goût de la renaissance ». La comparaison avec la sobriété de Musset sur le même sujet est par elle-même éloquente : « une rue, le point du jour. Plusieurs masques sortent d'une maison illuminée, un marchand de soieries et un orfèvre ouvrent leurs boutiques » (I, 2, p. 196, l. 126-129).

46. *R.D.M.*, 1er décembre 1832, p. 577.

47. Par exemple, J. Buckhardt, *la Civilisation de la Renaissance en Italie*, 1860 (réédition de 1964, aux éditions Gonthier) ; F. Perrens, *la Civilisation florentine du treizième au seizième siècles*, 1893 ; J. Lucas-Dubreton, *la Vie quotidienne à Florence au temps des Médicis*, 1958.

donnera une idée assez juste des bonheurs d'intuition de Musset en matière d'expression des mœurs, coutumes et passions florentines au XVIe siècle :

I. RELIGION (a)

Décadence de l'Eglise (mœurs dissolues, hostilité au pape, etc.) et affaiblissement de la foi.

Le cardinal Cibo ; maints propos de la marquise Cibo (II, 3, l. 390-397 ; II, 3, l. 519-522) ; maints propos du duc (I, 4, l. 599-601 ; l. 624-625).

Piété populaire de caractère ritualiste (sacrements, bénédictions, indulgences, etc.).
Importance des prédicateurs.

Le pèlerinage de Montolivet (I, 5, 807-809) ; la confession (I, 5, l. 811-812, II, 3).
Le sermon à San Miniato (I, 5, l. 811, l. 913-914).

Superstitions (astrologues, présages, etc.).

Le rêve de Marie Soderini (II, 4, 603) ; le passage d'une comète (IV, 3, l. 176) ; le chiffre 6 (V, 5, l. 473) ; le portrait du duc percé d'un coup de couteau dans le cœur (III, 6, l. 1139-1140) ; le présage de la mort (III, 5, l. 995-996).

II. ARTS (b)

L'Eglise et les arts.

Valori et Tebaldeo (II, 2, l. 113-129).

Le mécénat des princes.

Le duc et Benvenuto Cellini (Genèse, p. 173, l. 50) ; le duc et Tebaldeo (II, 6, l. 1087).

Les écoles de peinture.

Les Ecoliers (I, 2, l. 149-168) ; Tebaldeo (II, 2, l. 324).

La royauté de Raphaël et le prestige de Michel-Ange.

Les propos de Tebaldeo (II, 2, l. 147-148 ; l. 210-214).

III. COMMERCE (c)

Dignité des « arts » (arte della Seta, etc.).

L'orfèvre et le marchand (I, 2, l. 234) ; dignité offensée de Venturi (II, 4, l. 671-672).

Importance du marché-vieux et du marché-neuf dans la vie florentine.

Marché-vieux (I, 5, l. 852) ; Marché-neuf (IV, 4, l. 250 ; V, 5, l. 510).

IV. VIE INTELLECTUELLE (d)

Superstition de l'antique (références à l'antiquité gréco-latine, etc.).

Maints propos de Lorenzo (II, 4, l. 580 ; III, 3, l. 554 ; l. 583, l. 895 ; IV, 5, l. 429 ; IV, 3, l. 169).

(a) Burckhardt, op. cit., t. 2, p. 139-207.
(b) A. Chastel, l'Art italien, 1956, t. 2, p. 5-41.
(c) Perrens, op. cit., p. 69-70 ; Lucas-Dubreton, op. cit., p. 20-31, p. 146-162.
(d) Burckhardt, op. cit., t. 1, p. 172-180 ; Lucas-Dubreton, op. cit., p. 113-114.

Goût de l'éloquence (discours latins, citations).	Tirade de Lorenzo sur l'éloquence (II, 4, 1. 702-711); harangue de F. Molza (I, 4, 1. 656); le cardinal citant Virgile (V, 1, 1. 92-93).
Médiocrité des « Pédants de maison ».	Les précepteurs ridicules (V, 5, 1. 539-604).

V. VIE SOCIALE ET MONDAINE (e)

Les florentins dans la rue (esprit badaud, etc.).	Nombreuses scènes de plein air (I, 2; I, 5; I, 6; II, 2; III, 3; IV, 2; IV, 6, 7, 8, 9; V, 3, 5, 7).
Jeux, fêtes, distractions.	Le carnaval (I, 2, 1. 221); la danse (I, 2, 197); le jeu de paume (I, 2, 1. 197); les chevaux (I, 2, 1. 197; I, 4, 1. 582); la chasse (III, 6, 1. 1150; 1. 1186; IV, 1, 1. 1166).
Raffinements du costume.	Les gants parfumés (II, 6, 1. 1113); la zibeline (IV, 10, 1. 840); la soie et le velours (I, 2, 1. 209; I, 5, 1. 890); « blanc et or » (I, 5, 1. 814).
Villas à la campagne et vie champêtre.	La villa de Massa et son décor (I, 3, 1. 430-433, 1. 455).

VI. MŒURS (f)

Vengeances.	Julien poursuivi par les Strozzi pour offense à un membre de leur famille (II, 5, 1. 994; III, 2, 1. 183); les époux Cibo moqués parce que le mari n'a pas puni sa femme pour son infidélité (V, 3, 1. 400-401).
Haines ancestrales entre familles.	Les Strozzi et les Salviati (V, 5, 1. 550-605).
Les meurtres, les empoisonnements.	Alexandre et Giomo (II, 6, 1. 1062-1079) ; Scoronconcolo (III, 4); empoisonnement de Louise (III, 7, 1. 1279).
L'image de Brutus et le tyrannicide.	Nombreuses références à Brutus (III, 3, 1. 583, 596, 648, 650, 796, 895; V, 2, 1. 260).

(e) Burckhardt, *op. cit.*, t. 2, p. 69-74 ; Lucas-Dubreton, *op. cit.*, p. 130-145.
(f) Burckhardt, *op. cit.*, t. 1, p. 51-52 ; t. 2, p. 116-138.

Le tableau ainsi constitué ne laisse pas de jeter quelques lumières précises sur la conception du drame historique selon Musset. Il met d'emblée en évidence ce qu'il faut bien appeler une vision globale de l'histoire. C'en est fini du ou des héros privilégiés qui accaparent l'intérêt et mobilisent la réalité à leur service. C'en est fini également du hasard, heureux ou malheureux, qui modifie brusquement et sans raison le cours des événements. A la place, une situation historique complexe, qui évolue en fonction de sa logique propre, où chacun tient son rôle et joue sa partie selon son rang, son sexe, son tempérament, sa secrète ambition. Ainsi Musset peut-il faire revivre avec dextérité les mœurs et les passions d'une époque, puisque ce sont ces passions et ces mœurs qui constituent la trame même de l'action dramatique. L'histoire n'est plus le héros ou l'anecdote, mais le destin politique, social, moral d'une nation. En l'occurrence, *Lorenzaccio* est un titre restrictif, qui fausse quelque peu la perspective. Le vrai sujet du drame, ce n'est ni « le duc s'amuse », ni même « une conspiration en 1537 », mais Florence abâtardie s'abîmant sans rémission dans la servitude et sous la tyrannie.

Avec quelle aisance Musset peut alors faire l'économie de célébrités historiques, qu'un Alexandre Dumas ou même un Hugo eussent sans doute mises en bonne place ! Pierre l'Arétin est seulement cité, Guichardin et Vettori jouent les comparses, noyés dans la foule des courtisans, Benvenuto Cellini apparaît en ombre chinoise et en simple particulier. Musset leur préfère des personnages fictifs ou recréés à sa convenance : le cardinal Cibo, synthèse originale et significative de deux personnages réels de moins haut relief ; Sire Maurice, auquel Cellini et Varchi font une allusion rapide [48] ; Venturi qui n'est, chez Varchi, qu'un nom parmi d'autres [49] ; Freccia, inventé et modelé à partir d'un nom de domestique [50]. Quant aux personnages de l'histoire, un Philippe Strozzi, un Lorenzo de Médicis, l'auteur de *Lorenzaccio* les métamorphose à ce point qu'ils appartiennent moins à l'histoire de Florence selon Varchi qu'à la philosophie de l'histoire selon Musset. Seul peut-être Alexandre de Médicis est à peu près conforme à sa réalité historique. C'est qu'il est, dans l'esprit du dramaturge, moins un homme que la tyrannie vivante à abattre, moins la source que le produit du système de gouvernement qu'il incarne au nom du pape et de l'empereur. Dès lors il n'était pas nécessaire de lui créer une dimension intérieure. Il suffisait qu'il figurât physiquement la tyrannie, et qu'en définitive le sanglier vînt s'enferrer au moment choisi sur le couteau de l'assassin.

Cette prédilection pour le personnage imaginaire ou pour l'homme de l'histoire librement interprété, cette tendance à multiplier les silhouettes rapides, mais vivantes et significatives, cette volonté de révéler les saveurs d'une époque, au ras du dialogue, de préférence dans les occupations ordinaires de la vie, voilà un faisceau de signes qui ne trompent guère sur les intentions de Musset. L'homme « qui ne voulait pas être de son temps », comme l'appelle M. Pierre Moreau [51], connaît trop bien les délices et les poisons de toute dramaturgie d'archéologue ou d'antiquaire. Il exorcise cette tentation de fuite dans le passé en attirant à lui les hommes d'autrefois, en les mêlant à sa propre vie intérieure, en les interrogeant non pas tant

48. *Genèse*, p. 12-13, 1. 279-286 ; *Vie de B. Cellini écrite par lui-même*, Julliard, 1965, t. 1, p. 258.

49. *Genèse*, p. 63, 1. 1817.

50. *Genèse*, p. 55-56, 1. 1561-1563 et 1574-1575.

51. In *Nouvelles littéraires*, 9 mai 1957, p. 4.

sur leur époque que sur la sienne. Car telle est la condition de tout art dramatique qui se veut à la fois vrai et vivant. D'instinct, Musset avait compris que, s'il prétendait être autre chose qu'une parade ou une mascarade, le drame *historique* devait être avant tout un drame *moderne*.

L'épithète ne saurait choquer, puisque c'est Musset lui-même qui l'emploie dans l'article qu'il donne à la *Revue des deux mondes* du 1er septembre 1833, sous un titre à la fois modeste et loyal : « Un mot sur l'art moderne [52] ». De cette étude subtile, décousue, sémillante, on retiendra particulièrement la date et quelques propositions visiblement inspirées par le théâtre historique de son temps. La date, d'abord, doit nous importer. Car il est naturel d'établir un lien étroit entre une réflexion critique organisée, fût-elle développée sous une forme parfois polémique et paradoxale, et la création littéraire en gestation à la même époque, c'est-à-dire, en l'espèce, pour ce qui concerne l'œuvre théâtrale, *Fantasio* et *Lorenzaccio*. L'éclairage de la création par la critique, l'illustration de la pensée critique par l'œuvre d'imagination sont des opérations non seulement légitimes, mais indispensables. On apercevra tout à l'heure la fécondité de cette confrontation. Il faut remarquer, en second lieu, que les libres propos de Musset sur « l'art moderne », pour capricieuse qu'en soit souvent la présentation, s'articulent fortement sur une vision globale de l'évolution des arts, qu'il avait déjà esquissée dans les *Vœux stériles* et qu'on retrouve, du reste, sous des formes variées, chez d'autres écrivains à cette époque [53]. En reprenant à son compte la distinction entre périodes organiques de l'art, fondées sur l'unanimité d'une foi collective, et périodes critiques, où l'individualisme règne sans partage, Musset peut à la fois indiquer les époques où va sa nostalgie et désigner le lieu où gémit sa conscience malheureuse. Car c'est naturellement dans une période critique que le poète a le sentiment de vivre et d'écrire. Mais faut-il choisir un exemple de période organique ? Sans hésiter, la pensée de Musset retrouve les sentiers déjà frayés dans les *Vœux stériles*. L'Italie, la Renaissance, Dante, Raphaël lui inspirent soudain des accents lyriques dont un écho direct passera précisément dans une scène de *Lorenzaccio* [54]. Et toujours ce cri qui vient du cœur : « Quel beau temps ! quel beau moment ! [55] ». Un tel frémissement explique sans mal le choix fait par Musset de la Renaissance italienne pour cadre de trois des quatre pièces rédigées en 1833 [56].

Toutefois, il convient de prendre garde que l'attitude de Musset dans *André del Sarto* et *Lorenzaccio* est singulièrement ambiguë. L'action d'*André* se situe, comme on sait, dans « ces temps de déca-

---

52. *Prose*, p. 831-837.
53. C. Duchet, *art. cit.*, p. 543.
54. II, 2, p. 257-258, l. 113-129.
55. *Prose*, p. 883.
56. *André del Sarto ; les Caprices de Marianne ; Lorenzaccio.*

dence [57] », où Raphaël est mort et Pontormo triomphe. Dans *Lorenzaccio*, le petit peintre Tebaldeo, en dépit de son jeune âge, est, je l'ai dit, un personnage anachronique dont l'existence témoigne pour une période révolue de l'art italien. Car ce peintre raphaëlique survient au temps où brille, et pas seulement dans les causeries d'estaminet, un Benvenuto Cellini, en qui les historiens de l'art voient à juste raison un représentant du « maniérisme [58] », cette nouvelle forme du goût esthétique qui traduit, au plan des arts, une crise de la conscience humaniste, dont le plein équilibre avait précisément trouvé en Raphaël un interprète accompli. Choisir une période de décadence, qui, dans le cas de *Lorenzaccio*, ne se situait pas principalement au plan esthétique, c'était, à coup sûr, s'imposer à son égard une distance critique, excluant tout quiétisme, tout envoûtement lyrique. J'ajoute qu'une telle représentation ne pouvait guère demeurer innocente : Musset ne peint bien que ce qu'il sent. La crise florentine, dont il nous est proposé, coup sur coup, pour points de repère anecdotiques, la mort d'André del Sarto et l'assassinat d'Alexandre de Médicis, ne pouvait pas ne pas éveiller en Musset, comme par résonance, le sentiment aigu du malaise contemporain. Communier, par le truchement de l'image dramatique, à la difficulté d'être à Florence en 1537, c'était, d'une certaine façon, comprendre son temps, mettre à nu son propre cœur, se libérer momentanément, en le confessant, du malaise de l'enfant du siècle.

Ainsi s'explique qu'au moment même où Musset reconstitue l'atmosphère de Florence en 1537 dans une ample fresque historique, il puisse, sans affectation ni contradiction, se montrer sévère à l'égard du théâtre de son temps : « nos théâtres portent les costumes des temps passés ; nos romans en parlent parfois la langue ; nos tableaux ont suivi la mode, et nos musiciens eux-mêmes pourraient finir par s'y soumettre. Où voit-on un peintre, un poète préoccupé de ce qui se passe, non pas à Venise ou à Cadix, mais à Paris, à droite ou à gauche ? Que nous dit-on de nous dans les théâtres ? de nous dans les livres ? et j'allais dire, de nous dans le forum ? Car Dieu sait de quoi parlent ceux qui ont la parole. Nous ne créons que des fantômes, ou si, pour nous distraire, nous regardons dans la rue, c'est pour y peindre un âne savant ou un artilleur de la garde nationale [59] ». Texte capital, s'il en est, et qui montre, avant Baudelaire, que la modernité n'est pas dans le sujet, mais dans le regard. Plonger dans le passé n'est donc pas forcément fuir son temps, mais le trouver. Dans ce paradoxe, qui, comme souvent les paradoxes, voile une vérité simple sous un vêtement de surprise, se cache et se révèle à la fois un trait capital de l'esthétique de *Lorenzaccio*. Musset pose sur Florence et les florentins de 1537 le regard d'un homme de 1833. La fidélité aux mœurs et aux passions de la Renaissance italienne est pour ainsi dire informée et vivifiée par une fidélité plus grande encore

57. *André del Sarto*, I, 1 (*Gastinel I*, p. 60).

58. A. Chastel, *l'Art italien*, t. 2, p. 77.

59. *Prose*, p. 885.

aux mœurs et aux passions de la France contemporaine. Maints détails
que bien des commentateurs ont pris pour des anachronismes, et
qui, objectivement, le sont, n'ont dans l'esprit du poète qu'une
fonction d'avertissement : ils montrent clairement la direction de son
regard, qui n'est pas tourné vers le passé, mais, à travers lui, vers
le présent. N'est-ce pas, du reste, la vocation même du poète ?
« Puisque le monde d'aujourd'hui a un corps, il a une âme ; c'est
au poète à la comprendre, au lieu de la nier [60] ».

Cette orientation résolument moderne du regard, pressentie, dès la
parution de la pièce en librairie, par Hippolyte Fortoul [61], mais soumise à une interprétation tendancieuse et partant contestable, posait
au dramaturge de délicats problèmes de transcription d'une réalité
historique dans une autre. Ni l'allusion déguisée à l'actualité contemporaine, ni la fantaisie anachronique n'offraient de solutions satis-
faisantes. Un trop sûr instinct du spectacle dramatique, un goût trop
vif de la vraisemblance psychologique interdisaient à Musset de telles
concessions à la facilité. Aussi bien savait-il mieux que personne que
« Molière ne fit point chanter au Misanthrope un couplet tourné
adroitement pour rappeler les guerres de Louis XIV [62] » et que Racine
exprimait mieux son siècle en composant Athalie, « œuvre de pure
imagination [63] » qu'en glissant « un talon rouge sous le pied du roi
Pyrrhus [64] ».

Le plus subtil de son alchimie dramatique, c'est principalement
dans et par le langage que Musset a choisi de l'opérer. Privilège de
poète, qui sait le poids des mots et qui a le verbe pour matière
première de son industrie ! Deux procédés d'écriture dramatique
méritent, à cet égard, d'être dès à présent remarqués et démontés.
Nommons-les, par commodité, la *surimpression* et le *modernisme*.

La surimpression consiste, pour l'auteur de *Lorenzaccio*, à choisir,
dans la réalité historique qu'il peint, la situation, le trait de mœurs,
la mentalité collective qui rappellent le plus aisément l'époque contemporaine. A l'ésotérique, du moins à l'exotique, Musset préfère le
familier et, si possible, l'universel. Ainsi peut-il superposer deux
images d'une même réalité, l'une qui adhère au passé, l'autre qui
renvoie au présent, sans qu'on puisse jamais parler vraiment d'anachronisme ou de fantaisie historique. Faut-il, par exemple, évoquer
deux aspects typiques de la civilisation florentine de la Renaissance :
la haine qu'inspire une Eglise dégénérée et le triomphe du mercan-
tilisme ? Musset n'aura que peu de peine à en restituer l'atmosphère,
puisque ce sont là deux traits qui caractérisent aussi la bourgeoisie
louis-philipparde, voltairienne d'inspiration et avant tout soucieuse
d'enrichissement par les affaires. La surimpression permet au drama-

---

60. *Prose*, p. 886.
61. *R.D.M.*, 1ᵉʳ septembre 1834, t. 3, 3ᵉ série.
62. *Prose*, p. 762 (Revues fantastiques, II).
63. *Prose*, p. 886 (Un mot sur l'art moderne).
64. *Prose*, p. 762 (Revues fantastiques, II).

turge, saisissant sous un même regard deux réalités historiques différentes, d'en souligner les éléments communs, mais en empruntant de
préférence pour les exprimer, le langage le mieux adapté à la sensibilité et à l'expérience de ses contemporains.

Voici, par exemple, touchant la question religieuse, un échange
de propos, d'une grande vraisemblance historique, entre un homme
d'Eglise, rompu à la casuistique, et une femme du monde, dont l'exigence morale est moins accommodante : « Ah ! Malaspina, nous
sommes dans un triste temps pour toutes les choses saintes ! —
On peut respecter les choses saintes, et, dans un jour de folie,
prendre le costume de certains couvents, sans aucune intention hostile
à la Sainte Eglise catholique [65] ». Voici, en regard, sur la même
ligne de continuité, des expressions, qui — fussent-elles justifiées par
la colère de la marquise ou aiguisées par un sourd sentiment de
culpabilité — n'en éveillent pas moins l'écho d'un anticléricalisme de
type moderne, tout pénétré d'irrespect voltairien : « Que couves-tu,
prêtre, sous ces paroles ambiguës ? Il y a certains assemblages de
mots qui passent par instants sur vos lèvres, à vous autres... [66] » ;
ou encore : « Allons donc, Malaspina, voilà qui sent le prêtre [67] » ;
ou ceci : « Comme il tremblerait, ce vieux du Vatican... [68] ». Même effet
de surimpression touchant l'esprit d'entreprise stimulé par le goût du
lucre et le libéralisme nationaliste tempéré par le goût de l'ordre, qui
sont les traits communs de toute bourgeoisie d'affaires. Car, on
l'a noté bien des fois, l'orfèvre et le marchand de soieries sont, par
certains côtés, des boutiquiers parisiens du temps de Louis-Philippe.
Arvède Barine imagine avec raison que « l'orfèvre devait être abonné
au National et avoir le portrait d'Armand Carrel dans son arrière-
boutique. Le marchand de soieries est monarchiste par raison d'inventaire, parce que les cours font marcher le commerce de luxe [69] ».

Dans cet ordre d'idées, on saisira sur le vif le mécanisme de la
surimpression dans cet échange de répliques, dont la première est
d'une indiscutable vraisemblance historique, tandis que la seconde
est typiquement moderne et s'inspire notamment d'estampes révolu-
tionnaires, que Musset avait sans doute eues entre les mains et dont
il avait gardé le souvenir [70] : « C'est plaisir de voir ces bonnes
dames, sortant de la messe, manier et examiner toutes les étoffes.
Que Dieu conserve son altesse ! La Cour est une belle chose. — La
Cour ! le peuple la porte sur le dos, voyez-vous ! [71] » Là où M. Guillemin voit le signe indiscutable d'un intérêt direct et passionné de
Musset pour « l'écrasement, l'oppression, l'exploitation du peuple [72] »,
il me paraît plus conforme à la vraisemblance psychologique et aux
habitudes créatrices du poète d'évoquer le souvenir d'une gravure

65. I, 3, p. 216, 1. 498-500.
66. II, 3, p. 277, 1. 579-522.
67. III, 7, p. 372, 1. 1167-1168.
68. III, 6, p. 366, 1. 1035-1036.
69. A. Barine, *Alfred de Musset*, 1893, p. 126.
70. Voir coll. Liesville, Bibl. historique de la ville de Paris.
71. I, 2, p. 202, 1. 240-244.
72. A. de Musset, *Théâtre complet*, Rencontre, 1964, t. 2, Préface, p. 20.

de collection, — à l'esprit de laquelle, du reste, il n'est pas interdit de penser que Musset, conformément à sa tradition familiale, pouvait sincèrement adhérer.

Dans le cas du personnage de Venturi, Musset semble avoir joué sur le velours. La surimpression est ici adéquation parfaite de deux images superposées. Typiquement florentin par le sentiment de sa dignité, — l'art de la soie et des tissus de soie appartient traditionnellement au groupe de tête des sept Arts majeurs [73] —, Venturi incarne tout aussi bien l'industriel moderne que la pensée saint-simonienne met en valeur et fonde en dignité et qui se sait ou se veut supérieur au simple négociant. Un clin d'œil à Molière, le souvenir souriant de M. Jourdain, sert de médiation, de creuset à la cuisson de cet alliage d'ancien et de moderne, et le rattache au type universel du bourgeois de comédie [74].

D'ordinaire la surimpression est plus flegmatique, moins élaborée. Des informations comme celle que donne à son compère, sur le parvis de San Miniato, le « deuxième bourgeois [75] » doivent sans doute plus à George Sand [76] et, par elle, à l'actualité récente qu'à quelque obscur passage de Varchi qu'il faut dénicher laborieusement [77]. Les élèves de l'Ecole Polytechnique mêlés aux insurgés, le 28 juillet 1830, dans les combats de la Rue de Rohan [78] ou la résistance du cloître Saint-Merry, le 6 juin 1832, étaient encore dans toutes les mémoires. Il en va de même pour de courtes notations que Musset n'extrait de Varchi que parce que le jeu spontané de l'association des images est assuré de leur donner un frais visage d'actualité. Un détail historique comme « l'élection de Côme de Médicis sous le titre provisoire de gouverneur de la république [79] » doit sa présence dans le texte de Musset au souvenir du titre de « lieutenant général du royaume » sous lequel le duc d'Orléans fut appelé au trône, le 30 juillet 1830. L'échange de répliques qui vient immédiatement après [80] a également toutes les chances de ne pas rester lettre morte pour des lecteurs qui n'ont pas oublié le feu d'artifice tiré le 28 juillet 1833 en l'honneur des Trois Glorieuses et qui s'accompagnent, avec de sévères mesures de police, de festivités populaires auxquelles la foule s'est pressée « comme elle le faisait aux fêtes de l'Empire et de la Restauration, comme elle le fera toutes les fois qu'on dépensera 1 500 000 francs pour l'amuser et lui jeter de la poudre aux yeux [81] ».

Dans d'autres cas, la surimpression joue son rôle aux limites de l'anachronisme délibéré, mais sans ostentation. La notation moderne

73. Y. Renouard, *Histoire de Florence*, 1964, p. 57-67.
74. « Lui, marchand ? C'est pure médisance, il ne l'a jamais été. Tout ce qu'il faisait, c'est qu'il était fort obligeant, fort officieux ; et comme il se connaissait fort bien en étoffes, il en allait choisir de tous les côtés, les faisait apporter chez lui, et en donnait à ses amis pour de l'argent » (*Bourgeois Gentilhomme*, IV, 3).
75. I, 5, p. 234, 1. 851-852.
76. *Genèse*, p. 85-86, 1. 27-37.
77. *Genèse*, p. 29, 1. 758-768.
78. Cf. le tableau de Lecomte conservé au musée Carnavalet.
79. V, 1, p. 441, 1. 157-158.
80. V, 1, p. 441, 1. 160-163.
81. *R.D.M.*, 1833, 3e vol., p. 344.

glisse sur l'aile de l'éloquence ou s'estompe dans le mouvement de la conversation familière. Ainsi en va-t-il du vin de l'ouvrier [82] qui sent sa phraséologie populiste, de « l'éducation des basses classes [83] », qui a des relents de romantisme socialisant, de la barbe des républicains [84], qui est, à partir de juillet 1830, signe d'indépendance d'esprit et d'opposition politique.

Parfois l'anachronisme est volontaire, agressif, éclatant, si éclatant même qu'on sent bien qu'il obéit à un dessein délibéré, à une sorte de pédagogie de l'œuvre dramatique. C'est ce que j'ai nommé le recours au *modernisme*. Modernisme de langage essentiellement, exprimant, comme toujours le langage, des institutions et des mœurs en constante mutation. Une « rouée », le « bonhomme de frère pris de somnambulisme », le « bonnet de la liberté », la « limonade » du Prieur, le « sofa » où gît la cotte de mailles, le « chocolat » de Lorenzo, le « boudoir » de la marquise, la petite fille du « concierge », le « pot de réséda » de la chambre du crime, voilà une langue et des réalités rien moins que de jadis. Même là où le mot ne détonne pas, il découronne l'histoire, il la met, pour ainsi dire, à l'exacte distance, d'où notre œil accommode sans effort, sans transposition. Non pas l'histoire écoutée aux portes de la légende, mais plutôt recueillie dans les journaux ou glanée dans les antichambres de la monarchie de Juillet. Il y a en tout cas, à tous les détours de *Lorenzaccio*, une volonté de dissonance qui cherche à saper le trop beau langage, à miner l'équilibre ou à désamorcer l'effet d'une tirade trop éloquente. Dès la première scène nous voilà fixés : « Puisqu'il ne s'agit que d'emporter une fille qui est à moitié payée, nous pouvons bien taper aux carreaux [85] ». Ainsi parle Giomo ; il est vrai que c'est un rustre. Mais le duc n'est souvent pas mieux embouché et le flot des jurons ne connaît guère la décrue ; il est vrai que c'est un prince bâtard, débauché et vulgaire. Mais l'éloquence toute cicéronienne de l'honorable Philippe Strozzi a parfois des bonhomies louis-philippardes : « Ce qu'on appelle la vertu, est-ce donc l'habit du dimanche qu'on met pour aller à la messe ? Le reste de la semaine, on est à la croisée, et, tout en tricotant, on regarde les jeunes gens passer [86] ». Lorenzo troque parfois le verbe agile d'un « Valmont précoce [87] » contre le vil parler de l'indicateur de police [88]. Et que dire de ce grand seigneur, qui porte le nom illustre des Salviati, et parle comme les artisans du Marché-Vieux [89] ? Et encore de cette veillée tragique, chez le duc, où les ultimes avertissements du Cardinal et de Sire Maurice sont ponctués de propos de cabaret [90] ?

---

82. « Un bon verre de vin vieux a une bonne mine au bout d'un bras qui a sué pour le gagner » (I, 2, p. 200, l. 211-213).
83. II, 1, p. 252, l. 8.
84. II, 4, p. 286-287, l. 715-717.
85. I, 1, p. 193, l. 52-54.
86. II, 1, p. 252, l. 11-14.
87. L'expression est de M. A. Lebois, *op. cit.*, p. 47.
88. II, 4, p. 292, l. 336-342.
89. IV, 7, p. 415, l. 594-595.
90. IV, 10, p. 425, l. 785-786 ; p. 426, l. 819 ; p. 427, l. 833.

Esthétique romantique ? Mélange des tons de tradition shakespearienne ? Sans doute. Hugo aussi est prodigue de ces sautes de langage, avec, toutefois, quelque chose de plus agressif, de plus provocant. Influence de Schiller et de Jean-Paul ? Possible. Mais on n'assimile bien une nourriture qu'autant qu'on sait qu'elle nous est indispensable et qu'on peut la transformer en sa propre substance. En l'occurrence, ce désaccord calculé « entre les costumes qu'on voit et les discours qu'on entend [91] », qui ne laisse pas d'embarrasser d'aucuns, me paraît obéir à un dessein déterminé. Il est, d'abord, un trait d'humour, une manière de ne pas trop s'engager dans ce qu'on sait vous engager beaucoup, un art de se déprendre d'une histoire qui vous concerne, de garder la distance de soi à soi dans l'expression figurée qu'on en donne. Par le jeu de la dissonance, Musset évite d'être dupe de l'histoire qu'il nous raconte et de s'évader dans la poussière d'or d'une époque évanouie. « Un mot sur l'art moderne » nous avait du reste prévenus à ce sujet.

Cette distance gardée avec vigilance, le poète cherche à la maintenir également dans la conscience du lecteur. C'est ce que j'ai nommé la pédagogie de l'œuvre dramatique. Le dépaysement inhérent à la plongée dans le passé, à laquelle invite naturellement le drame historique, est, pour ainsi dire, contrepesé par la volonté, constamment manifestée par l'écrivain, d'abolir la distance qui sépare les événements mis en scène de la conscience du lecteur qui en reçoit l'image et l'écho. Dans un drame à décors et en costumes historiques, la secousse d'un modernisme de langage crée l'illusion d'une histoire contemporaine et alerte, en même temps, la conscience critique du lecteur, en l'invitant à retrouver sous l'apparence d'une réalité de jadis l'arabesque significative d'une réalité d'aujourd'hui.

Dès lors, surimpression et modernisme conjuguent leurs effets et contribuent à créer une réalité dramatique autonome, qui est l'essence même de l'œuvre d'art. En traitant, avec l'art le plus concerté, une chronique de 1537 non pas tant en chronique de 1830 qu'en situation politique ramenée à ses lignes essentielles et à sa dynamique propre, — le fonctionnement d'un régime despotique et les tentatives avortées d'opposition libérale —, en usant, pour l'exprimer, d'un artifice qui concerne essentiellement le langage dramatique, Musset nous révèle, une fois encore, ce que nous avons déjà maintes fois pressenti ou rencontré : que la vérité de *Lorenzaccio* est à chercher du côté politique, la politique étant en l'occurrence et tout à la fois l'actualité et l'éternité de l'histoire, le creuset où se fondent passé et présent, où s'opère la métamorphose d'une vérité d'histoire en vérité d'art ; que le théâtre de Musset est, au plan de l'expression littéraire, un théâtre de lecture, où l'approche des problèmes et la recherche des solutions s'opèrent le plus souvent dans le domaine de l'écriture dramatique. Ce sont là des conclusions transitoires dont il conviendra de tenir le plus grand compte dans d'ultérieures réflexions sur l'esthétique dramatique et la structure poétique de *Lorenzaccio*.

91. A. Brun, *Deux proses de théâtre*, 1954, p. 98.

CHAPITRE II

FIGURES POÉTIQUES DE L'ESPACE ET DU TEMPS

Envelopper *Lorenzaccio*, comme on l'a fait au chapitre précédent, dans le réseau serré des circonstances diverses qui, pour une part, lui ont donné naissance, nous préserve, à tout le moins, de la perplexité à laquelle on a coutume de se heurter en abordant l'esthétique du drame de Musset et sa dramaturgie propre. Car cette pièce déconcerte : elle ne ressemble à rien de ce que Musset a déjà écrit au théâtre ni de ce qu'il écrira plus tard. De là à la considérer comme l'accident inexplicable ou l'excroissance quelque peu monstrueuse d'un génie généralement plus mesuré ou moins ambitieux, il n'y a qu'un pas, dont nous pourrons, quant à nous, à la lumière des analyses qui précèdent, faire l'économie.

Il apparaît, en effet, que Musset reste fidèle, même et surtout dans *Lorenzaccio*, au dessein général qu'il poursuit dans son théâtre et dont nous avons ailleurs [1] dégagé les lignes de force. L'image poétique de la condition humaine, saisie et remodelée à travers l'expérience personnelle de l'écrivain, est au cœur même de *Lorenzaccio*. Mais elle y est, pour ainsi dire, sauvée d'elle-même et délivrée de ses propres limites par un appel d'air extérieur qui en élargit singulièrement les horizons. Par la conspiration des circonstances et ce qu'on pourrait appeler les provocations de l'ambiance, Musset semble se libérer momentanément de ses obsessions intimes et se situer non plus seulement en face de lui-même ou d'autrui considéré isolément, mais en face du monde extérieur dans sa réalité collective, opaque et complexe, et particulièrement en face de la société de son pays et de son temps. L'appel du réel extérieur à saisir par le regard, à scruter par l'analyse, à modifier, s'il se peut, par l'action suffit à expliquer le paradoxe d'une œuvre qui, tout en s'intégrant sans peine dans la continuité renouvelée de l'enquête intérieure, explose au dehors sous la forme insolite d'un vaste drame historique. Il est vrai que l'examen du rapport de l'individu avec la société et des formes diverses de réciprocité qu'il peut prendre exigeait

1. « Le masque, le double et la personne dans quelques comédies et proverbes », in *R.S.H.*, oct.-déc. 1962, p. 551-571.

l'invention d'une dramaturgie sur mesure, adéquate en tout cas à l'ampleur et à la spécificité de son objet. Il était donc naturel que Musset s'inspirât d'abord du drame historique cher à ses contemporains, mais sans se soumettre forcément à ses exigences ou à ses poncifs. En amenant l'un vers l'autre, de deux horizons opposés, un sujet intime ou du moins personnellement éprouvé, — l'histoire d'un jeune homme engagé à ses risques et périls dans l'action politique —, et un genre littéraire généralement voué aux fastes de l'histoire et à la reconstitution du passé, Musset inventait la dramaturgie exactement convenable à son projet.

L'esthétique de *Lorenzaccio* est donc à chercher dans la pièce elle-même, fond et forme étroitement unis, non dans le genre littéraire auquel elle semble se rattacher. C'est dire qu'elle est au premier chef le *spectacle dramatique* que Musset se donne à lui-même et qu'il offre à ses lecteurs. En composant *Lorenzaccio*, Musset projetait sur la scène de son théâtre intérieur un double de lui-même, dont il nourrissait le destin exemplaire des éléments de sa propre existence, et tendait conjointement à ses contemporains, dans une sorte de miroir de concentration, un portrait de leur temps, déguisé par l'imagination poétique et déchiffré par la réflexion politique. De la collaboration intime de ces deux derniers dons, celui de voir et de donner à voir, celui de comprendre et de donner à comprendre et à juger, est née la *dramaturgie significative*, qui est l'essence même de la pièce et qui soumet sans cesse, jusque dans le moindre détail, les sécheresses de l'intelligence discursive à la vibration du sensible et de l'imaginaire.

DE GEORGE SAND A MUSSET

Cette double voie d'approche de la vérité, nous constatons que l'écrivain l'emprunte dès les premiers instants de la mise en œuvre du drame. Une rapide confrontation, limitée au seul plan dramaturgique, d'*Une conspiration en 1537* avec les trois plans de *Lorenzaccio*, auxquels la scène historique de George Sand a très évidemment servi de support, nous en convaincra sans peine.

En composant *Une conspiration en 1537*, — qui est, du reste, dans son ordre et ses limites, une œuvre réussie —, George Sand ne prétendait sans doute pas écrire la grande œuvre de sa vie. Essai modeste, intelligent et appliqué, la *Conspiration* mettait en scène, selon un découpage adroit, les dernières heures d'une conspiration florentine. C'est dire que, sous le rapport de l'espace et du temps, l'auteur ne briguait pas les lauriers d'un créateur de cosmos. La chronologie interne, dont George Sand a pris soin de nous informer elle-même [2],

2. « Scène première (...), dix heures du matin » (*Genèse*, p. 85, 1. 23) ; « Scène 2 (...), 2 heures » (p. 100, 1. 355) ; « Scène 3, 4 heures » (p. 122, 1. 896) ; « Scène 4 (...), 5 heures » (p. 129, 1. 1031).

y est en effet si serrée que l'histoire spirituelle du héros se superpose exactement au temps nécessaire à l'exécution de son acte. C'est donc, à la lettre, un héros sans histoire personnelle dont George Sand nous propose l'exploit, ce qui offre quelque avantage pour le « tempo » de l'action dramatique, mais de graves inconvénients quant à l'environnement psychologique et aux dimensions spirituelles d'un acte réduit à sa donnée la plus schématique. Il est assez vraisemblable que Musset, en dépouillant *Une conspiration en 1537*, n'a pas manqué d'être choqué par le caractère artificiel et illusoire de la transfiguration du tyrannicide[3]. C'est un changement à vue de théâtre, non l'expression lentement modulée d'une vérité d'homme.

Héros sans histoire, le Lorenzo de George Sand est aussi un héros sans espace. Florence n'est que Florence et la conspiration dont cette ville est le théâtre ne dépasse pas le fait divers d'intérêt local. George Sand évoque sans doute plus d'une fois le pouvoir et l'oppression à distance exercés par le Pape, ou les rudes moyens de pression de cet autre protecteur d'Alexandre qu'est l'Empereur, ou encore les soulèvements de la rue, les institutions, l'histoire ou la topographie florentines[4]. Mais ce sont là des informations qui nourrissent un texte de lecture, non des images dramatiques, dont nous sentons la présence et dont nous éprouvons le poids. Chez Musset, dans la version définitive du drame, la pourpre du cardinal Cibo et celle de Valori, inventée pour la circonstance, *figureront*, dans l'espace scénique, la présence occulte du Pape bien plus fortement que les plus brillants sarcasmes anticléricaux. De même, Florence sera présente derrière chaque fenêtre qui s'ouvre. Les bords de l'Arno, le parvis d'une église, le jardin bien clos d'un bourgeois, la cour du palais ducal, où tournent des chevaux au manège, une file de palais au long des quais, voilà, choisies au hasard, des *images* faites pour peser sur notre sensibilité et donner à Florence une existence de chair et d'esprit. Par l'invention d'un espace poétique, dont nous aurons à examiner plus loin le rôle et l'intérêt, Musset corrigera ce que la *Conspiration* qui lui servait de scénario pouvait avoir à la fois d'étroit et d'abstrait. D'une cité et d'un régime politique créés de mots entretissés il saura faire un être vivant, avec lequel les sensibilités les plus vives peuvent entretenir un dialogue personnel, et le microcosme représentatif de tout un peuple soumis à l'oppression d'un tyran.

---

3. « Ah ! je me sens bien maintenant ! ma poitrine s'élargit, mon âme se dilate. Souillures, infâmie, disparaissez ! Ce sang vous a lavées. Lorenzaccio n'est plus. Lève-toi, Laurent de Médicis ! » (*op. cit.*, p. 139-140, l. 1259-1262).

4. « Prenez garde que le regard perçant de Valori ne surprenne le sourire sur vos lèvres. Le pape est partout » (*op. cit.*, p. 87, l. 55-57) ; « Qu'importe d'ailleurs, si nous avons une garnison impériale bien payée à nos portes » (p. 86, l. 41-42) ; « Quelques amis des derniers proscrits se sont assemblés autour de Santa Reparata et ont tenté d'en appeler au peuple » (p. 87, l. 66-68) ; « voici le frère de Niccolo Capponi, dernier gonfalonnier de la République (...), ils doivent travailler à rétablir une charge à laquelle la popularité de leur nom et d'anciens services leur donnent le droit de prétendre (p. 110-111, l. 617-623) ; « C'est de ne point trop compter sur le peuple et de vous rappeler la conjuration des Pazzi... » (p. 112, l. 643-644) ; « La place Saint-Marc » (p. 131, l. 1066) ; etc.

En attendant de saisir sur le vif, le moment venu, les moyens mis en œuvre pour créer cet univers de vérité et de poésie, on sera bien avisé d'examiner par quel cheminement Musset a su organiser les données de la scène historique de George Sand en spectacle dramatique. On se souvient, à cet égard, du comportement paradoxal de Musset penché sur le canevas de George Sand. Prenant grand soin de ne rien laisser échapper de la substance des six scènes imaginées par sa devancière, le dramaturge semble, dans le même temps, s'être ingénié à en modifier les données extérieures, comme pour se donner à lui-même le témoignage de l'indépendance créatrice [5]. Car Musset était assez homme de théâtre pour apprécier à leur valeur des tableaux que Sand avait parfois extraits de quelques lignes éparses dans Varchi [6] et dont elle avait tiré le meilleur parti dramatique. Qu'il se soit, en fin de compte, dans le troisième plan et dans la version définitive, rallié à la forme que leur avait donnée George Sand et qu'il en ait pillé sans vergogne les dialogues, tout en les intégrant étroitement à sa propre conception du sujet, voilà qui plaiderait plutôt en faveur de son sens aigu de l'efficacité dramatique. Mais ce qui importe à notre propos, c'est que, d'entrée de jeu, il ait organisé son propre drame autour de ces noyaux solides et sûrs, c'est qu'il ait conçu en quelque sorte sa pièce comme une suite de tableaux tirant leur unité d'une situation et d'un décor conçus l'un pour l'autre. Tableaux vivants et mouvants, certes, comme on le verra tout à l'heure, mais d'abord tableaux faits pour l'œil autant que pour l'esprit et composés en fonction de l'effet à produire sur la sensibilité d'un public qui reçoit le spectacle dans son fauteuil.

Il est naturel qu'étendant les circonstances de l'action et donnant à l'assassinat politique la dimension historique qui lui faisait défaut dans la Conspiration, Musset soit amené à répartir de loin en loin des tableaux directement empruntés à George Sand [7]. Dès lors, en effet, que le départ du marquis Cibo au premier acte [8] postulait son retour, que le dramaturge situait précisément au cinquième acte, l'horaire strict et tendu imaginé par George Sand n'avait plus sa raison d'être et Musset pouvait y substituer une chronologie desserrée, où le temps circule à loisir dans les intervalles laissés libres. Au reste, Musset va meubler ces intervalles de nouveaux tableaux de son cru, qui ne le cèdent en rien, pour la puissance du spectacle, aux trois meilleures inventions de George Sand, — la scène de l'épée, celle des républicains devant le duc et celle du spadassin. Par souci de brièveté sans doute, mais aussi parce qu'ils accrochent le regard,

5. Genèse, p. 150, l. 7 ; p. 151, l. 14 ; p. 157, l. 5.

6. Genèse, p. 50, l. 140, l. 1404 ; p. 51-52, l. 1433-1459 ; p. 55, l. 1553-1561.

7. La scène de l'épée constitue la première scène de l'acte I dans les Plans I et II, la scène 3 du même acte dans le Plan III, la scène 4 dans la rédaction définitive ; la scène des républicains devant le duc est soumise à un recul du même ordre : Plan I (I, 2) ; Plan II (II, 2) ; Plan III (II, 3) ; texte définitif (II, 4) ; la scène du spadassin, qui occupe dans les trois plans la scène 5 de l'acte II, sera repoussée dans la version définitive à la scène 1 de l'acte III.

8. Genèse, p. 157, l. 8 ; p. 165, l. 42.

le dramaturge les désigne d'un titre, qui évoque à lui seul parfois le décor et le contenu : « sortie du bal », « le bord de l'Arno : adieux des bannis », « la confession », « mort de Louise », « le sermon dans l'église », « la chasse », « Strozzi chez les moines », « le peuple devant le palais », « le couronnement de Côme [9] ».

Telle qu'elle ressort des plans, la pièce en son ébauche apparaît alors comme un somptueux album de gravures historiques, où le plaisir de l'œil, par la variété des spectacles qui lui sont offerts, serait systématiquement recherché. Il est assez probable qu'il en restera quelque chose dans l'œuvre achevée. En tout cas, on remarquera avec intérêt qu'à ce goût du tableau offert au regard du lecteur Musset sacrifie assez continûment, puisque certains d'entre eux, prévus dans les plans, mais finalement abandonnés, jettent dans l'œuvre achevée leur dernière lueur au détour d'un dialogue ou à la faveur d'une discrète allusion. Le bavardage de deux mondaines éveille l'écho du sermon dans l'église [10] ; Benvenuto est le héros muet d'un court mimodrame de cabaret [11] ; la chasse se survit dans deux répliques du duc [12] et dans une vigoureuse estampe à l'eauforte [13], où passe comme un souffle de Dürer [14]. Tout se joue comme si l'imagination visuelle de Musset ne voulait rien laisser perdre de ses meilleures inventions, fussent-elles inutiles à l'action, et que le feu d'artifice s'arrangeât toujours pour retomber en fugitives étincelles.

Mais cette passion du tableau se complète, d'emblée, d'un goût non moins vif et non moins constamment affirmé pour ce qu'on pourrait appeler les scènes à volets, ou en un autre langage, les scènes à transformations. Peut-être Musset sentait-il qu'il lui fallait se prémunir contre la tendance latente du tableau à l'immobilité. En tout cas, George Sand lui montrait la voie en ce domaine, puisque la première scène d'*Une conspiration en 1537* est, dans l'unité d'un même décor, faite de quatre moments inégaux et d'un court épilogue [15], et que la deuxième scène se décompose en quatre volets équilibrés et enchaînés [16], dont Musset saura se souvenir dans sa propre version de la scène des républicains devant le duc [17]. Entraîné par l'exemple autant que par son goût naturel pour ce type de cons-

9. *Genèse*, p. 160, 1. 2 ; p. 161, 1. 11-13 ; p. 162, 1. 22 ; p. 162, 1. 24 ; p. 159, 1. 26 ; p. 164, 1. 31 ; p. 164, 1. 32 ; p. 155, 1. 59 ; p. 166, 1. 44.

10. I, 5, p. 232, 1. 811 ; p. 237-238, 1. 913-923.

11. I, 5, p. 234, 1. 838-841.

12. III, 6, p. 371, 1. 1150 ; IV, 1, p. 387, 1. 66.

13. II, 6, p. 306, 1. 1105-1107.

14. Le rapprochement a été suggéré par M. Lebois (*Vues sur le théâtre de Musset*, p. 85).

15. Une conversation de gentilshommes (*Genèse*, p. 85-87, 1. 24-57) ; l'audience du duc (p. 87-95, 1. 58-238) ; la scène de l'épée (p. 95-98, 1. 239-325) ; une conversation de pages (p. 99, 1. 326-347) ; Lorenzo seul (p. 100, 1. 348-352).

16. Dialogue de famille : Maria, Catterina, Lorenzo (p. 100-104, 1. 354-456) ; conversation de Lorenzo avec Bindo et Capponi (p. 104-113, 1. 457-685) ; les républicains devant le duc (p. 113-116, 1. 636-755) ; conversation du duc avec Lorenzo (p. 116-122, 1. 756, 894).

17. II, 4, p. 279-293, 1. 569-861.

truction dramatique, Musset multiplie dans ses plans les scènes
à volets. Il est même intéressant de suivre son effort vers la simplification de scènes initialement conçues à volets multiples et dont
il entreprend le dégonflement par la dislocation pure et simple ou la
ventilation vers les scènes voisines.

L'exemple le plus instructif de déblaiement d'une scène boursouflée
au départ, mais avec récupération et remploi de ses éléments constitutifs, nous est donné par la scène d'exposition de l'acte I des deux
premiers plans de la pièce[18]. Si les noms des personnes subissent
quelques mutations assez capricieuses sur lesquelles nous avons eu
l'occasion de nous expliquer, on y voit, par contre, Musset fidèle
à un certain nombre de situations et d'événements qui en définissent
le mouvement, mais en surchargent le dessin. Le tableau d'ouverture
du premier plan ne compte pas moins, en effet, d'une dispute,
d'une arrestation, de la scène de l'épée, du passage d'une femme et
des discours de quelques républicains. Le deuxième plan complique
encore les choses, en rajoutant le nom de Benvenuto, dont on se
demande ce qu'il vient faire dans cette galère.

Avec le troisième plan, la ventilation commence. Puisque tant
de gens se pressent sur la place publique, mieux vaut expliquer leur
présence par un événement susceptible de les réunir : en l'occurrence,
la sortie d'un bal. Alors se justifient sans peine, non seulement
les allées et venues des bourgeois, mais la présence dans les rues
de Florence du duc et de son compagnon de plaisir, Lorenzo. L'idée
d'une dispute et d'une arrestation semble s'estomper, mais, en
réalité, fait son chemin dans l'esprit de Musset. En introduisant
Louise et Julien (I, 1), puis Léon Strozzi et ce même Julien (I, 4), il
enclenche le mécanisme d'une vengeance et d'une arrestation, qui
apparaît un peu plus tard (II, 1). La scène de l'épée trouve naturellement sa place dans le palais (I, 3) comme chez George Sand, et
non plus sur la voie publique ; simplement, Musset lui laisse son
caractère de plein air en imaginant une cour et des chevaux au
manège[19]. Quant au passage de Julia ou Juliette, il n'est pas perdu
entièrement, puisque, dans la rédaction définitive, au cours de la
première scène, on pourra lire cette indication : « La sœur de
Maffio passe dans l'éloignement[20] ». On voit clairement le transfert.
Ce passage de femme, à l'intérieur d'une scène complexe où son
apparition ne paraissait guère justifiée, dessine, dans l'imagination de
Musset, une sorte de schéma moteur, qui servira de semence à la
scène première du drame, dont il n'est fait mention, même fragmen-
tairement, dans aucun des trois plans. Schéma dynamique, à la fois
visuel et olfactif, passage de femme, odeur de femme, s'exhalant en
« odeur de courtisanerie[21] » que Musset trouvera bon d'organiser en
action dramatique autonome[22] et de placer en tête d'une pièce dont

18. *Genèse*, p. 149-150, l. 3-10 ; p. 157, l. 2-7.
19. *Op. cit.*, p. 161, l. 8-9.
20. I, 1, p. 194, l. 74.
21. I, 1, p. 192, l. 45-46.
22. Maffio réapparaîtra épisodiquement à la dernière scène du premier acte (p. 249-250,
l. 1126-1142) ; là se termine son rôle dans la pièce.

le climat est à la débauche et au mépris des femmes, où l'air qu'on respire est comme pollué par la corruption générale. Par ce travail de ventilation, Musset gagne sur deux tableaux : au plan esthétique, le profil de la scène se fait plus net et le chaos primitif cède la place à un triptyque équilibré [23] ; au plan dramatique, les germes d'action, loin d'être groupés artificiellement, sont dispersés dans les scènes suivantes et constituent les relais naturels de la progression du drame. Ainsi s'exprime un art sûr de son dessein et maître de ses moyens.

On notera enfin l'intérêt dramatique qu'offrent ces scènes à volets, que le dramaturge a multipliées dans les trois plans et dans la rédaction définitive. Dans la mesure, en effet, où chacune de ces scènes est en perpétuelle mobilité, où les situations se font et se défont au gré de la sortie ou de l'entrée des personnages, elles corrigent par leur profil mouvant le caractère statique des tableaux conçus pour l'œil et composés pour son plaisir. Elles trahissent schématiquement le mouvement même de la vie, le passage du temps, le dynamisme d'une action en marche vers son dénouement. Musset saura jouer en virtuose de ces petits tableaux instables qui se nouent et se dénouent aussi adroitement que les figures d'un ballet. Sous ce rapport, les deux grandes scènes de plein air du premier acte, dans la rédaction définitive, sont des chefs-d'œuvre de scènes à transformations [24]. Par le mouvement interne qui les travaille, les scènes à volets contribuent à pallier l'inconvénient inhérent aux incessants changements de lieux. La continuité dans le temps qu'exprime symboliquement le mouvement interne des tableaux, compense en quelque sorte la discontinuité dans l'espace, qui est la loi de toute composition par tableaux séparés. Les scènes à volets donnent ainsi l'illusion, et, au théâtre, l'illusion est vérité, d'une force qui va, tantôt en surface, tantôt secrètement, vers sa fin et dont la résurgence, de loin en loin, donne la mesure des progrès de l'action dramatique.

L'examen des plans vient confirmer, enfin, l'observation qui s'impose à tout scrutateur attentif du manuscrit du drame : la collaboration paradoxale, au sein d'une même activité créatrice, de l'improvisation et de la rigueur. C'est là un trait caractéristique de la pièce à tous les stades de son élaboration.

Mais Musset est de ces écrivains qui savent d'instinct trouver la parade. Une certaine souplesse dans l'organisation du détail appelle le puissant correctif d'une vision d'ensemble ferme et précise. C'est à ce prix qu'est préservée la cohérence interne, qui fait de l'œuvre d'art un univers autonome et chargé de sens. Cette cohérence, elle est déjà sensible dans les plans, où elle s'exprime à trois niveaux différents, d'importance croissante, mais d'effets conjugués : esthétique, dramatique, politique.

23. *Op. cit.*, p. 610, l. 2-3 : « sortie du bal » [décor] ; « Bourgeois » [premier volet] ; « le Duc sort, avec Laurenz (Benv.) » [deuxième volet] ; « Louise, Julien » [troisième volet].
24. I, 2, p. 196-210, l. 126-399 ; l. 5, p. 231-241, l. 800-991.

L'exigence esthétique apparaît principalement dans la structure du premier acte. En donnant, dans les trois plans, la place d'honneur, en fin d'acte, à l'adieu des bannis, en l'opposant, dans le plan III, à une scène d'ouverture où retentit l'écho de plaisirs mondains, Musset organise la matière dramatique selon des exigences esthétiques d'équilibre et de contraste. Il se comporte à la fois en peintre qui répartit les volumes en opposant les couleurs et en musicien qui, entendant simultanément la joie des hommes et le chant de leur douleur, leur prête tour à tour les cordes de sa lyre. Une journée commencée dans l'allegro d'un bal et qui s'achève largando en marche au supplice dessine assurément un itinéraire dramatique, auquel le cœur participe, mais dont l'intelligence politique pourra faire également son profit. Ainsi sont posés d'instinct les principes d'une dramaturgie significative.

A l'exigence esthétique Musset joint l'exigence dramatique. La lecture attentive d'*Une conspiration en 1537* lui a en effet révélé clairement la force et les faiblesses du métier de George Sand. Sa force, c'est assurément l'acte unique de Lorenzo implacablement conduit à son terme. Musset retiendra la leçon. Trois actes de structure complexe semblent servir de tremplin à un quatrième acte qui, dans sa version la plus élaborée, a la rigueur d'une épure : scène 1 - l'appât ; scène 2 - le départ ; scène 3 - le piège ; scène 4 - le coup [25]. Dans la rédaction définitive, Musset plus nuancé portera l'éclairage moins sur l'assassinat que sur le meurtrier et s'efforcera de ne pas isoler l'action principale des intrigues secondaires avec lesquelles elle se trouve en compétition.

Car le point faible de la scène historique de George Sand réside précisément dans l'isolement de Lorenzo. Le fait divers dramatique pâlit de n'être confronté finalement qu'avec lui-même. Ni l'intérêt dramatique ni la signification politique ne sortiront indemnes d'un projet conçu trop étroitement au départ. Bien sûr on n'aurait pas trop de peine à trouver çà et là les traces d'une conspiration plus large. C'est le sens de la scène des républicains, venus tout exprès au palais Soderini solliciter Lorenzo d'en prendre la tête [26]. Mais qui ne voit que cette conspiration est d'abord une idée de conspiration qui n'a pas d'autre réalité dans la pièce que celle qui lui est donnée par « les beaux mouvements oratoires » [27] de Capponi et de Bindo ? Seul existe dramatiquement l'assassinat préparé et mené à son terme par Lorenzino de Médicis.

Musset, au contraire, semble très tôt désireux de donner corps à une conspiration parallèle, dont la tête sera Philippe et le bras Pierre Strozzi. Aussi s'attache-t-il à enserrer le clan Strozzi tout entier dans un réseau d'épisodes en chaîne, qui l'oblige à se jeter dans l'action contre le duc. D'où la mise en place, au troisième plan, d'une série de relais qui rythment la progression de l'intrigue à

25. *Genèse*, p. 164, l. 36-39.
26. *Ibid.*, p. 110, l. 601-604.
27. « Vous avez eu là, Monsieur le représentant du peuple, un très beau mouvement oratoire » (*ibid.*, p. 108, l. 560-562).

laquelle sont mêlés les Strozzi : insulte faite à Louise par Julien Salviati, renouvelée par le même Julien à la face de Léon ; vengeance de Pierre et mort de Julien ; revanche du sort (ou du duc) et mort de Louise ; départ de Philippe ; funérailles de Louise chez les moines ; ultime entrevue entre Philippe et Lorenzo ; départ de Philippe pour Venise où Lorenzo le rejoindra [28]. Certes, le dispositif dramatique ainsi monté souffre de la comparaison avec l'organisation complexe et savante que Musset saura lui donner dans l'œuvre achevée. Philippe quitte trop tôt la place, laissant le champ libre au seul Lorenzo dès la fin du deuxième acte. En retardant la mort de Louise et le départ de Philippe à la fin du troisième acte, en invitant Pierre à prendre le relais de Philippe au quatrième acte [29], Musset maintiendra jusqu'à l'instant décisif une sorte de pression haletante des circonstances en même temps qu'une compétition réelle entre deux volontés concurrentes. Mais déjà, dans le troisième plan, se fait jour le sens de la structure dramatique *en appel*, qui est aussi, à sa manière, une structure significative. Un acte qui commence par la nouvelle de la mort de Julien et s'achève par la mort de Louise, qui s'ouvre sur une arrestation arbitraire et se clôt sur une fuite désespérée [30], suggère, dans sa trajectoire même, un monde où l'on rend coup pour coup, où seule règne la force, où la tyrannie dispose de moyens de pression et d'oppression tels que les opposants sont éliminés ou contraints au départ.

L'exigence politique vient couronner le tout et donner à des épisodes ou à des personnages, qui nous ont parfois révélé leur contingence, la place et surtout le rôle qui leur revient dans une vision d'ensemble sans défaillance. En prolongeant l'une des directions seulement suggérées par George Sand [31], en inventant, à partir d'informations largement puisées dans Varchi, un cinquième acte qui coiffe l'édifice et scelle le destin de tous et de chacun, Musset modifie entièrement la perspective historique dans laquelle George Sand avait situé l'assassinat d'Alexandre de Médicis. La ligne de partage entre la vedette d'un fait divers florentin animée par George Sand et le héros moderne témoin à charge de son temps créé par Musset passe précisément, je l'ai dit, par ce terrible cinquième acte, déjà fortement charpenté dans les deux plans complets que nous possédons [32]. En insérant l'action de son héros à l'intérieur d'un espace dramatique clos, dont le cinquième acte, s'ajustant étroitement au premier, assure la parfaite circularité, Musset invente la part la plus originale de sa dramaturgie : une construction théâtrale qui porte en elle-même, par le seul jeu de son déroulement implacable, la leçon philosophique et politique de l'événement mis en scène. Scène pour scène et parfois décor pour décor, le dernier acte nous ramène au

28. *Ibid.*, p. 160, 1. 3 ; p. 161, 1. 10 et 1. 15-16 ; p. 162, 1. 24-25 ; p. 164, 1. 32 et 34 ; p. 166, 1. 44.

29. IV, 6, p. 413, 1. 563.

30. *Ibid.*, p. 161-162, 1. 15-25.

31. « Je veux la [la clef] porter à Venise à notre Strozzi » (*ibid.*, p. 146, 1. 1404).

32. *Ibid.*, p. 155-156, 1. 59-63 ; p. 165-166, 1. 40-44.

point de départ et nous suggère sans ambiguïté que les choses ont beau changer, elles restent toujours en l'état et qu'un tyran succède à un autre tyran, comme la nuit succède à la nuit, irrémédiablement, après qu'ont été mis à l'écart ceux qui croyaient pouvoir enrayer la machine et renverser ou du moins arrêter le noir mouvement de la veulerie humaine, satisfaite de ses plaies et complaisante à ses tares.

Ce coup de sonde précis jeté dans un domaine peu fréquenté aura eu, au moins, l'avantage d'assurer notre méthode. Il y a toujours intérêt, en effet, à ajuster la méthode d'analyse à la nature propre de l'objet qu'on veut analyser. En l'occurrence on n'aura garde d'oublier que, dans un drame comme *Lorenzaccio*, la partie est discrètement, mais fermement ordonnée au tout et qu'en revanche la totalité ne nous est sensible que dans la vibration, la couleur et la valeur expressive des détails. C'est même par un va-et-vient continuel du détail à l'ensemble et de l'ensemble au détail que l'on peut espérer toucher au vif de la dramaturgie de *Lorenzaccio*, dans son art comme dans sa signification. Quel que soit, en effet, l'abord choisi, il est frappant que la pièce nous offre à peu près toujours le même visage ambigu : d'une part, la rupture des scènes, les changements de lieux, l'entrecroisement des intrigues, la multiplicité des personnages figurent un univers de la discontinuité ou, en un langage proprement esthétique, un univers à facettes, où l'imagination du poète joue des harmonies, des échos et des contrastes avec une virtuosité confondante ; mais, dans le même temps, il n'est pas une scène, pas un décor, pas une intrigue, pas un personnage, qui ne soient intégrés à un projet fondamental et à son expression dramatique, qui ne témoignent, en quelque façon, pour un univers continu, homogène, intelligible, clos sur lui-même et ordonné à sa propre nécessité. C'est donc par commodité qu'on fera porter d'abord l'analyse sur les jeux variés de l'imagination dramatique de Musset et qu'on s'intéressera ensuite à la structure d'ensemble de la pièce et à la philosophie qu'elle véhicule. Sans cesse, en effet, les spectacles proposés par l'imagination du poète prennent toute leur force expressive d'être rattachés à une structure d'ensemble ; mais, à l'inverse, l'image globale de la condition humaine, telle qu'elle ressort du mouvement même de l'action, ne cesse jamais d'éclater en images, en symboles, en situations dramatiques, qui ménagent l'intérêt du spectateur et conjurent les périls toujours menaçants du didactisme et de la pièce à thèse.

L'IMAGINATION DE L'ESPACE

Jamais peut-être la fermeté et l'audace de l'imagination poétique de Musset ne se sont plus brillamment manifestées que dans un drame où il n'est pourtant guère de circonstances ou d'événements qui n'aient leur source dans une information ou dans une indication de Varchi. Le paradoxe n'est qu'apparent : car l'imagination réside moins dans les faits eux-mêmes que dans l'ordre où ils sont présentés, l'atmosphère qui les entoure, l'éclairage qui leur est donné. L'art dramatique est, pour une part, un art d'organisation de l'espace et de répartition de la lumière. C'est un art de peintre. Aussi bien est-ce ce premier aspect qui mérite de retenir d'abord l'attention. Car l'imagination poétique de l'espace dans *Lorenzaccio* éclate au regard. Musset procède en créateur maître d'un monde qu'il modèle à sa guise et dont le lecteur reçoit l'image mouvante sans quitter son fauteuil. Son imagination est comme stimulée par le cadre étroit du livre où il a enfermé volontairement son théâtre. Le souci de faire voir exalte ses dons visuels. Il appartient désormais au langage et à lui seul de susciter dans l'espace un univers que l'œil, faute de le voir, doit imaginer.

Il est banal de signaler le nombre important des décors de *Lorenzaccio*. Pour trente-neuf scènes que comporte la pièce, on ne compte pas moins de dix-sept lieux scéniques ainsi répartis : le palais du duc (5 scènes) ; devant le palais (1 scène) ; chez les Strozzi (4 scènes) ; à Venise (2 scènes) ; chez les Cibo (5 scènes) ; la chambre de Lorenzo (3 scènes) ; au palais Soderini (2 scènes) ; une rue (6 scènes) ; le bord de l'Arno (2 scènes) ; une place (2 scènes) ; la grande place (1 scène) ; un jardin (1 scène) ; une auberge (1 scène) ; une vallée (1 scène) ; une plaine (1 scène) ; le portail d'une église (1 scène), le parvis de San Miniato (1 scène). Encore ce dénombrement est-il fallacieux ; car il est trop clair qu'à l'intérieur d'un même lieu scénique, les décors peuvent et doivent être différenciés. Le bord de l'Arno est évoqué par deux fois, mais il n'est pas douteux que c'est à deux endroits différents, ici quelque peu champêtre[1], là plus urbanisé[2]. De la maison des Cibo nous connaissons au moins trois pièces différentes : une salle commune de l'appartement du marquis, une chambre de l'appartement de la marquise et son boudoir intime. La même remarque est valable pour les scènes situées chez les Strozzi : il n'y a aucune apparence que le cabinet de travail de Philippe[3] serve de cadre au souper solennel des quarante[4]. Dans le même ordre d'idées, on peut affirmer sans crainte que le duc ne se

1. I, 6, p. 242, l. 993.
2. IV, 7, p. 414, l. 571-572.
3. II, 1, p. 252, l. 4.
4. III, 7, p. 373, l. 1188-1189.

fait pas portraiturer à demi-nu[5] dans la même pièce qui verra la réunion des courtisans après la mort d'Alexandre[6]. S'il y a imprudence à vouloir situer topographiquement les places et les rues de Florence où nous promène la fantaisie de Musset, on peut du moins inférer d'un examen quelque peu sélectif que ces rues et ces places sont sans doute imaginaires, mais qu'elles sont loin d'être interchangeables. Ce qui, tout compte fait, augmente sensiblement le nombre des décors et tend à donner à chaque scène le cadre original qui lui convient.

Au reste, il n'y a pas que les décors mis en place par la volonté du dramaturge. Il faut y joindre les décors suscités par la parole ou le souvenir des personnages eux-mêmes et qui, pour n'avoir qu'une sorte de présence indirecte, n'en offrent pas moins un contour précis, une réalité parfois obsédante : ainsi les horizons et les ombrages de Caffagiuolo ou la terrasse devant les grands marronniers de Massa. Ajoutons que chaque décor est pour ainsi dire multiplié par lui-même. Par un jeu de perspective, trop fréquemment employé pour être de hasard, Musset suggère un au-delà du décor, qui fait du microcosme scénique la cellule d'un univers plus vaste qui le contient. Tel est le sens premier de ces fenêtres qui ouvrent sur un envers du décor et évoquent un ailleurs où les personnages en scène ne sont pas, mais où ils pourraient être. La marquise reste dans la pièce en tête-à-tête avec le cardinal, mais, par la fenêtre ouverte, elle est dans la cour avec son mari qui monte à cheval et s'éloigne du côté de Massa[7] ; les Strozzi dans leur palais sont à la fois au-dedans et au-dehors, partagés entre l'attente inquiète d'événements incertains et la vision directe de ce qui se trame au-dehors[8] ; par la fenêtre ouverte, toujours, Giomo voit de loin Lorenzo occupé à jeter la cotte du duc dans le puits[9]. Par ce deuxième décor, adossé dans l'ombre à celui que perçoivent nos yeux, nous sommes doués d'un don de seconde vue, d'une agilité de passe-murailles, qui se moque de l'opacité des corps et de la résistance des obstacles. Ce don d'ubiquité qui est le nôtre par la volonté du dramaturge est, en définitive, le signe de reconnaissance d'un poète désireux de nous faire partager à la fois ses inquiétudes et ses privilèges.

On se rappelle le passage de *Fantasio* où le héros, las d'être enfermé en lui-même, souhaite soudain « sortir de sa peau pendant une heure ou deux » et « être ce Monsieur qui passe[10] ». Tel semble bien être aussi le souhait, réalisé par le truchement de l'imagination poétique, du dramaturge de *Lorenzaccio*. Une incessante curiosité, parfois la curiosité indiscrète du « voyeur » qui cherche à surprendre l'intimité cachée, le secret dérobé au regard, une volonté d'être par-

5. II, 6, p. 304, l. 1049-1050.
6. V, 1, p. 433, l. 3-6.
7. I, 3, p. 215, l. 471.
8. II, 5, p. 297, l. 932.
9. II, 6, p. 307, l. 1126.
10. *Fantasio*, I, 2 (*Gastinel I*, p. 188).

tout à la fois, Asmodée sans cesse sur la brèche, créent cet espace scénique multiplié par la parole, ces perpétuels changements de lieux qui nous conduisent sans transition de la rue au palais, du cabinet d'étude à l'alcôve, de Florence à Venise. Rien ne nous échappera des spectacles secrets auxquels se complaît l'imagination luxurieuse de Musset : ni la très improbable et très impudique confession de la marquise dans son propre appartement et devant son propre beau-frère [11], ni la scène du boudoir, où les spéculations politiques ne masquent guère et soulignent plutôt la nature des activités auxquelles viennent de se livrer les deux partenaires [12]. Et rappelons-nous également les incessantes promenades au long des rues, qui font de Lorenzo, frère en cela de Fantasio, une sorte de flâneur des deux rives de l'Arno, mais plus inquiet, plus fiévreux, toujours friand du « spectacle ennuyeux de l'immortel péché » : « Lorsque je parcourais les rues de Florence, avec mon fantôme à mes côtés, je regardais autour de moi (...) ; j'attendais toujours que l'humanité me laissât voir sur sa face quelque chose d'honnête [13] ». Il est naturel, dans ces conditions, qu'un spectacle appelle un autre spectacle, un décor un autre décor, dont la parole a le pouvoir et le devoir de révéler l'existence simultanée. La fenêtre, réelle ou imaginaire, est, dans l'espace symbolique du théâtre, l'œil qui franchit les distances et délivre le spectateur de ses propres limites.

On devine sans peine tout ce que ce désir d'ubiquité peut avoir d'enivrant, mais aussi de dangereux pour un dramaturge. En multipliant l'espace par les vertus conjuguées du langage et du décor, on entraîne le lecteur-spectateur dans une merveilleuse féerie de formes et de couleurs, on aiguise sans cesse son intérêt, on comble son regard. Mais, dans le même temps, on risque d'égarer son esprit dans une bigarrure de pure forme et de lui faire perdre le fil d'une action dramatique déjà passablement complexe et systématiquement morcelée. A ce risque d'égarement, Musset trouve d'instinct la parade d'un poète : il invente le décor significatif, c'est-à-dire un décor qui n'est pas à lui-même sa propre fin, mais seulement le moyen de rendre plus sensible à l'esprit l'action qui s'y déroule. Deux structures complémentaires ont été, dans cet ordre d'idées, exploitées avec bonheur par Musset : *le décor en profondeur* et *le décor à volonté*.

Par décor en profondeur, il faut entendre ce que traduit fort clairement un terme auquel la photographie et surtout l'art cinématographique ont donné un contenu précis : la profondeur de champ. On se souvient que, du point de vue purement technique, la profondeur de champ n'est rien d'autre qu'une « façon particulière de « diaphragmer » qui permet de montrer avec la même intensité lumineuse ce qui se passe tout près de nous et dans le loin-

11. II, 3, p. 269-279.
12. III, 6, p. 364-373.
13. III, 3, p. 351, l. 741-743 et 752-753.

tain[14] ». Il est évident que ce traitement de l'image n'est pas qu'un artifice de photographe ; il ressortit à un mode singulier et intentionnel de perception expressive du réel. L'avantage premier de la profondeur de champ, c'est de présenter un événement dans son unité physique, mais avec le maximum de puissance suggestive. A ce point de vue, la première scène de *Lorenzaccio* est un modèle du genre : Musset met en place, avec un art concerté, un décor à double plan, qui permet de tirer le meilleur parti dramatique de la profondeur de champ. En disposant, comme l'on sait, « un pavillon dans le fond, un autre sur le devant[15] », le dramaturge crée un espace symbolique, où joue à plein la tension entre deux mondes situés à deux plans différents et dont le brusque rapprochement figure, en une brève synthèse expressive, l'état d'une société et les forces qui la travaillent. Ainsi, par la grâce de l'imagination poétique, une scène de basse ébauche contient en elle le destin de tout un peuple. Au premier plan, l'ordre bourgeois et son représentant Maffio veillant sur la vertu de sa jeune sœur. Son regard, apeuré par le mauvais rêve, s'apaise à la vue d'un deuxième plan, où tout semble en paix : les feuilles d'un vieux figuier offrent la médiation rassurante des objets familiers et des traditions ancestrales. Et soudain, « la sœur de Maffio passe dans l'éloignement[16] », vivante image d'un irrémédiable désordre à la fois social et moral. Rien ne manque à sa puissance expressive, ni les objets symboliques, — la lanterne sourde et le collier brillant, misères et splendeurs des courtisanes —, ni l'éclairage approprié, la lune, complice de toutes les aventures nocturnes. Dès lors le plan éloigné suggère le mystérieux, le louche, l'envers crapuleux d'un monde dont l'idéaliste aveugle n'aperçoit que la surface[17], au même titre que « la petite porte » du palais ducal[18] s'oppose à son entrée solennelle. L'empoignade qui suit entre Giomo et Maffio et la défaite sans appel de ce dernier suggère le travail des forces obscures montées des profondeurs du mauvais rêve vers la réalité même de la vie, l'emprise du mal sur les consciences honnêtes, mais impuissantes à en supporter le choc. L'ironique « ouvre la grille de ton jardin[19] » dénonce la dérisoire protection des clôtures, quand les ennemis sont déjà dans la place. Entrés comme des voleurs, ils sortiront par la grande porte et leur triomphe est sans rémission. Maffio n'aura plus qu'à prendre garde à ses oreilles[20] en attendant le salaire du silence et de la peur[21]. Telle est bien, en effet, l'image du monde que l'action entière du drame illustrera : un monde pourri en ses profondeurs, travaillé par les forces

14. H. Agel, *le Cinéma*, Paris, 1960, p. 46.
15. I, 1, p. 190, l. 3-4.
16. *Ibid.*, p. 194, l. 74.
17. « Tandis que vous admiriez la surface, j'ai vu les débris des naufrages, les ossements et les Léviathans » (III, 3, p. 347, l. 667-669).
18. I, 1, p. 194, l. 82-63.
19. P. 195, l. 92-93.
20. P. 196, l. 122-123.
21. I, 6, p. 250, l. 1133-1134.

du mal, qui avilissent les vertus chancelantes, éliminent les libertés et se gaussent de la rébellion des belles consciences indignées, mais impuissantes. La première scène, en son décor, contient schématiquement le mouvement même de l'action.

On retrouvera ce décor en profondeur, mais combiné selon un autre schéma, dans la scène des républicains devant le duc [22]. C'est ce qu'on pourrait appeler le décor à volonté, qui se crée sous nos yeux à mesure que les répliques du dialogue ou le déplacement des personnages l'exigent. Musset, en effet, ne plante pas son décor comme un dramaturge qui compose en vue de la représentation. Il suscite l'espace scénique et le remplit à sa guise comme un poète qui alimente de ses féeries intimes l'imagination d'un lecteur. Le regard du lecteur est plus libre de ses mouvements que celui du spectateur ; et Musset joue à fond de cette commodité, qui tient à l'essence même de son théâtre.

Le décor obéit à une sorte de géométrie imaginaire qui se modèle au gré de l'exigence dramatique : chaque élément du décor, loin d'avoir une réalité nécessaire et objective, semble n'exister que pour encadrer une situation, renforcer un effet, enrichir un tableau. Au tableau d'intimité familiale, par exemple, convient « cette grande salle » un peu froide, ouverte sur une « galerie », qu'évoque Marie dans les propos qu'elle tient à Lorenzo [23]. L'arrivée du duc impose soudain sa solennité et appelle ce grand remue-ménage qui accompagne naturellement l'exercice de l'autorité souveraine. N'ayant cure des servitudes de l'exécution scénique, Musset guide alors notre imagination vers un au-delà du décor visible : une vaste cour intérieure qui « se remplit de pages et de chevaux [24] », elle-même précédée d'une porte d'entrée donnant sur la rue et munie d'une cloche d'avertissement. En somme, nous quittons le lieu offert à nos regards pour un lieu invisible offert à notre imagination. Il nous est demandé d'accompagner par la pensée le duc faisant, à son habitude, une entrée quelque peu fracassante dans le tranquille palais Soderini.

Après cette dilatation de l'espace scénique, c'est de nouveau la contraction : le retour à la grande salle, que nous avons sous les yeux, mais modifiée sur un point significatif. Une brèche, en l'occurrence une fenêtre sans doute, semble soudain s'ouvrir dans ce décor fermé, où le poète se sent mal à l'aise. Cette brèche, un mot du dialogue suffit à la créer : « Dis-moi donc, mignon, quelle est donc cette belle femme qui arrange ces fleurs sur cette fenêtre ? [25] » Et comme c'est moins ici le duc de Florence que le viveur et l'homme à femmes qui est mis en question, le décor se modèle à la demande de ce nouveau détail. Une galerie-promenoir, qui est sans doute la même que celle qu'évoquait tout à l'heure la mère de Lorenzo, mais dont la

22. II, 4, p. 279-293.
23. P. 282, l. 615.
24. P. 287, l. 720-721.
25. P. 290, l. 791-793 ; en fait, cette fenêtre — d'où le duc observe Catherine, elle-même à sa fenêtre, mais les yeux baissés vers ses fleurs — est indiquée discrètement par Marie (p. 281, l. 609), mais le détail n'a, à ce moment là, aucune importance.

destination et la configuration deviennent autres pour les besoins de la cause, apparaît soudain dans un coin du décor. Pour ce voyeur lubrique qu'est Alexandre de Médicis, il fallait cet observatoire commode d'où prendre sur Catherine, retirée dans un autre corps du logis, le meilleur point de vue, c'est-à-dire le plus indiscret possible [26]. Ainsi se crée, à la demande et par touches successives, une géométrie imaginaire, qui nous laisse libre de reconstituer à notre gré un palais florentin, dans le goût de Michelozzo, dont Musset se contente de disposer, pour son plaisir et pour le nôtre, les éléments caractéristiques : le plan quadrangulaire, la cour intérieure carrée, les galeries du premier étage.

On retrouvera la technique du décor à volonté dans plusieurs scènes de *Lorenzaccio*. Ainsi, par exemple, verrons-nous se dilater progressivement le décor de la scène des bannis [27]. D'abord intimiste, à la mesure du dialogue de deux femmes au bord de l'Arno, il s'élargit à l'entrée en scène des bannis et semble s'agrandir à raison de la multiplication des personnages qui l'occupent. A la dimension horizontale s'ajoute une dimension verticale, quand l'heure est venue des malédictions et de l'adieu. Alors paraît soudain Florence entière, découverte d'une plate-forme survenue à point nommé [28]. L'intrusion de ce nouveau personnage dans la profondeur de champ redouble la tension dramatique indispensable au progrès de l'action. Une scène commencée en conversation au bord de l'eau s'achève en dialogue pathétique de l'homme et de la cité. Le paysage en son étendue soutient le chant lyrique et donne à cette fin d'acte une ampleur épique, qui prélude, dans le ton qui convient, aux grandes convulsions de l'histoire.

Même libre création du décor, mais d'un dessin plus subtil, ou moins concerté, au moment du grand monologue qui précède l'assassinat [29]. L'espace vide qu'est « une place » se meuble peu à peu d'objets, que le langage suscite à l'existence ou dont il justifie la présence à cet endroit : un banc, parce que Lorenzo est las et qu'il éprouve le besoin de s'asseoir [30] ; un portail d'église et un Christ de marbre qu'on y taille [31], parce que cette veille d'armes a un peu le caractère d'une agonie au Mont des Oliviers et que le meurtrier en puissance se prépare moins à commettre un assassinat qu'à célébrer un sacrifice expiatoire ; des poutres et des plâtras, parce qu'il éprouve le besoin brusque de folâtrer comme un enfant turbulent [32]. Encore ne saura-t-on jamais si ce Christ de marbre et ce portail d'église sont réalités concrètes ou visions d'un cerveau en délire [33].

26. P. 291, 1. 822-823.
27. I, 6, p. 242-251.
28. P. 251, 1. 159-160.
29. IV, 9, p. 420-424.
30. P. 422, 1. 746.
31. P. 423, 1. 764-768.
32. P. 424, 1. 773-774.
33. Musset avait d'abord imaginé une rencontre de Lorenzo avec Freccia (cf. p. 423, n.c. 766), ce qui tendait à donner une assise concrète aux visions qu'il évoque ; en renonçant à ce jeu de scène, en condamnant Lorenzo au soliloque, Musset joue au contraire jusqu'au bout le jeu de l'ambiguïté, respectant mieux ainsi le psychisme d'un personnage quelque peu morbide, souvent au bord de l'hallucination.

L'ambiguïté du langage est ici fidélité à l'expression d'une vérité psychique fondamentale. La vision soutient et révèle à la fois le caractère pathologique d'une âme, où il nous est donné de pénétrer comme par effraction, en brusques plongées de vertige. Et nous ne sommes pas au terme de nos découvertes, car la fine pointe de l'imagination de l'espace dans *Lorenzaccio* se manifeste non seulement dans l'agencement interne de chaque décor, mais dans la combinaison de ces décors entre eux. L'art de Musset s'y apparente au montage cinématographique. Aussi bien n'y a-t-il rien là qui doive surprendre. La structure par scènes autonomes et la construction par plans et séquences posent au créateur des problèmes souvent voisins. Dans un cas comme dans l'autre une composition par rapprochement ou opposition, c'est-à-dire par montage, a tendance à s'imposer. En classant les scènes de son drame selon un plan de travail à la fois ferme dans ses lignes générales et souple dans les détails, Musset vise moins à leur enchaînement dans l'ordre chronologique qu'à leur succession dans l'ordre de la valeur expressive ou de la signification.

Par exemple, il est impossible de découvrir le moindre rapport de causalité entre la scène 3 et la scène 4 du premier acte. Leur succession dans le temps n'est elle-même pas nettement établie, en tout cas ne joue aucun rôle dans le mouvement respectif et la situation relative de chacune d'elles. On pourrait sans peine les concevoir simultanées, n'était la présence du cardinal Cibo dans les deux scènes, qui n'autorise pas cette hypothèse. Mais leur lien est d'autre nature ; le décor y tient le rôle capital. C'est par leur décor respectif que ces deux scènes se révèlent complémentaires l'une de l'autre et s'enrichissent d'être placées côte à côte.

Il y a tout d'abord de l'une à l'autre ce qu'on pourrait appeler un espace scénique inversé ou, si l'on préfère, retourné à la façon d'un vêtement ou d'un gant[34]. La scène 3 a pour cadre une salle de la demeure des Cibo, au fond de laquelle s'ouvre une fenêtre, d'où la marquise regarde mélancoliquement s'éloigner son mari, en lui faisant un signe d'adieu ; et nous savons du reste que cette fenêtre donne sur une cour intérieure, selon l'architecture propre aux palais florentins et les propos mêmes du marquis à son fils Ascanio. La scène 4, à l'inverse, se situe dans la cour intérieure du palais ducal, que domine une terrasse, où le duc accorde l'audience du matin, tout en s'égayant du spectacle des chevaux au manège. Scène de plein air, sans doute, mais dans un espace clos sur lui-même, qui contraste paradoxalement avec la scène précédente, située dans un lieu clos, mais ouvert en un point sur la cour, et, au-delà, par le jeu de l'imagination, sur les frondaisons et les cascatelles de Massa qu'ont évoquées, en voix alternées, la marquise et son mari. Comment ne pas voir dans ces deux décors qui se

---

34. On pourra trouver la preuve que ces deux scènes ont été conçues en vue d'un montage contigu dans deux notations biffées du manuscrit, qui tendent à placer les scènes sinon dans le même décor, du moins dans deux décors voisins situés dans le même palais : « dans le palais des Pazzi » (p. 211, n.c. 401), « palais des Pazzi » (p. 219, n.c. 564).

succèdent et, d'une certaine manière, s'opposent l'image d'un même
monde dont nous percevons tour à tour l'endroit et l'envers, les
plages lumineuses et les zones d'ombre ? D'un côté, un monde en
ordre, l'amour partagé de deux époux qui ont des souvenirs et un
enracinement communs, un enfant, légitime [35] parmi tant de bâtards,
qui est le signe de leur amour et qui entretient avec son père des
relations confiantes fondées sur l'admiration et le respect [36] ; une
fenêtre ouverte sur l'espace extérieur, ce cheval qui file vers Massa
figurent symboliquement l'aspiration à la liberté et à la réconciliation de l'homme avec la nature. A l'inverse, la scène de l'épée évoque
par tous ses détails le monde clos de la tyrannie. Des chevaux au
manège qui tournent en rond, un homme féminisé et sans épée [37],
le spectacle déprimant d'une humiliation publique, un lieu étroitement clos où le duc rêve secrètement d'enfermer Florence entière [38],
des relations humaines équivoques ou fondées sur la crainte, le
mépris ou la haine, tout ici dit le désordre, la perversion, le piège
sans issue. La présence du cardinal Cibo dans les deux scènes
laisse à penser, du point de vue de l'action dramatique, que l'ennemi est déjà dans la place [39] et que le départ du marquis est comme
le signal d'une précipitation des événements, d'une accélération
du pourrissement, d'une crise longtemps retardée et qui se sent
soudain libre d'éclater.

Même valeur expressive, mais de signe différent, dans la succession de deux tableaux, dont les décors sont, pour ainsi dire, intérieurs l'un à l'autre : je veux parler des scènes 5 et 6 du troisième
acte. Toutes deux se situent chez la marquise Cibo, mais dans
des pièces différentes, et sans qu'il y ait à proprement parler
passage d'une pièce dans l'autre. Il n'est guère d'endroits dans le
drame où l'on sente à ce point le caractère proprement livresque
de *Lorenzaccio*. Ce ne sont pas des scènes faites pour être vues,
mais pour être imaginées. Leur enchaînement suit pour ainsi dire
la pente secrète des curiosités du lecteur. Disons le mot : on y mise
sur son imagination érotique. Dans la scène 5, la marquise attend
le duc. Le décor est celui-là même de la confession, mais le miroir
y a remplacé le prie-Dieu. Rien là qui doive surprendre et qui ne
fasse assez bon ménage chez une femme aussi déchirée de contradictions que la marquise Cibo. Ce décor est, comme à l'habitude,
un décor en profondeur. La pièce donne sur une autre plus intime,

---

35. « Oui, cardinal ; mon fils a six ans » (p. 215, l. 432).

36. P. 211, l. 404-408.

37. P. 224, l. 663 ; par opposition à Ascanio, qui, formé à l'exemple de son père, joue
à l'épée, en attendant d'avoir l'âge de s'en servir (...« toi et ta grande épée qui te traîne
entre les jambes », p. 211, l. 405-406).

38. « Je voudrais que Florence entière y fût » (p. 229, l. 747).

39. Un petit détail est significatif à cet égard ; à la relation normale et saine, fondée
sur le respect et l'amour, entre l'enfant et l'adulte, telle qu'elle apparaît dans la première
partie de la scène 3, se substitue une image déformée de ce même rapport ; le cardinal
exerce sur Agnolo un pouvoir de perversion, qui fait du page un complice stipendié de ses
manœuvres et de son ambition ; comparer à ce sujet deux répliques : « je te rapporterai un
bon cadeau » (p. 211, l. 407-408) « tu es toujours muet, n'est-ce pas ? Compte sur moi »
(p. 219, l. 560).

un boudoir que le cardinal, non sans ironie, suscite à l'existence dans un style qui pourrait être imité de Tartuffe[40] ; l'idée d'y aller attendre sa belle-sœur suggère déjà quelque curiosité malsaine, une sensualité gourmande et insatisfaite. Musset, en veine de précision, nous donne l'heure : neuf heures[41]. Le duc s'annonce à la fin de cette courte scène[42] et, sans transition, par un brusque saut dans le temps, le poète nous rend témoins d'une autre scène, dont il fixe, avec intention, l'heure d'achèvement : midi passé[43], et qu'il situe précisément dans le petit boudoir entr'aperçu tout à l'heure. Le saut dans le temps est donc compensé par la continuité dans l'espace. Mais pourquoi ces trois longues heures ? En nous faisant pénétrer au lieu secret interdit au cardinal, en suggérant sans ambages, par quelques détails discrets, mais précis du costume[44], les ébats auxquels viennent de se livrer le duc et la marquise, Musset joue habilement sur l'imagination du lecteur et fait sentir à merveille le caractère équivoque d'un tableau où éclate partout la dissonance : entre le lieu et les propos, entre les dispositions du duc et celles de la marquise, à l'intérieur même de l'âme de la marquise, où patriotisme et sensualité forment un assez noir mélange. En choisissant, avec une audace calculée, de traduire l'ellipse du temps par la continuité de l'espace, Musset suggère tout sans rien dire, met en mouvement l'imagination du lecteur, exige sa collaboration, voire sa complicité. Il fait voir et sentir l'impalpable, l'invisible, l'indiscret. Ce pouvoir illimité de suggestion est d'un poète.

Il convient de noter encore que, si spectaculaire qu'il soit, le décor n'est jamais gratuit. Il est l'auxiliaire nécessaire de la dramaturgie. L'occupation de l'espace dramatique par les personnages de la pièce semble même être le souci constant de Musset. On reconnaît là l'homme de théâtre, même si cette mise en scène est imaginaire, je veux dire faite pour stimuler l'imagination d'un lecteur et non pour guider les pas d'un comédien. Les personnages sont pensés, situés, expliqués dans l'espace avec une minutie à la fois nonchalante et rigoureuse. Voyez la grande scène de l'épée, dont on a, tout à l'heure, évoqué le décor. Il est bon de rappeler que ce décor se déploie dans deux directions : en profondeur et en élévation. Cette structure particulière de l'espace scénique dessine un trajet qui porte en lui-même le signe du destin : marche au supplice ou montée au Calvaire, comme on voudra. Venu des profondeurs d'une galerie basse[45], Lorenzo, cet oiseau de nuit, l'homme de la petite porte dérobée, des déguisements équivoques et des

40. III, 5, p. 363, l. 983.
41. P. 363, l. 971.
42. P. 364, l. 997.
43. P. 372, l. 1173.
44. « Tu as une jolie jambe » (p. 368, l. 1086) ; « Aide-moi donc à remettre mon habit ; je suis tout débraillé » (p. 372, l. 1157-1158).
45. I, 4, p. 225, l. 685.

farces silencieuses, est soudain contraint à monter de l'ombre, où il se tapit, vers la lumière[46], où ses tares éclateront aux yeux de tous. Pour la première fois, Lorenzo est l'objet d'un jugement public, d'une comparution humiliante, douloureuse, éprouvée jusqu'à l'évanouissement. Ainsi le dispositif scénique et son occupation par les principaux personnages sont-ils rigoureusement associés à la marche de l'action. Une humiliation publique aussi totale endort définitivement la méfiance du duc ; elle appelle, d'autre part, une éclatante revanche, que Lorenzo satisfait par simulacres[47], avant d'en savourer l'accomplissement. D'un spectacle haut en couleur et d'une grande efficacité dramatique, dont Musset a emprunté plus d'un détail à George Sand, le poète fait une manière de sacrifice rituel qui lui donne la noble cruauté d'une scène de tragédie.

Cette projection d'un destin dans l'espace est du reste un procédé habituel à Musset qui, comme tout homme de théâtre, a l'instinct du geste qui signifie, le sens aigu des sentiments vécus dans et par le corps. Voyez la scène 5 du deuxième acte, chez les Strozzi, durant que Pierre et Thomas s'affairent à laver dans le sang l'affront fait à leur sœur. Lorenzo y paraît à trois reprises, chaque fois dans des attitudes différentes et significatives. Au début de la scène, Lorenzo est, à son habitude, couché sur un sofa[48] ; c'est l'attitude molle et distante du voluptueux qu'il est devenu. Au moment où Pierre entre dans la pièce et annonce que justice est faite, Lorenzo se lève comme malgré lui, mû par une sorte de représentation abstraite qui donne à Pierre la ressemblance d'un héros antique. Il s'adresse à lui dans un langage allégorique, qui vise moins Pierre que l'acte auquel il l'identifie : « Tu es beau, Pierre, tu es grand comme la vengeance[49] ». Un Lorenzo ancien, oblitéré par la vie dissolue qu'il mène, s'éveille sous le soufflet du réel et les provocations du souvenir ; il ne pourra plus reculer. Lorenzo interviendra une fois encore, à la fin de la scène : « En sorte que vous l'avez frappé à l'épaule ?[50] » Après l'identification abstraite au héros, le pas vers l'exécution concrète. D'où cette conversation à l'écart avec un Strozzi, d'une ardeur moins redoutable que Pierre et d'une taille plus semblable à la sienne : Thomas Strozzi, dit Masaccio, « à cause de sa petite taille[51] ». Masaccio, Lorenzaccio : on peut s'entendre ! « Dites-moi donc un peu[52]... » On ne saura jamais ce qu'ils se sont dit. Du moins peut-on penser que Lorenzo y prend une leçon de meurtre dans l'embrasure d'une fenêtre. C'est dans l'embrasure d'une autre fenêtre que nous retrouverons ce même Lorenzo, la conscience en paix d'avoir enfin tenu parole

46. « J'avais le soleil dans les yeux » (p. 227, 1. 714).
47. C'est un des sens possibles de la scène dite du spadassin (III, 1, p. 313-318).
48. II, 5, p. 294, 1. 865.
49. P. 301, 1. 1007.
50. P. 303, 1. 1032.
51. I, 2, 1. 321 ; II, 5, 1. 964.
52. P. 303, 1. 1032-1033.

et mené sa vengeance à son terme. De l'une à l'autre, il y a, poétiquement exprimée, la continuité d'un destin.

Mais pourquoi tant de fenêtres ? Car ce n'est pas la moindre singularité de cette pièce fertile en surprises. Il n'est guère de personnage de quelque importance qui ne se soit, au moins une fois au cours de la pièce, penché à la fenêtre pour regarder au-dehors. Et la virtuosité du dramaturge semble prendre plaisir à varier ses angles d'observation. Tantôt nous sommes au-dehors et nous voyons un personnage paraissant à la fenêtre [53] ; tantôt nous sommes à l'intérieur et c'est le personnage lui-même qui nous informe du spectacle extérieur que nous ne voyons pas [54]. Raffinement délicat : deux croisées, se faisant face, permettent au duc de découvrir Catherine arrangeant des fleurs sur sa fenêtre et révélant, sans le vouloir, les bras les plus aguichants [55]. Assurément l'explication proposée plus haut garde sa valeur : une brèche dans le décor, c'est un moyen d'assurer l'ubiquité. Au reste, qui aime, comme les héros de Musset, à parcourir une ville et à la connaître dans tous ses recoins, n'a pas trop de tous ces observatoires indiscrets pour boire goulûment le spectacle qui s'offre. Connaître une ville, c'est d'une certaine manière multiplier les points de vue d'où l'on peut la saisir et la surprendre. Le lecteur de *Lorenzaccio* est, à cet égard, un observateur privilégié. Si les repères topographiques y sont rares et vagues, les points de vue sur la ville sous les angles les plus divers se multiplient à l'envi [56]. Au reste, Florence, dans *Lorenzaccio*, est plus qu'une ville, plus même qu'un Etat. C'est un nœud de relations, un carrefour de désirs et de passions. Caffagiuolo, Trebbio, Massa, Sestino sont comme les satellites d'un astre de première grandeur, qui exerce sur tous son pouvoir d'attraction [57]. Les citoyens de Florence ont de leur ville un sentiment lyrique, qui s'exprime dans le langage de l'amour ou, le cas échéant, de la haine, qui n'est souvent qu'amour déçu. Les bannis, du haut d'une « plate-forme d'où l'on découvre la ville » expriment, à leur manière pathétique, cette relation affective de fils révoltés contre une mère qui n'a pas su rester digne de leur amour [58]. Car, pour les Florentins, Florence est une personne sur laquelle on garde les yeux fixés et dont on épie les moindres réactions. On se met aux fenêtres pour regarder ses souillures ou lui cracher son mépris.

53. I, 2, p. 209, l. 365-370 ; II, p. 311, l. 1203.
54. I, 3, p. 215, l. 471 ; II, 3, p. 279, l. 556 ; II, 5, p. 297, l. 932 ; II, 6, 307, l. 1126 ; IV, 2, p. 431, l. 911.
55. II, 4, p. 290, l. 802.
56. *Lorenzaccio* compte 14 décors de plein air répartis ainsi : une rue (I, 2 ; III, 3 ; IV, 2 ; IV, 3 ; V, 3 ; V, 6) ; une place (IV, 9 ; V, 5) ; la grande place (V, 8) ; le bord de l'Arno (I, 6 ; IV, 7) ; devant le palais (II, 7) ; le portail d'une église (II, 2) ; devant l'église de Saint-Miniato (I, 5).
57. Voir sur ce point une sorte de géographie emblématique de la déportation et dont Florence demeure le centre (I, 6, p. 249, l. 1114-1119).
58. I, 6, p. 251, l. 1161-1172.

Mais, dans trois cas au moins, le symbolisme de la fenêtre est beaucoup plus subtil, car il engage le sens même de la pièce. Par trois fois, en effet, dans une situation pressante ou solennelle, les protagonistes des trois intrigues de la pièce se mettent à la fenêtre pour contempler Florence offerte à leur regard : Philippe, dans l'attente du retour de deux de ses fils partis, l'arme au poing, à la recherche de Julien Salviati [59] ; la marquise Cibo, au moment où le cardinal la laisse tremblante de désir et de crainte, prête à sauter le pas qui mène à l'adultère [60] ; Lorenzo, enfin, son coup fait, sa longue obsession du meurtre enfin apaisée [61]. On voudra bien noter toutefois la singularité des situations respectives. Alors que la marquise et Philippe Strozzi s'apprêtent à agir ou, tout au moins, à sortir de l'indécision qui les paralyse pour répondre aux circonstances qui les enveloppent et sollicitent leur intervention, Lorenzo vient de répondre positivement à l'appel d'une conjoncture dont il est, à bien des égards, l'organisateur. La différence est assez notable pour que le sens de leur geste et la nature de leurs propos soient sensiblement différents. Et ce sont ces nuances qui permettent de fixer la signification globale d'une indication scénique trop récurrente pour être de hasard ou de fantaisie.

Dans les trois cas, les personnages ouvrent la fenêtre par besoin de respirer, de pratiquer une brèche par où échapper à l'étouffement d'une atmosphère confinée ou au tourment de l'inquiétude impuissante. Mais ce besoin de respirer l'air extérieur et de voir par-delà le décor suggère symboliquement, chez deux d'entre eux, — Philippe Strozzi et la marquise Cibo —, une attitude de pensée et d'existence. Ouvrir la fenêtre et regarder dehors, c'est proprement sortir de sa solitude, franchir ses propres limites, ouvrir le regard à la collectivité, penser au bonheur de l'humanité [62]. Il est très significatif que, dans ces deux cas, la méditation sur Florence débouche sur un désir d'agir pour le bien des Florentins. Ainsi, chez Philippe, deux formules de ton différent dessinent en quelque sorte la pente des réflexions intimes, qui vont de la plainte passive au désir de l'action : « Pauvre ville, où les pères attendent ainsi le retour de leurs enfants ! Pauvre patrie ! Pauvre patrie ! [63] » et quelques lignes plus loin : « il a fallu que la tyrannie vînt me frapper au visage pour me faire dire : Agissons ! [64] » Un mouvement de pensée analogue est sensible chez la marquise, quand bien même l'ambiguïté des passions qui l'agitent l'empêche d'y voir clair : « Que tu es belle, Florence, mais que tu es triste ! [65] » commence-t-elle par dire, tout comme Philippe Strozzi ; mais la suite de son propos dénote moins de passivité dans les intentions :

59. II, 5, p. 297, l. 932.
60. II, 3, p. 279, l. 556.
61. IV, 11, p. 431, l. 911.
62. III, 3, p. 339, l. 518-519.
63. II, 5, p. 299, l. 967-968.
64. P. 300, l. 989-990.
65. II, 3, p. 279, l. 557.

« Qui est-ce donc que j'aime ? Est-ce toi ? Est-ce lui ?[66] » La double question trahit l'élan qui la porte vers deux objets à la fois ou plutôt vers Florence par le duc, qui lui fait depuis deux mois une cour pressante. L'invitation à l'action devient aussitôt impérative, dès lors qu'Agnolo annonce que « son altesse vient d'entrer dans la cour [67] ». La conjoncture ne permet plus d'atermoyer et l'on peut supposer que la marquise doit en éprouver quelque soulagement.

Un même schéma symbolique se retrouvera un peu plus loin, quand les événements auront évolué de telle manière que Philippe comme la marquise, pour des raisons différentes, seront contraints au renoncement. Après la mort de Louise, Philippe éprouve soudain une étrange sensation d'étouffement ; la claustrophobie l'étreint [68]. Mais ce n'est pas en ouvrant la fenêtre qu'il songe à en venir à bout. C'est en s'en allant, purement et simplement, hors de Florence, en fermant sa « boutique [69] », porte et fenêtres bien closes : « Adieu, mes amis, restez tranquilles [70] », sera sa dernière recommandation. Pareillement, quand la marquise devra se rendre à l'évidence qu'elle a perdu, outre son honneur, sa peine et son temps [71], ce n'est plus en se mettant à la fenêtre, comme naguère [72], qu'elle indiquera la direction de son regard, c'est-à-dire de ses pensées, mais en « tenant le portrait de son mari [73] » et en sautant par la pensée de Florence, dont elle n'a cure, à Massa, où vont ses désirs et la vérité de son cœur. Ses bras se referment sur un amour conjugal, dont elle espère peut-être préserver les dernières cendres [74].

La situation de Lorenzo, à la fin du quatrième acte, est toute différente. Aussi bien a-t-il, au moment où l'action commence, ouvert largement sa fenêtre sur le monde. Depuis la fameuse nuit du Colisée [75], une multitude d'images convergentes traduit sans équivoque cette entrée au monde des hommes, cette attitude d'attente, d'observation, d'espoir, de dévouement à la collectivité [76]. Il n'y a donc pas lieu de s'étonner que, son meurtre une fois accompli, ce ne soit pas l'image de Florence qu'il contemple par la fenêtre au bord de laquelle il s'assied [77]. Qu'attendre d'une ville qui lui a dévoilé sans pudeur « sa monstrueuse nudité ? [78] » C'est un pays imaginaire qu'il découvre soudain dans la nuit glacée de l'hiver, et c'est un paysage de printemps [79]. Nous voilà loin des rues sombres qui faisaient hor-

66. P. 279, 1. 561-562.
67. P. 279, 1. 564.
68. III, 7, p. 382, 1. 1364-1365.
69. P. 383, 1. 1383-1384.
70. P. 333, 1. 1384.
71. III, 6, p. 371-372, 1. 1146-1160.
72. I, 3, p. 215, 1. 471.
73. III, 6, p. 372, 1. 1172.
74. P. 373, 1. 1181-1186.
75. III, 3, p. 342, 1. 561-563.
76. III, 3, p. 343, 1. 592-594 ; p. 347, 1. 664-669 ; p. 350, 1. 735-736, et 1. 741-755, etc.
77. IV, 11, p. 431, 1. 911.
78. III, 3, p. 351, 1. 739-740.
79. « Comme les fleurs des prairies s'entr'ouvrent ! » (IV, 11, p. 431, 1. 918-919).

reur à Philippe. Ce n'est pas Florence que Lorenzo découvre de sa fenêtre, mais, dans un éclair du temps que magnifie le langage, son enfance, sa pureté d'autrefois, un paradis perdu et retrouvé, où l'homme et la nature respirent à l'aise sous le regard du « Dieu de bonté [80] ». Le grave est que cet instant d'éternité, en dépit du secours des images poétiques qui cherchent à le sauver de sa fugacité, sera sans lendemain ; le cinquième acte montrera sans équivoque que c'était là un paradis artificiel.

Aucune fenêtre ne s'y ouvrira plus, puisque c'est l'acte des rêves avortés et que la fenêtre ouverte était le signe poétique du rêve en son essor. La Marquise, en tout cas, a cessé de divaguer pour tenir ou retenir le bien le plus précieux qu'elle possédait avant de céder aux démons de l'aventure : l'amour de son mari. On ne saura rien de leur avenir, mais un geste qui dit symboliquement le pardon et l'accord retrouvé doit prévaloir contre les quolibets des blasés et l'ironie des sots : « J'ai cru les voir se serrer la main [81] ». L'incorrigible Philippe Strozzi croit pouvoir, une fois encore, ouvrir sa fenêtre au rêve de liberté qui traverse l'air de Venise : « Mon Brutus ! mon grand Lorenzo ! la liberté est dans le ciel ! je la sens, je la respire [82] ». La vérité est du côté de Lorenzo qui lui fait, non sans mal, fermer sa fenêtre [83]. Le dernier spectacle qu'il sera donné à Philippe de contempler par la fenêtre ouverte viendra donner raison à ce Brutus désenchanté et confirmer son pronostic : « Ne voyez-vous pas tout ce monde ? Le peuple s'est jeté sur lui. Dieu de miséricorde ! On le pousse dans la lagune [84] ». Ainsi meurt sans sépulture celui qui avait songé, une fois en sa vie, au bonheur de l'humanité. Il est encore trop tôt pour décider si Musset pense qu'il faut savoir résister à l'appel trompeur des rêves et tenir ses fenêtres fermées. Du moins, dans l'ordre de la représentation poétique de l'espace où nous nous tenons pour l'instant, fera-t-on bien de ne pas oublier le témoignage de Tebaldeo, qui, le soir, va chez sa maîtresse et, « quand la nuit est belle [85] », la passe sur son balcon : image d'un monde paisible, où l'amour est un refuge contre la méchanceté des hommes et l'appel de la cité, où les mauvais rêves viennent se briser contre la beauté lisse d'une nuit d'été.

80. P. 431, l. 925.
81. V, 3, p. 452, l. 404-405.
82. V, 2, p. 450, l. 352-353.
83. P. 450, l. 355-356.
84. V, 6, p. 468, l. 704-706.
85. II, 2, p. 268, l. 329-331.

L'IMAGINATION DE LA DURÉE

Dans le domaine de l'expression du temps, la virtuosité et l'originalité de l'auteur de *Lorenzaccio* ne sont pas moins grandes. A cet égard, il disposait au départ d'une double chronologie des événements : l'une, large, étalée sur plusieurs années, que lui fournissait Varchi ; l'autre, étroite, surétroite même, resserrée en quelques heures, que lui offrait la scène historique de George Sand. En dramaturge avisé, Musset choisira la voie médiane et donnera du même coup à l'expression de la durée une forme inédite, ou plutôt trois visages superposés, — historique, dramatique et poétique, — qui constitueront ensemble sa physionomie originale : historique, en ce que Musset recrée la chronologie de l'histoire pour les besoins de l'art ; dramatique, en ce qu'il en organise la durée selon les besoins de l'action dramatique et de sa signification ; poétique, en ce qu'il donne à certains moments de la durée la valeur et la saveur privilégiées qui conviennent à leur nature ou à leur rôle propre dans l'action.

Le premier souci du dramaturge est de recréer un tissu historique serré, qui donne au lecteur le sentiment d'un temps plein, d'une époque dense, d'une situation politique mûre pour les événements qui vont éclater. Son effort initial consistera donc à concentrer en l'espace de quelques jours une chronologie étendue en réalité sur plusieurs années. Ainsi, par exemple, ce n'est pas en janvier 1537, mais durant l'hiver des années 1532-1533 qu'eut lieu le bal chez Nasi[1] ; c'est en mars 1533 que Julien Salviati évoquait sa conduite incongrue à l'égard de Louise Strozzi, en présence de Léon Strozzi, au pèlerinage de San Miniato[2] ; c'est dans la nuit du 14 mars que Julien Salviati devait recevoir la blessure à la jambe qui l'estropiera pour la vie[3] ; c'est dans la nuit du 4 décembre 1534 que Louise Strozzi périssait empoisonnée[4] ; c'est durant l'été de l'année suivante que, Laurent Cibo étant absent de Florence, la Marquise recevait les visites assidues du duc Alexandre au Palais Pazzi et que le bruit de leur liaison avait couru[5]. Or tous ces événements sont groupés par Musset dans les quelques jours qui précèdent la mort d'Alexandre. Ajoutons que, si c'est bien à Venise que fut assassiné Lorenzino de Médicis, l'événement n'eut pas lieu en 1537, mais le 26 février 1548 et que son cadavre palpitant fut remis à sa mère, que Musset se plaît à faire mourir de chagrin quelques jours seulement après l'assassinat

1. Cf. *Genèse*, p. 33-34, l. 877-913.
2. *Ibid.*, p. 34, l. 917-955.
3. *Ibid.*, p. 35-36, l. 955-963 et 979-987.
4. *Ibid.*, p. 41, l. 1119-1140.
5. *Ibid.*, p. 43-44, l. 1187-1210.

d'Alexandre. Encore n'a-t-on retenu ici que les événements les plus saillants. Une enquête plus détaillée aboutirait au même résultat. En respectant, dans une large mesure, la vérité des faits, tout en resserrant leur succession chronologique aux limites de la vraisemblance, Musset se comporte en dramaturge conscient des propriétés du matériau dont il se sert. L'histoire, traitée en matériau dramatique, s'accommode assez bien de cette compression dans le temps, qui en accroît la charge explosive et la puissance de signification.

Mais Musset ne s'en tient pas là. Il nourrit le texte de sa pièce d'une multitude de petits faits historiques, d'apparence souvent mineure, qu'il puise largement dans Varchi, et renforce, par ce moyen, la plénitude de temps déjà en partie obtenue par le resserrement systématique de la chronologie. Cette innutrition continue tend moins à renforcer le pittoresque d'époque qu'à donner l'illusion esthétique d'un temps fertile en événements préparés de longue main. Par leur masse et leur fréquente apparition, à la fois inattendue et naturelle, au ras du dialogue, ces petits faits vrais finissent par constituer le diagramme d'une situation politique donnée, au sein de laquelle les grands événements de l'action dramatique proprement dite retentiront avec un surcroît de force et d'éclat.

Deux exemples typiques suffiront sans doute à illustrer cette remarque. Acte I, scène 3, voici un échange de propos entre le cardinal Cibo et sa belle-sœur : « *Le Cardinal :* Bon, Bon ! le duc est jeune, marquise, et gageons que cet habit coquet des nonnes lui allait à ravir. — *La Marquise :* On ne peut mieux, il n'y manquait que quelques gouttes du sang de son cousin, Hippolyte de Médicis [6] ». Détail minime, comme on voit, lâché dans le feu d'une conversation, sans nécessité dramatique apparente, mais qui suppose, de la part de Musset, outre une lecture attentive de Varchi, une volonté de suggérer un arrière-plan historique, un fait passé qui, de loin, pèse sur la situation présente et ne laisse rien augurer de bon pour l'avenir de la liberté à Florence. Varchi rapporte, en effet, au livre XIV de son histoire de Florence [7], que le cardinal Hippolyte de Médicis, cousin du duc Alexandre, mourut empoisonné en août 1535 et que sa mort parut si suspecte que beaucoup de gens pensèrent que le duc Alexandre n'en était pas entièrement innocent.

Autre détail, d'importance dramatique à peu près nulle, et de plus exprimé sous une forme si elliptique qu'il est nécessairement inintelligible au lecteur privé d'une annotation historique sérieuse ou d'une ample érudition. C'est à l'acte I, scène 4, au détour d'une réplique du duc Alexandre : « Ah ! parbleu, Alexandre Farnèse est un plaisant garçon ! Si la débauche l'effarouche, que diable fait-il de son bâtard, le cher Pierre Farnèse, qui traite si joliment l'évêque de

6. I, 3, p. 216-217, l. 510-515.
7. *Genèse*, p. 217, n. 1.

Fano ?[8] ». La clé de l'énigme est, comme toujours, chez Varchi, qui raconte en détail, au livre XVI de son *Histoire de Florence*, comment « Pierre Louis Farnèse, enivré de sa fortune et sûr de n'être point puni par son père, pas même réprimandé, courait par les terres de l'Eglise, commettant le crime de Pédérastie avec tous les jeunes gens qu'il trouvait de son goût, soit de leur consentement, soit en les y forçant [9] ». Suit la description détaillée des violences qu'il fit subir au chaste et jeune évêque de Fano, âgé de vingt-quatre ans, et qui mourut de ses sévices quatre jours plus tard. Il n'est pas indifférent de noter au passage que cet événement se produisit en 1538, c'est-à-dire après la mort du duc Alexandre qui, dans la pièce de Musset, est censé se faire l'écho du scandale. On retrouve ainsi, au niveau de ce fait divers, juste bon à défrayer la chronique scandaleuse, le souci constant, déjà relevé plus haut, de concentrer au maximum, fût-ce en la modifiant, la chronologie historique réelle, tout en brochant la durée historique imaginaire de petits faits vrais propres à en rendre le dessin plus complexe et la trame plus serrée.

On voudra bien remarquer, au reste, que, dans les deux exemples qu'on vient de citer, les faits historiques sont amenés, si l'on peut dire, dans la foulée même d'un dialogue familier et qu'ils y conservent leur saveur de fait divers. C'est là un point capital sur lequel nous avons déjà eu l'occasion de nous expliquer au chapitre précédent, mais d'un autre point de vue. Musset démythifie, de propos délibéré, l'histoire qu'il a entrepris de nous raconter. Deux propos de Lorenzo, du reste, sont édifiants à cet égard et représentent clairement l'un des partis pris de Musset dans son drame : « Le tort des livres et des histoires est de nous les [hommes] montrer différents de ce qu'ils sont [10] » ; « je ne nie pas l'histoire, mais je n'y étais pas [11] ». C'est dire que, sous le rapport de la narration des faits historiques, Musset jouera à fond le jeu de l'histoire écoutée aux portes des boutiques ou surprise dans les conversations de la rue. Les événements de 1537, sur lesquels pourtant Musset possède le recul nécessaire à l'histoire, y sont vécus au présent par des contemporains qui n'ont pas encore eu le loisir de transformer leurs conditions de vie quotidienne en pièces d'archives destinées à l'historien des républiques italiennes de la Renaissance. De là la multiplication des scènes de plein air, qui permettent au dramaturge de nous faire vivre le temps historique au niveau de la durée individuelle, et d'évoquer les événements politiques du point de vue de l'homme de la rue et selon la conscience qu'en prennent les citoyens.

Assurément, Musset n'allait pas se priver de la « nuit de six Six [12] », que lui offrait généreusement Varchi [13] et qui, par sa futilité même, entrait trop à l'aise dans le dessein général de son cinquième acte. Mais

---

8. I, 4, p. 223, l. 632-635.
9. *Genèse*, p. 223, n. 1 ; je cite ici, par commodité, la traduction Requier, qui est une adaptation libre et, de plus, abrégée de Varchi.
10. III, 3, p. 347, l. 675-677.
11. V, 2, p. 449, l. 342.
12. V, 5, p. 457, l. 489.
13. *Genèse*, p. 60, l. 1706-1713.

plus d'un fait historique important sont ainsi colportés de bouche à oreille et, pour ainsi dire, dialogués au présent immédiat par les personnages du drame. La « Capitulation » y devient la pierre de touche des consciences indignées [14]. L'élévation des Médicis par les puissances de tutelle et l'érection symbolique de la citadelle sont l'objet d'une sorte de fable allégorique sortie de la bouche d'un vieil orfèvre acerbe, gaillard et sentencieux [15]. L'entrevue de Bologne entre le Pape et l'Empereur nourrit un propos de cabaret à la foire de Montolivet, quand bien même y passerait un souvenir de Démosthène [16]. Ce n'est pas autrement que nous apprendrons l'origine douteuse d'Alexandre [17]. C'est par le même procédé d'information à petites touches que nous serons renseignés sur la parenté et l'état civil du duc de Florence, cousin de Lorenzo [18] et gendre de Charles-Quint [19]. L'occupation étrangère se signale d'abord à nous par les protestations véhémentes contre les hallebardes allemandes, symboles de la toute-puissance oppressive [20]. Les rudes traitements infligés aux bannis sont évoqués dans un propos allusif arraché à la pitié de Philippe Strozzi [21]. L'action militaire de Pierre Strozzi en vue de rétablir la république à Florence ne sera connue du lecteur que par deux échos, à l'éclat bien étouffé [22], tout comme l'affaire des habitants de Pistoie, que Lorenzo glisse dans la conversation à la manière d'une nouvelle apprise dans la gazette du matin [23]. Toute cette moisson de faits historiques, répercutés par l'opinion publique ou le dialogue quotidien, non seulement contribue à faire descendre les héros de théâtre de leur piédestal de marbre, mais nous donne l'illusion flatteuse de vivre l'histoire au moment où elle se fait, même si, en filigrane, on la sait orientée d'une main ferme par un dramaturge qui a une opinion et ne se privera pas de nous la faire connaître. Du moins le drame historique n'a-t-il plus besoin, pour nous toucher, de se parer des prestiges du costume ou de l'éclat des décors. Aucun écran ne s'interpose entre le lecteur et les personnages qui se donnent en spectacle sur la scène. Leur drame est le nôtre et nous sommes dedans.

Musset poussera si loin le rapprochement entre la durée vécue par les personnages et la nôtre qu'il multipliera les détails familiers. Ces héros de l'histoire et du passé ont aussi leur temps quotidien, leur rythme des travaux et des jours ; « hier », « aujourd'hui », « de-

---

14. I, 2, p. 202-203, 1. 254-256 ; p. 206, 1. 316 ; II, 4, p. 285, 1. 690 ; III, 6, p. 367, 1. 1058-1059.
15. I, 2, p. 203, 1. 261-264.
16. I, 5, p. 235, 1. 858-867.
17. I, 5, p. 235, 1. 870-871.
18. I, 4, p. 223, 1. 649-650, p. 225, 1. 695.
19. III, 6, p. 369, 1. 1098-1099.
20. I, 2, p. 206, 1. 301.
21. II, 5, p. 299, 1. 971-973.
22. V, 2, p. 444, 1. 221-222 ; V, 4, p. 454, 1. 436-437.
23. V, 2, p. 448-449, 1. 322-326.

main », « ce matin », « ce soir », « cette nuit » sont le pain quotidien de leur durée ; ils « dînent » et « soupent » comme nous. Ils ne connaissent pas seulement les repas de fête, comme le souper donné par les Nasi à l'occasion du mariage de leur fille [24] ou le souper solennel, auquel ont été conviés, un soir d'orage, les quarante Strozzi [25]. Il y a aussi le repas du soir, en tête à tête, après la chasse [26] ou le dîner en famille, à l'issue duquel chacun vaque à ses occupations familières [27]. Il n'est pas jusqu'au délégué de l'armée des bannis qui ne rompe la rude négociation avec Pierre Strozzi pour aller, « excédé de fatigue », souper avec son camarade [28]. Bien sûr ces mots familiers n'ont pas toujours leur résonance banale, il est des circonstances où leur poids est capital. « Demain » trois fois prononcé par Lorenzo, la veille de l'assassinat d'Alexandre, engage sérieusement l'avenir de Florence et de la liberté. L'heure qui sonne quand Lorenzo attend, inquiet et surexité, *son* heure, c'est à l'horloge de l'Histoire qu'elle sonne et non pas seulement au cadran de l'église voisine [29]. Inviter sire Maurice à « trinquer » avec le cardinal, quand les nouvelles sont inquiétantes et que la mort est au rendez-vous, cela résonne comme un hoquet ironique du destin et le cardinal est trop subtil pour s'y méprendre [30]. Il n'empêche qu'en noyant les jours et les heures pleins parmi les heures et les jours creux ou muets, Musset rapproche de nous ceux dont plusieurs siècles sont censés nous séparer et, dans le même temps, fidèle à son projet fondamental, nous fait voir clairement que les hommes, tout « à leurs dîners, à leurs cornets et à leurs femmes [31] », sont bien rarement accordés à l'heure de l'Histoire et moins encore à celle de la liberté.

On pourrait croire que tant d'indications familières de la durée sont le signe d'une chronologie interne des événements rigoureuse et simple. Or il n'en est rien, et ce n'est pas un des moindres paradoxes de cette pièce décidément surprenante.

D'apparence, Musset semble, tout d'abord, avoir gommé de sa pièce tout repère chronologique trop précis. En tout et pour tout nous disposons de trois indications de date et de durée, qui au demeurant, semblent s'articuler assez difficilement entre elles : la durée de l'absence du marquis Cibo [« ce sera l'affaire d'une semaine [32] »] ; la foire de Montolivet [« je n'y viens jamais qu'un seul vendredi [33] »] ; la nuit de six Six [« Il avait six blessures, à six heures

24. I, 2, p. 208, l. 357.
25. III, 7, p. 373, l. 1189.
26. III, 6, p. 373, l. 1185-1186.
27. II, 5, p. 294, l. 864-865.
28. IV, 8, p. 419, l. 688-689.
29. IV, 9, p. 423, l. 757.
30. IV, 10, p. 428, l. 855.
31. V, 2, p. 447, l. 289.
32. I, 3, p. 213, l. 444-445.
33. I, 5, p. 232, l. 806.

de la nuit, le 6 du mois, à l'âge de vingt-six ans, l'an 1536. Maintenant, un seul mot. Il avait régné six ans [34] »]. Ces trois points de repère appellent eux-mêmes des remarques propres à les démonétiser quelque peu. La durée d'une semaine, fixée à son absence par le marquis lui-même, ne sera pas respectée, comme on pourra s'en rendre compte tout à l'heure. Si, d'autre part, Musset maintient un vendredi le pèlerinage à San Miniato, il se garde bien de nous dire de quel mois. L'examen des variantes du manuscrit montre qu'il y avait d'abord songé, mais qu'il s'est ensuite prudemment ravisé [35]. Quant à la « nuit de six Six », elle est, comme on l'a vu, fidèlement traduite de Varchi moins pour sa valeur de datation que pour son pouvoir expressif d'un certain état de l'opinion publique, plus soucieuse de curiosités et de bons mots que d'action politique. Encore Varchi avait-il eu soin de nous dire auparavant de quel mois on était le sixième jour [36]. Musset se garde d'en souffler mot.

Il serait long et fastidieux de rendre compte ici en détail des étapes et des démarches par lesquelles on doit passer pour établir une chronologie interne de la pièce, sur laquelle, en fin de compte, il demeurera plus d'un doute. Disons, en bref, pour donner une idée des résultats de cette recherche à laquelle nous nous sommes livré, que, si nous prenons pour point de repère sûr le vendredi de la foire de Montolivet, on obtient, non sans mal, la chronologie suivante :

Acte   I — Du jeudi minuit au vendredi à la tombée de la nuit.
Acte   II — Du vendredi à l'heure du dîner au vendredi tard dans la soirée.
Acte III — La journée du samedi.
Acte IV — La journée du dimanche.
Acte   V — Les lundi et mardi à Florence, et, audacieusement intercalées, deux scènes situées à Venise et qui se passent un peu plus tard, sans doute les mercredi et jeudi.

Comme le Marquis Cibo rentre à Florence quelques heures avant le meurtre d'Alexandre, son absence n'aura donc pas duré une semaine, mais tout au plus trois jours. Cette première incohérence, qui sera suivie de beaucoup d'autres, devrait normalement nous intriguer et nous montrer qu'on fait fausse route en s'obstinant à mettre de l'ordre dans une chronologie interne dont Musset ne s'est apparemment guère soucié. Une recherche plus précise, à titre d'exemple, sur la chronologie interne du deuxième acte, dans la mesure où celle-ci offre le maximum de difficultés, nous confirmera dans cette impression et, du même coup, nous permettra d'orienter nos réflexions d'un autre côté, c'est-à-dire dans la voie féconde de l'expression dramatique du temps.

Deux chronologies internes sont en effet possibles pour le deuxième acte : l'une large et assez vraisemblable, qui étend l'ac-

34. V, 5, p. 455, l. 459-461.
35. I, 5, p. 232, note ᵃ et note critique.
36. *Genèse*, p. 48, l. 1324-1330.

tion sur deux jours [37] ; l'autre, étroite et entachée de certaines invraisemblances, qui la resserre non seulement en une journée, mais en une soirée. Or, paradoxalement, c'est la chronologie étroite et bousculée qui est sans doute suggérée, sinon formellement voulue par Musset. Le poète se comporte, comme tout artiste, en illusionniste qui nous donne le sentiment des choses plus que les choses elles-mêmes et en psychologue qui n'ignore pas qu'entre le temps réellement écoulé et la conscience qu'on prend de son écoulement la marge est parfois béante.

La scène première est, sans contestation possible, située à la fin de la journée du vendredi. Tout nous le confirme : Philippe qui dresse le bilan de la journée, Léon qui rentre de la foire de Montolivet, Pierre qui demande l'heure, n'obtient pas de réponse, mais livre, dans sa colère, un repère commode : « Allons dîner, le dîner est servi [38] ». Impossible de donner au mot « dîner » une autre acception que celle en vigueur à Paris en 1833. « Dîner » désigne le repas du soir, qui se prenait généralement entre 17 et 19 heures [39].

Avec la deuxième scène les difficultés commencent. Manifestement, nous sommes à la sortie d'une messe solennelle ; et nous voilà ramenés immanquablement à la matinée. En fait tout s'explique, si l'on veut bien se reporter au texte manuscrit de la scène et se souvenir des commentaires que ce document nous a inspirés [40]. Pas de doute possible : cette scène 2 est une scène interpolée. Elle était, en réalité, faite pour s'intégrer au premier acte, dont elle épouse sans peine le déroulement chronologique. Son déplacement artificiel au deuxième acte, pour des raisons qu'on envisagera tout à l'heure, ne saurait donc avoir d'incidence sur la succession chronologique des événements qui le remplissent. Le mieux est de passer outre et de reprendre l'examen du deuxième acte au point où nous l'avions laissé : le vendredi soir, à l'heure du dîner.

La scène 3 semble se situer, elle aussi, le soir de ce même vendredi. Cette hypothèse est autorisée par une réplique de la marquise à son beau-frère au premier acte : « Ce sera pour ce soir, si votre Eminence est libre, ou demain, comme elle voudra [41] ». Au reste c'est bien une Florence nocturne ou au déclin du jour que la marquise contemple mélancoliquement de sa fenêtre. Sinon, pourquoi évoquerait-elle le duc entrant, la nuit, dans les maisons, couvert de son

---

37. On pourrait faire la même remarque au sujet de la chronologie interne du premier acte.

38. II, 1, p. 256, l. 107.

39. Le témoignage des correspondances du temps est, à cet égard, irrécusable ; on me permettra, entre vingt autres, deux citations sans ambiguïté : « Si vous ne pouvez venir déjeûner avec moi demain à dix heures, donnez-moi lundi votre dîner à cinq heures. Nous causerons et nous nous rapprocherons » (Lettre de U. Guttinguer à Sainte-Beuve, 2 octobre 1830 ; Coll. Lovenjoul, Ms. D 584) ; « voulez-vous venir dîner demain avec moi ? Je vous ai promis à Mme Allart (...) à 5 h ? (Lettre de G. Sand à Sainte-Beuve, mai-juin (?) 1833, Corr. Lubin, t. 2, p. 319-320). Sur l'épineuse question des termes et des heures de repas, on se reportera à la mise au point de M. Albert Dauzat parue dans les Mélanges Huguet, 1940.

40. Voir annexe II.

41. I, 3, p. 214-215, l. 468-469.

manteau [42], précisément en un moment où elle se doute bien que ce sort ne lui sera pas épargné ? Les faits confirmeront aussitôt cette prémonition [43].

La quatrième scène offre quelques difficultés, qui ne sont pas insurmontables. Catherine et Marie, on s'en souvient, ont quitté le bord de l'Arno au coucher du soleil ; elles sont ensuite rentrées au palais Soderini ; voici venue l'heure de la lecture en famille. L'histoire de l'évanouissement de Lorenzo devant une épée est évoquée par Bindo comme un événement d'une actualité brûlante : n'était-ce pas le matin même ? Mais l'entrée fracassante du duc sème un peu l'embarras. A la fin de la scène 3, il entrait chez la marquise, et le voici déjà chez son rabatteur, claironnant sa victoire : « La Cibo est à moi [44] ». Ce glouton a été rapide et n'a pas perdu son temps en vains discours. Il rêve déjà d'une nouvelle conquête et Catherine a les bras alléchants. Toujours pressé, le duc enchaîne dans le mouvement : « amène-la donc souper [45] ». Lorenzo élude habilement la suggestion, tout en nous proposant un point de repère capital : « mon projet est d'aller au plus vite manger le dîner de ce vieux gibier de potence... [46] ». S'agit-il du dîner auquel avait fait allusion Pierre Strozzi à la fin de la première scène de ce deuxième acte ? Sans doute. Ainsi, la scène que nous vivons se situe chronologiquement non pas après la première scène, mais en même temps qu'elle, en un autre endroit.

Mis à part le dialogue au portail d'une église, qui appartient à une autre coulée, le diagramme est alors le suivant : deux scènes sont simultanées, la scène 1 et la scène 4 ; les scènes 3 et 4 se succèdent, mais selon une chronologie si serrée qu'elle exclut toute vraisemblance. C'est à sa couleur esthétique et morale que le poète semble ici s'attacher. L'effrayant dynamisme d'une sensualité dévoratrice, qui fait craquer de toute part l'étroit corset du temps, est pour le héros qui rêve d'enrayer son progrès le plus instinctif et le plus solennel des avertissements.

La scène 5 ne pose pas de problèmes : elle est dans le droit fil de la première scène. Nous retrouvons Lorenzo couché sur un sofa ; c'est la veillée, après le dîner, chez les Strozzi. En l'occurrence, une veillée d'armes. Pierre a repris ses desseins belliqueux et son épée nue pour les servir. Salviati saura dans quelques instants ce qu'il en coûte d'insulter l'honneur des Strozzi.

Mais avec la scène 6, voici que les difficultés recommencent. Quand a lieu la séance de pose ? On se souvient que Lorenzo avait donné rendez-vous à son protégé pour le lendemain, soit samedi [47]. Or nous sommes toujours vendredi soir, puisque la dernière scène de l'acte fait apparaître Salviati blessé sous les fenêtres du palais.

42. II, 3, p. 279, l. 558-559.
43. Ibid., p. 279, l. 564.
44. Ibid., p. 290, l. 783.
45. Ibid., p. 291, l. 813.
46. Ibid., p. 292, l. 836-837.
47. II, 2, p. 269, l. 338.

Il est évident qu'il n'a pas attendu le lendemain matin pour faire soigner sa blessure, dénoncer au duc ses agresseurs [48] et exiger que justice soit faite. Le duc, expéditif en justice comme en amour, promet en tout cas de faire diligence.

Dans ce tissu serré d'événements, on doit convenir que la vraisemblance ne trouve toujours pas son compte. Mais il n'est pas sûr qu'une chronologie desserrée, étalée par exemple sur deux jours, ou encore une double chronologie, l'une pour les scènes où figure Tebaldeo, la seconde pour les autres scènes, arrangeraient les choses. On voit mal, en effet, comment un colérique forcené comme Pierre Strozzi aurait accepté de différer d'un jour sa vengeance et il est impossible qu'il ait renouvelé le lendemain soir sa folle gesticulation avec l'épée nue qui a si fort impressionné son père [49] et qui traduisait à merveille la violence de ses réactions spontanées à la provocation des événements. C'est donc bien à la scène 1 du premier acte que Philippe fait allusion le lendemain en ces termes : « N'étais-je pas offensé aussi, la nuit dernière, lorsque tu avais mis ton épée nue sous ton manteau ? [50] » Il y a décidément continuité rigoureuse des actes dans l'unité d'une seule nuit entre cette épée que Pierre décroche [51], qu'il met sous son manteau [52] et qu'il promènerait volontiers en public, son coup fait, « sans en essuyer une goutte de sang [53] », tandis que sa victime se traîne aux murailles du palais [54]. A vouloir desserrer à tout prix l'étreinte du temps, on perdrait en vigueur dramatique et en vérité du caractère ce qu'on gagnerait en vraisemblance. Ce serait un marché de dupes.

Ces querelles vétilleuses montrent clairement qu'en cherchant à introduire la logique du temps dans un domaine où seules comptent sa représentation esthétique et son expression dramatique, on s'enferme dans une impasse. Il faut avoir le bon esprit de ne poser à Musset que des questions qui aient pour lui un sens. Tout s'éclaire en effet, et du plus vif éclat, si l'on met en évidence, s'agissant de l'expression du temps dans *Lorenzaccio*, les deux ou trois principes d'écriture dramatique, auxquels le poète semble avoir été le plus constamment fidèle.

Tout d'abord nous retrouvons sous le rapport de la durée la même particularité constatée précédemment dans le domaine de l'espace. Au désir d'ubiquité correspond, analogiquement, un désir de simultanéité. Entre la plupart des scènes du drame on pourrait glisser, comme dans les feuilletons populaires ou dans les anciens films du cinéma muet, un intertitre ainsi rédigé : « pendant ce temps, chez un tel... ». La brèche dans le décor est ici éclatement du temps,

48. II, 7, p. 312, l. 1213-1214.
49. II, 5, p. 296-297, l. 915-932.
50. III, 2, p. 322, l. 189-191.
51. II, 1, p. 256, l. 104-105 ; II, 5, p. 298, l. 940-941.
52. III, 2, p. 322, l. 190-191.
53. II, 5, p. 303, l. 1042-1043.
54. II, 7, p. 311, l. 1204-1205.

dislocation et reconstitution à volonté de son cours. Que cette technique d'expression tienne aux fibres les plus intimes du cœur de Musset, ce n'est pas douteux. Il y a toujours eu, chez Musset, un sentiment aigu des existences simultanées et, au plan de la création poétique, un désir de multiplier les moyens de les tenir ensemble sous le regard et d'en préserver, s'il se peut, l'unanimité. Tant il est vrai que la technique d'une œuvre d'art ne saurait être seulement d'expression, mais d'abord de vision.

Cette perception simultanée du même instant vécu par des consciences séparées est, toutefois, corrigée et, d'une certaine manière, altérée par une autre technique d'expression du temps, à laquelle Musset n'a pas craint de recourir pour des raisons de commodité. Chacune des trois intrigues du drame, en effet, — appelons-les, pour faire bref, « l'intrigue Lorenzo », « l'intrigue Strozzi », « l'intrigue Cibo », —, possède sa propre chronologie interne indépendante des deux autres. Ce qui ne manque pas, au moment où elles interfèrent, et même si l'on admet le principe de la simultanéité, quelques grincements ou quelques incohérences.

Ainsi avons-nous pu constater, en tentant d'établir la chronologie interne de l'acte II, qu'il n'y avait pas de heurts sérieux dans le déroulement de chaque intrigue. L'intrigue Strozzi, comme l'intrigue Lorenzo, sont, pour ainsi dire, balisées par des repas, qui sont autant de points de repère commodes. Là où commencent les difficultés, c'est lorsque le dramaturge entreprend, pour les besoins de l'action, de faire communiquer entre elles les deux intrigues. En faisant glisser Lorenzo dans l'intrigue voisine, c'est-à-dire d'une chronologie dans une autre, en imaginant qu'il va « manger le dîner de ce vieux gibier de potence » qu'est Philippe Strozzi [55], Musset crée, sans y penser, une situation paradoxale : Pierre et Lorenzo ont participé au même dîner sans se voir, puisque Pierre, sa vengeance accomplie, est tout surpris de découvrir Lorenzo dans sa propre maison et enrage de « voir une pareille lèpre se traîner sur leurs fauteuils [56] ». A moins d'imaginer gratuitement un retard de Lorenzo ou un départ anticipé de Pierre, on est bien obligé de constater que l'interférence des deux intrigues s'est opérée malaisément, preuve que les deux chronologies n'étaient pas exactement superposables ni coextensives l'une à l'autre.

Ajoutons que chaque acte a sa durée propre, ce qui vient aussi compliquer la suite des événements dans le temps. Ainsi, par exemple, la dernière scène du premier acte suit pas à pas la courbe déclinante du soleil [57], dans un bel effet d'ombre envahissante. Il est évident qu'en ouvrant un acte nouveau, étroitement enchaîné à l'acte précédent par le contenu de la scène 1, Musset n'avait de choix qu'entre deux solutions : l'une, logique, consistait à prendre exactement le relais de l'adieu des bannis et à situer de nuit l'acte entier ; l'autre, d'ordre

55. II, 4, p. 292, l. 837.
56. II, 5, p. 302, l. 1022-1025.
57. I, 6, p. 242, l. 496, p. 248, l. 1109.

esthétique, à revenir quelques heures en arrière, afin de préserver entièrement sa liberté d'invention. En optant pour la liberté créatrice, Musset recommençait, pour ainsi dire, à vivre logiquement l'entrée du monde dans la nuit, mais cette fois, du côté de la Marquise Cibo et surtout des Strozzi, à peu près absents du premier acte. En se mettant à la fenêtre, chacun de son côté, pour regarder la nuit tomber peu à peu sur la ville [58], la Marquise et Philippe Strozzi nous communiquent à leur manière l'émotion d'un poète accordé au lent et implacable basculement de l'univers dans la nuit, éprouvé jusqu'à la douleur comme la figure privilégiée du mal qui submerge le monde.

Conscient, enfin, des inconvénients de la composition par scènes séparées, qui brise sans cesse le cours du temps et laisse entre deux scènes supposées consécutives un « blanc » ou un « trou » sans emploi dramatique, Musset entreprend d'en corriger l'effet, par des artifices, souvent habiles, d'écriture ou de composition, qui créent l'illusion de la continuité. Ainsi certains tableaux paraissent-ils déjà commencés au moment où ils sont offerts à notre regard, ou en voie de se poursuivre, alors qu'ils nous sont dérobés. Dès lors ils semblent plonger leurs racines dans une durée continue dont nous ne percevons qu'une tranche limitée, mais la plus significative. Au reste, on obtient par là un bel effet de résonance. Chaque tableau paraît découpé dans la continuité du temps global qui l'enveloppe et lui donne son sens. Il n'y a plus de temps perdu, d'instants donnés pour rien et délestés de toute signification historique ou de tout poids dramatique. Musset n'avait pas agi autrement dans le domaine de l'espace, quand il s'était ingénié à établir une communication permanente entre le microcosme scénique et le macrocosme extérieur où toute action vient retentir. On n'aura pas de peine, en tout cas, à donner des exemples de cette technique artificielle, mais efficace. Ils surabondent et on n'a que l'embarras du choix.

Ainsi la scène 5 du premier acte suppose-t-elle un office religieux et un sermon tonitruant que nous ne connaîtrons que par échos [59]. La première scène du deuxième acte suggère un dîner déjà servi et que nous ne partagerons pas [60]. Si la scène de la confession a un commencement absolu, — la méditation politique du cardinal se préparant à confesser sa belle-sœur [61] —, elle s'achève sur un nouvel épisode dont nous serons écartés, la visite du duc à la marquise pour le motif que l'on sait [62], et qui sera lourd de conséquences pour la marquise comme pour le duc lui-même. La scène 4 de ce même acte II s'ouvre comme un tableau déjà commencé : l'intimité familiale surprise, pour ainsi dire, par un démon indiscret qui déchire soudain le voile de la vie privée [63].

---

58. II, 4, p. 279, l. 557-559 ; II, 5, p. 297, l. 933-935 ; p. 299, l. 967-973.
59. I, 5, p. 232, l. 811 ; p. 237, l. 913-914.
60. II, 1, p. 256, l. 107-108.
61. II, 3, p. 269-270, l. 344-379.
62. *Ibid.*, p. 279, l. 564.
63. II, 4, p. 279, l. 569-570.

La scène 5 suppose une vive discussion, à table sans doute, que nous ne connaissons qu'indirectement, car Pierre et Thomas sont déjà en campagne [64]. Nous ne connaîtrons pas davantage la conversation secrète de Lorenzo avec Thomas dans l'embrasure de la fenêtre [65], non plus que le contenu des discours que Philippe doit tenir à son fils, au moment même où la scène s'achève [66]. Pareillement la scène 6 ne nous donne que la fin d'une séance de pose sans doute commencée depuis longtemps. Nous entrons au beau milieu d'une conversation, mais de ce que nous en saisissons nous pouvons sans peine inférer ce qui nous en manque [67]. Au demeurant, tout un jeu de scène, — le duc ôtant la cotte de mailles —, et la manière dont il a été préparé, puis obtenu ne nous sont connus que par ce que des paroles elliptiques de Lorenzo nous en laissent deviner [68]. On pourrait multiplier les exemples du même ordre. Bornons-nous à constater que Musset, une fois encore, fait, en poète, appel à la collaboration de son lecteur, en laissant à son imagination le soin de disposer les arrière-plans, de rétablir le contact entre des scènes séparées, de recréer l'unité d'impression et de vision, à partir des images éclatées qu'il lui offre en spectacle. Un peu comme, en stéréoscopie, l'œil crée le relief à partir d'images planes qu'il superpose.

Aussi bien ces images éclatées sont-elles ajustées les unes aux autres par d'autres liens que ceux de la chronologie. L'exemple du deuxième acte est, à cet égard, des plus éclairants. On peut, tout d'abord, régler aisément le sort des deux scènes où figure Tebaldeo et qui, on s'en souvient, ne laissaient pas, tout à l'heure, de nous intriguer. En les distribuant toutes deux dans l'économie du deuxième acte, en établissant entre elles un court relais [69], qui les met en communication étroite l'une avec l'autre, Musset gagne sur deux tableaux. D'une part, en délestant le premier acte de la scène au portail d'une église, il nous laisse sur une image univoque et entièrement odieuse de Lorenzo, dont le deuxième et surtout le troisième acte nous délivreront progressivement. D'autre part, en groupant dans le même acte les scènes où figure le petit peintre, il nous fait assister, selon un subtil crescendo, au vol méthodique de la cotte de mailles : premier temps, Lorenzo met Tebaldeo à son service [70] ; deuxième temps, il le recommande au duc [71] ; troisième temps, il vole la cotte à l'occasion d'une séance de pose organisée à cet effet [72]. On ne saurait concevoir dessin plus net et d'un mouvement plus soutenu.

64. II, 5, p. 295, l. 893.
65. *Ibid.*, p. 303, l. 1034-1035.
66. *Ibid.*, p. 303, l. 1045.
67. II, 6, p. 304, l. 1062.
68. *Ibid.*, p. 307, l. 1115-1119.
69. « J'ai un peintre à vous amener ; c'est un protégé » (II, 4, p. 293, l. 851-852).
70. II, 2, p. 269, l. 338-339.
71. II, 4, p. 293, l. 849-852.
72. II, 6, p. 306, l. 1087.

Parallèlement à « l'intrigue Lorenzo », le dramaturge fait avancer « l'intrigue Strozzi », dont le premier acte se bornait à disposer les préliminaires. Il ne s'agit pour l'instant que d'un simple règlement de comptes entre familles rivales, qui remplira le deuxième acte. La conspiration politique contre le duc germera, comme par rebond, au troisième acte. Mais, dès le deuxième acte, la pleine logique du spectacle dramatique impose à Musset ses exigences dans l'ordre de la causalité : scène 1, la cause ; scène 5, l'effet ; scène 7, les conséquences. La main qui dessine est sûre. Encore fallait-il à cet acte un centre, une de ces scènes-relais, où excelle Musset, et qui nouent en gerbe, au moins, provisoirement, les rameaux épars. C'est la scène 4 qui remplira cette fonction. Aussi bien est-elle la plus longue du deuxième acte et la plus minutieusement construite. L'apparition nocturne du « Lorenzino d'autrefois », telle que l'évoque Marie dans le premier volet de cette scène en triptyque, est ressentie par Lorenzo comme un appel de l'ombre et du destin [73] ; elle raidit son énergie et renforce son désir de mener à bien son projet. Le deuxième volet, en déconsidérant les républicains, isole l'acte de Lorenzo de toute conspiration organisée et prépare ainsi son échec. Le troisième volet consomme par anticipation l'échec de la marquise et fait surgir l'appât décisif, l'occasion attendue : Catherine. Le dispositif est en place : un mobile, l'appel de l'enfance qui armera le bras meurtrier, un moyen, l'attrait de Catherine sur la sensualité d'Alexandre. Il n'en faut pas davantage pour mettre en marche le destin. Au reste, le dessin de l'acte plaît à l'œil par sa netteté et ce genre de considération n'est pas forcément absent de l'esprit d'un dramaturge comme Musset, qui opère par montage, ciseaux et pains à cacheter à portée de la main : scènes paires pour l'intrigue Lorenzo (2, 4, 6), scènes impaires pour les deux intrigues adjacentes (1, 3, 5, 7). Pour qui aime l'ordre et ne dédaigne pas la poésie des nombres, ce deuxième acte est d'une subtilité raffinée.

En fait, la subtilité du dramaturge trouve à s'exercer ailleurs et d'une manière bien plus convaincante : là où l'oreille, l'œil, l'intelligence jouent de concert leur partie. Qu'on songe, par exemple, au puissant effet, dans l'ordre de l'art dramatique et de la signification politique, obtenu par le rapprochement et la succession des scènes 1, 2 et 3 du deuxième acte. Une scène d'intérieur, une scène de plein air, une nouvelle scène d'intérieur : voilà pour la variété des lieux et l'alternance des décors. Un vieillard, qui est aussi un intellectuel et un honnête homme, à la scène 1, un tout jeune homme, presque un enfant, qui est aussi un artiste et un jeune homme pur, à la scène 2, tous deux assaillis, sous des formes diverses, par la marée montante du mal : voilà pour le contraste et l'ampleur du tableau social et moral. Une scène où s'affirme, en présence d'un cardinal affable et humaniste et à l'issue d'un office solennel, une conception mystique de l'art alliée au plus pur esprit religieux, et, immédiatement après, sans tran-

---

73. II, 4, p. 283, 1. 641-643.

sition, une scène où un autre cardinal, machiavélique et dur, met les mystères de la foi et la vie sacramentelle de l'Eglise au service de l'ambition politique par le truchement de la perversion des consciences, voilà qui en dit plus long que bien des discours sur le degré d'abaissement de l'Eglise, quand elle oublie sa mission de paix et d'amour et qu'elle devient l'instrument d'une volonté de puissance et d'asservissement. L'interpolation de la scène au portail d'une église ne fait, dès lors, plus de problème. Qu'importe, en effet, la cohérence chronologique, si l'effet dramatique et la puissance de signification s'en trouvent renforcés ! On ne demande à un poète que les talents qui sont de sa compétence, et d'abord, s'agissant d'un poète dramatique, le don de vision et le sens du spectacle.

Bien d'autres groupements de scènes semblables ou analogues se retrouvent au cours de la pièce. Par exemple, les deux premières scènes du troisième acte. La conspiration s'organise contre le duc, du côté de Lorenzo et du côté de Pierre Strozzi. Chacun à sa manière s'entraîne au tyrannicide : Lorenzo fait des armes avec Scoronconcolo, Pierre avec les Pazzi. Des propos de la même veine sont tenus parallèlement de part et d'autre : « Ton médecin est dans ma gaine, laisse-moi te guérir [74] », « Un bon coup de lancette guérit tous les maux [75] ». Ainsi apparaît d'emblée la compétition à laquelle se préparent deux conjurés rivaux, entre lesquels nous savons, depuis l'acte précédent, que tous les ponts sont rompus et tous les coups permis [76]. D'autres liens, plus lâches, plus artificiels parfois, toujours volontaires, se retrouvent entre les scènes. Ainsi, les « cris épouvantables [77] » de Julien Salviati trouvent aussitôt leur écho dans les cris forcenés de Lorenzo, rugissant « comme une caverne pleine de panthères et de lions [78] ». Un mot parfois en appelle un autre, mais non pas au hasard, par association : « Ce sera une main tremblante qui t'apportera ton repas du soir quand tu rentreras de la chasse [79] », dit la marquise et, de son palais, Philippe Strozzi semble lui donner la réplique : « Mes enfants, mettons-nous à table [80] ». Ainsi la plénitude de la paternité est-elle encore permise à Philippe, quand déjà la marquise se sent indigne d'assumer sa condition d'épouse et de mère. « Prenez garde à son petit couteau [81] », murmure Lorenzo à l'oreille d'un duc qui ne peut pas l'entendre ; « Altesse, prenez garde à Lorenzo [82] », clame le cardinal à l'oreille d'un duc qui ne peut plus l'entendre, car on

74. III, 1, p. 317, l. 79-80.
75. III, 2, p. 322, l. 183.
76. II, 5, p. 302, l. 1019-1023.
77. II, 7, p. 311, l. 1205.
78. III, 1, p. 314, l. 27-28.
79. III, 6, p. 373, l. 1184-1186.
80. III, 7, p. 373, l. 1191.
81. IV, 9, p. 424, l. 777.
82. IV, 10, p. 424, l. 783.

n'éveille pas le somnambule, qui foncera, tête baissée, dans le piège ouvert sous ses pas.

Une aussi grande liberté dans le groupement des scènes, la constante subordination de la chronologie aux exigences de l'art et de la signification globale de l'œuvre laissent à penser que Musset a, comme tout grand poète, le don de représenter, pour ainsi dire, graphiquement le temps vécu et d'en restituer à la demande le rythme et le « tempo » propres. Il est vrai que chaque acte de *Lorenzaccio* présente au lecteur une figure esthétique conforme à sa destination singulière. On se bornera à trois de ces figures représentatives du temps vécu : le temps circulaire, le suspens, le temps disloqué.

C'est au premier acte que le temps dessine une figure circulaire. Entendons par là qu'il inscrit dans la durée homogène d'une journée un événement qui a son commencement et sa fin. L'honnête Maffio sera le personnage-guide, en même temps que la victime, de cette boucle du temps refermée sur elle-même. Venu dès la première scène au secours de la vertu de sa sœur, il a, par ce geste naturel, entravé, fût-ce d'intention, le pouvoir despotique du duc Alexandre. Dès lors, il a signé sa condamnation. A la fin de l'acte, scène 5, nous le retrouverons parmi les bannis. Comble d'ironie, il a reçu en viatique « une bourse à moitié pleine de ducats [83] », qui représente très exactement le solde de la somme d'argent donnée à Lorenzo à la « vieille mère [84] », pour livrer sa fille à la prostitution royale. Le cercle est désormais fermé. Vingt-quatre heures d'une tyrannie, commencées dans la débauche et s'achevant dans la servitude, tel est le mécanisme de l'oppression, le cercle de fer qu'il dessine et que ne pourront briser ni le lyrisme des plaintes, ni le pathétique des malédictions, ni la confiance aveugle faite au noble cœur d'un thaumaturge de la liberté [85].

L'acte IV dessine une figure différente, mais qui n'est pas moins riche de signification. C'est l'acte de l'attente, du « suspens », du temps qui s'écoule inexorablement et dont on éprouve le poids dans l'impatience. Tout l'acte se développe sous le signe de l'attente d'un événement qui n'interviendra qu'à la dernière extrémité et qui, de plus, est foncièrement ambivalent : pour le duc, le plaisir de coucher avec la tante de Lorenzo ; pour Lorenzo, celui de se délivrer de l'insupportable obsession du tyrannicide. L'amour et la mort sont au rendez-vous, comme dans les plus nobles tragédies. Tout, dès lors, crie l'impatience d'un événement allègrement attendu, et la dernière réplique de la première scène semble donner le ton à l'acte entier : « Dépêche-toi, soleil, si tu es curieux des nouvelles que cette nuit te dira demain [86] ». S'y joignent pour corser l'attente

83. I, 6, p. 250, l. 1134.
84. I, 1, p. 191, l. 17.
85. « Philippe Strozzi nous écrira à Venise : quelque jour nous serons tout étonnés de trouver une armée à nos ordres » (I, 6, p. 250, l. 1147-1149).
86. IV, 1, p. 387, l. 72-73.

et renforcer le suspens deux actions complémentaires et concurrentes de celle engagée par Lorenzo et qui peuvent, le cas échéant,
la faire échouer tout près du but : la pression du cardinal sur sa
belle-sœur pour qu'elle aille précisément « ce soir » chez le duc,
le détournant ainsi du fatal rendez-vous ; l'action de Pierre pour
mettre en œuvre une conjuration armée capable de prendre Lorenzo
de vitesse. Pour exprimer congrument cette compétition des forces
en présence, Musset en contrarie subtilement les mouvements
respectifs. Au mouvement accéléré de l'action de Pierre qui doit,
à peine sorti de prison, rejoindre son père, le convaincre d'agir,
négocier avec les bannis afin de prendre leur tête s'oppose le
mouvement retardé de la conduite de Lorenzo, qui ne peut rien
faire d'autre qu'attendre l'heure fixée. C'est donc pour lui l'heure
des monologues, trois en l'espace de quelques scènes [87], qui non
seulement meublent l'attente, mais le délivrent de l'angoisse. Tout
juste peut-il fignoler les ultimes préparatifs ou tuer le temps sur
les quais à prévenir les républicains de l'occasion qui va s'offrir [88].
En vain le cardinal essayera-t-il de conjurer le destin en multipliant les avertissements [89]. Peine perdue : « La volonté de Dieu
se fait malgré les hommes [90] ». En un langage moins clérical et plus
conforme à la philosophie de l'histoire véhiculée par la pièce, cela
veut dire que les assauts les plus énergiques pour maîtriser le
temps et modifier le cours de l'histoire viennent se briser à coup
sûr contre la marche régulière et implacable du mal qui est en
l'homme.

La troisième figure esthétique du temps, dessinée par le dernier
acte de Lorenzaccio, est celle des catastrophes et du chaos. Le
cours du temps y est proprement disloqué. Dans la représentation
chronologique des événements Musset fait tout d'abord preuve des
plus grandes audaces ; l'incohérence s'y installe, mais elle est voulue.
Une double chronologie correspond à l'éclatement de l'unité de
lieu. Les tableaux situés à Venise sont en retard sur la marche
des événements qui se déroulent à Florence. On devine sans peine
la force expressive de ce décalage. Philippe, plus songe-creux que
jamais, en est encore à vaticiner [91] sur une crise déjà presque
dénouée. Pour nous qui savons quel règlement va intervenir et
comment la république sera escamotée, quelle dérision ! Lorenzo,
lui, n'a pas besoin d'ouvrir la fenêtre pour y voir clair [92]. Sa lucidité
ne le trompe pas. Il « voit », comme s'il y était, les Pazzi faire des
armes dans leur antichambre, « en buvant du vin du Midi de temps
à autre, quand ils ont le gosier sec [93] ».

87. IV, 3, p. 391-392, 1. 152-183 ; IV, 5, p. 406-408, 1. 428-468 ; IV, 9, p. 420-424, 1. 694-777.

88. IV, 7, p. 414-416, 1. 570-631.

89. IV, 10, p. 424, 1. 783 sq.

90. IV, 10, p. 428, 1. 855.

91. V, 2, p. 446, 1. 260 sq.

92. « Philippe ! Philippe ! point de cela — fermez votre fenêtre ; toutes ces paroles me
font mal ! » (V, 2, p. 450, 1. 355-356.)

93. V, 2, p. 448, 1. 302-304.

Nous retrouvons, d'autre part, le mouvement circulaire du premier acte, mais comme frappé à tout instant de dérision. Une sorte d'ironie partout répandue fait grincer ces courtes scènes disloquées et qui paraissent se bousculer au hasard, tout en amenant, d'un mouvement continu et irréversible, un nouveau duc à régner. Simple substitution de personnes, au demeurant : un « planteur de choux [94] » en lieu et place d'un « garçon boucher [95] ». Mais le cardinal n'ignore pas que la tyrannie s'accommode assez bien de ce simple changement de têtes, qui laisse intact le système de gouvernement. Chaque tableau reçoit sa connotation ironique ou sa note boufonne, qui font basculer le drame vers la haute comédie. Le spectacle est à la fois impitoyable et désespérant. Une vaine agitation d'ombres apeurées et un vote truqué mettent en mouvement le destin. Un démenti cinglant met un terme aux divagations généreuses de Philippe. Les quolibets de l'opinion laissent planer une ombre sur l'union retrouvée de la marquise et de son mari. Pierre révèle sa vraie nature : un fier-à-bras plus ambitieux que patriote. L'opinion publique se passionne pour des futilités, les clercs font des poèmes, et les querelles de familles s'apprêtent à se survivre à l'ombre de la citadelle intacte. Quelques braves étudiants se font tuer pour rien. Lorenzo, « plus creux et plus vide qu'une statue de fer blanc [96] », est un mort-vivant qui déambule au long des rues et, tombé sous le couteau de l'assassin, n'aura pas même la consolation d'un tombeau. Le duc Côme, enfin, prête distraitement un serment de pure forme. Cette voix qui se perd « dans l'éloignement [97] » montre clairement que les mots s'envolent comme des bulles légères prêtes à crever au premier vent.

Ainsi s'achève une figure du temps qui combine la circularité du système clos avec le chaos d'une durée historique, pour ainsi dire, atomisée. Cette confrontation brutale d'une sorte de force des choses, canalisée à son profit par la volonté occulte du cardinal, avec une force d'inertie vouée à l'effilochement et à l'impuissance, porte en elle sa propre leçon de philosophie politique. Rien, dans le monde des hommes, ne peut donc se construire que pour et par le mal qui est en eux. Il est vain de prétendre mettre sa marque sur le monde et l'élever au-dessus de lui-même. Les choses se font et se défont par leur propre poids, selon leur propre pente, qui mène à la débauche et à la servitude. Mieux vaut dès lors se retirer du jeu avant d'en être éliminé sans gloire et sans profit. L'on en revient, par ce détour, à la dramaturgie significative, qu'il conviendra bientôt d'examiner de face et dans son ensemble.

Mais le temps n'a pas toujours son visage d'Histoire, même dans un drame historique. Il a parfois sa figure de tous les jours.

94. V, 6, p. 466, l. 645-646.
95. V, 2, p. 204, l. 274-275.
96. II, 6, p. 465, l. 630-631.
97. V, 7, p. 471, l. 738-739.

A cet égard, Musset se montre un merveilleux poète des couleurs du temps qui passe. Il a le sens des « atmosphères » : la fête, l'orage, le froid, la nuit, autant d'impressions, de climats spécifiques, à nous restituer par le moyen du langage, tout en les associant étroitement aux modalités de l'action dramatique.

La fête, par exemple, semble dominer le premier acte de *Lorenzaccio* et orienter notre esprit vers le plaisir et les charmes acidulés de la vie sociale ou mondaine. Deux longues scènes, allègres et virevoltantes, l'une évoquant la sortie d'un bal masqué [98], l'autre une sorte de kermesse [99], encadrent les scènes de préparation dramatique [100]. En rattachant la scène du bal masqué à un carnaval tout récent, dont elle serait le prolongement, et qui paraît avoir laissé de cuisants souvenirs dans la mémoire du marchand de soieries [101], en faisant précéder cette scène même d'un tableau de débauche nocturne, traité dans le double registre de la sexualité crue et du libertinage cérébral dans le goût du XVIIIe siècle [102], en liant, enfin, très soigneusement entre elles toutes ces scènes de plaisir par des annonces et des rappels [103], qui ne laissent aucun doute sur leur succession rapide dans le temps, Musset cherche à plonger son lecteur dans une atmosphère de liesse, d'excès et de volupté, que l'amertume, les récriminations et les plaintes de quelques comparses n'arrivent pas à ébranler sérieusement. Au reste, en piquetant avec subtilité les plus graves discours de propos légers entrelaçant en guirlandes curiosité et futilité, goût du luxe et goût du lucre, chiffons et libertinage, comme dira plus tard la marquise Cibo [104], en laissant çà et là planer une odeur de stupre et de prostitution, Musset semble vouloir désamorcer sans cesse le drame politique qui couve. Dans ce paradis de badauds et de jolies femmes, de masques et de travestis, à l'ombre de hallebardes allemandes, la plainte des bannis n'éclatera qu'avec plus de force et sa valeur d'avertissement n'en sera que plus contraignante.

Autre peinture d'atmosphère : l'orage qui éclate à la fin du troisième acte [105] et que rien ne semblait avoir préparé. En fait, il n'en est rien. Même si l'on convient que cet orage est un artifice de mélodrame, dont, au demeurant, Musset fait un usage assez discret, la lecture attentive du texte des deux scènes qui précèdent, dans les lignes et entre les lignes, fait apparaître qu'il a été subti-

98. I, 2, p. 196-210, l. 125-399.

99. I, 5, p. 231-241, l. 799-991.

100. Intrigue Cibo (I, 3) ; intrigue Lorenzo (I, 4).

101. I, 2, p. 200-201, l. 221-231.

102. I, 1, p. 191-192, l. 22-46.

103. « C'est aujourd'hui qu'il marie sa fille » (I, 1, p. 103, l. 49-50) ; « Etiez-vous hier à la noce des Nasi ? » (I, 3, p. 215, l. 484) ; « J'ai rencontré cette Louise la nuit dernière au bal des Nasi » (I, 5, p. 240, l. 967-968) ; « on me l'a montré ce soir sortant du spectacle » (I, 6, p. 250, l. 1138).

104. « Une femme qui parle d'autre chose que de chiffons et de libertinage, cela ne se voit pas ! » (III, 6, p. 365, l. 1014-1016.)

105. III, 7, p. 383, l. 1388.

lement préparé. Ces « fleurs qui embaument [106] », ce boudoir intime et bien clos, ce « soleil étouffant qui nous pèse [107] », voilà, à petites touches, des indications d'atmosphère qui, s'accordant admirablement à la sensualité moite de ces scènes d'alcôve, rendent plausible et presque nécessaire cet éclatement d'orage qui accompagne le souper des Strozzi et solennise la mort tragique de Louise. Au demeurant, un signe prémonitoire nous avait déjà laissé pressentir que le destin allait frapper [108].

A ces moiteurs d'orage du troisième acte s'oppose la nuit glacée, évoquée à tous les carrefours du drame. Car c'est là l'atmosphère dominante de la pièce, pour le meilleur comme pour le pire. Si « faire du jour la nuit et de la nuit le jour, c'est un moyen commode de ne pas voir les honnêtes gens [109] », nul doute que le duc de Florence ne fréquente une majorité de canailles. Il est minuit et « il fait un froid de tous les diables [110] » quand nous faisons sa connaissance ; c'est à « minuit précis [111] » que Catherine sera en chemise dans la chambre de Lorenzo, et « il fait vraiment froid [112] », en dépit du bon feu de charbons qui « échauffent sans éclairer [113] ». Entre ces deux nuits capitales, qui se font face, l'une d'amour, l'autre de mort, que de nuits fécondes en événements variés dans *Lorenzaccio* ! « Nuit obscure » où apparaît brusquement le spectre du « Lorenzino d'autrefois [114] » ; « profondes ténèbres » des rues sombres de Florence, où « le sang coule quelque part [115] » ; nuit glacée où s'enfoncent les bannis, appelés à mourir de misère ou de froid [116] ; nuits en prison promises à ceux qui défendent leur honneur par les armes [117] ; nuits blanches et studieuses de ceux dont les fenêtres, au matin, sont « éclairées des flambeaux de la veille [118] » ; nuit mystérieuse, où naguère, assis dans les ruines du Colisée antique, Lorenzo fit le serment qu'« un des tyrans de [sa] patrie mourrait de [sa] main [119] » ; nuit de triste mémoire, où le même Lorenzo fit son entrée dans l'une « de ces dix mille maisons que voilà [120] » ; nuit du destin, fixée pour la mort d'Alexandre et la naissance de la liberté [121] ; nuit mystique, où le vent glacé de l'hiver se change en vent du soir

106. III, 5, p. 363, l. 976-977.
107. III, 6, p. 370, l. 1115-1116 ; cf. la note critique 1115-1116 : « c'est le ciel étouffant ».
108. « Est-ce que l'heure de ma mort serait proche » ? (III, 5, p. 364, l. 995-996).
109. I, 2, p. 205, l. 299-300.
110. I, 1, p. 190, l. 9.
111. IV, 1, p. 386, l. 53.
112. IV, 11, p. 428, l. 861.
113. IV, 5, p. 404, l. 393.
114. II, 4, p. 282, l. 620-621.
115. II, 5, p. 297, l. 935.
116. *Ibid.*, p. 299, l. 970-973.
117. II, 7, p. 312, l. 1216-1217.
118. III, 2, p. 324, l. 208-209.
119. III, 3, p. 342, l. 561-565.
120. *Ibid.*, p. 349, l. 707-710.
121. IV, 7, p. 414, l. 581-582 ; p. 415, l. 605 ; p. 416, l. 623.

« doux et embaumé [122] ». Rien d'important n'arrive dans *Lorenzaccio* qui n'ait lieu de nuit. C'est la nuit qu'on débauche et qu'on bannit, que Julien est blessé et Louise empoisonnée, que Lorenzo conduit le duc au rendez-vous fatal. Une Florence remplie d'ombre est balayée d'un aigre vent d'hiver, qui est comme le souffle de l'esprit du mal. La gaieté de Lorenzo est « triste comme la nuit [123] ». L'hymne à la nuit qu'entonne à tous instants le poète de *Lorenzaccio* est tout le contraire d'un hymne à la joie.

Cette heure de paix et joie, ce n'est pas le vent glacé de l'hiver urbain qui peut l'apporter. C'est hors de Florence qu'il la faudra chercher. Chacun semble nourrir au fond de soi la nostalgie d'un printemps recueilli sous les ombrages d'un Eden perdu. Deux fois, au cours de la pièce, la Marquise évoquera des images d'un printemps à Massa, ici venant à bout non sans peine d'un hiver trop long, là définitivement installé, comme si le domaine de Massa avait le pouvoir de créer spontanément le renouveau de la nature : « la première fleur de notre belle pelouse m'est toujours chère. L'hiver est si long ! Il me semble toujours que ces pauvres petites ne reviendront jamais [124] ». Le propos a valeur de symbole. L'hiver à Florence est pour la Marquise une sorte de prison à laquelle elle souhaite en secret échapper. Fuir ce monde transi et sans amour pour un monde en ordre et en paix, telle est l'image qui habite le fond de sa mémoire et nourrit ses regrets. Un monde où l'homme, mesure de toute chose, a retrouvé sa place au centre d'un univers fait pour lui. Aussi, quand elle évoque, dans son désarroi florentin, le souvenir de son mari et qu'elle reconstitue le monde qui l'environne et s'ordonne à son exemple, procède-t-elle à cette juste répartition de l'ombre et de la lumière, du bruit et du silence, de l'homme, de l'animal et des plantes, d'où naît l'harmonie toute virgilienne d'un paysage de campagne au printemps [125].

Les mêmes éléments d'harmonie se retrouveront dans le printemps à Caffagiuolo, tel que l'évoque Lorenzo quelques instants avant l'assassinat d'Alexandre [126], mais prise dans le mouvement plus vif d'un cœur jeune qui n'a pas encore oublié son enfance. La petite fille du concierge remplace les garçons de ferme, la chèvre blanche, aux grandes pattes menues, les génisses grasses ; au vieil homme marchant sur la terrasse, devant les grands marronniers, s'est substitué l'enfant assis sous les arbres ; à l'autorité d'un maître de maison l'irresponsabilité et le goût du jeu de l'écolier en vacances. Mais c'est bien la même image d'un monde, où l'on est en paix avec soi-même et avec la nature entière dans une familiarité de paradis terrestre.

---

122. IV, 11, p. 431, l. 912-923.
123. V, 6, p. 465, l. 625.
124. I, 3, p. 214, l. 455-457.
125. III, 6, p. 372-373, l. 1173-1181.
126. IV, 9, p. 423, l. 750-756.

Cette image poétique d'un monde réconcilié, elle n'est pas seulement disponible hors de la ville ou dans la fraîcheur des souvenirs d'enfance. On peut la retrouver au-dedans de soi, n'importe où, dans ces instants privilégiés, où l'homme croit pouvoir capter la fuite du temps et éterniser le bonheur. Baudelaire a décrit avec rigueur, dans un texte célèbre, ces « belles saisons », ces « heureuses journées », ces « délicieuses minutes », au cours desquelles « l'homme gratifié de cette béatitude, malheureusement rare et passagère, se sent à la fois plus artiste et plus juste, plus noble, pour tout dire en un mot [127] ». Trois héros de *Lorenzaccio* connaîtront, au cours de la pièce, ces instants paradisiaques, qui les font échapper aux « lourdes ténèbres de l'existence commune et journalière » et stimulent leurs facultés poétiques. Et l'on verra avec quelle justesse de touche Musset sait doser l'effet et harmoniser au caractère des personnes le contenu spirituel de l'instant.

C'est d'abord la rêverie de Catherine, sur le bord de l'Arno, au crépuscule. A deux pas de la ville, dont on perçoit « le bruit lointain », Catherine connaît soudain cette minute exquise, où le monde devient objet de contemplation et d'amour. D'où le passage spontané du paysage décrit au paysage senti, l'élévation immédiate d'une âme naturellement religieuse de la création vers le Créateur : « Regardez, ma mère chérie ; que le ciel est beau ! que tout cela est vaste et tranquille ! Comme Dieu est partout [128] » !

Chez Philippe, l'instant privilégié s'inscrit à la fois dans la régularité de la vie quotidienne et dans l'exercice de la fonction paternelle, mais c'est au moment dramatique de la mort de Louise que Philippe semble en prendre soudain une conscience plus aiguë : « Lorsqu'elle était couchée, c'est ainsi que je me penchais sur elle pour lui donner le baiser du soir. Ses yeux mélancoliques étaient ainsi fermés à demi, mais ils se rouvraient au premier rayon du soleil, comme deux fleurs d'azur ; elle se levait doucement le sourire sur les lèvres, et elle venait rendre à son vieux père le baiser de la veille. Sa figure céleste rendait délicieux un moment bien triste, le réveil d'un homme fatigué de la vie. Un jour de plus, pensais-je en voyant l'aurore, un sillon de plus dans mon champ. Mais alors j'apercevais ma fille, la vie m'apparaissait sous la forme de sa beauté, et la clarté du jour était la bienvenue [129] ». Ce court passage a la perfection close sur elle-même et la richesse d'harmoniques d'un poème en prose. C'est à une transfiguration du rythme même des travaux et des jours qu'il nous est donné d'assister. La vie devient don d'amour et échange de gratitude, le lever du jour prend des airs d'une nouvelle naissance quotidienne et d'une victoire sur les forces obscures de la nuit. La femme apparaît comme l'image et la mesure même de la beauté du monde, l'inspiratrice de tout élan vers la vie. Un souffle de Botticelli passe dans cette vision d'un monde heureux et calme,

127. Baudelaire, *les Paradis artificiels*, E.L.F., 1947, p. 31.
128. I, 6, p. 242-243, l. 1005-1007.
129. IV, 6, p. 408-409, l. 476-487.

d'où l'érosion du temps et le poids du jour semblent abolis par la régénération du matin.

Lorenzo, lui aussi, connaîtra, intense et fugace, l'instant privilégié, où le monde s'offre à lui avec ce que Baudelaire appelle « ses vastes perspectives pleines de clartés nouvelles ». Cela se passe juste après le meurtre d'Alexandre, au bord d'une fenêtre ouverte, sur la nuit [130]. Certes, le poète n'a pas eu à inventer cet instant. Varchi déjà en révélait l'existence [131]. George Sand, de son côté, avait déjà fait son profit des détails donnés par le chroniqueur florentin, et la contemplation des étoiles s'accompagnait d'une sorte de régénération physique et morale, d'un puissant effet lyrique, mais d'une grande pauvreté psychologique [132]. Musset est à la fois original et plus juste. La montée vers l'extase se fait par trois paliers successifs, entrecoupés des conseils de la prudence et des objurgations de la peur. Lorenzo associe tout d'abord la nature à sa jubilation intérieure. La beauté de la nuit et la pureté de l'air exaltent et adoucissent tout ensemble cette épée de joie plantée dans son cœur [133]. C'est alors la vision extatique, qui substitue au décor réel un paysage intérieur. L'air glacé de la nuit devient un vent du soir « doux et embaumé [134] » ; les fleurs des prairies s'entr'ouvrent en un printemps mystique, dont la Marquise et Philippe portaient aussi le vœu profond dans leur cœur ; la fuite du temps et les tourments de la vie font place à « l'éternel repos [135] », que la liturgie des défunts demande précisément à Dieu d'accorder à l'âme des trépassés. Pour finir, c'est l'extase sans images, le pur élan de l'âme vers Dieu, comme naguère Catherine, pointe extrême de la contemplation de Dieu dans la nature, mais avec je ne sais quoi de fragile et de menacé introduit par un terme désignant le temps : « Ah ! Dieu de bonté ! quel moment ! [136] ». Moment ambigu, en vérité, plein et vide à la fois, hors d'atteinte du temps et pourtant déjà naufragé. Il est satisfaisant, en tout cas, qu'au moment de la plus grande tension dramatique corresponde la plus haute densité dans l'ordre de l'expression littéraire. C'est un privilège de poète, que Musset exerce ici incomparablement.

---

130. IV, 11, p. 431, l. 911-925.
131. *Genèse*, p. 55, l. 1549-1553.
132. *Genèse*, p. 139-140, l. 1255-1262.
133. « Respire, respire, cœur navré de joie ! » (IV, 11, p. 431, l. 912-913).
134. *Ibid.*, l. 918.
135. *Ibid.*, l. 920.
136. *Ibid.*, l. 925.

L'IMAGINATION SYMBOLIQUE

Ce privilège, Musset l'exerce en un autre domaine, où il fait merveille : celui des correspondances et des signes. En traitant, par certains côtés, son drame comme un monde clos, qui porte en lui-même sa propre raison d'être, Musset chargeait, on l'a vu et on le verra derechef mieux encore, l'action de la pièce non seulement d'émotion, mais de sens. Dans cet univers arrangé pour les besoins de l'intelligibilité et du jugement, la subtilité de certains rapports humains, les courants souterrains du psychisme profond, tout ce qui est, en bref, du domaine des choses tues risquait de passer inaperçu ou, ce qui eût été pire, de n'exister point, si le poète n'avait eu à sa disposition les ressources de l'imagination symbolique. En jouant en virtuose du phénomène de la résonance, en balisant son texte d'un dispositif, souvent subtil, toujours discret, d'échos intérieurs, de thèmes et de motifs récurrents, de correspondances dans les situations ou le langage, Musset suggère, en contrepoint des lignes majeures de l'action, le poids des causes secondes et nous restitue ainsi une image de la vie en sa complexité et sa profondeur. Le jeu des symboles préserve, en quelque sorte, la part de l'intuition et du cœur dans un drame chargé de pensée. A cet égard, l'imagination symbolique jouera dans *Lorenzaccio* le rôle d'une sensibilité de l'intelligence.

On a eu l'occasion au passage, à propos du symbolisme des fenêtres, de reconnaître une première fois ce jeu de correspondances et d'en apprécier le rôle. On s'est aperçu alors qu'il ne s'agissait pas seulement d'une fantaisie décorative ou encore d'une obsession morbide. Le sens de la pièce passe par ces symboles chargés tout ensemble d'affectivité et de valeur d'analyse. Pour les plus importants et les plus développés d'entre eux, on peut même parler d'un système cohérent de correspondances, d'une architecture de symboles. De ces schémas significatifs on ne retiendra ici que deux exemples, mais d'une importance et d'une qualité telles qu'on s'apercevra très vite qu'ils occupent dans l'action du drame une place capitale.

Le premier de ces schémas a pour thème la luxure ou, en un langage moins entaché de moralisme, l'expansion agressive de l'instinct sexuel, qui est en l'occurrence un aspect du bon plaisir despotique. C'est bien là, en effet, l'une des forces qui mettent le plus sûrement en mouvement la volonté du duc Alexandre et que Lorenzo saura, du reste, le moment venu, tourner à son profit. Pour la figurer symboliquement dans son drame, Musset fera coïncider, en une sorte de diagramme riche de sens, le déploiement de cette force vitale et la destinée même du duc. D'où les deux scènes traitées en écho, la première de l'acte I, la dernière de l'acte IV, et qui, toutes deux, comportent le même enjeu : débaucher une fille vierge tant par caprice de la sensualité que par goût de l'avilissement. On retrouve entre ces deux scènes, traitées, du point de vue de l'action dramatique, comme les deux pôles de l'existence du duc, toute une série d'échos qui les rapprochent et de contrastes qui, tout en les opposant, ne laissent pas de les mettre en parallèle. Le même froid intense [1], la même heure nocturne [2], le même clair de lune [3] indiquent nettement que, pour le duc, toutes les nuits se ressemblent, données à la débauche et à la volupté. Mais quelques modifications capitales font apparaître en même temps que, par l'action de Lorenzo, l'une d'elles sera la nuit du destin. C'est qu'en effet, dans le cas de Gabrielle, sœur de Maffio, Lorenzo était complice de l'agresseur ; dans le cas de Catherine, il est, au contraire le défenseur de la victime. Et l'on sait du reste que, pour Lorenzo, Catherine est plus une sœur qu'une tante [4] et qu'il mettra à défendre son honneur et sa vertu une persévérance et une énergie auprès desquelles l'indignation armée de Maffio n'est qu'un pâle simulacre. Au moment où le duc tombe dans le piège tendu par Lorenzo, Giomo n'est plus là pour protéger son maître contre l'arme du justicier ; et c'est le justicier lui-même qui a, à ses côtés, son propre garde du corps, Scoronconcolo, prêt à l'épauler en cas de surprise. Ainsi le duc, à la fin du quatrième acte, est-il dans une situation apparemment analogue à celle du début de la pièce, mais l'équilibre des forces en présence et partant la structure interne du schéma ont été entièrement renversés. En un sens, toute l'action de la pièce ne semble avoir été agencée que pour provoquer, au moment choisi, ce simple changement de signe et d'organisation dans un schéma dramatique.

On voit s'esquisser ici un aspect original de l'art de Musset : ce qu'il faut bien appeler, faute d'un mot meilleur, la dramaturgie symbolique. Manié par un poète, ce dispositif schématique, loin de dessécher les lignes et d'amaigrir les modelés, devient même le registre où se révèlent certaines subtilités des rapports affectifs entre les personnes que le grossissement théâtral n'a pas toujours la capacité d'exprimer. L'invention poétique prend alors le relais. Une secrète correspondance spirituelle s'établit entre l'âme de Catherine et celle de Lorenzo, dont il appartiendra au poète de nous faire entendre la musique silencieuse. On savait Catherine prête à une sorte d'indulgence amoureuse [5] pour Lorenzo ; de son côté Lorenzo n'est pas insensible à la pureté de Catherine, qui est, pour le débauché qu'il est devenu, un rappel et un remords. Entre Lorenzo et sa tante se glisse soudain cette connivence des âmes, qui

---

1. « Il fait un froid de tous les diables » (I, 1, p. 190, l. 9). « Je suis transi, il fait vraiment froid » (IV, 11, p. 429, l. 861).

2. « Il est minuit » (I, 1, p. 190, l. 13-14) ; « Il est minuit tout à l'heure » (IV, 10, p. 427, l. 838).

3. « Un jardin — Clair de lune » (I, 1, p. 190, l. 3) ; « la lune paraît » (IV, 9, p. 420, l. 710).

4. « Catherine n'a guère que vingt-deux ans » (I, 6, p. 242, n. a).

est une forme spiritualisée de l'amour, et qui s'exprimera, au plan poétique, par une nouvelle correspondance symbolique : à l'extase de Catherine dans la nature [6] répondra l'extase à la fenêtre, dans la nuit glacée de l'assassinat [7] ; l'harmonie des âmes s'y traduira par l'analogie des thèmes et la similitude des expressions. Ainsi se révèle à nous, par le pouvoir du langage, un mystérieux échange spirituel. Parce qu'il a aimé Catherine au point de vouloir la préserver des souillures du mal, non seulement Lorenzo espère en un hypothétique pardon de ses fautes passées [8], mais il reçoit en retour le meilleur de l'âme de Catherine, ce don de pureté, de lumière et de paix, qui lui laisse un court instant la sensation du bonheur.

Au reste, ce thème sensible de la femme médiatrice de grâce et dispensatrice de bonheur est une seconde fois modulé dans la pièce par l'invention d'un schéma complémentaire, qui dessine, du côté des Strozzi, un jeu de rapports humains analogues. Ainsi l'instinct sexuel de Julien Salviati jette son dévolu sur Louise avec la même impérieuse grossièreté que celui du duc sur Catherine ou sur la marquise. Deux expressions en écho manifestent sans équivoque la parenté de leur attitude à l'égard des femmes : « La jolie jambe, chère fille ! [9] » « Tu as une jolie jambe [10] ». Au demeurant, leur complicité dans la tentative de séduction de Louise ne fait pas de doute : « Sachez-le, Salviati voulait séduire votre fille, mais non pas pour lui seul. Alexandre a un pied dans le lit de cet homme ; il y exerce le droit du seigneur sur la prostitution [11] ». Que, d'autre part, Louise ait joué auprès de Philippe le même rôle consolateur et médiateur de grâce que Catherine auprès de Lorenzo, c'est ce dont on ne saurait douter à la lecture du beau texte que nous citions et commentions tout à l'heure. Les directions opposées prises par Philippe et Lorenzo à l'heure décisive forment entre elles une sorte d'équilibre né des contrastes, dont la signification n'est pas douteuse. Louise morte, tout ressort d'énergie est brisé chez Philippe qui n'envisage plus rien d'autre que de rendre à sa fille le pieux hommage qu'elle mérite et de partir pour Venise. C'est au contraire lorsque l'honneur et la pureté de Catherine sont vraiment en péril que Lorenzo sent sa détermination d'agir plus inflexible que jamais. La fuite désespérée comme la persévérance dans l'action ont pour origine commune une certaine lumière spirituelle que seule une femme peut donner.

Il n'est même pas interdit de voir dans l'aventure de la marquise Cibo comme une nouvelle variation sur le thème de la femme inspiratrice et gardienne de l'homme. Peut-être Musset a-t-il voulu

5. I, 6, p. 243, l. 1014-1020 ; p. 245, l. 1040-1041.
6. I, 6, p. 242, l. 996-1007.
7. IV, 11, p. 431, l. 911-925.
8. IV, 5, p. 408, l. 463-468.
9. I, 2, p. 209, l. 379.
10. III, 6, p. 368, l. 1086.
11. III, 3, p. 337, l. 463-466.

suggérer que la voie dangereuse et, en définitive, l'impasse empruntée par la marquise était en réalité le fruit d'une infidélité à sa vocation de femme. N'est-ce pas le duc qui le lui faisait remarquer ironiquement : « Pourquoi diable aussi te mêles-tu de politique ? Allons, allons, ton petit rôle de femme, et de vraie femme, te va si bien [12] ». N'est-ce pas en trahissant son mari qu'elle espérait amender le duc et veiller au salut de Florence ? En retournant au Marquis, en redevenant, fût-ce en tremblant, sa servante et sa compagne, elle retrouve sa vraie place dans la société, son rôle irremplaçable dans un couple, dont une scène entière nous avait, d'entrée de jeu, fait entendre l'harmonieuse unité [13]. Et peut-on raisonnablement créditer le hasard du rapprochement significatif au quatrième acte de trois scènes simultanées dans le temps et dont l'entrelacement concerté impose de lui-même son évidence ? Entre la marquise honteuse et vaincue, qui se rend à la justice de son mari [14], et Philippe désespéré par la mort de sa fille, qu'il vient d'ensevelir, et par l'abandon de son fils, qui vient de l'insulter [15], se glisse un Lorenzo en mouvement qui prend conscience de sa mission spirituelle et s'engage d'un pas plus résolu dans la direction où, de loin, une jeune femme rendue à sa vocation conjugale et maternelle semble lui faire signe : « Pauvre Catherine ! tu mourrais cependant comme Louise Strozzi ; ou tu te laisserais tomber comme tant d'autres dans l'éternel abîme, si je n'étais pas là (...). Eh bien ! j'ai commis bien des crimes et si ma vie est jamais dans la balance d'un juge quelconque, il y aura d'un côté une montagne de sanglots ; mais il y aura peut-être de l'autre une goutte de lait pur tombée du sein de Catherine, et qui aura nourri d'honnêtes enfants [16] ». Ainsi, des intrigues séparées au départ retrouvent, chemin faisant, par le jeu de correspondances symboliques, une sorte d'unité de ton, de forme et de sens, qui doit moins à l'habileté du dramaturge qu'à la sensibilité d'un poète à l'écoute des souffrances muettes et des appels silencieux.

Le second système de correspondance auquel on voudrait s'arrêter est d'une nature et d'une destination assez différentes. Par la récurrence de son grand motif central et la variété des figures où celui-ci est impliqué, ce second schéma tend à dessiner à l'esprit du lecteur la courbe du destin singulier de Lorenzo. C'est donc moins l'art du contrepoint qui est ici mis en valeur que celui des variations sur un thème donné, en l'occurrence le thème de la vengeance, dont le motif de l'épée est la figure expressive.

Entre l'épée vaine que Maffio tire de son fourreau pour défendre sa sœur [17] et celle que Lorenzo enfonce dans le cœur d'Alexandre de Médicis [18], que d'épées évoquées en paroles ou

12. III, 6, p. 371-372, l. 1154-1156.
13. I, 3, p. 211-215, l. 405-471.
14. IV, 4, p. 401, l. 369-375.
15. IV, 6, p. 413, l. 568-569.
16. IV, 5, p. 407, l. 451-453 et p. 408, l. 463-468.
17. I, 1, p. 194, l. 86.
18. V, 11, p. 430, l. 894-902.

tirées du fourreau, en esprit, sinon toujours en vérité, dans *Lorenzaccio* ! La grande épée qui traîne entre les jambes du petit Ascanio [19] ; Lorenzo, l'homme sans épée, mais dont l'esprit est, au dire de Sire Maurice, « une épée acérée, mais flexible [20] » ; l'épée nue, tirée devant le duc par Sire Maurice, au grand scandale de Valori [21] ; l'épée du page, devant laquelle Lorenzo s'évanouit [22] ; l'épée que saisit Pierre Strozzi blanc de rage et dont il frappera Julien Salviati [23] ; l'épée que manie Lorenzo faisant des armes avec son spadassin, celle que le spadassin lui présente, celle enfin dont il évoque, par anticipation, la destinée glorieuse [24] ; les épées des Pazzi ferraillant dans leur antichambre [25] ; l'épée du duc, dont la marquise rêve qu'elle pourrait servir à l'indépendance de Florence [26] ; l'épée nue que rêvent de porter à la main les Strozzi allant, tous ensemble, à la porte de toutes les grandes familles de Florence [27] ; l'épée flamboyante de l'archange, que Lorenzo craint de tirer au moment décisif [28] ; l'épée, enfin, du sacrifice ou celle de l'Histoire, dont l'éclair, selon Philippe, peut illuminer tout un siècle [29].

La pièce est constamment bruissante d'épées qu'on tient à la main ou qu'on brandit dans les discours, et, fait remarquable, il n'est pas de cas où l'épée ne soit le symbole de la juste vengeance. L'épée des Strozzi, celle de Maffio, celle de Lorenzo sont des épées de justice ; celle de Sire Maurice rêve de laver dans le sang une insulte de Lorenzo ; celle de Scoronconcolo est peut-être une « brave lame [30] », mais ce n'est pas elle qui servira au tyrannicide. Dans le camp du duc, on n'a pas le culte des armes nobles ; on préfère la lutte au corps à corps comme Giomo [31], ou le poison, ou la pendaison, quand ce n'est pas le coup de poing [32], la bastonnade [33], ou la morsure de la bête sauvage [34]. Le symbole du règne, ce n'est pas l'épée, mais la hallebarde, dont le vieil orfèvre reçoit précisément un coup dans la jambe en volant au secours de la liberté. L'épée n'est associée que deux fois à la personne du duc de Florence et ces deux exemples manifestent a contrario le symbolisme noble de l'épée. Car l'épée que le duc devrait tirer pour l'indépendance de Florence, c'est la Marquise qui l'imagine dans un accès de ferveur

19. I, 3, p. 211, l. 405-406.
20. I, 4, p. 228, l. 731.
21. *Ibid.*, p. 228, l. 735.
22. *Ibid.*, p. 230, l. 774.
23. *Ibid.*, I, p. 256, l. 104-105.
24. III, p. 317, l. 88 et l. 93-94.
25. III, 2, p. 321, l. 173-175.
26. III, 6, p. 367, l. 1059-1060.
27. III, 7, p. 376, l. 1241-1242.
28. IV, 3, p. 393, l. 182-183.
29. V, 2, p. 449, l. 339-340.
30. III, 1, p. 317, l. 88-89.
31. I, 1, p. 195, l. 96.
32. II, 6, p. 305, l. 1075-1079.
33. *Ibid.*, p. 304, l. 1064.
34. IV, 11, p. 430, l. 907.

patriotique. A cette épée, dont les « éclairs » feraient « mal aux yeux [35] », le duc semble plus prosaïquement préférer la « jolie jambe » de la Marquise. Quant à l'épée qui l'accompagne au rendez-vous fatal, c'est une épée au fourreau, entortillée dans le baudrier et glissée sous son chevet [36], autant dire un objet banal, inutile et dérisoire.

Dans le même ordre de signification, on pourra noter, en écho affaibli au grand motif de l'épée, une variation secondaire sur le thème de la vengeance, avec, pour motif, l'arme défensive, poignard ou stylet. On constatera, sans s'en étonner, que le poète réserve très logiquement l'usage de cette arme défensive aux faibles, humiliés ou offensés. Car, dans le contexte de subversion des valeurs où l'on se trouve, cette arme des assassins conquiert, pour ainsi dire, ses titres de noblesse, ainsi qu'en témoigne Philippe lui-même dans une belle antithèse oratoire : « Si le saint appareil des exécutions judiciaires devient la cuirasse des ruffians et des ivrognes, que la hache et le poignard, cette arme des assassins, protègent l'homme de bien [37] ». Ainsi voit-on jaillir tour à tour le stylet de Tebaldeo, qui tuerait le duc, si celui-ci l'attaquait [38], le petit couteau de Lucrèce, retourné contre elle-même [39] ou celui, plus agressif, de la « mariée » qui se venge de l'affront qu'on lui fait subir [40] ; ou encore le couteau planté dans le cœur du portrait du duc, collé sur les murailles des chaumières [41].

Et pour renforcer encore l'obsédant refrain de fer et de sang, pour accroître l'horreur d'une mort injuste et rendre plus éclatante la leçon de scepticisme politique, Musset invente, en virtuose, un sordide détail qui, reprenant et associant le motif de l'épée et celui du poignard, les fait grincer et grimacer à plaisir, comme Berlioz le *Dies irae* à la fin de sa *Symphonie fantastique* : « Le pauvre homme portait une espèce de couteau long comme une broche [42] ». Ainsi le despotisme avilit-il tout ce qu'il touche ; d'un père de famille il fait un assassin et l'arme de justice sort de la cuisine ou de l'étal du boucher. Attaqué par derrière et par surprise peut-être avec cette arme ignoble, Lorenzo sera taillé en morceaux [43] et poussé dans la lagune ; il n'aura même pas la consolation d'une sépulture terrestre. Si l'on se souvient que Philippe, « vieux jardinier de Florence [44] », soigne avec amour le tombeau de Louise, si Alexandre a droit, lui aussi, à un tombeau, quand bien même, selon la prédiction de la Marquise, « un misérable jardinier, payé à la journée, [viendrait]

35. III, 6, p. 367, l. 1061.
36. IV, 11, p. 428-429, l. 865-869.
37. III, 3, p. 331, l. 344-347.
38. II, 2, p. 268, l. 312-313.
39. II, 4, p. 281, l. 595.
40. IV, 9, p. 424, l. 777.
41. III, 6, p. 371, l. 1140.
42. V, 6, p. 467, l. 674-676.
43. C'était du moins l'idée première de Musset, ainsi qu'en témoigne une leçon biffée du manuscrit (voir V, 6, p. 468, n.c. 705-706).
44. III, 2, p. 326, l. 251.

arroser à contre-cœur quelques chétives marguerites[45] » autour de cette sépulture, on mesure, une fois encore par le jeu des échos, l'atrocité du sort réservé par Musset à son héros : « Eh quoi ! pas même un tombeau ?[46] ». Déréliction absolue, dont un poète, par le poids du langage, donne ici la sensation presque physique.

L'épée ne borne, du reste, pas là seulement son emploi. Musset est trop habile dramaturge pour ne pas disposer pleinement du pouvoir expressif de ce motif et de sa récurrence dans l'action. D'où une série de scènes en écho, qui, organisées autour du motif symbolique de l'épée, rythment la marche de Lorenzo vers son destin de Brutus moderne. C'est, d'abord, l'évanouissement devant une épée nue, phénomène singulièrement ambigu du point de vue psychologique, mais d'une entière limpidité dramatique. L'humiliation forcée est si grande pour Lorenzo qu'elle appelle impérieusement la revanche ; pour le duc, l'avilissement de son cousin est si complet qu'en dépit des remarques sceptiques du cardinal Cibo[47], sa méfiance est définitivement endormie.

A cette humiliation répond un premier redressement. Redressement, au sens physique du terme, puisque le poète l'exprime en un jeu de scène symbolique. Mollement couché sur un sofa[48], dans une attitude familière au voluptueux qu'il est devenu, Lorenzo, sensible à l'appel du héros incarné par Pierre Strozzi couvert du sang de Salviati, se lève soudain[49], étrangement exalté. L'homme étendu devant l'épée n'est plus ; c'est à un homme debout que nous avons affaire. Quant à l'homme sans épée, nous le retrouverons, quelques scènes plus loin, dans l'attitude de l'homme combattant. Nouvelle métamorphose. S'il s'évanouit une fois encore, ce n'est plus de peur devant une épée, c'est d'épuisement, l'épée à la main, d'avoir combattu avec trop d'ardeur. L'homme et l'épée ont signé leur réconciliation : « Ah ! garçon, c'est une brave lame[50] ».

Dès lors, l'épée s'anoblit à son contact ; elle devient l'instrument d'un sacrifice. Le langage, pour la désigner, se fait spontanément religieux : « Celle qui le tuera n'aura ici bas qu'un baptême[51] ». Elle ne cessera point, en tout cas, jusqu'à l'assassinat, d'être magnifiée par le langage. Tour à tour signe de victoire[52], instrument du mépris[53], expression du destin[54], elle s'élève jusqu'au mythe et s'éclaire parfois des feux de l'Ange exterminateur[55].

---

45. III, 6, p. 367-368, l. 1072-1074.
46. V, 6, p. 469, l. 708-709.
47. I, 4, p. 231, l. 790 et 797.
48. II, 5, p. 294, l. 865.
49. *Ibid.*, p. 301, l. 1006.
50. III, 1, p. 317, l. 88-89.
51. III, 1, p. 318, l. 95.
52. « Je voulais ...porter mon épée sanglante sur la tribune » (III, 3, p. 344, l. 609-611).
53. « L'humanité gardera sur sa joue le soufflet de mon épée » (III, 3, p. 359, l. 893-894).
54. « Ma vie entière est au bout de ma dague » (III, 3, p. 359, l. 896-897).
55. IV, 3, p. 393, l. 182-183.

A mesure que l'heure approche, toutefois, l'épée se fait plus rare dans la bouche de Lorenzo, comme s'il évitait d'en parler. Seul lui importe, dans le grand monologue au clair de lune, l'épée du duc, qu'il faudra justement rendre inoffensive. Il suppute déjà sa position : sur le canapé, comme la cotte de mailles [56], comme Lorenzo lui-même, quand il ne se sentait encore que Lorenzaccio [57], c'est-à-dire amorphe et désarmé. Unique évocation de l'arme du sacrifice : le « petit couteau » de la mariée [58], rappel du petit couteau de Lucrèce, qu'« elle s'est fourrée bien gentiment (...) dans le ventre [59] ». Mais si la mariée a la beauté et la grâce toute féminine de Catherine, elle a aussi la virilité agressive de Lorenzo. Car voici venu précisément le jour de ses noces, annoncé naguère à Tebaldeo ; entendez : le jour de la réconciliation avec soi-même et de l'accomplissement de son destin devant Dieu. La « bague sanglante, inestimable diamant [60] » que la morsure du duc lui passe au doigt, symbolisera, de son sceau ineffaçable, les noces mystiques de soi-même à la terre et de la terre aux cieux, enfin consommées.

Quant à l'assassinat, il aura la brièveté et la perfection des mises à mort sans défaut. Rien de la boucherie héroïque racontée par Varchi [61] et fidèlement reproduite par George Sand [62]. Le spadassin, chez Musset, n'aura pas à intervenir. Il se contentera de la surprise, comme Maffio, quand il découvrira l'identité de l'ennemi [63]. Ainsi, d'instinct, le poète s'est laissé guider jusqu'au bout par la cohérence et la valeur propre des symboles. On ne traite pas en combat de bretteurs le corps à corps de la justice avec la tyrannie.

Ce corps à corps aura, du reste, été préparé, non sans ironie, par une scène d'avertissement, qui rappelle, par sa structure et son contenu, la scène de l'épée. Tour à tour, dans les deux scènes, traitées en écho, Sire Maurice et le cardinal essayeront de dresser le duc contre Lorenzo ; dans les deux cas, mais en ordre inverse, les propos de l'un renchériront sur ceux de l'autre. Mais la scène 10 du quatrième acte nous offre un duc, à la lettre, beaucoup plus désarmé. Le vol de la cotte de mailles en est le signe. En tout cas, la force agressive du duc, naguère tolérant qu'on dégaine l'épée en sa présence et qu'on joue au jeu des armes, est ici singulièrement démobilisée. On ne croise plus le fer, on trinque ensemble [64], signe des temps et du destin. Saisie entre ces deux pôles correspondants, la progression du drame apparaît mieux. Le pas se fait à la fois plus lourd et plus pressant. Dans ce fait divers historique passe soudain comme un écho des grands aveuglements de la tragédie.

---

56. II, 6, p. 306, l. 1068.
57. II, 5, p. 294, l. 865.
58. IV, 9, p. 424, l. 777.
59. II, 4, p. 281, l. 594-595.
60. IV, 11, p. 430, l. 908.
61. *Genèse*, p. 53-55, l. 1498-1553.
62. *Genèse*, p. 135-139, l. 1170-1241.
63. « C'est Alexandre de Médicis » (I, 1, p. 196, l. 120) ; « Ah ! mon Dieu ! c'est le duc de Florence » (IV, 11, p. 431, l. 910).
64. IV, 10, p. 427, l. 833.

On vient de voir, en détail, le développement de quelques systèmes complexes de symboles. Mais on se doute bien que ces analyses sont loin d'épuiser le sujet. Car le texte de *Lorenzaccio* est rempli de symboles dispersés, d'échos discrets à peine indiqués, qui complètent, par effet cumulatif, le balisage de l'action en signes poétiques du destin. Effets de style, sans doute, mais qui, dans un théâtre du langage, viennent épauler le mouvement dramatique et renforcer sa valeur expressive. On en donnera, pour finir, quelques échantillons variés.

Voici, par exemple, quelques images motrices, qui notent un développement psychologique ou signalent un progrès de l'action. J'ai relevé plus haut le geste de Lorenzo se levant devant Pierre et lui adressant la parole en termes étrangement allégoriques. Quelle force prennent ce geste et ces paroles, quand on apprend un peu plus loin qu'une nuit — déjà ! — que Lorenzo était assis « dans les ruines du Colisée antique [65] », il s'est *levé*, a tendu les bras vers le ciel, jurant « qu'un des tyrans de sa patrie mourrait de sa main [66] ». Ainsi peut-on être assuré que, dès l'instant du fameux dîner pris chez les Strozzi, Lorenzo a renoué, au tréfonds de lui-même, avec son être d'autrefois et que sa vengeance est en marche. La correspondance des deux attitudes en répond. Autre exemple : un propos, banalement sentimental, de la marquise sur les fleurs qui s'ouvrent au printemps [67] éclate soudain d'un prophétisme fulgurant quand, penché à la fenêtre de sa chambre après le meurtre, Lorenzo voit s'entr'ouvrir « les fleurs des prairies [68] » en un printemps mystique de la Liberté. Et, toujours à propos de fleurs, n'y a-t-il pas écho entre deux chambres ornées de fleurs pour accueillir, toutes deux, la présence luxurieuse du duc [69] ? Mais chez Lorenzo les fleurs sur la table et au pied du lit [70] sont le signe non de la volupté, mais du sang et de la mort.

Maffio, dans un accès d'éloquence indignée, menace ses agresseurs de les faire pendre « tous les deux » et clame à tous les échos que Florence est « une forêt pleine d'empoisonneurs [71] » et l'on entend, un peu plus tard, le duc menacer de faire pendre Pierre et Thomas Strozzi. L'on assiste à l'empoisonnement de Louise [72], tandis que l'on sait, par Lorenzo lui-même, que « pas une goutte de poison ne tombe dans son chocolat [73] ». Peut-on montrer plus nettement de quel côté sont l'arbitraire, l'injustice et le crime ? Et ce Christ que Scoronconcolo se déclare prêt à remettre en croix pour obéir à son maître [74], est-ce par hasard qu'il apparaît

---

65. III, 3, p. 342, 1. 561-562.
66. *Ibid.*, I, 563-565.
67. « La première fleur de notre belle pelouse m'est toujours chère » (I, 3, p. 214, 1. 455-456).
68. IV, 11, p. 431, 1. 918-919.
69. III, 5, p. 363, 1. 976 sq ; IV, 5, p. 404-405, 1. 409-410.
70. IV, 5, p. 403, 1. 390-391.
71. I, 1, p. 195, 1. 102 et 1. 109-110.
72. III, 7, p. 379, 1. 1310.
73. III, 3, p. 349, 1. 713, 714.
74. III, 1, p. 318, 1. 102.

brusquement, à une heure où on ne l'attendait guère, sous le portique d'une église, quelques instants avant le rendez-vous fatal [75] ? Ce sont des marbriers qui le remettent en croix. Image insolite, prémonition ambiguë d'un autre sacrifice sanglant, qui se prépare, et d'une lâcheté congénitale des hommes, qui le rendra inutile.

Quelquefois, les propos en écho sont teintés d'humour ou d'ironie. Ainsi plusieurs allusions à la langue latine [76] donnent à un propos leste du duc Alexandre une orchestration savoureuse : « Bon ! elle [Catherine] ne fait pas l'amour en latin [77] ». Et que dire des renversements de situations, parfois lourds de conséquences ? Au premier acte, scène 2, nous avons vu Lorenzo, du haut d'une fenêtre, bombarder Corsini d'une bouteille cassée qui lui tombe sur l'épaule et blesse son cheval [78]. Corsini a la rancune tenace, puisqu'il fait à Lorenzo reproche de l'incident à la scène 7 du quatrième acte [79]. Et quelle ironie du sort ! Corsini a, cette fois, la position avantageuse ; l'insulte tombe du haut de la terrasse sur Lorenzo, comme naguère la bouteille cassée de la fenêtre du palais. L'insulte est la même [80], mais l'enjeu a changé : ce n'est pas un cheval, c'est la liberté qu'elle blesse à mort. « Pauvre Florence ! pauvre Florence ! » pourra conclure Lorenzo, sans rien exagérer.

Et que d'effets plaisants, au bord du comique, produits par l'inversion dans l'ordre de certaines répliques ! « Depuis que nous trépignons dans cette chambre, et que nous y mettons tout à l'envers, ils [les voisins] doivent être bien accoutumés à notre tapage [81] », déclare péremptoirement Scoronconcolo à Lorenzo, qui lui répond, sceptique : « Tu crois ? [82] » Mais quand la répétition générale fait place à la réalité sanglante, la peur et le sang-froid changent respectivement de camp : « *Scoronconcolo* : Pourvu que les voisins n'aient rien entendu ! *Lorenzo* : Ne te souviens-tu pas qu'ils sont habitués à notre tapage ? [83] » Même schéma inversé, d'un comique assez amer, dans deux conversations en écho où Philippe est pris en flagrant délit de contradiction. A Florence, conversant avec son fils Pierre, Philippe joue, à son habitude, les modérateurs : « Vous parlez de tout cela en faisant des armes et en buvant un verre de vin d'Espagne, comme s'il s'agissait d'un cheval ou d'une mascarade ! [84] » et un peu plus loin, derechef : « Qu'ont donc fait

---

75. IV, 9, p. 423, 1. 768-770.

76. « Une harangue en latin » (I, 4, p. 224, 1. 697) ; « on t'excommunie en latin » (I, 4, p. 226, 1. 698-699) ; « une insulte de prêtre doit se faire en latin » (I, 4, p. 226, 1. 709) ; « elle parle latin » (II, 4, p. 291, 1. 820) ; « faute d'un traducteur de latin » (IV, 6, p. 413, 1. 564-565).

77. II, 4, p. 291, 1. 822.

78. I, 2, p. 208-209, 1. 359-369.

79. IV, 7, p. 416, 1. 619-630.

80. « Le diable soit de toi », (I, 2, p. 209, 1. 368) ; « que le diable te confonde » (IV, 7, p. 416, 1. 627).

81. III, 1, p. 316, 1. 58-60.

82. *Ibid.*, 1. 69.

83. IV, 11, p. 432, 1. 933-937.

84. III, 2, p. 321-322, 1. 173-176).

à Dieu ces Pazzi ? ils invitent leurs amis à venir conspirer, comme on invite à jouer aux dés... [85] ». A Venise, par contre, Philippe semble mettre toute sa confiance dans l'ardeur des Pazzi et les encourager par la pensée : « Et tu crois que les Pazzi ne font rien ? qu'en sais-tu ? [86] » Par un effet comique, qui n'est sans doute pas involontaire, Lorenzo retourne à Philippe, presque mot pour mot, sans l'avoir entendu, le propos que naguère celui-ci tenait à son fils : « Je crois que les Pazzi font quelque chose ; je crois qu'ils font des armes dans leur antichambre, en buvant du vin du Midi de temps à autre, quand ils ont le gosier sec [87] ». Que le vertueux Philippe Strozzi puisse être pris dans les rets d'un procédé de comédie laisse un peu rêveur quant aux sentiments que Musset nourrit à l'endroit de son personnage. Le moins qu'on puisse dire est qu'ils apparaissent ici singulièrement ambigus.

Musset poussera même la subtilité jusqu'à suggérer schématiquement une catastrophe politique par un jeu d'écho entre deux propos sans importance du langage de tous les jours : « Allons dîner [88] », dit Pierre Strozzi, impatient de passer à l'action ; « allons souper [89] » dira, toute négociation rompue avec le même Pierre Strozzi, le délégué des bannis à son camarade, en signe de fatigue, d'écœurement et d'abandon. Sans doute faut-il se garder parfois d'entendre dans de simples formules de conclusion, comme Philaminte dans le « quoi qu'on die » de Trissotin, « beaucoup plus qu'il ne semble ». Du moins, s'agissant d'un théâtre de lecture, où le dialogue est l'action même, n'est-il pas interdit de penser qu'il n'est pas un mot qui ne porte, ainsi que Péguy le dit du dialogue racinien, en l'occurrence qui ne porte un coup, d'abord au despotisme, ensuite à la liberté.

85. *Ibid.*, p. 323, l. 199-200.
86. V, 2, p. 447, l. 297-298.
87. *Ibid.*, p. 448, l. 301-304.
88. II, 1, p. 256, l. 107.
89. IV, 8, p. 419, l. 688.

CHAPITRE III

SPECTACLE ET SIGNIFICATION

Lorenzaccio est un peu comme ces grands monuments médiévaux, qu'on a intérêt à découvrir d'abord par approches latérales, sous des angles d'observation imprévus, révélateurs des beautés de détail, et qu'il faut aborder ensuite de front et d'ensemble, afin d'en concevoir les proportions et d'en apprécier l'équilibre. Dans cet ordre de comparaison, la pièce de Musset a l'architecture loyale de ces églises romanes d'Auvergne ou du Poitou, dont le plan et la structure interne sont, pour ainsi dire, entièrement lisibles de l'extérieur, principalement du chevet, qui révèle dans sa splendeur l'harmonie des formes, leur agencement à la fois heureux et rationnel, poétique et géométrique tout ensemble. C'est dire qu'appartenant aux arts de littérature, qui ont le langage pour moyen principal d'expression, le drame de Musset délivre non seulement sa beauté sensible, mais son contenu de sentiments et d'idées dans sa forme même. Structure significative, avons-nous dit, ici ou là. C'est bien de cela qu'il s'agit, en effet, et qu'il convient d'examiner à présent.

Attirant à lui une matière historique inerte et rencontrée, en quelque sorte, par hasard, Musset la fait sienne, la taille à sa mesure ou plutôt se hausse à sa taille, la changeant en sa propre substance. Ce grand drame historique, auquel des œuvres de souffle court comme *les Caprices de Marianne* ou *Fantasio* le préparaient médiocrement, non seulement il l'assume dans toutes ses dimensions, mais il le fait servir étroitement à l'exploration décisive de son propre univers. Les difficultés du contact de l'individu avec la société, les vicissitudes de l'intégration du moi au monde extérieur, qui constituent, comme je l'ai montré ailleurs [1], les directions fondamentales de sa recherche intérieure, y trouvent aisément leur place, y sont même approfondies et orchestrées avec une ampleur incomparable. En ce sens-là, surtout, *Lorenzaccio* est au centre

---

1. Voir « le Masque, le double et la personne dans quelques comédies et proverbes », *R.S.H.*, oct.-déc. 1962, p. 551-571.

de l'œuvre entière de Musset. C'est dans cette pièce, que l'analyse poétique de la condition humaine est conduite avec le maximum de puissance et d'ambition.

Ainsi le cadre historique que lui imposait son sujet, c'est à l'eau-forte qu'il le traite : ombre et lumière, traits épais tout en vigueur et en contrastes. La société, ce ne sont pas deux ou trois fantoches qui la représentent, mais l'appareil d'un Etat organisé, un duc, une cour, un entourage, un personnel d'exécution. Son pouvoir de contagion, de corruption, d'oppression, un régime despotique l'incarne et le révèle dans toute sa force et toutes ses ruses. Ce n'est plus seulement le lien fragile du sentiment qui relie l'individu et simultanément l'oppose à la société, mais le lien vigoureux de l'action politique. Aussi bien l'ambition sera-t-elle plus haute et l'enjeu plus grave. Ce n'est pas un bonheur individuel qui meurt avec Lorenzo, mais le bonheur et la liberté d'un peuple. A l'inverse, tenter de mordre sur le monde extérieur par l'action, exercer son pouvoir sur la société entière, avec toutes les exaltations, mais aussi tous les risques personnels que cela comporte, n'est-ce pas une manière d'être au monde plus intense et plus exemplaire ? Car plus dure sera la chute et plus éclatante la leçon.

Ainsi Musset semble avoir saisi l'occasion qui s'offrait de renforcer les termes d'un débat examiné jusqu'ici non sans quelque fantaisie ou du moins dans la fraîche lumière d'aurore des contes, fussent-ils (*les Caprices de Marianne*), d'amour et de mort. Ici, la lumière est crépusculaire, la société porte le masque noir du tyran, l'individu le masque de lèpre et de boue de la vertu compromise et du service inutile. Encore fallait-il que ces deux figures du drame, le portrait d'une tyrannie, l'histoire d'une ambition, ou, si l'on préfère, ces deux forces en présence et au corps à corps fussent liées de telle manière que du sort de l'une dépendît rigoureusement le sort de l'autre. Problème délicat de composition littéraire, assez analogue, en somme, à celui qui se posa à Flaubert écrivant *l'Education sentimentale* et dont on se rappelle les ahans : « j'ai bien du mal à emboîter mes personnages dans les événements politiques de 48. J'ai peur que les fonds ne dévorent les premiers plans ; c'est là le défaut du genre historique [2] ». Pareillement, pour Musset, ne pas laisser le tableau de la société florentine en 1537 dévorer Lorenzo ou, à l'inverse, Lorenzo évoluer devant une toile de fond évoquant Florence en 1537, tel était le problème majeur posé par la construction du drame. L'examen de la structure d'ensemble de *Lorenzaccio* montrera, à l'évidence, avec quelle maîtrise le dramaturge s'est tiré de la difficulté.

2. Lettre à Jules Duplan, 14 mars 1868.

PLURALITÉ D'INTRIGUES, UNITÉ D'ACTION

Car d'emblée, Musset jouait la difficulté. Mener de front trois intrigues sans compromettre l'unité d'action relevait du tour de force. Toute l'élégance de la solution consistait non seulement à les mettre en compétition, mais à conférer à chacune d'entre elles sa nécessité propre. A cette fin, le dramaturge ne leur a donné ni la même importance, ni la même figure scénique, ni la même signification. Loin de pâtir de leur entrecroisement continuel, l'action dramatique de *Lorenzaccio* ne pouvait dès lors qu'y gagner en intérêt et en suspens et l'éclat du naufrage final s'augmenter de leurs feux conjugués.

L'entrecroisement de ces trois intrigues de longueur inégale pose tout d'abord un problème d'interprétation. S'agit-il bien, comme l'a prétendu M. Gastinel, de « l'adjonction à l'intrigue centrale d'intrigues annexes [3] » ? Ou encore, eu égard au petit nombre de scènes consacrées à l'intrigue Cibo [4], de deux intrigues concurrentes, d'étendue assez voisine [5], auquel on aurait adjoint quelques scènes d'inspiration mélodramatique ? En fait, on a tort de poser le problème en termes de volume et d'étendue. Ce qui compte, en l'occurrence, c'est moins leur degré de développement respectif que leur disposition dans l'espace théâtral. Aucune de ces trois intrigues n'est exactement sur le même plan. Le spectacle qu'elles offrent est un spectacle en perspective ou, si l'on préfère, en profondeur. Cela procède à la fois d'une technique de peintre soucieux de donner au spectateur le sentiment du relief de l'espace, et d'un scrupule d'historien enclin à respecter la complexité d'une conjoncture donnée.

Au premier plan, Musset dresse le héros de l'aventure, celui qui donne son nom au drame et agit seul, sans allié ni complice. D'où le spectacle longuement modulé du « corps à corps avec la tyrannie vivante », en présence de quelques témoins plus ou moins lucides, plus ou moins passifs. D'un côté, le duc, son écuyer et quelques membres de son entourage, de l'autre, Lorenzo, son spadassin et quelques membres de sa famille. Au second plan, légèrement en retrait, le clan Strozzi, entr'aperçu, dès le premier acte [6], mais qui

---

3. *Le Romantisme d'A. de Musset*, p. 442.

4. Six au moins, huit au plus, si l'on attribue à l'intrigue Cibo, comme il est raisonnable de le faire, les deux scènes du cinquième acte (sc. 1 et sc. 7), où l'action du cardinal est primordiale.

5. Selon les manières de compter, également justifiables, on obtient : pour l'intrigue principale, que nous appelons l'intrigue Lorenzo, 15 scènes au moins, 18 scènes au plus, si on lui attribue la scène 3 de l'acte III et les scènes 2 et 6 de l'acte V ; pour l'intrigue Strozzi, 12 scènes au moins, 15 scènes au plus, si on lui attribue les 3 scènes précitées, dans lesquelles Philippe Strozzi et Lorenzo occupent une part égale.

6. Cf. I, 2, p. 201, l. 225-231 ; p. 209-210, l. 375-397 ; I, 4, p. 225, l. 682 ; I, 5, p. 238, l. 913-922 ; p. 240, l. 961 ; I, 6, p. 248, l. 1101-1103 ; p. 250, l. 1147-1149.

n'est vraiment engagé dans l'action qu'à partir du deuxième acte et hors du jeu politique avant la fin du quatrième. Au troisième plan, les Cibo, réduits, semble-t-il, à la portion congrue, mais dont l'intrigue est en réalité moins ténue que d'apparence, puisqu'elle se prolonge au cinquième acte par l'action souterraine du cardinal Cibo, conduit par le développement des circonstances à changer non de dessein, mais de stratégie et de tactique. Tout bien pesé, l'action du cardinal Cibo a sans doute plus d'importance proprement politique et certainement plus d'efficacité que celle de Lorenzo, mais ce n'est pas sur lui que s'est posée l'intensité du regard de Musset. Et, par un artifice apparenté à celui de la perspective esthétique, qui n'est, après tout, qu'une représentation conventionnelle de la réalité de l'espace, le dramaturge s'est ingénié à situer ses personnages par rapport à ce regard, qui devient ainsi le nôtre, à créer l'illusion de plans éloignés et de plans rapprochés, comme pour donner au lecteur le sentiment de l'épaisseur sociale, des existences simultanées, des événements concomitants, tout en respectant son mode familier de perception du réel à partir d'un point d'observation donné.

Cette illusion de vie foisonnante, de réalité collective vécue à tous les instants, Musset l'obtient, du reste, par d'autres moyens complémentaires, à commencer par le plus simple : la prolifération des personnages. D'entrée de jeu, la ronde des noms sans visages, mais non sans silhouettes commence : le prince Aldobrandini et le comte Salviati [7], Nicolo Nasi, sa fille, « une belle gaillarde [8] », et son gendre, Guillaume Martelli, « bel homme et riche [9] », Benvenuto Cellini, « ce grand gaillard » qui gesticule [10], une vieille entremetteuse « qui a laissé trois de ses dents [11] » sous le poing de Maffio, le « vieux Galeazzo », compagnon d'infortune du « petit Maffio [12] », d'autres encore. A l'inverse, Musset multiplie les personnages anonymes, qui passent sous nos yeux, lâchent leur réplique et disparaissent sans retour : écoliers, bourgeois, masques, soldats, pages, dames de la Cour et femmes du peuple, officiers et cavaliers, bannis enfin, parmi lesquels on est presque surpris de reconnaître la silhouette déjà vue de Maffio. Jusqu'à la fin de la pièce, la scène se remplira de personnages épisodiques, que le dramaturge jette dans la vie avec la profusion jamais lasse d'un démiurge prodigue. Ainsi, les Huit, que Philippe n'évoque qu'avec des tremblements dans la voix [13], il faudra que nous les connaissions, en chair et en os, dans la première scène du cinquième acte ; pas un ne manque à l'appel [14], et le contraste entre la peur qu'ils éprouvent et celle

7. I, 2, p. 198, l. 165-166.
8. *Ibid.*, p. 198, l. 178.
9. *Ibid.*, p. 205, l. 289.
10. I, 5, p. 234, l. 839.
11. I, 6, p. 250, l. 1142.
12. II, 1, p. 252, l. 5 et 6.
13. III, 3, p. 336, l. 441-442.
14. V, 1, p. 437-443, l. 88-215, et *Genèse*, p. 62 passim.

qu'ils inspirent est même la source d'un effet comique des plus divertissants. Nul doute que ce foisonnement de visages sans cesse nouveaux ne vienne renforcer l'illusion d'un espace réel, d'une société vivante, dont il nous est donné une perception quasi tactile.

Cette disposition des intrigues selon les lois de la perspective une fois obtenue, Musset s'attache à les différencier de telle sorte que chacune d'elles présente une figure particulière des rapports humains. C'est ainsi qu'à la solitude de Lorenzo, méprisé de la plupart, incompris de ses proches, aimé seulement de son pire adversaire, s'oppose, par contraste, une famille unie et entièrement solidaire, les Strozzi. Par l'ingénieux dispositif dramatique des réactions en chaîne, — de Louise à Léon, de Léon à Philippe, de Philippe à Pierre, l'insulte faite à la famille chemine de bouche à oreille, — par le choc en retour que provoque la mort de Louise sur les dispositions du chef de famille, Musset nous propose l'image d'une entière solidarité sociale dans l'honneur comme dans le malheur.

A ce lien organique qui rapproche les hommes les uns des autres et institue la communauté des personnes s'oppose, en un nouveau contraste, une figure toute différente des rapports humains, telle que nous l'offre l'intrigue Cibo : l'exploitation du faible par le fort, l'oppression exercée jusqu'au chantage sur la liberté d'autrui. Au dispositif en extension succède le dispositif en profondeur. Le cardinal, derrière sa belle-sœur, cherche à la soumettre docilement à sa volonté : « Quels cercles décrit donc autour de moi ce vautour à tête chauve, pour que je le trouve sans cesse derrière moi quand je me retourne ? [15] ». Mais quelques propos du cardinal suggèrent comme un second degré de profondeur et donc de dépendance, la présence lointaine, occulte, mystérieuse d'un Pape, dont Cibo exécute les ordres : « Oui, je suivrai tes ordres, Farnèse [16] ». On obtient, dessinée dans l'espace imaginaire du théâtre, une intrigue tout en éloignement et en lignes de fuite : derrière le duc, la marquise Cibo qui cherche à l'influencer par le rayonnement de son amour et de sa parole ; derrière la marquise, le cardinal qui cherche à son tour à plier le duc à sa volonté en tenant la marquise sous son influence et à sa merci ; et derrière Cibo la toute-puissance occulte de Rome et de César, qui trouve en Cibo son serviteur docile. Ainsi se crée l'effet de profondeur, que multiplie, en l'orchestrant, la puissance du langage, car Cibo a le don de déguiser son ambition politique et sa volonté de puissance sous un feu roulant de formules sibyllines, de confidences voilées, de menaces, de secrets épouvantables « que Dieu lui-même ne saura jamais [17] ». Il est vrai que le langage a lui aussi ses conventions, il peut créer l'illusion du mystère comme la perspective crée l'illusion du relief.

15. III, 5, p. 363-364, 1. 992-995.
16. II, 3, p. 269, 1. 344.
17. IV, 4, p. 398, 1. 301.

En mettant en place cet univers en perspective, Musset tendait-il, comme on l'a prétendu, à respecter « l'optique de la vie courante », étant entendu que « ce qui frappe le grand public, c'est l'événement spectaculaire ou pittoresque beaucoup plus que les machinations discrètes, fussent-elles cent fois plus lourdes de conséquences [18] » ? L'explication est plus ingénieuse que vraisemblable. Bien d'autres raisons, de clarté ou de commodité, pouvaient pousser le dramaturge à donner à ses intrigues des profils inégaux. Le simple réalisme psychologique l'amenait naturellement à donner au cardinal Cibo la place qui est la sienne. Homme des coulisses, des alcôves, des chemins tortueux, des entrées silencieuses et des sorties feutrées, sa place était à l'arrière-plan, « dans l'éloignement », comme aime à dire le dramaturge. Dans l'espace intermédiaire, les Strozzi sont également bien à leur place : Philippe, le chef de la dynastie, est trop homme de cabinet pour briguer les premiers rangs et trop honnête homme pour se complaire aux arrière-plans ; un pas en avant, et voici Philippe en dialogue avec Lorenzo, l'homme du combat à l'avant-scène ; un pas en arrière, et c'est Pierre, conspirant en secret chez les Pazzi, faisant des armes dans leur antichambre en buvant du vin d'Espagne. En parfait homme de théâtre, Musset n'ignore pas que la psychologie des personnages d'un drame s'inscrit, elle aussi, dans l'espace.

Mais ce qui compte avant tout, c'est la signification de ce faisceau d'intrigues différemment agencées et mises en compétition les unes avec les autres. En ce domaine, les raisons de fond l'emportent sans discussion. Dans un drame où l'action humaine est mise en question, il était naturel et tout simplement nécessaire que fussent représentées diverses formes d'action politique. La raison majeure des trois intrigues de *Lorenzaccio* ne doit pas être cherchée ailleurs. Le portrait de l'action, pour qu'il respectât la complexité du réel, exigeait en effet ces trois intrigues en leur diversité même. Mais l'examen critique de l'action exigeait à son tour qu'elles fussent organisées entre elles de telle manière que le procès en fût éclatant et sans appel.

A s'en tenir, par exemple, aux trois « oppositions » mises en scène dans la pièce, on s'aperçoit sans peine qu'elles offrent un éventail nuancé d'attitudes politiques et de formes d'action différentes. La marquise Cibo rêve de modifier, de l'intérieur, l'esprit et l'orientation du pouvoir, dans un sens à la fois nationaliste, libéral et paternaliste, pour parler le langage politique d'aujourd'hui, mais sans en modifier la structure. C'est qu'elle croit plus aux hommes qu'aux institutions et qu'elle pense que l'amour d'une femme peut changer les cœurs les plus endurcis. Cette charte réformiste est exposée au duc, acte III, scène 6 [19], par Ricciarda Cibo elle-même, mais dans son boudoir, qui est un lieu mal fait pour la philosophie politique. Comme on pouvait s'y attendre, le duc se montre un élève assez indocile.

---

18. Hassan el Nouty, « l'Esthétique de Lorenzaccio », *R.S.H.*, oct.-déc. 1962, p. 593.
19. P. 365-367, l. 1020-1068.

Philippe Strozzi, de son côté, veut substituer un régime à un autre, rétablir la république sur les ruines de la tyrannie, mais il répugne aux moyens adéquats : ni sang versé, ni rébellion contre la patrie, ni appui de l'étranger. Quelles excuses n'invoquera-t-il pas devant sa famille réunie quand il sera enfin décidé à prendre les armes [20] ! La mort de Louise remettra aussitôt tout en question. Il quittera la place et partira pour Venise. Tel est ce partisan d'une révolution politique, mais d'une révolution dans la loi. Chimérique « vieux jardinier de Florence [21] », comme l'appelle son fils Pierre, qui rêve d'une liberté mûre pour être cueillie comme un beau fruit analogue à ses songes, mais qui ignore ou ne veut pas savoir que « les champs de bataille font pousser les moissons [22] ». Homme de cabinet, habitué à la méditation solitaire et au commerce des livres, il est paralysé devant l'action directe. Lorenzo, qui connaît son Philippe Strozzi par cœur, pourra lui confier en toute quiétude son terrible secret, le sachant trop homme d'honneur pour en rien dire et trop homme d'étude pour en rien faire.

Seul, Lorenzo apparaît comme un esprit conséquent. Il a choisi un modèle à l'antique, Brutus, les deux Brutus, le fou de Tarquin et l'assassin de César, et une voie, le tyrannicide. « Machine à meurtre [23] », quelque peu « terroriste » à sa manière, il est celui qui crée l'occasion et laisse aux autres, républicains et libéraux, le soin d'en profiter, en restaurant la liberté. Il est l'instrument mystique d'une politique, que d'autres feront à leur guise, s'ils savent saisir la chance qui passe, c'est-à-dire qui passe par lui. On sait ce qu'il en adviendra.

Face à ces trois oppositions réfléchies, l'attitude de Pierre Strozzi semble être de pure violence, sans imagination politique [24]. On assistera, du reste, à une métamorphose significative de Pierre au cours de la pièce. Fils aîné respectueux de l'honneur familial, qui rend au « patriarche » de la dynastie l'hommage qui lui est dû [25], il deviendra peu à peu, au fil des circonstances, ce qu'il est en réalité ; courageux, certes, mais brouillon, emporté, grossier, incapable de tenir sa langue et de mener une négociation délicate [26], finalement dévoré d'une ambition forcenée [27] et mûre pour les pires aventures [28]. Quant au cardinal, dont toute la politique, fondamentalement conservatrice, consiste à garder le duc en vie pour le tenir à sa merci et à servir d'« anneau invisible qui l'attachera, pieds et poings liés, à la chaîne de fer dont Rome et César tiennent les deux bouts [29] », son rôle est assez ambigu pour qu'on puisse s'interroger à son sujet. Musset a-t-il voulu faire,

---

20. III, 7, p. 377, l. 1249-1263.
21. III, 2, p. 326, l. 251.
22. II, 2, p. 266, l. 281-283.
23. V, 6, p. 466, l. 654.
24. III, 2, p. 321-325, passim.
25. III, 2, p. 326, l. 248-252.
26. IV, 8, p. 417-419.
27. V, 4, p. 454, l. 431-436.
28. Ibid., l. 440-441.
29. II, 3, p. 270, l. 354-356.

à travers lui, le portrait de l'homme d'action ou sa caricature ? On verra qu'il est assez difficile d'en décider avec certitude. Toutefois, certaines particularités dans la structure des intrigues, répondant pour l'écrivain, ne laissent pas d'être éclairantes. Une curieuse analogie, trop riche de sens pour être fortuite, rapproche en effet les intrigues Strozzi et Cibo et leur donne une sorte de profil commun. Stimulés par une énergie extérieure, ici le cardinal [30], là Pierre Strozzi [31], qui leur montrent le chemin, la marquise Cibo et Philippe Strozzi finissent par prendre en main leur propre destin et tentent, chacun à sa manière, d'infléchir le cours des choses. Mais, très vite, c'est l'effondrement de la volonté et la défection : défection de la Marquise qui revient en esprit à son mari [32], défection de Philippe qui, sa fille morte, s'enferme dans son chagrin [33]. Alors l'énergie extérieure tente de prendre le relais. Pierre vient relancer son père sans succès [34], puis s'efforce de se substituer à lui, mais en vain [35] ; de son côté, le cardinal tente une ultime démarche auprès de sa belle-sœur [36], pour qu'elle renoue avec le duc avant qu'il soit trop tard. Le refus de la Marquise et le retour du Marquis rendent cette démarche inopérante. Et, pendant ce temps, Lorenzo attend son heure, conscient de n'avoir rien laissé au hasard. A la ligne brisée des intrigues adjacentes s'oppose la ligne sans rupture de l'intrigue principale. A la fin de l'acte IV, le doute n'est plus permis. L'acte réussi de Lorenzo souligne le quadruple échec de Pierre et Philippe Strozzi, de la marquise et du cardinal Cibo. Le fier-à-bras et l'intellectuel, l'idéaliste et le cynique sont curieusement renvoyés dos à dos, tandis que Lorenzo peut savourer, à la fenêtre, les joies d'un accomplissement.

Mais le cinquième acte remet, si l'on peut dire, les choses en ordre, c'est-à-dire dans un désordre moral et politique que récuse la conscience de l'écrivain. L'ironie narquoise, partout répandue, ne laisse pas de doute sur la nature de ses sentiments. Philippe et Lorenzo sont à Venise hors du champ où se livre la vraie bataille ; et si Philippe est inchangé, c'est-à-dire plus songe-creux que jamais et disqualifié par son irréalisme même, Lorenzo, traînant après lui la misère du proscrit, est en proie au plus noir désenchantement. Pendant ce temps, Pierre Strozzi voit s'ouvrir devant lui « une route (...) sur laquelle il y a plus de bons grains que de poussière [37] ». Et surtout le Cardinal, demeuré à Florence, triomphe. Enfermé seul dans le cabinet du duc, c'est à lui que les nouvelles arrivent [38] ; Sire Maurice et les Huit attendent de lui la décision [39] ; il peut à loisir

---

30. II, 3, p. 269-271, l. 344-379.
31. III, 2, p. 319-326, l. 119-252.
32. III, 6, p. 372-373, l. 1173-1186.
33. III, 7, p. 381-383, l. 1338-1392.
34. IV, 6, p. 409-413, l. 490-565.
35. IV, 8, p. 417-418, l. 644-655.
36. IV, 4, p. 393-402.
37. V, 4, p. 454, l. 431-433.
38. V, 1, p. 434, l. 19-21.
39. *Ibid.*, p. 435, l. 46.

prodiguer les sentences sibyllines [40], susciter des propositions favorables à ses desseins [41], se faire donner par le Pape une délégation de pouvoir [42], écrire à Côme de Médicis, organiser la sécurité à Florence, arranger des élections propices [43]. Le couronnement de Côme au cinquième acte est aussi le triomphe du cardinal. Deux formules marquent l'étendue de ses conquêtes et de son pouvoir : « Avant de recevoir *de mes mains* la couronne... [44] » ; « Je le jure à Dieu — et *à vous, Cardinal* [45] ». Maître après Dieu, voilà le fait. Au reste, le courtisan et l'homme d'Eglise sont coutumiers de tels accommodements et tout le reste, à commencer par le serment de Côme, n'est que littérature. Pouvait-on dessiner d'une main plus ferme une dramaturgie de sens aussi clair ?

Car Lorenzo apparaît, à l'issue du cinquième acte, comme l'homme d'un acte, non comme un homme d'action ; et la nuance est capitale. Que son acte soit objectivement réussi, cela n'est pas douteux ; qu'il n'ait ni valeur constituante pour l'individu, ni utilité pour la société, comment s'en étonner ? Coupé de ses racines spirituelles, vidé de tout contenu politique, à la fois isolé dans l'exécution et ambigu dans sa signification, un meurtre n'est qu'un meurtre. Lorenzo a peut-être tué le tyran, il n'a pas tué la tyrannie. Au titre glorieux de Brutus que lui décerne Philippe [46], Lorenzo a bien des raisons de préférer un titre moins flatteur, mais plus juste : « j'étais une machine à meurtre, mais à un meurtre seulement [47] ». La maîtrise de l'action, c'est au cardinal qu'elle appartient. L'opération politique qu'il n'a pas réussie auprès du duc Alexandre, c'est auprès de son successeur qu'il la tente et, apparemment, la réussit. A défaut d'avoir pu conserver le duc, le cardinal a su conserver le pouvoir et même l'augmenter à la faveur de circonstances nouvelles, dont il importait de savoir profiter.

Allons plus loin : peut-on dire que le cardinal ait vraiment *agi*, ait pleinement maîtrisé l'action ? N'a-t-il pas été plutôt, en fin de compte, l'agent d'exécution d'une pesanteur irrésistible des faits, d'une sorte de fatalité historique qu'il n'a pas conduite (après tout il n'a pu empêcher l'assassinat du duc Alexandre), mais seulement détournée à son profit, au moment opportun ? Deux maximes politiques, qu'il formule en deux circonstances capitales, le laissent nettement entendre : « La volonté de Dieu se fait malgré les hommes [48] » ; « Le premier rameau d'or arraché se remplace par un autre, et une nouvelle branche du même métal pousse aussitôt [49] ». La maîtrise de l'action ne se bornerait-elle pas, dans ces conditions, à

40. *Ibid.*, p. 437, 1. 92-93.
41. *Ibid.*, p. 439, 1. 135-137.
42. *Ibid.*, p. 439, 1. 119-121.
43. *Ibid.*, p. 440-441, 1. 142-158.
44. V, 7, p. 470, 1. 719-720.
45. *Ibid.*, p. 471, 1. 736.
46. V, 2, p. 449, 1. 344.
47. V, 6, p. 466, 1. 654-655.
48. IV, 10, p. 428, 1. 855.
49. V, 1, p. 437, n. 93.

l'opportunisme de l'ambitieux ? Et il est vrai que Pierre Strozzi saisit au bond une offre du roi de France, tandis que le cardinal suscite un duc à sa dévotion. Opportunisme et ambition semblent être ainsi orchestrés conjointement dans le finale dérisoire du drame, révélant en quel degré de mépris le poète tient l'action politique dans son ensemble. Quant à Lorenzo, Philippe Strozzi et Ricciarda Cibo, s'ils ont été vaincus, c'est pour avoir, peu ou prou, à quelque moment de leur vie, songé au bonheur de l'humanité. La qualité des victimes, la sombre ambition des vainqueurs, la veulerie du plus grand nombre, sont une invitation pressante à se retirer d'un jeu où les dés sont pipés, où triomphent, à tous les coups, le cynisme et l'hypocrisie.

C'est sous cet angle d'observation qu'on aperçoit le mieux les raisons profondes d'une dramaturgie. Séparées les unes des autres, cloisonnées parfois et pourtant solidaires, situées à des plans différents et pourtant sans cesse entrecroisées, telles devaient être les intrigues de *Lorenzaccio*, pour que la leçon du drame fût limpide et éclatante. Que de calculs égoïstes, d'ambitions personnelles peuvent ainsi se cacher et se révéler tout ensemble dans ces intrigues savamment morcelées ! On ne voit pas les cœurs, mais un mot parfois suffit à dévoiler la vérité. Ainsi Pierre Strozzi, au moment où s'ouvre devant lui un nouveau destin, se déclare à nous sans ambages : « Maudit soit ce Lorenzaccio, qui s'avise de devenir quelque chose ! Ma vengeance m'a glissé entre les doigts comme un oiseau effarouché ; je ne puis plus rien imaginer ici qui soit digne de moi [50] ». Nous voilà loin des vertueuses indignations de naguère [51] ! Ce n'était donc que cela, la fureur homicide de Pierre : une vengeance à assouvir, une ambition à satisfaire, et non pas la liberté des Florentins à restaurer. Décidément, Pierre et Lorenzo n'étaient pas fait pour collaborer ni leurs desseins pour tendre de conserve vers un même but. Ainsi l'autonomie de chaque intrigue plonge-t-elle ses racines dans la vérité secrète des personnages du drame.

Restait toutefois le problème de leur unité, auquel le dramaturge ne pouvait pas échapper. Là aussi, là surtout éclate son habileté. Assurément, les trois intrigues ont un enjeu commun : le duc de Florence, qu'il faut conserver ou abattre. De toutes les manières, il s'agit pour le Cardinal comme pour Pierre Strozzi de prévenir l'acte de Lorenzo. Aussi bien l'acte décisif, le quatrième acte, est-il construit comme une lutte pied à pied entre Lorenzo, qui attend son heure, et ses deux adversaires qui, chacun de son côté, cherchent à le prendre de vitesse. La division en courtes scènes haletantes [52], la rigoureuse alternance des intrigues [53], la figure accablante d'un

50. V, 4, p. 454, l. 433-436.
51. Cf. II, 5, p. 302, l. 1019-1023.
52. Onze scènes pour un acte sensiblement plus court que les deux premiers, qui comptent respectivement six et sept scènes.
53. Sc. 1 (Lorenzo), sc. 2 (Strozzi), sc. 3 (Lorenzo), sc. 4 (Cibo), sc. 5 (Lorenzo), sc. 6 (Strozzi), sc. 7 (Lorenzo), sc. 8 (Strozzi), sc. 9 (Lorenzo), sc. 10 (Lorenzo, Cibo), sc. 11 (Lorenzo).

destin inéluctable contre lequel chacun s'efforce en vain, Pierre incapable d'entraîner son père à l'action [54] et de se concilier les bannis [55], le cardinal incapable de convaincre sa belle-sœur de renouer avec le duc [56] comme de convaincre le duc qu'il court un danger mortel [57], Lorenzo lui-même, incapable de persuader les républicains que l'heure de la liberté va sonner [58], voilà l'unité vivante d'une action dramatique vécue à l'intérieur d'intrigues séparées.

Mais l'unité d'action est assurée d'une autre manière, moins artificielle, plus intérieure au projet fondamental de l'œuvre. Là encore, les figures dessinées sont subtiles et méritent d'être examinées de près. Tout d'abord, tenant compte de la personnalité propre de chaque intrigue, le dramaturge a traité leurs rapports selon certaines affinités électives conformes à la psychologie des personnages et à leur rôle dramatique. Aussi bien a-t-il été conduit à maintenir rigoureusement séparées les intrigues Cibo et Lorenzo et, dans le même temps, à faire communiquer en un point capital l'intrigue Strozzi avec l'intrigue Lorenzo. Ces traitements sélectifs auront leur répercussion au cinquième acte, puisque le cardinal Cibo y remplace Lorenzo comme énergie motrice de l'action principale, tandis que la Marquise Cibo rentre dans le rang, que Philippe et Lorenzo, réunis à Venise, se bornent à attendre les nouvelles de Florence et que Pierre s'apprête à partir pour un autre théâtre d'opérations. Mais la nature même du cardinal Cibo et ses projets politiques impliquaient que les intrigues Cibo et Lorenzo demeurassent séparées. Car l'adversaire principal du cardinal, c'est assurément Lorenzo. Homme de l'ombre, des coulisses, des manœuvres souterraines, Cibo se borne à surveiller en secret Lorenzo, à informer à l'occasion le duc des menaces que son cousin fait peser sur sa vie, puis à tirer les conséquences politiques d'un assassinat qu'il n'a pas réussi à conjurer. D'où sa revanche éclatante au cinquième acte, qui indique en clair quel était son véritable ennemi. Proscrire Lorenzo, le traquer, obtenir enfin contre lui le châtiment que la complaisance d'Alexandre avait rendu jusque-là impossible, tel sera le premier souci du cardinal Cibo.

Quant à l'intrigue Strozzi, elle a droit à un traitement paradoxal. Elle est disjointe de l'intrigue Lorenzo au point de vue proprement dramatique, d'où la rupture solennelle entre Pierre et Lorenzo, acte II, scène 5 [59], et elle en est entièrement solidaire au point de vue psychologique, d'où la longue entrevue entre Philippe et Lorenzo, acte III, scène 3 [60]. Là est peut-être l'invention la plus admirable du dramaturge. Musset a compris d'instinct que cette entrevue s'imposait. On la voit venir dès le troisième plan de la pièce. In extremis, dans une redis-

54. IV, 6, p. 412-413, 1. 552-569.
55. IV, 8, p. 419, 1. 674-690.
56. IV, 4, p. 400-401, 1. 350-375.
57. IV, 10, p. 424-426, 1. 783-821.
58. IV, 7, p. 414-416, 1. 574-630.
59. P. 301-302, 1. 1009-1023.
60. P. 332-360, 1. 360-915.

tribution de l'ordre des scènes du troisième acte, l'écrivain rajoute, d'une écriture différente, une scène 6, — « Strozzi-Lorenzo », — qui prélude à la longue scène de la rédaction définitive [61]. Mais, dans ce plan, la rencontre est située quelque peu hors de l'action principale, en un temps où Philippe, frappé par la mort de Louise, s'est enfui de Florence et réfugié chez les moines. L'intérêt de l'entrevue ainsi comprise est sans doute plus psychologique que dramatique. Dans la rédaction définitive, tout est heureusement changé. D'abord la rencontre est située en plein cœur de l'acte central ; et c'est un Philippe enfin décidé à l'action [62] que Lorenzo trouve assis au coin de la rue, donc un concurrent possible qu'il faut peut-être décourager, neutraliser. Par-là même le long dialogue qui s'engage, loin d'être une conversation, est un moment de l'action dramatique. Il s'agit de persuader Philippe de ne pas agir, de rentrer chez lui et d'attendre [63] ; en compensation Lorenzo le mettra, et lui seul, dans la confidence de l'acte décisif qu'il va accomplir incessamment. C'est, en effet, au cours de la longue scène centrale qu'on voit cheminer, puis se fixer peu à peu l'heure du destin [64]. En faisant, au surplus, promettre le secret à Philippe [65], Lorenzo rend le vieil homme solidaire de l'intrigue principale et désamorce, du même coup, toute complicité entre les deux intrigues concurrentes.

S'ajoute à cet intérêt dramatique, qui n'est pas négligeable, un intérêt psychologique capital. En transformant Philippe au gré des nécessités du projet dramatique, en lui donnant les cheveux blancs d'un vieillard et le cœur innombrable d'un père, Musset métamorphose une relation de complicité en une relation de paternité. Lorenzo, faute de pouvoir confier à sa mère un secret qu'elle ne pourrait porter [66], cherche un témoin susceptible de recevoir la confidence sans en faire usage contre lui. Scoronconcolo, parce qu'il est sûr et qu'il sera complice, en recevra une partie [67], Philippe la totalité. Besoin de partager un trop lourd secret, besoin d'un regard qui vous justifie dans l'existence, besoin d'un cœur assez large pour accueillir dans la joie le fils prodigue, besoin d'un témoin devant qui le velléitaire se lie solennellement les mains de telle sorte qu'il ne peut plus reculer ni même atermoyer, il entre un peu de tout cela dans la confidence capitale : « Quel abîme ! quel abîme tu m'ouvres ! [68] », pourra dire Philippe, saisi de

---

61. *Genèse*, p. 164, l. 34 et note 4.

62. III, 3, p. 332, l. 356-358.

63. « Rentrez chez vous, tenez-vous tranquille » (p. 336, l. 455) — « Rentrez chez vous, mon bon Monsieur » (p. 337, l. 476) — « Je te dis de rester tranquille » (p. 348, l. 682-683) — « Tout ce que je te demande, c'est de ne pas t'en mêler » (p. 355, l. 820-821).

64. « Demain ou après demain » (p. 340, l. 531), « d'ici à quelques jours » (l. 535) ; « bientôt » (p. 346, l. 637) ; « je vais tuer » (p. 355, l. 815) ; « c'est peut-être demain » (p. 358, l. 885) ; « dans deux jours j'aurai fini » (l. 886) ; « dans deux jours, les hommes comparaîtront devant le tribunal de ma volonté » (p. 359, l. 899-901).

65. « Garde-moi le secret, même avec tes amis » (p. 359-360, l. 912-915).

66. Voir IV, 9, p. 422, l. 742-744.

67. III, 1, p. 317-318, l. 93-114.

68. III, 3, p. 356, l. 853.

vertige ; mais il écoutera jusqu'au bout la terrible confession, et c'est là l'essentiel.

Surtout, Musset peut nouer en gerbe les intentions multiples de son drame et notamment faire la synthèse des deux éléments en conflit dans l'action : l'individu et la société, le citoyen et les pouvoirs, l'intellectuel et la tyrannie. Une vaste plongée dans le passé donne soudain à ce conflit sa dimension historique. La situation dramatique, patiemment mise en place dans les deux premiers actes, s'éclaire brusquement des feux de la mémoire. L'énigme du personnage s'entrouvre sur le mystère personnel. Les tares du despotisme, aperçues en éclairs, s'illuminent des flammes d'un enfer de soufre et de poix, où l'étudiant paisible s'est enfoncé sans rémission. Toute une histoire intérieure de naguère vient éclairer l'affrontement décisif de demain. Dès lors l'aventure vécue par Lorenzo est beaucoup plus qu'une conspiration en 1537, mais la pierre de touche d'un caractère, le moment capital d'une destinée personnelle. C'est son accomplissement ou sa destruction, sa liberté ou sa mort que joue, comme aux dés, l'intellectuel engagé dans l'action. Cette longue confidence, faite avec une poignante et totale sincérité, en présence d'un témoin qui peut tout entendre et doit tout savoir, donne brusquement au drame qui se joue sous nos yeux une importance métaphysique absolue, qui en augmente singulièrement le pouvoir d'émotion. Car l'étude psychologique est, comme toujours chez un véritable écrivain de théâtre, subordonnée entièrement à l'intensité de l'action dramatique. Musset rejoint ici Shakespeare et Racine, et s'égale aux plus grands.

Ajoutons, pour finir, que cette longue scène, loin d'interrompre, par son étendue même, la marche en avant de l'action et d'en briser le rythme, sert au contraire de relais entre les deux parties du drame et permet une savante modulation. A l'angoisse de l'imprévu va succéder la stupeur du trop prévu. Avant la grande scène de l'acte III, nous assistons, en effet, à la lente préparation d'un meurtre et à l'émergence progressive d'un visage derrière le masque d'emprunt qui le dissimule. C'est le feu roulant des questions pressantes : qui est Lorenzo ? que va-t-il faire ? quel est son but ? quand va-t-il agir ? Après, tout est changé. Qui il est, nous le savons maintenant : son drame est devenu le nôtre. Quand agira-t-il ? Nous le savons aussi. Les suites probables de son acte ? Lorenzo les a prévues : « je te gage que ni eux les républicains ni le peuple ne feront rien [69] ». Tout l'art du dramaturge va consister dans le progressif et implacable accomplissement des prévisions de Lorenzo. Car celui-ci annonce clairement le sujet de la seconde moitié du drame. André Lebois a raison : « on n'a jamais, au théâtre, joué si souverainement cartes sur table [70] ». Terme pour terme, la prédiction se réalise. Et lorsqu'au cinquième acte Philippe fait écho à cette gageure an-

---

69. *Ibid.*, p. 355, l. 819-830.
70. A. Lebois, *Vues sur le théâtre de Musset*, p. 96.

cienne [71], déjà les événements ont donné raison à Lorenzo, tandis que Philippe continue d'espérer contre l'évidence. Par le relais de la scène 3 du troisième acte, le drame tout entier devient en quelque sorte démonstration d'une grande vérité politique : que les hommes sont incapables de rien vouloir et surtout pas la liberté, qu'on peut miser à coup sûr, sur leur veulerie et leur goût de la servitude. Mais loin de nuire à l'intérêt de la pièce, ce caractère de démonstration l'augmente, car l'impitoyable marche du destin s'accompagne d'une lumineuse leçon politique. L'effet esthétique et la signification humaine sont d'accord, sensibilité et intelligence vibrent à l'unisson. Ce que nous avons appelé la dramaturgie significative trouve ici sa perfection.

LE MONDE EST UN SPECTACLE

Se découvre ainsi avec force l'un des secrets de création de *Lorenzaccio*. La dramaturgie en a été sinon choisie, du moins conçue en fonction d'un regard et d'un jugement portés sur le monde comme il va, les hommes tels qu'ils sont. D'où l'économie d'un spectacle qui contient en lui-même, tant dans son mouvement que dans les tableaux successifs qu'il fait surgir à nos yeux, sa propre leçon de philosophie politique et morale. Dans le combat inégal, dont on nous offre la représentation et à l'issue duquel l'individu en révolte contre le train des choses est finalement écrasé, puis anéanti par une société corrompue et corruptrice, les deux forces antagonistes sont renvoyées dos à dos. Le mécanisme de l'oppression exercée par la société et de l'individu dévoré par sa propre ambition est démonté sous nos yeux en un spectacle où, une fois de plus, le poète joue cartes sur table, sans équivoque ni tricherie. « Pour comprendre l'exaltation fiévreuse qui a enfanté en moi le Lorenzo qui te parle, il faudrait que mon cerveau et mes entrailles fussent à nu sous un scalpel [1] », déclare Lorenzo à Philippe Strozzi médusé. Musset n'a pas procédé autrement dans son drame, pour nous offrir le double spectacle d'une tyrannie en acte et d'un jeune homme en colère, pour nous initier à leur empoignade pathétique. Le monde des hommes est un spectacle et chaque tableau le soumet au supplice impitoyable de la lumière. La tyrannie, dans ses replis les plus cachés, est spectacle, le moi humain, dans ses méandres et ses secrets, devient à son tour spectacle. Le langage, par le jeu de l'image poétique, sonde les reins et les cœurs. Le dialogue est moyen d'investigation, inventaire de l'abîme. Quelques scènes frôlent le psychodrame. La leçon d'*Hamlet* n'a pas été perdue.

71. V, 2, p. 448, 1. 306-308.

---

1. III, 3, p. 343, 1. 589-592.

Il est vrai que le sujet d'*Une conspiration en 1537* et de la chronique florentine offrait l'occasion privilégiée de présenter sous son jour le plus noir et le plus dur la société des hommes. Florence livrée à l'oppression et à l'arbitraire d'un despote appuyé par des souvenirs étrangers, c'était là une image forte, dont le dramaturge n'a pas manqué d'exploiter les ressources. On notera, du reste, qu'il s'en prend moins au pouvoir despotique en tant que tel qu'à la société qui le tolère et semble le sécréter comme sa nécessité naturelle. On ne dispute pas de la république ou de la tyrannie dans *Lorenzaccio*. La tyrannie, on la subit, on souffre dans sa chair de son dynamisme, de son pouvoir de laminage, de sa violence destructrice. Le patriotisme sentimental de la Marquise ou de Tebaldeo, les éloquentes tirades de Philippe devant les quarante Strozzi ne pèsent pas lourd contre ce pouvoir absolu exercé dans l'immoralité, le cynisme et la contrainte. De là toute une pléiade de silhouettes qui représentent, peu ou prou, les aspects divers de la puissance despotique : le duc, force de la nature épaisse, sensuelle, presque ingénue dans la violence ; l'écuyer homme de main, tout en muscles ; Sire Maurice, le « cou court et les mains velues [2] », à la fois chaste et concupiscent, vertueux et cruel, violent et couard ; le cardinal Cibo, « vautour chauve », serviteur-type des régimes despotiques, immoral, cynique, tout en détours, en calculs et en arrière-pensées ; les Huit, « tribunal d'hommes de marbre [3] », qui tremblent à l'idée de ne plus faire trembler et qui sont prêts à avaliser toute autorité qui maintiendra leurs privilèges. Le portrait de l'équipe au pouvoir n'est évidemment pas flatté. Mais elle conservera ce pouvoir jusqu'au bout, tandis que les purs, les généreux, les idéalistes seront éliminés.

Car ce n'est pas la moindre originalité de *Lorenzaccio* que cette analyse politique menée de front avec une analyse morale. Certes, il y avait là sans doute pour Musset une commodité. Moins frotté de politique que de morale, le poète retrouvait ainsi un domaine familier et déjà maintes fois arpenté. Peindre le despotisme sous l'angle de la corruption morale, c'était découvrir, sous un jour neuf, un aspect habituel et éternel de la condition humaine. Mais cette commodité n'explique pas tout. En réalité, l'occasion s'offrait au poète d'approfondir l'aspect collectif de la corruption morale : le mal à l'œuvre dans le monde et non pas seulement en l'homme. On devine tout ce que l'analyse politique peut et doit y gagner en valeur expressive et en portée philosophique. Car ce n'est plus seulement la liberté du citoyen qui est en jeu dans la vie sociale et politique, mais le salut même de l'homme. La cité des hommes est mise directement en question dans son essence même, le procès devient jugement sans appel. Aussi bien la débauche, dans *Lorenzaccio*, représente-t-elle plus qu'elle-même ; elle est signe d'une aliénation plus profonde de l'homme, dont la société est sans doute largement responsable, mais

2. I, 4, p. 227, l. 723.
3. III, 3, p. 336, l. 441-442.

qui est, en dernière analyse, le lot de la condition humaine. Du moins, au plan du spectacle dramatique et de l'expression poétique, révèle-t-elle les diverses modalités de cette aliénation essentielle : confiscation de la liberté individuelle, avilissement de la dignité humaine, exploitation de l'homme par l'homme, désintégration de l'unité personnelle.

D'entrée de jeu, la débauche nous apparaît sous son double visage : à la fois l'atmosphère d'un régime et une technique de gouvernement. N'oublions pas le double rôle que joue Lorenzo auprès du duc de Florence : intendant de ses plaisirs, mais aussi agent secret de son pouvoir politique ; agent double, du reste, mais le duc n'est pas assez subtil pour s'en apercevoir. « Tout ce que je sais de ces damnés bannis », dit-il à l'oreille du cardinal Cibo — à ce détail on reconnaît la confidence politique — « de tous ces républicains entêtés qui complotent autour de moi, c'est par Lorenzo que je le sais [4] ». Que le vice soit, en quelque sorte, le climat et la nécessité interne du despotisme, il suffit encore d'écouter Ricciarda Cibo pour s'en convaincre : « Cela vous est égal, à vous, frère de mon Laurent (...) que la débauche serve d'entremetteuse à l'esclavage, et secoue ses grelots sur les sanglots du peuple ? [5] ». La Marquise, qui fait ici la preuve d'une assez belle lucidité politique, apprendra à ses dépens que la débauche, même librement acceptée, est une servitude dégradante, non une technique de réforme de l'Etat et de la société.

En tout cas, dès la première scène du drame, nous sommes fixés sur le lien capital qui unit à Florence débauche et servitude. Quand l'honnête Maffio, bourgeois timoré et gardien de la vertu familiale, doit dégainer l'épée contre l'écuyer du duc, la scène de crapule prend un tour nettement politique. Car Maffio réagit en citoyen apeuré et qui, au sein d'un désordre social, en appelle immédiatement au gardien naturel de l'ordre : le duc, garant de la justice et de la sécurité des citoyens. En s'écriant, non sans grandiloquence : « S'il y a des lois à Florence, si quelque justice vit encore sur la terre, par ce qu'il y a de vrai et de sacré au monde, je me jetterai aux pieds du duc, et il vous fera pendre tous les deux [6] », Maffio se comporte en sujet d'une monarchie, dans laquelle les pouvoirs du souverain ont pour limites les lois fondamentales du royaume, dont il est précisément le gardien. Le malheur, c'est qu'il est le sujet d'une tyrannie, qu'il n'y a point de lois et point de droit et que c'est le duc qui est lui-même le fauteur du désordre. Dès lors, la cause est entendue. Nous retrouverons sans étonnement, à la fin du premier acte, Maffio parmi les bannis, tandis que sa sœur est « devenue une fille publique en une nuit [7] ». Débauche et servitude frappent ensemble au cœur de la solidarité familiale, l'homme dans sa liberté, la femme dans sa dignité.

4. I, 4, p. 225, l. 67-69.
5. I, 3, p. 217, l. 523-524 et 526-528.
6. I, 1, p. 145, l. 99-102.
7. II, 1, p. 252, l. 6-7.

Par ce lien sans cesse maintenu entre débauche et servitude, nous saisissons moins les ressorts politiques d'un régime que nous n'en éprouvons l'atmosphère et le poids. Une odeur de pourriture, un goût de sang et de nuit, une vision d'égout où pourrit la liberté, voilà le climat auquel nous sommes conviés à communier par le truchement du langage. Un long cri d'angoisse, de stupeur et de dégoût, modulé sur tous les tons et répercuté tout au long du drame, résonne en nous comme « un grand chant funèbre pour la mort de la liberté [8] ». C'est l'aristocratie florentine, ivre de vin, que vitupère le vieil orfèvre [9] ; c'est la déploration de Marie Soderini accablée de « se réveiller dans une masure ensanglantée, pleine de débris d'orgie et de restes humains [10] » ; c'est la malédiction toute biblique des bannis contre la nouvelle ville maudite [11] ; ce sont les « yeux plombés », les « mains fluettes et maladives [12] » de Lorenzo, qui porte la corruption jusque sur son visage morne et inexpressif ; c'est la contagion du mal qui se transmet comme une lèpre au contact de la main [13] ; c'est la plongée dans les bas-fonds, tandis que les âmes pures mais timorées restent sur le rivage [14] ; c'est la prostitution de la misère et le salaire du péché [15] ; c'est la révélation absolue du mal à l'œuvre dans le monde [16] ; c'est la fascination hébétée et sans rémission d'une vérité interdite aux âmes chancelantes [17]. Toute l'action de *Lorenzaccio* est ainsi jalonnée de ces plaintes et de ces cris qui, par leur contenu et leur intensité lyrique, mettent moins en cause telle société qui se rue à la servitude ou tel régime politique qui la favorise que le monde des hommes lui-même livré par nature à la toute-puissance du mal. Tant il est vrai que le langage d'un drame historique, quand il est l'œuvre d'un poète, franchit de lui-même ses propres limites.

Mais le tableau où éclatent le plus clairement l'action corruptrice et le viol des consciences propres au pouvoir despotique, c'est assurément la confession de la marquise Cibo [18]. Il n'est pas douteux que Musset y tenait beaucoup et qu'il en avait très tôt aperçu toute la puissance de signification, puisque cette scène est prévue dans deux des trois plans successifs de la pièce [19], avant d'être amplement développée dans le texte définitif. « Scène à faire », dira-t-on, fleurant l'encens et le soufre, mettant d'autre part en cause le rôle de l'Eglise dans les affaires temporelles de l'Italie

8. H. Lefebvre, *Musset*, p. 123.
9. I, 2, p. 200, l. 215-217.
10. I, 6, p. 247, l. 1082-1084.
11. *Ibid.*, p. 251, l. 1161-1172.
12. I, 4, p. 225, l. 687-688.
13. III, 3, p. 335, l. 414-420.
14. *Ibid.*, p. 347, l. 664-669.
15. *Ibid.*, p. 349-350, l. 715-721.
16. *Ibid.*, p. 350-351, l. 735-740.
17. *Ibid.*, p. 353, l. 782-787.
18. II, 3, p. 269-279, l. 344-567.
19. *Genèse*, p. 159, l. 21 et p. 162, l. 22.

et dévoilant le rôle ambigu du cardinal Cibo, à la fois conseiller politique du duc de Florence, agent officieux du pape et de l'empereur et sombre intrigant dévoré d'une mystérieuse ambition personnelle. Sans doute. Mais en respectant le processus d'une confession de rite catholique, tout en lui donnant une tension dramatique aux antipodes d'une authentique confession ordonnée au sacrement de Pénitence, Musset met en valeur un fait politique capital : l'institution religieuse considérée comme un moyen de gouvernement. Nous assistons, en effet, à une confession dépravée, vidée de son contenu propre et détournée de sa finalité essentielle. D'une part, le dialogue est un interrogatoire ; l'aveu des fautes y est obtenu par la torture morale ; l'absolution, brandie comme une menace, devient un moyen de pression et d'oppression. D'autre part, la direction de conscience y est exercée comme un système de dépravation morale. Au lieu de raffermir le pêcheur, on le démoralise, on le fixe sur son péché. Par son insistance, Cibo soumet la marquise au supplice de la clarté, de l'analyse impitoyable de ce qui se passe en elle de trouble et de glissant ; il révèle en quelque sorte la marquise à elle-même, l'oblige à formuler l'informulé. C'est, à la lettre, une confession immoraliste, l'odieuse métamorphose d'un sacrement dispensateur de paix et de grâce en une redoutable épreuve de forces, qui laisse la pénitente à la merci du confesseur. La trajectoire de la scène est ainsi nettement dessinée : de la volonté de puissance du cardinal à l'impuissance de volonté de la marquise, de l'affirmation virile de l'homme qui fait trembler au tremblement de la femme en proie au doute et à l'anarchie intérieure. C'est bien ainsi, en effet, qu'agit le mal à Florence, qu'agit le mal dans toute société humaine. Il asservit, il pervertit, il subjugue ou saisit de crainte. Pas un rouage qui ne soit atteint, pas une relation naturelle, amour, amitié, parenté, qui ne serve à lier le plus faible au plus fort, la femme à l'homme, le sentiment au calcul, la vertu à la force cynique et immorale. C'est le mécanisme de la perversion et de la domination tyrannique démonté sous nos yeux. Il faut, en vérité, beaucoup d'art pour échapper aux sortilèges d'un tableau de mélodrame et transformer une scène de polémique anticléricale en rigoureux instrument d'analyse politique.

Encore s'agit-il d'une scène privée, au demeurant plus vraie que vraisemblable [20], à laquelle nous assistons comme par effraction, mais qui est, par nature, cachée au regard et protégée par un secret qu'en bon casuiste, Cibo entend bien respecter [21]. Avec un égal talent et une égale rigueur, Musset saura donner aux scènes publiques et même à grand spectacle, pourtant tournées tout entières vers l'extérieur et s'adressant d'abord au regard, un contenu et une

20. La confession d'une femme dans son propre appartement et par son propre beau-frère, tout cardinal qu'il soit, voilà bien des invraisemblances accumulées ; si précisément Musset a cru devoir passer outre, c'est que la nécessité théâtrale l'emporte dans ses préoccupations sur tout autre considération.
21. « Laisse seulement tomber ton secret dans l'oreille du prêtre ; le courtisan pourra bien en profiter, mais, en conscience, il n'en dira rien » (II, 3, p. 271, l. 376-379).

portée politique précis. C'est même là que son art du spectacle significatif éclate avec le plus de bonheur, à proportion des difficultés à surmonter. On en veut pour preuve, et ce n'est là qu'un exemple, la deuxième scène du premier acte, qui a pour décor une rue, au point du jour, à la sortie d'un bal masqué auquel a été conviée toute l'aristocratie de Florence. D'apparence, il semble ne s'agir que d'un tableau pittoresque conçu pour l'éblouissement du regard. Il est vrai que les éléments pittoresques ne manquent pas. Des marchands qui discutent derrière leurs comptoirs, des badauds qui s'amusent à identifier la fleur de l'aristocratie florentine, le duc travesti en nonne, une envolée de grands seigneurs masqués et titubant, un déploiement de hallebardes et de chevaux, voilà de quoi stimuler l'imagination d'un lecteur épris d'histoire et de dépaysement. Mais la vérité de la scène n'est pourtant pas là. Il s'agit, en fait, du tableau d'une société, dans ses divisions de classes et ses contradictions d'intérêts, et, plus encore, de la mise en scène d'une situation politique qui contient en germe les développements ultérieurs. Il faut, en effet, prendre garde que la scène est construite comme un spectacle au second degré, un spectacle dans le spectacle : il y a ceux qui se divertissent et ceux qui regardent se divertir, l'aristocratie et les autres classes sociales. La clé du couronnement de Côme est contenue dans cette distribution des rôles, dont le cardinal, le moment venu, aura le bon esprit de tenir le plus grand compte. Car la tyrannie offre ici l'image stylisée de son fonctionnement. En se donnant en spectacle, elle crée entre acteurs et spectateurs une sorte de complicité de fait, l'illusion d'un équilibre nécessaire, fût-il fondé sur l'injustice, la misère et la contrainte. Tout réformateur devra d'abord détruire cette illusion et déranger l'ordre du spectacle, en tirant, à sa manière, le coup de pistolet au milieu du concert : tel était l'un des sens possibles de l'assassinat du duc par Lorenzo. Mais le cardinal saura, à temps, étouffer les échos du scandale et recréer les conditions du spectacle. Par les distributions de vin et de comestibles et l'organisation de réjouissances publiques [22], il remettra le peuple dans l'atmosphère de liesse et de kermesse du premier acte. Au vin des grands seigneurs fera écho le vin du peuple. Dès lors celui-ci est mûr pour retrouver sa place et son rôle de naguère. Les fêtes du couronnement lui en donneront l'occasion, tandis que Côme de Médicis, dans son discours du trône, rétablit les liens entre les grandes familles et le Palais. Mais la réalité du pouvoir reste entre les mains de l'ordonnateur du spectacle.

La sortie du bal des Nasi met en tout cas en valeur un trait capital de l'analyse politique et sociale contenue dans *Lorenzaccio* : le peuple spectateur de son destin. Qu'on se rappelle, en effet, la fin du tableau, au moment où le duc sort avec sa suite. Les grands seigneurs, divisés dans leurs opinions et opposés par leurs que-

---

22. V, 1, p. 441, l. 160-161.

relles, mais rendus complices par l'égalité du masque et solidaires dans leurs plaisirs de caste, — Palla Ruccellai et Thomas Strozzi au coude à coude avec le duc et Julien Salviati —, se donnent insolemment en spectacle, sous la protection des hallebardes allemandes, aux gens du peuple, commerçants riches, bourgeois modestes, étudiants des beaux-arts, qui les regardent faire avec curiosité, avec colère ou avec envie, mais passivement. Quelle image plus juste pouvait-on donner d'une opinion publique fascinée, subjuguée, en tous les cas captivée par le spectacle de la cour, mais qui ne songera guère à prendre en main ses propres affaires ? La pièce est ainsi jalonnée de circonstances, où le regard du badaud l'emporte sur l'esprit d'entreprise.

Car il n'y a pas que les jeunes Ecoliers pour mériter d'être appelés « badauds [23] ». Le pèlerinage de Montolivet est à sa manière une foire aux badauds. On y commente le sermon sur le même ton dont on parle chiffons [24]. Encore ce sermon a-t-il l'éclat et le faste théâtral qui plaît à un public plus friand de spectacle que de vie intérieure ; on ne serait pas étonné que ce prédicateur qui fait trembler les vitres s'appelât Cibo [25]. La dernière émeute, au cours de laquelle « quelques pauvres jeunes gens ont été tués sur le vieux marché [26] », appartient aux nouvelles du jour ; on la colporte sans plus y attacher d'importance qu'aux bonnes histoires que « ce hâbleur de Cellini » débite, le verre en main, dans les cabarets [27]. Au reste n'est-ce pas ainsi que s'est installée la tyrannie à Florence ? S'il faut en croire le deuxième bourgeois, qui a le don des apologues, l'entrevue de Bologne, où pourtant se jouait le sort de Florence, n'a suscité chez les Florentins qu'un peu de curiosité et beaucoup d'indifférence : « ils demandent quel est ce personnage, et on leur répond que c'est leur roi [28] ». C'est exprimer, en peu de mots, la plus radicale des aliénations politiques. Dans un tel climat d'indifférence et d'abandon, l'acte de Lorenzo ne pouvait que tomber à plat ou du moins porter à faux : frapper les esprits, mais sans armer les bras. Lorenzo prophétisera à coup sûr : « Je leur ferai tailler leurs plumes, si je ne leur fais pas nettoyer leurs piques [29] ». Par la faute des hommes, le héros de l'Histoire devra se contenter d'être celui des historiens. Au cinquième acte, Cibo, en habile psychologue, tire à son profit toutes les conséquences de cette disposition congénitale des Florentins à n'adhérer que du regard aux

---

23. I, 2, p. 198, l. 171.

24. I, 5, p. 232, l. 810-815.

25. Un indice existe, assez faible, il est vrai, mais qui mérite d'être relevé ; dans le premier plan, on lit, à l'acte III, scène 3, l'indication suivante : « L'Eglise-Sermon du Cardinal » (Genèse, p. 154, l. 42) ; cette mention, dans les plans suivants, sera moins explicite : « Le sermon dans l'Eglise » (Genèse, p. 159, l. 26) ; la même mention se retrouve dans le troisième plan, mais recouverte par une autre mention qui rend la précédente à peu près illisible (cf. Genèse, p. 163, l. 30 et n.c. 30).

26. I, 5, p. 234, l. 851-852.

27. Ibid., p. 234, l. 841.

28. Ibid., p. 235, l. 867-868.

29. III, 3, p. 358-359, l. 891-893.

événements qui les concernent. « Pauvre peuple ! quel badaud on fait de toi ![30] », pourra conclure Ruccellai, qui, quelques instants plus tard, reprendra à son compte le mot de Pilate : « je m'en lave les mains... [31] ». Mot cruel, si l'on songe que Lorenzo a dit que, dans le camp des républicains, « les Ruccellaï seuls valent quelque chose [32] ». Tout compte fait, Palla Ruccellaï a devant l'action l'inertie endémique de ses concitoyens.

On ne peut qu'admirer, en tout cas, la cohérence d'une dramaturgie aussi parfaitement congruente à son objet, puisqu'elle donne en spectacle le drame d'un peuple qui est le spectateur de son destin et d'un régime politique qui fonde son autorité sur le spectacle de sa propre puissance. Solidairement tournés l'un vers l'autre dans un rapport fondé sur la complicité et la crainte, ni l'un ni l'autre ne connaîtront l'intériorité. C'est dire que le rapport entre le peuple et le pouvoir, qui constitue dans *Lorenzaccio* la réalité sociale, exclut à jamais les valeurs d'intimité : respect et confiance, amour et amitié, et les bafoue sans cesse en toute circonstance. L'individu soucieux de son bonheur et de son accomplissement a donc peu de chance d'y trouver sa place. Ce sera le drame même de Lorenzino de Médicis.

LORENZO OU L'IMPOSSIBLE INTÉRIORITÉ

A propos de ce drame, on a pu parler de son côté expérimental. Rien n'est plus vrai. Etant donné les caractères propres d'une société déterminée, en l'espèce Florence en 1537, livrée au bon plaisir d'un tyran appuyé par deux monarques étrangers et qui exprime, en les accusant jusqu'à l'excès, les traits fondamentaux de toute société humaine, on devine Musset curieux de voir et de faire voir ce qu'il peut advenir d'un jeune idéaliste soucieux d'abattre la tyrannie, de restaurer la liberté, de modifier par l'action le cours de l'histoire de sa patrie. On devine également que cette expérience n'est pas entièrement désintéressée, que Musset, jeune parisien de vingt-trois ans, s'identifie à son héros ou plus exactement fait, par le truchement de son héros, une expérience d'action politique dont il a sans doute rêvé un moment au secret de lui-même, comme bien des jeunes gens de son époque. Mais pour ne pas démentir sa propre conduite, soit qu'il voulût se donner à lui-même raison de n'avoir point agi[1], soit qu'au contraire il désirât se punir pu-

30. V, 1, p. 441, l. 163.
31. *Ibid.*, p. 442, l. 191.
32. IV, 9, p. 421, l. 713.

1. C'est notamment l'opinion, fortement motivée, de M. J.-C. Merlant, in *le Moment de Lorenzaccio...*, p. 122-123.

bliquement et solennellement de n'avoir eu ni l'énergie ni les capacités d'agir, et ces deux raisons ne sont pas exclusives l'une de
l'autre, il était fatal qu'il rendît l'expérience décevante et qu'en
un combat inégal et douteux l'individu succombât sous le poids
d'une société à la fois inerte et écrasante. Avec *Lorenzaccio*, Musset
offrait donc en spectacle et en holocauste à ses contemporains le
destin exemplaire d'un jeune homme qui voulait être le Brutus
de son temps et qui devait, en fin de compte, payer de sa personne
et de son existence même une ambition à la fois démesurée et
sans objet.

Ce côté expérimental du rôle de Lorenzo et de l'action de la
pièce dans la vie intérieure de Musset éclaire d'un jour neuf le
paradoxe du personnage, qui est à la fois très simple et très
complexe, limpide et pourtant insaisissable. Mais n'est-ce pas là
le propre de tous les grands personnages de théâtre et la source
même de leur pouvoir éternel de séduction ? Simple et limpide,
Lorenzo l'est sans doute, car il est tout entier dans le destin qu'il
s'est choisi : être porteur de lumière dans le monde de l'ombre et
de la nuit, porteur de liberté au sein de la servitude, restaurateur,
sur les ruines de la tyrannie, d'une république, « la plus belle qui
ait jamais fleuri sur la terre [2] ». Mais, pour réussir, il faudra ruser,
épouser l'ombre et la nuit, devenir par devoir le zélateur de la
corruption et de la servitude pour mieux assurer, le moment venu,
le triomphe de leurs contraires : la lumière, la vertu, la liberté. A
bien des égards, on peut même prétendre que Musset a simplifié
le personnage, tel qu'il est proposé par Varchi, en l'idéalisant. C'est
à George Sand, en effet, plus qu'à Varchi qu'il doit les grandes
lignes du drame personnel de Lorenzo, l'hypocrite par vertu et
nécessité, et surtout le caractère idéaliste de ses intentions et de
son dessein. Certes, George Sand, croit fermement à la régénération
de Lorenzo après le meurtre. S'il fuit la vengeance du peuple [3],
c'est pour mieux jouir en paix d'une vie redevenue douce et lumineuse [4], car il a sa « propre estime [5] » et l'admiration de sa sœur
Catherine. Musset ne suivra pas sa maîtresse sur ce terrain. Du
moins admettra-t-il, avec elle, que les intentions du héros étaient,
à l'origine, nobles et pures. Or on sait qu'en ce domaine Varchi
se montre beaucoup plus circonspect. C'est à mi-distance de
George Sand, auquel il emprunte la conception idéaliste du tyrannicide, et de Varchi, qui lui signale le caractère ambigu des motivations et de la conduite du meurtrier, que Musset se fraye un
chemin personnel. Limpide dans sa conception, le personnage
s'obscurcira au fur et à mesure que Musset descendra moins au
fond de Lorenzo que de lui-même, de ses blessures secrètes et de
ses propres incertitudes. « Approfondir un être, c'est le découvrir

2. III, 3, p. 355, l. 818.
3. *Genèse*, p. 145, l. 1385-1387.
4. *Ibid.*, p. 146, l. 1396.
5. *Ibid.*, p. 144, l. 1371.

de plus en plus bizarre », dit avec sagacité Jacques Rivière. Ainsi
du Lorenzo de Musset.

Fait d'une multitude d'interrogations, qui ne sont pas toutes,
tant s'en faut, susceptibles de réponses simples, le personnage cesse
peu à peu d'être un cas moral ou un type historique pour devenir
un être vivant, qui n'est pas plus clair à son créateur que nous ne
sommes entièrement clairs à nous-mêmes ou transparents au
regard d'autrui. Et l'on voit assez la nature des questions, saisies
au plus profond de sa vie personnelle et de son expérience historique, que Musset a pu se poser à l'endroit de son héros. Peut-on
se masquer impunément et maintenir un visage intact derrière le
masque qu'on s'est choisi ou que la société vous impose ? Peut-on
pactiser, même lucidement, même temporairement, avec le mal ?
L'action a-t-elle, pour la personne qui s'y livre, une valeur constituante, ou au contraire dispersive et dégradante ? Vaut-il la peine
de se salir les mains pour le service des hommes ? Peut-on espérer
réformer le train du monde et faire le bonheur d'un peuple malgré
lui ? Le tyrannicide peut-il être une solution politique ? c'est au
carrefour de ces interrogations multiples, d'ordre psychologique,
moral, politique, mais tournant toutes, peu ou prou, autour des
rapports entre le moi et les autres, l'individu et la société, que
Lorenzo offre moins sa réponse que son être même, le témoignage
de ses contradictions, la trajectoire, feu et cendres, de son destin.
Et Musset n'ignore pas davantage que les intentions et les actes
des hommes ne sont jamais simples, que l'on n'est pas le fils de
soi-même, mais d'une famille, d'une classe, d'une race, d'une culture. Tout cela compte et entrera aussi dans la conception du
personnage, de son exécution littéraire et, partant, dans sa réalité
dramatique.

Car le plus admirable est là. Jamais l'auteur de *Lorenzaccio*
ne confiera aux subtilités de l'analyse le soin d'explorer les secrets
d'une personnalité. Homme de théâtre, c'est au spectacle dramatique qu'il confiera moins leur exploration que leur révélation au-
dehors. La tyrannie-spectacle, dont on parlait plus haut, s'accompagne
et se complète ici d'un héros-spectacle, dont la psychologie est,
pour ainsi dire, tournée vers le public qui en reçoit l'image et
l'écho. Faire voir ce qui se dissimule derrière l'apparence et le
masque, faire sentir, par les jeux multiples du théâtre et du langage,
ce qui se dérobe à la conscience claire et à l'expression spontanée,
dévoiler peu à peu le mystère personnel en le mettant en pleine
lumière, tels sont la fin et les moyens de cette psychologie-spectacle
que le poète fait ici briller de mille feux. Et cela, sans jamais céder
à la gratuité, ni rien dérober aux exigences de l'action. Ainsi le veut
toute psychologie de théâtre, où le mouvement intérieur est action
ou source d'action, où l'analyse des âmes est dialoguée, mimée,
vécue dans et par l'action dramatique.

S'agissant de Lorenzo, tel que Musset l'a conçu, la nature même
du personnage nous dicte la méthode d'approche la mieux appropriée à son objet. Un être masqué qui peu à peu se démasque sous

nos yeux, c'est en suivant les phases capitales de sa métamorphose qu'il convient de le saisir. Se découvrent alors à nous trois aspects du personnage, correspondant à trois moments de son évolution dramatique : l'homme du *rôle*, qui occupe les deux premiers actes ; l'homme du *drame*, qui se révèle au troisième et au quatrième actes ; l'homme de *l'échec*, qui s'étiole et meurt au dernier acte. Trois moments significatifs de la destinée d'un homme et qui jettent une lumière crue sur la condition de l'homme dans le monde, sur sa confrontation avec la société, sur sa rencontre avec le mal, sur son bonheur et son salut.

Le premier Lorenzo qui nous est découvert et dont le premier acte du drame nous propose l'image à la fois brute, je veux dire sans commentaire, et éclatée en courtes perceptions autonomes, ce n'est pas lui-même, mais son apparence. L'homme est ce qu'il paraît être. L'homme d'un masque, sans doute, mais cela, nous ne le saurons que plus tard, par éclairs au deuxième acte, par une confession complète et circonstanciée au troisième. Pour l'instant, rien ne nous indique que Lorenzo est autre que ce qu'il paraît, ni que ce qu'il paraît être n'est qu'une façade d'emprunt, un masque d'occasion. D'où l'accord profond et parfaitement orchestré entre la tyrannie-spectacle et l'homme-en-représentation, l'hypocrite, au sens étymologique du terme. Lorenzo est comme le héraut, le coryphée, le bouffon du spectacle que ne cesse de donner le régime politique avec lequel il a partie liée.

Voyez ses trois apparitions au premier acte. Trois éclairs ou, si l'on préfère, trois épreuves à la fois différentes et convergentes d'une même apparence : Lorenzo [6], Lorenzaccio [7], Lorenzetta [8]. C'est d'abord l'immoraliste de la première scène, le poète de la débauche, l'intellectuel dont la sensualité est avant tout cérébrale, tandis que celle du duc, plus positive, plus impatiente aussi [9], ne s'embarrasse pas de tant de littérature [10]. Dans cette histoire quasi allégorique de la perversion d'« un enfant de quinze ans [11] », à laquelle son imagination se complaît et s'attarde, passe un rien de Sade, un souvenir de Laclos, une bouffée de Louvet. Quelque chose d'un XVIIIe siècle décadent donne à ce couplet trop ordonné et même un peu léché une allure théorique et compassée, qui sent l'application et suggère le rôle. Ainsi Lorenzo joue sa partie dans une scène de comédie ou de mélodrame, dont Giomo semble organiser la mise en scène. Le bouffon divertit le prince jusqu'au moment où, les choses devenant sérieuses, celui-ci se passe de ses services.

6. I, 1, p. 194, l. 82.
7. I, 2, p. 209, l. 368.
8. I, 4, p. 230, l. 775.
9. « Qu'elle se fasse attendre encore un quart d'heure, et je m'en vais » (I, 1, p. 190, l. 8-9).
10. Encore qu'il sache, quand il le faut, s'exprimer avec une énergique concision, comme en témoignent les billets à la marquise Cibo (I, 3, p. 218, l. 552-553) et à Catherine (III, 3, p. 360, l. 919-923).
11. I, 1, p. 191, l. 25-26.

La courte apparition de Lorenzo à la fin de la deuxième scène renchérit sur le thème du masque et met plus nettement en valeur encore le rôle de bouffon du prince auquel le héros paraît se prêter volontiers. Car l'homme au masque y figure masqué doublement, puisqu'il a revêtu un déguisement de bal costumé, le même qu'ont revêtu de concert le duc et Julien Salviati. Et notez bien la nature du déguisement : un habit de femme et, qui plus est, un habit religieux. La casuistique du cardinal a beau s'efforcer après coup d'en plaider l'innocence [12], le travesti n'en reste pas moins suspect et quelque peu sacrilège. Derechef paraît clairement chez Lorenzo comme chez son maître le goût du scandale public, de l'exhibition profanatoire. Car tel est bien le sens de ce nouveau spectacle, dérision et provocation réunies, qui dit l'amour du jeu et l'attrait du mal. La bouteille cassée jetée sur le Provéditeur accuse encore cette tendance au geste ostentatoire, au jeu absurde et dangereux. Le désir du spectacle hante la tyrannie tout entière et Lorenzo en est ici comme la figure de proue : l'homme-femme qui ne respecte rien ni personne et fonde l'autorité de l'Etat sur le divertissement, qui énerve les énergies, et sur le mépris, qui tient les esprits rigoureusement enchaînés.

La troisième apparition de Lorenzo, pour différente qu'elle soit des deux autres, est marquée du même signe ; c'est encore un spectacle [13]. Le décor lui-même est organisé comme un théâtre : au numéro des chevaux au manège succèdera celui de Lorenzo à l'épée. Et Musset, s'il a pillé consciencieusement George Sand pour l'exécution de cette scène spectaculaire entre toutes [14], n'a pas pour autant oublié la leçon de Molière et que le jeu du théâtre gagne à préparer de longue main ses effets. Lorenzo n'y fait son entrée, comme Tartuffe dans la comédie de Molière, qu'après que le terrain a été minutieusement préparé et que la connaissance indirecte qu'on peut en avoir rend urgente la présence physique du personnage en pleine lumière, non pour connaître enfin son visage, mais la qualité d'un masque et l'extrême limite où il peut être mené sans défaillance. Ici la profondeur est abyssale, puisque Lorenzo se prête au jeu jusqu'à l'humiliation publique et l'évanouissement réel, où entrent à la fois la virtuosité du comédien qui va jusqu'au bout de la sincérité dans l'hypocrisie et la honte d'un homme assez lucide pour supporter avec peine l'avilissement où il est tombé. Scène, du reste, extraordinairement ambiguë puisqu'elle est à double et même à triple effet. Elle marque, en effet, le point extrême d'une chute à partir duquel s'amorcera la remontée ; elle permet à l'assassin d'endormir définitivement, par l'excès même de l'ignominie [15], la méfiance de sa victime ; elle est, au surplus, comme le

---

12. I, 3, p. 216, 1. 497-512.
13. « *Regardez-moi* ce petit corps maigre... » (I, 4, p. 225, 1. 686). « Pages, montez ici, toute la cour le *verra...* » (*ibid.*, p. 229, 1. 746-747). « *Regardez*, Renzo, je vous en prie... » (*ibid.*, p. 229-230, 1. 766-767).
14. *Genèse*, p. 94-100, 1. 212-382.
15. « Je voudrais bien savoir comment je n'y croirais pas » (p. 230, 1. 788).

premier signal d'alarme à l'usage du spectateur. Trop est trop, parfois, et le cardinal, après avoir lui-même donné la réplique au comédien, cesse soudain d'entrer dans son jeu et se comporte en personnage-guide qui éveille l'attention du spectateur et stimule son esprit critique [16].

Ajoutons, enfin, que la scène de l'épée dévoile un aspect capital de la situation du héros de Musset et, d'une manière plus générale, de la situation de l'homme dans le monde : l'individu prisonnier du regard d'autrui. Le rapport de l'homme masqué avec les spectateurs qui l'environnent se développe ici sous le signe de l'agressivité réciproque ; il est affrontement d'hostilité et de mépris. En psychologue pénétrant, le dramaturge respecte la démarche originale de l'homme dans la perception qu'il a de lui-même. D'une part, en effet, la prise de possession de soi-même dans la plénitude de son unité se développe à travers une série de processus où le rapport avec autrui tient une place décisive. D'un autre côté, selon la formule célèbre de W. James, « un homme a autant de moi sociaux qu'il y a d'individus qui le reconnaissent et ont une image de lui dans leur esprit ». En nous présentant Lorenzo sous les feux croisés du regard d'autrui, non seulement Musset se comporte en habile dramaturge qui mise sur notre impatience de voir le mystère s'éclairer progressivement et la vérité s'imposer, mais il nous place au vif d'un drame intérieur capital pour la suite des événements : celui d'un homme prisonnier tout à la fois de lui-même et d'autrui, du masque qu'il s'est choisi et de celui que les autres ont choisi pour lui, en le consolidant sur son propre visage. Masque intérieur et masque extérieur, masque voulu et masque reçu, dont la superposition rendra d'autant plus difficile et périlleuse l'exécution du grand dessein qui seul peut assurer l'affirmation du moi parmi les autres et la révélation de chacun dans sa vérité respective.

La dernière scène du premier acte ne fera que renforcer cette importance du regard d'autrui dans la construction, mais aussi dans la destruction de l'unité et de l'intimité personnelles. Nous y apprenons, en effet, clairement ce dont nous nous doutions déjà : qu'il y eut naguère un autre Lorenzo, que peut-être ce Lorenzo-là n'est pas entièrement mort et qu'il en subsiste quelque chose sous le masque [17], que Lorenzo a trahi une éducation et des espérances [18].

Etre prisonnier du regard d'autrui, c'est d'abord grandir sous un regard ; et le premier regard qui compte pour une personnalité qui se constitue, c'est celui d'une mère, dont Musset laisse pressentir sans ambiguïté et d'entrée de jeu le rôle capital qu'elle a joué dans l'éducation de son fils et la formation de son caractère. Que cet enfant grandi sans père ait besoin, au moment capital de son existence, de se faire reconnaître de ceux qui l'ont aimé et, malgré tout, l'aiment encore, qu'il ait besoin de la complaisance,

---

16. « C'est bien fort, c'est bien fort » (p. 231, 1. 797).
17. I, 6, p. 245, 1. 1040-1041.
18. *Ibid.*, p. 246-247, 1. 1074-1085.

sinon de la complicité de leur regard jusqu'au point précis où il peut l'obtenir sans risquer de se trahir et compromettre son grand dessein, c'est l'évidence et tel sera l'objet même du deuxième acte. Lorenzo y apparaît toujours comme l'homme d'un rôle et d'un masque, mais, si l'on peut dire, par-devant quelques témoins privilégiés : Tebaldeo, en qui il reconnaît soudain le jeune homme qu'il a été, aimant « les fleurs, les prairies et les sonnets de Pétrarque [19] » ; sa mère, avec laquelle successivement il rompt les liens par l'ironie [20] et les renoue aussitôt dans la ferveur et l'élan [21] ; le vieux Strozzi, en qui Lorenzo se cherche un père auquel revenir, par lequel être sans cesse reconnu, sous le regard duquel se sentir exister. D'où les trois scènes parallèles du deuxième acte, où nous voyons le masque de Lorenzo se soulever à demi ou du moins s'avouer pour un masque, derrière lequel s'abrite un visage qui nous dérobera sa vraie nature jusqu'au milieu du troisième acte.

Avec un art subtil de la psychologie théâtrale, c'est-à-dire liée à la logique de l'action et à la continuité du spectacle, Musset construira ces trois scènes sur un schéma commun, dessinant à peu près le même mouvement intérieur. Chacune de ces scènes offre en effet à Lorenzo comme un double imaginaire de lui-même auquel il peut momentanément s'identifier. Par trois fois, il entend ainsi l'appel de l'être profond oblitéré par l'habitude et endormi derrière le masque d'emprunt. En donnant, par exemple, au petit Freccia le fier et ferme profil de Tebaldeo, en faisant de lui non pas le pauvre être fragile, subjugué et ébloui, auquel il avait d'abord songé [22], mais un jeune homme libre et solide dans sa foi religieuse et esthétique, Musset offre à Lorenzo un interlocuteur auquel, en dépit du persiflage et en vertu d'une secrète envie, il peut s'identifier. Entre Julien Salviati qui figure comme la limite de ce qu'il pourrait devenir et Tebaldeo qui est, à ses yeux, comme le rappel de ce qu'il a été et qu'il aurait pu ne pas cesser d'être, l'être profond de Lorenzo n'hésite pas : Tebaldeo sera l'instrument sinon de sa régénération devenue impossible, du moins de sa vengeance, devenue plus urgente et plus nécessaire que jamais.

Pareillement, c'est à son propre double que soudain sa mère le confronte [23]. L'ironie légère avec laquelle Lorenzo sait se moquer non point tant de sa mère ou de Catherine que de lui-même, — d'où le thème de Brutus, pourtant son leit-motiv personnel, traité en dérision [24] —, fait place à l'émotion profonde, dès lors qu'apparaît ce double, auquel sa mère croit, parce qu'il est l'objet même de son obsession journalière, et dont il admet sans hésitation la pleine réalité, preuve d'une incertitude profonde de soi, d'un psychisme mal fixé, d'une certaine faillite de la vie personnelle. Du

---

19. IV, 3, p. 391-392, l. 154-155.
20. II, 4, p. 281, l. 597-598.
21. *Ibid.*, p. 283, l. 639.
22. Voir *Genèse*, p. 176-183.
23. II, 4, p. 281-282, l. 603-635.
24. « Brutus était un fou, un monomane, et rien de plus » (*ibid.*, p. 280, l. 585-586).

moins ce double, loin d'être récusé, vient-il se superposer à l'image de Tebaldeo, restaurer une certaine fidélité à soi-même [25], lancer un appel qui germera en désir, puis en volonté d'action. C'est la scène chez les Strozzi [26] qui inscrira dans les faits et d'abord dans le corps avachi de Lorenzo ce flux d'énergie née de la projection d'une image de soi. Quand Lorenzo se lève du sofa où il est étendu et voit en Pierre Strozzi non plus seulement le symbole de sa propre jeunesse, mais le personnage qui le fascine, — Brutus, l'homme de la vengeance [27] —, on peut affirmer que le mouvement vers l'action est désormais irréversible. La conversation avec Thomas Strozzi dans l'embrasure de la fenêtre [28] ne laisse pas de doute sur la direction des pensées et la fermeté du cœur de Lorenzo à cet instant.

Le vol de la cotte de mailles, premier pas d'une implacable marche à l'assassinat, est la preuve que de telles dispositions sont aussi des résolutions [29]. Admirable scène, qui orchestre en finesse bien des motifs des scènes précédentes. La confiance du duc y est pur aveuglement ; la mollesse, le raffinement voluptueux, la paresse même du débauché sont ici comme les leviers puissants de l'action [30] ; il n'est pas jusqu'au mépris que Lorenzo inspire qui ne devienne son allié, en désarmant la méfiance de Giomo [31]. Commencée dans la basse débauche, cette première tranche de l'action s'achève ainsi dans l'illusionnisme. Le manipulateur de mots est ici, sans que ses ennemis y prennent garde, manipulateur et escamoteur d'une dangereuse armure. C'est dire qu'une première étape est franchie, créant une situation irréversible. Le temps du spectacle est révolu. Commence le temps de l'action. L'homme au masque cède le pas à l'homme à visage découvert. Commence alors aussi le drame de l'homme qui ne peut plus, à tous les sens du terme, découvrir son propre visage.

Ce qui frappe d'emblée l'attention dans la deuxième tranche de l'action, qui s'ouvre sur la répétition d'un assassinat et s'achève sur son exécution, c'est que, s'organisant autour d'un drame intérieur, elle ne cesse pourtant d'être hantée par le spectacle d'une conscience dont le désarroi est, pour ainsi dire, tourné vers le dehors. Il serait assez vain, pour expliquer ce caractère constant du drame, d'invoquer les exigences du théâtre ou les servitudes de l'écriture dramatique, dont on sait que Musset se soucie peu, mais possède la pleine maîtrise. Si donc la vie intérieure de Lorenzo

25. D'où la reprise, avec émotion et sérieux, du thème de Brutus : « Catherine, Catherine, lis-moi l'histoire de Brutus » (*ibid.*, p. 283, l. 637).
26. II, 5, p. 294-303.
27. II, 5, p. 301, l. 1007.
28. *Ibid.*, p. 303, l. 1034-1035.
29. II, 6, p. 304-310.
30. « Il l'aura jetée dans un coin en s'en allant, selon sa louable coutume de paresseux » (*ibid.*, p. 308, l. 1133-1140).
31. « Bah ! un Lorenzaccio ! » (*ibid.*, p. 310, l. 1194).

tend à s'échapper au-dehors, c'est pour des raisons de fond qui tiennent à l'essence même du personnage. Nous avons affaire à un homme auquel l'action politique et la participation à la vie collective ont interdit tout accès à l'intériorité, à l'intimité de soi à soi-même, à l'unité personnelle. Toute la pièce accable et magnifie à la fois un homme qui a fait fausse route dans la recherche de soi, l'affirmation de soi parmi les autres, la conquête de l'unité supérieure de sa personne. Les troisième et quatrième actes nous feront suivre et vivre pas à pas la dispersion, puis la lente approche, par des moyens artificiels, d'une unité fragile, factice et momentanée, prête à se briser au premier choc.

On voudra bien noter toutefois que cette problématique conquête de soi n'est jamais entreprise au détriment ni dans les franges de l'action dramatique. Elle est cette action même, en ce sens que chaque scène où semble l'emporter l'intérêt psychologique est, en réalité, indispensable à l'action. Des neuf scènes où paraît Lorenzo au cours des troisième et quatrième actes, il n'en est aucune qui n'ait son utilité et ne marque un progrès de l'action. Qu'on en juge, du reste, par le tableau suivant :

Acte III

Sc. 1 .... Le choix de l'arme et du lieu [32].
Sc. 3 .... Le choix du jour [33].

Acte IV

Sc. 1 .... Le choix de l'heure [34].
Sc. 3 .... La convocation de Scoronconcolo.
Sc. 5 .... Les préparatifs de la chambre.
Sc. 7 .... L'alarme donnée aux républicains.
Sc. 9 .... L'ultime récapitulation.
Sc. 10 .... Le départ.
Sc. 11 .... Le meurtre.

Pas une scène, comme on voit, qui ne nous achemine vers l'heure fatale. Mais, en même temps, pas une scène qui ne nous fasse pénétrer dans le drame d'une conscience, dans le débat d'un individu aux prises avec la société : le citoyen avec le pouvoir, l'intellectuel avec l'action, l'idéaliste avec le mal qui imprègne le monde. C'est dire que le débat est à la fois riche et complexe. On se bornera ici à en caractériser les aspects majeurs, qui éclairent le mieux notre propos.

La première occasion donnée à Lorenzo de s'expliquer ou plutôt de se découvrir, c'est la scène du spadassin [35]. Scène étrange, violente et belle, heurtée et fortement construite, qui révèle chez

32. « Celle [l'épée] qui le tuera... » (III, 1, p. 318, l. 95) ; « Je ferai le coup dans cette chambre » (ibid., p. 318, l. 104-105).
33. « C'est peut être demain que je tue Alexandre » (III, 3, p. 358, l. 885).
34. « Ma tante sera en chemise à minuit précis » (IV, 1, p. 386, l. 52-53).
35. III, 1, p. 313-318.

Musset une inquiétante familiarité avec les états de délire et de folie. Scène assez déroutante, au point de vue psychologique, pour être susceptible de plusieurs systèmes d'explication différents, qui l'éclairent sans l'épuiser[36]. On peut toutefois s'accorder sur un certain nombre de certitudes indiscutables. C'est d'abord une scène d'intérêt tactique : il s'agit d'habituer les voisins à un tintamarre, qui, le jour venu, n'inquiètera personne et laissera les mains libres à l'assassin. C'est également une scène nécessaire à l'équilibre psychologique de Lorenzo : scène de répétition d'un combat, mimodrame d'une victoire anticipée, propre à rassurer l'assassin sur ses capacités physiques et sa supériorité dans le maniement des armes ; réplique triomphante donnée à l'humiliante scène de l'épée. Après l'abaissement femelle, « Lorenzetta », voici le retour de l'agressive et victorieuse virilité : « tu y vas en vrai tigre[37] ». Dernière remarque, mais importante : si l'on compare la scène du spadassin, telle que l'a conçue Musset, et la même scène, telle que George Sand lui en offrait le modèle[38], on s'aperçoit que Musset s'est le plus souvent contenté d'imiter, voire de démarquer sa devancière, mais en se réservant la liberté d'innover sur un point d'apparence mineure, qui change en fait l'équilibre interne et la signification d'ensemble du tableau. Le délire hallucinatoire et l'évanouissement de Lorenzo, voilà la part de Musset ; elle est capitale. Ce qui n'était chez George Sand qu'intermède tactique devient ici confidence brûlante échappée à soi-même et faite devant un témoin choisi à dessein, trop obtus pour en saisir entièrement le sens, trop dévoué à son maître pour en faire usage contre lui. Prélude au meurtre, la scène du spadassin devient ainsi, sous une forme brute et incohérente, comme il sied à la folie, prélude à la grande confession faite devant Philippe Strozzi sur un ton plus solennel et dans un discours mieux suivi, ainsi qu'il sied à la majesté du confident et à la gravité de l'heure. Pour l'instant, à la faveur d'une fièvre délirante, le contenu mental est charrié sans apprêt, sinon sans littérature[39] ; les pensées s'y libèrent selon leur propre pente et leur propre poids, nous fournissant ainsi, sur la vie intérieure de Lorenzo, les plus précieux renseignements.

Et ces pensées, tant par leur discontinuité logique que par leur contenu affectif ou imaginaire, disent toutes un profond désarroi : celui d'une conscience en miettes, tiraillée en sens opposés par des représentations obsessionnelles. S'y révèle, notamment, à l'état pathologique, la tendance de Lorenzo à se situer au centre d'un opéra fabuleux, au point de concours des spectacles multiples qui

---

36. M. Lebois y voit une sorte de fuite dans la folie, qui permettrait à Lorenzo de connaître enfin le repos (op. cit., p. 87) ; j'ai moi-même proposé une lecture de cette scène à la lumière des données de la psychanalyse d'Adler (*Lorenzaccio ou la difficulté d'être*, p. 9-10).

37. III, 1, p. 314, l. 26-27.

38. *Genèse*, p. 122-123, l. 895-1028.

39. Des souvenirs de Dante et de Shakespeare font briller de reflets d'or ce charroi de pensées brutes.

l'assiègent : geste de mépris de ceux qui l'entourent [40], cris de dé-
tresse de ceux dont il a précipité le malheur [41], métamorphose
obscène d'un meurtre rêvé en sacrifice rituel d'anthropophage,
vision morbide des noces de sang [42], obsession macabre du crâne.
Toutes images de cauchemar, dont la victime aspire à se libérer
dans la fuite : fuite en arrière dans l'irresponsabilité d'une folie
simulée jusqu'à l'inconscience, fuite en avant vers l'accomplissement
de l'acte unique, qui tranchera d'un coup le nœud gordien de toutes
ces obsessions entrecroisées. Le bilan est lourd pour Lorenzo, même
s'il faut faire la part du jeu et de l'excitation volontaire. Tout, en
effet, dans ce délire à la fois provoqué et subi, trahit une conscience
impuissante à intégrer correctement et à organiser dans une certaine continuité existentielle les divers moments d'une expérience,
à accepter les conséquences d'un destin choisi volontairement. De
là ce grand tumulte intérieur, ce chaos d'images entrechoquées,
qui sont comme les sédiments d'une réalité devenue soudain étrangère, fascinante, hostile, comme les visions d'un cauchemar dont
il est impossible de s'éveiller.

   Comparée à cette confidence en lambeaux, à ces archipels
d'images obscures et de visions errantes, la grande confession de
la scène 3 du troisième acte est un modèle d'ordre, de lucidité
critique, de vigueur dialectique. Et c'est normal. Philippe, par
nature, se prête aux débats d'idées et aux assauts d'éloquence. Par
ses questions, ses observations, ses reproches, son idéalisme obstiné,
ses rêves éveillés, il oblige Lorenzo à sortir enfin de son silence, à
mettre ses secrets en pleine lumière, à jeter sous le regard de ce
vieillard qui peut tout entendre, de cet ami qui peut tout pardonner,
le film entier de sa vie et les leçons de son expérience. Aussi bien,
en dépit de retouches, de raccords de repentirs nombreux, dont le
manuscrit porte les cicatrices [43], peut-on parler d'un texte construit
selon les exigences d'une ample dialectique.

   Les mouvements qu'elle comporte, fortement articulés entre eux,
dessinent l'itinéraire pathétique d'un assassin par devoir conduit
au crime par nécessité [44]. A l'invitation pressante de Philippe :
« que l'homme sorte de l'histrion ! [45] », à son appel au secours :
« agir, agir, agir [46] », Lorenzo répond par une promesse : « Je tuerai
Alexandre [47] » et un conseil qui se voudrait un ordre : « Rentrez
chez vous [48] ». Car il faut à tout prix éviter la concurrence d'une

40. « Les gamins l'écrivent sur les murs » (III, 1, p. 315, 1. 40-41).
41. « Des adieux, des adieux sans fin » (ibid., p. 315, 1. 39).
42. « O jour de sang, jour de mes noces » (ibid., p. 314, 1. 30).
43. Voir Annexe II.
44. Le découpage que je propose est le suivant : 1. 360-435 ; 436-550 ; 551-655 ; 656-840 ;
841-915. Faut-il préciser qu'il ne tend à rien d'autre qu'à introduire une certaine clarté
dans un texte d'une longueur assez insolite au théâtre et que d'autres découpages sont
possibles ?
45. Ibid., p. 333, 1. 379-380.
46. Ibid., p. 333, 1. 395.
47. Ibid., p. 340, 1. 526-527.
48. Ibid., p. 337, 1. 476.

autre conspiration qui se mettrait à la traverse de celle qu'il ourdit dans l'ombre depuis deux ans. Ce faisant, il ébauche un thème qu'il reprendra en détail un peu plus loin : « prends garde à toi, Philippe, tu as pensé au bonheur de l'humanité [49] ». Ce prophétisme allusif irritant « singulièrement » Philippe, Lorenzo se décide enfin à parler haut et clair, en racontant sa vie. Reprenant ce récit à peu près à l'endroit où sa mère l'avait laissé [50], il se fait le biographe, voire le mythographe de sa grande ambition [51]. Mais le témoignage de satisfaction de Philippe, qui juge l'homme aux intentions plus qu'aux actes : « Tu es notre Brutus, si tu dis vrai [52] », éclate comme une note discordante au terme de ce rapport circonstancié et encore incomplet. Lorenzo ira alors jusqu'au bout de sa confession, se faisant l'impitoyable procureur de l'humanité tout entière et du mal qui est en elle irrémédiablement. Un tel constat d'échec, — « ...je suis perdu, et (...) les hommes n'en profiteront pas plus qu'ils ne me comprendront [53] » —, provoque l'ultime question de Philippe : « mais pourquoi tueras-tu le duc, si tu as des idées pareilles ? [54] ». L'abîme de ce cœur blessé à mort s'ouvre une fois de plus. En une sorte de brève synthèse dialectique, Lorenzo remet dans une perspective et sous une lumière nouvelles un acte qui a peut être changé de sens, mais n'a apparemment rien perdu de sa nécessité.

En fait, il ne faut pas se laisser piper aux apparences. Pour être correctement comprise, la grande confession de Lorenzo doit être lue à la fois en clair et en transparence. De la confrontation de ces deux lectures naît une vérité neuve, qui ne coïncide pas entièrement, comme on verra, avec l'idée pathétique, mais, somme toute, cohérente que Lorenzo se fait de lui-même et qu'il transmet à Philippe. La lecture en clair, en effet, nous offre avant tout l'image d'un drame moral, à résonance politique, que le héros surmonte par un ultime effort de la volonté [55]. Un jeune homme vertueux et ambitieux, ayant pris « dans un but sublime, une route hideuse [56] », est peu à peu contaminé par le vice, dont il s'était fait un « vêtement [57] » ; incapable de revenir à la vertu et découvrant, par son expérience même, que les hommes ne méritent pas qu'on s'occupe d'eux, il commettra un meurtre, qu'il sait désormais inutile à sa patrie, tant par fidélité à soi-même que pour ne pas laisser « mourir en silence l'énigme de sa vie [58] ». Tel est le mythe dont Lorenzo se fait à la fois le narrateur et le héros.

49. *Ibid.*, p. 339, l. 518-519.
50. I, 6, p. 245, l. 1043-1053.
51. III, 3, p. 341-343, l. 558-583.
52. *Ibid.*, p. 346, l. 648.
53. *Ibid.*, p. 352, l. 770-772.
54. *Ibid.*, p. 356, l. 843.
55. D'où le langage énergique sur lequel s'achève la tirade : « il faut que le monde sache un peu qui je suis et qui il est » (l. 883-884) ; « j'aurai dit aussi ce que j'ai à dire » (l. 891) ; « il ne me plaît pas qu'ils m'oublient » (l. 895-896).
56. *Ibid.*, p. 348, l. 690-691.
57. *Ibid.*, p. 354, l. 793.
58. *Ibid.*, p. 357, l. 868-869.

Mais, en transparence, le même récit recouvre et dévoile un drame psychologique, à résonance métaphysique, dont le héros sortira finalement vaincu : c'est l'histoire d'une entrée dans la vie adulte [59] et d'une croissance difficile dans une société par essence corrompue et hypocrite. Par les jeux poétiques du langage, images, comparaisons, métaphores, allégories, le dramaturge suggère, en-deçà et au-delà des arrangements de la fable, les mêmes symptômes de la difficulté d'être que livrait déjà, sous leur forme brute, le délire de la scène du spadassin. C'est bien le même personnage, en proie aux mêmes obsessions, en butte aux mêmes obstacles intérieurs et extérieurs qui se délivre ici dans la folie simulée, là dans le mythe fabriqué par la culture et l'éloquence. L'opéra fabuleux reparaît, plus foisonnant et plus fascinant que jamais. Tous les moments cruciaux de l'existence de Lorenzo, depuis qu'il a conçu l'idée de tuer le tyran, sont évoqués non comme des expériences vécues et assumées par une conscience en devenir, mais comme des épreuves de feu, dont la sensibilité conserve intacte la brûlure et que la mémoire fait renaître de leurs cendres sous la forme de spectacles fantastiques.

C'est d'abord la nuit du Colisée, étrange, inexplicable, proche de la folie [60], où, pour la première fois, Lorenzo, debout, les bras tendus vers le ciel, s'aperçoit qu'il ne s'appartient plus, que sa conscience est le champ de forces obscures qui le dépassent et le dépossèdent de son libre arbitre [61] ; c'est la projection, dans un espace symbolique, du grand rêve nourri de Plutarque et de fol orgueil qui est devenu son idée fixe, le corps à corps avec la tyrannie vivante et la montée triomphale, l'épée sanglante à la main, vers la tribune aux harangues d'un imaginaire Forum [62] ; c'est la plongée dans « la mer houleuse de la vie [63], l'étrange descente aux enfers de l'humanité, — cloaque intérieur des rêves inavouables, bas-fonds de la société humaine cachés sous les masques et l'apparence —, la rencontre foudroyante avec le vice, les difformités, le corps périssable de l'homme [64] ; c'est le voyage fantastique dans un monde en métamorphose, qui dépouille ses apparences au moment même où le voyageur revêt les siennes [65], l'obscène vision de l'Humanité soulevant sa robe et exhibant « sa monstrueuse nudité [66] ». Deux fois encore, cette image du voile qu'on soulève [67] apparaîtra, symbole de l'innocence à jamais perdue, de la connaissance interdite, de la révélation insoutenable du mal.

---

59. « J'entrai alors dans la vie » (*ibid.*, p. 350, l. 735-736).

60. *Ibid.*, p. 342, l. 561-565.

61. « Il m'est impossible de dire comment cet étrange serment s'est fait en moi » (*ibid.*, p. 342, l. 566-567).

62. *Ibid.*, p. 344, l. 600-613.

63. *Ibid.*, p. 347, l. 665-666.

64. « J'ai vu les débris des naufrages, les ossements et les Léviathans » (*ibid.*, p. 347, l. 668-669).

65. « Tous les masques tombaient devant mon regard » (*ibid.*, p. 350, l. 737-738).

66. *Ibid.*, p. 351, l. 739-740.

67. *Ibid.*, p. 349, l. 715, et p. 353, l. 783.

Ces grandes féeries de l'imagination, qui obsèdent son psychisme profond, s'accompagnent, au reste, de bien d'autres circonstances qui toutes, peu ou prou, attestent ou confirment le même malaise existentiel. Un moi mal fixé, sans cesse guetté par le risque de dissociation, se révèle dans la chair même d'un langage fertile en images. Ainsi en va-t-il de cette bizarre fascination de la vérité et de la nudité, qui tient le moi hors de lui-même dans une sorte de curiosité insatiable et douloureuse [68], où l'homme s'épuise et se vide de sa propre substance ; ou encore de ce sentiment d'étrangeté de soi à soi, qui est le signe d'une difficile adhésion à soi-même et au monde et qui trouve à s'exprimer dans les représentations les plus variées : roideur de la statue qui descend de son piédestal « pour marcher parmi les hommes [69] », insensibilité du masque de plâtre qui n'a point « de rougeur au service de la honte [70] », flottement intérieur du corps dans des « habits neufs [71] » qui ne sont pas encore faits à ses mesures. Le malaise d'exister empruntera même sa forme la plus aiguë, celle du dédoublement, déjà rencontrée [72], reprise ici d'une manière à la fois allégorique et vécue. Voici venir l'ombre, le double, le « fantôme [73] », figure idéale de soi, obsédante comme un souvenir, inquiétante comme un reproche, traduisant de toutes les façons une désorganisation de la personnalité, un déchirement de l'être intérieur, un moi en difficulté et qui n'a pas conquis son unité.

Car la conscience de Lorenzo est encombrée de personnages successifs et mal fixés, qui ne parviennent pas à former entre eux une continuité vivante, l'un abolissant l'autre comme dans une croissance harmonieuse. Entre l'étudiant paisible [74] et le jeune ambitieux de la nuit du Colisée, il y a inexplicablement solution de continuité. Entre ce rêveur avide d'une gloire puisée dans l'action et le faux débauché qui déclare tout haut ce que sans doute il pense tout bas, mais n'ose s'avouer, que « vingt années de vertu sont un masque étouffant [75] », un nouveau fossé se creuse, se creusera toujours davantage. Si l'on glisse dans l'intervalle l'image de Brutus — de quel Brutus ? tantôt celui de Tarquin, tantôt celui de César, le plus souvent les deux superposés, — à laquelle Lorenzo, dans un puissant mouvement d'imagination morale et de culture historique, donne l'existence et s'identifie [76], nous voilà au point de rencontre où toutes ces figures, vécues successivement, mais auxquelles la mémoire semble donner une existence simultanée, fi-

---

68. « Elle reste immobile jusqu'à la mort, tenant toujours ce voile terrible, et l'élevant de plus en plus... » (*ibid.*, p. 353, l. 785-786).

69. *Ibid.*, p. 343, l. 593.

70. *Ibid.*, p. 345, l. 635.

71. *Ibid.*, p. 350, l. 730.

72. II, 4, p. 282, l. 631.

73. III, 3, p. 351, l. 742.

74. *Ibid.*, p. 342, l. 565.

75. *Ibid.*, p. 350, l. 734-735.

76. Le nom de Brutus est nommé six fois par Lorenzo et une fois par Philippe au cours de la seule scène 3 de l'acte III.

nissent par créer l'image mentale de la discontinuité et du désordre. Il n'est pas étonnant que la hantise de la folie affleure parfois : « Brutus a fait le fou pour tuer Tarquin et ce qui m'étonne en lui, c'est qu'il n'y ait pas laissé sa raison [77] ». Voilà une allusion qui ne trompe guère : ce risque couru, ce péril côtoyé sans cesse, ce sont les siens. Il n'est que temps d'y mettre un terme, s'il se peut.

Dernier symptôme, et non le moindre, de la dissociation personnelle : un vague, mais tenace sentiment de culpabilité. Il s'exprime, dans l'expérience intérieure, par une sensation de vertige et de chute : « Songes-tu que je glisse depuis deux ans sur un rocher taillé à pic, et que ce meurtre est le seul brin d'herbe où j'ai pu cramponner mes ongles ? [78] » Il se fait jour également, sur un mode tantôt prophétique [79], tantôt plaisant [80], dans ces scènes punitives, auxquelles se complaît l'imagination de Lorenzo et dont il s'indigne d'être injustement préservé par la lâcheté des hommes [81] ; ou encore dans le souvenir de Judas [82] et de Satan [83], qui affleure quelquefois au détour d'un propos ; et surtout dans ces images sous-jacentes de révolte coupable, de perdition, de jugement dernier. La nuit du Colisée, par exemple, si elle relève par certains côtés d'une impulsion venue d'en haut, est aussi le fruit d'instincts venus d'en bas, de l'orgueil prométhéen ou luciférien, que les dieux punissent comme la faute majeure de l'humanité. Il se glisse, en tout cas, dans le langage de Lorenzo, d'étranges et furtives images de démon tentateur [84], de « malheur éternel [85] », d'« ange du sommeil éternel [86] », qui indiquent moins une croyance religieuse précise que le besoin et la crainte tout ensemble d'un retentissement de ses actes dans l'absolu, et peut-être, en dernier ressort, un secret désir de la tragédie.

C'est au sein de cette conscience malheureuse et de ce moi menacé de dissociation que Lorenzo conçoit, dans une brusque illumination, la seule conduite qui lui paraît susceptible d'abolir les divisions intérieures et de refaire l'unité. Un Lorenzo au bord de la folie, éprouvant dans son corps et jusque dans l'exercice de ses sens le poids de sa propre déchéance et le mépris général dont il est l'objet [87], voit soudain l'acte unique capable d'être l'issue, le remède, la panacée : l'assassinat d'Alexandre. Conçu au temps de sa splendeur morale, entouré des prestiges de l'histoire romaine

---

77. *Ibid.*, p. 354, l. 796-798.

78. *Ibid.*, p. 357, l. 864-866.

79. « Au fond de ces dix mille maisons que voilà, la septième génération parlera encore... » (*ibid.*, p. 349, l. 707-708).

80. « Pas une goutte de poison ne tombe dans mon chocolat » (*ibid.*, l. 713-714).

81. « Et me voilà dans la rue, moi, Lorenzaccio ? » (*ibid.*, l. 703).

82. *Ibid.*, p. 350, l. 718.

83. *Ibid.*, p. 350, l. 726.

84. *Ibid.*, p. 338, l. 493.

85. *Ibid.*, p. 343, l. 579.

86. *Ibid.*, p. 353, l. 787.

87. « Voilà assez longtemps que les oreilles me tintent, et que l'exécration des hommes empoisonne le pain que je mâche » (*ibid.*, p. 358, l. 877-879).

et des plus généreux rêves philanthropiques [88], ce meurtre semble avoir gardé une sorte de luminescence. Insoucieux de la fin qu'il lui avait alors assignée, Lorenzo lui prête une sorte de valeur magique. Le meurtre d'Alexandre devient à ses yeux le mémorial de sa pureté perdue [89]. Puisqu'aussi bien l'apprentissage du vice ne peut s'évanouir, ce crime, nimbé de vertu et d'amour des hommes, est chargé du plus haut pouvoir. Il sera négation du temps écoulé, restauration du passé dans le présent, porteur d'ordre dans le chaos intérieur, témoignage de fidélité à soi-même, paraphe au bas d'un serment fait avec soi-même.

Ainsi, méthodiquement, dans une entière et progressive exaltation de tout son être, Lorenzo fait apparaître à Philippe toutes les vertus implicitement contenues dans ce meurtre plus nécessaire que jamais. Tuer Alexandre, c'est protester contre sa déchéance et, en fin de compte, soigner son propre tombeau [90] ; c'est se faire reconnaître par Philippe et reconquérir son estime [91] ; c'est poser l'acte parfait, tel du moins que le conçoit cet intellectuel, pur de toute parole, exprimant et épuisant l'être entier dans son exécution même [92] ; c'est s'affirmer supérieur aux autres, en tout cas différent d'eux, et proposer à leur conscience une interrogation capitale [93] ; c'est devenir héros d'histoire ou de légende [94], signe de contradiction parmi les hommes [95] ; c'est prendre sur les humiliations endurées une éclatante revanche [96]. Du haut de cet observatoire, où l'éloquence le dresse, dominant à la fois le passé et l'avenir, Lorenzo semble soudain prendre une vue cavalière sur la totalité de son existence et concevoir l'exemplarité de son destin. C'est à la lettre une création de soi par le vertige de l'imagination. Un Lorenzo inconnu, tel qu'en lui-même son meurtre le change [97], dresse sa haute silhouette au-dessus de l'humanité tout entière, soumettant les hommes à sa volonté, devenant leur juge, posant un acte qui sera la pierre de touche de leur valeur ou de leur néant. Etrange parodie de jugement dernier, qui abolit momentanément sa culpabilité et transforme l'accusé en procureur et en arbitre de l'humanité. On comprend l'effroi [98], puis l'étonnement [99] de Philippe Strozzi

88. *Ibid.*, p. 344, 1. 605.
89. « Songes-tu que ce meurtre, c'est tout ce qui me reste de ma vertu » (*ibid.*, p. 357, 1. 863-864).
90. « Veux-tu donc que je sois un spectre... » (*ibid.*, 1. 857).
91. « C'est mon meurtre que tu honores » (*ibid.*, 1. 874).
92. « Ma vie entière est au bout de ma dague » (*ibid.*, p. 359, 1. 896-897).
93. « J'aurai dit aussi ce que j'ai à dire » (*ibid.*, p. 358, 1. 891).
94. « Brutus ou Erostrate » (*ibid.*, p. 359, 1. 895).
95. « Je jette la nature humaine à pile ou face sur la tombe d'Alexandre » (*ibid.*, 1. 898-899).
96. « L'humanité gardera sur sa joue le soufflet de mon épée marqué en traits de sang » (*ibid.*, 893-894).
97. Le présent de l'indicatif (... « pourquoi je tue Alexandre ? » *ibid.*, p. 357, 1. 855) marque à lui seul le caractère absolu et presque intemporel d'un acte considéré par Lorenzo comme déjà accompli en esprit, sinon en vérité.
98. « Quel abîme tu m'ouvres » (*ibid.*, p. 356, 1. 853).
99. « Tout cela m'étonne » (*ibid.*, p. 359, 1. 903).

devant cette exaltation fièvreuse, teintée de mégalomanie, qui enveloppe, par le pouvoir lyrique des mots et la puissance épique des
visions, un sordide assassinat politique de l'aura d'une tragédie.
    Car c'est bien à une création verbale de soi que Lorenzo nous
fait assister. L'ennemi des mots, le contempteur des « éternelles
paroles [100] » et du « bavardage humain [101] » est ici pris au piège
qu'il dénonce. Cette prodigieuse métamorphose, qui fait coller
intimement Lorenzo à l'acte qu'il va commettre et semble abolir
momentanément ses contradictions, c'est à l'éloquence qu'il la doit.
Une synthèse aussi artificielle ne résistera pas au choc de la réalité. Mais, pour l'heure, nous verrons Lorenzo meubler, au quatrième acte, l'attente de l'instant décisif par d'amples retours sur
soi, où nous retrouverons un homme que nous connaissons bien :
mal à l'aise dans son propre corps, en proie aux visions obsédantes,
aux hallucinations morbides, aux souvenirs mal fixés, témoignant,
par ce désarroi intérieur, d'un psychisme perturbé, qu'il peut
exprimer avec lucidité par le secours de la poésie, mais dont il ne
parvient pas à se rendre maître.
    Des trois monologues du quatrième acte, le premier [102] est celui
de l'inquiétude, de la perplexité et du doute. Dédoublement [103],
expérience de l'aliénation [104], idée fixe [105], sentiment tragique de la
vie [106], tout un paysage familier s'y déploie de nouveau, agrandi
par le mythe, poétisé par les visions. Le second monologue est celui
de la culpabilité, mais aussi du rachat. Le coupable mesure avec
une terrible lucidité le mal qu'il s'est fait à lui-même et dont il
est comme imprégné [107]. Mais l'horreur de soi trouve ici son apaisement. Lorenzo songe moins à juger qu'à être jugé et, dans la
perspective d'un jugement dernier, dont nous savons qu'il est son
obsession familière, le meurtre d'Alexandre s'éclaire soudain d'une
lumière nouvelle. Dans la balance des mérites et des fautes, le salut
de Catherine pèsera son poids de générosité et d'amour [108]. Dans la
grande nuit du vice, du crime et de la lâcheté des hommes, qui
tombe lentement sur Florence, cette « goutte de lait pur tombée du
sein de Catherine [109] » brille d'un éclat furtif, mais singulier. La
leçon ne sera pas perdue. Perdican saura s'en souvenir [110].

---

100. IV, 9, p. 421, l. 714.

101. *Ibid.*, l. 716-717.

102. IV, 3, p. 391-392, l. 152-183.

103. « Le spectre de ma jeunesse se lève devant moi en frissonnant » (*ibid.*, p. 392, l. 155-156).

104. « Sont-ce bien les battements d'un cœur humain que je sens là sous les os de ma poitrine » (*ibid.*, p. 393, l. 177-178).

105. « La seule pensée de ce meurtre a fait tomber en poussière les rêves de ma vie » (*ibid.*, p. 592, l. 171-172).

106. « Le spectre de mon père me conduisait-il, comme Oreste, vers un nouvel Egisthe ? » (*ibid.*, l. 168-169).

107. IV, 5, p. 406-408, l. 423-468.

108. « Si ma vie est jamais dans la balance d'un juge quelconque... » (*ibid.*, p. 403, l. 464-465).

109. *Ibid.*, l. 467.

110. *Ibid.*, l. 467 ; *Gastinel II*, p. 50.

Le troisième et dernier monologue avant le meurtre a toutes les apparences d'un psychodrame : c'est le triomphe de la psychologie-spectacle. Sur un thème directeur proposé par les circonstances mêmes, la répétition mentale d'un meurtre imminent, Lorenzo, sous le regard d'un unique spectateur, la lune [111], se prête à une sorte de comédie, que visite, à tous instants, l'esprit du mimodrame, et qui tend à un double but : délivrer le corps de l'angoisse nerveuse, du « trac » qui l'habite, libérer l'esprit de ses obsessions, de ses hantises, de ses nostalgies secrètes. De là un délire moins éprouvant, mieux dirigé, mieux formulé que celui auquel la répétition physique du meurtre avait donné lieu. De là également une exploration du moi profond moins guindée par l'éloquence, moins encombrée de littérature, plus spontanément libératrice que dans les monologues précédents.

L'ordre secret qui règne au sein de l'apparent désordre des pensées est avant tout révélateur des relations du moi avec le monde extérieur, telles que les vit intensément Lorenzo durant le furtif instant de désœuvrement ouvert entre des préparatifs désormais achevés et un acte qui attend son heure. Le psychisme de Lorenzo réagit alors à l'impulsion des événements extérieurs. Parce que « la lune paraît [112] », découvrant la ville tapie dans l'obscurité, voici son esprit occupé soudain par les lendemains politiques et collectifs [113] d'un acte jusqu'ici évoqué sous son aspect privé et, pour ainsi dire, technique. Peut-être même l'apparition de cette « face livide » crée-t-elle dans son imagination comme un appel de la lumière qui modifie l'économie de ses projets : « non ! non ! je n'emporterai pas la lumière [114] ». Plus loin, l'anticipation du coup mortel met en mouvement les muscles de son corps, leur donne une direction qu'il désirerait moins imaginaire, dès lors qu'il a repris conscience du temps et de lui-même : « J'*irai* à lui tout droit. Allons, la paix, la paix ! l'heure va venir. Il faut que j'*aille* dans quelque cabaret [115] ». Puis l'idée de sa mère à l'agonie, l'évocation de son dernier soupir [116] éveillent, en écho, une lassitude du corps ou du moins sa perception plus aiguë, qui l'amène à s'asseoir sur un banc [117]. Et parce qu'il est assis, ses représentations mentales, se mettant au diapason, s'asseyent également. Voici ce « pauvre Philippe [118] », parce que la dernière fois qu'il l'a rencontré, celui-ci était « *assis* au coin d'une rue [119] », demandant l'aumône à la justice des hommes ; voici l'ombre de Louise, auprès de laquelle, « une

111. « Te voilà, toi, face livide » (IV, 9, p. 420, l. 709).
112. *Ibid.*, l. 710.
113. *Ibid.*, p. 421, l. 711-718.
114. *Ibid.*, l. 719.
115. *Ibid.*, p. 422, l. 734-736.
116. *Ibid.*, l. 741, 744.
117. *Ibid.*, l. 745-746.
118. *Ibid.*, p. 423, l. 747.
119. III, 3, p. 332, l. 361.

seule fois », Lorenzo s'est « *assis* (...) sous le marronnier[120] » ; voici du « linge *étendu* sur le gazon[121] ». Toutes ses pensées sont, à l'image de son corps, frappées de détente et d'immobilité, jusqu'au moment où « l'horloge sonne[122] », agissant comme un signal venu du monde extérieur et déclenchant l'appel à l'action : « Ah ! ah ! il faut que j'*aille* là-bas[123] ». Affluent alors les représentations mentales qui s'enchaînent spontanément. Là-bas, c'est-à-dire le Palais, l'heure du souper, le duc, Giomo, le vin[124]. Tout est réflexe automatique, associations d'images et d'idées.

S'avise-t-il que ce n'est pas l'heure[125] ? Le spectateur extérieur le tire alors de ses pensées d'un instant. Une lumière qui brille « sous le portique de l'église[126] » et le train des pensées s'oriente vers le crucifix, que taillent des marbriers[127]. La bataille hardie et sans danger ainsi livrée à un « cadavre de marbre » évoque dans son sillage, en filigrane, une autre bataille, un autre sacrifice autrement âpre et périlleux ; peur secrète, qui se délivre ici dans l'humour noir[128]. Et ces clous qu'on enfonce[129] — comme des épées ! — c'est un bruit régulier, une sorte de musique concrète et rythmique qui éveille dans la sensibilité et jusque dans les muscles l'instinct et le désir de la danse[130]. Danse et chant s'appellent, s'unissent spontanément et toute la fin du texte est comme chantée sur une mélodie très simple, où se retrouve le souvenir des refrains populaires : « tra la la ![131] ». Des rimes ou des assonances se posent, à leur tour, comme des oiseaux apprivoisés, sur le dernier mot de chaque proposition : « Faites-vous *beau*, la mariée est *belle*. Mais je vous le dis à *l'oreille*, prenez garde à son petit *couteau*[132] ». La prose est ainsi peu à peu dévorée de poésie. Commencé dans la comparaison[133], le monologue s'achève en pleine métaphore[134]. Jamais peut-être Musset n'a touché aussi profond dans l'âme humaine avec des moyens d'investigation et d'expression qui sont le privilège d'un poète, et d'un poète de théâtre, chez qui jeu musculaire et jeu du langage s'unissent indissolublement.

L'important, c'est que, chemin faisant, nous ayons entendu la révélation capitale et atteint le roc profond de la personnalité de

---

120. IV, 9, p. 423, l. 747-748.
121. *Ibid.*, l. 754.
122. *Ibid.*, l. 757.
123. *Ibid.*, l. 758.
124. *Ibid.*, l. 759.
125. *Ibid.*, l. 764.
126. *Ibid.*, l. 765.
127. *Ibid.*, l. 768.
128. « Je voudrais voir que leur cadavre de marbre les prît tout d'un coup à la gorge » (*ibid.*, p. 424, l. 769-770).
129. *Ibid.*, p. 423-424, l. 767-769.
130. « J'ai des envies de danser qui sont incroyables » (*ibid.*, l. 771-772).
131. *Ibid.*, l. 775-776.
132. *Ibid.*, l. 776-777.
133. « Une nouvelle mariée, *par exemple*, exige cela de son mari... (*ibid.*, p. 420, l. 645-696).
134. *Ibid.*, p. 424, l. 776.

Lorenzo. Quelques confidences antérieures nous l'avaient fait pres-sentir [135]. Mais elle éclate ici dans la pleine lumière du souvenir, de la campagne et de l'été. La vraie patrie de Lorenzo est celle de son enfance. Elle ne s'appelle pas Florence, mais Caffagiuolo [136]. Le malaise existentiel qui l'accable, le dédoublement qui le guette, la tristesse qui le ronge s'éclairent d'un jour nouveau, dès lors qu'on est entré dans le mouvement profond de son être. Lorenzo, lors même qu'il a choisi l'avenir et s'est donné à la plus folle ambition, n'a au fond de lui-même jamais cessé de regarder en arrière vers un passé luisant, qui a les couleurs de l'enfance. Le drame est qu'au plus dense de l'action Lorenzo ne cherche pas à affirmer son existence et sa personnalité d'adulte, fût-ce dans le scandale, comme il semble l'avoir cru un instant ou l'avoir voulu faire croire à Philippe Strozzi, mais à renouer avec son enfance, à retrouver magiquement le paradis perdu et, s'il se peut, par un acte unique, à l'emporter d'un seul coup. Ce paradis, quelques anges gardiens en protègent l'accès, un chœur de jeunes visages qui se nomment Catherine, Louise, Jeannette. Il a sa lumière et sa couleur propres, qui trouent la nuit terrible où Florence vient de basculer et tranchent sur la clarté « livide » de la lune. Le blanc est sa parure : « blanches les petites mains » de Louise, « une fille belle comme le jour [137] », blanche, la lessive étendue sur le gazon ; blanche, la chèvre aux « grandes pattes menues [138] » que Jeannette devait chasser. Rien que de familier, de séculaire, de rassurant à l'ombre de ces arbres, symboles d'enracinement et de stabilité. Tout y est lumière, paix et joie. Comparez ce paysage d'enfance et celui que voit Lorenzo, à la fenêtre de sa chambre, son coup fait. C'est la même nature tran-quille et champêtre, mais magnifiée par la solennité du moment, soulevée par la célébration lyrique d'une renaissance conjointe du monde et de soi-même [139].

On s'explique, dans ces conditions, que Lorenzo ait pu tuer sans haine et qu'aucun commentaire n'ait accompagné le coup fatal. Une comparaison avec la même scène traitée par George Sand nous fait mesurer toute la distance qui sépare le métier d'un dramaturge, qui cherche l'émotion forte et ne dédaigne pas la causalité, de la vision d'un poète, qui ouvre le langage à une réalité spirituelle et cherche à nous communiquer l'élan et la musique même d'une âme. Chez George Sand, Lorenzo, après une rude et longue empoi-gnade [140], s'explique auprès du cadavre dont il soulève la tête et soutient le regard. Chaque titre qu'il lui donne est comme une nouvelle insulte [141]. Un peu plus tard, à Catterina qui l'admire,

135. Par exemple : « Si j'étais resté tranquille au fond de mes solitudes de Cafaggiuolo... » (IV, 3, p. 392, l. 165-166).
136. IV, 9, p. 423, l. 747-756.
137. *Ibid.*, l. 747.
138. *Ibid.*, l. 755-756.
139. IV, 2, p. 431, l. 918-920.
140. *Genèse*, p. 135-137, l. 1169-1206.
141. « ...tyran, despote, infâme, fanfaron, impudique... » (*ibid.*, p. 138, l. 1234).

Lorenzo explique, en trois points et une conclusion, les raisons de son meurtre [142]. Quant à la rêverie au bord de la fenêtre, elle n'est que le prélude à une métamorphose aussi théâtrale que peu vraisemblable [143]. Rien de ce fatras mélodramatique ne subsiste chez Musset. En poète, il se contente d'un meurtre qui a la sobriété d'une épure, puis d'une méditation à la fenêtre qui n'a pas de lien logique avec la victime qui en est l'occasion. Débarrassé de sa longue obsession du tyrannicide, le cœur de Lorenzo peut enfin adhérer, l'espace d'un instant, à la merveilleuse illusion d'avoir aboli le temps, d'avoir retrouvé l'enfance et de vivre enfin réconcilié avec lui-même dans un monde de beauté, de pureté et de paix.

Illusion merveilleuse, sans doute, mais, d'abord, illusion. On n'abolit pas le cours du temps. Celui-ci est irréversible. Chaque moment est solidaire de la totalité de ceux qui l'ont précédé. On n'est en définitive que ce qu'on devient ou ce qu'on se fait à tous moments. Ces vérités de bon sens, Lorenzo semblait les avoir oubliées ou méconnues. Elles prendront, au cinquième acte, une terrible revanche. Il suffit, en effet, d'une seule scène [144] pour nous faire assister au désastre d'un Lorenzo plus inconsistant que jamais et qui ne soutient même plus son personnage par la puissance de l'éloquence. « Vous n'êtes pas changé, Lorenzo [145] », dit Philippe à son ami, et c'est vrai. Le sentiment de culpabilité s'est encore accru, car sa mère est morte par sa faute [146] et la condamnation dont il est l'objet de la part des autorités florentines lui apparaît comme le signe d'une totale déréliction. La punition des hommes semble anticiper celle de Dieu et le recours à l'humour noir, « gaieté (...) triste comme la nuit [147] », est une maigre défense que Philippe n'a pas de peine à percer à jour. Le sentiment d'aliénation trouve ici, pour s'exprimer, les images de raideur les plus saisissantes : la « statue de fer-blanc [148] », creuse et vide, ou la « machine à meurtre, mais à un meurtre seulement [149] ». Quant à ce vieillissement précoce, dont Lorenzo prend brusquement conscience [150], c'est la revanche la plus raffinée que le temps pouvait prendre sur celui qui, par sa conduite, s'est rebellé contre ses exigences. Lorenzo est passé d'un bond de l'âge des illusions à celui du désenchantement sans avoir jamais pleinement connu ni la libre disposition de soi-même, ni la maîtrise de l'action. Poser un acte ponctuel, vidé peu à peu de son contenu initial et détourné de sa finalité propre, vivre un

---

142. « ...Je l'ai tué pour ses forfanteries (...). Je l'ai tué parce que je le haïssais mortellement (...). Je l'ai tué pour assouvir ma soif (...). A présent je ne désire plus rien, j'ai ma propre estime » (ibid., p. 144, l. 1361-1371, passim).
143. Ibid., p. 139-140, l. 1255-1262.
144. V, 6, p. 464-469.
145. Ibid., p. 465, l. 625-626.
146. Ibid., p. 464, l. 610.
147. Ibid., p. 465, l. 625.
148. Ibid., p. 466, l. 654-655.
149. Ibid., p. 466, l. 654-655.
150. « Je suis plus vieux que le bisaïeul de Saturne » (ibid., p. 465, l. 636).

instant de la durée comme un coup de dés où l'on joue sa destinée temporelle, c'était évidemment faire injure à la durée comme trame ordinaire et nécessaire de l'existence humaine. Au bout du compte, que reste-t-il de cet homme qui a fini par tourner le dos à l'humain ? Une mobilité sans but [151], un ennui sans appétence [152], une existence quotidienne logée à l'étroit dans l'entre-deux d'une vie qu'on ne retient pas et d'une mort qu'on désire, mais sans avoir la force de la prendre. C'est déjà un mort vivant qu'on poignarde dans le dos et qu'on « pousse dans la lagune [153] ».

Telle est la sombre histoire du héros de Musset qui passe de la condition de masque à l'état d'ombre sans avoir jamais connu l'adhésion heureuse de soi à soi-même, l'intériorité, la conscience de soi comme être pensant et agissant librement, à la fois en dialogue avec le monde et prolongeant son être intérieur par l'action. Qu'il ait fait fausse route, ce n'est pas douteux. Mais y avait-il, y a-t-il, aux yeux de Musset, d'autres routes, dont on puisse reconnaître le sillage dans la chair même du drame ? C'est cette dernière exploration qu'il convient de tenter.

OMBRE ET LUMIÈRES : LA LECTURE POÉTIQUE DE « LORENZACCIO »

D'apparence, le drame de Musset nous propose l'image d'un monde hermétiquement clos. Toutes les routes y semblent des voies sans issue. Toute traversée du miroir y apparaît vouée à l'échec. Il n'y a, par exemple, pas de fuite possible dans la mort, toujours inutile, presque toujours atroce ou absurde. Aucune mort ne rayonne au-delà d'elle-même, aucune ne contribue à faire lever « le blé céleste [1] » : Marie meurt de chagrin, le duc est saigné comme un porc, Louise est empoisonnée, les étudiants meurent pour rien, Lorenzo est un cadavre sans sépulture. La débauche n'y a pas meilleur visage : elle dégrade le corps et souille l'âme ; elle a les « yeux plombés », les « mains fluettes et maladives » d'un « lendemain d'orgie ambulant [2] » ou les vulgarités de geste et de langage d'un Julien Salviati, ou les sens engourdis par le vin et la bonne chère d'un duc de Florence « incapable de dire seulement : « Mon cœur, ou mes chères entrailles », à l'infante d'Espagne [3] ». Même le som-

151. « Tu te feras tuer dans toutes ces promenades » (ibid., p. 467, l. 668).
152. « Peut-être le [honnête] redeviendrais-je, sans l'ennui qui me prend » (ibid., l. 662-663).
153. Ibid., p. 468, l. 705-706.

1. II, 2, p. 266, l. 283.
2. I, 4, p. 225, l. 686-688.
3. IV, 2, p. 430, l. 889-890.

meil est habité de songes affreux que la veille ne dissipe pas ; on ne dort pas tranquille dans cette Florence « noyée de vin et de sang[4] ». Maffio doit bien se rendre à l'évidence que la vérité a les couleurs sombres du mauvais rêve qui a troublé son sommeil et que le fantôme de sa sœur traversant le jardin familial, « tenant une lanterne sourde, et couverte de pierreries[5] », n'est pas une illusion de la nuit, mais une réalité que le jour viendra confirmer. A l'inverse, le rêve heureux de la nuit se heurtera au matin contre la dure réalité et la désillusion crée parfois un choc insoutenable : « Ah ! Cattina, pour dormir tranquille, il faut n'avoir jamais fait certains rêves[6] ». De toute façon, ce monde cruel dessine autour de chacun une sorte de cercle magique, dont il semble impossible de se délivrer par ses propres moyens.

Il est vrai que les meilleurs d'entre les personnages du drame sont curieusement démunis de moyens. En particulier, ni le langage ni l'action, quand ils sont employés au service d'une juste cause, la vertu ou la liberté, ne semblent être de nature à ouvrir des brèches sérieuses dans ce monde noir et étouffant. Ils n'ont ni l'un ni l'autre de prise efficace sur la réalité. Sans doute faut-il admettre que, pour des raisons complexes où les exigences du grossissement dramatique entrent pour une part importante, Musset semble avoir choisi, pour les opposer et les renvoyer dos à dos, la forme la plus décevante du bavardage humain et la forme exacerbée de l'action : le pathos libéral et l'assassinat politique. Du moins, de la grande confrontation polémique entre Philippe Strozzi et Lorenzo de Médicis, qui sert d'épine dorsale à l'action dramatique, aucun des antagonistes ne sortira vainqueur. Philippe a parlé, mais ses paroles ont été sans effet ; Lorenzo a choisi d'agir, mais son acte s'avère inutile. On sent bien qu'en opposant ainsi les attitudes et en simplifiant quelque peu les traits, Musset a voulu tordre le cou à quelques illusions tenaces et murer des issues, dont l'expérience lui a montré qu'elles conduisaient à des impasses.

En créant Philippe Strozzi à mi-chemin entre un père noble de tragédie[7] et un vieillard de comédie[8], Musset peut notamment faire

4. III, 3, p. 345, l. 618-619.
5. I, 1, p. 193, l. 60-62.
6. I, 6, p. 247, l. 1078-1079.
7. Philippe a, par exemple, des moments de poignante lucidité, où il analyse sans faiblesse ses atermoiements, ses illusions, ses fautes passées (II, 2, p. 252-253, l. 5-35 ; II, 5, p. 299-300, l. 967, 991) ; ou bien encore Musset lui fait exprimer les joies, les inquiétudes et les douleurs de la paternité avec une force digne du meilleur Balzac (III, 2, p. 321-326, l. 166-252 ; III, 7, p. 378-383, l. 1269-1392 ; IV, 6, p. 408-409, l. 475-487).
8. Deux fois, au moins, son verbalisme et son entêtement dans l'illusion provoquent un effet comique, qui n'est sans doute pas involontaire. C'est le cas pour l'éloquent plaidoyer en faveur de l'action, qui précède immédiatement le grand dialogue de Philippe avec Lorenzo. On se souvient de sa martiale péroraison, vrai chant du départ : « et toi, vieux corps courbé par l'âge et par l'étude, redresse-toi pour l'action ! » (III, 3, p. 332, l. 357-358) ; mais, par un contraste de comédie, Philippe reste benoîtement assis et l'intervention de Lorenzo souligne encore la disconvenance entre les propos et l'attitude. Même effet comique avec l'arrivée du courrier, qu'on aperçoit par la fenêtre, et qui suscite, chez Philippe, une sorte d'enthousiasme par habitude, lequel, étant donné les circonstances, ne laisse pas de faire sourire (V, 2, p. 450, l. 351-353) ; amer sourire, sans doute, mais dont la dignité de Philippe ne saurait manquer de recevoir l'éclaboussure.

le portrait en même temps que le procès d'une conscience honnête prise au piège de ses propres contradictions : entre l'éloquence et l'efficience, entre la fin et les moyens, entre le cœur pur et les mains sales, entre le rêve ailé d'une république et la violence parfois nécessaire à son établissement. Bien d'autres bavards impuissants passeront dans le champ visuel du dramaturge : Bindo et Venturi, le marchand de soieries et l'orfèvre. La marquise elle-même, qui sait pourtant le poids des mots et croit à leur valeur[9], fera à ses dépens l'épreuve de leur vanité : ils ne changeront pas le cœur d'Alexandre ni ne sauveront Florence de ses turpitudes. Mais c'est Philippe qui, en définitive, sera la cible exemplaire et parfois involontaire des traits que Musset décoche à l'idéalisme verbal et, d'une manière générale, au « bavardage humain[10] », parce qu'il compromet plus sûrement, en raison de son âge, de son expérience et de son rayonnement personnel, la cause qu'il prétend défendre, et parce qu'il trahit finalement sa vocation propre.

Las « d'entendre brailler en plein vent le bavardage humain[11] », le dramaturge semble avoir conçu pour son héros un type d'action à l'antipode de la parole. L'idée de l'action, telle que l'illustre Lorenzo, n'est pas nouvelle dans l'œuvre de Musset[12]. C'est celle qui peut germer dans l'esprit de l'intellectuel frotté aux idées et qui, brusquement, dans une bouffée de dépit, entend l'appel d'une autre vocation. L'instrument de l'action n'est plus alors la tête, mais le bras. La pensée et la parole, loin d'être considérées comme de précieux auxiliaires de l'action, sont frappées de suspicion et de mépris. A cet égard, la vocation de Lorenzo, après vingt ans d'une vie intérieure exclusivement consacrée aux arts et aux sciences[13], ne laisse pas d'être inquiétante. Ce n'est même pas à la tyrannie qu'en a Lorenzo, mais aux tyrans, considérés comme des « ennemis » qu'il faut abattre. Ce n'est pas non plus le bien des hommes ou leur liberté qui est en vue, mais la satisfaction de l'orgueil, l'affirmation de soi devant et parfois contre les autres. D'où ce rêve d'une action solitaire, « sans le secours d'aucun homme[14] », d'un « corps à corps avec la tyrannie vivante[15] », dont le succès soit comme le miroir où les hommes connaîtront leur lâcheté, mesureront la vanité de leur bavardage[16].

En grattant bien ou plutôt en le transportant dans un contexte historique différent, on trouverait sans peine en Lorenzo la vocation

---

9. « Ceux qui mettent les mots sur leur enclume, et qui les tordent avec un marteau et une lime, ne réfléchissent pas toujours que ces mots représentent des pensées, et ces pensées des actions » (I, 3, p. 216, l. 506-509).

10. IV, 9, p. 421, l. 716-718.

11. III, 3, p. 358, l. 882-883.

12. Voir dans les *Vœux stériles* (*Poésie*, p. 116) le passage qui commence par les vers célèbres :

Heureux, trois fois heureux, l'homme dont la pensée
Peut s'écrire au tranchant du sabre ou de l'épée !...

13. III, 3, p. 342, l. 566.

14. *Ibid.*, p. 344, l. 603.

15. *Ibid.*, l. 609-610.

16. « ...Et laisser la fumée du sang d'Alexandre monter au nez des harangueurs pour réchauffer leur cervelle ampoulée » (*ibid.*, l. 611-613).

d'un terroriste plus que d'un organisateur de révolution. L'action
y est plus d'une fois présentée, au moins dans sa première phase,
celle qui concerne personnellement Lorenzo, comme une dépense
d'énergie musculaire plus que d'énergie cérébrale. La scène du spadassin, comme le monologue avant le meurtre, font apparaître clairement que le combat avec Alexandre n'est en aucune manière idéologique, qu'il se complique sans doute d'un drame psychologique et
moral propre à Lorenzo lui-même, mais qu'il est d'abord l'empoignade de deux corps, dont l'un doit l'emporter sur l'autre par la force
et par la ruse.

Quant à l'union intime de la pensée, de la parole et de l'action dans
l'effort créateur, elle ne semble se faire jour, dans la pièce, qu'à travers un personnage qui ne saurait, à aucun titre, rencontrer la sympathie de Musset : le cardinal Cibo. Même si, en définitive, Cibo apparaît objectivement vainqueur, c'est au prix d'une politique qui
porte en elle-même sa propre condamnation. Ni sa conception utilitaire de la parole, bonne pour servir ses intérêts, ni sa conception
cynique de l'Etat et du pouvoir, asservie à ses ambitions personnelles,
ni sa conception opportuniste de l'action, confondue avec l'intrigue,
ne sauraient proposer une route à suivre ni ouvrir une voie féconde
vers l'intériorité et le bonheur.

Faut-il donc désespérer ? Une lecture superficielle de la pièce
pourrait nous le faire croire. Mais une lecture poétique de l'œuvre,
à la lumière des images et des visages qui s'y rencontrent ici ou là,
aux moments les plus sombres, oblige à revenir sur ce jugement
hâtif. Comme au jour du jugement dernier imaginé par Lorenzo, une
« montagne de sanglots [17] » ne saurait entièrement faire oublier le
rayonnement discret, mais inaliénable de cette « goutte de lait pur
tombée du sein de Catherine et qui aura nourri d'honnêtes enfants [18] ».

Qui niera, d'abord, que ce monde où règnent l'agressivité, la débauche et la lâcheté, ne soit travaillé de forces qui tendent au rapprochement, à la communion et, pour tout dire, à l'amour ? *Lorenzaccio*, monde sans amour, a-t-on écrit, et j'ai moi-même partagé cette
opinion [19]. Est-ce bien exact ? Il serait plus juste de dire que c'est
un monde qui a perdu le sens de l'amour, qui l'a dévoyé ou prostitué,
mais qui continue d'être à sa recherche. Il est, en effet, remarquable
que, le marquis et la marquise Cibo mis à part, la plupart des personnages de la pièce sont des êtres isolés ou ayant appartenu naguère à
des couples désormais rompus. Contre les indications données par
Varchi, Musset fait, par exemple, de Louise et de Catherine des
vierges, alors qu'elles étaient mariées l'une et l'autre. Philippe est apparemment veuf, comme est veuve Marie Soderini. Le duc est marié,

---

17. IV, 5, p. 408, l. 466.
18. *Ibid.*, l. 467-468.
19. *Lorenzaccio ou la difficulté d'être*, p. 45.

mais la duchesse ne paraît pas dans la pièce [20] et ne joue aucun rôle dans la vie de son mari. Mais des attirances secrètes, suggérées plus qu'exprimées par le poète, tendent à recréer des liens nouveaux qui sont comme les balbutiements de l'amour. Par exemple, le lien, de nature homosexuelle, qui unit le duc et Lorenzo, semble exclure la haine inexpiable qui les opposait chez George Sand. Chez Musset, au contraire la complémentarité des natures, — l'esthète tout en subtilité et l'athlète tout en muscles, — l'échange de bienfaits [21], une certaine sympathie faite d'habitude et de complicité [22] dominent leurs rapports. Ce n'est pas Alexandre que tuera en fin de compte Lorenzo, mais un fantôme qu'il exorcise, une obsession dont il tranche l'amarre. Pareillement, le rapport d'amitié entre Philippe et Lorenzo tend à se changer en un rapport plus intime, paternel et filial, comme est fraternel et vaguement incestueux le rapport de Lorenzo avec sa tante Catherine. Par ces solitudes mal supportées, comme par ces couples en formation, fussent-ils ambigus, le monde de *Lorenzaccio* est un monde en recherche de sincérité, de transparence et d'unité, c'est-à-dire, peu ou prou, en recherche d'amour.

Le seul amour constitué, celui qui scelle l'unité du couple Cibo, l'est sous la forme conjugale, ce qui en dit long sur la nostalgie secrète du cœur de Musset Car ce couple, fortement cimenté autour d'une terre et d'un enfant, résistera à la tourmente [23], et rien n'autorise à penser que le pardon de Laurent à sa femme, dont semble témoigner une courte scène muette au cinquième acte [24], ait amoindri leur amour et compromis les chances de leur entente. Simplement, leur aventure indique une direction capitale. L'amour ne doit pas être sacrifié à un intérêt étranger à sa propre nature. Il n'y a pas d'interférence possible entre l'amour humain et le service de Florence. L'amour se satisfait mal de l'ambition, fût-elle dictée par l'amour même [25].

---

20. Musset avait d'abord songé à la faire paraître dans la pièce (Plan I, p. 153, 1. 30 ; Plan II, p. 158, 1. 16 ; Plan III, p. 162, 1. 17, p. 163, 1. 30) ; il y a renoncé dans la rédaction définitive. La seule mention qui y soit faite de Marguerite d'Autriche, fille naturelle de Charles-Quint, est une mention indirecte : « César est mon beau-père, ma chère amie » (III, 6, p. 369, 1. 1098-1099).

21. « Il a fait du mal aux autres, mais il m'a fait du bien, du moins à sa manière » (IV, 4, p. 392, 1. 163-165).

22. « J'aime Lorenzo, moi et par la mort de Dieu, il restera ici » (I, 4, p. 224, 1. 668-669).

23. Il convient de remarquer, à ce sujet, une hésitation de plume chez Musset, un embarras dont il se tirera par la solution la plus radicale : en tranchant dans le vif. Dans les dernières lignes de la scène 4 du quatrième acte, qui figurent sur le manuscrit, mais qui n'ont pas été maintenues dans l'édition imprimée, on lit cette réplique dans la bouche de la marquise : « Adieu, adieu, qu'on me donne mon manteau » (IV, 5, p. 403, n.c. 385 et n.c. f) ; un peu plus loin, on peut lire également, cette fois dans la bouche du Marquis, cette réplique biffée : « Je vais retourner à Massa » (*ibid.*, n.c. g). En achevant la scène après la réplique : « Elle est évanouie. Holà ! qu'on apporte du vinaigre » (*ibid.*, p. 402, 1. 385), Musset se dispensait de choisir et préservait l'avenir, tel que le fait apparaître la scène 3 du cinquième acte.

24. V, 3, p. 452-453, 1. 395-416.

25. « Et pourquoi est-ce que tu te mêles à tout cela, toi, Florence ? Qui est-ce donc que j'aime ? Est-ce toi ? est-ce lui ? » (II, 4, p. 279, 1. 559-561).

Un autre aspect, secret lui aussi, de la vie intérieure du drame se révèle en un mot ambigu entre tous : le rêve. Que chacun porte en soi une certaine image idéale du monde, qu'il soit habité et soulevé par un grand rêve, au point de lui sacrifier sa tranquillité, son honneur et même sa vie, telle est l'évidence. Marie Soderini mourra de s'être réveillée d'un rêve de lumière et de gloire, dont son fils n'a pas su se montrer digne[26]. La peinture de Tebaldeo n'est qu'une « esquisse bien pauvre d'un rêve magnifique[27] », au service duquel il entend mettre son talent et sa vie entière. Philippe, lui non plus, n'a jamais cessé de vivre dans et pour un rêve : « Je me suis courbé sur des livres, et j'ai rêvé pour ma patrie ce que j'admirais dans l'antiquité[28] ». Lorenzo a connu les « rêves philanthropiques[29] » et l'image obsédante du « corps à corps avec la tyrannie vivante[30] », pour laquelle il a tout quitté et tout perdu. La marquise Cibo, dans un étrange égarement du cœur et de la vertu, a « fait un rêve[31] », qui épouse la forme même de ses désirs sensuels : « Ah ! sais-tu ce que c'est qu'un peuple qui prend son bienfaiteur dans ses bras ?[32] ». Il n'est pas jusqu'au cardinal Cibo qui n'ait, lui aussi, caressé en secret un rêve de puissance et d'ambition[33]. Il est vrai qu'il ajoute aussitôt : « J'ai travaillé longtemps pour être ce que je suis, et je sais où l'on peut aller[34] ». Il n'y a pas lieu de s'étonner, dans ces conditions, qu'il soit le seul dont les rêves soient en passe de devenir réalités. Au moment où le rideau tombe, le processus de leur accomplissement est en marche.

Mais est-il sûr que les rêves des autres personnages, que le rêve comme mode d'affranchissement personnel et d'accomplissement de soi soient condamnés ? Sur ce point encore une lecture nuancée de la pièce s'impose. Ce qui, en réalité, est condamné sans appel dans Lorenzaccio, ce n'est pas de poursuivre un rêve et d'y conformer sa vie, c'est de se tromper d'objet et d'ajuster à une fin donnée des moyens inadéquats. En rêvant de recevoir un jour, en récompense des services rendus, « le chétif héritage des cieux[35] », Cibo ne se trompe pas d'objet, il rêve dans l'ordre qui est le sien, celui de l'ambition et de la domination despotique ou, en un autre langage, celui de la corruption et du mal. Dès lors que la liberté, le bonheur et la vertu sont en cause, nous passons d'un ordre à un autre : de l'ordre de l'orgueil à celui du bonheur, de l'ordre de l'avoir à celui de l'être, de l'ordre de l'action à celui de la contemplation. Car

26. I, 6, p. 247, 1. 1078-1085.
27. II, 2, p. 260, 1. 172-173.
28. II, 5, p. 300, 1. 985, 987.
29. III, 3, p. 344, 1. 605.
30. Ibid., 1. 609, 610.
31. III, 6, p. 365, 1. 1020.
32. Ibid., p. 366, 1. 1043-1045.
33. Que la marquise perce à jour sans trop de peine (cf. IV, 4, p. 400, 1. 332-348).
34. IV, 4, p. 398, 1. 298-300.
35. Ibid., p. 400, 1. 338.

toute action semble porter en elle le germe d'un mal, qu'elle avilisse celui qui s'y livre ou que la lâcheté des hommes rende ses efforts et son sacrifice inutiles. C'est donc en tournant le dos aux vastes ambitions, aux sollicitations de l'orgueil et à la volonté de puissance qu'on peut espérer accéder à l'intériorité, à l'accord intime de soi à soi-même, aux formes élémentaires du bonheur. La leçon de modestie est peut-être rude, mais, au plan poétique, elle se monnaye en images et en symboles qui trouvent aisément le chemin du cœur.

Ce peut être la vie humble et repliée d'une Catherine Ginori, soumise à l'ordre des vertus familiales et du service de Dieu [36]. Sans doute sa tranquillité est-elle menacée par le mal environnant [37]. Du moins trouve-t-elle sans peine sa place dans le monde, comme en témoigne le chant lyrique par lequel elle exprime spontanément cet accord [38].

Ce peut être une vie consacrée à la fois à la paternité et à l'étude, comme celle de Philippe Strozzi, l'homme au visage « auguste et paisible [39] », qui n'eut dans sa vie qu'un tort, celui de ne pas écouter les leçons de sa propre lucidité et de vouloir passer outre : « Que le bonheur des hommes ne soit qu'un rêve, cela est pourtant dur, que le mal soit irrévocable, éternel, impossible à changer... non ! [40] » Lorenzo ne parviendra pas à lui faire entendre raison ni à le convertir à sa propre expérience. Du moins désigne-t-il clairement la voie : que Philippe conserve « les mains pures [41] », qu'il se garde du danger de faire des rêves [42] et demeure, en tout état de cause, fidèle à sa vocation studieuse.

Ce peut être encore une vie réconciliée avec soi-même dans un effort de tout l'être pour reconnaître sa vocation profonde et sa propre vérité. Ainsi la Marquise qui, réveillée de son grand rêve politique et consciente qu'une fin jugée bonne ne peut pas être servie par des moyens impurs, retrouve spontanément en son cœur l'ordre naturel où inscrire son bonheur et protéger son amour [43]. Lorenzo, dont le caractère est plus complexe, nous offre dans des eaux voisines, le témoignage douloureux d'un homme dont le malheur est irréversible, mais qui est du moins assez lucide pour nous dévoiler où était son ordre et son bonheur : ce paysage des jours tendres, qui s'est appelé pour d'autres Clarens ou Vergy, se nomme ici Caffagiuolo. Peut-être cette continuité du moi au monde, ce contact heureux avec un horizon familier qui a la figure de l'enfance sont-ils les signes les plus sûrs d'une intériorité retrouvée.

Ce peut être enfin la vie calme et féconde, exclusivement vouée à l'art, qu'incarne, avec tant de force tranquille, le petit peintre Te-

---

36. La promenade (I, 6), la lecture (II, 4), la piété (« un messager m'a apporté cela comme je sortais de l'église », III, 4, p. 361, l. 934-935).
37. « Combien faudrait-il pourtant de paroles, pour faire de cette colombe ignorante la proie de ce gladiateur aux poils roux ? » (IV, 5, p. 407, l. 457-459).
38. I, 6, p. 242-243, l. 1005-1007.
39. III, 3, p. 332, l. 370.
40. II, 1, p. 253, l. 26-29.
41. III, 3, p. 355, l. 823-824.
42. « Je te dis le danger d'en faire » (ibid., p. 348, l. 694-695).
43. III, 6, p. 372-373, l. 1173-1181.

baldeo. Que Musset ait créé Tebaldeo tout proche de son cœur, c'est l'évidence. Qu'il ait attaché à ce personnage secondaire assez de prix, pour remettre plus d'une fois sur le métier, avec un soin diligent, la grande scène qui lui est consacrée [44], cela n'est pas moins sûr. En donnant à ce personnage une fermeté de caractère, un courage tranquille, une foi religieuse et esthétique que les sarcasmes de Lorenzo n'arrivent jamais à entamer ou à prendre en défaut, Musset entendait bien incarner en Tebaldeo une sorte de double idéal de Lorenzo, tel que celui-ci eût pu être, si d'aventure renonçant à la route dangereuse et inutile de l'action, il eût jeté son énergie dans la contemplation et la création artistiques.

D'une longue discussion en zigzag, on retiendra deux propositions capitales, qui enveloppent d'une lumière précise le débat engagé autour de l'action.

1° « *Réaliser des rêves, voilà la vie du peintre* [45] ». Ce qui revient à dire que la forme idéale du monde dont chacun porte en soi l'image ou le souvenir trouve dans l'art la plénitude de son expression. N'est-ce pas, d'emblée et par avance, donner un cinglant démenti à Lorenzo, qui, lui aussi, a entrepris de réaliser son grand rêve de liberté et de bonheur pour les hommes, mais en empruntant la voie périlleuse et décevante de l'action politique ? « J'étais courbé sur mes livres [46] » avouera Lorenzo à Philippe ; « ma jeunesse tout entière s'est passée dans les églises [47] », confie Tebaldeo à Valori. Mais Tebaldeo est resté fidèle à sa vocation contemplative, tandis que Lorenzo a écouté l'appel de l'orgueil et de l'action. La seule confrontation de ce qu'ils sont respectivement devenus, un débauché sarcastique et un jeune homme libre, suffit à indiquer qui a choisi des deux la meilleure part. L'action en particulier contient en elle des germes de mort ; elle a partie liée avec le monde périssable. L'art, au contraire, est protestation contre la mort ou du moins transfiguration de la mort ; il participe, d'une certaine manière, à l'immortalité. Est-ce dans ces conditions un hasard si la toile que Tebaldeo porte sous le bras et qu'il montre à Valori représente « la vue du Campo Santo [48] », c'est-à-dire d'un cimetière, sans doute le plus célèbre d'entre eux, celui de Pise. Pour qui mourra sans tombeau, quel avertissement et quelle leçon !

2° « *Les terres corrompues engendrent le blé céleste* [49] ». Derrière un paradoxe déjà développé par Diderot et que Musset se contente de pasticher [50], on voit se profiler une autre idée, plus personnelle et

44. *Genèse*, p. 176-183.
45. II, 2, p. 260, l. 178.
46. III, 3, p. 339, l. 500-502.
47. II, 2, p. 259, l. 145-146.
48. *Ibid.*, p. 262, l. 199-200.
49. *Ibid.*, p. 266, l. 282-283.
50. « C'est lorsque la fureur de la guerre civile ou du fanatisme arme les hommes de poignards, et que le sang coule à grands flots sur la terre, que le laurier d'Apollon s'agite

plus moderne. La seule manière de justifier l'existence du mal dans le monde et d'en exorciser l'action corruptrice, c'est de le faire servir à la création artistique, d'en faire la matière même de l'art : « L'art, cette fleur divine, a quelquefois besoin du fumier pour engraisser le sol et le féconder [57] ». L'idée, qui sera chère à Baudelaire, d'extraire « la beauté du Mal » et de concevoir une beauté liée substantiellement au malheur n'est pas loin. Aussi bien, pour Tebaldeo, l'art n'est-il à aucun degré une fuite hors du réel et dans le rêve. Il plante ses quartiers en plein cœur du monde ; sa matière, c'est ce monde même, tel qu'il s'offre à l'expérience, mais fécondé par la sève de l'imagination qui en conçoit la forme idéale. Ainsi l'art de Tebaldeo, contrairement à l'apparence, est un art de la réalité : l'art même de Musset dans *Lorenzaccio*. Tebaldeo ne redouterait pas, en tout cas, de peindre « Florence, les places, les maisons et les rues [52] » ; il vit à Florence et y demeure, le stylet à la ceinture, prêt à riposter si on l'attaque. Fière idée d'un art qui, loin de fuir le monde, cherche à lui donner un ordre et un sens, d'un artiste, qui vit parmi les hommes, dont il adoucira les souffrances par son chant, mais qui ne se mêle pas de changer, par d'autres moyens, un monde irréformable. Aussi bien est-il un homme libre, qui a trouvé sa juste place dans la société. A Lorenzo, qui s'interroge sur sa propre identité et vit le malaise de l'aliénation, quelle enviable sûreté de soi se traduit dans la réplique finale : « je suis artiste ; j'aime ma mère et ma maîtresse [53] ». L'existence et l'amour ; exister, c'est aimer. La leçon, une fois encore, ne sera pas perdue.

Certes on peut épiloguer à loisir sur le rôle exact que Musset entendait donner à Tebaldeo dans l'équilibre général de son drame. Personnage épisodique, dont la présence en scène n'excède pas le deuxième acte [54], de quel poids, en effet, peut bien peser son témoignage à l'heure du désastre final ? Mais peut-être n'est-ce pas en ces termes qu'il convient de poser la question non seulement de Tebaldeo, mais de toutes les figures poétiques éparses dans *Lorenzaccio*. Dans un drame historique, qui s'essaye à donner une analyse ample et précise d'un régime politique et d'une société déterminée, la poésie ne saurait occuper le premier rang. Son rôle est de créer des sillages, d'indiquer des directions, de semer des étoiles dans la grande nuit opaque qui s'abat sur Florence. Au cœur d'un monde cassé ou du moins gravement blessé, — « une blessure sanglante peut engendrer la corruption dans le corps le plus sain » [55], — la poésie recrée, par éclairs et par bouffées, les conditions de l'unité perdue : accord de l'homme avec lui-même et avec son rêve profond,

---

et verdit. Il en veut être arrosé... » (Diderot, *De la poésie dramatique*, *Œuvres complètes*, éd. Assézat, t. 7, p. 371-372).

51. II, 2, p. 264-265, l. 255-257.

52. *Ibid.*, p. 264, l. 234-235.

53. *Ibid.*, p. 269, l. 336.

54. Musset avait d'abord songé à faire intervenir Tebaldeo à la fin de la scène 9 de l'acte IV (p. 423, n.c. 766) ; il y a renoncé dans la rédaction définitive.

55. II, 2, p. 264, l. 252-253.

harmonie de l'être et du paysage, réconciliation de la créature et de son créateur dans la foi et l'amour retrouvés. Est-ce un hasard si, en face d'un cardinal Cibo, homme d'Eglise plus qu'homme de Dieu, la Marquise proclame une foi sincère et vivante ? Si, en face d'une Marie Soderini déçue, fermée sur les débris de son grand rêve avorté, Catherine retrouve spontanément Dieu dans la paix d'un soir au bord de l'Arno ? Si, en face de Lorenzo, Satan agressif et désespéré, Tebaldeo se proclame d'une même voix artiste et croyant ?

Au reste, par un art très subtil de la modulation dramatique, Musset tire un heureux parti des oppositions de ton et de lumière dans les données fondamentales de l'espace et du temps. Il est, en effet, des temps et des lieux naturellement poétiques dont Musset joue à loisir et à plaisir. Ainsi est-ce hors les murs de Florence, dans un coin de campagne au bord de l'eau, que Catherine perçoit l'harmonie de l'âme et de la nature en Dieu [56]. C'est en rêvant aux ombrages de Massa [57] ou à l'horizon tranquille de Caffagiuolo [58] que la marquise et Lorenzo entendent, au fond d'eux-mêmes, le chant de la réconciliation. Si l'on y prend garde, on s'aperçoit également que Tebaldeo, tout en s'affirmant décidé à rester à Florence et à peindre sa réalité monumentale, appartient plus, par ses idées, sa manière d'être, sa conception mystique de l'art, aux peintres de la génération précédente, qui tiennent Raphaël pour leur maître et le meilleur d'entre eux [59], qu'aux artistes de sa propre génération, que Benvenuto Cellini représente dans la pièce avec la truculence d'un pilier de cabaret [60]. C'est que la figure poétique de Tebaldeo exigeait par contraste avec le satanisme de Lorenzo cette atmosphère de foi mystique, cette profonde unanimité religieuse de l'artiste et de son public, en quoi Musset a toujours vu le meilleur de la Renaissance italienne [61], mais dont *Lorenzaccio*, drame d'une décadence, ne pouvait guère, par nature, nous transmettre l'écho. C'est en jouant discrètement de l'anachronisme que Musset peut tracer en Tebaldeo un portrait vivant de l'existence poétique, vouée exclusivement à la contemplation, à la beauté et à l'amour.

Est-ce à dire que le témoignage de Tebaldeo pèse, en définitive, d'un faible poids relativement à la masse de l'œuvre ? Oui, s'il s'agit de son témoignage historique, puisque Tebaldeo se présente à nous

56. I, 6, p. 242, 1. 1000.

57. III, 6, p. 372-373, 1. 1173-1181.

58. IV, 9, p. 423, 1. 751.

59. « Seigneur, c'était mon maître. Ce que j'ai appris vient de lui » (II, 2, p. 262, 1. 212-213). Raphaël séjourna à Florence de 1504 à 1508 ; il mourut en 1520. On voit mal dans ces conditions comment le tout jeune homme qu'est Tebaldeo (« votre barbe n'est pas encore poussée, jeune homme » ; *ibid.*, p. 61, 1. 193-194) aurait pu être l'élève de Raphaël. Aussi bien n'est-ce pas ainsi qu'il convient de poser la question. Il est bien des détails historiquement faux, qui sont poétiquement vrais. Le rayonnement spirituel de Tebaldeo postulait cette innocente entorse à la vraisemblance chronologique.

60. I, 5, p. 840-841 ; encore ne s'agit-il là que de Cellini, l'homme. L'artiste, qui devait primitivement occuper un petit rôle dans la pièce, en a été éliminé dans la rédaction définitive (*Genèse*, p. 152, 1. 28 et n. 3 ; p. 157, 1. 6-7 et n. 4 ; p. 159, 1. 24-25 ; p. 160, 1. 3 et n. 1 ; p. 169-173 et n. 1 de la page 169).

61. « Autrefois, le temple des arts était le temple de Dieu même » (*Prose*, p. 882, « Un mot sur l'art moderne »).

isolé, teinté d'anachronisme et, de plus, réduit à un rôle purement instrumental dans l'économie du drame. Non, si l'on veut bien se souvenir que le drame historique conçu par Musset porte en lui-même sa propre condamnation. Toute action politique, dont la visée est idéaliste, se trouve au bout du compte disqualifiée et le spectre de la participation directe à l'histoire par l'action exorcisée à jamais. L'heure est alors venue de changer de cap et le témoignage spirituel du jeune artiste peut enfin peser son poids de poésie. Tebaldeo montre le chemin d'une existence nouvelle vécue à l'heure non de l'histoire, mais de l'esprit et du cœur, à l'ordre non de l'ambition, mais de l'amour.

TROISIÈME PARTIE

LA PIÈCE ET SES INTERPRÈTES

S'AGISSANT D'UNE ŒUVRE THÉATRALE, y a-t-il un chemin plus naturel que celui qui va de l'œuvre écrite à l'œuvre jouée, du texte figé dans les pages d'un livre à l'œuvre redevenue soudain mouvante et éphémère, au verbe qui s'est fait chair par les vertus conjuguées de l'homme de théâtre et du comédien ?

Mais la nécessité a son revers. Car restituer *Lorenzaccio* à l'histoire du théâtre est, comme on le verra, une entreprise assez malaisée. Les documents sérieux font bien souvent défaut et le peu qu'on en a souffre d'une sorte d'inertie cendreuse que l'imagination a bien de la peine à ranimer.

Du moins le choix des représentations françaises qu'il a paru instructif d'évoquer n'a pas vraiment fait difficulté. Trois d'entre elles se sont imposées d'elles-mêmes, parce qu'elles constituent des temps forts et, à certains égards, des moments historiques : 1896, création de la pièce au théâtre et création du rôle par Sarah Bernhardt au théâtre de la Renaissance ; 1927, entrée solennelle de la pièce de Musset au répertoire de la Comédie-Française ; 1952, première représentation d'un texte allégé, mais fidèle de la pièce de Musset et reprise mémorable par Gérard Philipe d'un rôle enfin rendu à sa virilité première [1]. Entre la présentation scénique traditionnelle du Théâtre-Français et le tréteau nu d'Avignon, cher aux disciples de Copeau, le relais des représentations du théâtre Montparnasse en 1945 s'imposait, au moins par la personnalité discutée et attachante de l'unique responsable du spectacle, Gaston Baty. Quant aux représentations du théâtre de la Madeleine en 1927, si mal documenté qu'on soit à leur sujet, pouvait-on n'en pas parler, quand on sait que la vedette en était Falconetti, qui, la même année, tournait le grand rôle de sa vie, Jeanne d'Arc, dans l'inoubliable film de Carl Dreyer. Mettons qu'en dernière analyse j'ai choisi d'évoquer Falconetti au théâtre par amour du cinéma.

La sixième représentation que je décris n'est pas du même ordre et occupe dans mon livre une place à part sur laquelle je dois m'expliquer d'un mot. Il s'agit d'une représentation étrangère, donc d'un texte traduit et adapté ; c'est, d'autre part, la seule des six représentations évoquées dont je puisse parler en témoin direct. Pour toutes ces raisons, elle avait droit à un traitement particulier, que j'ai souligné nettement dans l'économie générale du chapitre qui lui est consacré. Toutefois, il m'a paru indispensable d'en parler,

---

1. A proprement parler, G. Philipe n'est pas, comme on le dit souvent, le premier interprète masculin de Lorenzo. Citons, par exemple, Jean Marchat lors des deux représentations de *Lorenzaccio* données au grand théâtre de Bordeaux, le 9 février 1933 ; et Christian Casadesus, durant l'été 1943, au cours d'une tournée théâtrale en province avec la Compagnie du Regain.

ne serait-ce que pour éviter de laisser croire que la vie de *Lorenzaccio* au théâtre s'est arrêtée aux représentations mémorables du T.N.P. Le théâtre est chose vivante et la discontinuité n'est pas son fait. Le héros de Musset n'est pas près de mourir sans tombeau.

Ce qui m'a retenu dans les représentations du théâtre Za Branou de Prague tient précisément à la rencontre d'un grand texte romantique et français et d'un homme de théâtre moderne et tchèque. De cette discordance apparente naît une harmonie inconnue, un éclairage inédit, un frisson nouveau, si l'on veut. J'ajoute que, frappé des coïncidences étonnantes que j'ai décelées d'emblée entre l'analyse dramaturgique qu'implique la régie du théâtre Za Branou et mes propres analyses, pourtant entièrement rédigées dès 1967, je ne pouvais pas ne pas me donner à moi-même ce spectacle rassurant, l'aveu implicite d'un accord entre deux recherches convergentes venues, par des chemins entièrement différents, d'horizons opposés.

De 1896 à 1969, en tout cas, la courbe est passionnante à suivre et je ne désespère pas de l'avoir rendue sensible dans mes descriptions. C'est à une lente et progressive *reconquête* de la totalité de *Lorenzaccio* que nous assistons : reconquête du cinquième acte, reconquête de la virilité du héros florentin, reconquête du politique sur le moral et le psychologique, reconquête des vertus d'évidence d'une mise en scène digne de ce nom.

CHAPITRE PREMIER

ÉLÉMENTS D'UNE « PRÉHISTOIRE »
DES REPRÉSENTATIONS DE « LORENZACCIO »

En rigueur de termes, c'est bien avant 1896 qu'il faut entamer l'histoire des représentations de *Lorenzaccio*. Cette date est, en effet, le point d'aboutissement ou d'éclatement d'une volonté et d'un effort jamais relâchés durant plus d'un demi-siècle pour porter le drame à la scène. C'est donc par une préhistoire des représentations de *Lorenzaccio* que toute recherche en cette matière doit débuter. Des documents peu nombreux, mais de première main et parfois inédits nous permettront d'en marquer les étapes.

Tout commence dans le flou de la tradition orale et de la légende. Musset a-t-il songé à faire jouer sa pièce de son vivant et à concevoir lui-même les aménagements jugés nécessaires à la représentation ? On le dit. Mais qui le dit ? Paul de Musset, chaque fois qu'il veut convaincre un interlocuteur du bien-fondé des arrangements qu'il a fait subir lui-même à la pièce originale de son frère. Ainsi, par exemple, ce post-scriptum d'une lettre que Paul de Musset adresse à Charles de la Rounat, directeur de l'Odéon, le 13 octobre 1864 : « j'ai causé cent fois de *Lorenzaccio* avec mon frère au coin du feu ; je sais les arrangements qu'il y voulait faire... [1] » ; ou encore, cette remarque extraite d'une lettre du même Paul de Musset à Emile Perrin, administrateur de la Comédie-Française, le 16 juin 1874 : « Je vous envoie quelques réflexions sur la mise en scène de *Lorenzaccio*. Ce sont, pour la plupart, des souvenirs de mes conversations avec l'auteur [2] ». Mais peut-on faire entièrement crédit au témoignage d'un proche parent, qui a surtout besoin de s'autoriser des avis du poète pour vaincre la résistance ou la prudence des directeurs de théâtre en exercice ? Le reste, c'est la poudre d'or de la légende, souvent séduisante, toujours impalpable.

---

1. Lettre publiée par Maurice Clouard dans *l'Amateur d'autographes*, 31e année, 2e série, 1900, p. 80.
2. Lettre conservée à la Bibliothèque de la Comédie Française dans le dossier réunissant la correspondance d'Emile Perrin.

On dit que Rachel désirait jouer Lorenzo et qu'elle donna son avis au poète sur une réduction possible de la pièce. On dit encore que Charles Fechter, le créateur d'Armand Duval de *la Dame aux camélias*, s'intéressa à la pièce, envisageant de créer le rôle de Lorenzo sur la scène du Français. Ceux qui se font l'écho de ces bruits se gardent toutefois de citer leurs sources [3]. Ce qu'on sait, en tout cas, de façon certaine, c'est qu'aucun de ses projets, vrais ou faux, n'aboutit du vivant de l'auteur et que la pièce resta, pour les spectateurs de la Comédie-Française, lettre morte.

C'est avec la mort d'Alfred de Musset que l'action de son frère Paul commence sinon à porter des fruits, du moins à laisser des traces. La première de ces traces, c'est une longue lettre d'Edouard Thierry, administrateur de la Comédie-Française, adressée à Paul de Musset le 2 mai 1863, et dans laquelle il est fait une claire allusion à des pourparlers engagés entre l'administrateur et le frère du poète au sujet d'une éventuelle création de *Lorenzaccio* sur la scène du Théâtre-Français. On peut même inférer de certains termes de la lettre que Paul de Musset avait remis entre les mains de l'administrateur une version allégée et remaniée du drame original. Ce document mérite, du reste, d'être cité intégralement :

> Ed. Thierry à P. de Musset, à Milan. Paris, le 2 mai 1863.
>
> Mon cher ami, au milieu des tiraillements perpétuels qui morcellent mes journées, je n'ai guère de loisir pour vous écrire tout ce que me suggère la lecture de *Lorenzaccio*. Je vous donne mon impression générale, quant aux détails nous en causerons lorsque vous reviendrez à Paris. L'étoffe dans laquelle vous avez travaillé est magnifique. Elle a perdu de son ampleur et de la richesse de ses plis, cela va sans dire ; mais enfin le manteau que vous avez taillé est encore un riche vêtement. En d'autres termes, il y a là quelque chose qui commence à pouvoir être de service. On sent une pièce ébauchée et qui se rapproche des proportions du Théâtre. La difficulté n'est pas précisément dans la composition, elle est dans l'idée même de la pièce, dans le fond général sur lequel et par lequel se meuvent les principaux personnages. Elmire dit à Orgon : « Au moins, je vais toucher une étrange matière » ; cette matière équivoque dont parle Elmire est précisément celle que touche votre frère par la main de Lorenzaccio. Il y a deux hommes dans la pièce, dont l'un est atteint de priapisme et dont l'autre s'est chargé d'affamer et de repaître cette abominable manie. Le duc n'a qu'un besoin, celui d'aller coucher quelque part. Il demande sous quel lit on a mis ses pantoufles pour ce matin et sous quel lit on les mettra pour ce soir. Il n'y a que cela pour lui, et en même temps l'imagination du spectateur est toujours attachée à cette vilaine chose. Voilà l'impression que j'ai ressentie, voilà celle que je redoute. Le Comité l'éprouvera-t-il ? C'est la question ; mais c'est une question qu'il ne faut pas lui porter au hasard et qui serait trop aisément tranchée

---

3. Par exemple, P. Peltier dans *Comœdia* du 19 mai 1920 ; on lit également, sous la plume de Françoise Gastinel, mais sans indication de sources : « Musset pensa bien à réduire sa pièce aux proportions de la scène, à la demande de Rachel, mais abandonna ce projet » (*Gastinel II*, p. 350).

s'il avait à la résoudre dans un moment où le Théâtre est abondamment pourvu. Du reste, il faut toujours considérer *Lorenzaccio* comme une reprise, et les reprises aussi bien que les traductions ne se présentent avec des chances de succès qu'au moment où elles sont utiles. Dans tous les cas, nous avons à attendre ce moment et à voir venir les circonstances. Vous êtes prêt, c'est un grand point. La pièce a de belles et de terribles parties, des scènes imposantes, de magnifiques éclairs sur un formidable fond d'orage. Quels superbes fragments d'un colossal édifice ! Mais quelles singulières fantaisies sculptées sur ces grandes pierres ! Quel était le lieu auquel elles servaient d'enseignes, et peut-on dire au public le nom de ce monument ? Enfin nous verrons tout cela à votre retour. D'ici là, j'aurai relu la pièce. Je verrai si mes impressions ne se modifient pas. Vous visitez l'Italie, faites un charmant voyage, rappelez-moi je vous prie, au bon souvenir de Mme Paul de Musset, et croyez-moi toujours tout à vous[4].

C'est, on le voit, un refus tout net, enrobé de la plus exquise courtoisie. Paul de Musset ne dut pas s'y tromper, puisque nous le trouvons, l'année suivante, en correspondance sur le même sujet avec La Rounat, directeur de l'Odéon. C'est dire que la carence larvée de la Comédie-Française l'a conduit à reporter ses espoirs sur le second théâtre national. Selon M. Clouard[5], c'est en septembre 1863 que commencent sérieusement les pourparlers entre l'Odéon et la famille Musset touchant l'autorisation de mettre au répertoire de l'Odéon non seulement *Lorenzaccio*, mais *Fantasio* et *Carmosine*. Le décès de Mme de Musset mère, le 14 février 1864, devait interrompre momentanément les conversations. Toutefois Paul de Musset, ne voulant pas perdre son avantage, entreprend pour l'Odéon le même travail qu'il a fait pour la Comédie-Française ; il taille dans *Lorenzaccio* une pièce de sa confection, la remet à La Rounat, qui la soumet, comme il y est tenu, au visa de la commission de Censure. Le rapport des censeurs est catégorique : la pièce, même arrangée par Paul de Musset, n'est pas autorisée. Ce rapport, daté du 23 juillet 1864, est même, comme on va le voir, assez cuisant pour l'amour-propre de l'adaptateur :

> Ce n'est pas la première fois qu'il est question de représenter cet ouvrage, qu'Alfred de Musset n'avait pas composé pour la scène. Le Théâtre-Français, qui y avait songé, a reculé devant des difficultés qui lui parurent insurmontables. Dans la version que le directeur de l'Odéon soumet à la censure, on a cherché à adapter l'ouvrage à la scène par des suppressions nombreuses et des soudures ayant pour objet de rapprocher les différentes péripéties que les digressions, toutes naturelles dans un drame écrit pour être lu et non pour être joué, isolaient les unes des autres. Nous ne croyons pas que cette œuvre, arrangée telle qu'elle est, rentre dans les conditions du théâtre. Les débauches

4. Nous citons le texte de cette lettre d'après une copie manuscrite figurant dans le registre de la correspondance administrative (déc. 1859 - déc. 1863) de la Comédie-Française, qui est conservée dans la bibliothèque de ce théâtre. Notons que cette lettre a fait l'objet d'une publication partielle dans *Théâtre*, p. 1250.

5. In *l'Amateur d'autographes*, 33e année, 2e série, 1900, p. 77.

et les cruautés du jeune duc de Florence Alexandre de Médicis, la discussion du droit d'assassiner un souverain dont les crimes et les iniquités crient vengeance, le meurtre même du prince par un de ses parents, type de dégradation et d'abrutissement, nous paraissent un spectacle dangereux à présenter au public. En conséquence, nous ne croyons pas qu'il y ait lieu d'autoriser la pièce de *Lorenzaccio* [6].

Malgré la sévérité du ton, Paul de Musset ne se décourage pas. Il revient à la charge dans deux lettres adressées à La Rounat, l'une du 3 août, l'autre du 13 octobre 1864, que M. Clouard a publiées en 1900, assorties d'un pertinent commentaire [7]. Dans ces deux lettres, il apparaît que Paul de Musset cherche à faire intervenir Camille Doucet, alors directeur de l'Administration des théâtres, pour obtenir sinon la révision du jugement de la commission de censure, du moins une démarche en faveur de la pièce interdite. Il y a tout lieu de croire que cette démarche ne vint pas ou qu'elle fut inefficace. Au dire de M. Clouard, Paul de Musset fut toutefois aussi tenace qu'impuissant, en renouvelant chaque année de vaines démarches auprès d'autorités intraitables [8].

Avec la chute du second Empire, Paul de Musset semble croire de nouveau à ses chances. C'est au Théâtre-Français qu'il rêve, en définitive, de faire jouer *Lorenzaccio* ; l'Odéon n'est qu'un pis-aller. Dès 1872, on retrouve des traces de la reprise des pourparlers. Telle cette lettre de Paul de Musset à Emile Perrin, administrateur de la Comédie-Française, en date du 2 juillet 1872, dont voici le texte complet :

Bourron (Seine et Marne), 2 juillet 1872.

Cher Monsieur Perrin, avant de partir pour la campagne, j'ai reçu un matin, la visite de M. Carvalho. Il venait me demander *Lorenzaccio*, cela va presque sans dire. De là, il s'est rabattu sur *les Marrons du feu*, et je lui ai accordé l'autorisation de songer à cet ouvrage, pour le consoler de ne pouvoir pas mettre la main sur le premier. A vrai dire, je ne pensais guère que ce pis-aller pût devenir une affaire sérieuse. Cependant, le jour même, je me suis rendu au théâtre français pour vous faire part de ma conversation avec M. Carvalho. Je n'ai pas eu le plaisir de vous rencontrer. Aujourd'hui, on m'écrit de Paris que *le Figaro* parle déjà de la prochaine mise en scène des *Marrons du feu* au théâtre du Vaudeville. Si cela est sérieux, j'espère que cette lettre vous parviendra à temps pour que la nouvelle ne vous en soit point donnée par d'autres que moi. La véritable place des ouvrages de mon frère est à la Comédie-Française ; mais l'essai que paraît vouloir faire M. Carvalho est de peu d'importance et si la Comédie-Française donne suite au grand projet de monter *Lorenzaccio*, il y aura là de quoi l'occuper longtemps. Recevez,

6. In *la Censure sous Napoléon III*, p. 247-248.
7. In *l'Amateur d'autographes*, 33ᵉ année, 2ᵉ série, 1900-   , p. 77-80.
8. « ... Si nous obtenons l'autorisation de monter *Lorenzaccio* je ne me plaindrai pas des retards, quand même je ne trouverais pas ma place de tout l'hiver prochain... » (lettre de P. de Musset à M. de La Rounat, 26 mai 1865 ; Lovenjoul, F. 982, p. 48).

Cher Monsieur Perrin, l'assurance de mes sentiments les plus distingués [9].

Deux ans plus tard, les choses paraissent être demeurées en l'état. Paul de Musset, infatigable, revient à la charge, en adressant à Perrin, avec un court billet en date du 16 juin 1874 [10], des « Observations sur la mise en scène de *Lorenzaccio* », qui sont datées de la veille [11], et qui ont le mérite de nous renseigner sur l'esprit général des arrangements que Paul de Musset avait cru bon de faire subir au texte de son frère dans les « copies » remaniées de la pièce qu'il avait fournies à l'administrateur du Théâtre-Français et au directeur de l'Odéon. Conformisme et timidité dans l'ordre technique, prudence dans l'ordre moral, tels sont les principes qui ont manifestement présidé à ces corrections. Mais pouvait-on attendre autre chose ou davantage d'un frère bien intentionné, dont la liberté de manœuvre était singulièrement bridée par les « exigences » du théâtre de son temps et celles de la bienséance sociale ? On notera, en tout cas, parmi ces « observations », le rappel de quelques aménagements significatifs, et qui feront, du reste, leur chemin :

1° D'abord la nécessité des coupures et l'idée d'un décor unique au premier acte, qui prélude au principe appliqué systématiquement par Armand d'Artois vingt ans plus tard : un décor par acte.

9. Lettre inédite conservée à la bibliothèque de la Comédie-Française dans le dossier réunissant la correspondance d'Emile Perrin.

10. Cette lettre a été publiée dans *Théâtre*, p. 1251, mais de façon quelque peu incomplète et fautive ; voici le texte complet de cette lettre, recopié sur l'original :

> Monsieur, je vous envoie quelques réflexions sur la mise en scène de *Lorenzaccio*. Ce sont, pour la plupart, des souvenirs de mes conversations avec l'auteur. Si vous voulez bien prendre la peine de les lire, je vous prierai ensuite de les joindre à l'exemplaire de *Lorenzaccio* qui doit être dans les cartons de la Comédie-Française et même, je crois, dans votre cabinet. Je serai plus tranquille quand je saurai qu'on les retrouvera un jour, si l'on pense sérieusement à mettre à l'étude l'œuvre capitale de mon frère. Quant à moi, je ne serai plus là. Je n'espère plus voir la fin de cette hypocrisie imbécile qui ne peut rien supporter de fort ni de vraiment beau, et qui se croit libérale parce qu'elle tolère des obscénités. Agréez, Monsieur, l'assurance de mes sentiments les plus distingués : Paul de Musset. (P.S.) N'oubliez pas que vous m'avez promis de relire *Carmosine*.

11. Il existe, déposées à la bibliothèque de la Comédie-Française, deux versions de ces « Observations sur la mise en scène de *Lorenzaccio* », l'une de la main de Paul de Musset, l'autre recopiée par Madame Lardin de Musset, sœur d'Alfred et de Paul. Cette copie diffère assez peu de l'original, mais comporte un premier paragraphe qui ne figure pas dans le texte manuscrit de Paul ; voici ce paragraphe initial : « Après le succès des *Caprices de Marianne*, l'auteur comprit que tous ses ouvrages dramatiques devaient successivement arriver au théâtre ; cependant le drame de Lorenzaccio lui semblait le plus difficile de tous à représenter. Voici les points principaux sur lesquels son attention s'est d'abord portée ». Le texte de Paul de Musset a été publié dans *Théâtre*, p. 1251-1253, mais d'une manière souvent fautive. Comme il n'est pas question de reproduire intégralement ici un texte très long et qui n'est pas inédit, je me suis borné à en proposer une analyse sommaire et à en dégager l'esprit général. Toutefois, je crois bon de suggérer les principales corrections qu'on doit apporter au texte publié dans *Théâtre*, p. 1251-1253. Au lieu de : « la scène 6 de même », lire : « la scène 6 du même acte » ; au lieu de : « à la suite d'une conversation », lire : « à la suite de cette conversation » ; au lieu de : « à la fin de l'acte IV, la scène 11, au moment où Lorenzo va venir chez le duc », lire : « à la fin de l'acte IV, la scène 11, au moment où le duc va venir chez Lorenzo, qui s'apprête à le tuer » ; au lieu de : « après avoir discuté le monologue », lire : « après avoir écouté le monologue » ; au lieu de : « Lorenzo entre », lire : « Lorenzo rentre » ; au lieu de : « l'action infâme que celui-ci lui a fait commettre », lire : « l'action infâme que celui-ci lui fait commettre ».

2° Un regroupement des scènes de même nature, dispersées dans la pièce originale (« la scène 6 du [premier] acte, entre Marie Soderini et Catherine Ginori, devra être transposée en tête de la scène 4 de l'acte II ») ; ce regroupement sera pratiqué par la plupart des adaptateurs subséquents.

3° Un souci constant de gommer ce que la pièce peut avoir d'abrupt et de sauvage ; d'où l'invention — acte IV, scène 11 — d'un assassinat convenable, justifié en quelque sorte par la légitime défense, Lorenzo tuant le duc pour sauver Catherine Ginori d'un « viol (...) inévitable ». Cette dernière scène, selon Paul de Musset, « n'a été faite [par Alfred de Musset] qu'en conversation », Paul l'ayant écrite « en [se] rappelant de [son] mieux ce que l'auteur [lui] en avait dit ». La mémoire de Paul est-elle fidèle en la matière ? Après tout, pourquoi pas ? Le poète n'avait pas une telle fermeté de caractère qu'il fût incapable de ce genre de palinodie, dont il pouvait à la fois se divertir et tirer matériellement profit. Ce dont on se réjouit, c'est qu'il n'ait eu ni le temps ni le goût de passer lui-même à l'exécution. Quant à la conclusion inédite de la pièce, inventée par Paul de Musset, — « Je me suis permis de mettre dans la bouche du vieux républicain Mondella un dernier mot d'allusion aux récents événements de l'Italie du XIXᵉ siècle », — elle est sans doute un peu usurpée, mais elle n'est peut-être pas aussi gratuite ni aussi scandaleuse qu'on pourrait croire. Cette manière d'interpréter l'histoire à la lumière des événements contemporains et de faire servir le passé à l'intelligence du présent est d'un esprit moderne, qui ne trahit pas l'intention profonde de la pièce. Les plus récents metteurs en scène du drame ne procèderont pas autrement, mais par d'autres moyens et sans toucher toutefois au texte même de l'écrivain.

Telle est la situation de *Lorenzaccio* en 1874 : des pourparlers engagés à la Comédie-Française, dont rien d'effectif finalement ne sortira. L'adaptation de Paul de Musset déplut-elle à Perrin ? On ne sait. Une tradition veut que Perrin ait demandé sans succès à Dumas fils et à Victorien Sardou de s'occuper d'adapter le drame de Musset à la scène. Mais les preuves manquent.

Paul de Musset, mort le 17 mai 1880, n'eut pas la satisfaction de voir ses efforts couronnés de succès. La copie de *Lorenzaccio*, faite pour l'Odéon en 1864, celle-là même qui avait fait l'objet de l'interdiction, est passée en vente à l'Hôtel Drouot le 6 avril 1883, en même temps que le manuscrit original de la pièce [12]. La Comédie-Française acquit le manuscrit de la pièce, mais dédaigna l'adaptation.

---

12. Voici, à titre documentaire, les indications relevées sur le « Catalogue d'une précieuse collection d'autographes et de dessins provenant d'Alfred de Musset et Paul de Musset » (Paris, Etienne Charavay ; Londres-Aw. Thibaudeau, 1883) :

    — N° 9, *Lorenzaccio*, pièce de théâtre, manuscrit autographe avec ratures et corrections (1834), 185 p. in-folio.

    — N° 93, *Lorenzaccio* par Alfred de Musset, copie faite pour l'Odéon en 1864, avec les suppressions ou changements autographes de Paul de Musset, 5 cahiers, in-4.

    La vente eut lieu à Paris, hôtel des Commissaires-Priseurs, rue Drouot, salle n° 9, le vendredi 6 avril 1883, à « 2 h et demie très précises de l'après-midi ».

Il est vrai qu'elle en possédait déjà un exemplaire déposé dans le cabinet de l'administrateur ; et l'« œuvre » de Paul ne devait pas mériter un tel honneur. On n'en regrettera pas moins sa complète disparition.

Les choses en restèrent là jusque vers 1894. Du moins les documents font défaut durant cette période, où l'idée de jouer *Lorenzaccio* est pour ainsi dire en plongée. Elle refait surface avec l'apparition d'un homme de théâtre plein d'ambition et d'audace : Lugné-Poe. Et brusquement les documents, eux aussi, se manifestent. Il est vrai que la parole est à cette heure aux gens de théâtre, — un animateur : Lugné-Poe, un auteur : Armand d'Artois, une comédienne : Sarah Bernhardt —, pour qui d'ordinaire trop est encore trop peu. S'agissant de leur rôle respectif dans les ultimes pourparlers autour des représentations de *Lorenzaccio*, le moins qu'on puisse dire est que les témoignages de Lugné-Poe et d'Armand d'Artois ne concordent guère. Le mieux est de leur donner tour à tour la parole, quitte à les départager ou à les renvoyer dos à dos en écoutant un arbitre digne de foi.

Lugné-Poe a raconté dans ses Mémoires, avec une verve passionnée qui s'accompagne aisément de la partialité ou du mensonge, comment il avait eu l'idée de monter *Lorenzaccio* parmi les spectacles de l'Œuvre et dans quelles conditions il avait obtenu l'accord d'Henry Bataille pour interpréter le héros de Musset. Cela se passait en 1894, comme l'atteste un document d'époque, *l'Idée moderne* du 15 octobre 1894 [13], qui donne, pour programme de la deuxième saison de l'Œuvre, quatre « reconstitutions anciennes », dont *Lorenzaccio*. Dans le même passage des Mémoires, Lugné-Poe donne d'autres détails : que Madame Lardin de Musset « bousculant un adaptateur-Dartois » lui fit crédit en lui donnant non seulement le droit d'exploiter la pièce, mais « un manuscrit mis au point par Paul de Musset lui-même » ; que Georges Ohnet — « l'auteur du *Maître de forges*, parfaitement ! » — lui propose, pour l'aider, de faire « couvrir les frais initiaux par un des plus grands cercles parisiens ».

Quant à Sarah Bernhardt, voici, selon Lugné-Poe, comment elle entra, en ouragan, dans l'aventure : « Un hasard voulut que Sarah Bernhardt fût informée [de mon projet de monter *Lorenzaccio*]. Aussitôt elle exprima la volonté de monter elle aussi la pièce. Henry Bataille me l'apprit ; j'hésitais, mais à la demande d'Henry Bauër en faveur de Sarah — qui devait trouver l'occasion d'un travesti — un peu maussade, je renonçai à *Lorenzaccio*, cependant que Berthe Bady me répétait : « Ce petit Bataille, il ferait un magnifique Lorenzaccio... Je le vois si bien en costume de Florentin vicieux !... [14] ».

La narration qu'a laissée d'Artois des mêmes événements est d'une substance radicalement différente. Il est vrai que le partenaire de

13. V. J. Robichez, *le Symbolisme au théâtre*, Paris, l'Arche, 1957, p. 293, n. 2.
14. *La Parade*, II, « Acrobaties », p. 78-80.

Sarah n'est plus Lugné-Poe, mais d'Artois lui-même ; la Comédie change donc de style et d'accent. Cette comédie, d'Artois l'a racontée ou plutôt mise en scène, en 1910, à la façon des maîtres du Boulevard, dans un récit [15], où l'esprit non dénué d'humour dénichera facilement un prologue, quatre actes et un épilogue.

Le prologue est, comme il sied, tout d'impuissance et de déso-lation : « ...Il semblait que la représentation de *Lorenzaccio* fût désormais considérée comme impossible. Bref, personne ne songeait plus à jouer ce drame, si ce n'est moi qui songeais à le faire jouer. Mais où ? Mais comment ? »

Premier acte, chez Dumas fils : « ...Quel acteur pour *Lorenzaccio* ? Il faudrait Frédérick à vingt ans. Mounet n'est plus assez jeune. Une femme ? Alors, un travesti ! Heu ! Heu ! C'est bien risqué ! J'énonçai timidement : Sarah ?... — Sarah ? fit Dumas. Elle en est bien capable ! Elle est capable de tout [...] ; oui Sarah, si elle voulait ! mais elle ne voudra pas... ».

Deuxième acte, chez Mme Lardin de Musset : « Paul de Musset étant mort, j'allai trouver la bonne et charmante Mme Lardin de Musset, la sœur du poète, que je connaissais et qui me témoignait beaucoup de sympathie. Je ressemblais un peu à Alfred, disait-elle. Je lui fis part de mon projet, en lui demandant l'autorisation néces-saire, qu'elle m'accorda séance tenante ».

Troisième acte, chez Sarah : « Le soir même, j'étais chez Sarah [...] — Un travesti, me dit-elle, je n'en veux plus jouer. J'ai joué Zanetto, mais j'étais toute jeune. Si encore ce travesti [Le Prince de Galles dans *Falstaff* de Paul Delair] avait quelque chose qui le dis-tinguât des autres ? — Roméo, par exemple ? fis-je — Non, pas Roméo, dit-elle, il est trop amoureux et un amant joué par une femme, c'est un peu un civet sans lièvre. Alors je risquai : — Mais Lorenzaccio ? L'œil de Sarah s'alluma. — Oui, Lorenzaccio ! j'en rêve... mais la pièce ? — La voilà ! m'écriai-je, en tirant de ma poche un rouleau de papier noirci par la main du copiste. Elle éclata de rire : — Oh ! ce d'Artois ! Il a toujours des manuscrits sur lui ! — C'est mon métier, répliquai-je. — Avez-vous l'autorisation des héritiers ? — En poche. — Eh bien, je vais lire ça tout de suite ! Moi, incrédule : — Oui, dans six mois ! — Non, dans quinze jours. Mettons six semaines ! »...

Quatrième acte, « un mois après » : « C'est très bien, votre ma-chine, je la jouerai ! — Quand ? — Après *le Passé* de Porte-Riche. — Dans un an alors ? non [...] Entre *le Passé* et *Spiritisme*, une pièce de Sardou [...]. *Le Passé* ne fut pas joué et *Spiritisme*, qui le fut après *Lorenzaccio*, dura juste quinze soirées. Il est vrai que, pour faire place à *Spiritisme*, que Sardou voulait absolument voir représenté avant le 1er mars, on interrompit à la 85e représentation *Lorenzaccio* qui, d'après les prévisions les plus optimistes des gens de théâtre,

---

15. « La mise à la scène de *Lorenzaccio* », *le Mussettiste*, 4e année, n° 2, déc. 1910, p. 210-213.

de Sardou en particulier parlant à ma personne très humble, ne devait pas faire plus d'un mois ! et qu'on joua, à bureaux fermés, pendant trois bonnes semaines ».

Vient enfin l'épilogue, tout de satisfaction intime et de feinte modestie : « Et, sauf quelques articles de jeunes "soiristes" qui blaguaient le "châtreur" de *Lorenzaccio*, toute la presse, A. France, Cat. Mendès, J. Lemaître en tête, voulut bien reconnaître que le signataire de ces lignes avait très bien fait son travail, sans compromettre la gloire d'A. de Musset et sans attentat à son génie ». Ainsi finit la comédie. Convenons que l'intrigue en était assez adroitement tournée.

Mais la vérité dans tout cela ? Car enfin, si Lugné-Poe écarte d'Artois, devenu démocratiquement Dartois, d'une chiquenaude, le nom de Lugné-Poe n'apparaît même pas dans le récit d'Armand d'Artois. La vérité ? Elle me semble serpenter discrètement entre ces deux blocs de mensonge au fil d'une correspondance privée que Mme Lardin de Musset échange avec M. Clouard entre mars 1895 et janvier 1897. Cette correspondance inédite est heureusement conservée à la bibliothèque Spoelberch de Lovenjoul à Chantilly [16]. On verra qu'elle aide à résoudre la plupart des difficultés de la façon la plus limpide qui soit. Mme Lardin de Musset y dit en effet simplement ce qu'elle a fait, sans considération d'un public, ni véhémence d'aucune sorte. Il n'y a pas de raison sérieuse de suspecter son témoignage.

Voici, dans leur ordre chronologique, les passages les plus instructifs des lettres adressées par Mme Lardin de Musset à Maurice Clouard au sujet de *Lorenzaccio*, assorties, au besoin, des commentaires qui s'imposent :

(9 mars 1895)

...Je vous enverrai avec grand plaisir les articles des journaux que j'ai entre les mains, et le *Lorenzaccio* arrangé par mon frère Paul que j'ai prêté à M. Lugné-Poe...

(23 mars 1895)

...Je viens de recevoir la visite de Mme Sapin à laquelle j'ai remis les fragments de journaux. Je n'ai pas pu y joindre l'exemplaire de *Lorenzaccio* qui est entre les mains de Monsieur Lugné-Poe ; si vous venez à Paris, vous pourrez copier les transpositions de scènes sur l'exemplaire que j'ai chez moi...

Il ressort de ces deux lettres que l'adaptation de *Lorenzaccio* par Paul de Musset existe encore à cette époque en deux exemplaires, qui sont tous deux propriété de Mme Lardin de Musset. Comme la copie faite pour l'Odéon en 1864 est, on l'a vu, passée en vente publique en 1883 et qu'il est peu probable qu'elle ait été rachetée par la famille Lardin de Musset, je présume que la copie confiée à

---

16. Sur les douze fragments de lettres que nous publions, deux seulement ont fait l'objet d'une mention dans *Théâtre*, p. 1254, sous une référence du reste inexacte. Tous ces textes sont cités d'après les manuscrits autographes conservés à la bibliothèque Spoelberch de Lovenjoul à Chantilly sous la cote, F. 984 [Lettres autographes de Mme H. Lardin de Musset à M. Clouard (1882-1899)].

Lugné-Poe devait être l'exemplaire destiné à la Comédie-Française, passé entre les mains des administrateurs, notamment Thierry et Perrin, puis restitué à la famille Lardin de Musset, sans avoir servi ; Mme Lardin de Musset avait sans doute, par précaution, fait exécuter à son tour une copie de la dite copie.

(23 avril 1895)

...J'aurais voulu vous envoyer le manuscrit de *Lorenzaccio*, dont M. Lugné-Poe n'a pas pu tirer parti ; il n'en a tiré qu'une copie qui me rassurera pour l'avenir, car ma copie à moi est maintenant entre les mains de Sarah Bernhardt, qui veut jouer elle-même le rôle de *Lorenzaccio* à la Renaissance. Cela pourra être intéressant. C'est encore un secret et je vous le confie connaissant votre discrétion. La pièce est trop longue, elle ne finirait qu'à trois heures du matin, il faut faire des coupures, et c'est à ce travail que M. Dartois, choisi par Sarah Bernhardt, s'occupe en ce moment...

Cette lettre est, on le voit d'emblée, d'un intérêt capital. D'abord elle permet d'établir un calendrier assez précis des faits, dont ne se souciait guère la mémoire sélective de Lugné-Poe et de d'Artois. Dans les premiers mois de 1895 il est sûr que Lugné-Poe songeait sérieusement à monter *Lorenzaccio* pour les spectacles de l'Œuvre, comme en témoigne cette note d'information parue dans *l'Echo de Paris* du 17 février 1895 : « le prochain spectacle de l'Œuvre passera à la fin de ce mois avec la scène de M. A. Lebey, *la Vérité dans le vin*, de Collé, *Intérieur*, de Maurice Maeterlinck, et *les Pieds nickelés* de M. Tristan Bernard. Ensuite viendra *Lorenzaccio* ».

C'est à la fin de mars ou au début d'avril que se produit le revirement. Les informations contenues dans la lettre du 23 avril sont confirmées par une note de *l'Echo de Paris* du 26 avril 1895 : « l'Œuvre devait représenter *Lorenzaccio*, mais, ayant appris que Mme Sarah Bernhardt devait le jouer la saison prochaine, dans l'intérêt même de la pièce, M. Lugné-Poe a provisoirement abandonné son projet ». Quant à l'initiative des opérations, il semble bien qu'elle revienne à Sarah elle-même. On voit mal, du reste, Mme Lardin de Musset, telle qu'elle apparaît dans ses lettres, — vieillie, de santé fragile, éloignée de toute coterie mondaine, — « bousculer » un adaptateur pour en choisir un autre à sa convenance. En vérité, c'est bien Sarah qui a entre les mains la « copie » appartenant à Mme Lardin de Musset ; d'Artois la tiendra d'elle et non l'inverse. Que la copie de Paul de Musset, confiée d'abord à Lugné-Poe, soit ensuite passée aux mains de d'Artois, sans doute par l'intermédiaire de Sarah, il n'y a rien là d'étonnant. D'Artois, devenu l'adaptateur officiel de la pièce pour Sarah Bernhardt, il était naturel que toutes les pièces utiles à ce travail convergeassent vers le même centre.

(Mardi 18 juin 1895)

...Je n'ai plus entendu parler de *Lorenzaccio*, qui est toujours entre les mains de M. d'Artois. Je ne sais pas si l'idée Sarah Bernhardt n'est pas tombée dans l'eau...

(2 août 1895)

...Sarah Bernhardt doit revenir à Paris le 28 août. M. d'Artois lui soumettra, à cette époque, son travail sur *Lorenzaccio* et peut-être alors pourrai-je vous envoyer la copie que vous désirez feuilleter. En tous cas je guette l'occasion et ne la laisserai pas échapper...

(5 août 1896)

Si je ne vous ai pas répondu au sujet de *Lorenzaccio* c'est que je n'ai pas vu le manuscrit depuis près de deux ans. M. d'Artois s'en est emparé aussitôt que M. Lugné-Poe l'a lâché et après avoir fait un nouveau travail destiné à Sarah Bernhardt il a gardé les deux manuscrits. Fort occupé par ses fonctions à l'Institut, je n'ai pas pu obtenir de lui la restitution de ce manuscrit...

(15 septembre 1896)

...Je ne sais que vous répondre au sujet de *Lorenzaccio*, étant fort peu au courant de tout ce qui se passe à Paris, je ne sais, comme vous, par le journal que Sarah Bernhardt, de retour, s'occupe de monter quelques pièces qui n'ont aucun rapport avec celles de mon frère, mais je sais aussi qu'elle a toujours exprimé l'intention de jouer *Lorenzaccio* cet hiver, elle me l'a dit elle-même en propres termes l'année dernière, elle l'a répété à M. Galdemar à son retour d'Amérique.
Quant aux manuscrits, celui arrangé par mon frère Paul et l'exemplaire retouché par M. Armand d'Artois, ils sont tous les deux entre les mains de ce dernier [...] voilà tout ce que je peux vous dire au sujet de *Lorenzaccio*...

(12 octobre 1896)

...Je ne peux pas obtenir de M. d'Artois les manuscrits de *Lorenzaccio*. Si Sarah joue la pièce en novembre, ne viendrez-vous pas la voir ? Il me semble que [ici un mot illisible] pas se passer sans vous...

(17 novembre 1896)

...On annonce la première de *Lorenzaccio* pour le 25, mais je ne vous garantis pas qu'il n'y aura pas de retard, comme cela se pratique souvent...

(12 décembre 1896)

...Le succès de *Lorenzaccio* se soutient si bien qu'il n'y a plus moyen d'avoir une place sans avoir recours aux agences, abus qui n'existait pas autrefois et que je trouve révoltant.
Voilà Sarah Bernhardt au comble de la gloire, le banquet qui lui a été offert a été aussi réussi que possible, il y a de quoi faire tourner la tête ; en vérité cette fin d'année a été une succession de surprises et d'émotions de toutes sortes, je voudrais bien rester sur celle du succès de *Lorenzaccio*, qui est pour moi une belle revanche.

(31 décembre 1896)

...M. d'Artois me répond qu'il a tant raturé et griffonné le manuscrit de *Lorenzaccio* de Paul, qu'il est devenu incompréhensible. Il faut de la patience dans la vie ! Je vous prêche une vertu que je ne possède guère et qui cependant est bien nécessaire...

(Lettre non datée. Cachet postal : 19 janvier 1897)

...Je suis absolument de votre avis quant au manuscrit de *Lorenzaccio* de Paul. M. d'Artois ne sait plus ce qu'il en a fait, mais il ne lui a été utile que pour les premiers actes, le reste [ou : les autres] ressemblant peu au travail de Paul [...]. Il [d'Artois] s'est donné beaucoup de mal, il est fatigué et il s'occupe encore de faire faire des traductions de son adaptation en Anglais et en Allemand pour les théâtres...

Telle est la fin lamentable de l'arrangement de Paul de Musset, auquel nous avons vu qu'il avait apporté tous ses soins et tant d'opiniâtreté. Le moins qu'on puisse dire est qu'Armand d'Artois avait de la propriété littéraire d'autrui et des manuscrits qu'on lui prêtait une conception singulièrement laxiste. Les a-t-il égarés ? Ou détruits ? On l'ignore. Quant à la copie faite pour l'Odéon et vendue en 1883, elle court toujours, à moins qu'il ne lui soit arrivé pareil désagrément. On n'en a pas jusqu'ici retrouvé la trace, et c'est dommage.

Ainsi s'achève la « préhistoire » des représentations de *Lorenzaccio*. Elle est plus riche en anecdotes qu'en enseignements. L'ère Paul de Musset se termine, l'ère Armand d'Artois commence. Il n'est pas sûr qu'on ait gagné au change. Du moins le drame d'Alfred de Musset est-il à l'ordre du jour et à l'heure de Sarah Bernhardt. « L'œuvre capitale d'Alfred de Musset, l'expression la plus énergique et la plus virile de son génie [17] », comme dit avec bonheur Paul de Musset, trouvait en Sarah un interprète à sa mesure, pour le meilleur et pour le pire, et pour longtemps.

17. *Œuvres complètes d'Alfred de Musset*, « Comédies II », Paris, Charpentier, 1866, t. 4, p. 213.

CHAPITRE II

SARAH BERNHARDT
AU THÉATRE DE LA RENAISSANCE

Dans la compétition ouverte entre Lugné-Poe et Sarah Bernhardt touchant la mise à la scène de *Lorenzaccio*, l'amateur de théâtre vivant, je veux dire : de théâtre en recherche et en mouvement, se prend parfois à regretter que le débat ait finalement tourné à l'avantage de la comédienne. Pour Lugné-Poe, *Lorenzaccio* était une ambition, presque une vocation. Pour Sarah ce sera d'abord un exploit, et avant tout un rôle. Déjà le Théâtre d'Art de Paul Fort avait inscrit la pièce de Musset parmi ses nombreux projets. Il est vrai que Paul Fort avait l'imagination généreuse et qu'à jouer toutes les pièces qu'il annonçait, écrit Mauclair, « il y en avait pour deux cents ans au moins[1] ». Ce choix, du moins, lui tenait à cœur, ainsi qu'en témoigne, plus d'un demi-siècle après, un texte, signé Paul Fort, toujours soulevé de la même ferveur : « ...le genre de pièces que nous aurions voulu trouver chez un contemporain, c'est ce *Lorenzaccio* du plus français des shakespeariens : Musset[2] ». Nul doute que Lugné-Poe, « mon secrétaire metteur en scène », comme l'appelle Paul Fort, ne partageât les mêmes sentiments à l'endroit du chef d'œuvre « élisabéthain » de Musset. On regrette finalement que, puisant dans la liste de Paul Fort, le fondateur de l'Œuvre ait pu réaliser, des rêves étoilés du Théâtre d'Art, *Rosmersholm*, *Sakountala* ou *Salomé* et point *Lorenzaccio*.

Que la création de *Lorenzaccio* au théâtre ait été pour Sarah un hommage au génie de Musset, qui en douterait ? Elle l'avoue elle-même publiquement dans une déclaration à la presse en date du 8 décembre 1896 : « ...moi qui dois tant à la poésie, j'ai pu dans *Lorenzaccio* rendre quelque chose à un grand poète » ; mais elle ajoute aussitôt une précision qui limite, pour ainsi dire, au héros l'hommage qu'elle croit rendre à l'œuvre : « J'ai eu la fortune de

---

1. Cité par J. Robichez, *le Symbolisme au théâtre*, p. 125.
2. « Autour du Théâtre d'Art », in *Encyclopédie du théâtre contemporain*, I, 1850-1914, p. 24.

créer, de faire sortir de mon intelligence et de mon cœur un personnage non encore vu[3] ». En vérité, Sarah Bernhardt était trop comédienne pour que le souci du rôle ne dévorât pas quelque peu l'intégrité de la pièce. Lugné-Poe, insoucieux de jouer le rôle principal, qui ne lui convenait pas, n'eut sans doute pas fait subir à l'œuvre le même gauchissement.

Au reste, les faits et les dates parlent d'eux-mêmes. Le 10 décembre 1896, une semaine exactement après la création de *Lorenzaccio* sur la scène du théâtre de la Renaissance, Lugné-Poe livrait à ses risques et périls la « bataille d'*Hernani* » du Symbolisme en montant, au théâtre de l'Œuvre, *Ubu-Roi* d'Alfred Jarry ; en 1912 l'année même où Sarah reprend, pour quelques représentations, le drame de Musset sur son théâtre de la place du Chatelet, Lugné-Poe fait encore figure de novateur en présentant, à l'Œuvre, *l'Annonce faite à Marie* de Paul Claudel, dans les étonnants décors de Jean Variot[4]. On mesure d'emblée combien les chemins sont divergents : Lugné-Poe poursuit sa carrière de défricheur en compagnie des poètes et des peintres, tandis que le drame de Musset, livré à Sarah Bernhardt, s'inscrit paradoxalement dans la mouvance des œuvres de Sardou et d'Alexandre Dumas fils. Une pièce de Sardou, *Spiritisme*, allait, du reste, succéder à *Lorenzaccio*, le 8 février 1897, et *la Dame aux camélias*, toujours d'attaque, fera même un bout de chemin avec la pièce de Musset, en procurant à Sarah, chaque dimanche, le délassement des rôles sans surprise[5]. Il eût été bien étonnant, dans ces conditions, que le passage d'une pièce à l'autre dût se faire sur la corde raide ; Armand d'Artois aura le bon esprit d'aménager un pont entre les deux rives, au point qu'elles finiront par se ressembler.

Ajoutons que le succès de *Lorenzaccio* a pour toile de fond le triomphe de l'interprète. Si, le 3 décembre, on ovationne l'actrice dans le costume de Lorenzo de Médicis, le 10 décembre, c'est le Tout Paris des Lettres et des Arts qui rend hommage à Sarah Bernhardt dans son propre rôle de monstre sacré lors d'une « journée » mémorable, qui fait saliver les poètes officiels et délirer les journalistes[6] : « 12 h 30, déjeuner de cinq cents couverts au Grand Hôtel ; toast unique de Victorien Sardou ; réponse de Sarah Bernhardt », annoncent les échotiers parisiens ; pour l'observateur d'aujourd'hui, ce tête-à-tête est tout un programme. Au reste, la campagne de presse, qui prépare le succès de Sarah dans l'habit

---

3. « Volonté d'art », in *l'Echo de Paris*, 10 décembre 1896.

4. Sur la mise en scène d'*Ubu-Roi*, voir D. Bablet, *la Mise en scène contemporaine*, I, *1887-1914*, p. 41-42 ; sur les décors de J. Variot, voir D. Bablet, *Esthétique générale du décor de théâtre de 1870 à 1914*, p. 369, n. 95.

5. Voir *l'Echo de Paris*, 10 décembre 1896 : « Dimanche pas de matinée ; le soir : *la Dame aux camélias*. Le rôle de Lorenzo, qu'interprète Mme Sarah Bernhardt, est, en effet, tellement fatigant qu'il lui serait impossible de paraître en matinée ; et c'est un repos relatif qu'elle prend une fois par semaine, le dimanche, en jouant *la Dame aux camélias*. Tous les autres soirs, *Lorenzaccio* ».

6. On trouvera des comptes rendus de la « Journée Sarah Bernhardt » notamment dans *la Presse*, *l'Echo de Paris*, *Charivari*, *l'Eclair* du 11 décembre, et *l'Illustration* du 19 décembre 1896.

noir de Lorenzo, ne ménage pas ses efforts pour tirer la pièce vers le rôle et changer l'événement théâtral en performance de comédien. Dès le samedi 27 juin 1896, *La Lanterne* annonce l'événement : « ...Mme Sarah Bernhardt se dispose à faire représenter, cet hiver, au théâtre de la Renaissance, *Lorenzaccio*, la pièce célèbre non jouée jusqu'ici, d'Alfred de Musset. C'est, paraît-il, chose convenue et décidée entre la grande tragédienne et la famille de l'illustre poète. Le rôle de Lorenzo de Médicis sera interprété par Mme Sarah Bernhardt elle-même ». Le 16 octobre, *l'Echo de Paris* monte en épingle deux singularités attractives du rôle, le travesti et l'exploit sportif : « On sait que Mme Sarah Bernhardt va jouer *Lorenzaccio* et qu'elle sera en travesti. A ce propos, il est intéressant de rappeler que, contrairement à ce que le public croit généralement, la grande tragédienne n'a pas seulement paru jusqu'ici, en travesti, dans le *Passant* où elle jouait Zanetto aux côtés d'Agar. On la voit, en costume masculin, dans *Parthénis*, un à-propos donné pour l'anniversaire de Racine. Elle joua aussi Chérubin à la Comédie-Française. Ajoutons que tous les jours Mme Sarah Bernhardt fait des armes, car elle se bat dans la pièce de Musset. Elle travaille le fer avec son fils, M. Maurice Bernhardt qui, ainsi qu'on le sait, est de première force à l'escrime [7] ».

On insiste également sur la direction attentive du spectacle exercée par Sarah elle-même, qui a l'œil à tout, ainsi qu'en témoigne cette notule parue dans *l'Echo de Paris* du 27 novembre : « Mme Sarah Bernhardt ayant demandé la réfection d'un décor, la première de *Lorenzaccio* est remise irrévocablement à mercredi prochain, 2 décembre ». Un écho savoureux ne laisse, en tout cas, aucun doute sur l'esprit général dans lequel le spectacle a été préparé : « Il paraît que M. Victorien Sardou, vérificateur, est venu plusieurs fois surveiller les travaux, que dirigeait Mme Sarah Bernhardt avec sa diligence accoutumée. On a vu plus rarement Mme Lardin de Musset, qui défendait, ailleurs, la mémoire de son frère, contre les insinuations des partisans de George Sand [8] ». Assurément, ce n'est pas l'esprit d'*André del Sarto*, mais celui de *Madame Sans-Gêne* qui, dans cette genèse du spectacle, semble bien planer sur les eaux.

S'étonnera-t-on, dans ces conditions, que l'adaptateur officiel, Armand d'Artois, ait cru devoir obéir aux normes d'un théâtre avec lequel celui de Musset n'avait pas de commune mesure ? Au nom des « conditions » du théâtre, des « exigences » de la scène [9], — entendez : d'une conception momentanée et toute relative du théâtre bourgeois des années 1880 — Armand d'Artois n'aura de cesse qu'il ne transforme les trente-neuf tableaux du drame « élisabéthain » de Musset en cinq

---

7. Sur la manière particulière à Sarah Bernhardt de porter le costume masculin et de faire des armes, voir de savoureux souvenirs d'Alphonse Mucha dans la revue *Paris-Prague* du 20 avril 1923.

8. *Le Journal*, 4 décembre 1896.

9. Cf. Henry Bauer, in *l'Echo de Paris*, 5 décembre 1896 : « A. de Musset, qui ne songeait pas à une réalisation scénique, n'y concéda rien à la condition et aux nécessités du théâtre ».

actes d'une pièce historique dont le modèle est à chercher du côté de Victorien Sardou. A la décharge de d'Artois, il faut dire que l'adaptateur n'aura pas eu la tâche facile. Le souci de ne pas multiplier le nombre des décors construits et peints, donc onéreux, d'une part, les exigences de la censure de l'autre ont obligé d'Artois à demeurer en deçà de ce qu'il avait d'abord conçu et écrit. Ainsi devait-il coup sur coup supprimer, jusqu'à rendre certaines situations incohérentes, l'adieu des bannis, le dialogue entre le Cardinal et sa belle-sœur, et même un embryon de cinquième acte, dont il fera, dans la version imprimée de son adaptation, un épilogue destiné à satisfaire les critiques, « avec l'espoir qu'à une reprise ultérieure, le drame sera joué avec ce tableau, qui en contient la conclusion et la moralité [10] ».

Quelles qu'aient été les intentions de l'adaptateur et les difficultés auxquelles il s'est heurté dans son travail, l'adaptation dont il est l'auteur ayant fait l'objet d'une publication en librairie en 1898 [11], c'est de ce document d'abord qu'il faut partir pour éclairer l'esprit des représentations de 1896, comprendre leur dramaturgie, porter, si besoin est, un jugement sur certaines faiblesses ou trahisons, avant de res-

---

10. *Lorenzaccio*, drame en cinq actes, représenté pour la première fois, à Paris, sur le théâtre de la Renaissance, le 3 décembre 1816 ; mis à la scène par Armand d'Artois ; Paul Ollendorff, 1898 ; Epilogue, note pour le lecteur.

11. Avant d'acquérir sa forme définitive scellée par l'imprimé, l'adaptation d'Armand d'Artois semble être passée par plusieurs états intermédiaires, dont il nous reste au moins deux témoignages. Le plus ancien, du moins selon toute apparence, est conservé à la bibliothèque de l'Association des régisseurs de théâtres. Il s'agit d'un cahier de 45 feuillets, format écolier, remplies recto-verso, qui comporte des extraits collés d'une édition imprimée de *Lorenzaccio*, du reste fort médiocre et souvent fautive, entre lesquels l'adaptateur a, par l'intermédiaire d'un copiste calligraphe, inséré un abondant tissu de liaison. Cette adaptation, d'une effarante platitude de plume et d'inspiration, où le nom de d'Artois n'apparaît nulle part, remarquons-le, comporte cinq actes, mais six tableaux répartis de la façon suivante :

> Acte I, 1er tableau : une place publique à Florence (5 scènes) ; 2e tableau : même décor (3 scènes).
> Acte II, 3e tableau : chez Philippe Strozzi (6 scènes).
> Acte III, 4e tableau : le palais du duc (4 scènes).
> Acte IV, 5e tableau : la chambre de Lorenzo (3 scènes).
> Acte V, 6e tableau : même décor qu'aux 1er et 2e tableaux (5 scènes).

S'agit-il de la version primitive de l'adaptation de d'Artois, le « rouleau de papier noirci par la main du copiste » que d'Artois aurait tiré de sa poche en présence de Sarah ? Rien ne permet de l'affirmer, encore moins de le prouver, et sa médiocrité ne fait guère honneur au talent de l'adaptateur.

Le deuxième témoignage est à la fois d'origine sûre et d'une qualité intrinsèque nettement supérieure. Il s'agit du manuscrit de la main d'un copiste, qui a été remis à la commission de Censure et qui porte son visa. Ce document, conservé aux Archives nationales (F 18, 1269), comporte beaucoup d'arrangements, de surcharges, de collages, de ratures à l'encre rouge qui en rendent l'interprétation difficile. En gros l'adaptation d'Armand d'Artois s'y présente de la façon suivante :

> Acte I, une place de Florence la nuit ; 7 scènes (la 7e est celle, très abrégée, des « bannis », absente de la version imprimée).
> Acte II, 1re partie : chez Lorenzo, au palais Soderini (7 scènes) ; 2e partie : au palais Strozzi (5 scènes).
> Acte III, une chambre à coucher ; 6 scènes (les scènes 5 et 6 sont formées de l'adaptation libre de la scène 4 de l'acte IV, le retour du marquis Cibo ; ces scènes ne figurent pas dans la version imprimée).
> Acte IV, la chambre de Lorenzo (7 scènes).
> Acte V, le cabinet de Philippe Strozzi à Venise (1 scène).

susciter, s'il se peut, ce qui, d'une certaine manière, est mort à jamais, l'éclat d'un décor, le jeu physique d'un acteur, la nuance d'une voix, la grâce mystérieuse d'une présence.

Conçue et écrite pour Sarah Bernhardt, l'adaptation d'Armand d'Artois est aussi, à plus d'un égard, le fruit d'une conjoncture, aux exigences de laquelle l'écrivain ne semble pas avoir eu trop de mal à céder. Elle est née d'abord d'un postulat, dont l'évidence ne semble avoir été mise en doute par personne à l'époque : *Lorenzaccio*, pièce injouable, ne pouvait paraître sur le théâtre que refaite par un homme de métier, récrite selon les « conditions » de la scène et les « lois » du spectacle dramatique. C'était déjà l'avis de Dumas fils, du temps que d'Artois rêvait, sans trop y croire, de « transporter à la scène le magnifique drame d'Alfred de Musset » : « C'est beau comme du Shakespeare », tonnait Dumas fils, « mais comme Shakespeare ça ne peut pas être joué intégralement. Trop long, d'abord. Le public ne veut plus que des pièces courtes. Il ne vient au spectacle qu'à neuf heures [12] ». Cette confidence ne dut pas tomber dans l'oreille d'un sourd. En tout cas, Henry Bauer semble avoir parfaitement résumé la position de la majorité des critiques de son temps, quand il définit, à la louange de d'Artois, les conditions même de son travail : « L'œuvre est plutôt un poème dramatique qu'un drame au sens théâtral du mot. A. de Musset, qui ne songeait pas à une réalisation scénique, n'y concéda rien à la condition et aux nécessités du théâtre. L'accumulation des épisodes, la longueur des actes, la multiplicité infinie des silhouettes où se morcelle, où s'égare l'action, obligeaient à un travail d'arrangement pour la restitution de l'ouvrage dans les limites du temps et les conditions du cadre ordinaire [13] ».

D'Artois ne comprit pas autrement son travail d'arrangeur. Il maîtrisera le désordre, regroupera la dispersion, écrira, malgré qu'il en ait, une autre pièce. On retrouve, certes, cinq actes, mais ce ne sont pas, tant s'en faut, ceux de la pièce originale. Chaque acte y est organisé en fonction d'un lieu scénique, c'est-à-dire d'un décor fixe : une place de Florence (acte I) ; chez Lorenzo, au palais Soderini (acte II) ; au palais Strozzi (acte III) ; une chambre au palais du duc (acte IV) ; la chambre de Lorenzo (acte V). Au total cinq lieux scéniques successifs, mais quatre décors seulement, puisque l'acte II et l'acte V auront pour cadre la chambre de Lorenzo. Quant à l'épilogue, — le cabinet de Philippe Strozzi, à Venise, — puisqu'il n'a été joué ni en 1896 ni en 1912, on n'a pas à en tenir compte ici.

Ces décors plantés, l'arrangeur n'aura plus qu'à remplir chaque espace ainsi dégagé d'un groupe de scènes de longueur variable, mais en nombre raisonnable, dont les unes ont originellement pour cadre le lieu préalablement défini et les autres un cadre différent, dont il faudra bien, bon gré mal gré, qu'elles acceptent l'échange. Cet arran-

---

12. A. d'Artois, « la Mise à la scène de *Lorenzaccio* », *le Mussettiste*, 4e année, n° 2, décembre 1910, p. 212.

13. *L'Echo de Paris*, 5 décembre 1896.

gement provoque, on s'en doute, tout un jeu de transpositions et de raccords parfois ingénieux, le plus souvent raboteux, où l'on sent toujours la main un peu lourde de l'ouvrier substitué à l'aile légère du poète. Ainsi, loin d'être vus, comme dans la pièce originale, certains spectacles sont racontés. La tirade narrative, chère à la dramaturgie classique, semble devoir ici renaître de ses cendres, à cela près toutefois que les splendeurs du verbe y paraîtront singulièrement délavées. L'adieu touchant de la marquise à son mari, par exemple, en présence de leur fils Ascanio, devient, chez d'Artois, le cancan d'une pécore jamais lasse de médire en parlant chiffons et libertinage : « La marquise Cibo était au bal sans son mari. Il est parti pour Massa, où il a des terres, il y a quelques jours. Avez-vous vu comme le duc faisait la cour à la marquise ? Est-ce que vous la trouvez jolie ? moi pas. Et elle avait une robe !... Je croyais qu'Alexandre avait bon goût !... [14] ». La mort pathétique de Louise Strozzi est tombée plus bas encore ; deux phrases sans équivoque, mises dans la bouche du duc, suffiront à l'évoquer : « Salviati s'est trop pressé de faire empoisonner la petite Strozzi. Elle avait de beaux yeux, j'aurais pensé à elle... [15] ». Le moins qu'on puisse dire est que « la nouvelle Lucrèce » n'aura pas eu, sur la scène de la Renaissance, une oraison funèbre digne du nom qu'elle porte et de la fougueuse jeunesse qu'un poète avait su lui donner. Eh quoi ! pas même un tombeau ?

Quant aux raccords exigés par le regroupement systématique des scènes en fonction d'un lieu donné, ils avouent sans vergogne les ficelles du métier. Ainsi, dans l'œuvre originale, l'acte III explose au nez du spectateur dans les cris d'un duel endiablé. Chez d'Artois, l'explosion n'est qu'un pétard mouillé. On annonce l'heure et le thème de l'exercice comme à la salle d'armes d'un club mondain : « Sc. entrant — Tu m'appelles, maître ? L. — Oui, voici l'heure de ma leçon d'armes. Ils prennent des fleurets et des gants d'armes. Sc. — Faut-il jouer le jeu habituel ? L. — Plus fort que jamais ! Il faut hurler, beugler ! Je veux un vacarme à épouvanter le diable !... [16] ». Un peu plus tard, tandis que Pierre entre violemment et pose « son épée nue sur la table [17] », il n'est pas question de nous montrer subséquemment, comme dans la pièce originale, Julien Salviati se traînant aux murailles du palais ducal avec des cris épouvantables ; le décor fermé l'interdit. Dès lors, Thomas, laissé tout exprès à la traîne, sera chargé d'intervenir, en une courte scène entièrement inventée par d'Artois [18], pour annoncer aux Strozzi que Salviati n'est que blessé et qu'il s'est traîné jusqu'au palais du duc pour dénoncer ses agresseurs. A la souveraine liberté d'allure d'une imagination gouvernant les événements

---

14. *A*, I, 2. Toutes nos références à l'adaptation de d'Artois seront précédées ainsi de la lettre *A*, suivi de l'indication de l'acte et de la scène ; elles renvoient à l'édition de 1898 publiée chez Paul Ollendorff.

15. *A*, V, 5.

16. *A*, II, 7.

17. *A*, III, 4.

18. *A*, III, 5.

de haut et d'ensemble on a dû substituer, au nom des exigences de la scène, une démarche à la fois rampante et précipitée, au souffle court, d'où toute vraisemblance est bannie.

Encore ces ajouts sont-ils rares. Ce sont les retranchements qui l'emportent. Il a fallu couper, tailler, élaguer. Les ciseaux ont été l'outil principal de l'arrangeur. Ils ont fait de nombreuses victimes : les trois seigneurs républicains, Rucellai, Pazzi, Alamanno Salviati, ont disparu ; Corsini, affublé du prénom de Nicolo, a été réduit au silence d'un figurant d'opérette ; les courtisans et Côme de Médicis lui-même ont péri dans le naufrage du cinquième acte. Certains rôles ont été notablement écourtés : Catherine Ginori figure dans trois scènes seulement [19], La marquise Cibo et Marie Soderini dans deux [20] ; Louise n'est qu'une silhouette fugace au début de la pièce [21] et quasi muette dans trois scènes successives, qui n'en font qu'une en réalité [22]. De ces amputations, c'est le cardinal Cibo qui sera la principale victime. Mais on verra plus loin, à cette occasion, que derrière les ciseaux de l'arrangeur se profile une guillotine plus redoutable, celle du censeur.

A l'inverse, le rôle de Lorenzo sort moins meurtri et même un peu arrangé, nettoyé, calamistré de l'émondage général. Le héros de Musset a droit, comme un héros classique, à une entrée retardée et remarquée à la scène 5 du premier acte : la petite porte n'est pas pour les reines de théâtre. Mais l'accent du drame primitif s'en trouve brusquement déplacé et l'équilibre du spectacle modifié dans son ensemble. Les spectateurs, du reste, ne s'y trompèrent pas, et Henry Bauer se fait l'interprète du sentiment général en des termes sans équivoque : « En éliminant certains développements incompatibles avec les conditions de la scène, il a concentré tout l'intérêt autour de Lorenzaccio, dans le mouvement du caractère, dans l'extraordinaire mouvement de l'âme du régicide jusqu'à l'acte suprême. Ainsi tout apparaît dans les périodes croissantes du drame et le drame ne perd rien devant le public à être ainsi concentré dans son essence [23] ». Etrange renversement de perspective, qui donne à rêver ! Ainsi l'œuvre gagnerait à être réduite à son propre schéma. Du livre à la scène, la puissance dramatique triompherait dans les macérations de l'ascétisme et la cure d'amaigrissement. Naïvement, Musset avait cru, au contraire, que l'art théâtral, même enfermé dans les pages d'un volume, est d'abord chair, sang et vie, et qu'il s'accommode mal des scrupules de l'abstracteur de quintessence. Momentanément, on lui donnait tort. Il faudra bien des années encore, avant qu'on lui rende, sur ce point précis, justice et raison.

Au reste, d'autres considérations allaient peser sur la liberté toute relative de l'adaptateur. Le critique du *Figaro*, Henry Fouquier, donne

19. *A*, II, 1 et 2 ; V, 3.
20. Marquise Cibo : *A*, I, 3 ; IV, 4 ; Marie Soderini : *A*, II, 1 et 2.
21. *A*, I, 2.
22. *A*, III, 3, 4, 5.
23. *L'Echo de Paris*, 5 décembre 1896.

la note juste quand il remarque incidemment : « Le rôle du cardinal Cibo (...) a presque entièrement disparu, la censure intervenant, au grand chagrin de M. Clerget qui l'avait appris et répété. Je ne sais si on l'eût supporté dans sa crudité [24] ». Les limites même de la liberté d'Armand d'Artois sont dans la clausule. L'adaptateur sent son public ; il sait jusqu'où il peut aller trop loin. D'instinct, d'Artois a su ce qui choquerait et qu'il fallait gommer ou carrément supprimer. La censure officielle complétera le travail. Or politique et religion sont des domaines sensibles, dans lesquels l'opinion publique se montre la plus chatouilleuse. Le rôle du cardinal Cibo, à la fois religieux et politique, fera les frais de l'opération. Il paraît à la scène 3 du premier acte, figure aux scènes 4 et 5, connaît une longue éclipse durant trois actes entiers et ne reparaît qu'à la fin de la pièce, — acte V, scène 4 — pour tirer la leçon d'une histoire à laquelle il n'aura pas été vraiment mêlé. Pour un homme d'action à la fois ambitieux, opportuniste et tacticien, c'est une avanie dont on ne se relève pas ! L'abolition complète du cinquième acte de la pièce originale lui interdisait du reste tout espoir de revanche. Plus de confession sacrilège, en tout cas, plus de conversation dans le boudoir, plus de leçon d'amour dans l'appartement du marquis Cibo. Le rôle du cardinal Cibo est réduit à la portion congrue, l'équilibre de la pièce en pâtit, sa signification politique en est sensiblement modifiée.

Si l'on considère qu'ont disparu conjointement l'adieu des bannis, initialement prévu par d'Artois lui-même et sacrifié par la censure, les réactions de la Cour et du peuple après l'assassinat du Duc, le couronnement de Côme, tout le rôle de Pierre Strozzi aux quatrième et cinquième actes, on voit clairement ce que d'Artois a voulu faire ou du moins s'est résigné à accepter : un mélodrame à teinture historique ; à la rigueur un drame psychologique à teinture politique. Mais le spectacle global d'une société impatiente de secouer le joug qui l'oppresse et impuissante à organiser sa libération ? Mais la grande leçon de philosophie politique ? Il faut recourir au livre pour en retrouver la force sauvage. L'adaptation d'Armand d'Artois ressemble à ces vaisseaux naufragés dont la carcasse seule est intacte sur une mer jonchée de débris.

Du mélodrame psychologique tiré de la pièce originale par d'Artois on se fera une idée assez exacte dans le tableau de concordance qui va suivre ; quelques brefs commentaires isoleront les variantes les plus caractéristiques et les inventions les plus marquantes.

---

24. *Le Figaro*, 4 décembre 1896.

ACTE I
Une place de Florence, la nuit

SCÈNE 1. *Le duc, Giomo, puis Maffio* ....   I, 1
Le texte de cette scène est tiré de I, 1 ; les répliques de Lorenzo, qui ne figurent pas dans cette scène, ont été mises dans la
bouche du duc ; quelques répliques du duc et de Maffio ont été
modifiées ou inventées par commodité.

SCÈNE 2. *Le marchand de soieries, l'orfèvre, deux écoliers, divers
curieux, dames et seigneurs, puis Julien Salviati et Louise Strozzi* ....   I, 2
Texte tiré de I, 2 ; des modifications de mise en scène ; une réplique ajoutée concerne la marquise Cibo et le départ de son
mari pour Massa.

Observations. Quelques répliques, modifiées ou inventées,
volent bas ; notamment à la fin de la scène :
« Premier Ecolier : Est-il insolent, ce Salviati !
« Deuxième Ecolier : Ah ! dame il sait comment il faut s'y
prendre avec les femmes ! »

SCÈNE 3. *La marquise Cibo, Cibo Malaspina, Agnolo, page de la
marquise, Peuple, etc.* ....   I, 3
Cibo, à la marquise qui sort du palais, entame la conversation
en ces termes : « Ma chère belle-sœur s'en va de ce bal comme
d'une forêt » ; puis il enchaîne par un dialogue inspiré de I, 3.
Au départ de la marquise, Cibo s'adresse au page, qui va suivre
sa maîtresse : « Agnolo ! Viens ici ! J'ai vu un masque te remettre un billet ; c'est pour la marquise, donne-le moi ». La
scène s'achève sur un court dialogue entre le duc et Salviati,
librement inspiré de I, 2.

Observations. Le dialogue entre le cardinal et la marquise
souffre de se dérouler en plein air, au milieu d'une foule ; le
cadre intime et feutré du palais Cibo lui convenait mieux.

SCÈNE 4. *Le duc, Sire Maurice sortant de chez Nasi, suite du duc,
Cibo, Valori, Peuple, etc.* ....   I, 4
Texte abrégé de I, 4, 1re partie. Lorenzo, à la fin de la scène
« paraît du fond du théâtre, à droite, un livre à la main ».

SCÈNE 5. *Les mêmes, Lorenzo* ....   I, 5
Scène de l'épée, inspirée de I, 4, 2e partie ; puis scène de précepteurs, inspirée de V, 5, 2e partie, et introduite par une
réplique du marchand à l'orfèvre : « Ah ! voici le petit Salviati
avec son précepteur ».

SCÈNE 6. *L'orfèvre, le marchand de soieries, puis Léon Strozzi, Julien Salviati, des bourgeois, plusieurs dames passent* ....   I, 5
Scène composite, qui emprunte le plus gros de sa substance au
dialogue de Montolivet ; la scène s'achève sur deux répliques
inventées :
« LE MARCHAND : Ne faites pas attention, prieur...
Ne voyez-vous pas qu'il est ivre ?
« LE PRIEUR (d'une voix frémissante de colère contenue) : Julien, tu viens d'insulter grossièrement ma sœur devant
moi... Je ne suis qu'un moine, mais j'ai des frères qui
portent l'épée... Prends garde à toi, Salviati !
« *Salviati éclate de rire. Mouvements divers de la foule* ».

Observations. D'Artois avait prévu à cette place une scène 7,
reprenant en gros l'adieu des bannis ; il a renoncé du fait de la
censure et a modifié en conséquence la fin de l'acte.

ACTE II
Chez Lorenzo, au Palais Soderini

Scène 1. *Au lever du rideau, Marie est assise dans un grand fauteuil, et songe ; Catherine arrange des fleurs près de la fenêtre* .... I, 6
Texte inspiré de I, 6, 1ʳᵉ partie.

Scène 2. *Les mêmes, Lorenzo, rêveur. Il va s'asseoir dans un coin, près de la fenêtre* .... II, 4
Texte inspiré de II, 4, 1ʳᵉ partie.

Scène 3. *Lorenzo, Bindo, Venturi* .... II, 4
Texte inspiré de II, 4, 2ᵉ partie.

Scène 4. *Les mêmes, le duc* .... II, 4
Texte inspiré de II, 4, 3ᵉ partie.

Scène 5. *Le duc, Lorenzo* .... II, 4
Texte inspiré de II, 4, 4ᵉ partie, sauf la fin qui est assez platement modifiée.
« Duc : Oui, tu es un rusé compère. Je tiens à cette conquête-là, Renzo.
« Lor. : Vous l'aurez.
« Duc : Bientôt ?
« Lor. : Demain, peut-être !
« Duc : A merveille ! tu as l'esprit comme un démon — Adieu, mignon.
« Lor. : Au revoir, cousin.
« Duc : Je compte sur toi (*Il sort*). »

Scène 6. *Lorenzo, seul* ....
Scène entièrement inventée par d'Artois et qui donne une image édulcorée du caractère de Lorenzo. Lorenzo y apparaît bouleversé d'avoir vu le duc jeter son dévolu sur Catherine ; à la voix du duc, au-dehors, qui lui crie : « Je compte sur toi », il répond : « Oui, oui, comptez-sur moi, cousin ! Dieu ! Cela devait arriver ! Il fallait que ce gladiateur au poil roux jetât les yeux sur cette douce colombe. Il me manquait une Lucrèce... Le spectre est venu à temps. Je sens sa main qui me pousse. Le moment terrible approche... ».

Scène 7. *Lorenzo, Scoronconcolo* .... III, 1
Scène inspirée de III, 1 ; toutefois, au cœur du dialogue de Musset, après : « Crie donc, frappe donc, tue donc ! », d'Artois a cru bon d'insérer l'indication suivante :
« A ce moment, Lorenzo, enivré par l'action, se figure qu'il a devant lui son ennemi, et, comme le combat est devenu un corps à corps, il tire sa dague et se jette en fureur sur Scoronconcolo pour l'égorger.
« Sc., *lui arrachant sa lame :* Eh ! Maître... Que fais-tu là ?
« Lor., *devant la fenêtre :* O jour de sang, jour de mes noces ! »
Suit le texte de Musset.
Observations sur les scènes 6 et 7. Là où Musset suggère, d'Artois insiste lourdement, met les points sur les i de peur que le spectateur ne comprenne pas ; son Lorenzo est sans ambiguïté, sans mystère, sans poésie.

ACTE III
Au palais Strozzi

Scène 1. *Lorenzo, Philippe Strozzi* .... II, 1-III, 3
Le dialogue est fait du raccord de quelques répliques empruntées à II, 1 et de quelques répliques empruntées à III, 3.

SCÈNE 2. *Les mêmes, le Prieur, Pierre et Thomas Strozzi, entrant successivement* .... II, 1
Texte inspiré de II, 1, dernières répliques modifiées :
« PIERRE : Je n'ai rien à faire... viens avec moi, Thomas.
« THOMAS : Oui, frère (*ils sortent rapidement*) ».

SCÈNE 3. *Lorenzo, Philippe, le Prieur, puis Louise Strozzi* .... II, 5
Texte inspiré de II, 5, 1ʳᵉ partie.

SCÈNE 4. *Les mêmes, Pierre Strozzi* .... II, 5
Texte inspiré de II, 5, 2ᵉ partie.

SCÈNE 5. *Les mêmes, Thomas Strozzi* ....
Courte scène inventée, au cours de laquelle Thomas annonce à Pierre que Salviati n'est que blessé et qu'il s'est traîné jusqu'au Palais du duc.

SCÈNE 6. *Les mêmes, moins Louise* .... III, 2
Texte inspiré de III, 2.

SCÈNE 7. *Les mêmes, un officier allemand et ses soldats* .... III, 3
Texte inspiré de III, 3, première partie ; l'arrestation ayant lieu chez Philippe Strozzi, la scène est annoncée par un court dialogue de transition :
« L'OFFICIER : Laissez passer la justice du duc.
« PHILIPPE : Qui entre ainsi chez moi ?
« PIERRE : Sais-tu à qui tu as affaire ?
« L'OFFICIER : Qu'on saisisse ces deux hommes. »
La fin de la scène est également modifiée, car Lorenzo assiste à l'arrestation : « Lorenzo fait entendre un rire sarcastique.
« PIERRE, *se tournant vers lui :* Tu ris, Lorenzaccio !...
« LORENZO, *ricanant :* La liberté est mûre !... En prison ! En prison !...
« *L'Officier et les soldats sortent avec les prisonniers.* »

SCÈNE 8. *Philippe, Lorenzo* .... III, 3
Cette scène reproduit le texte de III, 3 mais très abrégé et édulcoré. La longue tirade finale est coupée en deux tronçons ; après « marqués en traits de sang », Philippe intervient en ces termes : « Tu peux avoir raison, mais il faut que j'agisse. Je vais rassembler mes amis... ». Lorenzo enchaîne à son tour : « Soit, mais prends garde à toi, Philippe. Quant à moi, que les hommes m'appellent Brutus ou Erostrate (...) tribunal de ma volonté (*Il sort*) ».

ACTE IV

Une chambre, au palais du duc

SCÈNE 1. *Le duc, posant, la poitrine découverte, couché sur un divan ; Tebaldeo, faisant son portrait ; Giomo jouant de la mandoline* .... II, 6-II, 2
Curieux mélange de propos pris au texte de II, 6 et au texte du II, 2 ; le texte de II, 6 l'emporte néanmoins en volume.

SCÈNE 2. *Les mêmes, Lorenzo* .... II, 6-II, 2
Même mélange qu'à la scène précédente, mais le texte de II, 2 l'emporte au début, le texte de II, 6 à la fin de la scène.
Observations. A titre d'exemple, voici un échantillon de l'amalgame ainsi pratiqué :
« LORENZO : Cela avance-t-il ?
« LE DUC : Assez.
« LOR., *qui regarde l'œuvre du peintre :* sans compliment, cela est beau.

« TEBALDEO : C'est trop d'honneur... »
Suit le texte, abrégé et un peu arrangé, de II, 2.
On voit le procédé, qui tient du pillage et de la marqueterie :
Lorenzo commence comme à II, 6 ; la réponse du duc est inventée ; Lorenzo poursuit en empruntant à Valori une réplique extraite de II, 2 ; Tebaldeo retourne à Lorenzo une réplique de II, 2 primitivement destinée à Valori et entièrement
isolée de son contexte d'origine.

SCÈNE 3. *Lorenzo, le duc* .... IV, 1
Texte inspiré, en gros, de IV, 1.
Observations. Le souci d'établir une transition entre les scènes
amène l'arrangeur à prendre avec l'original des libertés de
fort calibre. Ainsi, après « je vous dirai cela », la marquise
paraît ; s'engage alors le dialogue suivant :
« LE DUC : Voici cette chère marquise Cibo ; laisse-nous. A ce
soir, Mignon.
« LORENZO : A ce soir. *Il sort, en chantant :* Bonjour, Madame
l'Abbesse... et *en saluant la marquise...* ».

SCÈNE 4. *Le duc, la marquise Cibo* .... III, 6
Texte inspiré de III, 6, mais écourté ; le cardinal n'y paraît
pas ; le duc emprunte au cardinal une de ses répliques de III, 5
— ou plutôt une demi-réplique, l'autre moitié étant inventée :
Duc : « — Quelle parure, Marquise ! Que vous êtes belle » ;
suivent quelques répliques inventées. La fin de la scène est
également modifiée :
« ... Tu es trop dévote, cela se formera. Au revoir ! (*Il s'éloigne*)
« LA MARQUISE : Adieu, Alexandre ! Ah ! je suis perdue... et ils
le tueront !... »

ACTE V
La chambre de Lorenzo

SCÈNE 1. *Lorenzo, Scoronconcolo, un valet portant des fleurs* ...... IV, 3
Courte scène inspirée du début de IV, 3.

SCÈNE 2. *Lorenzo, seul* .... IV, 3-IV, 9
Monologue composite qui procède de la réunion de deux mo-
nologues originaux, mais largement émondés : un fragment de
IV, 3, de « De quel tigre » à « en cendres sur ma proie » ; un
fragment de IV, 9, de « je lui dirai que c'est un motif de pudeur » à « petit couteau ». Les coupures sont innombrables.

SCÈNE 3. *Lorenzo, Catherine* .... III, 4-IV, 5
Curieux mélange de propos tirés de III, 4, mais sans Marie So-
derini, et de IV, 5.
Observations. Aucune scène ne montre mieux les absurdes
acrobaties auxquelles il a fallu se livrer pour jouer dans la
continuité du discours ce qui était écrit dans la discontinuité
du spectacle. Des propos de Marie sont mis dans la bouche de
Lorenzo ; le monologue touchant le sort promis à Catherine
sert à nourrir les propos que Lorenzo doit tenir, ici, à Catherine elle-même, présente en scène. La scène s'achève dans un
échange de propos inventés, de la plus grande noblesse
d'écriture :
« LORENZO : (...) Quand je n'y serai plus, il y aura une larme
pour moi dans tes beaux yeux, n'est-ce pas ? Un mot pour moi
dans tes douces prières ?
« CATHERINE : Hélas ! je prie sans cesse pour toi... mais d'où
vient que tu songes à la mort ?
« LORENZO : C'est une idée de fou !... Retourne près de notre
mère. Tâche de la consoler. »

« CATHERINE : Bonsoir, Lorenzo ! *On entend au-dehors un bruit
de voix, où domine celle du duc* ».

SCÈNE 4. *Le duc, cardinal Cibo, Sire Maurice* .... IV, 10
Texte délayé de IV, 10.
Observations. Une fois encore, l'inconvénient de la continuité
apparaît. Le Cardinal et Sire Maurice accompagnent le duc
jusque dans la chambre de luxure, ce qui est invraisemblable ;
il faut au duc beaucoup d'éloquence apprêtée pour éloigner les
importuns et justifier sa solitude.

SCÈNE 5. *Le duc, Lorenzo* .... IV, 11
Texte délayé de IV, II, 1ʳᵉ partie.
Observations. A la belle sobriété de Musset, d'Artois croit
habile ou plus décent de substituer le bavardage que voici :
« LE DUC : (...) va donc chercher ta tante.
« LORENZO : Dans un instant. Vous tenez donc beaucoup à cette
bonne fortune ?
« LE DUC : Que le diable t'emporte ! Est-ce que tout n'est pas
convenu ?
« LORENZO : Oh ! si ! tout absolument.
« LE DUC : Est-ce que la Cattina fait des façons ?
« LORENZO : Elle non ; mais moi... Songez-y donc, cousin, cela
est horrible. La sœur de ma mère ! l'enfant chéri de la
famille ! Pour la première fois, le cœur me manque...
« LE DUC *riant* : Ah ! Ah ! les scrupules de Lorenzaccio.
« LORENZO, *de même* : J'en conviens ! cela est du dernier
bouffon !
« LE DUC : Va donc chercher ta tante, imbécile !
« LORENZO, *froidement* : J'y vais ! (*Il sort*) ».

SCÈNE 6. *Le duc, seul* .... IV, 11
Courte scène faite d'un fragment de IV, 11, 2ᵉ partie, de
« Faire la cour » à « ce sera commode ».

SCÈNE 7. *Le duc, Lorenzo, puis Scoronconcolo* .... IV, 11
D'Artois esquisse une mise en scène complète de l'assassinat
dans laquelle Scoronconcolo tient un rôle actif, et ne conserve
de IV, 4, 3ᵉ partie, que 5 répliques sur les 15 que compte le
texte original. L'adaptation s'achève sur le célèbre : « Respire,
respire, cœur navré de joie ! »

Ce tableau de concordance — ou plutôt de divergence — appelle
deux remarques principales :

1° L'adaptation de d'Artois, en dépit de ses 34 scènes, n'utilise en
fin de compte, qu'une faible partie de la pièce originale : au total
22 scènes, le plus souvent écourtées et quelquefois défigurées. L'arrangeur emprunte en quelque sorte à l'original une substance discursive
qu'il redistribue quelquefois en dialogue de son cru. Il perd ainsi ce
qui est au théâtre essentiel : le rythme propre du langage, l'impact
d'une réplique placée au bon endroit, dans un environnement correctement respecté. Tout se passe comme si d'Artois offrait aux spectateurs de la Renaissance un texte traduit de Musset, au sens où l'on
traduit un texte d'une langue étrangère en français ; version en prose,
si l'on veut, d'un poème dramatique de Musset.

2° Le regroupement des scènes selon leur parenté, dans un décor
unique et immuable pour chaque acte, provoque un effet de tassement

et de concentration dommageable à la vraisemblance des intrigues et à la vérité des caractères. Les événements se précipitent sans préparation suffisante. La discontinuité du spectacle permettait, au contraire, à la vie d'éclater dans sa surabondance heureuse et ses coloris les plus vifs. Il y avait de l'air entre les scènes. Une dilatation de l'espace et du temps donnait aux événements l'occasion de se produire au moment convenable et au discours poétique de prendre son envol. Chez d'Artois, il n'y a plus d'envol, plus d'air, plus de poésie, rien qu'une histoire d'assassinat pour des raisons obscures, que les coupures pratiquées dans le texte original n'ont pas permis d'éclairer convenablement.

Malgré toutes ces défaillances, auxquelles nous sommes peut-être plus sensibles aujourd'hui qu'on pouvait l'être hier, l'adaptation fut dans l'ensemble, assez bien accueillie par la critique ; on n'imaginait pas qu'on pût faire mieux ou du moins qu'on pût faire autrement. A bien lire toutefois les compliments qu'on adresse à d'Artois pour son habileté, on s'aperçoit qu'ils s'accompagnent presque toujours d'une ou deux réserves qui, mises bout à bout, condamnent en fait l'entreprise ou plutôt son résultat. Ainsi Sarcey, tout en louant « l'adresse » de d'Artois, tout en admettant que « quelques suppressions ont été exigées par la censure, d'autres (...) nécessitées par les conditions matérielles du théâtre », avoue qu'il n'est resté « de toute cette pièce si vivante et si animée, qu'un monologue énorme, renouvelé de scène en scène, par les personnages qui passent et le relancent sur une réplique [25] ». Autant vaut dire que la pièce est morte ou qu'elle crève d'anémie graisseuse. Dans le même esprit, Léon Bernard-Derosne, tout en convenant que la pièce est injouable et qu'il fallait l'adapter, note quelques incohérences inhérentes à l'arrangement conçu par d'Artois ; en supprimant, par exemple, Lorenzo de la première scène, pour ménager à Sarah une belle entrée de théâtre, on est tombé dans le galimatias, car « le passage supprimé est essentiel, si essentiel que lorsque plus tard Lorenzo parlera à Philippe Strozzi de son irrémédiable perversité, nous saurons à peine ce qu'il veut dire [26] ». Henri Duvernois veut bien noter, à la décharge de d'Artois, qu'il n'est pas entièrement responsable de la suppression du cinquième acte : « Il y a quelques jours encore, écrit-il, la pièce devait finir sur le meurtre de Lorenzo et sur le cri navrant poussé par Strozzi qui voit le jeune homme tombé sous les coups : — Eh quoi ! pas même un tombeau ! Le dénouement a dû être hâté et l'épilogue de Musset a été sacrifié. Il était à craindre, en effet, que les spectateurs, croyant le drame terminé, ne missent leurs pardessus. Opération bruyante ! [27] » Opération navrante, serait-on tenté d'écrire.

Mais comme on juge un écrivain sur ses œuvres, non sur ses intentions, la suppression du cinquième acte n'en est pas moins regrettée vivement par l'ensemble des critiques. Sur le mode plaisant, l'échotier

25. *Le Temps*, 7 décembre 1896.
26. *Gil Blas*, 4 décembre 1896.
27. *Le Soleil*, 4 décembre 1896.

du *Journal* donne le ton : « Du 5ᵉ acte écrit par Musset, rien ne subsiste. C'est un peu comme si on enlevait le toit d'une maison. *A part cela*, l'œuvre a été respectée, disent les architectes chargés des réparations [28] ». Dans un style plus académique, Anatole France ne dit pas autre chose : « Je regrette seulement, comme sans doute il [d'Artois] le regrette lui-même, la dure nécessité qui lui fit couper le vrai dénouement. La mort de ce médiocre tyran n'est pas une conclusion. La conclusion philosophique du drame est dans la scène qui fait paraître l'inutilité du meurtre. Mais nous avons lieu d'être contents de ce qu'on nous a donné ». Je ne sais si d'Artois fut content de ce compliment empoisonné. En 1912, en tout cas, lorsque Sarah Bernhardt reprit, pour quelques soirées, *Lorenzaccio* sur la scène du théâtre qui porte son nom, la critique se montra beaucoup plus réticente à l'égard du travail de l'adaptateur. Il est vrai qu'en seize ans le goût public avait changé. Le spectacle s'étant quelque peu démodé, on s'était avisé que le travail de d'Artois collait si étroitement au style de l'interprétation et à l'esprit général de la mise en scène, que leur destin respectif était inséparable pour le meilleur et pour le pire.

Aussi bien convient-il de faire un sort particulier à quelques critiques, plus clairvoyants que la masse de leurs confrères, qui ont senti d'emblée que les faiblesses de l'adaptation reflétaient les faiblesses même de la conception du spectacle dramatique. Gustave Geffroy, dans la *Revue encyclopédique*, J. du Tillet dans la *Revue bleue* font précéder, l'un et l'autre, leur chronique dramatique d'une méditation sur la pièce de Musset, qui étonne par sa fermeté et sa profondeur. J. du Tillet, notamment, met en lumière l'esthétique tout élisabéthaine du drame original, regrette que le décor empiète trop sur la pièce elle-même et rêve nostalgiquement des « pancartes » utilisées au temps de Shakespeare ; il fait même cet aveu, qui est tout un programme dramaturgique et dessine une perspective d'avenir pour *Lorenzaccio* : « je ne dis pas que pour ma part je ne préférerais pas, et de beaucoup, le *Lorenzaccio* avec pancartes [30] ». Dans un sens voisin, G. Geffroy se demande, avec une lucidité rare pour l'époque, si « une succession de toiles de fond » n'aurait pas suffi à la « décoration de tableaux rapides [31] ».

Mais c'est à un autre spectacle qu'alors on nous convie, et le temps n'en est pas encore venu. Celui qui, pour l'instant, retient notre attention est le fruit sans surprise de regards croisés et de désirs convergents : une comédienne soucieuse d'abord de vivre un personnage, un adaptateur qui lui taille un vêtement sur mesure, un public qui vient la contempler dans sa nouvelle métamorphose. Le jeu dès lors est faussé et la pièce trahie. Du moins y a-t-il parfois d'heureuses trahisons. Les témoins parlent, chacun à sa manière : dessinateurs,

28. Compère Guilleri, « les Soirées de Paris », *le Journal*, 4 décembre 1896.
29. *Revue de Paris*, 15 décembre 1896, p. 905.
30. *Revue bleue*, 19 décembre 1896, p. 793-795.
31. *Revue encyclopédique*, année 1896, p. 958-960.

peintres, journalistes. On s'appliquera, sans prévention, mais non sans défiance, à écouter leur voix.

Défiance méthodique, si l'on veut, à la façon du doute cartésien. Reconstituer un spectacle, en effet, 75 ans après sa création, à partir de documents fragmentaires, quelquefois passionnés et souvent contradictoires, est une opération toujours délicate et, dans son fond, impossible. Défiance, donc, mais de soi d'abord, et par modestie plus que par suffisance. D'entrée de jeu, il fallait le dire avec insistance, pour désarmer les curiosités excessives et prévenir les déceptions.

Cela dit, on verra, chemin faisant, que nous avons pris appui sur trois types de documents : la mise en scène notée par d'Artois, l'iconographie d'époque, les comptes rendus de presse. Ces trois sortes de documents ont malheureusement chacun leurs défauts ; leur conjugaison multiplie les chances d'erreur.

De la mise en scène notée par d'Artois, au demeurant assez sommaire, on peut, en effet, se demander si elle reproduit fidèlement les conditions même du spectacle donné au théâtre de la Renaissance, ou si elle est, en partie du moins, l'œuvre de l'adaptateur lui-même. Au reste, chacun sait que le texte joué n'est jamais tout à fait le même que le texte écrit et que des variantes ou des coupures, importantes parfois, interviennent au cours des répétitions.

De l'iconographie d'époque, on doit se défier plus encore, car elle est, par nature, de caractère subjectif : l'œil du dessinateur ou du peintre n'a pas la passivité d'un objectif photographique. Quoi de commun, par exemple, entre Sarah - Lorenzo dessinée par Mucha et peinte par Albert Besnard ? Quoi de commun, encore, entre le meurtre d'Alexandre vu par Parys pour *Théâtre illustré*, par A. M. pour *Feux de la rampe*, par A. E. Marty pour *Comœdia illustré* [32] ? C'est pourtant de la même scène et de la même interprète qu'il s'agit, mais chacun a été sensible à un aspect différent du jeu de la comédienne en cette circonstance.

Quant aux comptes rendus de presse, échos ou feuilletons, on ne s'étonnera guère de leurs contradictions, on s'étonnera moins encore de leur partialité. Fascinés par la personnalité de Sarah Bernhardt, les journalistes ont été dans l'ensemble plus sensibles à son jeu personnel qu'au style de son spectacle. L'un d'eux résume d'un mot ce que les autres n'ont même pas jugé utile de noter en préalable ou en conclusion : « mise en scène pittoresque. Mais, encore une fois, Sarah peut dire : — La pièce, c'est moi ! [33] ». Et il n'est même pas sûr que, sous la plume de ce critique, le jugement ait une consonance réprobatrice. Faut-il s'étonner, dans ces conditions, que la mise en scène et le style général du spectacle aient été quelque peu oubliés dans les feuilletons dramatiques de 1896 ?

32. *Théâtre illustré*, s.d. (1896) ; *Feux de la rampe*, n° 49, 23 janvier 1897, p. 41 ; *Comœdia illustré*, 1er juin 1912.
33. *Le Charivari*, 6 décembre 1896.

Et pourtant on ne renoncera pas à caractériser ce style d'ensemble, qui finit par apparaître, comme malgré lui, dans le faisceau de tous ces témoignages entrecroisés. Un mot suffira : traditionnel. Denis Bablet a consacré à la « décoration théâtrale traditionnelle », en France, au XIXᵉ siècle, un substantiel chapitre de sa thèse sur le décor de théâtre de 1870 à 1914 [34]. Donnant à la notion d'illusion la place primordiale qu'elle occupe dans l'esthétique générale de la décoration traditionnelle, Denis Bablet pose, en termes très clairs, le problème de la fin et des moyens du spectacle dramatique : « L'illusion (...) suppose entre le spectateur et l'image scénique un rapport tel que le spectateur croie à la réalité de l'action scénique et de son cadre, que le monde imaginaire devienne pour lui un monde réel, même si en entrant au théâtre il a pleinement conscience des conventions théâtrales. Il faut donc que cet univers soit figuré de façon telle qu'il ne puisse douter de son existence, ce qui implique la mise en œuvre de modes de représentation (reproduction, imitation, description) fondés sur une connaissance de la réalité quotidienne, historique, ou féerique, et l'application de techniques illusionnistes précises (perspective, trompe l'œil) s'appuyant sur le pouvoir descriptif de la peinture [35] ».

L'esprit même des représentations de *Lorenzaccio* sur la scène du théâtre de la Renaissance est tout entier contenu dans ces quelques lignes. Sarah Bernhardt en assurant elle-même la mise en scène de la pièce, en confiant les décors à MM. Lemeunier, Carpézat et Amable, le dessin des costumes à son affichiste de prédilection, le peintre Alphonse Mucha, n'aura pas d'autre dessein que de reconstituer autour du personnage qu'elle incarne et pour le plaisir du spectateur la réalité sensible de Florence au XVIᵉ siècle, de faire naître l'illusion de vivre au temps de la Renaissance, en Italie, à la Cour des Médicis. La supervision attentive de Sardou, grand maître des reconstitutions historiques minutieuses [36], le goût personnel de Sarah pour les costumes somptueux, les armes précieuses, les bijoux, le clinquant, la surcharge, les raffinements « modern style » de Mucha feront le reste, contribueront à donner au spectacle son unité et sa personnalité. Spectacle très *daté*, comme on le voit, à la fois traditionnel par les moyens employés et très 1900 par le style qui leur est donné. Sa force devient alors aussi sa faiblesse, car la structure élisabéthaine de la pièce de Musset, dans sa discontinuité même, était un défi permanent à la décoration traditionnelle. Aussi comprend-on qu'il ait fallu récrire la pièce. Non qu'elle ait été en soi injouable, comme d'aucuns le prétendaient, mais on ne pouvait la jouer qu'en bousculant les principes de la décoration traditionnelle. Sarah Bernhardt épousait trop étroitement l'art de son temps pour que s'élève en elle, à propos de *Lorenzaccio*, l'esprit de rénovation.

34. *Esthétique générale du décor de théâtre de 1870 à 1914*, Paris, éd. du C.N.R.S., 1965, p. 5-45.

35. *Ibid.*, p. 15-16.

36. *Ibid.*, p. 22-23, n. 40.

De ce spectacle somptueux et traditionnel, on tâchera, acte par acte, de donner une idée approximative à l'aide des documents dont nous avons déjà parlé et d'autres que nous signalerons en notes. On se réservera le droit, cette reconstitution faite, d'assortir le spectacle des commentaires qu'il appelle et d'en dresser aussi objectivement que possible le bilan.

ACTE I

Le décor a été sommairement décrit par d'Artois lui-même en ces termes : « une place de Florence, la nuit. A droite, au fond, une petite porte de jardin et une grille. A gauche, deux boutiques fermées. Plus loin, la façade du palais Nasi dont les fenêtres sont éclairées. Panorama de Florence. Au milieu de la scène, un puits avec armature de fer. Musique de fête à l'intérieur du palais Nasi ». La description est plate, mais, dans l'ensemble, exacte. Un dessin célèbre de G. Amato, paru dans l'*Illustration* du 12 décembre 1896 [37] et représentant « Sire Maurice provoquant Lorenzaccio en présence du duc Alexandre de Médicis », vient confirmer plastiquement l'organisation générale du décor, en y ajoutant toutefois une note d'ampleur et de somptuosité qui manque au croquis de d'Artois.

D'emblée, le caractère synthétique du décor apparaît. C'est un écueil, mais comment l'éviter, puisqu'il fallait, par hypothèse, réunir en une seule plantation quatre lieux scéniques différents prévus par Musset : le jardin de la première scène, la rue de la deuxième, la cour de la quatrième, la place de la cinquième ? Comme il convenait, d'autre part, de créer tout ensemble un cadre historique varié qui, parlant au regard, exaltât l'imagination, et un lieu scénique unifié qui permît à plusieurs actions successives de s'y dérouler sans invraisemblance, les décorateurs ont joué sur deux tableaux et, au témoignage des contemporains, semblent avoir gagné la partie. Le décor tend, d'abord, à donner, selon le critique de *l'Illustration*, « une image vivante du XVIᵉ siècle italien [38] ». Si vivante même que le critique du *Figaro* croit avoir reconnu au passage « les coins aimés du jardin Boboli et ces hautes terrasses de Lung'Arno qu'on voit du Palais forteresse où les Strozzi vivaient enfermés et en armes [39] ». Pas de doute que la reconstitution historique n'ait enflammé l'imagination de certains spectateurs jusqu'à l'hallucination.

Il est vrai que maints détails, visibles sur le dessin d'Amato, auquel on doit pouvoir faire confiance sur ce point, accusent la volonté du décorateur de faire précis, riche, suggestif. Ainsi, au deuxième plan, côté jardin, séparé des boutiques du premier plan par une rue, le palais Nasi, qui occupe un bon tiers de la largeur de scène, brille d'une ornementation minutieuse : colonnes torses, à chapiteaux ornés, encadrant le portail d'entrée largement ouvert,

---

37. P. 472.
38. L'*Illustration*, 12 décembre 1896, p. 471.
39. *Le Figaro*, 4 décembre 1896.

blason sculpté au tympan, statue de la Vierge dans une niche d'angle délicatement décorée, « beaux hallebardiers en soie jaune [40] » étagés sur les marches du palais, tout veut suggérer richesse, force, raffinements, religion et volupté mêlées. La toile de fond qui ferme la scène offre, elle aussi, peinte avec soin, une vue synthétique de Florence. La façade d'une église, notamment, et une haute tour, mi-campanile, mi-forteresse, suggèrent à leur façon, la cité des Médicis, en ses tensions politiques et religieuses.

Mais, de crainte, sans doute, d'une certaine dispersion possible de l'action dans un décor aussi composite et largement étalé, le décorateur a disposé, au centre de la place, un noyau vivant où tout converge : un puits, aux riches ferronneries, d'une invention aussi gratuite qu'ingénieuse. C'est en demi-cercle autour du puits que tout Florence assiste à la provocation de Sire Maurice ; c'est sur la margelle du puits que Lorenzo chancelant pose la main ; c'est sur la marche du puits que Giomo a renversé Maffio ; c'est penché sur le puits et se tenant à l'un des montants de fer, que le premier écolier nomme à son camarade les invités qui sortent du palais Nasi ; c'est assis sur la margelle du puits que Salviati, tourné vers Léon Strozzi, le « regarde d'un air mauvais », note d'Artois, « tout en causant avec le seigneur qui l'accompagne ». Le puits est à la fois le centre géométrique et le centre d'intérêt d'un espace semi-circulaire, que n'habite aucune force centrifuge. Maintenu dans cet espace clos et construit, le drame de Musset ne risque pas la dispersion ; il s'y carre et s'y resserre, mais il y perd sa meilleure carte : son ondoyante liberté.

Dans cet espace ainsi défini, la fête bat son plein sur une musique « douce et rythmée » d'un prix de Rome, M. Puget ; « Florence devait bien à Rome cette politesse [41] », note un « soiriste » en mal d'esprit. Le luxe, en tout cas, semble avoir en partie remplacé la luxure. Sarah Bernhardt et Alphonse Mucha ont, sur ce point, fait bonne mesure : « les vêtements sont d'une richesse inouïe, lourds de broderies et chatoyants [42] », les beaux seigneurs ont des toques empanachées, les belles dames, « emmitouflées dans des dalmatiques brodées d'or et de perles », montent dans des chaises à porteurs « surmontées de la couronne héraldique [43] ». Les écoliers, à la scène 2, les polissons et leurs précepteurs, à la scène 5, mettent un entrain de bon aloi au milieu de ce « va-et-vient éblouissant [44] ».

Sur ce fond chatoyant se détachent quelques portraits vigoureusement appuyés. Voici le cardinal Cibo, « robe rouge, mitaines violettes, menton bleu, trop bleu [45] » ; un autre le voit « trop blanc », hanté par le souvenir de la « statue du Commandeur ». Bleu ou

40. *Gil Blas*, 4 décembre 1896.
41. *Le Journal*, 4 décembre 1896.
42. *Le Soleil*, 4 décembre 1896.
43. *Gil Blas*, 4 décembre 1896.
44. *Le Journal*, 4 décembre 1896.
45. *Gil Blas*, 4 décembre 1896.

blanc, n'importe : c'est l'excès du trait qui frappe et qui compte, comme dans les tableaux d'histoire de style académique. Voici le duc, « gigantesque et vêtu d'un somptueux pourpoint de satin blanc brodé d'or [47] ». Voulez-vous des détails ? *Le Figaro*, par la lorgnette d'« un monsieur de l'orchestre », vous dira tout : « pourpoint de velours crème brodé d'or et garni de perles blanches, manteau en velours broché vert, brodé d'or, ceinturon de cuir blanc. Epée et poignard d'or à fourreaux de cuir blanc. Maillot de soie blanche. Jarretières brodées d'or. Chaussures de cuir blanc. Chemisette de soie blanche. Deux colliers de bijouterie garnis de pierres. Gants de peau blancs brodés d'or [48] ». On remarque aussi la marquise Cibo, dont le même chroniqueur nous décrit ainsi les atours : « robe en satin Liberty Jaune, avec grandes manches de peluche rose recouvertes de gaze plissée ; jupe en drap d'or brodé de têtes d'anges ». Si son rôle a « fondu aux répétitions [49] », le dessinateur des costumes n'a, du moins, pas lésiné sur la parure : maigre compensation !

« Puis un mouvement d'attention se produit et Sarah Bernhardt fait son entrée [50] ». Et voici derechef la lorgnette du « monsieur de l'orchestre » en action : « pourpoint de soie noire brodé et garni de soie noire et or ; manches avec bouffants pareils au costume et second bouffant de surah noir ; avant-bras en velours et soie noire tout brodé d'or et garni de pierreries vertes ; ceinture et porte-épée de cuir noir garnis de motifs de bijouterie bleuie et de pierres de couleurs ; une épée à large poignée travaillée et garnie de pierres ; un poignard en vieil argent ; maillot de soie noire ; chaussures noires brodées ; toquet de velours noir, long manteau de drap noir ». Quant à l'entrée en scène, elle a l'éclat même du chef-d'œuvre ; on ne la remarque pas, mais on ne voit qu'elle. « Lorenzo, note d'Artois, paraît du fond du théâtre, à droite, un livre à la main » ; la gravure d'Amato confirme le détail. Ce « livre à la main », on l'a reconnu : c'est, bien sûr, un souvenir d'*Hamlet*, acte II, scène 2. On s'attend presque à entendre le duc emprunter à la Reine sa réplique fameuse : « Voyez le malheureux qui s'avance tristement, un livre à la main [51] ». Une fois encore, en tout cas, les traits sont appuyés : Lorenzo tout en noir, le Duc tout en blanc, le contraste éclate et l'intention saute au regard du plus inattentif. « Ainsi, note Henri Duvernois, mince et comme fragile dans ce costume, à côté d'Alexandre, immense et bruyant dans ses chamarrures éclatantes, la tragédienne fait comprendre la comparaison que fit Musset entre Lorenzaccio, — cette puce, et le Duc, — ce sanglier ! [52] » Mais est-ce bien *Lorenzaccio* que l'on joue ? Ou une pièce historique à costumes que traverse un souvenir d'Hamlet ? Le public paraît s'en soucier peu. La toile se baisse sur deux rappels.

47. *Le Soleil*, 4 décembre 1896.
48. *Le Figaro*, 4 décembre 1896.
49. *Le Journal*, 4 décembre 1896.
50. *Le Soleil*, 4 décembre 1896.
51. Shakespeare, *Théâtre complet*, Paris, Garnier, 1961, t. 2, p. 753.
52. *Le Soleil*, 4 décembre 1896.

ACTE II

Sur le décor du deuxième acte — qui est aussi celui du cinquième — d'Artois est avare de détails. A l'acte II, au lever du rideau, « Marie est assise dans un grand fauteuil, et songe ; Catherine arrange des fleurs près de la fenêtre » ; à l'acte V, d'Artois ajoute un détail indispensable à l'action : « au fond, une alcôve fermée par des rideaux ». C'est tout. Heureusement, échotiers et dessinateurs ont la plume moins sèche. Trois dessins, représentant tous trois la mort du duc dans la chambre de Lorenzo [53], s'accordent sur quelques points essentiels, confirmés par les comptes rendus de presse. « Chambre byzantine avec large lit garni de tapisseries [54] », telle est l'impression d'ensemble que le décor laisse à l'habitué des théâtres parisiens, qui, doué d'une infatigable mémoire, croit avoir déjà vu cette couche opulente dans Gismonda [55]. Il est vrai que le fond de la scène est presque entièrement occupé par un vaste lit, placé dans une alcôve, garni de riches couvertures et fermé à demi par des rideaux de tapisserie. Le doute n'est pas possible : voilà, plastiquement désignée, la table du sacrifice. Autre élément notable du décor : côté cour, une vaste fenêtre embrassant sous le plein cintre d'un arc unique deux baies géminées. Là, le souci archéologique est patent. On reconnaît sans peine la fenêtre typique des palais florentins du Quattrocento, — Palais Rucellai ou Palais Médicis, tels que les ont édifiés les Alberti et les Michelozzo. Côté jardin, la sobriété règne : une table recouverte d'un tapis ; devant la table, un tabouret.

C'est bien évidemment autour du lit, au cinquième acte, que s'ordonnera la mise en scène. A l'acte II, la fenêtre sert de pôle d'attraction, un peu à la manière du puits au premier acte. C'est sur la fenêtre que Catherine, en « tunique de gaze bleu pâle, ceinture constellée de pierreries [56] », arrange des fleurs quand le rideau s'ouvre ; à la scène 2, Lorenzo va s'asseoir dans un coin près de la fenêtre ; c'est penché à cette même fenêtre que, scène 6, il répond à la voix du duc au dehors. Un coin de Florence apparaît, au loin, derrière la fenêtre. Le lieu clos d'amour et de mort vibre, ici, des rumeurs de la ville. L'œil et le cœur bondissant d'aise. Rien n'est plus fidèle à l'esprit même du drame de Musset.

En attendant la mise à mort, dont c'est ici l'arène, faut-il s'étonner que le spectateur de 1896 ait gardé de la scène des armes le souvenir le plus vif ? Sarah Bernhardt semble avoir, en tout cas, fait de la leçon d'armes un tableau de haut vol. « Duel à l'italienne, avec appels, cris et bondissements [57] », note un connaisseur. Sarah s'y surpasse, et les critiques béent d'admiration : « ce sont des feintes retorses, des

53. Dessin de M. Parys dans Théâtre illustré ; dessin de A. M. dans Feux de la rampe, n° 49, 23 janvier 1897, p. 41 ; croquis de A. E. Marty dans Comœdia illustré, 1er juin 1912.

54. Gil Blas, 4 décembre 1896.

55. Sur la coutume, en décoration théâtrale traditionnelle, d'utiliser le même décor ou le même accessoire dans deux pièces différentes, voir D. Bablet, op. cit., p. 11 et n. 12.

56. Gil Blas, 4 décembre 1896.

57. Le Journal, 4 décembre 1896.

retraites simulées pour arriver aux plus prodigieux déploiements de force agile et sûre. Madame Sarah Bernhardt accomplit chaque soir ce merveilleux assaut avec la même ardeur farouche et sauvage [58] ». Le don de la comédienne à son art est total : cris de haine, de fureur, « jusqu'à la crise de nerfs et l'évanouissement final [59] ». Du beau travail d'artiste consciencieuse. « Longue ovation à Sarah [60] ».

ACTE III

Le décor de l'acte III est, comme le précédent, un décor d'intérieur, et comme le palais Soderini, le palais Strozzi a lui aussi avec la rue un moyen privilégié de communication : une « large fenêtre à embrasure », côté jardin, par où la lumière entre à flots ; « un pan d'azur inondé de soleil [61] », note, ébloui, le critique du Soleil. Nous sommes dans une grande salle qui sert de « cabinet de travail » à Philippe Strozzi. Pour les besoins de la mise en scène, « une panoplie d'armes est accrochée à la muraille ». Tout à l'heure, scène 2, Pierre, dans son indignation vertueuse, ira y décrocher une épée, qui ne rentrera plus au fourreau. Quelques meubles, mais sobres. S'il faut en croire un croquis de la Soirée parisienne [62], deux tables, un fauteuil à dossier haut, une petite chaise de forme curule, un tabouret. On accède à la grande fenêtre côté jardin par deux marches. Au fond, une porte monumentale surmontée d'un arc en ogive. C'est par cette porte que sortiront, escortés de gardes allemands, Pierre et Thomas Strozzi, prisonniers de la justice du duc. Tout respire, dans cette salle, l'austérité solennelle d'une famille en armes pour défendre sa vertu et son honneur.

Une fois de plus, c'est vers la fenêtre éclairée que Lorenzo, comme le papillon vers la flamme, se dirige d'instinct. A la fin de la scène 1, Philippe, note d'Artois, regarde Lorenzo traverser le théâtre « pour aller s'asseoir sur des coussins », dans l'embrasure de la fenêtre. Au cours des scènes 2 et 3, « Lorenzo est resté dans l'embrasure de la fenêtre, tantôt suivant le drame qui se déroule sous ses yeux, tantôt plongeant ses regards anxieux dans la rue, comme pour voir ce qui s'y passe ». Ainsi a-t-on bien pressenti l'ubiquité essentielle à la dramaturgie de Lorenzaccio. Mais le moyen de la mettre en œuvre dans un système de décor fixe et d'action enchaînée ?

Les silhouettes sont typées et habillées avec soin. Voici Philippe Strozzi, « barbe blanche, pourpoint noir à crevés violet et or, col de fourrure [63] », voici sa fille Louise « robe jaune à bordure d'or et de perles, résille dans les cheveux [64] ». Même au plus noir de l'action, on ne perd jamais le sens du décoratif. De l'arrestation des fils Strozzi, par exemple, la critique a retenu surtout un jeu savant de formes et

58. *Feux de la rampe*, 23 janvier 1897, p. 41.
59. *Gil Blas*, 4 décembre 1896.
60. *Gil Blas*, 4 décembre 1896.
61. *Le Soleil*, 4 décembre 1896.
62. *La Soirée parisienne*, n° 2, 1896.
63. *Gil Blas*, 4 décembre 1896.
64. *Ibid.*

de couleurs : la physionomie de condottière d'un Pierre Strozzi, « qu'on croirait détachée d'une médaille de Pisanello [65] », et « les costumes jaunes, très beaux et très exacts, des gardes allemands du Conseil des Huit [66] ». Le tableau d'histoire continuant à obséder l'imagination du spectateur de 1896, on n'a pas cherché à bousculer ses habitudes ; on a même plutôt flatté ses penchants.

Bien évidemment, c'est la grande scène avec Philippe, — scène 3 —, qui laissera la plus forte impression, le plus durable souvenir. « La seule vraiment belle de la pièce [67] », dit un critique chagrin. Placé en fin d'acte, après un ensemble de scènes où Lorenzo s'est borné à promener sa silhouette inquiète et silencieuse, ce dialogue décisif prend, en tout cas, son plein relief théâtral. Sarah, portée par un texte encore riche et point trop saccagé, saura s'y surpasser. Le souvenir qu'elle a laissé dans l'esprit de Sarcey, par ailleurs sévère pour le reste de la pièce et de la représentation, est à la mesure du talent qu'elle a déployé : « Il n'y a pas à dire : elle nous a donné, dans la scène où elle explique son caractère, ses défaillances et ses espoirs au vieux Strozzi, un de ces quarts d'heure d'émotion, dont le souvenir est inoubliable (...). Comme Sarah a traduit cette prose merveilleuse ! Quelle ampleur de diction ! quelle accentuation profonde ! (...) On pardonnait tout pour une de ces minutes, où l'on perd le sentiment de soi-même, pour être tout entier suspendu aux lèvres de l'artiste (...). C'était dans toute la salle un emballement ... non, le mot n'est pas juste : c'était un frémissement de volupté qui avait un je ne sais quoi de religieux (...) A un instant, elle a senti le Dieu passer dans sa voix : Deus, ecce Deus ! [68] ». Tant de talent offert généreusement à son public valait bien une récompense : « Sarah revient saluer cinq fois ».

ACTE IV

Sur le décor du quatrième acte, d'Artois reprend son laconisme : « une chambre, au palais du Duc ». Il est heureux que son caractère plastique et l'agrément de sa lumière aient aiguisé la verve et la plume de quelques témoins : « Quel gracieux tableau présenté au lever du rideau, écrit le chroniqueur de Gil Blas, dans ce palais tout rehaussé d'or, avec large baie ouvrant sur la campagne ensoleillée, par le duc étendu nonchalamment sur une peau de tigre, tandis que son ami Strozzi (sic) joue de la guitare et qu'un peintre fait son portrait, la toile posée sur un chevalet qui est lui-même incrusté de pierreries [70] ». Nous saurons même que le duc porte, pour la circonstance un manteau à « larges manches doublées de soie vieux-bleu avec collet de brocart, retenu sur les épaules par deux agrafes d'or [71] ». Quant à Lorenzo, nous apprendrons qu'il dérobe la cotte de

65. L'Illustration, 12 décembre 1896, p. 471.
66. Feux de la rampe, n° 43, 12 décembre 1896, p. 221.
67. Le Journal, 4 décembre 1896.
68. Le Temps, 7 décembre 1896.
70. Ibid.
71. Ibid.

mailles de la façon la moins futée qui soit : il l'escamote tout simplement sous son grand manteau noir, qu'on dirait fait exprès pour cette fonction.

Un croquis d'A. E. Marty, paru dans *Comoedia illustré* [72] au moment de la reprise de la pièce en 1912, présente le tableau de manière un peu différente. Il est, après tout, naturel qu'après seize ans d'interruption, le dispositif scénique et même la conduite du spectacle aient changé. Mais le croquis de 1912 nous éclaire sur le décor, qui a toutes les chances d'être le même, par raison d'économie ; pour 5 représentations, on imagine mal des décors neufs ! La « chambre, au palais du duc » est une pièce largement éclairée par de hautes fenêtres à vitraux qui occupent presque continûment les trois côtés de la « boîte » d'une scène à l'italienne, au-dessus d'un soubassement lambrissé. Le sol est à deux niveaux ; une élégante balustrade, parallèle au mur du fond, souligne la dénivellation et sépare la scène en deux plans de profondeur. Alexandre, assis dans un fauteuil situé au premier plan côté cour, pose pour le peintre dont le chevalet est placé côté cour également, mais au deuxième plan, niveau supérieur. Lorenzo debout au premier plan, côté jardin, manie la cotte de mailles, négligemment posée sur le dossier d'une chaise de forme curule. Giomo, curieusement, n'apparaît pas dans le dessin. Telle quelle, la scène est plaisante, lumineuse, composée.

Quant à la marquise Cibo, qui paraît ensuite, elle semble avoir souffert de la brièveté et de l'inconsistance de son rôle dans l'adaptation de d'Artois. Elle laisse seulement une silhouette imprévue et très « datée » dans la mémoire d'un témoin émoustillé : « Tunique de soie jaune resserrée par une ceinture byzantine et cheveux épars retenus par une simple ferronnière. Cléo de Florence [73] ». De Florence-sur-Seine, sans doute, ou de Paris-sur-Arno ? Après tout, ce gandin de Musset s'en fût-il formalisé ?

ACTE V

C'est le décor du second acte. Mais l'événement qui doit s'y produire étant repoussé à la fin de l'acte, qui est aussi la fin du spectacle, on conçoit que les témoins aient été plus impatients du futur qu'attentifs au présent. Les renseignements manquent, en tout cas, sur les six scènes qui précèdent et préparent l'assassinat. Il semble toutefois que, dans le monologue de la scène 2, Sarah ait eu, une fois encore, l'occasion de déployer son art de la diction : « répétition terrible du meurtre faite par Lorenzo, avec des éclats de joie bruyante et des rictus de jeune tigre [74] », lit-on sous la plume d'un échotier.

Mais voici l'heure du crime, le moment de la « décollation du duc, dans le grand lit le plus proprement du monde, sur le coup de minuit un quart [75] ». Selon Sarcey, Sarah a « mis en scène de la façon

72. *Comœdia illustré*, 1er juin 1912.
73. *Gil Blas*, 4 décembre 1896.
74. *Gil Blas*, 4 décembre 1896.
75. *Ibid.*

la plus pittoresque l'assassinat du duc [76] ». Le mot est juste : c'est bien l'effet plastique qui est avant tout recherché. Regardez plutôt : « une bougie éclaire de sa lueur indécise le lieu où le meurtre va s'accomplir. Alexandre se couche, Lorenzo tire son glaive. Les rayons de lune jettent des lueurs sur la lame qui sort peu à peu du fourreau... [77] ». Pour corser l'affaire, d'Artois a préféré, sur les circonstances de l'assassinat, la version de Varchi, plus intense, à celle de Musset, plus sobre : « ...les rideaux violemment tirés s'ouvrent. Le Duc s'est redressé et a saisi à la gorge Lorenzo qui râle. Scoronconcolo, qui s'est glissé dans l'alcôve, frappe alors le Duc d'un coup de poignard (...) ; le duc tombe comme une masse ».

Lorenzo-Sarah, en artiste maître de ses moyens, peut alors tirer de son propre corps toute la force expressive dont il est capable. Dans la gravure de Parys, Sarah, debout côté jardin, en appui contre une colonnette de l'alcôve, face au public, désigne du bras gauche le visage du mort, à demi-renversé hors du lit, tandis que la main droite tient l'épée nue vers le sol. Dans le croquis de Marty, l'éloquence est plus exaltée, le corps plus vibrant : Sarah, placée au même endroit, lève ses deux bras écartés en forme de V, l'épée pointée vers le ciel. Point de récitatif près de la fenêtre. Rien qu'un triomphe de théâtre, dont les deux rideaux de l'alcôve accentuent encore le symbolisme. L'épreuve est finie ; la comédienne a triomphé. Il n'y a plus qu'à fermer doublement les rideaux. Un feuilletoniste en verve conte ici l'apologue de circonstance : « Enfin le Duc meurt, il est mort. Les rideaux s'étant refermés sur son lit et sur la scène, quelques spectateurs insatiables et quelques fidèles de Musset attendaient... Ces derniers se retirèrent, déçus. Quant aux autres, apprenant que la suppression de l'épilogue n'était guère dommageable qu'au rôle du cardinal Cibo, ils ont dit : « Oh ! alors... » et sont partis gaillardement, heureux d'aller se coucher une demi-heure plus tôt [78] ». Laissons les « autres » vaquer à leur sommeil. Mais les « fidèles de Musset » n'avaient-ils pas quelques raisons d'être « déçus » ? Avait-on vraiment joué *Lorenzaccio* ?

Ceux qui, en revanche, n'ont pas été déçus, ce sont les thuriféraires de Sarah Bernhardt. Le rôle de Lorenzo est, à cet égard, une création marquante de sa carrière, dans la mesure où il n'était d'abord et d'aucune manière fait pour elle. Dans l'entreprise, l'intelligence et la volonté ont eu sans doute plus de part que l'instinct. L'occasion est donc belle de saisir sur le vif, autant qu'il se peut, les secrets de fabrication d'un grand rôle. Au reste, en bornant cette étude au rôle principal, on ne fera de tort à personne, puisque, de propos délibéré, les autres rôles de la pièce ont été sacrifiés. Dans la meilleure hypothèse, on associe collectivement les acteurs au

76. *Le Temps*, 7 décembre 1896.
77. *Le Soleil*, 4 décembre 1896.
78. *Le Journal*, 4 décembre 1896.

triomphe de leur chef de file [79]. Dans la pire, on avoue loyalement, comme le fait Sarcey, que « le malheur du théâtre ainsi compris, c'est qu'il n'y a plus de rôle que pour la principale interprète [80] ».

De cette interprète principale, un critique dont nous avons déjà apprécié l'intelligence et la culture, J. du Tillet, a pu dire qu'elle avait ému les spectateurs de la Renaissance jusqu'au fond de l'âme « par la simplicité et la justesse de sa diction, par l'art souverain des attitudes et des gestes [81] ». C'est dire, en peu de mots, que l'art de Sarah Bernhardt repose avant tout sur deux instruments, dont elle joue en virtuose : sa voix et son corps.

Tout a été dit sur la diction de Sarah. Mucha, qui a beaucoup travaillé avec et pour elle, vivait encore, en 1923, sous le charme de cette « voix d'or sans défaut et si bien maîtrisée qu'elle pouvait murmurer doucement, gronder avec fureur et revenir immédiatement au pianissimo d'un doux carillon [82] ». Et c'est bien ainsi que les spectateurs de *Lorenzaccio* l'ont entendue. Tel s'étonne qu'elle soit « arrivée à se donner une voix d'homme, à transposer sa voix d'or et à trouver des notes métalliques qui résonnent comme des appels de clairon [83] ». Même nuance de surprise admirative chez Catulle Mendès : « Je suis demeuré, devant Sarah Bernhardt, hébété de joie et d'extase. Parbleu ! je le savais bien, qu'elle saurait, elle, si délicieusement femme, faire de sa voix une voix d'éphèbe, faire de son corps un corps d'éphèbe, et qu'elle crierait virilement, et qu'elle marcherait virilement [84] ».

A la souplesse de la voix répond la plasticité du corps, autre instrument docile et sans défaut. Sarah joue en souplesse d'une gamme étendue de moyens expressifs. C'est ce qu'un critique bien inspiré appelle un jeu « nuancé, plastique, dramatique [85] ». Ainsi peut-elle se porter sans effort apparent aux extrémités d'elle-même, dans un jeu tout en contrastes et en volte-face : « [elle] s'est montrée, écrit le feuilletoniste du *Gil Blas*, emportée jusqu'à la frénésie et paisible jusqu'à la sérénité. Elle a eu des cris et des bonds de fauve blessé et des résignations et des extases de martyr [86] ». Henry Bauer, sur le mode hyperbolique, insiste pareillement sur la plasticité d'un talent, qui peut sinon tout ressentir, du moins tout exprimer : « Ironie, légèreté, ton comique et railleur, verbe aux cordes d'airain, rugissement de tigre, l'attendrissement d'un enfant, l'insensibilité d'un voluptueux, les blasphèmes de sacrilège, la laideur de la haine, la fureur du meurtre, les transports de la vengeance, philosophie et libertinage, enthousiasme et incrédulité, tous les aspects multiples du

---

79. Voir par exemple, le feuilleton de *l'Evénement* du 4 décembre 1896, où on lit, à propos des autres interprètes, l'opinion suivante : « ils sont, pour ainsi dire, groupés autour d'elle et c'est pourquoi l'interprétation, étant d'ensemble, est excellente ».

80. *Le Temps*, 7 décembre 1896.

81. *Revue bleue*, nº 25, 19 décembre 1896, p. 795.

82. *Paris-Prague*, 20 avril 1923.

83. *Gil Blas*, 4 décembre 1896.

84. *Le Journal*, 4 décembre 1896.

85. *Revue encyclopédique*, 1896, p. 960.

86. *Gil Blas*, 4 décembre 1896.

personnage formidable, elle les a rendus avec un art prodigieux, d'effet croissant et varié, qui porte avec soi le drame au point culminant [87] ».

Mais l'on se tromperait sur le personnage incarné par Sarah, si on en restait là. Tout grand comédien opère un choix entre les diverses sollicitations d'un rôle. Il est fatalement amené à l'organiser autour de quelque dominante, ne fût-ce que pour le rendre à la fois un dans sa diversité et intelligible dans sa complexité. Sarah, on s'en doute, ne s'est pas dérobée à la nécessité du choix. Elle l'a voulu, au contraire, sans équivoque et sans faille. Contrainte, pour ainsi dire, à changer de sexe par nécessité professionnelle, l'actrice, loin de féminiser un personnage masculin, s'est attachée à viriliser son propre personnage : « elle a, comme dit superbement Anatole France, modelé, ciselé sa propre personne comme un bronze de Benvenuto, comme un nerveux Persée [88] ». De là un personnage construit et conduit, avec une ferme lucidité, sur deux lignes de force d'apparence égale, mais d'inégale densité : vice et pureté, lâcheté et énergie. Mais, chez Sarah, aidée en cela par l'adaptation de d'Artois, le vice est feintise, apparence, et la pureté première, nappe profonde, sousjacente, prête à jaillir au moindre appel ; la lâcheté est simulacre, mais l'énergie virile prompte à vouloir sa revanche. Aussi bien, son Lorenzo perd en ambiguïté et en incertitude ce qu'il gagne en contrastes et en saccades. C'est, en fin de compte, un personnage moins désemparé, moins perplexe, moins désespéré que le héros rêvé par Musset.

La suppression du cinquième acte allait accentuer encore cette tendance, à moins qu'elle n'ait été pratiquée justement dans cette intention. Dans la version jouée par Sarah, on quitte Lorenzo sur des paroles de délivrance et d'apaisement, mais l'on n'entendra pas celles qui trahissent, au cinquième acte du drame de Musset, la dégradation d'une énergie et la précipitation du désespoir. Le critique des *Nouvelles littéraires*, rendant compte de la création de *Lorenzaccio* à la Comédie-Française en 1927, se souvient nettement du personnage dichotomique joué naguère par Sarah, moins à facettes qu'à deux visages, dont l'un est masque, se montrant comme à regret, et l'autre réalité, prête à prendre aussitôt la relève : « son rôle vivait de (...) contrastes tranchés. Deux visages très nets. L'audace, l'intrépidité qui se contient, simule la lâcheté et, par instant, dans les minutes de sécurité et d'abandon, rejetant le travestissement hideux du giton, tout de suite, dans une détente soulageante, formidable, elle bondissait. Ses nerfs d'acier, enveloppés sous sa frêle stature, jouaient en liberté, sa voix, rauque déjà, sur un certain registre, craquait, furieuse, puis s'éclaircissait, s'harmonisait dans un chant d'allégresse, disant l'indignation intrépide, l'espérance, la hâte d'arriver au but, et tout cela effaçait les paroles de désenchantement, d'amertume, de scepticisme [89] ».

---

87. *L'Echo de Paris*, 5 décembre 1896.
88. *Revue de Paris*, 15 décembre 1896, p. 906.
89. Claude Berton, in *Nouvelles littéraires*, 11 juin 1927.

Tel est le choix discutable, mais cohérent, qui avait permis à Sarah Bernhardt d'imposer sur la scène un personnage viril dans un corps de femme, la grâce en art étant, en l'occurrence, selon la formule d'A. France, « une forme heureuse de la force[90] ». Portée à bout de bras par une comédienne, qui n'avait au départ ni l'âge ni le sexe du rôle, la pièce eut un succès sinon triomphal, du moins confortable. Créée le 3 décembre 1896, elle eut 29 représentations en 1896 et 42 en 1897[91]. Elle fut reprise le 21 mai 1912, sur la scène du théâtre Sarah-Bernhardt, place du Châtelet, pour 5 représentations[92]. Sarah, âgée, impotente, jouant par force de sa voix plus que de son corps, sut imposer une fois encore son personnage à la pointe du talent. Mais le charme était rompu et la critique fut sévère pour l'adaptation de d'Artois, inchangée, et divisée sur les interprètes, en grande partie renouvelés. Sarah seule fut épargnée.

Pour l'observateur moderne, en dépit du prestige de l'interprète et des moyens mis en œuvre, les représentations de 1896-1897 au théâtre de la Renaissance laissent un goût d'amertume. Au bilan général, au moins sur trois points, le passif l'emporte sur l'actif :

1° Sarah avait créé un précédent fâcheux en acceptant de jouer Lorenzo en travesti. La métamorphose que l'intelligence et l'énergie du caractère avaient su en partie réaliser, d'autres comédiennes la réussiront moins bien, mais, encouragées par l'exemple de Sarah, se croiront autorisées néanmoins à tenter l'aventure.

2° Le principe de l'adaptation avait triomphé. Sarah Bernhardt laissait de bonne foi accréditer la réputation de pièce injouable faite au drame de Musset. Il allait falloir beaucoup d'audace et de persévérance aux animateurs de théâtre de l'avenir pour battre en brèche cette réputation usurpée. Mais le principe des coupures et même des arrangements localisés a jusqu'à ce jour prévalu.

3° Le rythme de la pièce n'avait pas été respecté. Peut-être même n'avait-il pas été compris. Il fallait renoncer aux décors lourds, construits et peints, et c'était là un sacrifice douloureux pour des habitudes profondément enracinées. Les efforts des hommes de théâtre durant la première moitié du XXᵉ siècle, du moins des plus créateurs d'entre eux, — les Antoine, les Lugné-Poe, les Stanislavski, les Appia, les Craig, les Copeau, — en viendront progressivement à bout, non sans mal. Mais, pour *Lorenzaccio*, les fruits auront une maturité tardive.

Le bilan définitif tient en deux phrases, qui ouvrent l'avenir : en 1896, Lorenzo a été créé, avec force et talent ; *Lorenzaccio* pas encore.

90. *Revue de Paris*, 15 décembre 1896, p. 906.

91. Ces chiffres sont extraits de Stoullig et Noël, *Annales du théâtre et de la musique*, « Théâtre de la Renaissance », 1884-1914, p. 218-220. Le chiffre de 85 représentations, donné par la plupart des commentateurs, ne comporte jamais d'indication de source. Jusqu'à preuve du contraire, on doit pouvoir se fier aux renseignements fournis par Stoullig et Noël.

92. Voir Stoullig, *Annales de théâtre et de la musique*, « Théâtre Sarah Bernhardt », p. 263.

CHAPITRE III

FALCONETTI AU THÉATRE DE LA MADELEINE

Ainsi l'année de naissance de *Lorenzaccio* à la scène n'est-elle point, en rigueur de termes, 1896 et le lieu n'en est point Paris. Ce n'est que le jeudi 23 décembre 1926, au théâtre de Monte-Carlo, que la pièce de Musset, en son texte et en son mouvement même, a été portée pour la première fois à la scène. René Blum, directeur de la saison de comédie au théâtre de Monte-Carlo, était responsable de l'ensemble du spectacle. La mention « création », portée sur le programme de la représentation, loin d'être un pavillon de complaisance, disait exactement la vérité. Le paradoxal de l'affaire est que cette « création » ait finalement laissé moins de traces, écrites ou orales, en textes ou en images, que bien d'autres représentations d'un moindre intérêt.

Doit-on l'initiative de cette création à René Blum, fin lettré et directeur de scène avisé et plein d'audace ? Est-ce parce que Renée Falconetti, méditerranéenne d'origine et de cœur, était, à cette époque, disponible, après son éclatante démission de la Comédie-Française en 1925, un an tout juste après y avoir été engagée en qualité de pensionnaire ? Toutes les hypothèses sont permises en l'absence de certitudes. Mais ce qui compte, en la circonstance, c'est la première rencontre de Falconetti avec le rôle de Lorenzo de Médicis et la représentation non pas d'une adaptation de commodité ou de fantaisie, mais du drame même de Musset, maintenu en cinq actes et réduit à 34 tableaux, dans une mise en scène simplifiée, qui semble bien avoir respecté l'esprit de l'œuvre et sa dramaturgie originale.

Certes, on a fait des coupures, afin de réduire la longueur du spectacle. Dans la liste des personnages, par exemple, on ne trouve ni le provéditeur, ni les grands seigneurs républicains, ni les Huit, ni les précepteurs et leurs élèves. A en juger, d'autre part, par le résumé de l'action dramatique, acte par acte, que propose le programme officiel, et autant qu'on puisse se fier à ce document très fautif, il semble que la scène de l'épée ait été déplacée au début du deuxième acte, et que les quatrième et cinquième actes aient été notablement écourtés. Mais il n'y a pas lieu de suspecter la bonne foi de René Blum déclarant à Raymond Cogniat en 1927 : « ...Dans cette adaptation, je peux signaler quelques différences avec la version de la Comédie-Française. A Paris, on a interverti l'ordre de certaines scènes pour les réunir en un seul tableau et gagner du temps. Je suis parvenu à suivre plus exactement le texte de Musset et à ne rien changer dans l'ordre qu'il avait prévu... [1] ».

Les principes retenus pour la mise en scène se ressentent, quant à eux, de l'évolution des moyens techniques mis à la disposition des théâtres et surtout de l'esprit des novateurs de l'immédiat avant-guerre, singulièrement de Jacques Copeau, dont la leçon semble avoir été comprise de beaucoup : progrès de l'éclairage électrique, rejet du réalisme illusionniste, appel à l'imagination du spectateur, simplification du décor par l'adoption de « quelques éléments soigneusement sélectionnés qui offriront au spectateur une vision synthétique [2] ». Commentant après coup, pour les comparer, la présentation de *Lorenzaccio* à Monte-Carlo en 1926 et celle de la Comédie-Française en 1927, René Blum s'est expliqué clairement sur ses choix : « Dans la plupart des cas, à la Comédie-Française, on a choisi, pour être jouées devant le rideau, des scènes d'intérieur, réservant pour le plateau les scènes de plein air qui permettent de faire de beaux décors hauts en couleurs et habilement composés. A Monte-Carlo, j'ai obéi à un parti pris exactement contraire (...) je pouvais utiliser un choix de tapisseries remarquables qui, avec quelques beaux meubles anciens authentiques, créèrent une atmosphère somptueuse (...). Il est cependant indispensable d'avoir recours aux scènes devant le rideau, si l'on veut suivre d'aussi près que possible l'œuvre de Musset [3] ». Et c'est bien ainsi que les spectateurs du théâtre de Monte-Carlo ont reçu la pièce, comme en témoigne un compte rendu anonyme paru dans *Comoedia* du 9 janvier 1927 : « ...Dans ces conditions, les seules qui permettaient de représenter *Lorenzaccio* dans son intégralité, le décor ou plutôt le cadre des scènes différentes est révélé par le choix des tapisseries, des meubles et des accessoires qui situent l'action, tandis que les jeux de l'éclairage fixent le temps en donnant l'illusion du jour ou de la nuit... »

Quant au jeu personnel de la vedette du spectacle, Falconetti, sous l'habit noir de Lorenzo de Médicis, il lui faudra pour s'affirmer, je veux dire pour laisser une trace dans l'histoire du théâtre, l'épreuve de Paris et le témoignage de la critique parisienne. On peut naître à Monte-Carlo ; c'est à Paris qu'à tort ou à raison, l'on s'affirme. Il faut comme une seconde naissance pour obtenir le droit officiel à l'immortalité.

C'est un peu moins d'un an plus tard que se produira cette consécration ; exactement du 3 au 11 décembre 1927, sur la scène du théâtre de la Madeleine, pour dix représentations de gala. En un sens, ces

1. *Chantecler*, 20 août 1927.
2. D. Bablet, *Esthétique générale du décor de théâtre de 1870 à 1914*, p. 388.
3. *Chantecler*, 20 août 1927.

représentations prolongent, en les accomplissant, celles de Monte-Carlo. Le programme du théâtre de la Madeleine comporte du reste, en encadré, une indication qui ne trompe pas : « Tapisseries et costumes ayant servi à la création de *Lorenzaccio* au théâtre de Monte-Carlo (direction René Blum, décembre 1926) ». La filiation des deux spectacles est évidente, même si la distribution, la mise en scène et les décors ont été, pour les représentations parisiennes, entièrement renouvelés.

Il est vrai qu'entre les deux spectacles, celui de Monte-Carlo et celui de la Madeleine, est venu s'intercaler un redoutable concurrent : la Comédie-Française, qui a inscrit enfin à son répertoire la pièce de Musset et l'a portée à la scène le 4 juin 1927. Concurrent n'est peut-être pas le mot juste, car les organisateurs du spectacle de la Madeleine n'avaient ni les moyens ni la prétention de rivaliser avec le Théâtre-Français. Ce qu'ils pouvaient donner, ce qu'ils donnèrent en fait, c'est une lecture fidèle et, pour ainsi dire, ingénue de la pièce même de Musset, un spectacle stimulé à l'ingéniosité et à la droiture par la modestie même des moyens matériels mis à leur disposition. Ils ne s'en privèrent pas, et la comparaison avec le spectacle du Français ne tourna jamais à leur confusion.

Tout le spectacle du théâtre de la Madeleine, sur lequel malheureusement les documents d'archives et l'iconographie font souvent défaut, avait l'apparence d'une gageure. D'abord l'entreprise elle-même, due à l'initiative de M. Monza, administrateur de l'omnium théâtral, « une des plus intéressantes parmi les nouvelles figures de directeurs nouveaux[4] » ; on se doute que l'affaire ne rapportera pas de gros bénéfices. Gageure, également, l'engagement de Falconetti dans l'aventure. Quel démon pousse l'actrice à jouer en travesti un personnage de Musset, sinon le désir de prouver qu'une grande comédienne sait tout faire et peut tout oser ? Etre la même année Jeanne d'Arc dans le film de Carl Dreyer et Joseph Delteil, *la Passion de Jeanne d'Arc*, en cours de tournage, et Lorenzaccio dans le drame de Musset implique peut-être les mêmes cheveux coupés courts, mais suppose avant tout un talent polymorphe, dont peu d'actrices sont capables. Gageure encore que le choix d'une pièce ambitieuse quand l'argent manque, quand les moyens scéniques sont limités, quand une troupe nombreuse doit être recrutée un peu à la sauvette, quand la même pièce brille, au même moment, à l'affiche d'un grand théâtre subventionné. La gageure pourtant sera tenue, et d'une manière fort honorable.

D'abord la pièce sera jouée sinon intégralement, du moins sans ajouts comme sans mutilations scandaleuses, et surtout sans entorse à l'ordre même des tableaux voulu par Musset. Cinq actes et vingt-neuf tableaux, selon le programme et quelques journalistes ; cinq actes et vingt-sept tableaux, selon les invitations et d'autres journalistes ; cinq actes et vingt-huit tableaux, selon d'autres sources non moins dignes de foi. En fait, tant que le texte joué et les livres de

4. *Paris-Midi*, 26 novembre 1927.

régie demeurent introuvables, ces différences n'ont guère d'importance ; ce qui compte, c'est moins le nombre que l'ordre des tableaux conservés. Cet ordre, le voici, tel du moins qu'il apparaît dans un document de travail inédit que M. André Boll, le décorateur du spectacle, a retrouvé dans ses papiers personnels et qu'il nous a aimablement communiqué :

ACTE I
1. Un jardin.
2. Une rue.
3. Chez le marquis Cibo.
4. Cour du palais ducal.
5. Devant l'église.
6. Les bords de l'Arno.

ACTE II
1. Chez les Strozzi.
2. L'église.
3. Chez la marquise Cibo.
4. Au palais Soderini.
5. Une salle chez les Strozzi.
6. Le palais du duc.
7. Devant le palais.

ACTE III
1. La chambre de Lorenzo.
2. Au palais Strozzi.
3. Une rue.
4. Chez la marquise Cibo.
5. Le boudoir de la marquise.

ACTE IV
1. Le palais du duc.
2. Une rue.
3. Chez la marquise Cibo.
4. La chambre de Lorenzo.
5. Une place.
6. Chez le duc.
7. La chambre de Lorenzo.

ACTE V
1. Le cabinet de Strozzi.
2. Le cabinet de Strozzi.
3. Place de Florence, avec tribunes.

La confrontation de cette nomenclature avec un schéma complet de la pièce originale fait apparaître clairement que l'ordre des tableaux voulu par Musset n'a pas été modifié par les organisateurs du spectacle de la Madeleine. Onze scènes ont été purement et simplement supprimées : deux au troisième acte (les scènes 4 et 7), quatre au quatrième acte (les scènes 3, 6, 7 et 8), cinq au cinquième acte (les scènes 1, 3, 4, 5 et 6). Comme toujours, ce sont les deux derniers actes qui ont pâti le plus du souci de ramener le spectacle à des dimensions raisonnables. Ainsi Louise Strozzi ne sera pas empoisonnée publiquement [5], mais son cercueil traversera la scène [6] ; et, s'il faut en croire le programme, ni Côme de Médicis, ni Thomas Strozzi, ni les précepteurs et leurs élèves ni les Huit, ni les seigneurs républicains, sauf Alamanno, ne seront de la distribution. Par contre, le texte des tableaux maintenus semble avoir été assez bien respecté, notamment celui des monologues du quatrième acte, qui, « coupés aux Français », écrit G. d'Houville, « nous sont restitués en leur nudité tragique [7] ». La fidélité semble avoir été le souci majeur de Falconetti et de son équipe : fidélité au mouvement de la pièce et à l'esprit général de sa dramaturgie, à la lettre des textes qui ont été maintenus. Quel contraste avec la désinvolture de Sarah Bernhardt et les ciseaux fleuris de ses collaborateurs ! c'était, en tous les cas, un bon terrain de défense, quand on n'a pas les moyens d'une conquête plus impérieuse de l'immortalité.

Au reste, la mise en scène d'Armand Bour, dans des décors du peintre André Boll, ne devait pas peu contribuer à donner au spectacle de la Madeleine son originalité propre. Le metteur en scène et le décorateur se sont expliqués eux-mêmes clairement sur leurs intentions dans des déclarations à la presse qu'il suffit de rappeler ici. M. Bour tiendra des propos que n'auraient pas renié les grands réformateurs du théâtre au début du XXe siècle et dont Jacques Copeau résumait ainsi les positions : « condamnation du décor réaliste qui tend à donner l'illusion des choses mêmes, exaltation du décor schématique ou synthétique qui vise à les suggérer [8] ». « Ma mise en scène de *Lorenzaccio*, déclare M. Bour à un journaliste qui l'interviewe, sera extrêmement simple : mise en scène synthétique, sans accessoires, ni meubles inutiles, entièrement située dans des décors de tentures (...). Je compte beaucoup sur la sobriété des fonds et cadres de velours sombres et sur les éclairages illuminant seulement le jeu des protagonistes en scène (pas de rampe) pour intensifier leur jeu à la manière des personnages de Rembrandt et concentrer l'attention du spectateur [9] ». Le peintre André Boll, interprétant à merveille le dessein général de cette mise en scène, concevra des éléments décoratifs simplifiés, sur lesquels il s'est expliqué, lui aussi, avec une grande netteté : « De grandes tentures de velours bleu, divers éléments d'architecture en briques dorées, dont la forme est réduite à un « épannelage », un éclairage approprié, sorte de clair-obscur qui suit fidèlement l'action, ne mettant en valeur que les personnages principaux de chaque scène. Pourquoi des architectures en or ? Parce

---

5. « La scène, par exemple, de l'empoisonnement de Louise Strozzi a été supprimée » (*le Figaro*, 5 décembre 1927).
6. « Quand le cercueil de Louise Strozzi traverse la scène, porté par des moines, il [un gros monsieur] hocha la tête : « Diable ! mais ce n'est pas gai ! » (*le Soir*, 11 décembre 1927).
7. *Le Figaro*, 5 décembre 1927.
8. Cité par D. Bablet, *op. cit.*, p. 370.
9. *Paris-Soir*, 2 décembre 1927.

que le métal, en dehors de sa somptuosité, par sa matière même, est susceptible de « vivre » sous des lumières différentes ; il peut, sans nullement s'altérer, se colorer en rouge, en bleu, en vert... Pourquoi une architecture simplifiée ? Parce que tout détail est superflu et par conséquent nuisible, parce que ces divers éléments, promenés d'un coin à l'autre de la scène, demandent à devenir « impersonnels ». La brique et la mosaïque suffiraient à caractériser cette magnifique architecture du Moyen Age. Il est évident qu'une pareille réalisation laisse à l'imagination de chaque spectateur une place importante... [10] ».

Nous avons eu entre les mains, grâce à l'obligeance de M. André Boll qui les a conservés dans ses archives personnelles, cinq croquis représentant schématiquement ces éléments décoratifs de base : une cheminée, deux colonnes et une balustrade, une fenêtre avec tapisserie, une balustrade, trois bornes réunies par des chaînes. Toute l'économie du projet décoratif d'André Boll consistera à déplacer, selon les nécessités scéniques, tout ou partie de ces éléments de base, construits en matériau léger et recouvert à la feuille d'or, et à faire jouer dans la lumière leur forme stylisée sur fond de velours bleu foncé. Quelques meubles ou tapisseries soutiendront l'imagination du spectateur et compléteront l'illusion. C'était à la fois ingénieux sans trop d'artifices et sobre sans pauvreté.

Le résultat semble avoir été agréable à l'œil et goûté par le public, si l'on en croit la plupart des témoins : « M. André Boll, note, par exemple, Fortunat Strowski, ferme partisan des décors synthétiques et même des " projections mouvantes " liées aux progrès du cinéma, a établi quelques éléments solides, six, sept, comme dans les boîtes d'architecture, pour amuser les enfants : de grandes colonnes, une cheminée, une fenêtre, des balustrades. Sur un fond uni, il a suffi de les transporter d'un côté à l'autre, ou de les enlever et de ne laisser que les draperies, pour obtenir très vite tous les " encadrements " et toutes les " atmosphères " [11] ». Paul Sabatier, dans *Monde illustré*, n'est pas moins élogieux : « Sur le fond uni, les personnages se détachent en pleine lumière, comme dans les primitifs siennois, où le fond demeurait d'or uni. On croit feuilleter un livre d'or précieux et chatoyant [12] ». Le tableau de l'église semble avoir recueilli, à cet égard, tous les suffrages : « les colonnes du tableau de l'église sont plaquées de feuilles d'or pour donner au lieu saint la lumière mystique qui lui convient et qu'on ne peut obtenir avec des projecteurs [13] ».

Un document photographique très expressif de l'aspect général de cette décoration a été publié par *Monde illustré* du 10 décembre 1927. Il représente le tableau du meurtre, où figure, outre le duc étendu à terre côté jardin, Lorenzo-Falconetti, en pourpoint et long manteau noir, contemplant, fasciné et horrifié à la fois, le cadavre du duc, tandis que la poigne mâle de Scoronconcolo-Alcover soutient sa fra-

10. *Nouveau siècle*, 9 décembre 1927.
11. *Paris-Midi*, 3 décembre 1927.
12. *Monde illustré*, 10 décembre 1927.
13. *Nouveau siècle*, 3 décembre 1927.

gile silhouette féminine. La sobriété du dispositif scénique éclate au premier regard. Sur tout le fond de la scène tombe un rideau sombre à larges plis, sur lequel se détachent, de place en place, quelques éléments d'architecture stylisés : piliers, pan de mur, percé d'une fenêtre à vitraux, dont l'aspect est schématiquement celui de la brique. Mobilier sobre : un lit simple, à peine surélevé, et dont la tête est ornée de deux colonnettes torsadées ; une petite table, une chaise sur laquelle ont été posés des habits. Nous voilà loin des enluminures « byzantines » du théâtre de la Renaissance. Le goût avait changé.

Est-ce à dire que le décor simplifié, en usage ici, soit admis par tous les critiques ? Il s'en faut. Tel pense que « les rideaux ne seront jamais que des moyens de fortune bien moins éloquents que de véritables décors [14] » ; tel autre que « malgré quelques éléments d'architecture très réussis d'André Boll, [le décor] n'est pas suffisamment [évocateur] de Florence et de ses palais [15] ». Mais s'agissait-il bien pour Musset d'évoquer d'abord Florence et ses palais ? C'est Florence et ceux qui y vivent, y souffrent, y meurent, auxquels Musset s'intéresse et prétend nous intéresser. L'illustration décorative peut devenir une gêne, voir un obstacle sur la voie de cette évocation drue et chaude de la peine des hommes : « Au Théâtre-Français, note un critique, des décors soignés, précis, architecturés, évoquaient la Florence du XVIᵉ siècle. A la Madeleine, un simple jeu de rideaux de velours bleu, à la manière allemande, laisse l'imagination libre de créer l'atmosphère propice... [16] ». Nul doute qu'il n'y ait là affrontement de deux conceptions de l'art théâtral, l'une de tradition, l'autre de mouvement et d'avenir. L'évolution ultérieure de la mise en scène des œuvres théâtrales donnera raison à l'équipe du théâtre de la Madeleine. Gaston Baty, puis Jean Vilar fonderont finalement leurs mises en scène respectives sur quelques principes analogues, dont ils développeront toutes les conséquences : abandon du décor illusionniste et réduction des éléments scéniques au strict indispensable ; le jeu de la lumière et la présence de l'acteur feront le reste.

Tout juste peut-on noter que la mise en scène d'Armand Bour péchait par un certain manque de rythme ou plutôt de continuité dans la représentation dramatique. En multipliant les baissers de rideau, en abusant des changements de décors dans l'obscurité, on rompait le fil d'un discours et d'un spectacle, dont le morcellement originel ne gagne pas à être souligné ni accentué. Plus d'un critique l'ont noté, pour s'en plaindre et parfois s'en gausser : « il y a, écrit James de Coquet, d'un tableau à l'autre des interruptions de quelques minutes qui font souvent perdre au spectateur le fil de l'intrigue, même lorsqu'il la connaît par cœur... [17] » ; « ...la toile baissée, note Louis Schneider, l'obscurité règne dans la salle ; ce n'est pas le

14. *Le Figaro*, 4 décembre 1927.
15. *La Presse*, 4 décembre 1927.
16. *Monde illustré*, 10 décembre 1927.
17. *Le Figaro*, 4 décembre 1927.

théâtre dans un fauteuil, c'est un théâtre dans le noir [18] ». Il faudra encore un long temps avant que cet inconvénient soit éliminé par l'adoption progressive de nouvelles formules dramatiques : l'abolition du rideau de scène, le changement à vue d'éléments scéniques simplifiés, l'usage systématique du décor de lumière dans un espace pur arraché à la nuit.

Reste l'interprétation de Falconetti, qui était tout de même l'attraction principale du spectacle, d'autant que le reste de la distribution, mis à part Alcover dans le rôle de Scoronconcolo et Gisèle Picard dans celui de la marquise Cibo, semble avoir été souvent fort médiocre et surtout hétérogène. Les témoignages sont, à cet égard, presque unanimement favorables. Nul doute que Falconetti n'ait été, après Sarah Bernhardt, le plus vraisemblable Lorenzo « féminin » qu'on ait pu voir sur une scène française. Recommence toutefois, à son sujet, l'éternelle querelle du travesti : le talent autorise-t-il les audaces aberrantes ? Bien des critiques réclament, à cette occasion, qu'on en finisse avec la fâcheuse tradition inaugurée par Sarah Bernhardt, tout en reconnaissant que Falconetti porte le costume masculin avec aisance et crédibilité : « Seul un homme, écrit Nozière, peut sembler efféminé ; une femme n'est que féminine [19] » ; le chroniqueur de l'Information, tranchant dans le vif, indique l'avenir : « ...cette nouvelle épreuve, en dépit de l'illustre précédent créé par Sarah Bernhardt, montre que le personnage de Lorenzaccio ne sera complètement réalisé que par un interprète masculin [20] ». Il faudra attendre encore cinq ans, avant que ce vœu de bon sens soit enfin exaucé [21].

Cela dit, Falconetti jouant Lorenzo, elle le joua selon ses moyens. Sarah, on l'a vu, jouait d'abord de sa voix d'or et de son lyrisme personnel. Falconetti jouera de sa silhouette et surtout de son visage, qui sera toujours l'instrument premier de son art. Dès 1924, Marcel Achard, qui l'appelle drôlement Réjanette, notait que « son visage est (...) un extraordinaire instrument sur lequel elle joue indifféremment de sa douleur et de sa joie [22] ». On s'en rendra compte mieux encore, en 1928, dans la Passion de Jeanne d'Arc de Dreyer, où triomphe le gros plan. Avec une telle mobilité d'expression, la composition qu'elle fait de Lorenzo sera saisissante. Robert Kemp l'évoque avec enthousiasme et tendresse en ces termes : « Elle est admirable ! Elle a, sous les cheveux noirs coupés courts, un petit visage vert-de-grisé par l'insomnie ; pommettes saillantes, joues creuses, lèvres blanches, menton aigu, elle porte à ravir le maillot noir, la petite toque, et le long manteau qui traîne. Elle est épuisée et acharnée. Les yeux brûlent, dans leurs cernures brunes. Elle se ramasse sur son fauteuil ; et on la sent prête à bondir. Elle fait de Lorenzo une

18. *Le Gaulois*, 5 décembre 1927.
19. *L'Avenir*, 5 décembre 1927.
20. *L'Information*, 12 décembre 1927.
21. M. Jean Marchat, sur la scène du Grand Théâtre de Bordeaux, le jeudi 9 février 1933, en matinée et en soirée.
22. *Paris-Soir*, 21 février 1924.

petite pourriture héroïque ; son intelligence et sa fièvre nous ont émus sans cesse... [23] ». Que d'éloquence alors dans un seul regard fixe ou jeté à la dérobée ! Marcel Espiau, plusieurs années après, n'a pas oublié de quel œil Falconetti écoutait le récit du meurtre de Julien Salviati : « son regard, allumé d'une flamme diabolique, dénonçait son épouvantable plaisir [24] ».

La voix par contre est, chez Falconetti, un instrument moins sûr : « ...[elle] manque d'inflexion et [...] bouscule parfois trop la magnifique phrase de Musset ; on entend peu Mlle Falconetti, qui appuie trop dans le grave ; elle laisse trop tomber les finales [25] ». Aussi bien choisira-t-elle un registre à sa portée et si l'on peut dire, dans ses cordes. Tordant le cou à l'éloquence et au lyrisme où avait excellé Sarah Bernhardt, Falconetti parle résolument « moderne » : « la voix âpre, le débit tantôt ralenti et volontairement monotone, puis brusquement saccadé, elle semble s'être appliquée à se garder de tout romantisme [26] ».

Mais elle compensera ce manque de lyrisme dans la diction par un jeu dramatique fait d'une extrême tension intérieure. L'ardeur contenue, le feu secret, l'énergie du désespoir, tel est le domaine de Falconetti, où elle côtoie, sans l'estomper, le fantôme de Sarah Bernhardt. « Mlle Falconetti, écrit Paul Achard, a donné à son personnage toute son âpre latinité. Elle l'a campé en Corse, l'âme méditerranéenne fait étinceler ses grands yeux noirs mobiles dans ce teint mat, et dans ce pli qui tord la bouche d'un sourire, il y a de l'injure ordurière de Naples ou de Marseille, de la vendetta et de l'Inquisition [27] ». Rien que d'intérieur toutefois dans cette ardeur surveillée. La sobriété du jeu corporel, réduit à quelques gestes essentiels, « bras qui se croisent et se collent au corps », « main portée au front », « doigts qui s'écartent [28] », lui permet de ne jamais tomber dans l'expressionnisme. « Elle n'a pas été exaltée au dehors, mais en dedans [29] », note, pour l'en louer, Fortunat Strowski.

Chaque critique, bien sûr, garde pour telle ou telle apparition de Falconetti sa prédilection personnelle. Quelques scènes pourtant semblent avoir frappé généralement le regard et capté l'attention. La scène des armes, par exemple, où la « rudesse cordiale [30] » d'Alcover sert de faire-valoir à la fureur et à l'égarement de Falconetti, a laissé des traces si profondes dans la mémoire de Robert Kemp, que, vingt ans après, le souvenir en est encore intact et frémissant : « elle nous demeure inoubliable dans la leçon d'escrime (...) nous verrons toujours le bretteur Alcover, emportant cette petite furie, évanouie [31] ».

23. *Liberté*, 4 décembre 1927.
24. *L'Ami du peuple*, 20 octobre 1929.
25. *Le Gaulois*, 5 décembre 1927.
26. *L'Echo de Paris*, 4 décembre 1927.
27. *La Presse*, 4 décembre 1927.
28. *L'Echo de Paris*, 4 décembre 1927.
29. *Paris-Midi*, 3 décembre 1927.
30. *Le Petit Parisien*, 4 décembre 1927.
31. *Le Monde*, 14 décembre 1946.

L'assassinat du Duc est lui aussi, dans la mémoire des témoins, plein de bruit et de fureur : « elle a rendu sensible, écrit Henri Bidou, la frénésie du meurtre, la volupté, le rugissement, la défaillance délicieuse, si bien que cette scène d'assassinat avait l'air d'une épouvantable scène d'amour [32] ». Gérard d'Houville n'oubliera pas non plus « l'intonation désespérée de sa voix lorsque, le meurtre accompli, elle soupirait à la fenêtre avec la plus cruelle et désenchantée douceur : « respire, cœur navré de joie ! » C'était vraiment fort beau et de la plus rare qualité [33] ». Telles ont été les riches heures d'un spectacle et d'une comédienne sans cesse menacés par l'oubli.

Falconetti elle-même nourrissait pour le rôle qu'elle avait, d'une certaine manière, créé, une tendresse, une reconnaissance particulières. Elle le rejouera plusieurs fois encore dans la suite de sa carrière, mais d'une manière sporadique et toujours pour de courtes séries de représentations. Par exemple, en 1929, pour les matinées classiques du Théâtre Sarah Bernhardt, où elle reprend également, — O fantôme de Sarah, — l'infatigable *Dame aux camélias*, puis au théâtre de l'Avenue, dont elle assume la direction pendant deux saisons, jusqu'en janvier 1931 ; et encore à l'Odéon, le 21 janvier 1932, dans une adaptation en 26 tableaux et une nouvelle mise en scène de Paul Abram, où la sobriété originelle persiste, s'accommodant du jeu subtil de rideaux de couleurs différentes [34]. A ce rôle-fétiche, Falconetti gardera toujours une fidélité secrète, même et surtout aux heures sombres de sa carrière. Saint-Georges de Bouhélier, saluant la mémoire de l'actrice dans un article d'*Opéra* du 8 janvier 1947, raconte avoir reçu, en novembre de l'année précédente, une lettre de Falconetti lui demandant « où était passé le costume qu'elle avait porté quand elle (...) avait joué [*Lorenzaccio*] » et le priant « de faire des démarches pour le recouvrer » ; et l'écrivain ajoute : « *Lorenzaccio* avait été son plus grand triomphe (...) Il est certain que pas une comédienne n'a égalé Falconetti dans ce rôle qui exige des dons très variés. Elle l'a entièrement marqué à son effigie ». Le compliment est peut-être excessif, encore qu'il ne soit pas injustifié. Et quelle justice, en tout cas, pour Musset qu'au temps de l'affliction, l'ange qui apaise la douleur et allège le désespoir porte le manteau noir de Lorenzo de Médicis !

32. *Journal des débats*, 5 décembre 1927.
33. *Le Petit Parisien*, 25 août 1935.
34. Voir, sur ce point, les déclarations de Falconetti à *l'Ami du peuple du soir*, le 23 janvier 1932, et le compte rendu d'Edmond Sée dans *l'Œuvre* du 28 janvier 1932.

CHAPITRE IV

« LORENZACCIO » A LA COMÉDIE-FRANÇAISE

Les relations entre *Lorenzaccio* et la Comédie-Française ont la longue et difficile histoire des mariages de raison, lents à s'imposer, sans cesse remis à plus tard, et finalement réussis. De cette longue histoire, on a saisi un aperçu dans le premier chapitre de cette troisième partie, et le présent chapitre s'ouvre sur un nouvel épisode, qui n'est pas encore le dernier.

Le 30 mars 1914, l'administrateur de la Comédie-Française entretient le comité de lecture « d'un projet d'arrangement pour la scène, fait par les soins de M. Maurice Donnay, du *Lorenzaccio* d'Alfred de Musset [1] ». Suit, durant les mois d'avril et juin de la même année, une querelle d'ordre financier, à laquelle sont mêlés le comité de lecture et le comité d'administration, afin de déterminer les conditions dans lesquelles on devra rétribuer les services de l'adaptateur d'un ouvrage tombé dans le domaine public. On apprend, par le procès-verbal du Comité d'administration réuni le 16 avril 1914, que Maurice Donnay se propose de réduire *Lorenzaccio* de 33 à 12 tableaux. Finalement, pour des raisons qui nous échappent, ce projet d'adaptation échoue, comme les précédents, et, le 26 novembre 1917, l'administrateur fait connaître aux membres du Comité de lecture, que « le projet d'adaptation de *Lorenzaccio* par M. Maurice Donnay (...) a été abandonné d'un commun accord ». C'est à la même séance qu'« à l'unanimité, la commission décide d'admettre au répertoire de la Comédie les ouvrages suivants : *Lorenzaccio*, drame en cinq actes, en prose, par A. de Musset ». Le sort en est jeté. C'est la pièce elle-même, non pas une adaptation en 12 tableaux, qui entre à la Comédie-Française, de plein droit, et en pleine guerre.

On pourrait s'attendre à un nouveau sursis. Mais la Comédie-Française semble désireuse de réparer ses torts à l'égard du chef-d'œuvre,

1. Ce texte et les suivants sont extraits des livres officiels où sont consignés les procès-verbaux des séances du Comité de lecture et du comité d'administration de la Comédie-Française. Ces livres sont conservés à la bibliothèque du théâtre, où l'on nous a donné l'aimable autorisation de les consulter.

un peu encombrant, de Musset et vouloir mettre les bouchées doubles. Et c'est le 4 mai 1918, en un temps où l'issue stratégique de la guerre est encore incertaine, qu'une représentation très fragmentaire de la pièce est donnée au cours d'un gala, organisé au bénéfice des réfugiés de la Somme, sous le haut patronage du ministre des Finances, député de la Somme, et du ministre de l'Instruction publique et des Beaux-Arts. Huit acteurs et une actrice étaient en scène pour jouer trois fragments de la pièce : la scène 3 de l'acte III dans un décor de place publique, la scène 1 de l'acte III et la scène 11 de l'acte IV dans la chambre de Lorenzo. Silvain était Philippe Strozzi, Alcover Scoronconcolo, Marie-Thérèse Piérat Lorenzo de Médicis. Ainsi, à l'exemple de Sarah Bernhardt, une femme, de nouveau, abordait le rôle en travesti. Il est vrai que Mme Piérat avait déjà porté allègrement l'habit masculin de Fortunio dans le Chandelier. Mais il y a loin de Lorenzo à Fortunio. La chanson n'est pas la même.

Il semble, d'après les échos de presse, que l'actrice se montra à son avantage dans un rôle qui n'était guère fait pour elle. « Costumée à ravir », en pourpoint de velours noir, Madame Piérat, note Paul Souday, « réalise parfaitement la grâce nerveuse et svelte du type florentin [2] ». Mais déjà pointe, sous la plume du même critique, le reproche le plus sérieux qu'on lui fera plus tard touchant son interprétation du personnage : « ...Madame Piérat pèche peut-être par excès de naturel. (...). Ce drame historique de Musset ne doit certainement pas se jouer sur le même ton qu'une comédie de Brieux ou de Capus [3] ». En tout cas, cette représentation très fragmentaire n'était, dans l'esprit de ses initiateurs, qu'une pierre d'attente. Paul Souday, bien informé, se fait l'écho d'une bonne nouvelle : « M. Emile Fabre a l'intention de monter la pièce dès que les circonstances le permettront [4] ». Et Marie-Thérèse Piérat ne fait pas mystère qu'elle a la promesse du rôle pour la représentation complète de la pièce : « ...je m'habillerai autrement quand je jouerai tout le rôle, après la guerre. De Max jouera le Duc. Nous aurons alors des brocards florentins, des bijoux, de riches soieries. Aujourd'hui je me contente de velours noir. Je me suis inspirée du portrait d'adolescent de Raphaël. Je n'ai pas voulu de postiche. J'ai fait couper mes cheveux [5] ».

Lorenzaccio dut attendre un plus long temps que ne prévoyait Souday le jour de ses noces avec la Comédie-Française : neuf ans, presque jour pour jour, et l'approche du centenaire du romantisme, que l'administrateur Emile Fabre entendait célébrer dignement sur la première scène nationale. Du moins l'entrée au répertoire se fit-elle avec une solennité et un luxe de moyens qui payaient largement une trop longue attente. La répétition générale de la pièce eut lieu le vendredi 3 juin 1927, en matinée, et la première représentation le samedi 4 juin, en soirée.

2. L'Action, 8 mai 1918.
3. Ibid.
4. Ibid.
5. Carnet de la semaine, 12 mai 1918.

Pour reconstituer à loisir l'aspect général et l'esprit de ces représentations, nous disposons, par chance, d'une moisson de documents de première main, le plus souvent inédits, dont on se souvient qu'il a fallu déplorer l'absence quand il s'est agi d'évoquer le spectacle de Monte-Carlo ou celui du théâtre de la Madeleine. La bibliothèque de la Comédie-Française conserve, en effet, dans ses archives, outre les livres de conduite du spectacle, un livret authentifié par la signature d'Emile Fabre, qui contient, dactylographié avec soin, le texte complet de l'adaptation et de la mise en scène conçues par l'administrateur lui-même[6], assorti de croquis sommaires suggérant la plantation des décors. Un lot de photographies et un très copieux dossier de presse complètent une documentation sinon exhaustive, du moins suffisante à nous éviter faux-pas ou erreurs trop flagrantes. Ce rôle de la bibliothèque d'un théâtre comme auxiliaire indispensable de la recherche théâtrale méritait ici d'être souligné.

Pour mener à bien sa « célébration » du théâtre romantique et réussir *Lorenzaccio*, Emile Fabre disposait d'un certain nombre d'atouts personnels, dont il se servira avec adresse : une solide expérience d'auteur dramatique estimé ; une collaboration étroite et amicale avec Firmin Gémier, de qui il avait appris « l'art de manier une figuration[8] » ; une passion sincère pour le théâtre de Musset, qu'il installera définitivement au répertoire. D'autres bonnes cartes brillaient encore dans son jeu : le vaste plateau du Théâtre-Français, autorisant les scènes de plein air et les déploiements de foule ; une troupe nombreuse, aguerrie, homogène, qu'on peut grossir à volonté d'un peloton d'élèves du Conservatoire[9] ; des moyens financiers honorables et une solide habitude des classiques. Contre lui, Emile Fabre a la tradition implicite du Théâtre-Français, — comédiens et public souvent unis sur ce point, — qui veut que la première scène nationale joue le rôle d'une sorte de conservatoire des œuvres du passé et ne se laisse pas tenter par les aventures incertaines. Contre lui encore joue son propre tempérament, un certain classicisme de goût et de tendance qui l'amène à maintenir délibérément « la vieille Dame de la Rue de Richelieu en dehors de la vaste révolution esthétique amorcée à la scène dès avant 1914[10] ».

En sorte que la mise à la scène de *Lorenzaccio* rue de Richelieu procèdera d'une sorte de parti pris de mesure dans l'audace et d'équilibre des contraires. On ramène la pièce à une longueur raisonnable, mais sans rien sacrifier de son mouvement, qui est enchaîné, ni de sa structure, qui est par tableaux discontinus ; on coupe, on élague, on transpose à l'occasion, mais on respecte l'équilibre interne des intrigues et le volume respectif des principaux rôles ; on ne renonce

6. Une analyse très succincte de ce document a été publiée dans *Gastinel II*, p. 368-370.
8. *Encyclopédie du théâtre contemporain*, tome 2, p. 145.
9. 36 comédiens du Théâtre-Français et 19 élèves du Conservatoire participeront à *Lorenzaccio*.
10. *Op. cit.*, p. 145.

pas aux décors illusionnistes, mais on ne laisse à aucun moment ce
système traditionnel de décoration imposer sa loi au spectacle
jusqu'à défigurer le projet original de Musset. Pour équilibrer tous
ces partis opposés, le prudent Emile Fabre introduit à la Comédie-
Française un dispositif scénique qui a fait naguère ses preuves à
l'avant-garde : certaines scènes sont jouées au proscenium devant un
rideau, derrière lequel on prépare le décor qui doit suivre. Ainsi
André Antoine, dès 1904, avait présenté aux spectateurs du théâtre
qui porte son nom *le Roi Lear* de Shakespeare. Soucieux de monter
le spectacle « comme un véritable mécanisme d'horlogerie », Antoine
avait imaginé, avec l'aide de son décorateur Lucien Jusseaume, « une
série de décorations rapides renouvelées sans bruit derrière une
avant-scène garnie de draperies de style et offrant un fond convenable
aux scènes intermédiaires [11] ». Vingt-trois ans plus tard, cette machi-
nerie ingénieuse n'est plus une innovation. Du moins permet-elle à
Emile Fabre d'être fidèle à son serment de donner enfin au public
parisien une représentation de *Lorenzaccio* aussi fidèle que possible
au texte original et surtout accordée à sa respiration propre. C'est en
fonction de ce système de décoration et de mise en scène qu'interviendra l'établissement définitif du texte à jouer.

On voit d'emblée le pas franchi depuis les représentations du
théâtre de la Renaissance. Armand d'Artois avait conçu son adaptation
en fonction des exigences de la décoration traditionnelle, par essence
rebelle à la mobilité incessante des lieux de l'action. Autant dire qu'il
avait couché la pièce de Musset sur un lit de Procuste singulièrement
étroit et incommode. Les mutilations qui résultèrent de cette chirurgie barbare avaient rendu la pièce méconnaissable. Emile Fabre,
plus honnête envers l'œuvre de Musset, choisira d'abord le système
de décoration le plus approprié, selon lui, au mouvement de la pièce
et à sa structure particulière. Ce n'est qu'après coup qu'il fera subir
au texte original les coupures et les accommodements jugés nécessaires. Résultat : le brillant spectacle de 1927, en trois parties et
vingt-quatre tableaux [12], joué en continuité et selon un ordre aussi
proche que possible de celui qu'avait prévu initialement l'auteur.

Le tableau schématique qu'on trouvera ci-dessous, et dont nous
empruntons les éléments au livret de mise en scène, donnera une
idée d'ensemble des arrangements intervenus. On l'assortira de
quelques remarques destinées à en éclairer les obscurités, à en souligner les mérites, à en marquer, le cas échéant, les faiblesses.

---

11. A. Antoine, *Mes souvenirs sur le théâtre Antoine et sur l'Odéon* (première direction), Paris, Grasset, 1928, p. 244 ; voir également, Denis Bablet, *op. cit.*, p. 348-349, et
Encyclopédie du théâtre contemporain, tome 1, p. 44.

12. Les comptes rendus de presse de 1927 donnent tous 28 tableaux, durant près de
4 heures ; le livret de mise en scène 24. Entre les deux chiffres, il y a le rodage d'un
spectacle qui prend peu à peu sa forme définitive. Ces modifications en cours de route
sont de pratique courante au théâtre. On relève, par exemple, dans *Aux écoutes* du
12 juin 1927, l'écho suivant, qu'illustre exactement notre propos : « ...Les trente-quatre tableaux du texte original ont été réduits à vingt-huit dans cette restitution quasi intégrale,
mais il n'empêche que bien des scènes traînent en longueur. On a d'ailleurs supprimé,
après la Générale, le tableau de l'enterrement de Louise Strozzi... Il est probable que de
nouvelles coupures seront effectuées si la pièce garde quelque temps l'affiche... ».

Horaire du spectacle	Liste des tableaux adaptés par E. Fabre	Durée des tableaux	Concordance avec le texte original

PREMIERE PARTIE

20 h 15	1er tab. : la place.	12 minutes	I, 1 et 2
20 h 27	2e tab. : rideau gris des Cibo.	7 mn	I, 3
20 h 34	3e et 4e tab. : palais du duc, puis rideau blanc du duc.	9 mn	I, 4
20 h 43	5e tab. : St.-Miniato-Montolivet.	10 mn	I, 5 et 6
20 h 53	6e tab. : rideau mauve des Strozzi.	4 mn	II, 1
20 h 57	7e tab. : portail de l'église.	8 mn	II, 2
21 h 05	8e et 9e tab. : rideau gris des Cibo ; puis oratoire marquise Cibo.	12 mn	II, 3
21 h 17	10e tab. : rideau bleu des Soderini.	16 mn	I, 6 puis II, 4
21 h 33	11e et 12e tab. : palais Strozzi ; puis rideau mauve des Strozzi.	5 mn	II, 5
21 h 38	13e tab. : palais du duc.	3 mn	II, 6 et 7
21 h 41	[Entracte ; fin de la première partie.]	1 h 26 mn	

DEUXIEME PARTIE

21 h 55	14e tab. : chambre de Lorenzo.	7 mn	III, 1
22 h 02	15e tab. : rideau mauve des Strozzi.	4 mn	III, 2
22 h 06	16e tab. : la rue.	19 mn	III, 3
22 h 25	Rideau d'avant-scène, changement rapide.	4 mn	
22 h 29	17e tab. : boudoir marquise Cibo.	18 mn	III, 5 et 6, puis IV, 4
	[Entracte ; fin de la deuxième partie.]	52 mn	

TROISIEME PARTIE

23 h	18e tab. : palais Strozzi.	10 mn	III, 7
23 h 10	19e tab. : rideau blanc du duc.	3 mn	IV, 1
23 h 13	20e tab. : bords de l'Arno.	8 mn	IV, 7 et 5, puis 9
23 h 21	21e tab. : rideau blanc du duc.	4 mn	IV, 10
23 h 25	22e tab. : chambre de Lorenzo.	6 mn	IV, 11
23 h 31	Rideau d'avant-scène, changement rapide.	5 mn	
23 h 36	23e tab. : rideau rouge Venise.	10 mn	V, 2 et 6
23 h 46	24e tab. : la place.	4 mn	V, 7
23 h 50	[Rideau final.]	50 mn	

Ce tableau synthétique appelle les remarques suivantes :

1° Emile Fabre a fait bonne mesure. Le spectacle est long et copieux : plus de trois heures, sans temps mort entre les tableaux, sauf deux entractes pour le repos du public et deux rideaux d'avant-scène pour la commodité des machinistes. Musset a été, à cet égard, servi avec ferveur et générosité.

2° Le dispositif scénique était le suivant : le cadre de scène habituel du théâtre a été doublé, en retrait, d'un cadre de scène exceptionnel, fait de deux colonnes de marbre blanc reliées par un arc de forme elliptique, qui symbolise la voûte d'un palais. Ce motif architectural, immuable durant toute la représentation, est à triple effet : il assure l'unité esthétique du spectacle ; il encadre des rideaux de scène, qu'il suffit de tirer pour voiler ou dévoiler le décor du fond ; il délimite, quand les rideaux sont tirés, un espace de jeu fixe au proscenium. Cet espace fixe est marqué en hachures sur les croquis que nous produisons d'autre part.

3° Les rideaux de scène sont au nombre de cinq et de couleurs différentes selon les lieux et les familles qu'ils suggèrent : blanc pour le Duc, gris pour les Cibo, mauve pour les Strozzi, bleu pour les Soderini, rouge pour le tableau situé à Venise. Afin de préciser encore, les rideaux sont timbrés d'armoiries aux armes des familles. Il paraît, à cet égard, que « M. Monval, sous-bibliothécaire (...) a fait les recherches héraldiques nécessaires » et que « ce n'a pas été sans peine qu'il a retrouvé quelques-uns des blasons florentins, celui des Soderini, par exemple [13] ». Ainsi le rideau rouge porte les armes de la ville de Venise, celui du Duc le blason d'or à six tourteaux mis en orle, les « palle », c'est-à-dire les fameuses « boules » dont il est question chez Varchi et au cinquième acte du drame de Musset [14]. Pour varier l'effet, on a même conçu des modes d'ouverture différents : les rideaux blancs, mauves et gris se tirent, tandis qu'on lève le rideau bleu et le rideau rouge.

4° La répartition des scènes dans les deux espaces de jeu ainsi tracés ne semble pas avoir obéi à des principes très rigoureux. Un critique a cru reconnaître que « les scènes devant le rideau sont celles qui exigeaient moins que d'autres un cadre et qui consistent en conversations plutôt qu'en action [15] ». S'il en était ainsi, on se demande pourquoi la marquise Cibo, vouée par excellence aux tête-à-tête galants et aux conversations intimes, aurait droit à deux décors construits, — au 9e et au 17e tableaux —, tandis que le 10e tableau, qui dure 16 minutes et met en scène au moins six personnages, est condamné à se dérouler au proscenium devant le rideau bleu des Soderini. En fait, le principe de la répartition est quasi mécanique. Tenu à respecter l'ordre des tableaux voulu par Musset, Emile Fabre pratique le système de l'alternance régulière : une scène dans un décor, une scène devant un rideau, et ainsi de suite. Dans ce jeu alterné et sans surprise, la Marquise a tiré le bon numéro, les Soderini le mauvais, rien de plus. Ajoutons toutefois que la stricte alternance est rompue par les entractes, étant entendu qu'on les a mis à profit pour installer le décor suivant. Ainsi, sans l'entremise d'un rideau de scène, la chambre de Lorenzo peut succéder au palais du

13. *Cri de Paris*, 29 mai 1927.
14. Voir *Genèse*, p. 68, l. 1969 et V, 6, p. 463.
15. *Comœdia*, 4 juin 1927.

Duc et le palais Strozzi au boudoir de la Marquise. Le principe général, si c'en est un, est de ne jamais commencer ni terminer un acte,
ou plus exactement une « partie », sur un temps faible, c'est-à-dire
sur une scène jouée devant des rideaux.

A cette règle de l'alternance, deux exceptions seulement : entre
le 16e et le 17e tableau, puis entre le 22e et le 23e tableau, où l'on baisse
le rideau d'avant-scène pour un changement rapide. Mais les choses
s'expliquent aisément, si l'on se souvient que l'adaptation définitive
ne compte plus que 24 tableaux, quand le texte joué à la générale en
comportait 28. La suppression de 4 tableaux n'aura pas manqué, on
s'en doute, d'amener un remembrement des deux dernières parties
du spectacle. Primitivement, en effet, la deuxième partie s'achevait
sur le 16e tableau [16]. Quand on s'est avisé de transplanter le 17e tableau, « le boudoir de la marquise », pour en faire le tableau final de
la deuxième partie, il a bien fallu, pour changer le décor, recourir
à la protection du rideau d'avant-scène. Le procédé est le même entre
le 22e tableau, « la chambre de Lorenzo », et le 23e tableau, « Rideau
rouge Venise », à ceci près toutefois que ce dernier se déroule non
pas dans un décor descriptif, mais devant un rideau. En fait, il
s'agit là d'une sorte de court entracte déguisé, propre à marquer
un temps d'arrêt entre le quatrième acte et ce qui reste du cinquième
acte de la pièce de Musset, en même temps qu'à donner aux machinistes cinq minutes supplémentaires pour monter le décor du 24e et
dernier tableau —, « la place », d'une architecture assez complexe,
et dans lequel il faut disposer une ample figuration.

5° A partir de ce dispositif scénique, Emile Fabre sera amené à
concevoir une série d'arrangements de commodité, qui, sans dénaturer vraiment le texte original, lui feront subir quelques pressions ou
entorses douloureuses. Je ne parle pas ici des coupures pratiquées
au vif du texte, qu'explique d'abord le désir, propre à tous les metteurs en scène, d'abréger une pièce d'une longueur inhabituelle. On
signalera ultérieurement les plus caractéristiques d'entre elles. Je
noterai seulement ici les regroupements de scènes auxquels Emile
Fabre a dû recourir pour accommoder la pièce de Musset au système
de présentation choisi.

A cet égard, c'est le premier acte qui a le moins souffert de la
plume ou des ciseaux de l'adaptateur ; l'économie générale en est
respectée. Les scènes 1 et 2 ont été réunies dans le même décor et
forment ensemble le premier tableau ; seuls un coup de gong et un
changement de lumière marquent le passage d'une scène à l'autre.
La scène 6 a été amputée du dialogue au bord de l'Arno entre Catherine et Marie, mais la substance de ce dialogue a été récupérée en
partie et intégrée au dialogue du dixième tableau, « rideau bleu des
Soderini », qui correspond à la scène 4 du deuxième acte. Quant aux
scènes 6 et 7 du deuxième acte, elles ont été enchaînées sans grand

---

16. Comme en témoigne le critique Louis Schneider dans *le Gaulois* du 5 juin 1927 :
« ...le troisième acte, devenu le deuxième, est arbitrairement arrêté après la scène,
capitale d'ailleurs, de l'arrestation de Pierre Strozzi et de la répugnance de Philippe Strozzi
à se révolter... ».

dommage pour la dramaturgie originale de la pièce et constituent ensemble le 13ᵉ tableau.

La modification la plus importante pratiquée dans l'acte III concerne les Cibo. En regroupant les scènes 5 et 6 du troisième acte et la scène 4 du quatrième acte, Emile Fabre fait l'économie d'un décor, mais rompt le rythme allègre de la pièce en plaçant côte à côte deux tableaux, le 16ᵉ et le 17ᵉ, devenus ainsi presque aussi longs l'un que l'autre. J'ajoute qu'en liquidant l'intrigue Cibo prématurément, l'adaptateur triche avec l'entrecroisement régulier et parfois subtil des intrigues voulu par Musset. De toutes les façons, l'opération manque de sveltesse et de nécessité dramatique.

Comme toujours, ce sont les quatrième et cinquième actes, regroupés dans la 3ᵉ partie, qui ont le plus souffert des commodités de l'adaptateur et des « nécessités » de la scène. D'abord la dernière scène du troisième acte, l'empoisonnement de Louise, a été détachée de la deuxième partie et placée au début de la troisième partie, ce qui est un illogisme dramatique : un tableau conçu pour être une fin d'acte est rarement un bon tableau de début d'acte. Au reste, les regroupements vont désormais bon train. Le 20ᵉ tableau, « Les bords de l'Arno », est un agrégat de trois scènes du quatrième acte ainsi disposées : scène 7, scène 5, scène 9, avec coupures, raccords, sutures d'un chirurgien assez habile, qui dissèque le tissu vivant comme on le ferait d'une chair morte. A l'intérieur de ce tableau, les trois monologues du quatrième acte ont été fondus en un seul, selon le schéma de « montage » suivant : quatre phrases tirées du monologue de la scène 5, cinq phrases de celui de la scène 3, une phrase extraite, à nouveau, en guise de transition, du monologue de la scène 5, enfin le monologue, notablement écourté, de la scène 9. Ce montage acrobatique est d'un mosaïste plus que d'un dramaturge. Et surtout d'un chirurgien ou du moins d'un censeur aux ciseaux aiguisés et agiles, car les vides sont nombreux, béants, entre les tableaux maintenus.

Au quatrième acte, plus de scène 2 (Pierre et Thomas sortant de prison), plus de dialogue entre Catherine et Lorenzo (scène 5, début), plus d'enterrement de Louise (scène 6), plus d'entretien entre Pierre et les deux bannis (scène 8). Au cinquième acte, l'hécatombe est plus radicale encore. Il ne reste debout que les deux scènes à Venise fondues en une seule (23ᵉ tableau) et le couronnement de Côme (24ᵉ tableau). Les scènes 1, 3, 4, 5 ont disparu, comme si le spectre d'Armand d'Artois avait tenu secrètement la main de l'administrateur. Le résultat final ne peut qu'être décevant, car l'intérêt se concentre désormais sur le meurtre et le meurtrier, non sur les circonstances et les conséquences de son acte à tous les degrés du corps social et de la classe politique. C'est un *Lorenzaccio* dégraissé, sans doute, qu'on nous offre, mais, à coup sûr, simplifié, anémié, faussé.

Il reste qu'un spectacle de théâtre vaut moins par l'architecture que par l'action et le mouvement. En sorte que le tableau schématique qui précède, pour utile qu'il soit, ne serait qu'imposture ou faux-semblant, s'il ne devait désormais s'ouvrir sur une évocation dynamique du spectacle en mouvement. Le livret de mise en scène est, à cet égard, un document exemplaire, en ce qu'il nous permet de reconstituer, pour autant qu'une résurrection de ce qui est, par essence, fugace soit possible, le mouvement unanime du spectacle de 1927 : mouvement dramatique du discours, mouvement des corps dans l'espace de jeu, mouvement de la lumière sur le décor qui réagit à son contact. S'agissant toutefois d'évoquer l'esprit général des représentations de la Comédie-Française, on se bornera à n'évoquer que les temps forts du spectacle, les inventions de mise en scène les plus significatives, les hardiesses ou les outrances les plus caractéristiques de l'adaptation. (*Voir les croquis intercalés entre les pages 288 et 289.*)

PREMIER TABLEAU

Ce premier tableau, qui regroupe deux scènes de la pièce, les scènes 1 et 2 du premier acte, se déroule dans un unique décor, « la place », que nous verrons reparaître au 24e et dernier tableau. Par le truchement du décor, ce retour au point d'origine évoque à merveille le mouvement circulaire de l'action, ce singulier effacement de l'histoire, qui est une des leçons majeures de *Lorenzaccio*.

C'est un décor aux lignes nettes, aux plans bien découpés, aux espaces de jeu clairement dessinés. Au lointain, un rideau fond de ville, où s'éveille Florence ; à l'avant-scène, dans l'espace fixe dont on a parlé, deux points de repère : la grille de Maffio au jardin, la boutique du marchand à la Cour. Entre proche et lointain une série de chassis placés à l'oblique de part et d'autre de la scène. Au jardin, trois rues et deux maisons anonymes. A la cour, trois rues encore, mais deux points remarquables : au premier plan le palais des Nasi (marqué K sur le croquis), ouvert par une porte praticable ; au second plan, le palais ducal, réduit à une terrasse surmontée de trois belles arcades, qui évoquent vraisemblablement la Loggia dei Lanzi et symbolisent les fastes du pouvoir politique. La scène 1 se jouera principalement à l'avant-scène ; la scène 2, qui exige une nombreuse figuration, utilisera de préférence toute la profondeur. Le passage de l'une à l'autre scène, qui est d'abord passage du temps, sera souligné de la façon suivante : « coup de gong en coulisse ; changement de lumière en scène ; musique d'orchestre, en coulisse, dans le palais des Nasi ; six heures sonnent ; puis encore six heures, très lointain ; un marchand de soieries et un orfèvre ouvrent leurs boutiques ».

Quant au texte même de Musset, Emile Fabre lui a fait subir de bien curieuses mutations. Je ne parle pas des coupures, qui, d'un bout à l'autre du spectacle, sont faites pour gagner du temps et se passent le plus souvent de commentaires, mais de transformations plus substantielles. Si le dialogue de la scène 1 est laissé à peu près intact, à une exception près, — le prénom de la fille qu'on enlève n'est plus Gabrielle, mais Gianina, jugé sans doute plus florentin, — celui de la scène 2 s'orne de 13 courts dialogues additionnels, soit une cinquantaine de répliques en tout, dont les interlocuteurs sont des plus variés : anonymes, — des passants, des invités — ou personnalisés. On voit, par exemple, Thomas Strozzi, Ruccellai et Acciauoli tailler bavette sur le perron du palais Nasi. Certes, on savait Emile Fabre auteur dramatique que la main démange. Mais c'est visiblement un souci de clarté qui l'amène ainsi à mêler sa prose à celle de Musset. Il s'agit par ricochet de révéler l'opinion publique, de préparer les situations, de commenter les nouvelles, de désigner les protagonistes. Le dessein est pédagogique. Armand d'Artois, saisi du même prurit de plume, avait moins de pudeur et plus d'ambition. Au reste, Emile Fabre, modeste, place ses dialogues additionnels généralement en retrait, comme le montre clairement cette indication relevée sur le livret de mise en scène : « naturellement ce texte doit être dit de façon à ne pas gêner ce qui se passe à l'avant-scène ». C'est, en quelque sorte, les réduire à l'anonymat et presque au silence. En deux ou trois occasions, toutefois, l'adaptateur les a carrément intégrés au texte original, pour justifier une modification de mise en scène ou tout simplement pour appuyer un trait et mettre les points sur les *i* sans ménagement. On se bornera à deux échantillons caractéristiques. Au moment où Lorenzo envoie une bouteille cassée sur Sire Maurice (Corsini ne figure pas dans l'adaptation d'Emile Fabre), les écoliers commentent la situation en ces termes :

> « *1ᵉʳ écolier :* Sire Maurice, gare à tes cornes !
> « *2ᵉ écolier :* Attrape, attrape !
> « *1ᵉʳ écolier :* Ta chère figure est intacte.
> « *2ᵉ écolier :* Rapportes-en un tesson à ta femme.
> « *3ᵉ écolier :* Tu as la gale comme Job, gratte-toi ! »

Et un peu plus loin, s'adressant à Lorenzo :

> « *2ᵉ écolier :* Eh ! Lorenzo, tu es joli comme un cœur, veux-tu une place dans mon lit ?
> « *1ᵉʳ écolier :* Non, viens dans le mien. J'aime les petits hommes bien faits, Renjino, Renjinetto, Lorenzetto, Lorenzetto ».

On voit que l'adaptateur semble être l'ennemi de la litote. Ce que Musset suggère à touches enveloppées, il l'accuse, l'accentue à gros traits. Le texte y gagne peut-être en clarté, mais il s'énerve en menus potins, en grasses allusions, en brouhaha confus. Le style, en tout cas, qui est tout Musset, n'y gagne rien.

TROISIÈME TABLEAU

Le décor du troisième tableau représente une terrasse couverte du palais ducal ; on le retrouvera, inchangé, au 13ᵉ tableau. Simple de structure et peu profond, c'est le type même du décor fait pour servir de cadre et de fond à une action dramatique autonome. On joue devant le décor, comme on a joué, au tableau précédent, devant le rideau gris. Simplement, à l'austérité du rideau, on a substitué un décor figuratif et coloré, qui soulage l'imagination et fait plaisir à l'œil. Trois éléments parallèles à l'ouverture de scène s'y succèdent, du proche au lointain, sur un espace réduit : une ferme ajourée de trois larges baies rythmées par des colonnes ; un terrain de ville figurant Florence vue des toits ; un rideau fond d'air fermant le décor en l'ouvrant sur le ciel. Les silhouettes des personnages se découperont sur ce fond d'air bleu, comme dans les tableaux de Carpaccio ou de Véronèse. C'est un décor qui appelle du reste l'effet de composition plastique. Ainsi, quand Lorenzo s'évanouit devant l'épée, la baie centrale sert de point d'optique, par rapport auquel sont répartis les groupes de personnages. L'effet est noble, mais quelque peu appuyé.

Pour faciliter l'aménagement du prochain décor, on a imaginé de fermer le rideau blanc, au moment où Musset note que le cardinal Cibo reste seul en scène avec le duc. Il est vrai que cette conversation confidentielle se plaît au cadre feutré d'un rideau ; commodité et vraisemblance se donnent ici ingénieusement la main. Mais comme ce quatrième tableau est trop bref pour qu'on puisse achever le changement de décor, on gagne le temps nécessaire d'une autre façon. Après un coup de gong, qu'on peut juger intempestif, des chants religieux, accompagnés d'orgue, s'élèvent derrière le rideau blanc : « chœurs du XVIᵉ siècle et grégoriens », dit le programme. Le livret de mise en scène précise : « un temps généralement pour la pose du décor, puis le rideau blanc s'ouvre sur le 5ᵉ tableau ». Le détail, en tout cas, est à noter : on a utilisé ici le décor sonore, cher aux metteurs en scène contemporains, par commodité sans doute, mais non sans chercher à mettre l'imagination du spectateur en état de réceptivité et de recueillement.

CINQUIÈME TABLEAU

Le rideau blanc s'ouvre sur le parvis de l'église de San Miniato, dont la façade et le portail occupent tout le fond de la scène. Le reste, c'est un espace libre, sur lequel le metteur en scène a pris visiblement plaisir à disposer les groupes et à manier la figuration. A l'ouverture du rideau, chacun occupe le numéro qui lui a été assigné. Au premier plan, côté cour, l'orfèvre en conversation avec un bourgeois ; au deuxième plan, côté jardin, un marchand entouré de trois dames ; au fond, trois enfants assis par terre contre le mur de l'église, et, sortant de l'église, la femme du bourgeois et une voisine se dirigeant vers le premier plan côté jardin. A partir de là, tout est vie et mouvement, jeu et paroles, dans le brouhaha d'une fête orchestrée avec soin.

Mais l'originalité de ce tableau, c'est une liberté hardie prise avec le mouvement même du texte de Musset. Après la réplique : « tu ne me feras pas peur », restée inchangée, Emile Fabre, loin de se retrancher derrière l'austère commodité d'un rideau, a imaginé pour l'adieu des bannis, qu'il a joint sans ménagement à la liesse inquiète de Montolivet, un décor d'une assez belle solennité. Voici du reste ce que dit le livret de mise en scène : « une procession sortant de l'église par E se dirige vers B par où elle sort. Elle se compose de six enfants de chœur, deux par deux, puis six moines chanteurs, deux par deux. Dès l'entrée de la procession, les trois enfants qui étaient assis au fond se sont levés, saluent et prennent la suite de la procession, quand elle sort. Quand ils ont disparu en coulisse, on cesse les chants et l'orgue ». Quatre bannis font alors leur entrée, successivement et de divers côtés ; et l'on a distribué entre un bourgeois et sa femme un court dialogue introductif extrait des propos attribués par Musset à Catherine et Marie :

> « *Premier bourgeois à sa femme :* Des ombres silencieuses commencent à marcher sur la route.
> « *La femme du bourgeois :* Rentrons, tous ces bannis me font peur.
> « *Premier bourgeois :* Pauvres gens ! Ils ne doivent que faire pitié ».

Suit le texte de la scène des bannis, qui s'achève sur le tintement des cloches sonnant l'Angelus. Ce n'est peut-être plus la simplicité franciscaine d'un adieu d'ombres en péril, mais convenons que cette orchestration différente ne manque pas d'allure.

Septième tableau

Le rideau mauve des Strozzi s'ouvre sur le portail de l'église, tandis que l'orgue et des chants religieux se font de nouveau entendre et accompagneront le tableau jusqu'à son terme. A jardin et A Cour — les deux côtés de l'espace fixe d'avant-scène — sont fermés par une grille. Telles sont les indications du livret de mise en scène.

Un mot seulement sur le style du décor, qui est ici d'essence traditionnelle. Il utilise en effet à plein les ressources de la toile peinte en trompe-l'œil. Belle église, au demeurant, inspirée sans doute de Santa Maria Novella, où joue, à la façade, le marbre de deux couleurs, mais qui sent sa toile peinte tombée des cintres, boucle étroitement l'espace scénique et rejette les acteurs à l'avant-scène. Il est vrai que, deux tableaux d'église se succédant à brève distance, dès lors qu'on a résolu de pratiquer le décor descriptif tout en respectant les intentions de Musset, on était tenu de donner à chacun d'eux, non sans quelque artifice, son individualité propre.

Neuvième tableau

Le neuvième tableau ne recouvre de la scène 3 du deuxième acte que la confession proprement dite. Le monologue préparatoire du cardinal Cibo, du reste allégé de coupures, constitue le 8ᵉ tableau. A la réplique : « il ne fallait pas me prendre pour confesseur », le livret de mise en scène porte l'indication suivante : « le cardinal va à l'ouverture au milieu du rideau gris, qu'il touche de la main. Aussitôt, le rideau s'ouvre sur l'oratoire ».

Décor discutable que cet oratoire, formé, comme le précédent, d'une toile peinte qui ferme la scène sur toute la largeur. Cette toile est traitée en mur de palais, comme, du reste, les autres décors similaires de la pièce : soubassement neutre, partie supérieure peinte à fresques. Un Crucifix est suspendu, au centre du décor, dans une dépression de la paroi.

Ce décor un peu solennel pour une scène d'intimité, qui se fût contentée aisément du rideau gris, se justifie à la réflexion par des raisons de convenance et de style. Une confession « chez la marquise

Premier et vingt-quatrième tableaux : une place publique

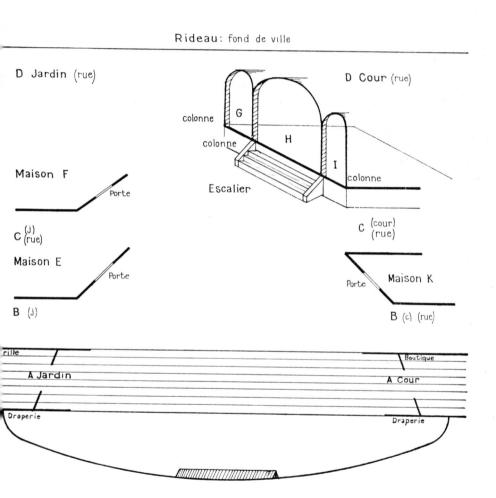

R i d e a u : fond de ville

D Jardin (rue)   D Cour (rue)

colonne   G

colonne   H

Maison F   I

Porte   colonne

Escalier

C (J) (rue)   C (cour) (rue)

Maison E

Porte

Porte   Maison K

B (J)   B (c) (rue)

rille   Boutique

A Jardin   A Cour

Draperie   Draperie

Le plan rayé ne subit ou ne reçoit aucune modification
durant la scène

Troisième et treizième tableaux : Palais du Duc

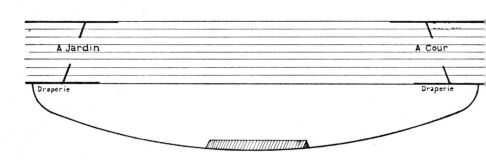

Rideau   fond d'air

Terrain de ville

colonne   colonne   colonne   colonne

☐   Baie 1   ☐   Baie 2   ☐   Baie 3   ☐

B   C

A Jardin   A Cour

Draperie   Draperie

Le plan rayé ne subit ou ne reçoit aucune modification
durant la scène

Cinquième tableau : Montolivet

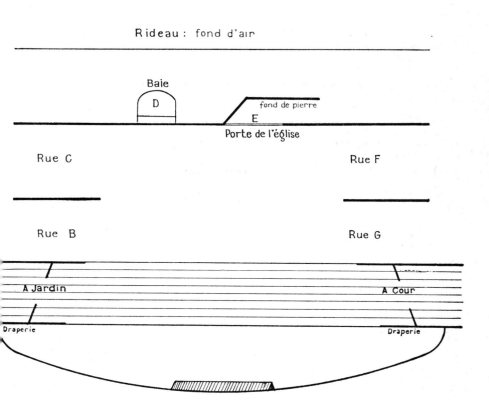

Le plan rayé ne subit ou ne reçoit aucune modification durant la scène

Seizième tableau : Une rue

Rideau: fond d'air

Terrain

Chassis de ville

Rue B   C   Rue D

Voute

○ borne

Porte peinte

Maison   Maison

A Jardin   A Cour

Draperie   Draperie

*Le plan rayé ne subit ou ne reçoit aucune modification
durant la scène*

Cibo », c'est-à-dire dans son appartement personnel, eût été jugée indécente et presque sacrilège par une partie des spectateurs du Français. On a donc construit un oratoire privé exclusivement réservé aux actes du culte. En donnant, d'autre part, à ce décor, par le crucifix et le prie-Dieu qui l'ornent en son centre, un aspect nettement religieux, on offre à la succession de tableaux autonomes une sorte de profil commun, d'unité de style et de ton. Ainsi se dresse, au centre de la première partie, le haut massif des trois tableaux imprégnés d'atmosphère religieuse, les 5ᵉ, 7ᵉ et 9ᵉ tableaux, où se répète, sous des espèces différentes, une situation identique : l'intégrité morale et la ferveur mystique en butte aux vexations de la bassesse, de la corruption et du cynisme.

ONZIÈME TABLEAU

Une salle du palais Strozzi. De nouveau, un décor plat, fait de trois plans parallèles à l'ouverture de scène, dont le type a été donné au troisième tableau. Même rythme du proche au lointain : une ferme percée en son centre d'une large baie, dont la forme s'apparente au cadre de scène et qui peut à volonté être fermée par des rideaux de velours rouge montés sur tringle ; un terrain de ville, qu'on aperçoit par la baie ouverte ; un fond d'air. On notera l'ingéniosité du dispositif, qui permet d'obtenir un heureux effet d'intimité progressive. La première partie de la scène se joue devant la baie ouverte et le spectacle de Florence s'abîmant dans la nuit, puis, après l'apostrophe à Florence : « ...ce sang que tu bois peut-être à cette heure avec indifférence, sèchera au soleil de tes places », chacun de leur côté, Philippe et le Prieur ferment les rideaux de la baie. Vers la fin de la scène, le décor se fait plus confidentiel encore. Aux mots : « Allons, paix ! viens par ici... », le 12ᵉ tableau commence et Philippe entraîne Pierre à l'avant-scène. Le rideau mauve se ferme derrière eux.

TREIZIÈME TABLEAU

Après le coup de gong rituel qui sépare le 12ᵉ tableau du suivant, on entend d'abord quelques mesures de harpe, puis une voix de femme qui chante la romance suivante :

> Quand revenais du bois l'autre hier
> D'écouter le doux chant des oiseaux
> Avec Loys son franc berger...
> C'est le fruit des pastouriaux
> Allons, ramenait nos troupeaux
> Entendions dedans le bois
> Chante bergère au bord de l'eau
> C'était la plus belle des trois.

Pourquoi avoir substitué cette pastourelle à la chanson bachique prévue par Musset ? Raison de décence, sans doute ; on a dû redouter l'anticléricalisme agressif du texte original. Giomo rengainera son couplet et jouera de la guitare, un page prendra le relais. Au début du cinquième vers, le rideau mauve s'ouvre sur la scène du portrait savamment composée.

Même décor qu'au troisième tableau. La haute silhouette de Giomo, se détachant sur la baie centrale, fait grande impression. Le Duc est assis au centre, vêtu à l'antique, l'épaule gauche nue, un coussin sous les pieds. Les objets remarquables sont en place de part et d'autre : à gauche, le chevalet de Tebaldeo, à droite, le pouf où gît la cotte de mailles. Une élégante figuration se déploie à l'entour : à A jardin, deux dames de la Cour, à B jardin, deux pages, à C cour, deux pages, à A cour, trois dames de la Cour. Rien n'est laissé au hasard. C'est un tableau autour d'un tableau.

Mais l'adaptateur a eu soudain la main lourde et les ciseaux prompts. Il a coupé purement et simplement le tableau à la sortie de Lorenzo. Plus de débat sur la cotte de mailles envolée, plus de soupçons de Giomo. C'est un vol expéditif et comme à la sauvette que commet Lorenzo, trop heureux qu'un événement inopiné vienne à point faire diversion. Car, au moment où « Lorenzo s'éloigne par C », Salviati, tout sanglant, paraît à A jardin : « les femmes de A cour et de A jardin s'enfuient à sa vue, les pages reculent et Giomo, changeant de numéro passe derrière le duc ». Salviati, de A jardin, traverse alors la scène et vient s'effondrer aux pieds du Duc. La chute, qui est aussi celle de la première partie du spectacle, est assurément d'un grand effet. Mais fallait-il, pour l'obtenir, mutiler la scène précédente au point d'en modifier non seulement l'équilibre interne, mais le rôle dramatique dans l'économie générale de la pièce ?

QUATORZIÈME TABLEAU

La chambre de Lorenzo. C'est un décor vaste, un peu conçu comme une arène où s'affrontent des combattants. On a soigné vraiment la chambre du meurtre. Les lignes horizontales du palais Strozzi et du palais ducal ont fait place ici aux lignes obliques. Au rectangle étroit s'est substitué le trapèze ouvert, aux proportions heureuses. Un plafond, de fausses colonnes, des corniches imitant le marbre, des fresques murales donnent à la pièce un aspect riche et solennel. Côté jardin, les chassis placés à l'oblique sont percés d'une fenêtre à vitraux et d'une porte praticable. Au fond, le long de la paroi, un coffre et un tabouret. Côté cour, l'encoignure du fond est occupée par une vaste alcôve ornée de rideaux, où trône le lit du sacrifice.

Car c'est bien là le point remarquable du décor, autour duquel, dès le quatorzième tableau, s'ordonne la mise en scène. Après avoir fait le tour de la chambre, le fleuret à la main, « en criant leur texte et faisant des battements de pieds », c'est vers le lit que les deux bretteurs achèveront leur ronde folle ; Lorenzo y tombe, épuisé. Quand, un peu plus tard, il tombe à terre, évanoui, Scoronconcolo le relève et le couche sur le lit. On notera également, dans un ordre d'idées voisin, un jeu de scène caractéristique : aux mots : « O jour de sang, jour de mes noces ! », Scoronconcolo ouvre la fenêtre ; après : « le crâne, le crâne ! », le spadassin redescend fermer la fenêtre. Ce simple jeu de scène, anodin en soi, prendra tout son poids, en se répétant dans les circonstances dramatiques du 22e tableau. L'adaptateur, s'avisant que les deux tableaux ont été conçus par Musset en correspondance et en écho, souligne cette intention secrète du texte avec une telle insistance qu'il lui faudra, le moment venu, récrire une partie de la scène 11 du quatrième acte, en transformer à la fois l'esprit et la lettre. Une trahison commise par excès de fidélité, en quelque sorte.

SEIZIÈME TABLEAU

Le décor de la grande scène du troisième acte se veut à double usage : de plein vent, pour l'arrestation publique des fils Strozzi ; d'intimité, pour les confidences de Lorenzo au vieux Philippe. A-t-il rempli cette ambition ? On pourrait le croire, à en juger par le bon accueil que lui a fait l'ensemble de la critique : « j'aime, écrit Gérard d'Houville, cette mystérieuse petite place, ce détour de ruelle, cette borne, cette fenêtre grillée, le décor de la scène entre Lorenzo et le vieux Strozzi, emblème de tout ce que le destin le plus hardi a d'emprisonné, d'arrêté [17] ».

De nouveau on a utilisé les lignes obliques, en disposant de part et d'autre de la scène deux chassis de maison aux portes peintes sur la toile. Une voûte les relie, qui ferme le décor sur lui-même. Mais dans le même temps, un passage s'ouvre sous cette voûte, laissant voir à l'arrière-plan un chassis de ville, puis un terrain bas se découpant sur un fond d'air. C'est sous cette voûte qu'au début du tableau entre le cortège d'infamie : « Par C, venant de la rue B, entrent Thomas Strozzi, les mains attachées derrière le dos, poussé par deux soldats, accompagnés de l'officier et de quelques hallebardiers ; de A cour paraissent un petit groupe de bourgeois (l'orfèvre, le 1er et le 2e bourgeois, suivis de 3 ou 4 autres) ».

Après l'arrestation de Pierre, Philippe, assis sur une borne au pied d'un mur qui jouxte le passage voûté, pourra exhaler son désarroi en présence de Lorenzo debout à ses côtés. En confidence et pourtant à tous les vents, comme Musset lui-même l'avait prévu. La fidélité à l'esprit est ici exemplaire. La fidélité à la lettre l'est moins, car le texte original, d'une longueur, il est vrai, insolite, a subi de nombreuses coupures.

DIX-SEPTIÈME TABLEAU

Nouveau décor pour la marquise Cibo, décidément gâtée par le metteur en scène. La structure de cette chambre est toutefois assez proche de celle de l'oratoire. Les deux décors se répondent en s'opposant. Ainsi le renfoncement où se trouvait le crucifix est ici remplacé par une porte qui ouvre sur le boudoir proprement dit. Le plaisir succède au sacrifice. Un chassis, visible dans la découverte, l'évoque à larges traits : une corbeille de fleurs sous une élégante fenêtre peinte en perspective. Mais on voit l'inconvénient du procédé. Avec cette porte béante au centre de la toile de fond, la pièce manque d'intimité, de secret. Un rideau peut-être se fût tu avec plus d'éloquence.

17. *R.D.M.*, 1er juillet 1927, p. 214.

On se souvient que le tableau regroupe dans un même enchaînement trois scènes du texte primitif. Un détail de mise en scène mérite, entre autres, d'être relevé. Au passage de la scène 5 à la scène 6, le livret donne les indications suivantes : « A " c'est bon ", Agnolo sort en courant par B. La marquise fait un mouvement comme pour le suivre. On fait le noir. Coup de gong. Quand on redonne la lumière, la marquise est aux pieds du duc, qui est à demi-étendu sur le divan. Sur le pouf à droite se trouvent le chapeau et le manteau du duc ». Cet enchaînement au noir, qui suggère comme une éclipse du temps, annonce ce que pouvait être, même sur le vaste plateau du Français, une mise en scène simplifiée, où la lumière, les corps et l'espace coopèrent seuls à l'existence théâtrale, sans le secours d'autres artifices. Gaston Baty et surtout Jean Vilar feront de ces moyens austères vertu et merveille.

En revanche, un décor trop ouvert à tout vent, qui, de surcroît, ne figure pas, comme le prévoyait Musset, le boudoir de la marquise, mais plutôt l'antichambre de ce boudoir, se prête mal à une scène d'intimité amoureuse, où l'ardeur patriotique s'alimente précisément à celle des sens. Il y a quelque raideur dans ces personnages engoncés dans des costumes trop enveloppants, dans ces attitudes gourmées et sans nonchalance, même si le metteur en scène fait le duc et la marquise s'embrasser très sensuellement. On touche ici du doigt les limites d'un système de décoration plus ingénieux que nécessaire. Là où l'illusion dramatique naît de la force d'une situation ou de la vérité d'un discours, les faux marbres et le divan profond sont des accessoires souvent incommodes et presque toujours superflus.

Dix-huitième tableau

Même décor qu'au onzième tableau. Les rideaux de la baie centrale sont fermés. Trois tables en silhouette, recouvertes entièrement de nappes blanches brodées, ont été dressées devant le mur du fond : la plus longue au centre, devant la baie, les deux autres de chaque côté. Quelques pièces de vaisselle suggèrent le souper des quarante Strozzi. Si le texte original de la scène a été mutilé et transformé au point d'être rendu méconnaissable, la mise en scène indiquée par Musset a été respectée et même renforcée. Une dizaine de fois, au cours de la scène, l'éclair luit, le tonnerre gronde. Dans cette atmosphère enfiévrée et turbulente, le metteur en scène règle les mouvements avec une noblesse appliquée qui cherche parfois son modèle du côté du mélodrame. Philippe et Louise descendent de part et d'autre de la table centrale et se placent au milieu de la scène ; tous les convives les imitent. Entrent alors trois pages portant des plateaux chargés de coupes. L'un se place devant la table centrale, les deux autres au premier plan de part et d'autre de la scène. Chaque convive ira par la suite prendre une coupe pour boire, le moment venu, à la mort des Médicis. Dès que Louise tombe empoisonnée, les trois pages disparaissent précipitamment avec leurs plateaux, justifiant ainsi une suggestion du texte de Musset, qui met en cause un domestique ayant autrefois servi chez les Salviati.

Le tableau final du serment des Strozzi autour du cadavre de Louise est traité en tableau d'histoire et de religion. Deux moines, entrés de B, vont se placer l'un à la tête, l'autre aux pieds de Louise ; Philippe est agenouillé au centre, face au public, derrière le corps de sa fille ; dix convives, disposés en demi-cercle, l'épée et la main gauche étendues au-dessus du corps, font serment de mourir pour la liberté.

VINGTIÈME TABLEAU

Les bords de l'Arno. Voici le décor-type de ces représentations. Il faut que, le découvrant, le spectateur s'écrie au fond de lui-même : Florence ! qu'il soit touché dans ses souvenirs ou dans ses rêves de voyage en Italie. Le but est atteint : le décor de l'Arno sera spontanément et longuement applaudi. Du proche au lointain, il se compose des éléments stylisés suivants : en A jardin et A cour, des portes boisées ; puis deux chassis latéraux de verdure, — « de noirs cyprès tristes dans le bleu sombre des nuits italiennes [18] » —, entre lesquels on découvre « les bords de l'Arno avec les mille lumières des maisons du Ponte-Vecchio estompées dans la nuit tombante et dont le reflet joue sur l'eau tranquille [19] ». C'est, en silhouette, *devant* cette composition pittoresque que Lorenzo tentera d'ameuter les seigneurs républicains, avant de s'abîmer dans un soliloque cousu main, de Musset pour l'étoffe et d'Emile Fabre pour la coupe et la façon.

VINGT-DEUXIÈME TABLEAU

C'est le tableau du meurtre, auquel Emile Fabre a visiblement donné tous ses soins. Le décor est celui du 14e tableau. Texte et mise en scène de Musset ont été profondément modifiés ou plutôt augmentés d'un jeu de scène qui transforme substantiellement la lettre et l'esprit de la scène originale. On trouvera ci-dessous, sous forme de tableau, le relevé de ces modifications :

Texte remanié par E. Fabre	*Mise en scène d'E. Fabre*
(1) LORENZO : Dormez-vous, seigneur ?	Le duc s'étend sur le lit, sur son côté gauche, c'est-à-dire dos au public. On entend sonner minuit dans le lointain. Lorenzo ouvre la porte tout doucement, rentre en scène, referme la porte avec de grandes précautions. Il a un long poignard dans la main droite, qu'il tient derrière son dos. Il avance lentement et en passant devant le coffre, il souffle la bougie qui s'éteint, puis il dit : « Dormez-vous, seigneur ? (1) » en s'approchant d'un pas. Le duc, sans se retourner, élève le bras droit en l'air, en faisant remuer ses doigts.
(2) LE DUC *se levant et saisissant l'escabeau pour se défendre :* Au meurtre, à l'aide ! Lorenzo de l'enfer... mes archers ! à moi... au	Lorenzo bondit sur le duc et le frappe ; le duc se redresse sur le lit en poussant des cris, il saisit Lorenzo ; lutte, mots entrecoupés (2). Le duc par-

18. *Renaissance*, 18 juin 1927.
19. *Chantecler*, 11 juin 1927.

secours... on m'assassine... misérable, je te ferai pendre... on me tue... au meurtre... ma garde... ma garde.
LORENZO : Meurs... infâme... je te saignerai comme un pourceau... meurs... ruffian... meurs... valet de charrue... crie, hurle, personne ne viendra (*Il est frappé*). Ah ! (*Frappé par le duc avec l'escabeau. Lorenzo tombe avec un cri : le duc se précipite sur l'épée et essaye de défaire le baudrier*).

vient à se lever et à saisir l'escabeau, qu'il brandit en l'air et laisse retomber. Ils sont à terre tous les deux. Lorenzo a le dessous, il appelle Scoronconcolo (3). Le duc se lève et remonte comme pour aller chercher son épée.

(3) LORENZO, *appelant :* Scoronconcolo ... à moi !... à moi !...
LE DUC : Ah ! je te clouerai sur le sol, vermine.

(4) SCORONCONCOLO, *apparaissant et se jetant sur le duc, à Lorenzo :* Sur le lit !... Jetons-le sur le lit !...

Scoronconcolo rentre en scène en courant et en tournant un peu vers l'avant-scène, le prend de dos et, le saisissant à la ceinture, le renverse sur le lit (4). Lorenzo, qui s'est relevé pendant ce temps, bondit sur le duc et le frappe ; le duc s'accroche au rideau du lit (celui de droite) qu'il entraîne dans sa chute en roulant du lit à terre, la tête au public.

(5) LORENZO : Regarde, il m'a mordu au doigt [suit le texte original, mais avec de nombreuses coupures].

Grand temps, stupeur ; Scoronconcolo met une couverture sur le corps ; puis Lorenzo reprend seulement le texte : « Regarde, il m'a mordu au doigt... » (5).

C'est évidemment un autre assassinat que celui qu'avait prévu Musset. Au sacrifice, commis seul et sans bavures, avec l'énergie prodigieuse du désespoir, on a substitué un combat réel, inégal, incertain, où l'aide de Scoronconcolo devient décisive. C'est Varchi ou George Sand que l'on joue, pas Musset. Si spectaculaire que cela soit, on peut regretter l'original.

VINGT-QUATRIÈME ET DERNIER TABLEAU

Le décor du premier tableau revient : une place publique. Mais on n'a pas lésiné sur la somptuosité du spectacle, comme pour se faire pardonner d'avoir mutilé aux deux tiers le cinquième acte. Le texte original de la dernière scène n'a été modifié que dans les deux premières répliques. Quant à la mise en scène, la voici, telle qu'elle est décrite dans le précieux livret, auquel nous avons eu plus d'une fois recours dans les pages qui précèdent :

> Décor du premier tableau qui revient : une place publique. Seulement à H on a rajouté un petit praticable pour rehausser et où se trouvent debout : le cardinal, n° 1, et Côme de Médicis, n° 2, entourés à G et I de gens de Cour, officiers, gardes, moines ; un évêque à I.
> En scène, une foule mélangée (femmes, hommes et enfants de toutes sortes, peuple et gentilshommes, des femmes portant des lys rouges ; d'autres des autres fleurs ; des hommes et des femmes avec des palmes, d'autres hommes avec drapeaux et bannières de toutes sortes) ; à A cour, porte pleine ; à A jardin, porte boutique.

Au lever du rideau : toute la foule parle haut, en scène, pendant vingt secondes ; puis, du lointain cour, part une sonnerie de trompette. On parle plus bas pendant vingt autres secondes ; puis on entend l'officier qui crie : « Silence ». On se tait et l'officier continuant dit : « Monseigneur le duc va prêter serment ». Et le texte commence. Toute la foule se met à genoux.

Quelques détails caractéristiques encore : à la réplique « sur l'Evangile », on baisse les drapeaux. Après le discours de Côme, le livret de mise en scène donne les indications suivantes :

Orgue, chœurs et cloches. On crie : « Vivats ! Vive Côme de Médicis ! vive le duc ». Tout le monde se lève, on élève les drapeaux, quatre ou cinq hommes jettent leur drapeau en l'air. A l'avant-scène, un groupe d'enfants dans une ronde. On compte six secondes depuis le dernier mot du texte avant de donner le signal du rideau. Pendant ce temps, le cardinal pose la couronne sur la tête de Côme.

L'accueil du public fut-il à la mesure des efforts déployés ? Sans doute, si du moins l'on admet que le feuilleton dramatique des journaux et des revues ne tend pas à notre curiosité un miroir trop déformant. De l'examen d'une centaine de comptes rendus de presse, générale ou spécialisée, de Paris ou de province, se dégagent quelques lignes de force caractéristiques, qu'on évoquera sous quatre rubriques commodes.

1. La formule scénographique. Généralement qualifiée d'ingénieuse, elle rencontre l'adhésion de la critique, en ce qu'elle respecte la dramaturgie originale de la pièce et permet un déroulement continu du spectacle : « les sites, multipliés de la sorte instantanément, écrit le critique des *Nouvelles littéraires,* donnent à la tragédie cet élan de poursuite, cette fuite rapide des péripéties dans le temps et dans l'espace, l'instantanéité des événements concentrés dans une action dramaturgique[20] ». Le même critique, décidément très clairvoyant, ouvre les voies de l'avenir, en rêvant d'une mise en scène plus souple et moins rudimentaire : « les scènes, devant les rideaux, ne sont encore qu'un expédient emprunté au music-hall. Leur inconvénient sérieux est de brouiller la vision des spectateurs qui voient les acteurs agir sous deux angles optiques différents : dans le cadre du plateau, puis hors du cadre. La portée de la voix subit la même modification. Cet ingénieux rideau n'est qu'un pis-aller, en attendant l'agencement mécanique, les décors à double et à triple face, l'équipement des dessous et des cintres permettant, avec d'adroits machinistes, des changements à vue[21] ».

2. La mise en scène. C'est peut-être le rythme général du spectacle qui est le plus fréquemment mis en cause. Trop lent, trop solennel, trop appuyé, ces mots reviennent sans cesse sous les plumes les plus favorables. Pierre Brisson, en faisant les mêmes remarques, semble

20. *Nouvelles littéraires,* 11 juin 1927.
21. *Ibid.*

aller plus loin dans l'analyse et remonter aux causes : « ...Tout est soigneusement en place, chaque épisode mis dans sa juste atmosphère, chaque figure à son plan, chaque trait indiqué d'une main sûre et fidèle. Les fragments polis et achevés ont été rassemblés et fondus avec une attention extrême. De la première à la dernière réplique, une surveillance égale et fine s'est exercée. Il n'y a pas une faute de goût ni de proportion. Vous vous promenez dans un jardin d'une ordonnance et d'une tenue rares. Il est presque trop bien ratissé. Le spectacle ne vous laisse à aucun moment l'impression de la fièvre. La fresque remuante brossée par le poète se découpe en images d'album [22] ». La dernière phrase surtout pèse lourd et dévoile la vérité. Le metteur en scène a pensé tableaux et non séquences, coupes plus qu'enchaînements, composition plus que mouvement. Il a comme à plaisir multiplié les césures : coups de gong entre les tableaux, retour régulier des rideaux, compositions pittoresques sur lesquelles se détachent, en silhouettes, les acteurs.

Parfois le tableau est heureux et plaît à l'œil, telle « la terrasse du duc » remarquée par Gérard d'Houville : « Tous les personnages y sont vêtus de rouges et de pourpres divers, de l'écarlate au grenat jusqu'au violet, en passant par les incarnats et les vermillons, des cardinaux jusqu'aux pages et au duc éclatant et vicieux. Ces couleurs de sang et de vin, lourdes, intenses, chaudes, violentes, sont les teintes mêmes de l'orgie et du crime. Elles font grand effet [23] ». Même cas, dans un autre registre plastique, pour le tableau de la mort du duc, que P. Brisson décrit avec fougue : « On voit Lorenzo tremblant sous un rayon de lune s'avancer vers le lit rouge et profond où repose le tyran. Un cri rauque, les corps se mêlent, tombent, rebondissent, la brute sanglante roule finalement au milieu du théâtre, enveloppée dans le rideau pourpre de l'alcôve arraché pendant la lutte. Des lueurs blafardes traînent sur le cadavre : une eau-forte magistrale [24] ». Mais, dans ces deux cas remarquables, il y a pour ainsi dire mal-donne : le théâtre ne serait-il qu'une suite de tableaux vivants, qu'une succession d'instants privilégiés ? D'autant que les costumes dessinés par M. Bétout, autant qu'on puisse en juger d'après des documents photographiques assez médiocres, sont, de l'avis des critiques les plus perspicaces, trop « historiques [25] », conçus, certes, « d'après de bons documents [26] », mais, pour cela même, peu seyants et incom-modes, dès que le corps est en mouvement, dès que l'action l'em-porte, dès que la vie bouscule enfin l'inertie d'un tableau trop artis-tement composé. L'esthétique du tableau d'histoire fait parfois mau-vais ménage avec la dynamique de l'action théâtrale.

3. LES DÉCORS. Dus au pinceau de M. Guirand de Scevola, ils sont l'œuvre d'un homme de goût et, comme tels, ont suscité des jugements

22. Le Temps, 6 juin 1927.
23. R.D.M., 1er juillet 1927, p. 213-214.
24. Le Temps, 6 juin 1927.
25. Comœdia, 4 juin 1927.
26. L'Avenir, 8 juin 1927.

contradictoires, dont Pierre Brisson fait assez joliment la synthèse en ces termes :

« M. Guirand de Scevola a composé les tableaux avec un art d'une grande distinction. Ils ont moins de vigueur que de délicatesse. Ils trahissent un goût cultivé, respectueux des formes classiques et plein de nuances attentives. Vous diriez d'une suite de charmants pastels dédiés à la Renaissance florentine [27] ». Il est vrai que la plupart des critiques attendent des décors la révélation de Florence et de l'Italie. A ce compte, le plus ressemblant, le plus attrayant aussi sera le plus applaudi, et le Ponte-Vecchio à la nuit tombante emportera tous les suffrages : « Le plus proche de la réalité, écrit Robert Kemp, celui où, dans le crépuscule, on voit le Ponte-Vecchio, fait battre le cœur [28] ». Par comparaison, les autres décors seront parfois trouvés un peu pâles : « ils ne sont pas baignés d'atmosphère florentine, écrit le critique du Ménestrel, (...) La Florence de M. Guirand de Scevola nous a rappelé Alger la blanche, l'éclatante Alger sur la Méditerranée durement bleue [29] » ; même remarque, dans une direction un peu différente, chez un autre critique : « tous les décors sont somptueux, mais il ne se dégage pas d'eux une lumière suffisante. Ils n'entourent pas l'action d'une atmosphère italienne, laquelle apparaît avec tant de netteté à la lecture, et qui est un des charmes de cette œuvre [30] » ; « on pourrait préférer, note Gabriel Boissy, plus de vivacité dans ces lignes et ces couleurs, plus d'acuité symbolique [31] ». Mais aucun critique ne semble s'être posé la question, fondamentale à nos yeux, de leur conformité non point tant à l'image qu'on peut se faire de Florence ou de la Renaissance Italienne qu'à l'atmosphère de la pièce. La Florence de Lorenzaccio est une ville rongée de nuit et transie de froid, où brille seulement par intermittence le soleil noir du vice et de la tyrannie. Ni le décorateur ni ses critiques ne paraissent s'en être avisés clairement. On peut les renvoyer dos à dos sur ce point.

Au reste, ce n'est pas tant le style des décors qui méritait d'être mis en cause que leur existence même. Et l'on sait gré au critique de l'Avenir, Nozière, d'avoir d'instinct mesuré les conséquences du système scénographique choisi par Emile Fabre sur la nature et la structure de la décoration théâtrale : « On comprend sans peine, écrit-il, que la rapidité des changements oblige à simplifier la construction des décors. On est tenté de résoudre la difficulté en ayant un motif architectural derrière lequel on puisse aisément manœuvrer quelques toiles de fond, tandis que les portants du premier plan sont chargés sans grand effort. Ainsi la forme et les dimensions des décors restent souvent les mêmes. La nécessité de planter le décor au loin — derrière le rideau devant lequel se jouent des scènes — ne permet pas les cadres nécessaires aux intimités, aux confidences. Pour faciliter les changements, il ne saurait être question de meubles ; il faut

27. Le Temps, 6 juin 1927.
28. La Liberté, 5 juin 1927.
29. Le Ménestrel, 10 juin 1927.
30. Carnet de la semaine, 12 juillet 1927.
31. Comœdia, 4 juin 1927.

se contenter des sièges indispensables à la pièce ; les accessoires sont peints sur la toile du décor ou portés par les figurants [32] ». Certes, Nozière, évoque ces « conditions défectueuses » pour s'en plaindre, mais là n'est pas la question. On sent percer dans ces lignes la gêne tout intuitive et irraisonnée des spectateurs les plus exigeants. D'une part, le rideau est un pis-aller et même une frustration, dès lors que certaines scènes bénéficient d'un décor descriptif, mais, à l'inverse, le décor descriptif pâtit des conditions dans lesquelles il doit être construit pour être changé prestement. Ainsi deux éléments, choisis pour se compléter et s'harmoniser, se portent mutuellement ombrage. L'avenir montrera qu'on ne tranchera la difficulté qu'en tranchant dans le vif et en renonçant carrément au décor descriptif. Il est, en tout cas, significatif que, dans le temps même où l'on montait *Lorenzaccio* au Français de la manière ambivalente que l'on sait, Georges Pitoëff jouait *Hamlet* au théâtre des Arts dans un décor « composé de grands cubes argentés, dont les combinaisons varient selon les nécessités du drame, tour à tour serrés en couloirs, ouverts en terrasse, disposés en murailles, en gradins, en chambre, etc. [33] ». Gérard d'Houville, qui rend compte des deux spectacles dans la même livraison de *la Revue des deux mondes* [34], les admet tous deux à égalité dans une admiration éclectique, qui fait honneur à sa culture et à son goût. Mais l'historien du théâtre ne peut s'empêcher d'apercevoir, avec le recul du temps, qu'entre ces deux spectacles simultanés passe la ligne de partage de deux époques du théâtre, de deux âges de la scénographie. Le *Lorenzaccio* du Français, dans sa perfection un peu froide, regarde vers le passé, tandis que *l'Hamlet* de Pitoëff, dans ses recherches parfois ingrates, est résolument tourné vers l'avenir.

4. L'INTERPRÉTATION. Bien évidemment Marie-Thérèse Piérat retient par excellence l'attention. Son interprétation du rôle de Lorenzo pose aux critiques des questions de plusieurs ordres. D'abord la question du travesti. Question, non pas querelle, car la cause paraît entendue : une femme est impossible dans le rôle de Lorenzo ; à plus forte raison Mme Piérat, qui a plus de mal à dissimuler sa féminité que Sarah Bernhardt ou Falconetti. A quel caprice de comédienne, à quel aveuglement d'administrateur a-t-il fallu qu'on cède pour qu'une sociétaire de quarante-deux ans, exquise en comédie moderne, — « nature claire de fine bourgeoisie moderne [35] », écrit Jane Catulle-Mendès —, songeât à incarner le héros noir de Musset ? Le précédent de Fortunio, qu'elle joua, pendant la première guerre mondiale, sur la scène du Français, n'est pas une excuse. Les jeunes premiers étant au front, il fallait bien que le théâtre continue. Le premier crayon du rôle de Lorenzo, qu'elle donna en 1918, a dû peser lourd dans la balance, quand en 1927 on remit la pièce en chantier : il fallait bien tenir une promesse ! Les critiques ont beau avancer des noms : de Max, si les

32. *L'Avenir*, 8 juin 1927.
33. *R.D.M.*, 1er juillet 1927, p. 216 - cf. D. Bablet, *op.cit.*, p. 335.
34. *R.D.M.*, 1er juillet 1927, p. 209-216.
35. *La Presse*, 5 juin 1927.

morts pouvaient renaître et soudain rajeunir [36], Pierre Fresnay, s'il n'eût point démissionné du Français [37]. Mais ce sont jeux d'esprit qui ne peuvent rien contre l'évidence. C'est Mme Piérat qui joue le rôle et elle y est physiquement « impossible [38] ».

Gérard d'Houville, qui suggère l'improbable candidature d'André Luguet au rôle de Lorenzaccio, a du moins raison de prétendre que « ce masque de faiblesse, de vicieuse langueur, de désenchantement énervé, pour frapper le spectateur et captiver son imagination, doit être appliqué avec le fard sur un viril visage ; et c'est le jeune corps d'un garçon qui doit ployer dans les bras vigoureux d'Alexandre de Médicis, quand le favori feint de défaillir en face d'une épée nue [39] ».

La seule justification plausible du travesti serait d'ordre moral, et Pierre Brisson s'en fait l'avocat amusé : « Plusieurs jeux de scènes audacieux, soulignent l'aspect équivoque du héros et la nature suspecte de ses relations avec le tyran de Florence (...) On aperçoit dans cette circonstance l'utilité du travesti. M. Alexandre aurait-il osé les mêmes gestes s'il avait tenu dans ses bras M. Yonnel ou M. Fresnay ? Il est difficile aussi de croire que le public les eût supportés. S'il les admet sans effort, c'est sans doute parce que ces gestes à plusieurs reprises paraissent appelés par le texte, mais c'est surtout parce que le rôle est tenu par une femme. A aucun moment nous ne pouvons oublier que Mme Piérat figure Lorenzo... Mais si nous ne l'oublions pas, ces embrassades perdent leur caractère équivoque. L'audace disparaît. C'est un cercle vicieux (on peut le dire !). Vous n'en sortirez pas [40] ». L'histoire du théâtre heureusement nous a appris qu'on pouvait en sortir.

La question du travesti étant close, on se doute bien que Mme Piérat sera jugée sur ses qualités de comédienne. Ne pouvant être le personnage, il lui fallait jouer le rôle, et c'est son jeu qu'analysent à l'envi les journalistes spécialisés. Sur sa conception du rôle, Mme Piérat s'était elle-même expliquée dès 1918 dans une déclaration à un organe de presse : « je m'attache à mettre en valeur la psychologie puissante et subtile de cet étrange héros. Je ne cherche pas à faire de la sonorité. J'essaie de jouer simple, réel. Lorenzaccio est un raisonneur comme Hamlet. Sans doute, il y a des moments où il parvient à une folle exaltation (...), mais pendant toute la pièce il montre une lucidité désenchantée. Il sait qu'il est inutile d'agir, et cependant il agit (...). Unir cette logique à je ne sais quelle fièvre, c'est la directive du rôle [40] ». A cette directive du rôle, Mme Piérat restera fidèle en 1927. Elle revêtira Lorenzo de l'habit noir d'Hamlet : collant, pourpoint, long manteau agrafé à l'épaule, toque carrée. Seul éclat

---

36. « Le meilleur Lorenzaccio, ç'eût été De Max, dans sa première saison » (la Volonté, 4 juin 1927).

37. « Le jour de la répétition générale, M. Fresnay, assis avec sagesse et modestie sur un strapontin, regardait Mme Piérat jouer Lorenzaccio : voilà un grand signe du désordre qui règne dans l'univers en général et à la Comédie-Française en particulier » (Candide, 23 juin 1927).

38. La Volonté, 4 juin 1927.

39. R.D.M., 1er juillet 1927, p. 212.

40. Le Cri, 30 avril 1918.

dans cette nuit : la lumière d'un col blanc. Elle rognera les ailes à l'éloquence, éteindra le lyrisme et s'attachera à détailler le rôle sur le ton de la comédie moderne.

Les meilleurs critiques, les Gérard Bauer, les Pierre Brisson, les Robert Kemp, ont tous été sensibles à ce parti pris initial, qui confère à l'interprétation de Mme Piérat sa force et sa faiblesse, sa cohérence et son uniformité : « Madame Piérat, écrit Pierre Brisson, nous montre un Lorenzaccio lucide, réfléchi et perdu dans son amertume intérieure. Elle s'attache à marquer la désolation allégorique du personnage. Elle dresse la statue pâle et douloureuse de la faiblesse humaine. Elle a touché le fond des choses. Elle porte sur ses traits les signes du mépris universel et de la honte consentie. Son interprétation est parfaitement intelligente et suivie. Elle a choisi un parti et elle s'y tient avec une fermeté pleine d'art — mais je crois que ce parti n'est pas bon. Partant de la base que je viens de vous dire, Mme Piérat affiche la volonté constante de rester simple et d'éviter la rhétorique. Elle joue en dedans, avec le soin visible de ramener les phrases qu'elle prononce vers le naturel et de ne quitter qu'à de très rares instants le ton du propos courant. Elle cherche le pathétique de la figure dans une sorte de sérénité lointaine et lasse qui prend la valeur d'un contraste. Au lieu de se laisser emporter par le texte, elle le freine. L'absence de tumulte devient sa règle [41] ». En termes moins choisis, un critique de mauvaise humeur ira jusqu'à parler de vulgarité : « A jouer la comédie moderne, écrit-il, elle a contracté un accent dont la vulgarité offense quand elle trahit le texte de Musset, cette prose aérienne, nerveuse, noble, élégante (...). Elle réussit le difficile tour de force d'unir le laisser-aller et les mauvais côtés du naturalisme mal compris aux artifices de la routine et aux conventions du faux style officiel [42] ». La part faite à la polémique discourtoise, on sent bien, à travers ces propos, où le bât blesse : Mme Piérat n'a pas les moyens physiques et vocaux du rôle. Excellente en demi-teinte, mauvaise en force, intelligente toujours, mais sans passion, sans envol, sans lyrisme ; à bien des égards, le contraire de Sarah Bernhardt ! En sorte que son personnage est comme amputé d'une part de lui-même, la plus secrète, la plus convulsive, la plus précieuse aussi, qu'un art plus instinctif seul peut révéler : « Pas un moment, écrit Claude Berton, (...) Piérat ne joue la vengeance, mais le désespoir languissant. Jamais la rage et seulement l'anxiété. Quand Alexandre la tient dans ses bras, il a l'air de caresser sa petite amie déguisée en page [43] ». Il y a, chez le spectateur, comme une frustration, dont on saisit maintes fois l'écho : « ...Comme nous eussions aimé sentir plus souvent bouillonner, sous ce vernis de scepticisme, le sang jeune, âpre et rageur de Lorenzo épris d'idéale équité ! Comme eût été saisissante l'opposition de ces deux êtres qui

---

41. *Le Temps*, 6 juin 1927.
42. *Candide*, 23 juin 1927.
43. *Nouvelles littéraires*, 11 juin 1927.

n'en font qu'un, exhibés au gré du dramaturge, tantôt efféminé, rêveur et inquiétant, tantôt bondissant et enflammé dans sa soif de farouche vertu ! [44] »

Comédienne assez rompue à son métier, toutefois, pour procéder, de loin en loin, à sa propre métamorphose, Mme Piérat laissera dans l'esprit des spectateurs du Français le souvenir de quelques « moments saisissants », où le dieu l'habite, où le grand lyrisme tragique semble soudain la visiter. La voici, par exemple, devant Marie et Catherine, prise d'une « véritable transe (...) : face blême, yeux révulsés, lèvres pincées, elle apparaît véritablement possédée d'un mal satanique et divin [45] ». La voici, surtout, au cœur de la mêlée sauvage du 22e tableau, qui laissera la salle « comme terrassée » : « je ne sais pas, écrit Gabriel Boissy, même dans le théâtre d'horreur ou dans la tragédie eschylienne, rien de plus poignant que ce tableau-là. Le jeune chat-tigre entrant, soufflant la lampe et, dans la clarté lunaire, bondissant, poignard en main, sur l'énorme taureau vautré sur le lit, et celui-ci se relevant, soulevant, entraînant la petite bête féroce, roulant avec elle sur le sol dans un hurlement prolongé, tandis que Scoronconcolo entre, terrasse le terrible Alexandre pour que Lorenzo l'achève, après quoi, hâve, épuisé, râlant de fatigue, d'épouvante et de joie, — là Mme Piérat fut extraordinaire, — il exhale son ivresse désolée [46] ». Mais ce sont là des hauteurs auxquelles il est difficile de se maintenir. S'y hisser, en tout cas, est un exploit que seul un comédien de race peut réussir.

Au reste, le jeu tempéré, lucide, « perdu dans son amertume intérieure », où Mme Piérat semblait se tenir ordinairement, n'a pas que des inconvénients. Il permet aux autres rôles d'exister par contraste ; et Robert Kemp n'a pas tort de noter qu'« elle n'est pas le centre de la pièce » et qu'« elle est comme écrasée par les figures environnantes, par Strozzi et Alexandre, ces cariatides [47] ». Pour la première fois, en effet, les autres rôles n'ont été sacrifiés ni par des ciseaux mutilateurs, ni par le caprice impérieux d'une vedette. Ils ont, d'autre part, bénéficié d'une distribution très soignée. En sorte que le couple Lorenzo-Alexandre de Médicis existe, comme tel, pour la première fois sur la scène, par la volonté formelle de l'adaptateur, jouant à plein sur l'opposition physique des natures et sur le caractère équivoque de leurs rapports. A cet égard, le rôle d'Alexandre de Médicis dut beaucoup aux qualités personnelles de M. Alexandre, qui « prête au tyran une truculence admirable » et en « fait une sorte de fauve épais et somptueux [48] ». D'une pléiade d'excellents acteurs, auxquels la presse de l'époque a su, en général, rendre justice, on se bornera à citer pour mémoire ceux dont, à des degrés divers, la carrière s'est prolongée ou la notoriété maintenue jusqu'à nos jours : Denis d'Inès, qui « distille savamment les perfides tirades du cardi-

44. *Chantecler*, 25 juin 1927.
45. *Comœdia*, 4 juin 1927.
46. *Ibid.*
47. *La Liberté*, 5 juin 1927.
48. *Le Temps*, 6 juin 1927.

nal. Trop savamment, peut-être [49] » ; Madeleine Renaud, — Louise Strozzi, — « qui meurt de la façon la plus touchante, (...) une fleur coupée [50] » ; André Luguet, qui s'était fait, paraît-il, pour jouer Pierre Strozzi, « une si jolie tête de bretteur rouquin [51] » ; Jean Yonnel, en Thomas Strozzi ; Jean Hervé, en Scoronconcolo ; Jean Weber, en Tebaldeo, qui avait « ce frémissement de jeunesse, de poésie, ce je ne sais quoi de mystérieux et de délicieux, mystérieusement et délicieusement accordé au frémissement, à la jeunesse, à la poésie de Musset [52] » ; Pierre Bertin était Maffio, Fernand Ledoux le marchand de soieries.

Le succès du spectacle fut honorable : 33 représentations en 1927, 7 en 1928, 3 en 1930. Le 22 décembre 1934, pour le centenaire de la publication de *Lorenzaccio*, on reprit la pièce dans la même mise en scène, mais avec une distribution remaniée. Marie Ventura, — qui avait joué le rôle à Bucarest en 1928, — était Lorenzo. Elle fit une création vigoureuse et dans l'ensemble bien accueillie [53], mais le problème du travesti se posait toujours dans les mêmes termes et impliquait les mêmes réserves. Quatre représentations en 1934, cinq l'année suivante portèrent à 53 le nombre total à ce jour des représentations de *Lorenzaccio* au Théâtre-Français. En regard des 1044 représentations d'*Un caprice* ou des 651 représentations d'*Il ne faut jurer de rien* [54], c'est peu.

Le bilan des représentations de 1927 se solde, comme tout bilan, par un actif et un passif, que la perspective de l'histoire du théâtre permet de dresser équitablement.

A l'actif de la Comédie-Française, on relève les acquis suivants :

1° Les représentations de 1927 ont fait la preuve que pour mettre valablement à la scène *Lorenzaccio*, il ne faut pas seulement des comédiens, mais une troupe, homogène, entraînée au jeu collectif, soucieuse uniquement de servir le texte d'un écrivain et non l'intérêt des interprètes. Parce que Mme Piérat n'est pas une vedette, au sens où on peut le dire de Sarah Bernhardt ou de Falconetti, elle permet à la pièce de trouver son équilibre interne, sa ligne de flottaison, sa vitesse de croisière. C'est tout un monde de silhouettes vigoureuses et finement interprétées qui se pressent entre cour et jardin. La Société des Comédiens français restitue au drame de Musset ses frontières naturelles, l'intégrité de son territoire, sa vie unanime. C'est une belle victoire.

2° L'adaptation d'Emile Fabre, quelles que soient les libertés de détail qu'elle prend avec le texte original, est paradoxalement fidèle : fidèle, en tout cas, à l'esprit de l'œuvre, à sa construction, à sa cadence

---

49. *La Liberté*, 5 juin 1927.

50. *Ibid.*

51. *Comœdia*, 4 juin 1927.

52. *Echos*, 5 juin 1927.

53. Voir, entre autres, le long article de Gabriel Boissy dans *Comœdia* du 28 décembre 1934.

54. Ces chiffres s'entendent de la date d'entrée au répertoire jusqu'au 31 juillet 1967.

particulière. 1927 marque, à cet égard, un point de non-retour. On peut désormais alléger le texte tant qu'on voudra, non plus l'altérer dans son essence même, le triturer, le plier à une tradition scénique périmée. Le respect de la cadence d'une œuvre théâtrale est désormais au premier plan des tâches du metteur en scène.

Au passif des représentations de 1927, on retiendra trois ambiguïtés, d'importance inégale, mais de conséquence fâcheuse :

1° On n'a pas renoncé au travesti, en dépit des objections qui fusent de tous côtés. Le précédent accidentel de Sarah Bernhardt semble avoir pesé d'un poids accablant sur plusieurs générations de comédiens. Il faudra presque du courage ou de l'ingénuité... pour secouer cet envoûtement et mettre fin à cette aberration.

2° On n'a pas su ou voulu choisir entre le rideau nu et le décor illusionniste. Tout se passe comme si la nudité de l'un servait de paravent à la richesse de l'autre. On crée ainsi deux espaces de jeu différents, l'un étroit et incommode, l'autre plus vaste et comme marqué d'une dignité supérieure. On donne, sans le vouloir, à chacun des tableaux qui se succèdent une sorte de classement hiérarchique arbitraire en scènes importantes et en scènes secondaires. On confère paradoxalement aux décors descriptifs une valeur plastique qui est à elle-même sa propre fin. L'acteur joue au premier plan *devant* le décor et non *dans* le décor [55]. On l'a bien vu au 20e tableau, — le plus applaudi —, quand le metteur en scène contraint Lorenzo à jouer en avant et le plus souvent à l'avant-scène, pour ne pas gâter le plaisir du spectateur dans sa contemplation pittoresque des bords de l'Arno à la tombée du jour. Le dispositif scénique choisi s'avère du reste, à l'usage, plus commode que convaincant. Aussi bien Antoine, qui l'avait imaginé en 1904 pour *le Roi Lear*, ne s'y était-il pas tenu exclusivement ; et dès 1910, quand il met en scène *Coriolan* à l'Odéon, c'est à une formule scénographique toute différente qu'il a recours : un décor « unique, essentiel, synthétique », comme l'appelle Jacques Copeau, qui décompose l'espace scénique en plusieurs zones de jeu conventionnelles [56]. La Comédie-Française, pour *Lorenzaccio*, reste prudemment en retrait et se borne à mettre en œuvre une formule déjà éprouvée. C'est peut-être à cette prudence que le spectacle de 1927 doit sa perfection plastique, mais à coup sûr sa lenteur un peu solennelle, son développement trop surveillé, ses effets souvent appuyés et convenus.

3° En pratiquant dans le 4e et surtout le 5e acte des coupures ravageuses, non seulement on déséquilibre la pièce dans sa structure, mais on la fausse dans sa signification. En passant tout de go du meurtre d'Alexandre au couronnement de son successeur, après un rapide détour devant le rideau rouge de Venise, on dénature le mécanisme de la succession. On ne sait rien, on ne voit rien des manœuvres du cardinal Cibo, de la lâcheté des notables, de la sottise des intellectuels, du bavardage impuissant de la foule, de l'héroïsme

55. L'expression est de D. Bablet, *op. cit.*, p. 32.
56. Voir sur ce point D. Bablet, *op. cit.*, p. 349-350.

inutile des étudiants. Une sorte d'éclipse prolongée semble s'abattre sur Florence, dérobant à notre regard le processus incoercible d'une révolution manquée et d'une répression réussie. C'est à la lettre un *Lorenzaccio* dépolitisé qu'on nous présente. A cet égard, d'Armand d'Artois à Emile Fabre, le progrès n'est pas décisif. Dans ce cinquième acte tronqué qu'on nous offre en spectacle, il manque la continuité dynamique d'une fatalité en marche, d'une histoire qui devient destin. Isolé de sa lente et méthodique préparation, le couronnement de Côme n'est qu'une kermesse, à tout le moins une cérémonie. On se souvient d'un tableau quand il aurait fallu retenir une leçon. Désormais, nous connaissons la pierre de touche. C'est au traitement du cinquième acte que nous reconnaîtrons si vraiment *Lorenzaccio* nous est donné.

CHAPITRE V

« LORENZACCIO » AU THÉATRE MONTPARNASSE

Le 10 octobre 1945, quand Gaston Baty porte à la scène, au théâtre Montparnasse, son adaptation personnelle de *Lorenzaccio*, toutes les conditions semblent réunies pour que le spectacle soit un succès. De fait, il tiendra jusqu'au 26 mai 1946, survivant aux critiques les plus acerbes.

Le noir souvenir de l'occupation de Paris par les troupes allemandes est encore si proche que toute œuvre qui évoque, d'une manière directe ou symbolique, un pays privé de sa liberté par les fusils, ou les hallebardes, d'une puissance étrangère est assurée d'éveiller un écho, douleur et sursaut, dans l'âme convulsive du spectateur. L'expérience de la Résistance armée à l'oppresseur ou, à l'inverse, de la politique de collaboration avec la puissance occupante, voire du double jeu, a rendu, d'autre part, l'opinion publique sensible à certains débats de morale politique, notamment celui de la violence au service de la liberté, de l'appel à l'aide étrangère, du droit de tuer le tyran au nom des impératifs de la conscience. L'influence croissante et le rayonnement personnel d'écrivains tels que Sartre, Camus, Malraux, Mounier, ont mis au premier plan des discussions d'intellectuels ou des méditations de la jeunesse les thèmes de l'absurde, du désespoir lucide, de l'efficacité, du terrorisme, de l'« engagement » politique. En termes historiques différents, tous ces thèmes sont implicitement abordés par Musset dans *Lorenzaccio*.

Sur le plan technique, l'heure est tout aussi favorable aux paris audacieux. La voix de Copeau a été entendue, son message généralisé au point que, dans le droit fil de son enseignement et conjointement avec lui, trois des animateurs du « Cartel » ont été officiellement invités, en 1936, à mettre en scène des œuvres du répertoire sur le plateau du Théâtre-Français [1]. C'est dire que le tréteau nu, l'élément déco-

---

1. C'est le 19 août 1936 qu'un décret paru au *Journal Officiel* nomme, à compter du 15 octobre, Edouard Bourdet administrateur général de la Comédie-Française et prévoit que « MM. Gaston Baty, Jacques Copeau, Charles Dullin et Louis Jouvet seront chargés de la mise en scène ».

ratif simplifié, le décor synthétique, le jeu de l'espace et de la lumière sont désormais des choses acquises et presque indiscutées, même dans un théâtre officiel. Nul n'exigera plus, en 1945, pour *Lorenzaccio*, le décor illusionniste ou du moins descriptif auquel, en 1927, la Comédie-Française n'avait pas voulu ou su renoncer.

Ajoutons qu'une longue expérience dispose Baty à bien servir le théâtre de Musset. Quand il aborde *Lorenzaccio*, il a derrière lui vingt-cinq ans de carrière et pas moins de quatre-vingts mises en scène. Parmi elles brillent du plus vif éclat deux « Musset » demeurés célèbres : *les Caprices de Marianne*, en 1935, au théâtre Montparnasse, et *le Chandelier*, à la Comédie-Française, en 1936. Ces précédents heureux dans l'ordre de la comédie laissent bien augurer du traitement que Baty réserve au grand drame.

Monter *Lorenzaccio* est, du reste, pour Baty un très ancien projet : « j'y pense sérieusement depuis dix ans, déclare-t-il en 1945 ; j'ai écrit l'adaptation en 1943 [2] ». De cette adaptation, nous possédons deux versions : l'une en 19 tableaux, l'autre en 21 tableaux ; et c'est finalement une version en 22 tableaux qu'annoncent le programme et les invitations. Mais plus que le nombre des tableaux, c'est l'esprit général de cette adaptation qui nous importe, et, à ce sujet, Baty n'est pas avare de renseignements. Parti de l'idée ordinaire à tous les hommes de théâtre qu'on « ne saurait songer à une représentation intégrale, puisque le texte complet remplirait deux soirées [3] », Baty s'est ingénié à satisfaire deux exigences à ses yeux contraignantes :

1° D'abord rompre carrément avec les pratiques antérieures, — remaniement à la d'Artois ou version tronquée comme chez Falconetti et au Français —, car « on n'assiste plus à une pièce, mais à une suite de morceaux choisis, sans lien entre eux [4] ». Comme il faut bien alléger un texte jugé par principe démesuré, Baty invente ou croit inventer une troisième voie, qu'il définit en ces termes : « Pour relier les tableaux principaux, auxquels rien n'a été changé, j'ai cherché à condenser en de courtes scènes l'essentiel de plusieurs, de manière à ce que le drame ne soit amputé d'aucun de ses éléments et retrouve son rythme ». On appréciera, le moment venu, l'importance de ces textes « condensés » et si vraiment le rythme de la pièce n'en est pas altéré.

2° Ensuite, pratiquer des coupures sélectives. Mais de quel point de vue et selon quel principe ? Baty, là encore, joue loyalement cartes sur table : « Entre le siècle des Médicis et les années que nous vivons, trop d'analogies sont évidentes. Peut-être aideront-elles le public à

---

2. *Forces nouvelles*, 27 otobre 1945.

3. Texte dactylographié conservé dans le fonds Gaston Baty de la bibliothèque de l'Arsenal ; cf. programme XLI du théâtre Montparnasse : « Il n'a jamais été question, il ne saurait être question d'une représentation intégrale. Ces trente-neuf tableaux exigeraient deux soirées, une trentaine de décors, plus de cent interprètes ».

4. Ce texte et les suivants sont extraits d'une déclaration d'intention que Baty a donnée à *Opéra* du 3 octobre 1945 et qu'il a insérée dans le programme XLI, saison 1945-46. Toutes nos citations renvoient à la version primitive de cette déclaration, telle qu'elle figure sur un feuillet dactylographié conservé dans le fonds Baty de la bibliothèque de l'Arsenal.

s'accorder aux âmes de Lorenzo et de Philippe. Mais certaines répliques auraient paru proposer aux passions d'aujourd'hui des motifs contradictoires d'applaudir. Aucune n'était indispensable à l'action ou à la pensée. Nous n'escroquerons pas de trop faciles effets. J'ai toujours pensé que la noblesse du théâtre est de rester à l'écart des apparentes réalités, de se refuser à être un écho de la vie quotidienne, de permettre au spectateur de l'oublier un moment. Nous sommes des marchands de rêves. Quel plus beau rêve pourrions-nous offrir, que, hors du temps, notre *Hamlet* français ? ». On ne saurait être plus net quant au choix d'une éthique et d'une esthétique théâtrales. En dépolitisant *Lorenzaccio*, plus largement du reste qu'il ne le dit, Baty croit sincèrement servir les intérêts essentiels du théâtre tel qu'il l'entend et de la pièce telle qu'il la comprend. Reste à savoir si, ce faisant, il n'a pas châtré une œuvre dont la politique est sinon l'essence, du moins le nerf et bien souvent l'horizon.

Baty, en tout cas, plaide d'emblée l'innocence et la bonne foi, afin de désarmer l'éventuelle indignation des délicats : « Sans doute y aura-t-il des gens pour critiquer cette fidélité à l'esprit plus qu'à la lettre. Tant pis. Je n'ai voulu que servir, en toute humilité, en toute piété, un auteur que j'aime entre tous et l'un des joyaux les plus magnifiques de notre patrimoine ». De cette piété, nul ne doute. Mais chacun sait qu'il y a des piétés indiscrètes et des humilités accablantes. Statistiquement, *Lorenzaccio* réduit à 21 tableaux et 19 personnages [5] est-ce encore le drame de Musset ? Une caricature de Sennep allait, d'un trait de plume, situer le débat : on y voit Marguerite Jamois, en costume de scène, s'adresser à un Musset curieusement contrefait et commenter d'un euphémisme courtois son anatomie tourmentée : « nous avons été obligés, mon cher Musset, de vous arranger un peu [6] ». Un peu ? c'est trop peu dire, comme le montrera l'analyse détaillée qui va suivre.

Cette analyse détaillée est rendue possible grâce à deux documents inédits, qui sont actuellement conservés dans le fonds Gaston Baty de la bibliothèque de l'Arsenal. Il s'agit de deux versions successives de l'adaptation de *Lorenzaccio* écrite par Baty. « Ecrite » est, du reste, le mot juste, puisque l'une d'elles, en 19 tableaux, est en partie manuscrite. Baty a collé sur des feuilles de papier blanc des fragments de *Lorenzaccio* extraits de la collection scolaire des « Classiques Larousse » et a placé, dans l'intervalle de ces fragments, des textes de liaison de son cru et écrits de sa main, un peu à la manière d'un tissu conjonctif dont l'étendue est variable selon les endroits et les circonstances. Quant à la version en 21 tableaux, elle reproduit, en un cahier dactylographié de 126 pages, le texte de la version manuscrite, augmentée de nombreux ajouts, avec quelques modifications dans les dialogues et dans l'ordre des tableaux.

---

5. Ont été victimes des ciseaux de Gaston Baty : Côme de Médicis, Thomas Strozzi, Corsini, les trois seigneurs républicains, les Huit, Maffio, les dames de la Cour et l'officier allemand, l'orfèvre et le marchand de soieries, les précepteurs et leurs élèves, les bannis, les écoliers, les moines, les courtisans et Louise Strozzi. C'est une hécatombe.

6. *Le Méridien*, 13 octobre 1945.

Afin qu'on puisse suivre sur le vif le travail de Baty, nous produisons ci-dessous un tableau de concordance entre ces deux versions et de chacune d'elles avec le texte original de Musset. Toutefois, dans l'analyse qui viendra ensuite, nous ne tiendrons compte que de la version dactylographiée en 21 tableaux, la plus élaborée, qui offre, selon toute vraisemblance, le texte joué sur la scène du théâtre Montparnasse par Marguerite Jamois et ses camarades. On notera encore que, contrairement aux habitudes de Gaston Baty, la mise en scène de *Lorenzaccio* n'a pas été relevée ou, si elle l'a été, le texte à ce jour en est perdu. Des photographies du spectacle, un croquis sommaire du dispositif scénique, des indications pratiques destinées aux machinistes et les témoignages écrits ou oraux des spectateurs seront nos seules sources d'information.

TABLEAU DE CONCORDANCE

Adaptation I (texte ms.)	*Texte original*	*Adaptation II* (texte dactyl.)	*Texte original*
PREMIERE PARTIE			
1er tab. : palais Cibo	I, 3	1er tab. : palais Cibo	I, 3
2e tab. : cour du palais ducal	I, 4 et 1	2e tab. : rideau Florence ..	I, 2 et 5
3e tab. : terrasse sur l'Arno	I, 6	3e tab. : cour du palais royal	I, 4 et 1
4e tab. : palais Strozzi ..	II, 1	4e tab. : rideau Florence ..	I, 6
5e tab. : devant une église	II, 2	5e tab. : palais Strozzi ..	II, 1
6e tab. : palais Cibo	II, 3	6e tab. : rideau Florence ..	II, 2
7e tab. : palais Soderini ..	II, 4	7e tab. : palais Cibo	II, 3
8e tab. : palais Strozzi ..	II, 5	8e tab. : palais Soderini ..	II, 4
9e tab. : cour du palais ducal	II, 6 et 7	9e tab. : palais Strozzi ..	II, 5
10e tab. : chambre de Lorenzo	III, 1	10e tab. : cour du palais ducal	II, 6 et 7
		11e tab. : rideau Florence	III, 4
		12e tab. : la rue	III, 3
DEUXIEME PARTIE			
11e tab. : une rue	III, 3	13e tab. : chambre de Lorenzo	III, 1
12e tab. : palais Soderini	III, 4	14e tab. : chambre de la marquise	III, 6 ; IV, 4
13e tab. : palais ducal	III, 1	15e tab. : palais ducal	IV, 1 et 3
14e tab. : palais Cibo	IV, 4	16e tab. : chambre de Lorenzo	IV, 5 et 9
15e tab. : chambre de Lorenzo	IV, 5 et 9	17e tab. : palais ducal	IV, 10
16e tab. : palais ducal	IV, 10	18e tab. : rideau Florence	IV, 9
17e tab. : chambre de Lorenzo	IV, 11	19e tab. : chambre de Lorenzo	IV, 11
18e tab. : palais ducal	V, 1	20e tab. : palais ducal	V, 1
19e tab. : à Venise	V, 2 et 7	21e tab. : Venise	V, 2 et 7

Ce tableau appelle les commentaires suivants :

1° Le matériau brut de 24 scènes de l'œuvre originale a été utilisé par Baty pour constituer les 21 tableaux de son adaptation.

Quinze scènes ont donc été laissées dans les ténèbres extérieures : ce sont, dans l'ordre, les scènes 1, 2 et 5 du premier acte, les scènes 2, 5 et 7 du troisième acte, les scènes 2, 6, 7 et 8 du quatrième acte, les scènes 3, 4, 5 du cinquième acte. Comme toujours, on le voit, ce sont les deux derniers actes qui ont le plus souffert de l'émondage général. Si l'on veut bien se souvenir, d'autre part, que les scènes 2 et 5 du premier acte, la scène 7 du quatrième acte et les scènes 3, 4, 5 et 6 du cinquième acte sont des scènes de plein air, de rue, parfois de foule, dans lesquelles, en tous les cas et de diverses manières, l'opinion publique se manifeste, on peut affirmer que la première coupe sombre pratiquée par Baty dans l'œuvre de Musset concerne la politique vécue dans la rue, l'histoire écoutée aux portes des boutiques et commentée dans les cabarets. D'un geste décidé, Baty métamorphose l'esprit de l'œuvre qu'il entendait servir. D'une fresque murale, il fait un tableau de chevalet, d'une ample symphonie une œuvre de musique de chambre. Le choix est cohérent, mais la mutilation profonde.

D'autant que cette mutilation volontaire ne s'arrête pas là. L'ange exterminateur s'est attaqué également aux Strozzi. Deux scènes au troisième acte (III, 2 et 7), trois au quatrième acte (IV, 2, 6 et 8), une au cinquième acte (V, 4), concernant toutes le destin de la grande famille libérale, tombent victimes d'une discrimination radicale. Pierre disparaît à la fin du deuxième acte, Philippe se contente du rôle ingrat de confident de Lorenzo. C'est le massacre des Strozzi. Du coup, l'entrelacement des trois intrigues principales, qui forme l'armature solide de la pièce, devient caduc et l'adultère de la marquise Cibo, que Baty a conservé presque intact, fait un volume, occupe une place disproportionnée à son importance réelle. Si le mouvement d'ensemble de la pièce est à peu près respecté, son équilibre interne est gravement compromis. On n'ôte pas impunément un des portails de la façade d'une cathédrale.

2° Pour transporter les cinq actes du drame dans le moule nouveau d'un spectacle en deux parties, dont la seconde est un peu plus courte que la première, Baty a été contraint de faire subir à l'ordre des tableaux des altérations souvent fâcheuses. Dans l'adaptation I, l'équilibre était bon et la coupe heureuse : 10 tableaux dans la première partie, 9 dans la deuxième, une chute vigoureuse de la première partie sur la scène des armes, qui laisse le spectateur pantois, indécis, en attente d'un événement et d'une révélation qui se préparent, là voilà cette « fidélité à l'esprit plus qu'à la lettre » dont Baty entendait se faire une règle ! Dans l'adaptation II, les choses se gâtent. L'ajout de deux tableaux semble remettre en cause l'organisation et l'équilibre initialement envisagés. Baty croit pouvoir jouer librement de l'ordre des tableaux. Il inverse une séquence prévue par Musset, termine la première partie du spectacle sur la longue conversation de Lorenzo avec Philippe (III, 3) et commence, tambour battant, la deuxième partie par la scène des armes (III, 1). Mais que devient, à cette place, cette scène superbe, toute de névrose et d'ambiguïté forcenée, quand on sait déjà tout de Lorenzo, qui s'est expliqué lucidement et posément sur lui-même à la fin de la première partie ? Un jeu, un spectacle, sans doute, et des meilleurs, mais qui a perdu entièrement sa puissance incantatoire de révélation, sa valeur magique de préparation à l'aveu capital. Une simple séance d'entraînement, en somme, au cours de laquelle un combattant peu sûr de lui fignole sa préparation et met au point les conditions de la rencontre décisive. On est fondé, dans ce cas précis, à retourner contre Baty ses propres paroles : « le danger, c'est que l'œuvre ainsi présentée perd tout rythme théâtral[7] ». Car le rythme, au théâtre, c'est parfois, comme dans *Lorenzaccio*, la révélation progressive et irrépressible de la vérité.

3° De l'adaptation I à l'adaptation II, on voit s'ébaucher une mise en scène. Le « rideau Florence » devient un lieu scénique avancé, un principe d'organisation et de reclassement de certaines scènes. Ce n'est pas un hasard, par exemple, si les deux tableaux ajoutés dans l'adaptation II (les 2e et 18e tableaux) ont le rideau Florence pour décor. Ainsi Baty tient-il sa promesse : toucher le moins possible aux tableaux principaux et condenser en de courtes scènes l'essentiel de plusieurs. A cet égard, on le verra, les 2e et 18e tableaux sont des modèles de condensation ingénieuse. Mais on verra également, dans l'analyse détaillée qui va suivre, que le flux créateur, — ou plutôt recréateur, — de Baty n'est pas toujours aussi sévèrement canalisé. Il connaît parfois des débordements intempestifs, auprès desquels les interventions d'Emile Fabre dans la prose de Musset sont peccadilles et bagatelles. Et nous nous trouvons, une fois de plus, poser la même question : la façon la plus raisonnable de servir un auteur qu'on aime entre tous, ainsi que Baty en fait lui-même l'aveu, n'est-elle pas de respecter d'abord ce qu'il a écrit ? Mais le cœur des hommes de théâtre, même des plus estimables, a parfois ses raisons que la raison ne connaît pas.

ANALYSE DE L'ADAPTATION II

PREMIER TABLEAU

L'adaptation de Gaston Baty s'ouvre sur les adieux de la marquise Cibo à son mari (I, 3). La débauche de minuit et les scandales de l'aube ont fait place à l'adultère mondain. C'est un signe. Mais comme il n'est pas question de pratiquer l'ablation pure et simple des deux premières scènes du drame, Baty recourt à un subterfuge, qui lui permet d'en récupérer indirectement la substance. Appelons, par commodité, ce procédé de remaniement d'un texte la technique de la « brèche », dont on trouvera une foule d'exemples au cours de la pièce. Entre deux fragments de la scène 3 du premier acte, qu'il a découpés dans l'édition scolaire des « classiques Larousse », Baty ouvre aux ciseaux une brèche, dans laquelle il glisse quelques répliques de transition qui condensent les événements auxquels la scène 2 nous faisait assister. Ainsi, après la réplique du cardinal :

---

7. Programme XLI, saison 1945-1946.

« ...il se peut qu'on m'ait trompé », la marquise enchaîne en ces termes, qui ne sont plus l'œuvre de Musset :

> *La marquise :* Il l'avait en effet. Son cousin Lorenzo aussi, qui était ivre et, du haut de la galerie, s'amusait à vider des bouteilles sur Corsini le provéditeur.
> *Le cardinal :* Il n'a pas souri trois fois dans sa vie et passe le temps à des espiègleries d'écolier en vacances.
> *La marquise :* Parlez-vous d'espièglerie à propos de ce vieillard de vingt ans dont le corps est usé, le cœur vide et l'âme morte ?
> *Le cardinal :* Qui sait ?
> *La marquise :* Etait-ce espièglerie encore que l'offense de Salviati à la belle et fière Louise Strozzi ? Lui aussi se déguisait en religieuse. Ah ! Malaspina, nous sommes dans un triste temps pour toutes les choses saintes !

Après cette innocente excursion, on revient au texte original. La brèche se referme, jusqu'à la prochaine occasion.

Le procédé est adroit, sans doute, mais le résultat décevant. L'offense faite par Salviati à Louise Strozzi, spectacle public chez Musset, devient chez Baty propos de salon. Elle s'évanouit en fumée, comme Louise Strozzi elle-même qui, toute belle et fière qu'on la dise, n'apparaîtra pas dans l'adaptation. On ne nous donne ici qu'à entendre, tandis que, chez Musset, on nous donnait à voir. Il n'est pas sûr qu'on ait gagné au change.

Des nombreuses coupures pratiquées dans le texte original, notons celle-ci, qui sent furieusement son époque ; là où Musset écrit : « ...que notre soleil à nous, promène sur la citadelle des ombres allemandes », Baty, prudent, substitue : « des ombres étrangères ». « Nous n'escroquerons pas de trop faciles effets », déclarait Baty avant le spectacle. Il tient parole.

DEUXIÈME TABLEAU

C'est un tableau entièrement imaginé par Baty, qui emprunte à plusieurs, mais ne correspond à aucune des scènes originales. Mais il faut citer intégralement, à titre d'exemple, le texte de ce deuxième tableau. Les commentaires, s'imposant d'eux-mêmes, viendront ensuite.

> *Une route. Entrent Bindo Altoviti et Baptista Venturi.*
> *Bindo :* Est-il vrai, Venturi, qu'il y ait eu encore une émeute ?
> *Venturi :* Ce n'est que trop vrai. Quelques pauvres jeunes gens tués sur le Vieux Marché. Mais quelle pitié pour les familles !
> *Bindo :* Voilà des malheurs inévitables. Que voulez-vous que fasse la jeunesse d'un gouvernement comme le nôtre ? Un beau matin nos bonnes gens se réveillent et voient une figure sinistre à la grande fenêtre du palais de Pazzi. Ils demandent quel est ce personnage ? On leur répond que c'est le duc. Le Pape et l'Empereur ont accouché d'un bâtard qui a droit de vie et de mort sur nos enfants, et ne pourrait pas nommer sa mère.
> *Venturi :* C'est parler en patriote, seigneur Altoviti. Mais prenez garde. Il y a eu de bien grands changements dans Florence, tandis que vous étiez à Naples.

Bindo : C'était encore, il n'y a pas longtemps, une bonne maison bien bâtie. Tous ces palais de nos grandes familles en étaient les colonnes. Pas une qui dépasse les autres d'un pouce. Elles soutenaient une vieille voûte bien cimentée et nous nous promenions là-dessous sans crainte d'une pierre sur la tête. Mais le pape et l'empereur ont jugé à propos de prendre une de ces colonnes, celle de famille de Médicis, et d'en faire un clocher. Champignon de malheur poussé dans l'espace d'une nuit. Et puis, comme l'édifice branlait au vent, attendu qu'il avait la tête trop lourde et une jambe de moins, les deux architectes malavisés l'ont flanqué de ce gros pâté informe, la citadelle. Les allemands s'y sont installés comme des rats dans un fromage. Tout en jouant aux dés et en buvant leur vin aigrelet, ils ont l'œil sur nous autres. Les vieilles familles ont beau crier, le peuple et les marchands ont beau dire, les Médicis gouvernent au moyen de leur garnison. Ils nous dévorent comme une excroissance véneneuse dévore un estomac malade.

Venturi : Peste ! Peste ! Comme vous y allez !

Bindo : C'est grâce à leurs hallebardes qu'une moitié de Médicis, un butor que le ciel avait fait pour être garçon boucher ou valet de charrue, couche dans le lit de nos filles et boit nos bouteilles. Et encore le paye-t-on pour cela.

Venturi : Il ne ferait pas bon le dire dans toutes les oreilles.

Bindo : Et quand on me bannirait comme tant d'autres ! On vit à Naples aussi bien qu'ici...

Venturi : Chut !

Bindo : Ah ! Baptista, ami Baptista. Florence est une mère stérile qui n'a plus de lait pour ses enfants.

Venturi : Vous avez trop raison, seigneur Altoviti, Florence n'est plus qu'une frange sans nom, le spectre hideux de l'antique Florence.

Ils s'en vont.

Cet « arrangement » appelle les remarques suivantes :

1° Baty procède par réduction. Bindo et Venturi sont à la fois eux-mêmes et respectivement l'orfèvre et le marchand de soieries. Quatre personnages réduits à deux : l'économie des moyens est ici une économie tout court. Nul doute qu'un tel calcul n'ait été sous-jacent dans la France pauvre de 1945.

2° Le texte du tableau est entièrement composite. C'est un puzzle ou un pot-pourri, dont on n'a pas de peine à identifier les ingrédients. Les trois premières répliques reproduisent, en version condensée, un échange de propos entre deux bourgeois, à la foire de Montolivet [8] ; la quatrième réplique met bout à bout une demi-réplique de l'orfèvre [9] et une information géographique empruntée à la scène des républicains devant le duc [10] ; de la cinquième à la neuvième réplique Baty suit assez librement un échange de propos entre l'orfèvre et le marchand de soieries, au seuil de leurs boutiques [11] ; la dixième réplique est une invention de Baty ; les deux dernières paraphrasent

8. I, 5, p. 234-235, l. 849-871.

9. I, 5, p. 236, l. 373.

10. « ...mon oncle Bindo Altoviti, qui regrette qu'un long séjour à Naples... » (II, 4, p. 287 ; l. 731-732).

11. I, 2, p. 202-205, l. 245-284, passim.

l'adieu des bannis et les malédictions jetées contre Florence [12]. Les dialogues originaux du drame sont traités ici comme un tas de pierres, où l'on puise le matériau nécessaire à l'élaboration d'un nouveau texte. C'est peut-être commode, mais quelle désinvolture !

TROISIÈME TABLEAU

Ce tableau, qui reproduit, avec quelques coupures la scène de l'épée (I, 4), procède des mêmes techniques d'aménagement que les deux tableaux précédents :

1° D'une part, Baty poursuit la réduction du nombre de personnages : plus de pages, exerçant ou non des chevaux dans la Cour ; Giomo assure à lui seul toute la domesticité, comme Bindo et Venturi résument en eux l'opinion publique et la mentalité bourgeoise. Baty biffe, d'une réplique du duc, un appel un peu trop collectif : « Pages, montez ici ; toute la Cour le verra, et je voudrais que Florence entière y fût ». Le déshonneur se consomme désormais entre intimes, parmi les rideaux sombres qui absorbent les voix. Texte et mise en scène tendent d'un commun accord à la tragédie de palais.

2° Baty, d'autre part, soigne l'entrée de son héros. Elle est digne de Sarah, cette entrée en scène de Marguerite Jamois, vêtue de noir, du fond du théâtre, descendant, comme au music-hall, un escalier de 14 marches. Musset, modeste, se bornait à faire paraître Lorenzo « au fond d'une galerie basse ». C'est du rempart d'Elseneur que paraît descendre le héros de Baty. Et, comme on ne doit rien perdre des miettes tombées en cours de montage, l'arrangeur pratique, entre deux répliques originales du duc, une audacieuse interpolation :

> *Le duc :* Hé ! Renzo, viens donc ici ; il faut que je te cherche dispute. La fillette que tu m'avais promise ne s'est pas trouvée au rendez-vous, et le Hongrois est rentré les bras vides.
> *Lorenzo :* Si elle ne vient pas ce soir, dites que je suis un sot...

Suit un libre arrangement du couplet sur « la débauche à la mamelle », fleuron de la scène 1 du premier acte, qui s'insère ici tant bien que mal dans la brèche pratiquée à son intention. Le couplet terminé, la scène de l'épée reprend son cours normal sur une réplique du duc, dans laquelle Baty et Musset sont de moitié, et qui sert ingénieusement de plan incliné d'une scène à l'autre :

> *Le duc :* Vous l'entendez ? Nous parlons de toi depuis une heure. Sais-tu la nouvelle ?

En somme, c'est toujours la technique du tas de pierres, dans lequel on puise à volonté et selon les besoins. Maintenant, qu'un fragment ainsi dépaysé soit encore en situation, ait même encore un sens, est une autre histoire, dont Baty semble avoir été tout à fait insoucieux.

QUATRIÈME TABLEAU

Ce tableau recouvre la scène 6 du premier acte, au bord de l'Arno, mais amputée et, pour ainsi dire, découronnée de l'adieu des bannis.

---

12. I, 6, p. 251, l. 1162-1166.

Amputation majeure, car elle en change la perspective et la musique. Un jour de colère et de douleur, gros de menaces pour demain, manque ici sa chute. Le lamento pour deux voix féminines tourne court, dépouillé de son viril chœur final. Deux bribes en sont tombées, qu'on a distribuées maladroitement, on l'a vu, à Bindo et à Venturi. Compensation dérisoire !

Cinquième tableau

Décidément, Baty, pour les tableaux jugés secondaires, a la rage de tout récrire. Aux 24 répliques de la scène originale (II, 1) il a substitué 23 répliques de sa composition, qui résument le texte de Musset, mais en l'amaigrissant, en le réduisant à l'os. C'est un peu la technique journalistique du « rewriting », avec toutes ses conséquences, même les plus fâcheuses.

Sixième tableau

La scène au portail d'une église (II, 2) est reproduite assez fidèlement. Seuls ont été coupés les deux couplets de Tebaldeo sur « la vie du peintre » et sur « les nations paisibles et heureuses », jugés sans doute d'un lyrisme un peu désuet.

Septième tableau

La scène de la confession (II, 3). Le monologue initial du cardinal a été supprimé. Une seule coupure dans la confession proprement dite : « oui, cela est bien certain, c'est un tort d'avoir pour confesseur un de ses parents ». Il n'y a pas lieu de regretter trop cette naïveté d'un comique involontaire.

Huitième tableau

La scène dite des républicains devant le duc (II, 4) a été assez fidèlement respectée. Giomo y remplace à lui seul un peloton de gardes. Baty a sabré, entre autres, dans le discours patriotique de Bindo, une petite phrase qui eût pu, en 1945, résonner drôlement aux oreilles des spectateurs français : « La puissance de l'Allemagne se fait sentir de jour en jour d'une manière absolue ».

Neuvième tableau

Le tableau correspond à la scène 5 du deuxième acte. Baty y fait une double économie : de personnages, en supprimant Thomas Strozzi et sa sœur Louise ; de texte, en récrivant en partie la scène originale. Le dialogue va de « Dieu veuille qu'il n'en soit rien » à « Tu disais que Thomas l'a frappé à la jambe et que toi... », — version modifiée du texte original, — en 18 répliques au lieu de 29. Les Strozzi n'ont pas de chance, Baty ne cesse de leur couper la parole.

Dixième tableau

L'instinct théâtral de Baty a parfois l'esprit de contradiction. Ce que Musset fait voir sur la scène, il le donne au narrateur ; à l'inverse, il donne à la scène ce que Musset fait raconter. Par exemple, ici, le vol de la cotte de mailles (II, 6). Le puits est sur la scène, et l'on assiste au jeu subtil de Lorenzo poussant la cotte dans le puits. « Elle tombera à l'eau, note Baty, sur un éclat de voix de Giomo et de bruyants accords des deux instruments [la guitare de Giomo et celle de Lorenzo] ». Le dialogue sera, en conséquence, modifié au gré des exigences de cette nouvelle mise en scène. Naturellement, comme dans l'adaptation d'Emile Fabre, les scènes 6 et 7 sont enchaînées. Salviati paraît seul sur la scène, et ses agresseurs, de trois à l'origine, ne sont plus que deux, dont un clairement identifié : Pierre Strozzi. Tels sont les effets imprévus d'une politique systématique de compression des effectifs.

ONZIÈME TABLEAU

Ce tableau reproduit, avec de légères coupures, la scène 4 du troisième acte.

DOUZIÈME TABLEAU

Voici la grande scène 3 du troisième acte. L'adaptation qu'en donne Baty se signale par quelques particularités qui n'en modifient pas fondamentalement la valeur :

1º On n'assiste pas à l'arrestation de Pierre Strozzi. Le tableau s'ouvre sur un décor quasi abstrait : un banc au coin de deux rues. « Philippe s'avance lentement » et nous informe aussitôt de l'événement auquel nous n'avons pas assisté : « J'ai beaucoup d'enfants, mais pas pour longtemps, si cela va si vite. Où en sommes-nous donc si une vengeance aussi juste que le ciel que voilà est clair est punie comme un crime ! L'aîné d'une famille vieille comme la ville emprisonné comme un voleur de grand chemin ! O Christ ! etc. ». On notera, au passage, une modification qui se poursuivra tout au long du tableau. Pierre est cité seul, on passe systématiquement du pluriel au singulier, dès qu'il est question des fils Strozzi. Paradoxalement, le chef d'une famille nombreuse est conduit à parler, chez Baty, en père d'un fils unique. Baty aura malmené Philippe jusque dans ses mérites les moins contestables.

2º Son monologue terminé, Philippe « tombe assis sur le banc. Lorenzo entre en silence et lui met la main sur l'épaule ». La conversation s'engage, dans un mouvement assez proche de l'original. De nombreuses coupures allègent un texte jugé trop long. Un bon tiers du dialogue sera ainsi sacrifié, sans qu'on puisse affirmer que ces coupures ont été pratiquées dans une intention précise. Tout juste remarque-t-on qu'ont été le plus souvent éliminées les images trop agressives et les métaphores alambiquées. Le levier sous « la citadelle de mort », les « morceaux mutilés de Philippe », le « vent lugubre du doute », le « chariot étourdissant » et « la statue qui descendrait de son piédestal » seront les principales victimes de cette pudeur rhétorique. Parfois la censure de Baty se fait moins littéraire et plus politique : toutes les allusions aux « républicains dans leurs cabinets », à l'inertie et au bavardage des « gens du peuple » ont été sabrées impitoyablement. Tout se passe comme si Baty avait voulu donner aux propos des deux interlocuteurs une sorte de généralité feutrée et intemporelle. Le tranchant de la volonté d'action s'émousse à ce jeu. Le héros de Baty a les mains sales et il n'a plus de mains.

TREIZIÈME TABLEAU

Hormis les quatre premières répliques que Baty a cru bon d'arranger, on ne sait trop pourquoi, la scène des armes (III, 1) est intacte. A la dernière réplique, une indication nouvelle : « Ils font ensemble le signe de la croix, puis se prennent la main... »

QUATORZIÈME TABLEAU

Ce tableau résulte de deux scènes placées bout à bout : la scène 6 du troisième acte, la scène 4 du quatrième acte. Baty en traite la mise en scène avec audace (« La marquise et le duc sont couchés »), mais le texte avec quelque désinvolture.

La scène 6 du troisième acte, amputée de ses six premières répliques, commence à : « Etre un roi, sais-tu ce que c'est ! » pour s'achever à : « Malheur à toi si tu joues avec ma colère ! ». Après une transition dont Baty emprunte les éléments aux passages qu'il n'a pas conservés, on glisse vers le monologue de la marquise, demeurée seule, dont quelques notes bucoliques ont été assourdies et la fin modifiée : « J'ai perdu le trésor de ton honneur. Pour rien ! pour rien ! », écrit Baty penché sur l'épaule de Musset et lui prenant la main.

La scène 4 du quatrième acte commence aussitôt, par l'entrée du cardinal. Baty suit le texte de Musset, dans lequel il se borne à pratiquer de larges coupures. Les deux dernières répliques sont remplacées par un seul cri : « Ricciarda ».

Mais quelle vraisemblance y a-t-il désormais dans la rupture brusquée de la marquise et de son amant, avec lequel on la voyait couchée quelques minutes auparavant ?

QUINZIÈME TABLEAU

Ce tableau, dont le schéma général correspond à la scène 1 du quatrième acte, est le fruit d'une curieuse cuisine. Cela commence par treize répliques mitonnées par Baty à partir de deux scènes éliminées de son adaptation (III, 7 et IV, 2). Lorenzo raconte au duc ce que Musset avait pris soin de nous montrer : la mort de Louise, la prostration de Philippe, le serment prononcé sur le corps de la nouvelle Lucrèce, la fureur vengeresse de Pierre Strozzi à sa sortie de prison, l'enterrement de Louise par les moines. Une réplique de Musset (« Avez-vous retrouvé votre cotte de mailles ? ») nous remet soudain dans la bonne voie et permet au dialogue de Baty de rejoindre le texte original. A la deuxième réplique du duc près de sortir, nouvelle entorse de commodité. Baty biffe : « Bonsoir, mignon » et écrit à la place : « A ce soir, mignon », afin que le dialogue qui s'achève s'emboîte à l'aise dans le monologue (IV, 3) qui le suit : « Pourquoi ce seul mot : « A ce soir » fait-il pénétrer jusque dans mes os cette joie brûlante comme un fer rouge ? ». La suture est ici d'un si habile chirurgien qu'on serait tenté de lui pardonner quelques-unes de ses fantaisies.

SEIZIÈME TABLEAU

Nouvel arrangement de deux scènes en une. Baty mène d'abord à son terme la scène 5 du quatrième acte, non sans pratiquer dans le monologue final d'importantes coupures. Vient un court texte de transition dont il emprunte les éléments à deux monologues à la fois (IV, 5 et IV, 9) : « Voici la lune qui se lève. Te voilà, toi, face livide ! Je n'ai pas de temps à perdre. O Alexandre ! je ne suis pas dévôt, mais je voudrais en vérité que tu fisses ta prière avant de venir ce soir dans cette chambre ». Puis on enchaîne sur le grand monologue au clair de lune (IV, 9), qui paradoxalement se tient ici à huis clos et dont Baty sabre le texte sans ménagement. L'arrangement ainsi obtenu relève de la cuisine plus que de la chirurgie.

DIX-SEPTIÈME TABLEAU

C'est la scène 10 du quatrième acte. Elle est presque intacte ; deux répliques seulement ont été omises.

DIX-HUITIÈME TABLEAU

Aucune scène de la pièce ne correspond exactement à ce tableau. Baty l'a fabriqué à partir de copeaux tombés du monologue de la scène 9 et qu'il n'a pas voulu laisser inemployés. Voici le résultat :

Le duc : Ta chambre est-elle retirée ? Entendra-t-on quelque chose du voisinage ?
Lorenzo : Soyez sans inquiétude, sans inquiétude. On y a pourvu.
Le duc : Pourquoi ris-tu ainsi ?
Lorenzo : Chut ! voyez cette lumière sous la porte de l'église : on taille, on remue les pierres. Comme ils coupent, comme ils enfoncent ! Ils font un crucifix. Avec quel courage ils le clouent ! Je voudrais voir que leur cadavre de marbre les prît tout d'un coup à la gorge.
Le duc : Es-tu ivre ou fou ?
Lorenzo : Ni l'un ni l'autre, mais j'ai des envies de danser qui sont incroyables.
Le duc : Allons vite.
Lorenzo : Oui. Allons, allons ! Celle qui vous attend sera exacte au rendez-vous.

Ce n'est pas de Musset, mais le remploi des matériaux est habile, l'ambiguïté du dernier propos est un assez beau prélude à la mort.

DIX-NEUVIÈME TABLEAU

Voici, intacte, la scène 11 du quatrième acte. Baty a laissé mourir le duc au gré de Musset, scrupuleusement. C'est à son honneur.

VINGTIÈME TABLEAU

De nouveau reprend la fureur iconoclaste. Le tableau, auquel participent seulement le cardinal, Valori, sire Maurice et Giomo, résulte d'un arrangement extrêmement libre de la scène 1 du cinquième acte. D'abord on a réduit de moitié la scène originale. On est passé de 64 à 36 répliques et le palais ducal est devenu un cabinet secret à l'abri des courants d'air et de circulation, dont Musset donnait allègrement l'idée. Quant au rapetassage ordinaire du texte, on en aura une bonne idée en écoutant l'ultime échange de propos entre le cardinal Cibo et sire Maurice :

> *Sire Maurice :* Que sera le nouveau duc ?
> *Le cardinal :* Le meilleur prince du monde. Avant de recevoir de mes mains la couronne que je lui confierai au nom du pape et de César, il devra jurer sur l'Evangile, de faire justice, de ne rien tenter contre l'autorité de Charles Quint et de ne jamais s'écarter de nos prudents conseils.

Ainsi, comme à son habitude, Baty livre au discours ce que Musset donnait à voir. La narration porte ici sur un événement à venir, non sur un fait passé, mais le procédé n'est pas différent. Il n'est pas sûr que le théâtre gagne à cette prolifération du tissu conjonctif, qui n'est, au demeurant, jamais un signe de santé.

VINGT ET UNIÈME TABLEAU

Encore un tableau fait de deux scènes distinctes (V, 2 et 7) dans l'œuvre originale. Baty les surmonte d'abord d'un « chapeau » d'introduction, issu de quelques propos tenus par Philippe dans une scène antérieure, qui n'a pas été maintenue (IV, 6) :

« *Philippe (seul) :* François Ier attendait de moi un mouvement en faveur de la liberté. Mais il y a soixante ans que je devais répondre à la lettre du Roi de France : " Le jour où Philippe portera les armes contre ses concitoyens, il sera devenu fou ". Pierre, lui, mon pauvre Pierre s'est obstiné. Le voilà à la tête d'une espèce d'armée... ». Suit le texte de la scène 2 du cinquième acte, souvent coupé et parfois simplifié. Après la lecture de la proclamation signée « de la main des Huit », Baty dispose deux brèves répliques de transition : « *Philippe :* Qu'allez-vous faire ? — *Lorenzo :* Un tour de promenade ». Et l'on enchaîne aussitôt sur la seconde scène à Venise (V, 7), écourtée de ses douze dernières répliques, que Baty a remplacées par quatre répliques de son cru, équivalent décharné et exsangue du texte original. Le tableau s'achève sur un adieu très plat, que rehausse une somptueuse mise en scène. « J'ai tué Alexandre. Florence n'en est pas redevenue libre et je n'en redeviendrai pas honnête. Adieu Philippe. Faites de beaux rêves. Je vais faire un tour au Rialto ».

Ainsi, jusqu'à la fin, nous aurons été privés de spectacle et nourris de discours. Pas de mort à Venise, même en coulisse, pas de cadavre poussé dans la langue, même en rêve, pas de couronnement du nouveau duc, même à huis clos. Rien qu'un linceul de pourpre traînant négligemment sur les marches.

Ce curieux et parfois indélicat traitement d'un grand texte classique étonne de la part d'un lettré aussi fervent que Baty, qui, tout en ferraillant contre les prétentions exclusives de « Sire le Mot »[13], n'a jamais manqué d'affirmer son respect absolu des œuvres et des auteurs : « j'ai toujours respecté le texte, écrit-il. Je le respecte plus qu'à la Comédie-Française, puisque je ne fais pas de coupures dans les classiques (...), je n'ai jamais déformé un texte pour le plaisir

---

13. Voir Gaston Baty, *Rideau baissé*, p. 47-121.

d'une belle mise en scène [14] ». Plus qu'à la Comédie-Française ? En ce qui concerne *Lorenzaccio*, rien n'est moins sûr, comme on vient de le voir, et cet écart de conduite mérite précisément qu'on s'interroge à son sujet.

Bien des raisons viennent à l'esprit et, en particulier, la nécessité de réduire ce drame trop long. A force de tailler à la machette dans l'exubérante végétation, on finit par ne plus trop regarder où ni comment l'on taille. On coupe et on raboute sans mesurer les dégâts d'un œil trop sourcilleux. Et puis l'on est pauvre et les moyens manquent, en 1945, dans une France ruinée par la guerre et l'occupation étrangère. En faisant tomber quelques têtes, on fait des économies en personnel et en costumes, sans trop se soucier si l'essence de *Lorenzaccio* n'est pas de porter tout un monde avec soi. Et surtout Baty rencontre, avec Lorenzaccio, une pièce dont la composition par tableaux a dû réveiller en lui l'écho et le souvenir d'autres pièces de même structure, dont il fut indirectement et comme de moitié l'auteur : *Crime et châtiment* [15] d'après Dostoïevski et *Madame Bovary* [16] d'après Flaubert. De là à traiter le drame de Musset comme naguère les deux romans célèbres, il n'y a qu'un pas, qu'on franchit sans y prendre garde. Les 21 (ou 22) tableaux tirés laborieusement de *Lorenzaccio* s'alignent, comme à la parade, sur les 20 tableaux librement inspirés de Dostoïevski et de Flaubert. Le malheur est que le drame de Musset, étant à l'origine une pièce de théâtre, ne supportera pas sans rechigner le moule trop serré qui opprime sa respiration naturelle.

Quoi qu'il en soit, avec Baty nous voici, quant au texte, revenu un pas en arrière. D'Artois, dans un cadre en cinq actes, avait brisé le rythme de la pièce et sabré les Cibo ; Baty, tout en gardant la coupe en tableaux, décime les Strozzi et fait de *Lorenzaccio* un drame d'alcôve et de palais. Le progrès n'est pas évident. La version de la Comédie-Française, avec ses coupures et ses arrangements, était, tout bien pesé, moins infidèle. Mais l'adaptateur rachète ses fautes par d'autres mérites et il n'est pas exagéré de dire qu'au Théâtre Montparnasse la mise en scène de Baty prépare les voies d'un proche avenir.

Sur le rôle du metteur en scène et la finalité de la mise en scène théâtrale, Gaston Baty s'est expliqué à maintes reprises et à toutes les grandes étapes de sa carrière. L'année qui précède *Lorenzaccio*, il rassemble une fois de plus les pensées qui lui tiennent à cœur en un texte de synthèse qui ferme la marche de *Rideau baissé*. On en notera la conclusion, car elle jette, en feu d'artifice, de vives lueurs sur la mise en scène de *Lorenzaccio*, à laquelle il n'est pas interdit de penser qu'il songeait dès 1944 : « Le poète a rêvé une

---

14. Cité par R. Cogniat, *Gaston Baty*, p. 26.
15. *Crime et châtiment*, « 20 tableaux adaptés et mis en scène d'après F.M. Dostoïewsky » ; théâtre Montparnasse, 21 mars 1933.
16. *Madame Bovary*, « 20 tableaux adaptés et mis en scène d'après Gustave Flaubert », théâtre Montparnasse, 9 octobre 1936.

pièce. Il en met sur le papier ce qui en est réductible aux mots. Mais ils ne peuvent exprimer qu'une partie de son rêve. Le reste n'est pas dans le manuscrit. C'est au metteur en scène qu'il appartiendra de restituer à l'œuvre du poète ce qui s'en était perdu dans le chemin du rêve au manuscrit. Pour le tenter, il réglera le jeu, non plus seulement dans les répliques, mais dans leurs prolongements, harmonisera l'ensemble de l'interprétation, rythmera le mouvement de chaque tableau. Par le costume, par le décor, par la lumière, et s'il y a lieu par la musique et par la danse, il créera autour de l'action le milieu matériel et spirituel qui lui convient, l'ambiance indescriptible qui agira sur les spectateurs pour les mettre en état de réceptivité, pour les rapprocher des acteurs, pour les accorder avec le poète. Il s'agit pour lui de réaliser sur la scène le songe d'un univers expressif et cohérent et de provoquer dans la salle une hallucination collective [17] ».

Tout Baty est dans l'explosion de ce texte majeur et son *Lorenzaccio* implicitement. Ainsi, cette orgie florentine rêvée par un poète de vingt-trois ans et projetée en imagination sur son théâtre intérieur sous le nom de *Lorenzaccio*, grande est la tentation, pour l'homme de théâtre, d'en surprendre l'essor, d'en suivre la pente, d'en restituer l'impalpable mouvement. L'attrait est d'autant plus vif que la « coupe en tableaux » essentielle, selon Baty, quand « il s'agit d'évoquer un milieu complexe où doivent s'opposer des atmosphères différentes [18] », se prête plus commodément qu'aucune autre à ce jeu. Et Musset lui-même, en dépit des cinq actes, a choisi la coupe en tableaux, girandole de rêves offerts à la sagacité du metteur en scène. Donner à ces rêves un corps de chair et de lumière, projeter chacun d'eux dans le temps et l'espace appropriés, telle est la mission que se reconnaît Baty. Il la remplira, comme on va le voir, à sa manière personnelle et discutable, mais toujours cohérente et délibérée.

« Il n'y aura pas de décors, déclarait Baty à quelques jours de la générale. La pièce sera jouée devant des rideaux noirs, et les projecteurs, prenant sous leurs feux les personnages revêtus de beaux costumes les animeront. La lumière creusera autour d'eux l'atmosphère. On peut tout obtenir de la lumière [19] ».

Telle serait sa mise en scène, réduite à ses ingrédients. Mais l'esprit qui l'anime, la philosophie qui l'ordonne révèlent un choix fondamental. *Lorenzaccio*, pour Baty, c'est moins un drame historique découpé en tableaux qu'une succession de tableaux d'histoire coordonnés en drame. La nuance paraît subtile, — question non de fond, mais d'accent, si l'on veut, — mais les conséquences esthétiques en seront lourdes. Dans cette perspective, en effet, mettre en scène la pièce de Musset, c'est noyer d'ombre la rigueur dramatique d'un moraliste de l'histoire pour ordonner en féerie les fantasmes d'une imagination hantée par la chronique. Baty mettra le meilleur de son invention à construire l'espace fixe où déployer ces fantasmes.

17. Gaston Baty, *Rideau baissé*, p. 219.
18. *Ibid.*, p. 213.
19. *Le Figaro*, 7-8 octobre 1945.

Deux conditions lui paraîtront nécessaires : que cet espace soit assez neutre pour n'être que le support de la lumière, qu'il puisse être intégralement occupé, sans place perdue ni lieu privilégié. Des rideaux noirs et un dispositif scénique en élévation répondront à cette double exigence.

La scène, fermée par de grands rideaux de velours noir, est occupée par un vaste escalier ascendant, rythmé par des paliers intermédiaires. Quatre aires de jeu sont ainsi déterminées : l'avant-scène (A), parfois limitée par le rideau Florence ; le premier palier (B), fermé à volonté par des rideaux de velours noir, le deuxième palier (C), devant l'escalier du fond ; la plate-forme enfin (D), située en haut de l'escalier du fond. Ajoutons, pour être précis, que B est à 60 cm au-dessus du sol, C à 1,20 m, D à 2,50 m. L'occupation de la hauteur n'est donc pas symbolique, mais réelle. Cette formule scénographique n'est pas inédite. Les esquisses d'Adolphe Appia, notamment, dont Baty a connu et médité les théories [20], fourmillent d'escaliers de formes et de finalités multiples, permettant, par exemple « de mettre en valeur les rapports existant entre deux personnages, de mettre en relief le corps humain, de hiérarchiser des plans d'action [21] ». Dans le cas qui nous occupe, l'escalier sur lequel Baty a choisi de représenter *Lorenzaccio* obéit à une finalité simple : c'est avant tout un présentoir, dont on utilise avec souplesse et à la demande tout l'étagement. Baty, en marchand de rêves maître de ses moyens, fait surgir à volonté sous le feu savant des projecteurs et sur l'un quelconque des points de cet espace en profondeur et en élévation, un tableau né de la nuit et qui retourne à la nuit. Les rideaux noirs, complices de cette nuit dévoreuse, serviront d'écran ou plutôt de fond neutre et amorphe, sur lequel se détachent, hauts en couleurs, objets et costumes jouant dans la lumière. Plus besoin de décors : la lumière, à ce degré d'intégration au spectacle, est le décor même ; quelques meubles, quelques tentures suffiront à créer chaque atmosphère, que la lumière suscite à l'infini. Nous retrouvons ici les principes et les solutions adoptés naguère par Armand Bour au Théâtre de la Madeleine, mais appliqués par un metteur en scène de génie, qui dispose de moyens techniques supérieurs [22] et d'une expérience incomparable.

Les résultats, en tout cas, furent à la hauteur des intentions et la presse, dans son ensemble, loua Baty de ses dons de virtuose des éclairages. Pour nous, qui n'avons pas d'autre moyen de reconstituer

20. Voir Gaston Baty et René Chavance, *Vie de l'art théâtral*, p. 268-269.

21. D. Bablet, *op. cit.*, p. 272, n. 100.

22. « Gaston Baty a été le premier à utiliser des écrans de couleur lesquels avaient été employés jusque-là uniquement au music-hall. Le théâtre n'utilisait, avant lui, que des portants, des herses et des rampes ne mettant en œuvre que trois couleurs : bleu, blanc et rouge. Dès son installation au Théâtre de l'Avenue, ensuite au Théâtre Montparnasse, Baty disposait d'un jeu d'orgue de 36 plaques qui, par l'intermédiaire d'un standard, permettait d'utiliser alternativement et selon les zones à éclairer au cours du spectacle, les 54 lignes installées soit dans la salle, soit dans la cage de scène. Il parvint à une variété de nuances très raffinées mais, parmi elles, il créa véritablement par l'emploi de rhodoïds de couleur spécialement choisis, ce qui restera le fameux « bleu Baty » (*Cahiers Gaston Baty*, 7, 1970, p. 44).

ce qui est à jamais perdu, une rapide revue de presse est encore la moins incertaine de nos sources d'information. Voici, classées par chapitre, quelques réactions caractéristiques :

1º Sur l'occupation de l'espace : « les personnages surgissent à gauche, à droite, en haut, semblent jaillir de l'inconnu pour se diluer, se fondre dans une immensité imprécise [23] ».

2º Sur la lumière : « ...tantôt blonde comme le miel sur les épaules nues des femmes, tendre et lunaire pour éclairer les rendez-vous d'amour, froide et crayeuse si elle baigne le visage blafard de l'assassin [24] ».

3º Sur les costumes : « les personnages sont revêtus de costumes ravissants (...) auxquels les jeux de lumière arrachent des professions de foi de vermillon ou d'ocre péremptoires [25] ».

4º Sur l'apparition ou la disparition des personnages dans la nuit : « ...L'apparition de Philippe Strozzi sortant de l'ombre comme un sage de Rembrandt, tel effacement de Lorenzaccio dans l'épaisseur noire de sa propre nuit ...voilà des images qui ne sont pas seulement des réussites « d'électricien », mais des visions de peintre qui atteint l'âme d'un personnage ou saisit l'essentiel d'un drame [26] ».

Les photographies de scène nous suggèrent des impressions assez semblables. Le goût, la science des ensembles, le raffinement du détail sautent au regard. Faut-il solenniser l'instant où Lorenzo entre en scène ? Une construction triangulaire dont le héros occupe le sommet procède d'une géométrie significative et passionnée. Le duc est assis au centre, sur un siège incurvé orné de griffons ; de part et d'autre, de profil, ses conseillers : sire Maurice, vêtu et botté de cuir, le cardinal Valori en « cappa magna de cinq mètres de long [27] » ; derrière le siège du duc, un peu en retrait, comme à son ordinaire, l'autre cardinal, vêtu de même, mais de face ; et, descendant l'escalier du fond, mystère et lumière sur fond de nuit, « un pourpoint emprunté au deuil d'Hamlet et qui se mêle à la pourpre cardinalice [28] », mais la cape d'or à l'épaule, « flexible et rigide comme une lame d'épée [29] », Marguerite Jamois en Lorenzo de Médicis.

Faut-il opposer les Strozzi aux Médicis, l'étude à la sensualité, la vertu à la débauche ? Quelques objets suffiront. Voici Philippe, pensif, assis à sa table de travail : grand manteau brodé de couleur sombre, pendentif retenu par une chaînette ; un livre ouvert, deux livres fermés empilés sur la table ; un chandelier à trois branches, court et trapu, dispense une lumière mesurée ; debout aux côtés de Philippe, son fils Léon, en manteau et scapulaire de moine dominicain, l'air tendre et vulnérable. Plus tard, par contraste, on verra surgir, sous le feu des projecteurs, le duc à sa table non de travail,

23. *Cité-Soir*, 11 octobre 1945.
24. *Dépêche de Paris*, 11 octobre 1945.
25. *Carrefour*, 19 octobre 1945.
26. *La Vie intellectuelle*, novembre 1945.
27. *L'Aurore*, 12 octobre 1945.
28. *Dépêche de Paris*, 11 octobre 1945.
29. *Cité-Soir*, 11 octobre 1945.

mais de ripailles. Tout est alors lumière et couleurs. Le duc, buisson ardent, est à table, vautré dans un somptueux fauteuil doré ; Giomo, vêtu en « fou du roi », est à ses côtés, lui servant d'échanson ; à chaque extrémité d'une table massive, chargée de fruits, de brûle- parfums, de vaisselle précieuse, deux chandeliers graciles, élancés, à deux branches, portent haut une lumière qui n'éclaire pas la méditation, mais les plaisirs ; de part et d'autre, debout, à la Cour le cardinal Cibo, au jardin sire Maurice, comme deux cariatides ; et le tableau s'enlève sur une toile reproduisant la Procession des Mages, peinte à fresque par Benozzo Gozzoli sur les parois de la chapelle du palais Médici-Riccardi à Florence. Le velours sombre convenait à l'austère Philippe, mais le duc de Florence, jouisseur, mécène et Médicis, appelait l'éclat du pinceau.

Tout est du reste à l'avenant : l'accessoire dit l'essentiel. Des peaux de bêtes sur le lit de la marquise ont le langage de la sensualité. Le lit de Lorenzo a l'étroitesse et l'austérité royale d'un cercueil et de vastes tentures à ramages, flammes et fleurs mêlées, l'entourent à la façon d'une chapelle ardente. Le pourpoint de Lorenzo est noir, mais sa chemise de soie à manches bouffantes éclate de blancheur dans la scène des armes ; manichéisme un peu simple, mais de grand effet. Florence grouillante de badauds, de bourgeois, de marchands et d'étu- diants n'est peut-être pas présente au rendez-vous, mais on peut contempler à loisir, au cours de cinq tableaux, peinte sur le rideau d'avant-scène, « rose tendre, gris tourterelle et glycine », Florence avec « les couleurs même dont la ville se pare lorsqu'on la contemple du haut de Fiesole [30] ». Les rideaux noirs ont peut-être quelque mal à nous dire Venise, ses canaux et ses palais, mais, pour le 21e et dernier tableau, la scène est surmontée d'un velum déployé au vent, portant l'insigne du Lion et l'inscription « San Marco ». La mort à Venise ne demandera qu'un long manteau rouge que Lorenzo piétine en remontant l'escalier qui le mène à son destin. L'escalier du fond, réservé à l'entrée et à la sortie du seul Lorenzo, prend alors tout son sens, qui est moral et métaphysique, la porte même de la mort [31].

Des effets aussi calculés ont évidemment leurs revers, car ils accentuent les défauts que nous avons reconnus à l'adaptation conçue par Baty. En vérité, mise en scène et adaptation s'épousent si étroi- tement l'une l'autre qu'on les sent le fruit d'un seul maître d'œuvre. Baty doit en recevoir à la fois le blâme et l'éloge. Du dispositif scé- nique, par exemple, on peut dire en même temps du bien et du mal : du bien pour ce qu'il suggère ou permet, du mal pour l'usage qui trop souvent en est fait. On a ironisé sur cet escalier à tout faire : « Alexandre de Médicis soupe sur le palier d'un escalier ; le lit de Lorenzaccio trône au haut d'un escalier ; Alexandre, refusant le boudoir secret où l'enfermait la pudeur de Musset, couche avec la marquise de Cibo sur un divan, au bas d'un escalier. Que tout cela

30. *Dépêche de Paris*, 11 octobre 1945.
31. « Symbole facile, mais d'un bel effet » (R. Cogniat, in *Arts*, 12 octobre 1945) ; « le symbolisme niais qui consiste à faire piétiner un manteau rouge à Lorenzaccio parce qu'il vient de tuer » (F. Ambrière, *la Galerie dramatique*, p. 90-93).

soit absurde, c'est l'évidence même [32] ». Absurde, certes, si l'on identifie lieu théâtral et lieu réel. Mais toute absurdité cesse, dès lors
qu'on accepte l'existence d'un espace de jeu conventionnel comme
principe actif d'un théâtre simplifié et rendu à sa pure essence. La
vraie faiblesse de Baty n'est pas d'avoir perché ses comédiens sur des
escaliers, mais d'avoir traité la scène en profondeur et d'en avoir,
pour ainsi dire, interdit l'usage aux acteurs, contraints le plus souvent
aux entrées et aux sorties latérales. L'escalier du fond tend alors vers
l'accessoire inerte ou purement décoratif que, dans une revue à grand
spectacle, une vedette descend au bon moment sous la lumière des
projecteurs.

Cet isolement et cette dispersion des espaces de jeu sous les
projecteurs non seulement privent les grandes scènes de la pièce de
la dilatation qu'elles appellent, mais donnent au mouvement interne
de chacune d'elles, comme à leur succession, une lenteur un peu
figée. Les costumes somptueux et drapés, dessinés avec goût par
Marie-Hélène Dasté, ne rendaient pas, il est vrai, la démarche libre
et nerveuse. Des raffinements d'éclairage amènent de surcroît l'effet
esthétique à se prolonger quelques fractions de seconde au-delà du
nécessaire ou à accaparer l'attention du spectateur au détriment du
texte ou de la situation. Tel journaliste note que, dans un tableau,
chaque personnage a « trois ombres : une bleue des mers du sud,
une vin rosé, une bleu électrique [33] » ; tel autre qu'Alexandre de
Médicis, « soleil vivant, châsse rutilante, Alexandre de Médicis grogne,
bougonne, gueule et le moindre de ses mouvements déplace d'imper-
ceptibles jets de lumière [34] » ; tel autre, enfin, rend hommage à la
« fresque éblouissante » qu'est devenue, sous les projecteurs de Baty,
la scène du portrait, mais regrette que la mariée soit trop belle :
« ces ors rutilants, cernés de gris et de noir, nuisent presque, par leur
éclat, au remarquable jeu de scène de Mme Jamois, maniant la
fameuse cotte de mailles [35] ». Chaque scène est un tableau qui tend
à se refermer sur lui-même : « à chaque nouveau tableau, on a la
sensation de changer d'univers [36] ».

Peut-être cette passion de l'image savamment enluminée va-t-elle
jusqu'à la violation du sol sacré de l'écrivain. Baty prétend, on l'a
vu, n'avoir jamais déformé un texte pour le plaisir d'une belle mise
en scène, et c'est vrai le plus souvent. Mais comment expliquer le
coup de ciseau final qui nous prive du cri pathétique de Philippe sur
Lorenzo mort sans sépulture ? Baty semble avoir ici outrepassé ses
droits d'adaptateur et bien des critiques lui en ont fait grief : « Qu'importe, écrit l'un d'eux sur le mode acerbe, que le spectateur demeure
dans l'ignorance du sort final du héros ? Qu'importe que la pièce
soit ainsi vidée de sa décevante philosophie sociale ? Une seule chose
est nécessaire : le rideau doit tomber sur l'écharpe rouge et le pour-

32. *L'Ordre*, 18 octobre 1945.
33. *Le Figaro*, 10 octobre 1945.
34. *Spectateur*, 17 octobre 1945.
35. *Paysage*, 21 octobre 1945.
36. *Carrefour*, 19 octobre 1945.

point noir de Mlle Jamois remontant, à l'inverse de Mme Sorel qui, au Casino de Paris, le descendait « si bien », un escalier de quatorze marches [37] ». Dans l'adaptation manuscrite en 19 tableaux, Baty avait même imaginé Lorenzo, au moment de partir pour sa dernière promenade, chantonnant, avec une variante de circonstance, la romance de la scène du portrait : « Bonsoir, Madame l'Abbesse... ». Il a renoncé heureusement à cet affadissement supplémentaire, se souvenant à propos qu'il ne convient guère à la tragédie de se terminer par des chansons.

L'impression de ralenti, inhérente au traitement de chaque tableau comme l'enluminure d'un livre d'heures, est renforcée encore par les temps morts qui séparent entre eux les tableaux. Temps morts que meublent de la musique et des chants réduits ici à un rôle subalterne et utilitaire. Nul doute que Baty, qui avait les moyens suffisants et assez d'ingéniosité pour faire jouer l'œuvre en continuité et sur un rythme soutenu, n'ait fait exprès de fragmenter la pièce en tableaux refermés sur eux-mêmes. C'est ainsi qu'il voit la pièce, rongée de forces centrifuges, qu'il imagine le rêve intérieur de Musset, fragmentaire et discontinu. Rien n'est moins sûr qu'il ait raison. Et l'on est finalement indulgent à ceux qui lui cherchent loyalement querelle : « ...On ne reconnaît plus la pièce, écrit Kleber Haedens, il ne reste plus qu'un petit squelette égaré sur lequel tombent de grands voiles de deuil (...). Les coupures (...), loin d'accélérer le rythme, le ralentissent, le faussent et font sombrer la pièce dans l'incohérence, l'obscurité, l'ennui [38] ». Ces mots-là sont rudes, mais, en fin de compte, ils nous vengent de pénibles frustrations.

Le *Lorenzaccio* de Baty, si somptueux qu'il soit, a quelque chose de gommé, d'aseptisé, d'attifé même, qui n'est pas dans la pièce de Musset. Les cris, du reste, qui en sont la vibration sensible, ont disparu. Ni la plainte des bannis, ni le hurlement de mort de Louise, ni le gémissement final de Philippe ne retentissent plus à nos oreilles. Une musique douce la remplace : « un peu trop de violoncelle à l'orchestre, écrit J.-J. Gautier, un peu trop de chansons en coulisses, qui nous feraient prendre Florence pour Venise et les imprécations des bannis pour des sérénades... [39] ». L'assassinat lui-même entre dans cette perspective d'assainissement général : « M. Gaston Baty l'a réalisé dans une note moins crue, plus sobre, un style moins " boucherie " que ne l'avait fait la Comédie-Française il y a une quinzaine d'années. Il n'en est que plus saisissant. Il n'en perd pas une once de son poids dramatique et symbolique [40] ». Quoi qu'il en soit, une certaine mollesse d'ensemble ne convient guère à cette œuvre virile, qui a ses temps forts, ses cris de guerre ou de révolte, son amertume ravalée. A vouloir tenir le drame de Musset à l'écart de la vie réelle et de l'actualité politique, Baty a couru le risque de le dénaturer :

---

37. *L'Ordre*, 18 octobre 1945.
38. *L'Epoque*, 12 octobre 1945.
39. *Le Figaro*, 10 octobre 1945.
40. *Arts*, 12 octobre 1945.

« Florence est désormais absente. La pièce devient une sorte de débat métaphysique, une « conversation sous un lustre [41] ».

Le poids du héros pourra-t-il, à lui seul, rééquilibrer cette œuvre dévorée vive par le velours, la lumière et les violons, lui faire retrouver son rythme originel, « haletant, dionysiaque », son « souffle puissant et fragile ? [42] » Gaston Baty, une fois de plus, — et après d'autres, — jouait la difficulté en confiant le rôle de Lorenzo à une comédienne : Marguerite Jamois.

Agée de quarante-deux ans, longue et mince, avec « sa taille et ses épaules de mante religieuse », dévorée « du feu glacial qui l'habite [43] », Marguerite Jamois était un Lorenzo plausible. Comédienne expérimentée, sûre de la confiance et de l'admiration de Baty, rompue aux grands rôles du répertoire : Marianne des *Caprices*, Phèdre, Hedda Gabler, d'autres encore, elle est, si l'on peut dire, à la taille du rôle et la vedette qu'on vient applaudir dans sa nouvelle métamorphose. Dans ce rôle insolite, la grâce personnelle de l'actrice ne sera pas contestée. Ni trop viril, ni trop efféminé, ni « travesti », son Lorenzo de Médicis est accueilli avec faveur. Son physique longiligne la sert. Elle apparaît « flexible et rigide comme une lame d'épée [44] ». Tel autre loue « sa grâce flexible, son ardeur secrète et la magie de sa voix de cristal [45] ». Les moins prompts à l'éloge saluent « sa saisissante beauté et une étonnante économie de mouvements [46] », qui forcent l'admiration.

Sa présentation est, du reste, très soignée : pourpoint noir ajusté, ouvert en pointe sur un plastron blanc, ceinture à boucle énorme, pendentif en forme de croix grecque ou grand collier fait de coquilles Saint-Jacques reliés par des chaînettes, poignard à la ceinture, manteau drapé ou sur l'épaule, couleur d'or, puis de sang, de pied en cap la silhouette a belle allure. Contrairement à Falconetti et à Marie-Thérèse Piérat, elle a gardé ses cheveux longs bouclés, sans chercher à masculiniser de quelque manière son beau profil androgyne. D'aucuns railleront en elle un port de tête et un maintien jugés un peu monotones. « Le menton grave, un regard à vingt pas, le front grave, un air inspiré [47] » : ainsi la voit Philippe Hériat, qui lui reproche de n'avoir pas « composé » le rôle. Mais elle domine, et de haut, une distribution qui, Jacques Berlioz en Philippe Strozzi et Marie-Hélène Dasté en marquise Cibo mis à part, semble avoir été des plus médiocres.

D'accord sur les qualités plastiques et la plausibilité de la silhouette, la critique est divisée sur l'interprétation. Quel Lorenzaccio incarnait Marguerite Jamois ? Car, ainsi que le faisait remar-

41. *Le Pays*, 13 octobre 1945.
42. *Opéra*, 17 octobre 1945.
43. Ces expressions sont de Jean Cocteau.
44. *Cité-Soir*, 11 octobre 1945.
45. *L'Aurore*, 12 octobre 1945.
46. *Le Figaro*, 10 octobre 1945.
47. *La Bataille*, 18 octobre 1945.

quer Pierre Aimé Touchard, il y a au moins deux personnages en un seul : « le joueur », « l'orgueilleux justicier », et « l'homme découragé et vide [48] ». Jamois, selon lui, n'aurait connu et senti que ce dernier, mais avec talent. Henri Gouhier va dans le même sens, en notant qu'au terme d'un choix délibéré elle « présente un Lorenzaccio qui a pris son parti de son destin, qui a surmonté la tentation du regret et qui joue sa vie au-delà de l'angoisse [49] ». De ce choix, qu'on veut croire volontaire, à moins qu'imposé par le metteur en scène, d'aucuns feront grief à l'interprète.

Certes, le style du rôle est homogène. Soucieuse de s'accorder à la musique et au lyrisme de la prose de Musset, Marguerite Jamois dira tout son rôle sur un « ton de psalmodie [50] », auquel Baty, impérieux directeur d'acteurs, ne fut sans doute pas étranger. Mais Philippe Hériat aura beau jeu d'indiquer que ce ton-là ne saurait convenir à la totalité du texte et du rôle : elle n'en a rendu « ni l'acuité, ni l'insolence, ni même l'ironie [51] » ; « elle ôte à Lorenzo, écrit un autre témoin, sa légèreté, son ironie dont l'amertume ne doit pas effacer la fantaisie. Elle ne donne pas l'impression d'être ce jeune amateur d'espiègleries [52] ».

A ce point du débat, il devient possible de porter un jugement d'ensemble sur le spectacle offert par Baty. Car l'interprète est ici sa complice ou plutôt son alliée. Elle joue dans le ton de la présentation scénique, s'associe à son raffinement émoussé, s'attache à n'en pas briser la cohérence esthétique et morale. « Pâle et défaillante, écrit Kleber Haedens, elle erre entre les éclairages mélancoliques sans jamais se mêler à la vie de Florence, sans jamais cravacher, sans jamais nous faire entendre ce rire secrètement fêlé qui est celui du pauvre Lorenzo [53] ». Ce rire, Baty n'a pas eu l'intention de nous le faire entendre ; il est même possible qu'il ne l'ait pas entendu. Car c'est à une autre musique qu'il est sensible, à une autre rêverie de sang, de volupté et de mort. Ce Lorenzo errant et gémissant est à l'image de la ville où l'égarent ses pas : une Florence de tentures, de rideaux et de tapis, amortie, stérilisée, à l'abri de l'aigre vent d'hiver et des bruits de la rue. Tout est à l'avenant ou plutôt à l'unisson sur la scène du Théâtre Montparnasse : Florence tapie dans sa prison de velours noir, Lorenzo perdu dans ses sombres pensées, *Lorenzaccio*, sous vitrine flamboyante, figé dans son écrin de bijouterie. Il fallait décidément beaucoup d'imagination à J.-J. Bernard et une tendre fidélité à Baty, pour voir dans le héros du Théâtre Montparnasse « l'image de la jeunesse dressée devant les tyrannies, l'image de la jeunesse de France retrouvant son âme dans la nuit de l'occupation, mais inquiète en même temps, désabusée d'avance par la crainte du

---

48. *Opéra*, 17 octobre 1945.
49. *La Vie intellectuelle*, novembre 1945, p. 149.
50. *Le Pays*, 13 octobre 1945.
51. *La Bataille*, 18 octobre 1945.
52. *L'Université libre*, 5 novembre 1945.
53. *L'Epoque*, 12 octobre 1945.

sacrifice inutile [54] ». Il est vrai qu'en allant au théâtre on ne laisse pas ses souvenirs au vestiaire et que les Français de 1945 entendaient ne plus avoir la mémoire courte.

Sans aller jusqu'à faire du spectacle de 1945 l'échec le plus net de la carrière de Baty [55], on se bornera à remarquer qu'il concentrait en lui, comme à plaisir, les défauts les plus évidents de son système théâtral, alliant la souveraine maîtrise des éclairages au coup de force permanent sur les textes les plus estimables. Du moins son ingéniosité et son sens du spectacle théâtral montraient-ils la voie de l'avenir et comment il fallait désormais monter *Lorenzaccio*. Dès 1927, on avait pressenti qu'il fallait remplacer le décor descriptif et illusionniste par le jeu pur de l'espace et de la lumière. Il appartenait à Baty de rendre le mouvement irréversible et d'indiquer la direction. La déclaration préliminaire de Baty — « il n'y aura pas de décors (...), les projecteurs, prenant sous leurs feux les personnages revêtus de beaux costumes, les animeront. La lumière creusera autour d'eux l'atmosphère. On peut tant obtenir de la lumière [56] » — pourrait à cet égard, mais dans un autre contexte politique et moral, s'appliquer au *Lorenzaccio* du VIe festival d'art dramatique d'Avignon. Mais il restait à purifier l'esthétique de Baty au feu de la mystique du tréteau nu enseigné par Copeau. Ce sera, sept ans plus tard, la tâche de Jean Vilar.

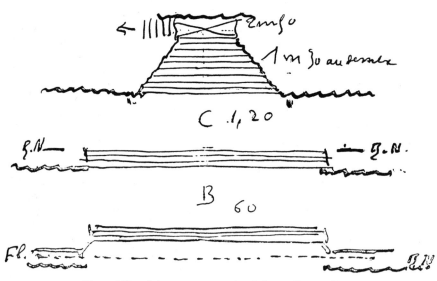

Dispositif scénique conçu et dessiné par Gaston Baty
(Fonds Gaston Baty, bibliothèque de l'Arsenal)

---

54. *L'Aube*, 18 octobre 1945.
55. « Son échec le plus certain reste *Lorenzaccio* de Musset » (F. Towarnicki, in *Encyclopédie du théâtre contemporain* », vol. 2, p. 78).
56. *Le Figaro*, 7-8 octobre 1945.

CHAPITRE VI

« LORENZACCIO »
ET LE THÉATRE NATIONAL POPULAIRE

Maintes entreprises réussies ont été parfois le fruit d'une succession de hasards, que l'histoire s'ingénie après coup à transformer en nécessité. Ainsi en va-t-il du T.N.P. de Jean Vilar et des noces heureuses de *Lorenzaccio* avec la plus importante des entreprises de rénovation dramatique tentées en France depuis la seconde guerre mondiale. Trois rencontres, au moins, inégalement fortuites et d'importance inégale, jalonnent ce chemin conquis de haute lutte sur les habitudes et la facilité : la rencontre de Jean Vilar avec la cour d'honneur du Palais des Papes à Avignon, celle de Gérard Philipe avec la troupe du Théâtre National Populaire, celle, enfin, de *Lorenzaccio* avec la « formule dramatique [1] » pressentie, inventée et mise en œuvre par le directeur du Festival d'art dramatique d'Avignon et du T.N.P. [2].

Il n'entre pas dans mon propos de raconter ici les circonstances de la rencontre de Vilar avec la cour d'honneur du Palais des Papes à Avignon. Au demeurant Vilar lui-même et les historiens de son entreprise [3] s'en sont expliqués à loisir. Ce qui m'importe, en revanche,

---

1. L'expression est de Morvan Lebesque in *Arts*, 24 juillet 1952.
2. Pour fixer les idées une fois pour toutes, rappelons que Jean Vilar est l'organisateur du Festival d'art dramatique d'Avignon depuis l'été de 1947. Le premier Festival a eu lieu, en effet, du 4 au 10 septembre 1947, sous le placard d'information suivant : « Une semaine d'art en Avignon ; 4, 5, 6, 7, 8, 9, 10 septembre 1947 ; au Palais des Papes. Trois créations dramatiques sous la direction artistique de Jean Vilar ». C'est au cours du Ve Festival (juillet 1951) que Jeanne Laurent, sous-directrice des spectacles au Secrétariat d'Etat aux Beaux-Arts, proposera à Jean Vilar la direction du Théâtre national du Palais de Chaillot. Jean Vilar entrera en fonction le 1er septembre 1951 et rendra aussitôt au Théâtre dont il prend la direction son appellation d'origine : Théâtre National Populaire ou, plus brièvement T.N.P. Jean Vilar demeurera en fonction jusqu'à la fin de son troisième mandat, soit le 31 août 1963. Durant toute cette période il assumera conjointement la responsabilité du T.N.P. et celle du Festival d'Avignon, dont les activités seront, du reste, étroitement solidaires. Déchargé, sur sa demande, de la direction du T.N.P., il continuera à assumer ses fonctions de directeur du Festival d'Avignon.
3. Voir notamment : M.T. Serrière, *le T.N.P. et nous*, p. 23-39 ; Claude Roy, *Jean Vilar*, p. 40-59.

c'est de marquer clairement ce que la présentation de *Lorenzaccio* doit à ce « lieu noble et strict par excellence[4] », à la haute muraille toute proche, au plafond de nuit et d'étoiles, à la qualité particulière du plein air et parfois du plein vent. Maurice Coussonneau, qui fut, entre autres, le régisseur de la première « semaine d'art en Avignon » et fit partie de toutes les distributions de *Lorenzaccio*, dit avec justesse et émotion ce que fut la première métamorphose de ce lieu historique en lieu théâtral : « Le soir de mon arrivée, Jean Vilar m'a conduit au Palais des Papes. La nuit calmait les pierres tendues par le dur soleil de Provence. Nous avons franchi la lourde grille et la vieille porte de bois. Soudain, ensemble, nous nous sommes arrêtés. Longtemps nous sommes restés côte à côte, immobiles et muets, attendant que le lieu nous acceptât. Puis Vilar a dit quelques mots, à voix basse d'abord, mieux timbrée ensuite, et j'ai senti que la mesure était prise. Les hautes murailles, devenues familières, entraient dans le jeu[5] ». Il y a, dans cette dernière phrase, mieux qu'un bonheur de plume ; à la lettre, un témoignage en esprit et en vérité.

Ainsi, les jeux sont faits. Les hautes murailles séculaires entreront dans le jeu de cent façons convergentes : en confirmant Vilar dans sa volonté d'éliminer « tous les moyens d'expression qui sont extérieurs aux lois pures et spartiates de la scène[6] » ; en révélant la force et la dignité d'un espace scénique ouvert à la musique des sphères célestes et à la respiration de la nuit ; en imposant au spectacle dramatique, par leur austère beauté et leur charge d'histoire, un style de fête partagé par tout un peuple venu, une fois l'an, communier dans la liturgie rigoureuse et noble du théâtre.

Aussi bien *Lorenzaccio* trouvera-t-il sans peine et comme de droit sa place marquée au Palais des Papes d'Avignon, durant l'été de 1952. La haute muraille percée de fenêtres gothiques n'aura pas besoin d'être illuminée pour peser de toute sa masse obsédante sur l'imagination des spectateurs : « Quelle illusion ! note Robert Kemp, cette muraille me paraissait la muraille même de la seigneurie de Florence. Il suffirait d'une lumière un peu rougeâtre, et ce serait elle[7] ». Le régisseur, pourtant, n'a pas abusé du pittoresque des lieux. Tout juste a-t-il fait par moments éclairer la grande baie gothique, dite fenêtre de l'Indulgence, où s'agitent les silhouettes du bal chez Nasi, où apparaîtra, image fugace et gracieuse, Lorenzo coiffé de la cornette blanche des nonnes et se livrant à des « espiègleries d'écolier en vacances ». En fait, c'est bien *en nous*, selon la forte expression de Morvan Lebesque[8], que se construit le décor, mais la présence toute proche des grosses pierres papales montant jusqu'aux nues ajoute à notre plaisir en soutenant l'illusion. Surtout, loin de limiter l'horizon, elles ouvrent la perspective ; elles dilatent l'action de la pièce, exaltent son aspect collectif, populaire, dionysiaque. La haute

---

4. L'expression est de J. Vilar, cité par C. Roy, *op. cit.*, p. 42.
5. Cité par C. Roy, *op. cit.*, p. 45.
6. J. Vilar, *De la tradition théâtrale*, p. 36.
7. *Le Monde*, 18 juillet 1952.
8. *Arts*, 24 juillet 1952.

muraille séculaire, qui domine le tréteau nu du théâtre, donne enfin au texte de Musset sa résonance historique, le déploie, pour la première fois, en toutes ses dimensions. C'est l'un des sortilèges d'Avignon. Il y en aura d'autres.

Le moindre n'est pas la radicale métamorphose du héros de Musset au théâtre. Sur le tréteau d'Avignon, Lorenzo recouvre, si l'on peut dire, sa virilité perdue. Non que Gérard Philipe ait été le premier interprète masculin du rôle ; en France, Jean Marchat et Christian Casadesus notamment l'ont précédé dans cette voie. Mais Gérard Philipe, par son prestige personnel, sa beauté physique, son art flexible et musical, sa dignité sans équivoque, est le premier grand comédien à pouvoir renverser une situation compromise par de trop illustres précédents et à renvoyer définitivement à l'histoire du théâtre les souvenirs, si rayonnants qu'ils fussent, de Sarah, de Falconetti ou de Jamois. S'il n'a pas absolument l'âge du rôle, — il va avoir trente ans —, il en a la jeunesse. S'il n'a pas exactement le physique de l'emploi, — « Lorenzaccio par le « haut », et un guerrier de Mantegna, de la ceinture à la semelle [9] », note judicieusement Robert Kemp —, il en a la duplicité : l'énergie d'hier corrodée par les poisons d'aujourd'hui, le masque qui n'a pas encore fini de dévorer le visage. De toutes les manières, les chemins de Gérard Philipe et de Jean Vilar se croisent au bon moment. Engagé, sur sa demande, en 1951, pour le Ve Festival d'Avignon, Gérard Philipe appartiendra à la troupe régulière du T.N.P. jusqu'à sa mort, en 1959. L'appoint de Gérard à l'entreprise Vilar est d'importance : c'est, pour le vaisseau, l'étrave glorieuse, la figure de proue, l'invincible jeunesse, le rayonnement du héros. Mais ce qu'il reçoit en échange compte encore davantage. Outre l'appui amical d'un sûr et exigeant conducteur d'hommes, Gérard Philipe tient des mains de Jean Vilar un présent royal : un théâtre et un public. De grandes choses ensemble désormais sont possibles, qui portent toutes des noms de poètes : Kleist et Corneille, Shakespeare et Hugo ; et Musset bien sûr : *Lorenzaccio* d'abord, plus tard *les Caprices de Marianne* et *On ne badine pas avec l'amour*. Faut-il appeler encore hasard cette conjonction de Vilar et de Philipe en Avignon, dans la Cour d'Honneur du Palais des Papes, pour y servir ensemble l'honneur du théâtre et la gloire des poètes ? C'est, en tout cas, né sous d'heureuses étoiles, un hasard qui fait bien les choses.

Le grand drame de Musset aura tout à gagner à entrer dans de telles conditions au répertoire du T.N.P. A la Comédie-Française, dont c'est la vocation, les œuvres classiques sont comme telles à leur place, puisqu'il s'agit tout à la fois d'y « défendre contre l'oubli un magnifique répertoire » et de le « l'accroître des grandes œuvres dramatiques contemporaines [10] ». Quand le comité de lecture, dans sa séance du 26 novembre 1917, décide d'admettre *Lorenzaccio* au répertoire de la Comédie-Française, c'est pour réparer une injustice et

---

9. *Le Monde*, 18 juillet 1952.
10. Sylvie Chevalley, *la Comédie-Française*, p. 30.

servir plus complètement la gloire d'un écrivain qui a depuis longtemps droit de cité dans la Maison. Mais quand le drame de Musset
entre au répertoire du T.N.P., c'est, croyons-nous, à un autre titre
et dans un autre dessein. Vilar, qui dirige un théâtre « populaire »,
s'est donné pour tâche trois obligations à remplir : « provoquer et
aiguiser l'esprit critique du travailleur. Etre un lieu privilégié de la
réflexion et, si possible, de la connaissance. Convaincre, enfin. D'où
la nécessité de mettre à jour et de divulguer la *leçon* de l'œuvre... [11] ».
Le choix du répertoire et le style des représentations seront fortement marqués par cette inébranlable ambition.

Ce n'est donc pas tant l'homme privé ni même l'homme intérieur
que cherche à élucider le répertoire du T.N.P., mais l'homme public,
l'animal politique, l'homme en société et dans le monde. Non pas tant
l'homme dans sa misère que l'homme dans sa dignité et son courage.
« Ce qui est nécessaire au théâtre (satirique ou tragique), écrit Vilar
dès 1946, (...), c'est l'homme qui, fût-il placé dans la situation la plus
basse, la plus honteuse et criminelle, sache s'élever au-dessus de cette
condition qui lui est faite, et sinon s'en rendre maître, du moins la
juger enfin, la chanter (...) et la dominer [12] ». *Richard II* et *la Mort de
Danton, le Prince de Hambourg* et *le Cid, Mère Courage* et *Cinna* participeront de cette mythologie exaltante du héros qui, la pièce finie,
« continue à chanter à nos côtés quelque victoire, quelque dépasse-
ment de soi, quelque orgueil d'être homme [13] ». Il serait bien étonnant
que *Lorenzaccio*, dans sa désespérance même, n'en reçût point, par
quelque endroit, la lumière. Du moins, cadré sur un tel tréteau, intégré à un tel cortège, le drame de Musset ne dissimulera au spectateur
d'Avignon aucun de ses visages. A l'image du héros perdu dans le
lacis de ses propres poisons répond le spectacle de tout un peuple
impuissant à secouer le joug de la tyrannie. Deux destins solidaires, l'un collectif, l'autre individuel, mus tous deux par le grand
vent de la liberté, marchant du même pas précipité vers la servitude
et la mort. Rien là d'une « démonstration analytique de notre condition », mais l'éclat, dans la nuit provençale, du théâtre à l'état pur,
qui est, selon la forte expression de Vilar lui-même, « le chant dithy-
rambique de nos désirs profonds ou de nos railleries [14] ».

On voit du même coup la distance ou plutôt le fossé qui sépare
les représentations du Théâtre Montparnasse en 1945 et celles qui
seront offertes, sept ans plus tard, aux spectateurs d'Avignon. Et
pourtant la tradition dont se réclament les deux animateurs, Baty
et Vilar, est, à bien des égards, la même. Baty a été le disciple et le
collaborateur de Gémier, à la mémoire duquel il dédie, en 1944, les
réflexions sur « le metteur en scène », qui ferment la marche de
Rideau baissé ; et c'est du même Gémier que Vilar reprend le flambeau, en renouant, en 1951, avec le Théâtre National Populaire, fondé
par l'Etat en 1920 et dirigé par Gémier jusqu'à sa mort en 1933. Mais

11. Déclaration de Jean Vilar en 1962, citée par Claude Roy, *op. cit.*, p. 89-90.
12. J. Vilar, *op. cit.*, p. 95.
13. *Ibid.*, p. 96.
14. *Ibid.*, p. 96-97.

d'un tronc commun peuvent naître des rameaux divergents. Tandis que Baty célèbre le metteur en scène, Vilar, vers la même époque, l'assassine [15], en le remettant à sa place, modeste, de « réalisateur du spectacle », dont le talent réside « surtout dans le dépouillement de sa puissance, dans le rigorisme de son choix, dans son volontaire appauvrissement [16] ». Aussi bien Vilar, préparant les spectacles du VIe Festival d'Avignon, se place-t-il sans équivoque sous le double patronage de Copeau et de Dullin, maîtres de rigueur et de dépouillement, « nos grands aînés » qui ont montré la voie ; mais, ajoute Vilar, « nous avons été amenés à préciser leur pensée, comme il arrive que les héritiers précisent les idées des pères [17] ».

Au *Lorenzaccio* sous vitrine, quelque peu châtré et calamistré, de Baty répond, venu quasiment d'un autre horizon, celui de Vilar et G. Philipe, qui est d'abord « un beau spectacle populaire [18] ». Au théâtre, dont la noblesse est « de rester sans liens avec la vie réelle et de permettre de l'oublier [19] », s'oppose un théâtre qui sans cesse, fût-ce par un long détour, nous y ramène, répondant aux aspirations profondes, fussent-elles parfois de circonstance, du public, s'ouvrant délibérément sur la société et sur l'histoire, portant en lui-même, sans en rougir, une « leçon » clairement déchiffrable. Et cela sans la moindre sollicitation des œuvres, qu'on joue complètement ou du moins, quand cela est impossible, loyalement, sans jamais forcer le texte à dire ce qu'il ne veut ou ne peut pas dire. Loyauté d'abord envers les œuvres, c'est une règle morale dont jamais Vilar ne sera tenté de se départir. Au plus fort des querelles sur la finalité et les moyens d'un théâtre populaire, il suffirait à Vilar de demeurer fidèle au principe formulé dès 1946 : « Le créateur au théâtre, c'est l'auteur. Dans la mesure où il nous apporte l'essentiel. Quand les vertus dramatiques et philosophiques de son œuvre sont telles qu'elles ne nous permettent aucune possibilité de création personnelle, lorsque nous nous sentons encore, après chaque représentation, son *débiteur* [20] ». On verra mieux tout à l'heure à quel point Vilar, montant *Lorenzaccio*, sera le débiteur d'un écrivain de théâtre qui s'appelait Musset.

Près de reconstituer, comme on l'a fait précédemment pour d'autres spectacles de jadis et de naguère, les représentations d'Avignon et du T.N.P., la main tremble et l'esprit hésite. « Qui écrit de théâtre, note Claude Roy au seuil de son livre sur Jean Vilar, quand ce n'est pas le jour même, parle de l'ombre d'une ombre [21] ». Vérité d'évidence, plus abrupte encore quand il s'agit d'un spectacle récent.

15. « Assassinat du metteur en scène » (1945), in Jean Vilar, *op. cit.*, p. 23-36.
16. *Op. cit.*, p. 28.
17. Déclaration de Jean Vilar à *Libération*, 13 juin 1952.
18. Déclaration de J. Vilar à *Ce soir*, 29-30 juin 1952.
19. Déclaration de G. Baty citée dans *Gaston Baty et le renouvellement du théâtre contemporain*, in *Cahiers Gaston Baty IV*, p. 74.
20. J. Vilar, *op. cit.*, p. 65.
21. Claude Roy, *op. cit.*, p. 9.

Et pourtant la documentation abonde, rendant la tâche en apparence aisée : presse écrite, sans doute, mais aussi témoignage parlé des spectateurs et des artisans du spectacle [22] ; photographies de scène, remarquables en nombre et en qualité [23] ; enregistrement sur disques d'une des représentations [24], où l'on retrouve, à peine mutilés, l'atmosphère du spectacle, le mouvement de la musique, l'intonation des voix, l'accueil du public ; documents d'archives, aussi précieux qu'inédits : livres de conduite, notes de régie, répertoire et croquis de costumes ; que sais-je encore ? Cernée de toutes parts, l'arabesque éphémère du spectacle semble échapper néanmoins au regard et même à la mémoire ; on dirait d'un corps figé qu'on entoure de bandelettes. « Comédien : sculpteur du périssable, écrit encore Claude Roy, metteur en scène : peintre dont, au matin, on efface d'un coup d'éponge le tableau, écrivain dont l'encre se décolore, puis s'évanouit, et devient illisible [25] ». Nul doute qu'à leur tour comédiens et metteur en scène ne reconnaissent qu'avec peine, dans le portrait-robot que va tracer l'historien, la figure vivante d'un spectacle auquel adhèrent encore, après bientôt vingt ans, la chair et les souvenirs. Il est décidément bien difficile d'écrire l'histoire de ce qui ne peut se raconter.

Ces réserves faites, on ne renoncera pas pour autant à l'histoire, ni même à la petite histoire, par laquelle il convient justement de commencer. Voici les faits. Au printemps de 1952, Jean Vilar, songeant au programme du VIᵉ Festival d'Avignon, porte son choix sur trois pièces classiques, qui forment entre elles un éventail très ouvert : une reprise, le Prince de Hombourg, créé l'année précédente lors du Vᵉ Festival d'Avignon ; une demi-reprise, l'Avare, qui, créé au Palais de Chaillot le 30 avril, sera re-créé en juillet, dans le Verger d'Urbain V ; une création, Lorenzaccio, que Vilar désire monter depuis longtemps et auquel il s'attelle, de concert avec le peintre Léon Gischia, le collaborateur et l'ami des premiers jours, qui se chargera de dessiner les costumes et de concevoir les « éléments scéniques » de la pièce. « Nous redécouvrons Musset, note Léon Gischia, et sommes très excités. Un seul Lorenzo possible, bien entendu : Gérard. Nous sommes bien d'accord là-dessus. Mais pas Gérard. Jean a toutes les peines du monde à le convaincre [26] ». Puis, c'est le coup du sort imprévu ; Jean Vilar doit subir une intervention chirurgicale, qui le rend indisponible pour les répétitions du nouveau spectacle. C'est à Gérard Philipe que Vilar confie la réalisation de Lorenzaccio. Un document, intéressant à plus d'un titre, témoigne de la confiance que l'aîné fait à son cadet. Il s'agit d'une lettre manuscrite, en date du 17 mai 1952, que Jean Vilar dépose dans la loge de Gérard Phi-

22. Nous avons, pour notre part, recueilli le témoignage de Madame Anne Philipe, le 19 février ; de M. Jean Vilar, le 18 juillet ; de M. Daniel Ivernel, le 7 août 1970.

23. Madame Agnès Varda conserve d'importantes archives photographiques consacrées à la création et aux diverses reprises de la pièce. Nous les avons consultées avec soin.

24. Enregistrement effectué au Palais de Chaillot, le 27 novembre 1954, à l'occasion d'une « Nuit Renault » ; 3 disques microsillons 33 tours 1/2 : Librairies Hachette et Ducretet-Thomson ; 320 E 808-809 et 270 E 810.

25. Claude Roy, op. cit., p. 9.

26. Gérard Philipe, coll. « l'Air du temps », p. 181.

lipe, et dont l'original est conservé dans les archives du T.N.P. classées aux Archives Nationales. On en trouvera ci-dessous le texte intégral que nous publions avec l'autorisation bienveillante de son auteur.

Paris, 17 mai 1952

Cher Gérard,

Voilà qu'il devient plus aisé de s'écrire... Je voulais te parler de mes appréhensions concernant Avignon cette année. Tu sais que je tiens (peut-être plus encore qu'au T.N.P.) à ce berceau. Et ce n'est pas la consécration officielle du T.N.P. qui me fera oublier les bonnes pratiques théâtrales de là-bas.

Certes, il n'est pas question (...)[27] de remplacer *Lorenzo* par une autre création. Enfin, il me serait pénible d'abandonner 5 années de recherches (et de créations) là-bas pour une 6ᵉ année de reprise. Et puis nous gagnons, nous, à tous points de vue, à créer nos tâches là-bas, d'abord.

Lorenzaccio, donc.

Mais je vais entrer en clinique. Quand ? Le plus tôt après le dernier *Avare*. On me dit : 12 jours de clinique et de repos absolu. Mais comment serai-je dans les 2 semaines suivantes (du 12 au 27 environ) (Le 28 : Soubise jusqu'au 6 juillet). Les médecins ne comprennent guère à nos efforts, à nos à-coups.

J'étais moins inquiet avant que tu me parles de ce nouveau tournage. Je pensais lancer l'affaire en distributions (grosso modo), en italiennes, en costumes, en organisations d'ensemble (régies, constructions, etc.) et te demander de *mettre en scène*, tant que je serai ou en clinique ou impotent. Je te rappelle qu'Avignon est répété, en principe, matin et après-midi. J'aurai repris avec toi aussitôt mon état physique normalisé. En tout cas, sur le plateau d'Avignon, à plein. Et alors, en valable santé de jambes et de ventre, au moins.

Il faut que nous parlions de tout cela, à tous les points de vue. Peut-être à tout à l'heure.

JEAN

Ce document a un double mérite : il fixe un point d'histoire, même anecdotique, de façon irrécusable, mais surtout il met en évidence le rôle créateur d'Avignon et la conception restrictive que Jean Vilar donne au mot « mise en scène », auquel il préférera le plus souvent substituer des termes plus modestes et de résonance artisanale, tels que conduite scénique ou régie. C'est donc sous la direction de Gérard Philipe que les répétitions de *Lorenzaccio* commenceront, à Paris, le 9 juin. Vilar, rétabli, se bornera à rejoindre ses camarades à Avignon, et à assister, activement il est vrai, aux dernières répétitions. Pour couper court à toutes les rumeurs concernant la paternité du spectacle[28], Vilar confirmera lui-même que Gérard Philipe est bien le maître d'œuvre du spectacle et précisera, à cette occasion, l'idée qu'au T.N.P. on se fait de la mise en scène théâtrale : « J'écris ces lignes d'Avignon, après la « première » de *Lorenzaccio* (...). La conduite scénique de *Lorenzaccio* est de Gérard Philipe. Je n'ai fait qu'adapter

---

27. Ici une expression illisible.

28. Aucun nom de metteur en scène n'apparaît sur le programme d'Avignon ; c'est seulement sur les programmes du Palais de Chaillot que sera portée la mention : « mise en scène de Gérard Philipe. »

au plateau d'Avignon les acteurs choisis par Gérard, la mise en scène, le texte choisi par lui, les jeux des éclairages indiqués par lui à Pierre Saveron, la musique réclamée par lui à Maurice Jarre. Peut-être voudra-t-on bien accepter que cette réalisation de *Lorenzaccio* confirme une certaine méthode de travail que le T.N.P. recherche et qui est mon souci : négation de la mise en scène en tant que valeur absolue, goût de la création collective, abandon de la conception du metteur en scène en tant qu'artiste unique. La création scénique devient le gouvernement d'une équipe où chaque chef de service marie ses idées aux recherches des autres, où l'électricien, le constructeur, le peintre, la régie générale, le compositeur se passent de main en main cette palette multiple du théâtre, où le son, la lumière, les voix, l'architecture du plateau doivent concourir à l'harmonie [29] ».

Ce texte capital fixe clairement les idées et les responsabilités. Chez Baty, par exemple, on travaille sous les ordres du patron qui est le maître d'œuvre unique, même s'il tient ses collaborateurs en très haute estime [30]. Chez Vilar, on travaille *avec* le patron, qui coordonne les initiatives créatrices de chacun et veille à l'harmonie dynamique de l'ensemble [31]. Gérard Philipe remplaçant à l'improviste Jean Vilar, c'est un peu un chef d'orchestre qui en remplace un autre : les musiciens sont à leur poste, savent ce qu'ils ont à faire, n'ont rien perdu de leur talent. *Lorenzaccio* est l'œuvre commune du T.N.P., auquel Gérard Philipe se borne à imprimer sa marque [32], sans rien changer aux choix fondamentaux qui font l'essence même de l'entreprise. « O privilège des conceptions scéniques de Jean Vilar, note un critique, l'irréalisable est devenu réalité [33] » ; « l'équipe Vilar, ajoute un autre, possède maintenant assez merveilleusement son instrument [34] ». Parce qu'il a fait siennes ces conceptions scéniques, parce qu'il partage fraternellement le pain de l'équipe Vilar, Gérard Philipe offre aux spectateurs d'Avignon, puis à ceux du Palais de Chaillot un *Lorenzaccio* qui doit un peu à chacun des collaborateurs du spectacle, beaucoup à l'action libératrice de Jean Vilar, plus encore au génie dramatique de Musset.

Le « texte choisi par Gérard Philipe », nous pouvons nous en faire une juste idée grâce à deux documents complémentaires de nature

29. *Gérard Philipe*, p. 196-197.
30. Citons, entre autres, le directeur de la scène Gil Colas, le chef machiniste Adolphe Quillier, le chef électricien Charles Cressent, le chef accessoiriste Emilien Huet.
31. Pour *Lorenzaccio*, c'est l'équipe habituelle qui est en place : Léon Gischia pour l'architecture scénique et les costumes, Maurice Jarre pour la musique, Pierre Saveron pour les éclairages.
32. « Que cette mise en scène soit signée par Gérard Philipe ne change rien à l'affaire, car l'élève, suivant en tout le maître, ne le dessert jamais ; à peine innove-t-il parfois en s'inspirant du cinéma pour isoler en gros plans rapides conspirateurs et confesseurs, déplacer le champ visuel, fondre les tableaux, en une danse où triomphent les costumes de Gischia et la musique de Jarre » (Jean Duvignaud, in *la Nouvelle N.R.F.* Mai 1953, p. 896-897).
« Si l'on peut trouver que les mises en scène de Philipe ont quelque chose de plus somptueux, avec *Lorenzaccio*, par exemple, ou, avec *Nuclea*, de plus agressif, elles portent la marque du T.N.P. » (M.T. Serrière, *op. cit.*, p. 169).
33. Guy Dornand, in *Libération*, 25 juillet 1952.
34. Marc Beigbeder, in *le Parisien libéré*, 17 juillet 1952.

différente : le livret du T.N.P. [35], qui fournit le texte de référence, la version officiellement retenue ; l'enregistrement sur disque, qui donne *un* texte joué *un* soir, avec ses coupures, ses ratures, ses écarts. De l'un à l'autre circule la vérité vivante d'une entreprise théâtrale, qui n'est, au fil du temps, jamais la même, ni tout à fait une autre, et que l'historien cherche à saisir avec des instruments de mesure souvent inadéquate.

O privilège des conceptions scéniques de Jean Vilar ! pourrait-on dire à nouveau : pour la première fois, *tous* les personnages prévus par Musset paraîtront sur la scène d'un théâtre ; ne manquent ni Ascanio, ni le messager, ni les novices, ni les enfants et leurs précepteurs, ni Jean et Pippo. Tous les groupes également sont là, présents ou représentés : les Quarante Strozzi, les bannis, les Huit, les gardes, les pages. De 38 ou 39 tableaux du drame [36], 32 au plus, 30 au moins ont été conservés. Les coupures pratiquées dans le texte l'ont été d'une manière presque constante, — peu de scènes sont intactes, — et sans esprit de système. Aucun rôle n'a été sacrifié pour les nécessités de la représentation. Là où les ciseaux de l'adaptateur ont tranché hardiment, par exemple, dans la longue scène 3 du troisième acte, près de la moitié du texte a disparu. Ailleurs le déboisement a été inégal, mais toujours assez équitablement réparti pour éviter les brèches criantes, propres à défigurer la pièce. On s'en fera une juste idée en méditant la statistique suivante, que nous avons établie à l'aide d'une édition scolaire qui propose, pour chaque scène de la pièce, une numérotation systématique des lignes [37] : ont été coupées, à l'acte I, 137 lignes de texte sur 827 ; à l'acte II, 175 lignes sur 867 ; à l'acte III, 519 lignes sur 1024 ; à l'acte IV, 245 lignes sur 658 ; à l'acte V, 175 lignes sur 512. Dans l'ensemble, la version imprimée du T.N.P., offre les deux tiers du texte original, sans pourtant que ni le rythme ni l'équilibre de la pièce aient vraiment à en souffrir. Dire qu'au T.N.P. on a touché au texte de Musset « avec beaucoup de scrupule et d'intelligence [38] », n'est pas une flatterie de complaisance, mais l'expression d'une saine vérité morale, que la statistique est prête, en dépit des apparences, à appuyer de ses chiffres.

En dehors de ces considérations quantitatives, on peut noter que, dans son empirisme pragmatique, l'adaptateur semble avoir obéi à quelques principes constants mais simples. D'abord, il a supprimé toutes les expressions un peu crues, où s'exprime notamment la corruption morale en matière sexuelle. Pudibonderie ? C'est peu probable, car presque toutes ces expressions, — sauf « l'amour en latin » (II, 4), — ont été rétablies, comme il convient, dans la version enregistrée, c'est-à-dire réellement jouée sur la scène. Je présume donc qu'il est arrivé à Gérard Philipe la même mésaventure que naguère à Gaston Baty. Ayant utilisé, pour établir son adaptation

35. A. de Musset, *Lorenzaccio*, « collection du Répertoire », Paris, l'Arche, 1952.
36. Selon qu'on compte ou non la scène des étudiants (V, 6).
37. A. de Musset, *Lorenzaccio*, « Nouveaux Classiques Larousse », Paris, 1964.
38. *Lettres françaises*, 24 juillet 1952.

de la pièce, une édition scolaire expurgée, en l'occurrence le petit volume des « Classiques Larousse [39] », Baty avait dû rétablir à la main les passages jugés scabreux par un éditeur particulièrement pudibond. Gérard Philipe a été vraisemblablement victime des mêmes chausse-trapes. Les expressions censurées par l'éditeur scolaire ont dû être rétablies dans les livrets des comédiens, au cours des répétitions. Quant au texte de référence donné à l'impression, il a gardé les stigmates involontaires d'une pruderie qui n'était plus guère de mise, même en 1952. C'est la seule explication raisonnable.

Des raisons d'opportunité littéraire ont amené également l'adaptateur à sabrer impitoyablement l'éloquence parfois un peu boursouflée, les métaphores alambiquées ou aggressives, la mythologie un peu pédante d'un jeune poète romantique de 24 ans. A cet égard la scène 3 du troisième acte a été victime d'un échenillage particulièrement sévère. Sont tombés sous la guillotine, comme des trophées d'un autre âge, le « tribunal d'hommes de marbre », le « démon plus beau que Gabriel », Niobé et ses larmes, le « bâton d'or couvert d'écorce », l'humanité soulevant sa robe, les « statues de bronze d'Harmodius et d'Aristogiton », la « curiosité monstrueuse apportée d'Amérique », Brutus et Erostrate, et ce ne sont là que des exemples. En amputant de 240 lignes les 500 que compte en tout ce dialogue sans mesure, on a tenté de ne pas mettre à trop rude épreuve les deux partenaires essentiels de la réalité théâtrale : la patience du public et la résistance des comédiens.

L'adaptateur a enfin élagué du texte original tous les détails qui suggéraient une mise en scène trop précise, trop nettement localisée et imaginée pour s'accorder avec le tréteau nu du T.N.P. Louise est à pied, non à cheval et Julien ne lui tient plus l'étrier, ce qui rend du reste problématique le récit des faits qu'il tente à la fin de la scène à Montolivet ; plus de dîner à la fin de la scène 1 du deuxième acte, ni de souper au début de la réunion des Quarante Strozzi ; plus de fenêtre qu'on ouvre ou qu'on ferme chez la Marquise (II, 3) ou chez les Strozzi (II, 5) ; plus d'orage à la fin du troisième acte ; plus de tailleurs de pierres sous le portique de l'église (IV, 9) ; plus de fenêtre ni de rideaux à tirer après le meurtre (IV, 11). Le tréteau du T.N.P. est un espace pur et nu qui a pour toute muraille l'obscurité de la nuit.

Un bref tableau synthétique nous permettra de mettre en évidence les aménagements les plus caractéristiques que le texte original a subis pour « les besoins du Théâtre [40] ».

ACTE I

Scène 1 : 17 lignes supprimées sur 85. Ces coupures concernent toutes le couplet libertin de Lorenzo, de ce fait notablement expurgé.

Scène 2 : 33 lignes supprimées sur 199 ; 8 lignes sautées dans le couplet de l'orfèvre sur la cour.

---

39. A. de Musset, *Lorenzaccio*, « Classiques Larousse », Paris, 1936, nombreuses rééditions, inchangées, jusqu'en 1964.

40. *Lorenzaccio*, l'Arche, p. 44, n. 1.

SCÈNE 3 : 25 lignes supprimées sur 108. Les adieux sont abrégés.

SCÈNE 4 : Scène intacte.

SCÈNE 5 : 10 lignes supprimées (dans le couplet du deuxième bourgeois touchant l'entrevue de Bologne) sur 135. La femme et sa voisine deviennent aristocratiquement deux dames de la cour.

SCÈNE 6 : 52 lignes supprimées sur 133. Toutes les coupures concernent le dialogue entre Catherine et Marie. La scène des bannis est intacte, à une exception près : « Ta sœur est-elle à Florence ? » au lieu de « Et ta sœur, où est-elle ? », qui, de nos jours, en langage familier, prête à rire.

ACTE II

SCÈNE 1 : 33 lignes supprimées sur 77 ; d'amples coupures dans le monologue de Philippe. Quelques détails pittoresques sont supprimés : « dans une boutique » devient « en public » ; « quelle heure est-il ? », ainsi que la dernière réplique de Pierre, disparaissent.

SCÈNE 2 : 51 lignes supprimées sur 169. On a rogné les ailes à l'éloquence de Valori et au lyrisme de Tebaldeo. Les sarcasmes de Lorenzo ont eu plus de chance.

SCÈNE 3 : 28 lignes supprimées sur 166. Les monologues du cardinal, au début, et de la marquise, à la fin de la scène, ont été resserrés. Peu de coupures dans la confession. L'une, pourtant, intrigue : « Que couves-tu, prêtre, sous ces paroles ambiguës ? » a été supprimée. L'anticléricalisme agressif et finalement salubre de l'ensemble de la scène n'imposait guère cette sourdine isolée.

SCÈNE 4 : 9 lignes supprimées sur 202. Dans le premier volet de la scène « mère », et « sœur », et « sœur », pour la clarté des relations de parenté, remplacées par « Marie » et « tante ». Le deuxième volet est intact. Le dialogue du troisième volet est amputé d'une réplique : « Bon ! elle ne fait pas l'amour en latin », et d'une partie du couplet de Lorenzo sur Philippe Strozzi.

SCÈNE 5 : 51 lignes supprimées sur 140. Les coupures, concentrées dans la première partie de la scène, concernent surtout l'évocation des lieux.

SCÈNE 6 : une ligne sur 98. Les coupures concernent des accessoires du décor (fauteuil, lit) que la régie du T.N.P. a supprimés.

SCÈNE 7 : 2 lignes sur 15. Là encore, on estompe l'évocation précise des lieux (fenêtre, porte).

ACTE III

SCÈNE 1 : 9 lignes supprimées sur 31. On a coupé, entre autres, la phrase : « Mais je ne suis pas plus gros qu'une puce, et c'est un sanglier ». Si l'image du sanglier convenait à la corpulence de Daniel Ivernel, la prestance de Gérard Philipe rendait absurde le rapprochement avec une puce.

SCÈNE 2 : 43 lignes sur 98. Toutes les coupures tendent à renforcer la sobriété de l'expression.

SCÈNE 3 : 240 lignes sur 500. La scène de l'arrestation est intacte. Toutes les coupures concernent le dialogue entre Philippe et Lorenzo.

SCÈNE 4 : 21 lignes sur 35. La scène est réduite à deux répliques de longueur à peu près égale : dans la première, Catherine lit et commente le billet du duc (« O ma sœur chérie ! » remplace « O ma mère chérie » pour les raisons que j'ai dites plus haut) ; dans la seconde, Marie dit le texte, abrégé de 5 lignes, de sa dernière réplique.

SCÈNE 5 : scène supprimée.

SCÈNE 6 : 56 lignes supprimées sur 141. Les sept premières répliques de la scène sont sacrifiées. Une sourdine est mise à l'éloquence républicaine de la marquise. Le monologue final s'achève sur ces mots : « O mon Laurent ! ».

SCÈNE 7 : 36 lignes supprimées sur 145. Des coupures de détail tendent toutes à affaiblir le réalisme de la scène.

ACTE IV

SCÈNE 1 : la version du T.N.P. suit très exactement le texte expurgé paru dans la collection des « Classiques Larousse » ; trois répliques, jugées sensuelles par l'éditeur scolaire, n'y figurent pas. La version jouée rétablit le texte intégral. La conformité, coupures pour coupures, ponctuation pour ponctuation, de l'édition du T.N.P. avec celle des « Classiques Larousse » me paraît justifier l'hypothèse avancée tout à l'heure.

SCÈNE 2 : scène supprimée.

SCÈNE 4 : 110 lignes supprimées sur 152. La scène est très mutilée, il ne reste que 17 répliques sur les 38 que compte la scène dans le texte original.

SCÈNE 3 et 5 : 46 lignes coupées sur 96. Ce tableau procède d'un curieux amalgame des scènes 3 et 5, selon le schéma de montage suivant : 1° les deux premières répliques de la scène 3 ; 2° les onze premières répliques de la scène 5, jusqu'à la sortie de Catherine ; 3° deux phrases de transition extraites du monologue de la scène 5 ; 4° le monologue de la scène 3, allégé de 10 lignes de texte.

SCÈNE 6 : 26 lignes supprimées sur 70.

SCÈNE 7 : intacte, à un mot près : « voilà le soleil couché » au lieu de « qui se couche ».

SCÈNE 8 : deux lignes omises sur 39. A la place de l'ultime réplique du 2ᵉ banni, l'adaptateur a enrichi la dernière réplique de Pierre d'une clausule de 4 lignes empruntée à la scène 4 du cinquième acte : « Laissons là ces femmelettes, etc... » De cet art d'accommoder les restes, où Baty était passé maître, l'adaptateur du T.N.P. n'a pas abusé.

SCÈNE 9 : 24 lignes sacrifiées sur 77. En dépit de coupures, faites avec tact, le monologue a gardé son rythme heurté et son caractère d'hallucination contrôlée.

SCÈNE 10 : Une ligne sur 48. La scène est à peu près intacte.

SCÈNE 11 : 8 lignes coupées sur 50. La scène s'arrête sur la réplique célèbre : « Ah ! Dieu de bonté ! quel moment ! ». La chute est superbe. On ne regrette pas la suppression des quatre dernières répliques du texte original.

Remarques sur l'acte IV. On aura noté l'interversion des scènes 3 et 4. L'explication en est simple. La suppression de la scène 2 entraînait le voisinage de deux tableaux ayant Lorenzo pour personnage principal. L'alternance des intrigues étant de règle dans toute la pièce, l'adaptateur a respecté cette règle en intervertissant l'ordre des scènes 3 et 4. Alterneront désormais une scène chez les Cibo (scène 4), une scène chez Lorenzo (amalgame des scènes 3 et 5), une scène chez les Strozzi (scène 6). La fidélité à l'esprit du drame est ici exemplaire.

ACTE V

SCÈNE 1 : La scène est fidèle à l'original, mais comporte quelques simplifications et aménagements de commodité : un pluriel devient un singulier (« plusieurs seigneurs » se changent en « le seigneur ») ; Giomo s'élève en dignité (il tient le rôle de Corsi) ; Vettori remplace à lui seul Acciaiuoli et Canigiani ; Sire Maurice empiète, lui aussi, sur le rôle de Corsi : avant de mettre aux voix l'élection de Côme, il fait connaître aux Huit la proclamation, amputée bizarrement de son article 3, que, dans le texte original, Lorenzo lit à Venise en présence de Philippe (V, 2) ; après le vote, le dialogue se partage entre Niccolini, Capponi et Vettori, Corsi étant définitivement éliminé.

SCÈNE 2 : scène supprimée.

SCÈNE 3 : scène supprimée.

SCÈNE 4 : scène supprimée.

SCÈNE 5 : 11 lignes sacrifiées sur 124. On a éliminé sans dommage quelques menus potins du marchand de soieries rapportant le vacarme de paroles dont la ville est assourdie.

SCÈNE 6 : 18 lignes sur 72. On s'est attaqué, semble-t-il, au pittoresque et à l'éloquence ; la « condamnation éternelle », le « planteur de choux », l'amour du vin et des femmes, le « couteau long comme une broche » ont été les victimes de ce terrorisme ascétique. La mise en scène de la mort a été modifiée dans le même esprit ; les deux dernières répliques ont pris une sécheresse admirable : « *Pippo :* Hélas ! Monseigneur, le peuple s'est jeté sur lui ! On l'a poussé dans la lagune. — *Philippe :* Quelle horreur ! Eh quoi ! pas même un tombeau ».

SCÈNE 7 : 4 lignes sacrifiées sur 28. Les deux premières répliques ont été supprimées. Côme et le Cardinal, main dans la main, s'avancent vers le peuple, mais ce n'est plus « dans l'éloignement » que Côme fait son discours ; au

T.N.P., on s'avance vers le public et l'on prépare la cérémonie fériale du salut au public. Une dernière coupure, au beau milieu de la proclamation de Côme, la rend plus benoîte et venimeuse encore.

Le paradoxe de ces divers aménagements du texte de *Lorenzaccio*, c'est que, si importants qu'ils soient en volume, ils ne défigurent jamais gravement la pièce de Musset. C'est un adaptateur singulièrement averti du rythme et de la structure du drame qui a joué des ciseaux. Les tableaux supprimés, par exemple, sont sans exception des tableaux secondaires, le plus souvent brefs, ou des tableaux d'appui, plus utiles au lecteur qu'au spectateur. Ainsi la scène 5 du troisième acte se borne à préparer le décor de la scène 6, qui, elle, est dramaturgiquement capitale. La scène 2 du quatrième acte n'a qu'un intérêt anecdotique. Les scènes 3 et 5 du quatrième acte, qui, avant tout, meublent une attente, ne perdent rien, du point de vue purement dramatique, à mêler leurs rameaux. Il en va de même des deux scènes à Venise au cinquième acte : ce sont deux moments successifs d'un même destin ; à choisir délibérément l'un d'eux, le plus dramatique d'entre eux, la mort à Venise, s'imposait. Quant aux scènes 3 et 4 du cinquième acte, elles n'ont pas d'autre dessein que de satisfaire notre curiosité historique ou romanesque ; car le destin politique des Cibo et des Strozzi est scellé depuis la fin du quatrième acte.

Notons d'autre part que, par un mouvement naturel où jouent des facteurs très divers, la version de la pièce aura, à l'usage, tendance à se concentrer. De nouvelles coupures interviendront en cours de route. En passant d'Avignon au Palais de Chaillot, *Lorenzaccio* perdra d'abord le tableau où Pierre rencontre les bannis (IV, 8). La version enregistrée, qu'on joue en 1954, est délestée encore d'une autre scène : celle qui met en présence, au IVe acte, Catherine et Lorenzo (IV, 3 et 5). Cette suppression entraîne, en vertu du principe, toujours sauvegardé, de l'entrecroisement des intrigues, un nouveau remaniement du quatrième acte qui se présente désormais ainsi : scène 1, scène 4, scène 7, scène 6, scènes 9, 10 et 11. D'autres pans entiers de la pièce tomberont à l'usage. On supprimera le rôle du marquis Cibo ; ce qui entraînera, à la scène 3 du premier acte, un remaniement profond des 14 premières répliques, réduites à deux, et, à la scène 4 du quatrième acte, une fin brusquée, un cri : « Laurent ! », un blasphème : « Ah ! Corps du Christ ! ». Les deux écoliers du bal chez Nasi (I, 2) disparaîtront, entraînant normalement dans leur chute les deux enfants avec leurs précepteurs (V, 5). Pour équilibrer les sacrifices, les Strozzi auront, au début de la scène 5 du deuxième acte, leur dialogue rogné de quatre répliques. Finalement, cette pièce, longtemps réputée injouable en raison de son volume, offre au T.N.P. une longueur proche de la normale et une durée raisonnable : 2 heures 21 minutes dans la version enregistrée en 1954, 2 heures 35 minutes (entracte de 20 minutes compris ; première partie, acte I et II : 1 h 10) dans la version jouée lors des reprises de 1958. Et pourtant, une chose est sûre : C'est bien *Lorenzaccio* qui nous est donné, non pas un arrangement de commodité ou de fantaisie. Tant il est vrai que la fidélité à l'esprit d'une œuvre est affaire de rythme, d'accent, de mouvement, non de syllabes à respecter.

L'adaptation du T.N.P. fut dans l'ensemble bien accueillie par la presse. Comparée à la version Baty, que beaucoup de spectateurs avaient encore en mémoire, elle ne pouvait que frapper les esprits par sa fidélité au texte original, auquel on avait seulement retranché, mais sans y rien ajouter ni transformer, et surtout au rythme rapide et saccadé, qu'on s'était attaché à respecter scrupuleusement. Du côté de la presse d'obédience communiste, on chercha à Gérard Philipe et au T.N.P., pourtant réputés politiquement à gauche, une querelle vétilleuse et absurde pour quelques coupures jugées intentionnelles et même un tantinet perverses [41]. Parce qu'il manquait dans le texte du T.N.P. deux répliques qui donnent, paraît-il, la clé de l'œuvre [42], Gérard Philipe et Jean Vilar étaient accusés d'avoir, pour on ne sait quelle obscure raison d'opportunité, cherché à « dépolitiser » Lorenzaccio. En fait, le cinquième acte, sinon intact, du moins joué, pour la première fois en France, dans ses quatre volets essentiels, la Cour, le peuple, Venise, le couronnement, pesait d'un poids plus essentiel que deux malheureuses petites phrases victimes de ciseaux pressés, peut-être maladroits, en tout cas innocents. Les deux responsables du spectacle eurent le bon goût de ne pas répliquer. La pièce de Musset, telle qu'ils l'offraient au public, tenait pour eux, haut et fort, le langage de la bonne foi et de la vérité.

Et c'est bien là, en effet, ce qui frappe le plus l'observateur non prévenu. Le spectacle d'Avignon, comme celui de Chaillot, nés sous le signe d'une certaine rigueur esthétique et morale, tiennent le langage du pur théâtre, tel que Vilar s'est employé à le définir et à le pratiquer. Ce langage reflète, dans l'ordre théâtral, une stricte hiérarchie des valeurs et des fonctions qu'on ne perturbe pas sans dommage. Au premier rang, l'auteur et son œuvre : « Le créateur au théâtre, c'est l'auteur. Dans la mesure où il nous apporte l'essentiel [43] », et l'on a vu combien, en dépit des ciseaux, le responsable du spectacle s'était fait le serviteur éclairé du drame de Musset. Après, immédiatement, vient le comédien, sur les épaules duquel Vilar fait reposer le spectacle : « Réduire le spectacle à sa plus simple et difficile expression, qui est le jeu scénique ou plus exactement le jeu des acteurs [44] ». Le décorateur, le régisseur de la lumière, le musicien,

41. Voir sur ce point : l'*Humanité* du 4 mars 1953, et *les Lettres françaises* du 5 mars 1958.
42. Les deux phrases incriminées sont les suivantes : « Je ne voulais pas soulever les masses... » (III, 3) ; « Cela vous est égal que César parle ici dans toutes les bouches ? » (I, 3). Commentaire de Pierre Daix : « ...Tout se passe comme si l'on avait voulu " dépolitiser " *Lorenzaccio* (...). La conséquence en est que l'accent se trouve mis uniquement sur l'échec, sur la gageure de Lorenzaccio (...). Et la seule scène où Musset évoquait le désir qu'avait le peuple de se battre a été défigurée. Un drame qui relate l'échec de l'intelligence quand elle se sépare du peuple devient ainsi une justification de la démobilisation de l'intelligence » (*Lettres françaises*, 5 mars 1953).
43. J. Vilar, *op. cit.*, p. 65.
44. *Ibid.*, p. 35.

exaltés tout à l'heure à l'égal du metteur en scène, sont ici remis à leur rang, sans paradoxe ni contradiction. Vilar, qui a le respect de la nature des choses, se défie des entreprises qui prennent la partie pour le tout, l'accessoire pour l'essentiel, le metteur en scène pour l'artiste suprême et complet, le plateau pour un « carrefour où se rencontrent tous les arts majeurs et mineurs [45] ». Il n'est pas indifférent à cet égard que le réalisateur de *Lorenzaccio* au T.N.P. en soit aussi le principal interprète. De Gérard Philipe metteur en scène à Gérard Philipe interprète de l'œuvre de Musset, il y a comme deux hommes qui se font la courte échelle, mais c'est Lorenzo qui vient saluer et Musset qu'on applaudit.

C'est pourtant aux arts mineurs du spectacle théâtral qu'il paraît bon de s'adresser d'abord. Au reste, un propos de Jean Vilar sur les artisans du spectacle, qu'il assigne aux mêmes tâches et aux mêmes vertus, nous trace tout uniment le chemin : « Le comédien digne de ce nom ne s'impose pas au texte. Il le sert. Et servilement. Que l'électricien, le musicien et le décorateur soient donc plus humbles encore que ce juste interprète [46] ». C'est à ces justes ouvriers du spectacle, fraternellement unis dans l'œuvre commune, les Léon Gischia, Pierre Saveron, Maurice Jarre, qu'on demandera d'abord d'ouvrir la marche et de montrer leur savoir-faire.

On retrouve dans *Lorenzaccio*, tant à Avignon qu'à Chaillot, mais dans des conditions d'exécution différentes, les quatre éléments privilégiés des spectacles du T.N.P. : l'espace, la lumière, la couleur, la musique. L'examen analytique de ces quatre éléments n'aura toutefois de sens qu'autant qu'on ne perd pas de vue qu'ils sont constamment associés dans une rigoureuse et souple harmonie.

1. L'ESPACE

C'est sans aucun doute d'une méditation approfondie de la pièce qu'est né le dispositif scénique conçu par Léon Gischia. On en trouvera le témoignage au détour d'un propos du peintre lui-même touchant sa méthode de travail : « ...Après avoir lu et relu la pièce, après avoir assisté au plus grand nombre de répétitions possible, après avoir attendu patiemment que se soit fait en moi, de lui-même, ce lent travail d'élaboration qui doit me permettre, le moment venu, de voir et de « donner à voir », en quarante-huit heures j'exécute mes maquettes (costumes, éléments scéniques, accessoires)... [47] ». Le résultat, ce sont des costumes superbes, qu'on évoquera tout à l'heure, et un dispositif scénique curieusement tourmenté, dont tout d'abord la philosophie échappe. Comme je m'étonnais de sa structure délibérément irrégulière auprès de Jean Vilar, celui-ci a eu cette simple réponse qui soudain ouvre l'horizon : « irrégulière, comme la pièce elle-même ». Et c'est vrai. Le T.N.P. remplaçant le décor peint par l'architecture scénique, le dispositif conçu par Gischia, entièrement

45. *Ibid.*, p. 35.
46. *Ibid.*, p. 28-29.
47. *Gérard Philipe*, p. 182.

praticable, est modelé au gré du drame qu'on y joue, de sa structure, de son esprit général. *Lorenzaccio*, pièce morcelée dans le temps et dispersée dans l'espace, à la fois intime et solennelle, d'intérieur et de plein air, postulait la multiplicité des aires de jeu, que la lumière désigne et limite, construit et détruit à façon.

Disposés sur le vaste plateau surélevé qui, entouré des hauts murs du Palais des Papes, définit le lieu scénique d'Avignon, les éléments conçus par Gischia se présentent comme un système construit de deux estrades (ou praticables, si l'on préfère), de hauteur inégale et de forme différente, qui s'emboîtent irrégulièrement l'une dans l'autre. Côté jardin, la plus haute et la moins étendue de ces estrades, le tertre, rappelle, par sa forme presque carrée, un « ring de boxe » : la foire de Montolivet, la scène du portrait, la scène des armes, entre autres, s'y trouveront à l'aise. L'autre estrade, légèrement en contre-bas, plus vaste et de contour plus tourmenté, constitue la partie centrale du dispositif. A la face, un enfoncement hardi côté jardin brise l'alignement des deux estrades et place l'élément central en retrait sur le tertre jardin ; un escalier de trois marches suit tout du long l'angle obtus ainsi formé. Au lointain, un large plan incliné, ménagé au centre du plateau, met en communication l'espace scénique avec la muraille du palais et fait entrer dans le jeu d'un soir le monument séculaire qui lui sert de décor. Au palais de Chaillot, un fond tantôt noir, tantôt ciel, sur lequel se découperont parfois les acteurs en ombres chinoises, remplacera la noblesse des pierres et les souffles de la nuit. Mais, dans les deux théâtres, des aires de jeu multiples assurent le plein emploi de l'espace scénique en toutes ses dimensions. Une large avant-scène, une estrade surélevée, un plateau central, des passerelles formées de part et d'autre du plan incliné, les escaliers surtout, « pour qu'on s'y dresse, qu'on s'y asseye, qu'on s'y vautre [48] », tels sont les éléments d'une architecture dynamique, qui unit sans cesse l'ingéniosité à la rigueur.

A ce dénuement spartiate s'ajoutent, çà et là, quelques objets ou accessoires qui stimulent l'imagination du spectateur et l'aident à construire le décor. Puisqu'on sait bien, comme dit Vilar, « que l'art de la scène démérite à chaque fois qu'il échappe aux exigences du cérémonial [49] », on plantera, dans l'allégresse, un décor de fête. Fête populaire et de plein air : des mâts porteurs d'oriflammes déployées au vent cernent la place royale du théâtre. Fête du théâtre et de la couleur : deux étendards éclatants, agités par des bras athlétiques, ouvrent la représentation et en ponctuent les temps forts. Mais trois trompettes, casqués, bottés, vêtus de noir, jettent leur note héroïque et préludent à la mise à mort. Quant au mobilier de scène, la liste en est courte et d'une sobriété exemplaire : deux tabourets noirs qu'on déplace à volonté, un fauteuil Renaissance pour Philippe et pour la marquise, quand ceux-ci ne s'asseyent pas tout simplement sur les marches du praticable, un Dagobert avec cous-

---

48. *Les Nouvelles littéraires*, 24 juillet 1952.
49. J. Vilar, « la Semaine d'art dramatique », in *Programme officiel du I*er* festival d'Avignon* (septembre 1947).

sin, qui sert successivement à la confession et à la scène au Palais des Soderini. Le duc, un Médicis, n'aura même pas de lit où coucher avec ses conquêtes : un simple tapis suffira ; et les marches, pour y mourir. Un coup d'audace, dont j'entends encore Jean Vilar me parler avec je ne sais quel accent de fierté malicieuse dans la voix.

Comme les meubles, les accessoires n'ont pas besoin d'être somptueux pour être significatifs. Six coupons d'étoffe sur un banc, et c'est tout le négoce et le luxe de la ville des ducs qui jettent à nos yeux leur éclat ; un plateau avec deux flûtes argentées, et voici le souper mortel chez les Strozzi ; une torche dans la nuit, et voici Lorenzo, Diogène déconcerté et amer, cherchant un homme et ne rencontrant que bavards et viveurs ; une lanterne vénitienne, la ligne mélodique d'un chant de gondolier, c'est Venise, sans qu'il soit besoin de la place Saint-Marc ni du Palais des Doges.

Mais que seraient ces oriflammes, ces meubles, ces objets sans le secours de la lumière ? D'autre part, quel serait le pouvoir de la lumière, si elle n'était sans cesse rongée, menacée, cernée par la nuit, la grande nuit cosmique d'Avignon, toutes étoiles dehors, ou cette profonde ténèbre de Chaillot, « d'où les plus hautes figures du théâtre, note Mauriac, surgissent, comme évoquées hors du temps et de l'espace par quelque pythonisse ? [50] » « Né de la nuit, commente Claude Roy, le songe du théâtre retourne à la nuit [51] ». Cette menace constante de l'ombre, cette qualification de l'espace par la lumière, qui sont le pain quotidien des spectacles du T.N.P., trouveront, en tout cas, une terre d'élection en *Lorenzaccio*. Une technique de théâtre est ici consubstantielle à l'œuvre qu'elle sert et qu'elle révèle. Dans le *Lorenzaccio* d'Avignon et de Chaillot chaque tableau semble doué d'une existence éphémère soudain arrachée à la nuit d'alentour ; à l'inverse, chaque « coup de nuit », entre deux tableaux, préside à la naissance d'une nouvelle aurore. Saisi entre ce qui meurt et ce qui naît, entre le basculement dans la nuit et la promesse d'une nouvelle lumière, la pièce retrouve son rythme et son sens.

2. LA LUMIÈRE

De cet espace qualifié par la lumière, de ce rythme propre à la pièce tel que le T.N.P. l'a restitué, on pourra se rendre compte d'une manière concrète, en consultant le tableau schématique ci-après. Nous l'avons établi d'après les livres de régie du T.N.P. [52], en concen-

---

50. *La Table ronde*, février 1954.
51. Claude Roy, *op. cit.*, p. 71.
52. Ces livres de régie, déposés aux Archives nationales et que j'ai pu consulter grâce à l'obligeance de M. Jean Vilar, offrent une documentation de premier ordre, mais parfois difficilement utilisable. Ils sont, en effet, rédigés le plus souvent au crayon et comportent des ratures et des surcharges, qui les rendent d'une consultation laborieuse. Ce sont, avant tout, des instruments de travail scénique, devenus secondairement et comme malgré eux des documents d'archives. Au reste, ils renvoient, sans toujours en préciser les dates, à des états successifs du spectacle : telle distribution rappelle Avignon 1952 et telle autre Chaillot 1953 ; tel jeu de scène a subi maintes modifications. La vie du spectacle s'y retrouve à l'état brut : pour l'amateur de théâtre, c'est une source d'émerveillement ; mais pour le chercheur, c'est surtout un casse-tête. La version que j'en donne tient du regroupement raisonnable et de la synthèse pratique ; elle ne prétend pas être une restitution nuancée, fidèle, et, en fin de compte, inintelligible.

trant exclusivement notre attention sur les liaisons entre les tableaux, c'est-à-dire l'usage contrasté de la nuit et de la lumière. On notera au passage la rapidité, la précision, l'art concerté de ces transitions. Si, pour Gérard Philipe metteur en scène, « le rythme était le problème capital [53] », un simple coup d'œil sur ce tableau laisse à penser qu'il a été magistralement posé et résolu.

TABLEAU DES LIAISONS ENTRE LES SCENES ([54])
PREMIÈRE PARTIE

Début 1er acte :

   0 - Noir dans la salle, trompettes en coulisse (cabine cinéma).
  10 - Lumière sur scène, entrée de 3 trompettes 3e J.
  25 - Les trompettes, sur le plateau, donnent les sonneries.
  65 - Fin des trompettes.
      Noir.
      Ondes Martenot.
      Mise en place des comédiens.
  75 - Fin ondes Martenot.
  80 - Lumière.

De 1 à 2 :

Le duc et Lorenzo sortent fond lointain J. Giomo sort fond lointain J. Maffio sort lointain J, lentement, pendant qu'entrent, du 1er C, 3 masques et, du lointain, 2 autres ; et que l'orfèvre et le marchand entrent 2e C et prennent leur place ; le marchand apporte son banc et ses étoffes, l'orfèvre son coffret à bijoux ; l'orfèvre se place grand plateau C, le marchand 1er plan 3/4 centre C.

De 2 à 3 :

Louise frappe Salviati et sort fond lointain C. Salviati sort lentement fond lointain J. Noir sur la sortie de Salviati.
   0 - Musique.
  10 - Noir. Dadé amène le fauteuil de la marquise sur praticable C.
  25 - Lumière.
  40 - Fin musique.

De 3 à 4 :

A la réplique : « Le style du duc est laconique » entrent lointain J, 2 trompettes et 1 trombone ; ils y restent.
   0 - Musique fanfare, changement de lumière. Dadé enlève le fauteuil de la marquise.
  17 - Fin musique. Entrent les personnages par le fond J ; 4 gardes, de dos : 2, au fond, avec hallebardes droites ; 2 à la face avec hallebardes penchées.

De 4 à 5 :

   0 - Noir ; cloches. Dadé apporte 1 tabouret 1er plan devant tertre J et remporte l'épée ; les gardes apportent l'auvent J.
  10 - Lumière.

---

53. *Gérard Philipe*, p. 185.

54. Quelques précisions sont nécessaires à l'intelligence de ce tableau :

1° Les indications de mise en scène renvoient aux représentations données au palais de Chaillot en 1953.

2° Les temps sont calculés en secondes.

3° Les lettres J et C désignent les côtés Jardin et Cour du dispositif scénique. Les abréviations : 1er, 2e, 3e C ou J, se lisent : premier plan, deuxième plan, troisième plan cour ou jardin ; ASC C ou J se lit : Avant-scène Cour ou Jardin.

4° « Dadé », constamment mentionné dans les livres de régie, est le surnom d'André Schlesser, qui a fait partie de toutes les distributions de *Lorenzaccio*, au T.N.P., en qualité de « premier serviteur de scène ». Sur cet emploi particulier au T.N.P., on trouvera quelques éclaircissements un peu plus loin.

AU THÉÂTRE DE LA RENAISSANCE 1896

Acte V, sc. 7 (IV, 11). Sarah Bernhardt, Darmont.
Gravure signée A. M., *Feux de la rampe*, 23 janv. 1897.

AU THÉATRE SARAH BERNHARDT 1912

Acte V, sc. 7 (IV, 11). Sarah Bernhardt, L. Tellegen.
Croquis d'A.-E. Marty, *Comoedia illustré*, 1er juin 1912.

Premier et vingt-quatrième tableaux (I, 1 et 2 ; V, 8).

Septième tableau (II, 2). M.-T. Piérat, J. Weber, P. Gerbault.

De 5 à 6 :

    0 - Musique ; changement de lumière. Dadé enlève le tabouret et range les étoffes sous l'auvent.

    40 - Fin musique.

Fin du 1ᵉʳ acte et début du 2ᵉ acte :

    Départ musique à la réplique « A des temps meilleurs ».

    50 - Noir. Dadé apporte le fauteuil de Philippe, ASC. C.

    60 - Lumière.

    85 - Fin musique.

De 1 à 2 :

    Noir C ; lumière centre. Entrent Lorenzo et Valori fond lointain C ; puis Tebaldeo, derrière eux, fond J.

De 2 à 3 :

    Noir J ; lumière C. Cardinal à l'ASC. C ; sur un geste du cardinal, Dadé apporte le fauteuil confession et le coussin ; marquise entre fond lointain J.

De 3 à 4 :

    Changement de lumière ; Dadé, après le départ de la marquise, déplace le coussin et approche le fauteuil centre. Départ musique à la réplique : « Ah ! pourquoi y a-t-il dans tout cela... » ; au moment où débute la musique, entrent fond lointain Lorenzo, qui s'assoit sur marches C ; Marie au centre et Catherine 3ᵉ C ; elles s'asseyent. Fin musique à la réplique : « c'est l'histoire romaine ».

De 4 à 5 :

    0 - Musique ; changement lumière. Dadé place deux tabourets : 1 sur marches praticables J.

    40 - Fin musique.

De 5 à 6 :

    0 - Noir ; Giomo s'avance du lointain en chantant et s'assied sur marches praticables J.

    15 - Lumière ; Duc sur tertre J ; Lorenzo, entré fond lointain C, vient s'asseoir marches J.

De 6 à 7 :

    0 - Musique ; changement lumière ; Salviati entre 1ᵉʳ C.

    10 - Fin musique.

Fin 2ᵉ acte :

    0 - Noir ; fanfare.

    30 - Fin fanfare ; lumière salle.

DEUXIÈME PARTIE

Début 3ᵉ acte :

    Noir salle.

    0 - Musique.

    15 - Lumière et fin musique. Fond noir. En scène : Lorenzo et Scoronconcolo sur praticable J.

De 1 à 2 :

    Noir J., lumière C.

    0 - Musique.

    5. - Lumière ; Philippe et Pierre entrent 2ᵉ C.

    10 - Fin musique.

De 2 à 3 :

    Changement de lumière.

De 3 à 4 :

    Noir J., lumière C. Départ musique à la réplique : « mais prends garde à toi ». Fin musique à la réplique : « un amour pareil au mien ».

De 4 à 6 :

0 - Noir, musique ; tapis du duc sur praticable J ; Dadé place le fauteuil de la marquise.
10 - Lumière, fin musique.

De 6 à 7 :

Pendant le monologue de la marquise : musique Massa.
65 - Fin musique Massa.
70 - Noir, entrée des torches.
75 - Musique.
90 - Lumière : fond noir.
15 - Fin musique.

Début du 4ᵉ acte :

0 - Noir ; musique.
15 - Fin musique ; lumière.

De 1 à 4 :

Noir J ; lumière C ; marquise et cardinal entrent par fond C.
0 - Musique Massa.
45 - Fin musique Massa.

De 4 à 7 :

A la réplique : « Corps du Christ », noir ; torche de Lorenzo allumée.
Musique : roulement et ondes Martenot.
12 - Lumière : fond ciel.
35 - Fin roulement.

De 7 à 6 :

Changement lumière ; Philippe et le Prieur entrent fond lointain ;
3 porteurs déposent cercueil angle marches C ; Philippe s'agenouille
cercueil C ; porteurs sortent praticable centre ; Pierre entre fond lointain J et parle au Prieur ; puis vient vers Philippe.

De 6 à 9 :

Changement de lumière ; cloches Noir C, lumière J ; fond noir.

De 9 à 10 :

On laisse lumière sur cardinal ; noir progressif sur le ciel jusqu'à disparition de Lorenzo fond lointain J.
10 - Trompettes, lumière ; le duc entre fond lointain.

De 10 à 11 :

Après dernière réplique du cardinal, ondes Martenot.
0 - Noir ; 2 torches lointain.
10 - Lumière ; fond noir.
25 - Fin ondes ; le duc est assis sur les marches J.

Début 5ᵉ acte :

Noir. Musique.
12 - Lumière.
35 - Fin musique.

De 1 à 5 :

Trompettes (lointain).

De 5 à 6 :

Noir ; chanson Dadé, 1ᵉʳ J ; le valet se place, avec lanterne, derrière
Philippe, assis praticable J ; Lorenzo entre fond lointain J.

De 6 à 7 :

0 - Noir ; trompettes se placent sur passerelle C durant le noir.
6 - Lumière ; fond ciel ; lumière monte progressivement.
45 - Fin trompettes ; entrent l'officier fond lointain et 6 gardes ; puis les autres personnages.

Dans sa sécheresse de document brut, ce tableau est prêt à jeter ses éclairs, pour peu qu'on le stimule aux bons endroits :

1° Il appert d'abord de ce schéma combien le metteur en scène s'est efforcé de varier les transitions entre les tableaux : passage au noir ici, simple changement de lumière là ; connexions subtiles de la musique et de la lumière, tantôt jumelées, tantôt habilement déphasées ; déplacement des aires de jeu au gré des mouvements de la lumière, mais sans monotonie ni système. On a cherché, c'est sûr, par tous les moyens, à éviter dans la succession des scènes la régularité pendulaire, qui guettait, on s'en souvient, la mise en scène de la Comédie-Française et, à un moindre degré, celle de Gaston Baty. Le réalisateur semble avoir rusé de toute son ingéniosité avec le piège central tendu par le système choisi : l'espace scénique alternativement construit et détruit par la lumière. Dans ce jeu d'estoc et de taille, la musique occupe une place de choix, sur laquelle nous reviendrons en son temps.

2° Mais l'ingéniosité, loin d'exclure l'intelligence, la postule au contraire. La variété est ici presque toujours régie par la nécessité. Aussi bien ne faut-il pas trop se fier aux apparences. Quelques échos de presse font reproche, par exemple, à Gérard Philipe d'avoir fait « glisser la mise en scène côté cour [55] ». Autant vaut dire que le dispositif scénique est mauvais, ou, ce qui revient au même, que le metteur en scène a eu bien de la peine à en tirer parti. En admettant même que la géométrie tourmentée des éléments scéniques de Gischia ait dérouté de prime abord Gérard Philipe [56], un examen attentif du tableau ci-dessus et des photographies de scène qui le confirment et l'illustrent fait apparaître, au contraire, une très subtile spécialisation des espaces de jeu. Il est vrai, en effet, que sept scènes seulement, sur les trente que compte l'adaptation présentée à Chaillot en 1953, se jouent franchement côté jardin. Mais quelles scènes ? Ce sont, dans l'ordre, la foire de Montolivet (I, 5), la scène du portrait (II, 6), la scène des armes (III, 1), le boudoir de la marquise (III, 6), la place au clair de lune (IV, 9), l'assassinat (IV, 11), le rendez-vous de Venise (V, 6). Pas besoin d'être grand clerc pour constater que le tertre jardin, c'est-à-dire le « ring » surélevé et les escaliers, à l'oblique, qui y mènent, est par hypothèse, l'espace dramatique par excellence, où, noués ailleurs, en des endroits moins exposés, se tranchent les fils du destin. C'est, en effet, côté jardin que Salviati met en mouvement le mécanisme irréversible de la violence ; c'est là que Lorenzo prive le duc de son ultime défense, s'entraîne au meurtre, s'y prépare en esprit, s'y livre en vérité ; c'est sur cet espace dangereux que, confinée côté cour pour la scène des adieux, la confession et le retour du marquis, la marquise s'aventure exceptionnellement et couche pour la dernière fois avec le duc de Florence, dont

---

55. *Combat*, 3 mars 1953.
56. Ainsi qu'en témoignent ces propos de Léon Gischia lui-même : « ...j'exécute mes maquettes (...) et je les lui montre. Il les considère longuement, une à une. Il ne dit rien. Je le sens déconcerté et, pour ainsi dire, déçu. Il attendait évidemment autre chose. Enfin il se décide. Il me regarde et sourit gentiment : « Après tout, c'est ton affaire ... si tu es vraiment décidé à jouer cette partie, eh ! bien, moi, je tâcherai de me débrouiller... » (*Gérard Philipe*, p. 182).

elle pressent la mort inéluctable ; c'est sur cette terre d'exil que
Philippe, déraciné, s'aventure à son tour, tandis que, menaçante, la
mort rôde en ce jardin. Le grand praticable central, réduit parfois
à son aile côté cour, accueille de préférence la chronique florentine.
Si Louise meurt au centre, sur les escaliers, c'est que sa mort, en fin
de compte, est une bavure du hasard, une péripétie douloureuse qui
tient davantage à la chronique privée des Strozzi qu'à l'histoire politique de Florence. Le tertre jardin, au contraire, a la dignité des
espaces tragiques : lieu privilégié, fait pour les dieux et les princes ;
place royale d'amour et de mort, où se jouent, même dérisoirement,
la liberté et le bonheur d'un peuple.

3° Déplacé en toute conscience de cour à jardin et de jardin à
cour, le spectacle du T.N.P. l'est aussi en toute rapidité. Un rythme
toujours soutenu est son arme secrète [57]. Les temps de transition,
calculés en secondes, en font foi. Il est vrai qu'au T.N.P. le décor est
moins l'affaire des machinistes que la nôtre. Autour d'un objet et
de quelques comédiens saisis dans la lumière, il nous appartient de
construire le décor. Encore faut-il placer et déplacer les objets-
pilotes. C'est là qu'entre en jeu le serviteur de scène. Le serviteur de
scène est une invention ou plutôt une restitution de Jean Vilar au
théâtre contemporain. On l'a comparé parfois à « l'homme noir du
Kabuki », ou à « l'ombre » du théâtre chinois [58]. Non sans humour,
c'est à l'office ou au bar que Claude Roy en cuisine la recette : « un
tiers elfes, un tiers déménageurs, un tiers danseurs [59] », dit-il des
serviteurs de scène. Dans *Lorenzaccio*, deux serviteurs de scène
agitent les drapeaux au début de la cérémonie, et l'un d'eux, André
Schlesser, — Dadé pour les régisseurs, — joue son rôle à transformations d'un bout à l'autre du spectacle. Vêtu en page, — pourpoint
jaune et noir, collant noir, toque rouge —, et de ce fait étroitement
intégré à la distribution de la pièce, il est machiniste durant les
« noirs » et valet aux lumières, — à la fois hors du spectacle et dedans,
selon les nécessités de la mise en scène. Son costume hybride, mi-
ombre mi-lumière, est à l'image de sa double nature : être et ne pas
être, apparaître et disparaître à volonté. Non content d'agiter les
drapeaux et de déménager les meubles, André Schlesser, sur le plateau d'Avignon, sera tour à tour Agnolo aux deux premiers actes, le
messager, le page et Pippo au cinquième ; il est aussi le chanteur
dont la chaude et lente mélopée accompagne la dernière rencontre de
Philippe avec Lorenzo à Venise. On le perd, on le retrouve ; il est là
aux bons moments, aux bons endroits, dans le style qui convient à
chaque situation : grave quand il tend à Lorenzo l'épée du déshonneur,
goguenard et espiègle quand il plaisante les femmes à la foire de
Montolivet. Par lui, *Lorenzaccio* conserve à la scène une part de sa

---

57. Très instructive est, à cet égard, une note de service de Jean Vilar affichée à l'intention des comédiens après une représentation trop mollement menée : « Je suis d'accord
avec Gérard Philipe, metteur en scène de *Lorenzaccio*, pour vous signaler le ton très relâché
de la représentation d'hier soir. Cette pièce a besoin d'être enlevée vivement. N'asseyons pas
la pièce, je vous prie... ».

58. Voir sur ce point M.-T. Serrière, *le T.N.P. et nous*, p. 154.

59. Claude Roy, *Jean Vilar*, p. 69.

créativité spontanée. D'un mot, d'un geste, d'une pirouette, il répond à l'appel secret de l'écrivain de théâtre dont l'imagination n'a cure des servitudes réelles de la scène. Il est, à bien des égards, celui par qui la fantaisie créatrice de Musset vient au théâtre. On ne s'étonne guère qu'il ait droit aussi à la gratitude du spectateur [60].

4° Il ne suffit pas que le mouvement soit rapide. Encore faut-il qu'il soit juste, qu'il corresponde à la respiration propre de la pièce. A cet égard, l'alternance presque régulière de scènes jouées devant un rideau et de scènes déployées dans un décor construit nuisait à la présentation de *Lorenzaccio* au Français. La succession quasi mécanique d'un espace dilaté et d'un espace contracté joint, en effet, la monotonie à l'arbitraire. La respiration de la pièce n'est pas celle, régulière et égale, du sommeil végétatif, mais celle impétueuse et disponible de la vie consciente, dans ses tensions brusques et ses dépressions imprévues. La mise en scène de Baty, par sa prédilection pour l'espace clos, courait de ce fait des risques analogues et s'exposait aux mêmes reproches.

Au T.N.P., Gérard Philipe et Jean Vilar éviteront adroitement la prolifération des espaces clos, des tableaux étroitement cernés par la lumière. Ce n'est pas là l'atmosphère générale, le souffle ordinaire de la pièce. En quelques endroits seulement, il est bon que la lumière se localise d'une manière stricte et exclusive ; dans les scènes d'intimité, par exemple, qui mettent en scène deux ou trois personnages, la confession (II, 3), l'entretien entre Pierre et Philippe (III, 2), entre Catherine et Marie (III, 4), ou pendant un monologue (IV, 9). Mais d'ordinaire on n'abusera pas du « gros plan ». Le plus souvent, le souci de l'espace dilaté l'emporte, car la respiration de la pièce est large et la mise en scène se dilate à son effet. Ainsi lâchera-t-on sur les estrades de Gischia autant et parfois plus de personnages que la libre imagination de Musset n'en prévoit ou n'en suggère : 34 personnes sont en scène à la sortie du bal chez Nasi, 27 au souper chez Strozzi, plus de 30 à la scène du couronnement. Même dans les tableaux plus intimes, la prolifération spontanée des figurants, valets chez Philippe, gardes chez le duc, pages un peu partout, est le signe d'un espace à occuper, à conquérir, à posséder. Dès la première scène, qui est pourtant, par essence, une scène privée dans un espace clos, on sent la volonté du metteur en scène de prendre possession avec rage de la totalité de l'espace scénique, si vaste soit-il : « à la lumière, lit-on dans les livres de conduite du spectacle, le duc est assis sur les marches du tertre *jardin* ; Lorenzo est à l'angle *cour* du grand plateau ; Giomo entre au fond lointain en chantant avec sa guitare et traverse la scène par la *face* pour se placer au *centre du tertre cour* [61] ». Il y a dans ces quelques lignes

---

60. « Pour être entièrement juste, il faudrait même associer jusqu'au valet de scène (assuré par André Schlesser), qui imprime sa marque très particulière au festival, comme le faisait observer Léon Gischia » (*le Parisien libéré*, 17 juillet 1952).
61. Tout le reste de la scène est traité dans ce style musclé et ambulatoire. Pour juger sur pièces, voici un relevé des principales indications scéniques portées sur les livres de conduite : « ...Le Duc passe *cour*, dans un grand mouvement (...), Lorenzo descend *ASC*. *Centre* (...). Le Duc repasse *jardin* sur le tertre (...). Giomo le rejoint par le *grand plateau*

toute l'énergie d'un mouvement de conquête du dispositif scénique ; le rythme général de la représentation n'en finira pas d'en recevoir l'onde de choc. Peut-être même est-ce là le caractère vraiment distinctif de cette réalisation scénique surtout si on la compare aux réalisations antérieures, celle du Français, trop serrée dans ses décors généralement clos ou sans profondeur, celle du théâtre Montparnasse, somptueuse, mais parfois exsangue et quintessenciée dans son esthétisme d'atelier.

5° Cette occupation passionnée de l'espace se fait naturellement sur tous les fronts, et la profondeur n'en est pas le moins important. Alors que Gaston Baty n'utilisait qu'exceptionnellement, comme on l'a vu, la profondeur du dispositif scénique et condamnait ses personnages aux entrées et sorties latérales, le metteur en scène du T.N.P. fait un usage constant et presque systématique de l'entrée par le fond lointain. La structure du décor, il est vrai, l'y invite : le plan incliné d'Avignon, qui mène à l'une des portes gothiques percées dans le grand mur du fond, l'immense ciel bleu sur lequel, à Chaillot, se détachent quelques tableaux sont autant d'incitations à ne pas négliger les effets de perspective. Mais la vraie raison est ailleurs. Elle tient à une lecture attentive et exacte du drame de Musset.

Il suffisait, en effet, de suivre les indications scéniques de Musset pour rendre à la profondeur du champ sa nécessité structurale et sa dignité tragique. Qu'on se rappelle seulement quelques détails : cette fille séduite qui passe dans l'éloignement (I, 1), cette galerie basse et ombreuse d'où Lorenzo émerge vers la lumière (I, 4), cette cour à l'arrière-plan, qui se remplit « de pages et de chevaux » à l'arrivée du duc (II, 4), cette fenêtre du palais Strozzi, d'où l'on plonge sur des rues sombres (II, 5). Ce ne sont que des exemples, mais convergents. Chez Musset, le décor de la plupart des scènes est comme enveloppé d'ombres, menacé de ténèbres extérieures que l'inconscient collectif associe spontanément au désordre cosmique, à la déréliction et au châtiment. Cette Florence des ténèbres, où donc mieux qu'au Palais des Papes la pouvait-on sentir, à la fois proche et hostile, menaçante et familière ? Mais à Chaillot, où les hauts murs, le mistral en bourrasques et le ciel étoilé sont absents, un simple jeu « de rideaux grenats qui, derrière des feux croisés de projecteurs, deviennent noirs » fera l'affaire, car ils simulent l'espace, « le grand espace mystérieux et sans limites [62] ». « Voici une étrange Florence », poursuit Robert Kemp, « une cité sans murailles, où le soleil ne luit jamais : Florence-des-Ténèbres (...) c'est Florence telle que Lorenzo, absorbé dans ses calculs, rongé par la souffrance, agité de ses cauchemars, doit la voir ». Ainsi, surgis de la nuit, les personnages du drame n'ont jamais

(...). Ils sortent tous les trois, 3ᵉ J (...). Maffio entre 1ᵉʳ J et s'avance jusqu'à l'angle du *tertre J* (...). Maffio gagne *centre grand plateau*, descend les marches et vient *ASC Centre* (...). Le Duc passe ASC, sous le *tertre J* ; Giomo passe sur le *tertre J* et vient à Maffio (...). Giomo maîtrise Maffio *ASC Centre* ; Le Duc passe *ASC C* avec un très léger arrêt au centre ; Le Duc se place *3/4 Centre C* (...). Giomo lâche Maffio et le laisse tomber centre. Le Duc regagne le *Centre* vers Maffio, un peu au-dessus de lui, à sa cour ; le duc et Lorenzo sortent *fond lointain J...* ».

62. *Le Monde*, 3 mars 1953.

l'air de sortir des coulisses, de monter du foyer ou du vestiaire. La nuit les jette à la lumière et, l'instant d'après, la nuit les reprend, comme les débris somptueux d'un naufrage au gré du flux et du reflux. Ce n'est plus Florence-la-douce, Florence-la-blanche, comme au Français, ni Florence-au-miroir, tendue de soie et de velours, inventée par Baty. C'est Florence-du-cauchemar, pourrissante et nue, envahie de gardes noirs porteurs de hallebardes, où retentit, de loin en loin, l'appel de trompettes d'on ne sait quel Ange exterminateur. La pièce de Musset retrouve ici sa grandeur sauvage de tragédie sans rémission.

6° On remarque enfin combien le spectacle du T.N.P., tout en acceptant de recevoir, le cas échéant, des leçons d'autres arts, et notamment du cinéma, reste profondément fidèle au théâtre et à la « théâtralité », c'est-à-dire aux moyens d'expression et même aux conventions qui lui sont propres.

Désireux, sans doute, d'éviter toute raideur dans certaines transitions entre deux tableaux, Gérard Philipe s'est notamment inspiré avec bonheur de la technique cinématographique dite du « fondu enchaîné [63] ». Le tableau ci-dessus en fournit l'exemple le plus éclairant à la jointure des deux premières scènes de la pièce : Maffio sort lentement pendant qu'entrent les premiers personnages du tableau suivant, notamment deux masques qu'il croise sans les voir, comme, dans un film, se superposent sans se mêler les personnages de deux séquences successives et indépendantes. Le même procédé est employé au deuxième acte, à la jointure des scènes 3 et 4, avec un raffinement supplémentaire qui en accentue la fluidité et l'harmonie. Un air musical très suave, en effet, lié à la paix bucolique de Massa, vient soutenir la fin du monologue de la marquise et ne s'interrompra qu'après la troisième réplique de la scène suivante, alors que nous ne sommes plus chez les Cibo, mais au palais des Soderini. Par le jeu de la musique, l'unité tonale crée pour ainsi dire les conditions d'une solidarité affective et morale entre deux femmes, deux victimes du duc, aujourd'hui l'une, l'autre demain peut-être, que le texte de Musset laissait en attente ou en filigrane. Ainsi vit le théâtre de virtualités que le réalisateur module à son gré et selon son goût. La mise en place des comédiens ne fera qu'accomplir dans son ordre ce que la musique suggérait dans le sien. Au moment où débute la musique, Lorenzo entre par le fond lointain et s'asseoit sur les marches côté cour ; au départ de la marquise, le serviteur de scène déplace le coussin et approche au centre le fauteuil de la confession ; Marie et Catherine occuperont, à une autre place, les sièges laissés libres par les personnages du tableau précédent. Ainsi procède le réalisateur d'un film, quand il se soucie « d'établir un rapport esthétique entre les deux images qui vont se recouvrir [64] ».

63. Rappelons, pour mémoire, avec Henri Agel, que « le fondu enchaîné nous montre l'image de la nouvelle séquence avant que se soit complètement effacée l'image de celle qui s'achève » (Henri Agel, le Cinéma, p. 74).
64. H. Agel, op. cit., p. 75.

Mais ces emprunts au cinéma, pour ingénieux qu'ils soient, demeurent rares et sans ostentation. La fidélité du T.N.P. aux moyens propres du théâtre est exemplaire ; le contraire eût étonné. En tout cas, bien des procédés de mise en scène théâtrale, ici à peine ébauchés, seront fécondés dans l'avenir. Je songe, entre autres, à la destruction du décor par la simple mobilité des objets ou des accessoires. Il y a là l'amorce d'une mutation permanente du décor à la vitesse où le caprice de l'écrivain l'a conçue. Théâtre joué et théâtre intérieur marchent ici du même pas. Musset n'osait sans doute pas rêver pareille fluidité dans la fidélité. Je songe également à une autre convention scénique tout aussi riche de promesses : la présence simultanée en scène de personnages situés à des degrés différents d'existence théâtrale. Ainsi, au quatrième acte, entre les deux grandes scènes où il dialogue avec des voix (sc. 7), puis avec des ombres (sc. 9), Lorenzo, son flambeau à la main, reste en scène, assis sur les marches, tandis que se déroule, à deux pas de lui, autour du cercueil de Louise, l'entrevue orageuse entre Philippe et son fils Pierre. Lorenzo est vivant, mais hors de course, en suspens et comme en réserve d'énergie dramatique. On verra, au chapitre suivant, l'audacieux parti que tireront les scénographes du théâtre Za Branou de Prague de ces divers degrés de présence théâtrale. Mais ce n'est pas le moindre attrait des spectacles du T.N.P. que cette justesse dans la recherche et cette modestie dans l'effet.

3. LA COULEUR

La même justesse dans la recherche se retrouve dans le domaine des costumes ou plutôt de la couleur. Car le problème du costume de théâtre, au T.N.P., est un problème bien posé, du moins en termes essentiels : non de décoration, mais de peinture, non de déguisement, mais de jeu, non d'exactitude, mais de signe. L'appel au peintre, chez Vilar, obéit aux plus hautes motivations. C'est affaire non de nouveauté ou de mode, mais de philosophie même du spectacle dramatique. « Avignon, déclarait Vilar à un journaliste en marge du VIᵉ Festival d'Avignon et des représentations de *Lorenzaccio*, nous a montré que le costume devait cesser d'être un simple déguisement pour devenir un des éléments mêmes du jeu dramatique au même titre que la mise en scène et le jeu des interprètes[65] ». Le peintre Léon Gischia, qui ne devait décorer, pour son ami Jean Vilar et en collaboration avec lui, pas moins de 28 pièces de 1945 à 1963[66], ne dit rien d'autre, dans un texte important joint au programme officiel du Festival d'Avignon[67]. Deux idées s'y rencontrent et s'y épaulent mutuellement : a) Le peintre au théâtre ne cesse pas de penser et d'agir en peintre, c'est-à-dire en rapport de formes et de couleurs en un certain ordre assemblées : « le rôle essentiel du

---

65. *Libération*, 25 juillet 1952.
66. Ces précisions sont données dans Claude Roy, *Jean Vilar*, p. 78.
67. Sous le titre : « Notes d'un peintre en marge des spectacles d'Avignon » ; des idées voisines sont précisées et développées dans un entretien de Gischia avec Denis Bablet publié dans la revue *Théâtre populaire*, juillet-août 1954, nº 8, p. 105-108.

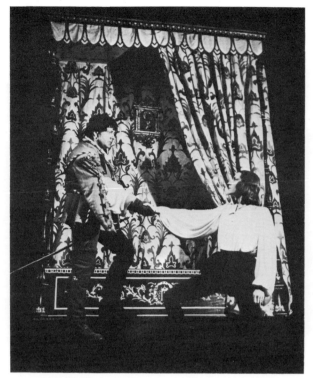

Treizième tableau (III, 1). Y. Jedvabe, M. Jamois.

Quatorzième tableau (III, 6). M.-H. Dasté, A. Rignault.

AU PALAIS DES PAPES, AVIGNON 1952

Acte I, sc. 4.
G. Philipe, C. Denner
D. Ivernel, J. Violette

peintre, au théâtre comme devant son chevalet, est de combiner formes et couleurs en vertu du développement d'une logique interne, d'une dialectique qui vaut par elle-même et non point seulement par rapport à l'œuvre représentée. Il s'agit en somme de conjuguer valeurs plastiques et valeurs dramatiques en une synthèse harmonieuse et, à proprement parler, inédite ». b) Mais, alors que le tableau est immobile, le spectacle théâtral est par essence mouvement dans l'espace et sous la lumière : « sur les tréteaux, formes et couleurs représentatives d'un personnage sont en mouvement. Elles se déplacent dans un espace à trois dimensions suivant un rythme qui, proprement réglé, doit avoir la rigueur et l'unité d'un mouvement musical. Il devient un élément essentiel du jeu dramatique, au même titre que le geste, la voix, la lumière, la musique ».

Nanti de ces solides principes fonctionnels, fruits d'une réflexion et d'une pratique assidues, Gischia apportera aux problèmes généraux de la décoration de *Lorenzaccio* des solutions simples, mais souvent neuves et originales. Sur quatre points, au moins, les costumes de la pièce recevront la ferme réponse qu'implique une question bien posée :

1° *Lorenzaccio* n'est pas traité en pièce historique ; ou plutôt le souci de la documentation et de l'exactitude archéologique n'est à aucun moment primordial. Comme dit encore Gischia : « il faut inventer. On ne fait rien en partant d'un document. Le rôle du décorateur est pour ainsi dire de voir la chose « avant »... lire et relire la pièce, s'en pénétrer, laisser les choses venir. Le document prend une valeur de vérification [68] ». C'est si vrai que, dans la nomenclature des costumes de *Lorenzaccio*, on trouve des notations de ce genre, qu'en d'autres temps on eût jugé sacrilèges : « Gardes : costumes noirs du *Cid* et du *Prince de Hombourg ;* bottes mousquetaires, mêmes pièces » ; ou encore, pour tel banni : « robe noir aumônier *Mère Courage* » ; ou même, avec une note d'humour involontaire, pour vêtir « un des Quarante » : « une cape Maître Jacques de *l'Avare* ». Gageons que cette désinvolture historique ne naît pas d'un souci d'économies. Ce n'est pas le genre de la maison, qui s'est fait une règle de créer des costumes neufs pour chaque spectacle et propres à chacun d'eux. Simplement, le problème est posé autrement : en termes de spectacle, non de musée, de palette, non de ressemblance. Ce qui compte, dans le cas de *Lorenzaccio*, ce n'est pas l'illusion historique, mais la suggestion harmonieuse, légendaire, poétique d'une civilisation. Ce qui compte, « c'est d'être avec Lorenzaccio au cœur de la Florence des ducs, et des peintres [69] ». Véronèse ou Mantegna, école vénitienne ou florentine, qu'importe ! « Vous diriez, de Ghirlandajo à Véronèse, une bousculade de figures peintes, qui s'animent. Jaune, rouge, gris, bleu ... Une palette du Quattrocento, avec ses audaces [70] ». En somme, un hommage de peintre moderne à la

68. *Théâtre populaire*, juillet-août 1954, p. 108.
69. M.-T. Serrière, *op. cit.*, p. 110.
70. R. Kemp, *Le Monde*, 18 juillet 1952.

peinture d'autrefois. Gischia donne au spectacle d'Avignon « tout son éclat de chronique florentine [71] ».

2° *Lorenzaccio* est une pièce en mouvement. A cet égard, il importait que les costumes fussent à l'unisson d'une mise en scène toujours vive et parfois gymnique. Loin d'engoncer les corps, Gischia songera qu'il faut les exalter. L'usage du pourpoint, de la tunique courte et surtout du collant de danseur sera généralisé, du moins pour les acteurs appelés au jeu musclé ou nerveux des corps en mouvement. Ce collant sportif est traité, comme tout autre vêtement, en support des couleurs les plus vives et les plus riches : rouge grenat pour le duc, gris pour Lorenzo et Salviati, vermillon pour Maffio, rouge pour le provéditeur, noir pour Ascanio, sire Maurice et Philippe Strozzi. Parfois, le collant est bicolore : jaune et rouge pour Pierre Strozzi, vert et rouge pour François Pazzi, rouge et gris pour Tebaldeo, rouge et brun rouge pour Thomas Strozzi, jaune et gris rayé pour Giomo. Tuniques et collants seront, selon les cas, appariés ou opposés. De toutes les manières, chaque ensemble, presque toujours de nuance vive, est appelé à entrer dans une ou plusieurs combinaisons mouvantes de lignes et de couleurs, réglées par l'œil du peintre et soumises à l'esthétique générale du spectacle. Les tuniques longues, les robes, les manteaux, formeront, par contraste, les éléments stables, hiératiques ou solennels, d'un plateau sans cesse traversé de tous ces corps libres et souples en mouvement.

3° Le costume de théâtre, tel que le rêve Vilar et le compose Gischia, est un *signe* « lisible de loin, collant à ce qu'il doit exprimer, beau mais immédiatement *déchiffrable* du dernier rang de la cour d'honneur ou de Chaillot [72] ». Dans cet ordre d'idées, l'exécution des costumes de *Lorenzaccio* est convaincante. Le pourpoint rouge grenat à parement or, avec collant de même teinte, les gants rouges à liseré or traduisent chez le duc l'appel de la chair et du sang. Chez Giomo, son écuyer, règne la fantaisie acide des fous du roi : pourpoint rayé rouge et gris sur collant jaune et gris rayé, la guitare à la main, pour donner la sérénade ; mais le ceinturon martial sent l'homme de main d'une lieue. Arlequin poli par les armes. L'officier allemand a l'apprêt bariolé d'un « flandrin » tudesque : pourpoint gris, manches ocre et rouge, collant vert et rouge, des jarretières à feston jaune, le ceinturon fauve, perruque, moustache et barbe rousses, chapeau rouge à plume rouge et verte ; en vérité, « il est bête à faire plaisir, ton officier [73] ». Mais vienne l'heure du commandement et le décor change. Les gardes allemands, qu'il a sous ses ordres, ont l'uniforme noir de tous les services d'ordre du monde : costume noir, bottes mousquetaires noires, morion à crête sur la tête, hallebarde au poing ; seule note colorée, l'écharpe rouge doublée ocre portée en bandoulière qui en fait plastiquement des gardes allemands. Mais le chef-d'œuvre du costume « immédiatement déchiffrable » est, à coup sûr, celui de

71. Déclaration de J. Vilar à *Arts*, 20 juillet 1952.
72. Claude Roy, *op. cit.*, p. 80.
73. I, 5, p. 237, l. 900.

Lorenzo, que Gischia a modelé pour ainsi dire sur le corps de Gérard Philipe. Abandonnant l'absurde costume funèbre adopté par tous les Lorenzo précédents, Gischia opte décidément pour la couleur. Musset, du reste, l'y invite, qui fait de son héros un dandy efféminé et élégant dans son « manteau de soie bariolé qui traîne paresseusement sur le sable fin des promenades [74] ». Mais il faut que le costume exprime le personnage, trahisse un peu du secret intérieur. Tel sera le pouvoir de cet étonnant pourpoint noir à flammes rouges, « pétales ardents » qui peignent de Lorenzo « les tourments intérieurs, tandis que flotte la cape éclatante qui se déplace et se referme comme une grande fleur [75] ». Il est non moins vrai que le contraste entre le haut et le bas du costume convient à l'ambiguïté du personnage : cœur calciné, où couvent des braises ardentes, mais jambes molles, gainées de soie grise, trop offertes aux regards pour être tout à fait innocentes. Un triple collier d'or, cinq bagues aux doigts complètent le tableau d'une note de raffinement équivoque. Voilà enfin, grâce au peintre, un héros de Musset, non la pâle réplique d'Hamlet, qu'on a eu le bon esprit de renvoyer au musée.

4° Les costumes de *Lorenzaccio*, enfin, forment un tout homogène, de style et de palette ; ou, plus précisément, le pinceau de Gischia aura l'art de fondre les divers groupes dessinés par l'écrivain dans l'harmonie globale conçue par le peintre. On peut les classer commodément sous quatre rubriques : les groupes anonymes, les groupes sociaux, les groupes familiaux, les couples.

Les groupes anonymes. On les désigne d'un titre ou d'un emploi valables pour l'espèce entière et pour chacun de ses membres : les Huit, les Quarante, les masques, les bannis, que sais-je encore ? Gischia, qui jette sur eux le regard du peintre, traite chaque groupe en combinaisons possibles de formes et de couleurs. Les résultats sont parfois surprenants, mais toujours vigoureusement surveillés. J'ai parlé des gardes noirs : avec l'écharpe rouge doublée ocre, ils sont gardes allemands ; passent-ils l'écharpe bleue doublée gris, ils deviennent gardes des Médicis ; sans écharpe, sans casque, sans armes, les voici valets ou pages au service du duc ou des Strozzi. L'ingéniosité est ici un effet de l'art. Les Huit ? Ce « tribunal d'hommes de marbre », cette « forêt de spectres » appelle la stricte austérité du noir : manteau noir à parement rouge, dit « manteau des Huit », toque noire, barbe grise. Les bannis du premier acte ? Au T.N.P. ils sont onze, vêtus diversement de capes ou de manteaux, dans un registre sombre : quatre en noir, trois en gris, deux en bleu soutenu, marine ou pétrole, un en rouille ; seule tache vive, tranchant comme la jeunesse sur cet ensemble éteint, Maffio, en collant vermillon et pourpoint vermillon et noir. Voici encore les Quarante, — ils sont 21 sur le plateau du T.N.P., — présents au souper chez Strozzi. L'ensemble s'éclaire et se diversifie quelque peu en dépit de la tonalité nocturne du tableau : 17 hommes et 4 femmes, des capes et des man-

74. III, 3, p. 349, l. 712-713.
75. *Ce soir*, 22 juillet 1952.

teaux, des robes et des tuniques, des capuches et des dominos. Les teintes étouffées l'emportent : 8 sont en noir, 4 en rouille, deux en gris, 1 en grenat, 1 en bleu pétrole ; un manteau rouge porté sur une robe noire jette un sombre éclat, mais 4 costumes féminins font vibrer d'une note tendre ou acide un ensemble plutôt sévère : ici un domino changeant vert, là le même en mauve, et deux combinaisons bicolores de teinte soutenue : une robe vermillon à manches vertes et capuche verte, une robe jaune avec capuche marron. Pour les masques, 13 qui vont et viennent sur le plateau, les teintes peuvent chanter librement. Le texte de Musset, du reste, y invite : « rose, vert, bleu, j'en ai plein les yeux... [76] ». Gischia, fidèle à sa palette personnelle, lâche la bride. Outre les robes de novices brunes assorties de cornettes blanches, on voit danser toute une gamme de dominos colorés, un vert pâle, un autre vert cru, un rose, un jaune ; du noir aussi, qui fait valoir les couleurs alentour. Mais les tons chauds l'emportent dans ce carnaval de sang vif et de chair ardente.

Les groupes sociaux. Dans une pièce aussi foisonnante en personnages entrecroisés, le costume a une autre vertu : il est, d'entrée de jeu, l'élément qui permet au spectateur de démêler la confusion. Fidèle à la dramaturgie même de Musset, Gischia s'emploiera à rendre aussi évidente que possible l'identification des personnages, en accentuant les types, en appariant les formes, en multipliant les signes qui révèlent l'origine sociale de chaque personnage et le groupe professionnel auquel il appartient.

Un couple de bourgeois flâne à la porte du palais Nasi ; lui a une tenue stricte, comme il sied à sa gravité un peu chagrine : tunique noire, collant noir et gris, cape noire ; elle, par contraste, porte une robe vermillon à manches vertes. Ingénieusement, la même robe va désigner, à la foire de Montolivet, la deuxième dame de la Cour : il suffit d'en ôter les manches vertes amovibles ; apparaissent alors des manches vertes et jaunes, d'un effet plus riche et plus raffiné ; une coiffure orange à voile vert consolidera la métamorphose. La première dame de la cour, en qui la seconde trouve son complément et son contrepoids, portera une robe jaune à manches bleues et rouges, de coupe voisine, et une coiffure jaune à voile jaune.

Les écoliers se complètent, eux aussi, selon le même esprit, mais dans des teintes différentes. L'un d'eux est polychrome : blouse grise, collant rouge, toque noire, l'autre tout pastel : blouse, collant et toque mauves. Les mêmes enfants, jouant, au cinquième acte, la scène des jeunes aristocrates avec leurs précepteurs, seront vêtus à l'opposé, dans des tons plus tranchés, comme l'exigent deux familles ennemies à l'empoignade : le petit Salviati porte un pourpoint rouge et ocre, le collant rouge et une cape rouge, le petit Strozzi un pourpoint noir à manches mauves, le collant mauve et une cape rouge. Les précepteurs qui les accompagnent entrent dans la catégorie des barbons solennels et un tantinet ridicules, que le décorateur traite deux à deux dans un style à la fois drapé et dérisoire : robe jaune

---

76. I, 2, p. 208, l. 354.

et grise, barbe grise, coiffure noire et bleue pour l'un, robe chinée marron rouge à capeline verte, barbiche rousse, haute coiffure noire pour l'autre. Deux par deux, comme les professeurs, voici les commerçants. Les boutiquiers d'abord, traités dans un style vaguement exotique, qui sent parfois le souk et les *Mille et une nuits*, l'orfèvre en robe bleue à capeline noire, bas rouges, haute coiffure bleue, collier d'or, le marchand de soieries en longue tunique verte, manches à crevés rouges, bas rouges, perruque rousse, toque rouge. A l'étage supérieur, voici la banque et l'industrie, traitées dans un style plus sobre dans la couleur et plus cossu dans le drapé : Bindo en longue tunique noire et manteau brun rouge avec col rouge, toque rouge et beige, Venturi en tunique ocre clair, manteau noir bordé de rouge et coiffure assortie.

La cour, elle, vibre d'or et de feu. Les deux cardinaux donnent le ton, Valori en manteau pourpre, chapeau rouge et gants noirs, Cibo rouge des pieds à la tête : robe de taffetas rouge avec camail, manteau rouge faisant traîne, gants rouges, poulaines rouges, chapeau, barrette ou calotte rouges selon les circonstances ; chaîne, croix d'or, anneau pastoral pour l'un et pour l'autre. Le duc maintient les mêmes teintes sous son pourpoint rouge grenat à parement or, son court manteau noir velours et or, sa toque noir et or à plume blanche. Seul l'habit de sire Maurice vibre d'une petite note verte, complémentaire du rouge ambiant et propre à le faire chanter : pourpoint ocre garni de noir, collant noir, manteau court vert et noir, coiffure verte. La cour de Florence, décidément, aime les couleurs chaudes.

Les groupes familiaux. Le groupe Strozzi, qui est le groupe familial le plus nombreux de la pièce, posait au décorateur le délicat problème des ensembles à la fois un et divers, où chaque personnalité doit être clairement individualisée sans cesser d'appartenir plastiquement à la communauté qui l'englobe. C'est en peintre autant qu'en modéliste que Gischia se tirera de la difficulté, combinant adroitement formes et couleurs. Les vêtements de Philippe et de ses fils Pierre et Thomas offriront d'abord un système commun de manches à bouillons et à crevés qui souligne leur appartenance au même clan familial. Dans le système des couleurs, un élément noir commun permet à des teintes chaudes, allant du jaune au rouge, d'éclater davantage. Philippe est en tunique courte de taffetas changeant, collant noir, manteau de velours rubis, coiffure noire à plumes ; Pierre est en pourpoint noir et rouge, collant jaune et rouge, feutre noir ; Thomas porte une tunique ocre et brun rouge, collant pareil, cape noire. On ne sort pas du noir et de ses dérivés avec l'habit religieux de Léon Strozzi, robe noire à dessus gris, camail noir bordé de blanc, et l'uniforme noir des valets de la pièce, qu'ils soient au service du duc ou des Strozzi. Sur cet ensemble de fumée et de braise ardente tranche la robe bleue à corselet grenat et la toque bleue de la douce Louise Strozzi. Tranchera aussi le costume de François Pazzi qui, dans la scène 5 du deuxième acte, porte une tunique verte à manches rouges, un collant vert et rouge, une toge verte et une coiffure verte. On ne saurait marquer plus hardiment que, complice du clan Strozzi dans l'expédition punitive contre Salviati, il n'en est pas membre par les liens du sang.

Dans le clan Soderini, ce sont les rapports d'âge qui s'expriment en couleurs. Marie, la mère, porte un strict habit de duègne : robe prune rehaussée d'un somptueux manteau noir et blanc, gants noirs et coiffe blanche couvrant les épaules ; Catherine, sa jeune sœur, porte, au contraire, une robe verte décolletée, un collier d'or et un diadème de taffetas vert. Quand Lorenzo se mêle à leur duo, les flammes de son pourpoint jettent entre elles des lueurs d'incendie, dans l'harmonie stridente des couleurs complémentaires : vert et rouge sur fond noir.

Les couples. Les couples qui se font et se défont sans cesse au cours de la pièce sont autant de couleurs en mouvement, et Gischia, en concevant les costumes du spectacle, n'a pas manqué de songer à leur multiples et changeantes combinaisons.

Le couple légitime des Cibo forme d'abord une stricte harmonie en noir, toute d'honnêteté et de retenue. Le marquis en pourpoint noir garni ocre, collant noir et jaune, cape noire, coiffure noire ; la marquise en robe noire et blanche garnie d'hermine, bijoux et diadème ; la robe rouge du cardinal, qui déjà s'interpose entre eux, vibre sur ce fond sombre. La marquise portera cette même robe pour la confession. Mais elle en change dès lors qu'elle est devenue la maîtresse du duc : robe de faille rouge à corselet de velours cramoisi. Mêlée au pourpoint rouge du duc, cette tenue nouvelle brasille de sensualité à la fois satisfaite et honteuse. C'est dans ce vêtement qu'elle retrouvera au quatrième acte son mari. Cette robe, portée aux rendez-vous galants, n'est plus alors de circonstance, sa couleur seule est un aveu.

Les occasions ne manqueront pas, au cours de la pièce, de ce discours spontané des couleurs. Il suffit, par exemple, de regarder côte à côte le duc et Lorenzo ; leurs corps dissonent, mais aussi leur vêtement, qui est, au théâtre, leur être même. Ce pourpoint rouge et ce collant pareil disent l'homme d'une seule pièce, accordé à lui-même dans sa cruauté gourmande et son cynisme ingénu ; mais ce pourpoint enflammé sur des jambes gaînées de gris, c'est l'image même de l'homme double, tout ensemble tonique et atone, vibrant et éteint, à la lettre équivoque. « Au théâtre, l'habit fait parfois le moine[77] », dit Vilar. Il a raison.

On peut ajouter, en tout cas, qu'à bien des égards l'habit fait la pièce. Les estrades dénivelées et irrégulières de Gischia sont sans cesse traversées de foules onduleuses et colorées, qui s'offrent en relief à notre regard. Cette farandole de capes, de dominos, de robes longues à corselet, de manches opulentes à bouillons ou à crevés, s'accorde à l'envol des drapeaux et au déploiement des oriflammes. Kermesse héroïque, carnaval transi, danse macabre au son des violons, la pièce de Musset reçoit de Gischia tout l'élan romantique

---

77. J. Vilar, *De la tradition théâtrale*, p. 30.

qu'elle réclame. Il n'est pas jusqu'aux tissus employés, généralement souples et brillants, — failles, taffetas, soieries, — qui n'entrent à leur manière dans la composition du poème.

D'autres lectures, une autre illustration du drame demeurent possibles, voire souhaitables, et nous y reviendrons. La palette de Gischia, du moins, donne à l'interprétation du T.N.P. la cohérence et le style. Pièce sang et or, chant sensuel de la couleur sur fond de nuit, bariolage intrépide et savant d'un peintre de ce temps en hommage aux maîtres d'autrefois.

4. LA MUSIQUE

De la musique, il n'y a pas les mêmes choses à dire. Plus inter- mittente, moins immédiatement éclatante au regard, moins coexten- sive à l'action des comédiens que la couleur, elle est à la fois en retrait et indispensable. On n'en sent pas d'abord la présence, mais son absence désunirait le spectacle, en lui retirant une part de sa fluidité et de son pouvoir d'envoûtement. Quand Vilar, dès 1945, définit les limites de son emploi, il en pèse simultanément la néces- sité : « Donner à la partie musicale le seul rôle d'ouverture ou de liaison entre deux tableaux. Ne l'utiliser qu'aux seuls endroits où le texte indique formellement l'intervention d'une musique lointaine ou proche, d'une chanson, d'un divertissement musical [78] ». Qu'il ait, par la suite, quelque peu transgressé la lettre de ce programme est ici sans importance. Ce qui compte, c'est la fidélité jamais démentie à l'esprit de retenue et d'ascèse, qui en est la marque distinctive. Dans toute la pièce de Musset, par exemple, il n'y a pas plus de vingt minutes de musique, si l'on met les airs bout à bout. Tout l'art est justement dans leur répartition, leur récurrence, leur durée respective calculée selon les nécessités du jeu dramatique. Chez Vilar, en effet, même l'évidence est une règle de l'art. Une musique de scène est d'abord une musique scénique, partie intégrante et obligée de l'expression théâtrale.

Maurice Jarre, qui en porte la responsabilité en qualité de régis- seur de la musique, travaille en collaboration étroite et permanente avec le metteur en scène et le décorateur. Il est un des auteurs du spectacle. C'est à ce titre qu'on peut l'interroger sur les problèmes généraux posés au musicien par la formule théâtrale du T.N.P. et sur les difficultés particulières inhérentes au drame de Musset. Sur le premier point, Maurice Jarre s'est expliqué à de nombreuses occa- sions, et notamment dans le programme du VIIe festival d'art dra- matique d'Avignon : « Créer un théâtre sans rampe, ni décor, confier au verbe et à ses résonnances profondes tous les pouvoirs de sugges- tion dramatique, c'est trouver un nouveau moyen d'atteindre et de faire participer le spectateur ; c'est renoncer à lui procurer les plai- sirs de l'analyse pour lui donner avant tout la joie d'une émotion immédiate ; du moins une œuvre se présente ainsi en Avignon. La musique de scène a donc, dans cette forme dite « avignonnaise » du

78. *Ibid.*, p. 36.

spectacle, un rôle nouveau qui tous les ans est notre souci[79] ». Ce rôle toujours nouveau, voici, d'autre part, ce que Jarre en dit, à propos de *Lorenzaccio*, dans une déclaration faite à un hebdomadaire spécialisé : « L'innovation musicale de ce spectacle est la « stéréophonie en direct ». Si le principe a été trouvé en Avignon, il a fallu l'adapter pour Chaillot. Il y a plusieurs petites formations musicales réparties dans les quatre coins derrière les spectateurs, plus quelques trompettes sur scène (...). Il s'agit d'inclure les spectateurs dans le spectacle ; faire se rejoindre la scène et la salle, non seulement par l'architecture du plateau, mais en servant le spectateur de toutes les manières, ici en l'entourant d'éclats musicaux (...). Par ailleurs, la musique est sous-jacente pour créer le climat et le décor sonore même dans la salle. Ainsi les personnages eux-mêmes ont leurs thèmes. La marquise, Alexandre, Lorenzaccio, etc., ont chacun un thème musical qui les annonce, qui les habille, pourrait-on dire ![80] ».

Notons que Maurice Jarre parle ici en artisan et qu'il tend à réduire son apport à des innovations d'ordre technique ou à des recettes trop évidemment héritées d'un wagnérisme élémentaire. La suite de nos analyses le défendra heureusement contre lui-même et montrera à quel degré d'intelligence et de subtilité peut conduire la synthèse de deux qualités complémentaires : la maîtrise dans l'ordre musical et une délicate sensibilité dans l'ordre littéraire et dramatique.

Maurice Jarre semble tout d'abord exécuter le programme initial fixé par les déclarations de Vilar : « Ne l'utiliser qu'aux seuls endroits où le texte indique formellement l'intervention d'une musique lointaine ou proche, d'une chanson, d'un divertissement musical ». De là la chanson de Giomo, simplement vocalisée au début du spectacle, puis chantée sur les paroles mêmes fournies par Musset (II, 6). Le metteur en scène de la Comédie-Française n'avait pas eu les mêmes scrupules, puisqu'il avait féminisé l'interprète et changé les paroles de la romance. De là encore, la suite de danses qui accompagne en sourdine l'ensemble de la scène 2 du premier acte ou les discrètes notes piquées d'ondes Martenot, qui évoquent le chant de l'orgue tout au long de la scène au portail de l'église (II, 2). Des tintements de cloches évoquent la sortie de la messe à Montolivet ; l'horloge sonne l'heure (IV, 9, p. 423, l. 757), les trompettes retentissent (V, 5, p. 459, l. 530-531), là où le texte de Musset l'exige. Voilà décidément un dramaturge chanceux d'être servi aussi scrupuleusement par un homme de théâtre qui prend ses indications scéniques au sérieux. Le fait est assez rare pour être remarqué.

Pour le reste, Maurice Jarre se conforme à l'esprit des consignes générales de Vilar : « Donner à la partie musicale le seul rôle d'ouverture ou de liaison entre deux tableaux ». Ainsi retrouverons-nous

---

79. M. Jarre, « Deux Musiques pour Molière », in *Programme du VIIᵉ Festival d'art dramatique d'Avignon*, 15-26 juillet 1953.

80. *Arts*, 6-12 mars 1953.

dans *Lorenzaccio* les quatre fonctions qu'au T.N.P. on reconnaît généralement à la musique de scène : d'ouverture, de liaison, de décor, de rappel [81].

1° *Ouverture.* A cet égard, les sonneries de trompette qui éclatent au début du spectacle sont un appel solennel au recueillement et à la fête. « J'avais lu, raconte Maurice Jarre, que dans une ville d'Italie où se donne une « Fête des Drapeaux », il y avait des trompettes en plein air. Cela m'avait frappé. J'imaginai cette musique. J'en parlai à Gérard et je lui dis qu'il faudrait nous aussi que nous répartissions les trompettes dans l'espace. Il me dit : « D'accord ». Un matin, je lui ai dit « Viens voir » et je l'ai conduit au milieu de la salle de Chaillot. Puis, toutes les trompettes que j'avais installées dans tous les coins du théâtre sonnèrent. C'était extraordinaire, dans cette salle vide. Gérard eut un regard émerveillé d'enfant à qui l'on offre un jouet dont il rêvait [82] ». Par-delà l'anecdote, on pressent l'intention secrète des deux complices. Il s'agit moins d'introduire musicalement un drame historique que d'inclure le spectateur dans l'univers à la fois historique et légendaire d'une chronique. Les trompettes de Jarre et les drapeaux de Gischia seront les premiers instruments de cette initiation. L'imagination du spectateur, mise en mouvement et, pour ainsi dire, en condition, fera le reste.

2° *Liaison.* Liaison, c'est-à-dire interlude, « divertissement » durant le « noir » qui sépare deux tableaux, pour habiller un silence, couvrir un déplacement de meubles, préparer un climat nouveau, créer un lien affectif entre deux scènes. Qu'éclatent des fanfares au début de la scène 4 du premier acte, et nous voici aussitôt transportés à la cour par la seule magie suggestive de ce martial indicatif sonore. Faut-il changer de climat moral en passant du palais Cibo au palais Strozzi (III, 6 à 7) ? La musique seule, mais distillée au chronomètre, suffira. Cinq secondes après les dernières mesures de la tendre musique qui enveloppe le lyrisme de la marquise, la nuit tombe sur le plateau ; encore cinq secondes, durant qu'entrent les torches des convives du souper Strozzi, et une musique rythmée, de caractère héroïque, donne le ton nouveau qui sied à l'énergie retrouvée d'un Philippe Strozzi enfin décidé à l'action ; quinze secondes encore, et voici la lumière ; puis cinq secondes, et la musique cesse ; commence alors la comédie. Faut-il maintenant passer du palais Cibo au palais Soderini (II, 3 à 4), et changer de lieu sans changer de climat affectif ? C'est à la musique douce de la marquise d'assurer la permanence, tandis qu'on change les éclairages et qu'on échange les comédiens.

3° *Décor.* Modeler un décor, en musique, c'est avant tout suggérer un climat, soutenir un dialogue, renforcer le pouvoir d'envoûtement d'une situation. Ainsi des roulements au lointain (IV, 7), quelques vibrations d'ondes Martenot (IV, 10 à 11) suffisent à creuser une attente, à préparer une péripétie. Les adieux des bannis gagnent en

---

81. Voir, sur ce point, de plus amples développements dans : Claude Roy, *Jean Vilar*, p. 71-77 ; M.-T. Serrière, *le T.N.P. et nous*, p. 122-142.
82. *Gérard Philipe*, p. 185.

pathétique d'être accompagnés d'une musique plaintive. La courte scène où Salviati blessé se présente au palais du duc (II, 7) gagne au contraire en force dramatique d'être ponctuée des appels frénétiques d'une musique sauvage écrite pour cuivres et percussions. Et quand il fallait à Baty un velum orné du lion de Saint-Marc pour évoquer Venise, il suffit au T.N.P. d'une lanterne vénitienne sur hampe au poing d'un valet et d'un chant de gondolier, qui sert de fond sonore à l'ensemble de la scène (V, 6), pour susciter du même coup l'enchantement de Venise et le désenchantement de Lorenzo.

4° *Rappel.* Maurice Jarre reprend à son compte le procédé wagnérien des leitmotive, mais en liant étroitement chacun d'eux aux personnages dont ils accompagnent l'apparition et captent la poésie. Quoi de plus accordé, par exemple, à la puissance massive du duc que ces sonneries ou ces fanfares qui saluent à chaque instant sa présence ? De mieux accordé à la mauvaise conscience de la marquise que l'air bucolique de Massa, à la fragile gravité de Catherine que la musique méditative des bords de l'Arno ? Au reste, le musicien n'abuse pas de ces leitmotive, dont aucun ne revient plus de quatre fois au cours de la pièce. A aucun moment la commodité ne devient complaisance ni le procédé système.

Mais le meilleur de l'invention musicale chez Maurice Jarre n'est pas là. Après tout, remplir un contrat est affaire de technicien, non d'artiste. La musique de scène composée par Jarre pour *Lorenzaccio* vaut moins par son efficacité intrinsèque que par la subtilité de son emploi. Elle contribue, à sa place et dans son ordre, à la pleine révélation du drame de Musset au théâtre, à la plus évidente signification du spectacle. Ce n'est d'ailleurs pas de *la* musique de scène qu'il faut parler, mais *des* musiques, qui sont multiples et variées, comme les personnages et les intrigues de la pièce. Et c'est à la vie propre de chacune d'elles, à ses résurgences, à ses métamorphoses qu'il y aura profit à s'attacher.

En gros, les musiques de Maurice Jarre pour *Lorenzaccio* forment deux groupes à peu près égaux en volume et équitablement répartis : les musiques viriles et les musiques féminines ou, en un autre langage, les musiques de l'énergie, qui disent l'agressivité, la violence, l'instinct de domination, et les musiques de la sensibilité, qui expriment la plainte, l'émotion, la tendresse, le désir de paix. Dans le premier groupe, les cuivres et les instruments à percussion dominent, dans le second les bois et les cordes. Toute la dramaturgie de *Lorenzaccio*, exprimée par les sons, se résume en un combat des musiques du premier groupe contre celles du second et le triomphe inexorable des premières[83].

Dès la première scène ce combat inégal des sexes et des forces en présence s'inscrit en musique dans la répartition des airs et des

---

83. A titre documentaire, l'orchestre d'accompagnement pour *Lorenzaccio* est composé des emplois suivants : 6 trompettistes, 3 trompettistes jouant sur scène, 2 hautboïstes, 1 bassoniste, 2 violonistes, 1 altiste, 1 violoncelliste, 1 ondiste, 1 timbalier, 1 batteur, 1 tromboniste ; le matériel particulier est le suivant : 3 timbales, 2 tambours, 1 xylophone, 1 grosse caisse, 1 tamtam grave, 1 cymbale grave.

thèmes. D'entrée de jeu éclate l'affirmation triomphale des trompettes du duc, auxquelles succède la chanson de Giomo, dont la mélodie sans paroles se cherche encore entre la force et l'agrément. Dans un registre différent, la musique qui soutient et enveloppe le monologue de Maffio est un nocturne tendre et gracieux, qui respire l'inquiétude apaisée et suggère l'intimité close du foyer domestique. La vie de ces trois thèmes musicaux est désormais commencée et leur retour va dessiner les étapes d'un itinéraire symbolique.

Ce n'est qu'au cinquième acte que sonneront de nouveau les trompettes du duc, d'abord dans le lointain (V, 5), puis, sur scène, avant et après le couronnement de Côme. Leur retour à la fin d'une pièce qui s'était ouverte sous leurs auspices est le signe que tout recommence comme avant, que la tyrannie finalement l'emporte sous le pouvoir absolu d'un duc qui n'a fait que changer de nom. Entre temps, la force virile du duc assassiné s'est manifestée par d'autres fanfares, de facture et de rythme voisins, qu'on a entendues trois fois au cours de la pièce, à chaque affirmation de sa volonté ou de ses appétits : au début de la scène 4 du premier acte, à la fin de la première partie (II, 7), puis, une dernière fois, quelques instants avant sa mort (IV, 10). Ainsi vivent de concert, à la fois distincts et complémentaires, les trompettes de la tyrannie, qui survivent à la mort du duc, et les fanfares du duc Alexandre, qui naissent et meurent avec lui. C'est d'un art net et raffiné.

La chanson de Giomo aura, de son côté, une histoire tout aussi exemplaire. D'abord romance sans paroles, elle rencontre, au début de la scène du portrait (II, 6), un texte qui n'est qu'impiété, ivresse et brutalité. Désormais son sort est fixé : elle bascule du côté des musiques viriles, mais change, pourrait-on dire, de titulaire ; on la retrouve, en effet, orchestrée aux cuivres et percussions, comme indicatif de deux scènes du quatrième acte (IV, 1 et 7). Elle appartient désormais à Lorenzo, qui, depuis le vol de la cotte de mailles, est engagé dans une action irréversible aboutissant à l'exécution d'un projet lentement mûri et longuement retardé. Comme pour manifester plus clairement encore cette métamorphose du héros au cours de la scène du portrait, le musicien a inséré l'air de Maffio en contrepoint du vol de la cotte de mailles. Toute une série d'harmoniques subtiles se lèvent entre les deux scènes. Le vol de la cotte devient comme la contrepartie de l'enlèvement de Gabrielle ; la défaite de Maffio trouve sa vengeance dans la victoire de Lorenzo. Le héros de Musset fait si bien « un second dessus à Giomo » qu'il lui emprunte non seulement l'air de sa chanson, mais capte à son profit une part de l'énergie qu'elle contient. L'heure n'est plus à la plainte, — l'air de Maffio apparaît ici pour la dernière fois, — mais à l'action. Le temps des chansons est passé. Désormais, une musique virile accompagne les pas du héros.

Une autre musique virile, brutale même, va prendre en quelque sorte le relais au cours du troisième acte et servir de support à l'épanouissement de l'action chez Lorenzo. Il s'agit de la musique que le compositeur lui-même surnomme musique « sang » et dont l'âpre rythme est lié au désir de vengeance et à l'odeur de meurtre. Elle apparaît, pour la première fois, fugitivement, à la fin de la scène 1 du deuxième acte, au moment où Pierre brandit son épée nue. Puis elle chemine au cours du troisième acte, quand l'odeur du sang monte de tous côtés : au début de la scène des armes (III, 1), puisque c'est un assassinat qu'on répète ; au début de la scène 2, où l'on évoque l'attentat manqué contre Salviati ; au début de la scène 6, enfin, qui s'ouvre précisément, dans la version du T.N.P., sur ces paroles prophétiques : « Mais enfin on t'assassinera ». Une ultime musique virile traverse fugitivement la fin de ce troisième acte plein de bruit et de fureur : l'air du souper des Quarante, qui traduit la volonté du vieux Philippe de passer aux actes, dussent-ils coûter la vie aux Médicis. La mort de Louise rendra cette volonté caduque et cette musique d'un soir sans lendemain.

En contrepoint de ces musiques viriles qui jalonnent un itinéraire fait de sang, de volupté et de mort, se font entendre, généralement en sourdine, les musiques féminines ou du moins les musiques du cœur, plaintives, vulnérables ou blessées. Ce sont généralement des musiques liées à des paysages, dont les contours paisibles s'accordent aux rêves et aux nostalgies profondes de l'âme. Tels sont, par exemple, l'air de Catherine, qui exprime la douceur des bords de l'Arno au soleil couchant, et l'air de la marquise, qui est par essence une mélodie de la campagne, la musique de « Massa », symbole de la fidélité conjugale et de la conscience en paix dans la nature.

L'air de l'Arno naît curieusement. On le reconnaît au passage dans la scène du bal chez Nasi (I, 2), où il constitue le mouvement lent d'une composition orchestrale traitée librement en suite de danses. Né une seconde fois sur les bords de l'Arno (I, 6), il réapparaîtra au début de la scène 4 du troisième acte, quand Catherine reçoit le billet du duc, c'est-à-dire au moment où la jeune femme devient à son tour la victime désignée des déportements du duc et des trahisons de Lorenzo.

L'air de Massa joue dans le destin de la marquise Cibo un rôle assez analogue, mais plus complexe et plus soutenu. Il apparaît, en effet, chaque fois que la marquise est en scène, mais à des places et dans des fonctions différentes. Il crée le décor du palais Cibo et symbolise le couple uni qui l'habite au début de la scène 3 du premier acte ; il soutient et module le débat de conscience de la marquise à l'issue de la confession (II, 3, p. 279, l. 554-567) et, en se prolongeant (II, 4, p. 279-280, l. 568-578), assure une liaison souple avec la scène au palais des Soderini ; il exprime les remords de la marquise, sa nostalgie d'une patrie perdue, à l'issue d'une entrevue décevante avec le duc (III, 6) ; il recrée le décor du premier acte au début de la scène 4 du quatrième acte, et prélude au retour du marquis. Musique polyvalente, comme on voit, qui tantôt s'insère entre les textes de Musset, tantôt se mêle à eux, pour en soutenir le lyrisme ou en révéler la poésie.

La musique des bannis, apparue, comme il convient, à la fin du premier acte, à l'endroit même où le lyrisme du dialogue de Musset réclame spontanément l'appui de la musique, prolongera sa plainte au deuxième, puis au quatrième acte, tissant entre ces trois tableaux de subtiles correspondances, entre Philippe et les bannis un lien de solidarité fondamentale. En laissant à la musique des bannis le soin d'introduire la scène 5 du quatrième acte, l'enterrement de Louise, le musicien fait de Philippe Strozzi une victime désignée de la tendresse paternelle, une sorte d'émigré en puissance, dont une volonté d'action éphémère est aussitôt brisée par l'épreuve et le chagrin. Une musique virile, mais fugitive (III, 7), cernée entre deux musiques plaintives, qui se répondent (II, 5 ; IV, 5), dessine dans son ordre la courbe d'un caractère et la trajectoire d'un destin.

De ces musiques expressives des situations dramatiques et qui vivent en si étroite symbiose avec le texte littéraire que la mémoire affective ne parvient plus à les en séparer, il n'y a pas de meilleur exemple que la chanson vénitienne qui accompagne la mort de Lorenzo. Quand Louise est empoisonnée, quand le duc est assassiné, ce sont là des événements dramatiques dont l'intensité est concentrée tout entière dans l'instant où ils se produisent. Le jeu nu des comédiens suffit à leur expression théâtrale. Au reste, l'assassinat du duc, chez Musset, a la pureté d'une mise à mort. Le texte, dans sa sobriété extrême, implique l'économie des gestes et des paroles. Le silence est son décor. Quelques vibrations d'ondes Martenot, quelques paroles avares, de longs silences, un cri, quelques chuchotements, un chant lyrique à mi-voix, le T.N.P. excelle à cette ascèse. Mais la mort de Lorenzo, si horrible qu'elle soit, n'a pas le même caractère. Placée sur un chemin de traverse, et à l'extérieur du théâtre, elle est, pour ainsi dire, hors du temps où se précipitent les événements politiques et hors de l'espace où se joue le sort de l'Etat. Elle appartient moins à l'histoire qu'à la chronique et à la légende. De là cette chanson de gondolier, qu'un serviteur de scène vocalise et dont la mélopée sensuelle et flexueuse s'accorde au pas nonchalant et désenchanté de Lorenzo. De là cette ligne mélodique continue qui brusquement se brise à l'instant décisif : le fil de la vie, que tranche la troisième Parque. Cette rupture brusque de la musique rend Lorenzo à l'horreur d'une mort ignoble, qu'aucun chant funèbre n'accompagne plus, et à la nudité d'un dialogue dont Musset a voulu qu'il ne lui servît même pas de tombeau. En vérité, c'est un mérite assez rare pour un musicien de théâtre que d'avoir su, à point nommé, rendre au discours d'un écrivain de théâtre le pur hommage du silence.

Reste à évoquer l'essentiel selon Vilar, ce à quoi en fin de compte doit se réduire le spectacle, dès lors qu'on a éliminé « tous les moyens d'expression qui sont extérieurs aux lois pures et spartiates de la scène » : « l'expression du corps et de l'âme de l'acteur [84] ». Or, paradoxalement, c'est ce qu'on aura le plus de peine à évoquer.

---

84. J. Vilar, *De la tradition théâtrale*, p. 36.

Ce n'est pas que les documents fassent défaut, mais ils sont tous et chacun frappés d'une impuissance fondamentale. Les photographies de scène suggèrent l'attitude, mais immobilisent le mouvement. Le disque restitue la voix et la diction, non les gestes et le jeu conjoint de l'âme et du corps de l'acteur. Les comptes rendus de presse sont des documents précieux, mais entachés d'humeur, de subjectivité, de passion. Quant aux souvenirs, les siens ou ceux des autres, ils sont trop impalpables, trop fragmentaires aussi pour être pressés systématiquement de questions. Dans ce grand dénuement de moyens stables d'information, on envie parfois l'historien du cinéma qui peut au moins revoir les films dont il parle aussi souvent qu'il est nécessaire ; l'historien du théâtre est presque toujours manipulateur d'ombres et scripteur de l'éphémère. Mais peut-il en être autrement d'un art dont la vérité est fondée sur le mensonge et la réalité sur l'illusion ?

Ces réserves faites, il faut néanmoins aller de l'avant. Et ce qui retient d'abord l'attention, ce sont les conditions exceptionnelles dans lesquelles se sont produites les représentations de *Lorenzaccio* en Avignon. Pas de rampe protectrice, pas de décor, des projecteurs haut perchés plongeant presque à la verticale sur les comédiens en costumes de couleurs et les privant de tout artifice de défense, un vaste plateau qu'il faut occuper tout entier sous peine d'être dévoré par sa vastitude même, une salle à ciel ouvert, immense, où la voix risque de se perdre, voilà réunies les conditions d'une loyauté absolue dans l'exercice du métier de comédien. Impossible de jouer des seules mimiques du visage, qu'on perçoit mal de loin ; impossible de tricher avec un texte, dont une impeccable diction de plein air doit restituer le sens et le chant jusqu'à l'oreille du spectateur le plus éloigné ; impossible à chacun de ne pas jouer de concert avec tous les autres sur un plateau aussi ample et dans une pièce où plus de trente acteurs sont parfois en scène simultanément. *Lorenzaccio*, au T.N.P., c'est, plus qu'aucune autre pièce, une épreuve de vérité ; et d'abord pour le comédien, car « ce qui exprime le plus un comédien et qui parfois le trahit, dit Vilar, c'est le corps entier et, si j'ose dire, ce sont aussi les pas, l'accord des pas [85] ».

Le T.N.P., c'est aussi une troupe permanente, « un corps de ballet [86] », dit Morvan Lebesque, aguerri aux disciplines collectives et rompu à un style de jeu commun. Les éléments nouveaux que la troupe a dû accueillir pour jouer *Lorenzaccio* se sont mis au diapason de l'ensemble et les rôles secondaires et même épisodiques seront occupés par des comédiens de talent. Georges Wilson, par exemple, qui succèdera onze ans plus tard à Jean Vilar à la tête du T.N.P., tenait le rôle de Scoronconcolo, Jean-Pierre Jorris, qui avait joué Rodrigue du *Cid* au IIIe Festival d'Avignon, était Maffio et le premier banni, et Jeanne Moreau, qui allait poursuivre une carrière de

85. Cité par Claude Roy, *Jean Vilar*, p. 68.
86. « Un corps de ballet (...) qui a restitué au théâtre sa pureté élémentaire : les *signes* et non les *gestes* des choses » (*Arts*, 24 au 30 juillet 1952).

premier plan tant au théâtre qu'au cinéma, la 2ᵉ bourgeoise. Seule jusqu'ici la Comédie-Française avait pu se permettre, et pour les mêmes raisons, — troupe permanente, alternance des spectacles, style de jeu homogène, — une telle profusion de comédiens et de talents dans la distribution d'une telle pièce.

Ajoutons que le T.N.P. n'a pas lésiné sur la figuration. Prenant à la lettre ou du moins au sérieux les indications de Musset, le responsable du spectacle lâchera sur le plateau 34 comédiens nommés au programme et ne se partageant pas moins de 109 emplois, dont 51 rôles parlés. C'est tout un peuple qui est allègrement convié au rendez-vous : 34 personnes sont présentes en scène à la sortie du bal chez Nasi, 13 à la foire de Montolivet, 14 à l'arrestation de Pierre et Thomas Strozzi, 27 au souper chez Strozzi, 22 à la réunion des courtisans, plus de trente au couronnement de Côme. Des gardes et des valets, par le jeu de leurs uniformes à transformation, donnent au palais ducal et au palais Strozzi le décorum qui sied à la puissance ou à la noblesse. L'ingéniosité du décorateur, mettant à profit la structure particulière de la pièce, permet parfois de surprenantes acrobaties. Le deuxième serviteur de scène, par exemple, Maurice Coussonneau, homme de confiance de Vilar et régisseur du son au T.N.P., ne remplit dans *Lorenzaccio* pas moins de 7 rôles différents. Voici, relevé sur l'inventaire des costumes, la liste de ses emplois et des apparences successives qu'il est appelé à revêtir :

Le provéditeur — Une tunique rouge manches noires, un collant rouge, une
    cape rouille, une paire de chaussures noires, une épée, un ceinturon,
    une coiffure rouge à bord noir, une perruque rousse.
Un masque — Un domino vert pâle, un masque.
Un page — Un costume pourpoint rouge et vert, une toque rouge.
Le 6ᵉ banni — Une cape noire ; la perruque du provéditeur ; une moustache brun
    roux.
Pippo — Un pourpoint gris ; une toque.
Un des Huit — Un manteau de Huit ; une barbe châtain ; une toque de Huit.
Un des Quarante — En provéditeur, sans perruque.

Cet exemple est un cas-limite, choisi à dessein, mais il n'est pas l'exception. Nombreux sont les comédiens qui occupent deux ou trois emplois : à Avignon, Charles Denner était à la fois Giomo et le premier précepteur ; Jean Négroni un masque, Léon Strozzi et le deuxième précepteur. Seuls les comédiens jouant les rôles principaux seront dispensés de cette épuisante gymnastique des apparences.

Mais l'atout maître dont disposait le T.N.P. pour redonner à la pièce de Musset son vrai visage au théâtre, c'est, dans le domaine de l'interprétation, un trio de pointe d'une qualité exceptionnelle. Dans les adaptations plus ou moins mutilées dont le drame avait été jusqu'ici l'objet, il n'était pas rare qu'on mesurât l'importance d'un personnage au volume de l'intrigue auquel il est mêlé et des paroles qu'il prononce au cours de la pièce. A ce compte, le cardinal Cibo avait à pâtir plus qu'aucun autre des ciseaux de l'adaptateur. En réalité, le rôle du cardinal est essentiel à l'équilibre politique de la pièce et à la dynamique de l'action théâtrale. En assumant, à partir des représentations données au Palais de Chaillot en 1953, le rôle du cardinal Cibo [87], en prêtant à ce personnage sa silhouette sèche, son masque froid, son regard intense, sa belle voix de « bronze sec [88] », son impérieuse diction, une sorte de noblesse royale et tragique, Jean Vilar opérait sur la pièce de Musset une véritable métamorphose. Désormais le rôle du cardinal, si bref qu'il soit, apparaissait tel qu'il est et ne cessera plus d'être : « le véritable maître du jeu, tout intelligence et ambition, contre lesquelles se brisent l'illusion et l'orgueil de Lorenzo [89] ».

Avec Daniel Ivernel, dans le rôle du duc, et Gérard Philipe, dans celui de Lorenzo, une seconde métamorphose s'opérait. Enfin apparaissait en pleine lumière une vérité dramaturgique restée jusque-là en filigrane : que *Lorenzaccio* n'est pas l'aventure d'un héros solitaire, mais avant tout une histoire de masques et de miroirs qui renvoient inexorablement le héros à sa solitude dernière. Lorenzo et le duc, Lorenzo et Tebaldeo, Lorenzo et Philippe, Lorenzo et Catherine, autant de couples formés et aussitôt défaits, incessamment noués et dénoués au gré d'une dramaturgie pathétique des apparences. Lorenzo penché sur des miroirs, qui lui renvoient des images à la fois vraies et fausses de lui-même, parfaitement vraies et parfaitement fausses, « comme tout au monde [90] », voilà, à bien des égards, le mystère effarant d'un personnage et d'un drame coextensifs l'un à l'autre. Il importait donc que le duc et Lorenzo formassent, d'entrée de jeu, un couple d'hommes étroitement complémentaires et contradictoires. Si Tebaldeo est l'image rajeunie de Lorenzo, Philippe son image noble et vieillie, Catherine son image féminine et purifiée, le duc est avant tout son double épais, à la fois viril et obscène, musclé et abêti, fraternel et monstrueux. Daniel Ivernel et Gérard Philipe donneront à ce couple une prodigieuse existence théâtrale. Tant que les interprètes de Lorenzo étaient des femmes, ceux du duc étaient tentés de jouer leur rôle sur l'opposition des sexes : brutalité mâle, force physique, haute stature, carrure athlétique. Même la relation homosexuelle entre les deux personnages, nettement accusée, par exemple, à la Comédie-Française, prenait une autre tournure, en tout cas une autre résonance morale d'être assumée par des acteurs de sexe différent. Ici, la relation homosexuelle est tranquillement affirmée, mais comme le signe d'un autre jeu plus raffiné et plus complexe : celui du miroir déformant, où Lorenzo contemple, à la fois horrifié et ébloui, l'image épaisse de sa propre déchéance. Daniel Ivernel, dans ces conditions, ne joue plus son rôle sur la seule force physique ; du reste, la carrure virile de son parte-

---

87. Tenu en Avignon par Renaud Mary, excellent comédien, mais qui, semble-t-il, n'avait ni le physique, ni le tempérament de l'emploi ; son interprétation eut, du reste, assez peu d'échos dans la presse.

88. L'expression est de Claude Roy, *op. cit.*, p. 11.

89. M.-T. Serrière, *le T.N.P. et nous*, p. 153.

90. II, 2, p. 258, l. 132.

naire le lui interdit. Il joue aussi l'intelligence, mais matoise, la monstruosité, mais cordiale, la gaieté, mais dangereuse, l'élégance, mais soldatesque. La diction, superbe, est toute souplesse, insinuante et douce à l'occasion, léonine quand il faut. La critique, unanime dans l'éloge, met bien l'accent sur l'ampleur du registre tenu par l'artiste : « Daniel Ivernel, massif, épanoui, écrit Robert Kemp, mélange de vulgarité, de sauvagerie, de dilettantisme et d'élégance, est l'Alexandre qu'on redoute [91] » ; « c'est inouï, note de son côté J.-J. Gautier, ce que cet artiste a gagné en truculence, en force, en moelleux, en finesse. Son duc de Florence est complexe : jovial, inquiet, voluptueux, autoritaire et fragile, contradictoire à souhait... [92] ». De bout en bout, la composition était l'œuvre d'un tragédien intelligent, cultivé, ménager de sa puissance et maître de ses moyens.

La composition de Gérard Philipe fut, elle aussi, remarquable à plus d'un titre. D'abord, il fallait tout inventer. Point de tradition à révérer ou à rejeter, en effet, puisque le personnage de Lorenzo n'avait jusqu'ici connu pour interprètes marquants que des femmes. Le physique de Gérard Philipe ne le prédisposait pas davantage à être spontanément Lorenzo de Médicis. Sa séduction de jeune premier et la maturité de son talent l'avait conduit à interpréter, au théâtre, l'année précédente, deux héros enchantés : héros du rêve sous l'habit blanc du Prince de Hombourg, héros de l'action et de l'amour sous la cuirasse or et noir du Cid, mais, avant tout, héros héroïques, positifs, dont l'être intime, un instant froissé ou désuni, se reprend progressivement sous nos yeux [93]. L'un d'eux, le Prince de Hombourg, était encore au rendez-vous d'Avignon en 1952. Pour incarner valablement le héros désenchanté de Musset, assez éloigné de ses emplois habituels ou naturels, Gérard Philipe ne pourra compter que sur son intelligence du rôle, la souplesse de son art, la musique de sa voix. Lorenzo de Médicis sera pour lui un rôle de composition. Mais après tout, écrit justement Vilar, « il n'est pas de personnage qui ne doive être composé. Il n'est de bon comédien que de composition. Il n'existe pas de rôle qui ne soit de composition [94] ».

La composition fut saisissante. On ne peut l'évoquer ici qu'à grands traits, en suivant de près les témoignages d'une presse qui ne ménagea pas son enthousiasme.

Voici d'abord la silhouette du personnage, telle que l'acteur la compose de son corps svelte et de sa haute taille, où rien n'annonce a priori le « petit corps maigre » rêvé par Musset : « ...Silhouette flexible d'un de ces princes qu'on rencontre à tous les pas, dans les

---

91. *Le Monde*, 3 mars 1953.
92. *Le Figaro*, 2 mars 1953.
93. C'est au cours du Vᵉ Festival d'Avignon, en juillet 1951, que Gérard Philipe a repris le rôle de Rodrigue et créé celui du Prince de Hombourg. La pièce de Corneille et celle de Kleist étaient mises en scène par Jean Vilar, costumes de Léon Gischia, musique de Maurice Jarre. *Le Prince de Hombourg* sera repris au VIᵉ Festival d'Avignon, les 18 et 22 juillet 1952.
94. J. Vilar, *op. cit.*, p. 25.

musées de Florence, vaguement androgynes, charmants et douteux, sur lesquels la nature semble avoir hésité. Un alanguissement étudié présage chez celui-là des réveils de tigre. De longues jambes frêles oscillent sous lui, sans le porter. La minceur rappelle le corselet diapré de certains insectes. Le cou, bien attaché, s'élance suavement et supporte sans faiblir une tête bouclée de mauvais ange. Une pureté suspecte affleure le visage corrompu (...). Rien qu'à paraître, à s'avancer sans bruit sur ses jambes héronnières, à jouer nerveusement avec la gourmette d'or qui lui enserre la paume, sans dire un mot, Gérard Philipe nous raconte Lorenzo de Médicis [95] ».

C'est Lorenzo et c'est Musset tout ensemble que beaucoup croient voir paraître sur la scène d'Avignon ou de Chaillot : « ...Le visage luisant de veilles, de beuveries, de luxures, l'œil égaré, vacillant, la tête qui ballotte imperceptiblement sur les épaules, cette usure du dehors et du dedans, que cela est pathétique ; vision de poète... Résurrection du poète lui-même. La barbe légère, des cheveux longs : c'est Musset rentrant chez lui après une nuit de filles et d'absinthes [96] ». Dans cette composition savante, à deux degrés, rien pourtant qui sente l'effort ou l'artifice : « Cela se fait comme malgré lui, tant il y a de réserve dans son jeu, et si peu de recherche. Oui, peut-être n'est-il si parfaitement lui que parce qu'il s'efface devant l'autre. Et, comme dans le monde de la grâce, c'est en se perdant qu'il se trouve [97] ». La souplesse de son corps n'a d'égale que la flexibilité de sa voix, dont il joue comme d'un instrument subtil : « sa voix pénétrante, écrit R. Kemp, sa façon de laisser planer, à la fin d'un monologue, sa voix, oiseau blessé qui ne veut pas tomber, étaient d'un grand comédien, et comédien-poète... [98] ». A Chaillot, quelques mois plus tard, le travail de la voix apparaît au même observateur plus sensible encore : « Il la « pâlit » comme il le doit. Il exprime les nuances amères, les nuances du désenchantement, et la fureur [99] ».

De la souplesse de l'instrument, corps et voix mêlés à l'appui l'un de l'autre, pas de meilleur exemple que le grand monologue au clair de lune, dont le disque, du reste, nous conserve l'incomparable écho : « La voix, nasale et vibrante, tantôt mord à belles dents le texte merveilleux, tantôt râpe de son archet, parfois elle fleurit en un sanglot révélateur ». Quant au corps, le voici à l'action, « dansant, mimant, rampant, épuisé par l'attente et râlant de désir [100] ».

Rien n'échappe à cet art flexible de l'ondoiement, des contradictions, des nuances du personnage : « Vous le voyez en deuxième partie, dansant, sautant, bondissant, se roulant par terre ; il peut tout se permettre ! Mais cela ne nous fait pas oublier le saisissant tableau du début, où il cédait du terrain devant ce fer qui s'avançait, où il grelottait d'horreur à la pensée de se battre. Il s'évanouissait

95. *Journal musical français*, 12 mars 1953.
96. *Les Nouvelles littéraires*, 24 juillet 1952.
97. *Combat*, 3 mars 1953.
98. *Le Monde*, 18 juillet 1952.
99. *Le Monde*, 3 mars 1953.
100. *Journal musical français*, 12 mars 1953.

presque ! Et ces deux moments opposés sont l'œuvre du même acteur qui, entre les deux, nous jouait de sa voix chaude, pathétique et charmeuse, les grandes scènes balancées d'inquiétude et d'exaltation, les grands monologues shakespeariens où Lorenzaccio, tout à coup, rêve de devenir Lorenzo de Médicis et de trouver dans un seul meurtre, qui est son dernier acte de vertu, sa raison de vivre, sa raison d'être [101] ».

Le jeu est parfois si ramassé, si subtil que les nuances contradictoires du caractère sont perçues simultanément : « Gérard Philipe, écrit encore J.-J. Gautier, a traduit toutes, absolument toutes les tendances de son personnage. Dans la fureur, il fut aussi inspiré que dans l'angoisse, au moment où reparaissait sur son étrange visage fiévreux le miraculeux et fugitif sourire de l'enfance [102] ». Un autre critique, Marcelle Capron, note qu'il a de son personnage la « grâce florentine », « la molle et inquiétante nonchalance », « le mystère ambigu », « et pourtant le souvenir de sa pureté demeure en lui (...) ; il a une manière de dire : « j'aurais pleuré avec la première fille que j'ai séduite... » qui nous étreint le cœur [103] ».

Le secret de cet art échappe à l'analyse et aux instruments ordinaires de mesure, il est don, il est grâce. Voilà le mot clé, qui revient sous bien des plumes : la grâce. On l'employait aussi pour Sarah. C'est le mystère propre aux grands comédiens, qu'aucun métier n'explique ni n'épuise. Ce sont ses propres compagnons de jeu, parce qu'ils l'approchent de près et qu'ils connaissent le mieux les « ficelles » du métier, qui en témoignent le plus spontanément. Ainsi Daniel Ivernel, son partenaire dans *Lorenzaccio* : « Souvent (...), étant en scène avec lui, je ne me sentais plus acteur, mais spectateur : j'étais heureux de le voir. Je me rappelle comme il me disait : « Mignon, mettez vos gants blancs... » Il était si drôle, si... gracieux. Oui, c'est ça, il était gracieux [104] » ; et Georges Riquier, qui jouait le marchand de soieries, n'en parle pas autrement : « Il donnait tout naturellement au langage sa mélodie, il l'habitait d'un chant poétique. Il donnait au mouvement le charme de la danse (...). De tous ses dons de comédien, le plus rare, le plus précieux, — la grâce —, échappait à l'analyse, et aussi à son contrôle... [105].

Rien là pourtant qui pèse ou qui pose. La grâce du héros ne l'élève pas au-dessus, ne le place pas en dehors de ses camarades, comme ce fut jadis le cas pour Sarah Bernhardt. Il joue la pièce, non le héros ; sa grâce est générosité, son art récompense et partage. Une fois encore, on revient, par un détour, à l'enseignement de Jean Vilar qui dresse l'acte de naissance d'une œuvre au théâtre du moment où s'impose au régisseur du spectacle « une idée d'ensemble », « un certain diapason (...) né du contact polygame des voix, des corps, de

101. *Le Figaro*, 2 mars 1953.
102. *Le Figaro*, 17 juillet 1952.
103. *Combat*, 3 mars 1953.
104. *Gérard Philipe*, p. 183.
105. *Ibid.*, p. 186.

l'âme [106] » des interprètes et du texte. Gérard Philipe acteur n'a pas oublié qu'il est aussi le régisseur du spectacle et qu'il en a reçu la charge de la main même de son ami Vilar.

Un bilan de ces représentations est-il possible ? Est-il souhaitable ? Sans doute, si l'on croit à la vie de l'art théâtral, à son incessante et nécessaire métamorphose. Du point de vue de l'histoire du théâtre, les représentations d'Avignon et de Chaillot auront été moins un aboutissement qu'un point de départ. Elles auront donné la preuve irréfutable que la pièce de Musset est une œuvre jouable, pourvu qu'un système scénographique simple et dynamique en permette l'épanouissement naturel au théâtre. Avignon aura été pour *Lorenzaccio* un lieu de naissance. Le héros est joué, enfin, selon son sexe, la pièce selon son texte, en grande partie conservé, et selon son rythme, entièrement respecté. Mais un mot revient sans cesse sous les plumes les plus autorisées, à commencer par celle de Jean Vilar lui-même : il s'agit avant tout d'un spectacle, d'un « beau spectacle populaire », selon une expression chère au directeur du T.N.P. Léon Gischia, dans le programme du VIᵉ Festival d'Avignon, ne dit rien d'autre : « Les termes « Théâtre » et « Spectacle » sont ou plutôt devraient être synonymes ». Et la critique souvent fait chorus : « Nous avons un beau spectacle », lit-on dans tel compte rendu de presse, qui donne aussitôt les précisions suivantes : « je souligne le mot *spectacle*, pour qu'on le prenne dans son sens strict : *Lorenzaccio*, tel que nous le présente le T.N.P. de M.J. Vilar, donne incomparablement plus à voir qu'à entendre [107] ». Ailleurs et en un autre langage, Gabriel Marcel ne dit rien d'autre, quand il parle des représentations de Chaillot comme d'une « espèce de conjuration magique qui s'opère sur la scène [108] » entre les divers éléments de la mise en scène.

Mais que *signifie* le spectacle ? Quel en est l'accent ? Quelle en est la révélation essentielle ? La leçon intelligible ? Sur ces points les avis se partagent et l'unanimité se disperse. Impossible, par exemple, de trouver dans les déclarations des responsables du spectacle l'idée-force, où se concentrerait l'intérêt de la pièce représentée ou la volonté du régisseur. Rien n'est plus frappant à cet égard que la déclaration quelque peu éclatée et, pour ainsi dire, en étoile de Jean Vilar à un journaliste l'interrogeant sur sa conception de la pièce de Musset : « Si Musset s'est fait, avec *Lorenzaccio*, le chroniqueur de la débauche, on trouve aussi dans sa pièce les rêves du libéral qu'il était alors. Si nous montons cette œuvre, c'est parce que nous la considérons comme un beau spectacle populaire [109] ». Dans d'autres textes, l'accent est mis tantôt sur la « chronique florentine [110] », tantôt sur « l'amour de la patrie » ou le « problème de la liberté [111] ». Bref par

---

106. Jean Vilar, *op. cit.*, p. 56.
107. *La Croix Loisirs*, mars 1953.
108. *Les Nouvelles littéraires*, 19 mars 1953.
109. *Ce soir*, 29-30 juin 1952.
110. Déclaration de J. Vilar à *Arts*, 20 juillet 1952.
111. Déclarations à *Ce soir*, 16 juillet 1952, et à *France-Soir*, 27 février 1953.

souci de ne rien négliger des aspects multiples d'une œuvre complexe et foisonnante, on sent bien qu'on n'a pas choisi de mettre l'accent là où la pièce pourrait conquérir sa plus haute unité ou offrir sa plus forte leçon. On a compté avant tout sur la « conjuration magique » des moyens d'expression scénique pour donner une unité *plastique*, une unité *formelle* à une pièce qu'on savait rongée de forces centrifuges.

De toutes les manières, l'accentuation n'est pas telle que la perception en soit univoque pour un public populaire et chez les spectateurs avertis ou privilégiés [112]. Les intellectuels de gauche, par exemple, se divisent en deux camps : ceux qui pensent, avec Pierre Daix et la presse communiste, que *Lorenzaccio* présenté au T.N.P. est « dépolitisé [113] » ; à l'inverse ceux, qui, avec Henri Lefebvre, pensent que l'écho majeur qu'on retient du spectacle, c'est « un chant funèbre pour la mort de la liberté [114] ». Entre les deux camps, bien des critiques, dont Gabriel Marcel, sont sensibles à la résonnance « existentialiste » de la pièce et du spectacle, où l'on perçoit un écho des thèses et des personnages de J.-P. Sartre et d'Albert Camus. A croire que chacun peut trouver un écho de ses préoccupations et de ses tendances dans un spectacle polymorphe, qui n'a pas su ou vouloir choisir son éclairage et son accent.

Après tout, il ne faut pas trop se plaindre que, le premier pas fait, le champ reste libre pour des recherches à venir, soit qu'on applique à *Lorenzaccio* une grille explicative qui lui est extérieure ou étrangère, afin de lui donner l'univocité qui semble lui manquer, soit qu'on fasse jaillir de l'analyse approfondie du texte et de sa dramaturgie propre des lignes de force restées jusque-là dans l'ombre ou en filigrane. La première voie mène à coup sûr à une impasse, où s'engageront sans sourciller des esprits bornés ou partisans, mais à laquelle la loyauté de Jean Vilar et le respect scrupuleux qu'il porte aux textes et aux écrivains ont toujours tourné le dos délibérément, et quoi qu'il en coûte. Mais la seconde, que les responsables des spectacles d'Avignon et de Chaillot n'ont guère frayée, parce que l'entreprise en était à cette date sans doute prématurée, ouvre des perspectives fécondes, dont on trouvera une expression scénique remarquable dans la représentation de *Lorenzaccio* au Théâtre Za Branou de Prague.

---

112. Instructive est, à ce propos, la « Conversation sur *Lorenzaccio* » parue dans *Théâtre populaire* (n° 41, 1er trimestre 1961) et tenue le 26 décembre 1954 à l'occasion d'une représentation exceptionnelle de *Lorenzaccio* donnée le 27 novembre précédent devant 2 700 ouvriers des usines de la Régie Nationale Renault. Cette conversation, à laquelle participaient deux intellectuels, Henri Lefebvre et Roland Barthes, et deux comédiens du T.N.P., Gérard Philipe et Jean Deschamps (Philippe Strozzi dans la pièce), est un modèle de perplexité quant à la signification précise et à la leçon politique de la pièce. Sur cette représentation exceptionnelle à tous égards, on se reportera également à l'article de Jean Duvignaud paru dans le *Journal de psychologie*, janvier-mars 1956, et aux réactions embarrassées du public Renault, sensibles dans l'enregistrement de la pièce, qui a été effectué précisément au cours de cette séance mémorable.

113. *Lettres françaises*, 5 mars 1953.

114. Voir Henri Lefebvre, *Musset*, p. 123 sq.

Quoi qu'il en soit, à Vilar et au T.N.P. reviendront l'honneur et le privilège d'avoir mis *Lorenzaccio* sur la route du théâtre joué et même du théâtre populaire, d'avoir prouvé en 99 représentations et à 207 062 spectateurs, entre 1952 et 1958, que « c'est la pièce la plus vivante du XIXᵉ siècle [115] » et que « Lorenzo est un des rares jeunes héros romantiques qui peuvent « arriver » jusqu'au public moderne sans retouches [116] ».

115. Déclaration de Jean Vilar à *Ce soir*, 16 juillet 1952.
116. Déclaration de Gérard Philipe à *Ce soir*, 16 juillet 1952.

CHAPITRE VII

PERSPECTIVES

Ce n'est pas à proprement parler une sixième mise en scène qui est examinée dans ce dernier chapitre. Aussi bien n'en porte-t-il pas l'enseigne. Le spectacle créé au Théâtre Za Branou de Prague en 1969 y sera décrit moins pour lui-même qu'en qualité de support d'une réflexion sur la dramaturgie spécifique de la pièce et sur les perspectives ouvertes par son dévoilement progressif au théâtre.

A cet égard, le spectacle tchèque a valeur d'exemple, en ce qu'il offre la double garantie d'une entreprise longuement méditée et de la plus éclatante réussite. Les conditions matérielles, en tout cas, sont de celles qui ont permis en d'autres temps et lieux, comme on l'a vu, les essais les plus convaincants : une troupe nombreuse, permanente, entraînée, disciplinée, jouant dans un style commun ; une préparation minutieuse du spectacle, qui n'a pas exigé moins de six mois de répétitions ; la collaboration étroite d'un traducteur de talent, Karel Kraus, d'un scénographe expérimenté, Josef Svoboda [1], et d'un metteur en scène de grand renom, Otomar Krejca [2], qui avoue, en 1970, rêver de monter *Lorenzaccio* « depuis douze ans [3] » et dont la régie, entièrement rédigée avant le printemps de 1968, est le fruit d'une élaboration méticuleuse.

Toutefois l'étude que l'historien du théâtre peut en faire est barrée par trois difficultés : 1° Il s'agit d'une adaptation de l'œuvre de Musset en langue tchèque, et nous n'avons personnellement aucun moyen d'évaluer son élégance ou sa fidélité ; l'éloge des connaisseurs [4] est une garantie, pas un moyen de contrôle. Quant à la traduction simultanée, commodité d'un soir, elle ne peut être raisonnablement consi-

---

1. Sur l'œuvre de J. Svoboda, on lira avec fruit la monographie de Denis Bablet, *Svoboda*. Ed. de la Cité, Lausanne, 1970.
2. Sur Krejca et le Théâtre Za Branou, voir *Travail théâtral*, n° 1, octobre-décembre 1970, p. 5-43, et *les Lettres françaises*, 13 mai 1970.
3. *Le Monde*, 7 mai 1970.
4. « Chacun s'accorde à Prague, note D. Bablet dans *les Lettres françaises* du 5 novembre 1969, pour (...) célébrer les hautes vertus littéraires et dramatiques » de la traduction de K. Kraus.

dérée comme un instrument de mesure scientifique ; 2° Les documents objectifs manquent, et l'on ne peut attendre des notes hâtives, dont nous avons cherché à étayer nos souvenirs personnels du spectacle, la rigueur, même un peu froide, qu'autorise l'examen direct des livres de régie, des maquettes du dispositif scénique ou des esquisses de costumes ; 3° Nous avons vu le spectacle à Paris, le 14 mai 1970, pour la saison du « Théâtre des Nations », sur une scène, — celle de l'Odéon-Théâtre de France —, pour laquelle il n'a pas été conçu, et dans des conditions d'écoute et d'attention qui ne sauraient remplacer l'expérience directe du public pragois. Mais le spectacle est d'autre part trop stimulant, trop important aussi, pour qu'il faille se risquer à n'en point parler. On en parlera donc tout uniment, comme de la plus audacieuse et de la plus convaincante des recherches théâtrales récentes dont *Lorenzaccio* ait fait l'objet [5]. Quelques commentaires de presse, généralement d'une grande qualité [6], nous permettront de confronter notre expérience personnelle avec celle d'observateurs particulièrement compétents. De toutes les façons, il eût été maladroit, peut-être malhonnête de laisser croire en silence qu'après les mémorables soirées d'Avignon et de Chaillot, aucun progrès notable dans la présentation à la scène de *Lorenzaccio* ne pouvait être signalé. C'est en fin de compte de ce progrès qu'il faut tenter, même modestement, même incomplètement, d'être sinon l'historien, du moins l'attentif et passionné témoin.

Si l'on ne tient pas compte de l'allègement continu du texte même de la pièce par des coupures ou les transpositions qu'implique forcément le passage d'une langue dans une autre, on peut dire que la version de *Lorenzaccio* jouée au Théâtre Za Branou est l'une des plus complètes qui ait jamais été jouées sur une scène de théâtre : 35 scènes sur les 39 que compte la pièce ont été, en substance, conservées ; les 4 scènes supprimées (III, 5 ; IV, 3 ; V, 3 et 4) sont brèves et, dans l'économie générale du drame, incidentes.

La version du Za Branou, établie par Krejca lui-même, se présente comme un ensemble de 27 séquences dramatiques divisé en deux parties, l'entr'acte survenant à la fin de la quatorzième séquence (III, 3). Ces séquences, qui correspondent généralement aux tableaux de la version originale, regroupent quelquefois deux ou trois scènes dans un sous-ensemble organique où elles viennent se fondre. Ces regroupements sont les suivants :

Séquence 8 .... II, 2 et 3
Séquence 11 .... II, 6 et 7
Séquence 16 .... III, 6 et IV, 4

5. Citons, pour mémoire, deux présentations récentes de la pièce à Paris : au Théâtre Sarah Bernhardt, en novembre 1964, dans une mise en scène de Raymond Rouleau ; au T.E.P., en novembre 1969, dans une mise en scène de Guy Rétoré.
6. Nous retiendrons, particulièrement : « *Lorenzaccio* à Prague : un univers des hommes, un triomphe » par Denis Bablet, in *Lettres françaises*, 5 novembre 1969 ; « *Lorenzaccio* de Musset par le Théâtre Za Branou de Prague » par B. Poirot-Delpech, in *Le Monde*, 13 mai 1970 ; « Tentative de description de *Lorenzaccio* » par Bernard Dort, in *Travail théâtral*, n° 1, octobre-décembre 1970, p. 29-37.

Ces regroupements s'expliquent sans mal. A des raisons proprement scénographiques, sur lesquelles nous reviendrons, s'ajoute un argument de commodité, auquel d'autres réalisateurs avaient déjà été sensibles. Ainsi ont été regroupées, comme à la Comédie-Française et au théâtre Montparnasse, les deux scènes qui règlent le sort de la marquise Cibo (III, 6 et IV, 7) et fusionnées les deux scènes situées à Venise (V, 2 et 7), disjointes dans la version originale.

L'ordre de certaines scènes a été interverti. La pièce jouée au Za Branou s'ouvre sur la scène du bal chez Nasi (I, 2) à laquelle succède l'enlèvement de la sœur de Maffio (I, 1), au lieu de la précéder. Les précepteurs et leurs élèves apparaissent dès le premier acte (séquence 5 : I, 5), — Armand d'Artois, on s'en souvient, avait eu la même idée, — et sont enrichis de fonctions distinctives : l'un est poète, l'autre historien. De même, Krejca a inféré de l'exigeante jeunesse de Maffio qu'il était étudiant, et nous retrouverons ce personnage là où Musset ne l'avait pas prévu : à la manifestation des étudiants en révolte (V, 6), au cours de laquelle il trouve une mort héroïque. Au début de la seconde partie, la suite des tableaux a même été franchement renversée de la façon suivante :

Séquence 15 : le souper chez Strozzi (III, 7).
Séquence 16 : l'entrevue de la marquise avec le duc (III, 6), puis avec le cardinal (IV, 4).
Séquence 17 : Catherine lit le billet du Duc (III, 4).

Dans cette nouvelle distribution des scènes, le but recherché est clair ; il s'agit de liquider coup sur coup l'intrigue Strozzi, en brisant, d'entrée de jeu, l'énergie nouvelle qui avait un moment soulevé Philippe à la fin de la première partie, puis l'intrigue Cibo, en faisant intervenir le retour du marquis plus tôt que ne l'avait prévu Musset. Place nette est ainsi faite à l'action de Lorenzo et aux forces politiques réelles en présence : l'incohérence des républicains désormais privés de leur tête et la volonté tenace du cardinal poursuivant son dessein, dans le secret, par d'autres moyens.

Toutes ces modifications sont-elles autant de trahisons ? En tout cas, elles ne sont rien moins que des fantaisies, je l'affirme. On verra que presque toutes proviennent d'une lecture attentive de la pièce, d'une analyse stricte de sa dramaturgie. Tout se passe comme si un regard en profondeur sur l'infrastructure de l'œuvre permettait à Krejca de révéler au jour des indications enfouies dans sa chair secrète, de tracer en relief des sillages restés jusque-là en creux, de porter le dialogue écrit par Musset à son plus haut degré d'incandescence dramatique, au prix de quelques interventions locales exécutées généralement avec adresse et presque sans dommage. Travail d'homme de théâtre, en fin de compte, sur un texte éminemment théâtral, qui n'aura été bousculé que pour révéler au regard ses richesses occultes.

L'irradiation commence à l'orée du spectacle devant ce décor en miettes, cet espace théâtral en chantier : « Dans la demi-obscurité de la scène, note un observateur, un fond de miroirs bas, dont la représentation révélera qu'ils peuvent être transparents et qu'on peut les disposer de différentes manières ; sur les côtés autant de miroirs qui limitent l'espace en même temps qu'ils le prolongent de leurs images multiples. Disséminés ici et là, des cubes gris, une paroi qui deviendra lit, des praticables de petites dimensions sur lesquels reposent des costumes : un monde où règne l'incohérence[7] ». La description est parfaite et implique de soi son propre commentaire. Ainsi rien n'est donné d'avance, rien ne préexiste à la pièce, dont le texte même va susciter le spectacle. Nous sommes loin des trompettes et des oriflammes du T.N.P., qui disaient d'entrée de jeu, pour le plaisir de l'œil et de l'oreille, les splendeurs de Florence et les rigueurs de la tyrannie. Ici, des miroirs et des formes seulement. Des miroirs, parce que Florence est en fête et que la fête naît au royaume des apparences et du reflet, parce que Florence est dans la rue, qu'on vit ici dans une Cité transparente, où tout se sait parce que tout se voit, où le domaine privé et le domaine public sont si étroitement confondus qu'on peut capter sans cesse et partout le reflet des actes de chacun. Des formes, parce que le monde est à construire, que l'histoire est en chantier, que rien n'est stable ni définitivement assis ; les acteurs eux-mêmes disposent des objets et de l'espace pour les combiner selon les nécessités de la situation. *Lorenzaccio* est à l'image de ces objets inertes auxquels il faut donner figure : une suite d'instants créateurs et d'architectures fragiles, qui se font et se défont sans cesse au gré d'une implacable logique dont il faudra attendre l'ultime séquence pour percevoir la figure d'ensemble. Ainsi la division de la pièce en 27 séquences remodelées par Krejca à partir de la pièce originale prend sa source et trouve sa justification dans cet univers dramatique en chantier permanent, dont le décor ou ce qui en tient lieu est l'exacte projection dans l'espace.

Dans ce décor inerte et incohérent au départ les acteurs font leur entrée, hommes et femmes vêtus pareillement de maillots diversement colorés qui recouvrent et moulent le corps tout entier. Le plus grand silence règne sur le plateau. « Ils s'immobilisent, note le même observateur, puis se saisissent et se vêtent des costumes, voire des masques qui leur sont réservés. La représentation peut commencer[8] ». Un mot de commentaire s'impose là encore. Ce cérémonial de la prise d'habits, exécuté sur scène avec une sorte de dignité sacrale, contribue, par sa symbolique même, à typer la mise en scène, à éclairer le style général de la représentation qui commence. S'habiller sur scène, c'est

---

7. D. Bablet, in *les Lettres françaises*, 5 novembre 1969, p. 14.
8. *Ibid.*

choisir la « théâtralité », c'est manifester ouvertement que, selon la formule de J. Vilar, « au théâtre l'habit fait parfois le moine » ; c'est dire sans ambages que la pièce est en quelque sorte à naître, qu'elle n'a pas de sens ni même de réalité hors de la représentation qui va en être donnée. Le style des costumes est, du reste, un constant rappel à l'ordre de la théâtralité. La plupart vêtent le corps à la manière de chasubles à deux pans, laissant voir le collant et formant avec lui un contraste de couleurs souvent acide ou provocant. La pourpre cardinalice sur un maillot moutarde, pour le cardinal Cibo, jette une note d'humour grinçant dont la secousse nous fait souvenir que nous sommes au théâtre et qu'on nous joue la comédie, même et surtout si nous sommes pris au jeu.

D'aucuns parmi les comédiens revêtiront également d'énormes masques, dont un autre observateur du spectacle nous donne ainsi la description : « les uns portent de monstrueuses têtes d'animaux ou d'oiseaux, les autres leurs propres visages, mais démesurément grossis et transformés en figures d'épouvantail[9] ». Une musique de bal s'élève alors sur le théâtre et les comédiens se mettent à danser. La fête théâtrale commence, loin du style héroïque auquel le T.N.P. nous avait accoutumés. Le Carnaval n'est plus seulement un mauvais souvenir dans la mémoire intéressée du marchand de soieries, il est, sur la scène du Théâtre Za Branou, une réalité actuelle, vivante, dont les masques sont à la fois l'enseigne pittoresque et le symbole moral, corruption et mensonge étroitement embrassés. Le retour en force des masques et du Carnaval à la dernière scène, la lancinante musique de bal sans cesse sous-jacente à l'action, résurgente de loin en loin, triomphante au final, donneront au mouvement de la représentation son atmosphère, sa tonalité, son évidence didactique et critique.

Peu à peu les masques tombent, d'autres masques, de forme et de signification différentes, apparaîtront, dont nous parlerons en leur temps. Le jeu dramatique s'imposera progressivement à visages découverts. L'aire de jeu sera alors, comme chez Baty ou au T.N.P., définie par la lumière, « tantôt glauque comme l'eau trouble d'un aquarium, tantôt chaude et sensuelle dans cette cour d'Alexandre où règne une atmosphère de serre, tantôt durement révélatrice dans sa blancheur crue[10] ». Mais, contrairement à ce qui se passe au T.N.P. ou chez Baty, l'espace laissé dans la pénombre n'a pas moins d'importance que l'espace illuminé. Tout ce qui n'est pas sous la lumière ne laisse pas d'être vivant et actif, mais à un moindre degré. La présence en scène, côte à côte, des acteurs qui jouent et de ceux qui ne jouent pas, ne jouent plus ou attendent leur tour de jouer est la marque distinctive des représentations du Théâtre Za Branou. « Lors même qu'ils [les comédiens] ne participent pas directement à l'action dialoguée, note Denis Bablet, ils lui servent de fond, où ils en organisent l'espace, se figeant en des attitudes qui instaurent un univers de statues sans jamais tomber dans le tableau vivant, ou

---

9. B. Dort, in *Travail théâtral*, n° 1, p. 33.
10. D. Bablet, art. cit., p. 14.

encore ils interviennent dans des actions rapides et brutales qui montrent bien que l'action principale n'est que partie d'un ensemble et que nous vivons dans un univers global où chacun voit tout, est immédiatement au courant de tout, peut tout juger, même lorsqu'il ne peut avoir prise directe sur les événements. Ils sont tour à tour monde réel et incarnations de pensées, de pressentiments, ou de rêves fulgurants [11] ». Ainsi, l'aire de jeu définie par Krejca est celle d'un théâtre sans coulisses, dont la scène est coextensive à l'univers dramatique de la pièce. C'est, dans le cas précis de *Lorenzaccio* « l'espace d'une société [12] ».

Krejca, qui applique cette formule scénique à d'autres pièces qu'à *Lorenzaccio* [13], s'en est expliqué et justifié par des raisons d'ordre général : « cette présence de tous les personnages correspond (...) à notre manière de saisir le monde d'aujourd'hui. Aujourd'hui chacun, qu'il vive à Paris ou à Prague, vit dans le monde entier. Le monde entier entre dans sa vie. En une heure ou une demi-heure, tu apprends ce qui vient de se passer de l'autre côté de la planète, tu participes — ou non — aux problèmes les plus graves de la société du monde entier (...). Cela a guidé mon approche. *Lorenzaccio* dit les monologues les plus dangereux ou les plus beaux pour l'avenir de la société et à côté de lui il y a des gens qui ne l'entendent pas. Au contraire, dans un coin, voici que quelqu'un chuchote ou fait un léger mouvement et tout le monde se tourne vers lui. Ces relations sont tellement riches dans notre vie, elles nous sont tellement connues que lorsque tu joues sur ce clavier, tu peux jouer sur la conscience de chaque spectateur dans la salle [14] ». Pour ingénieuse qu'elle soit, cette analyse ne serait qu'à demi convaincante, si la dramaturgie propre de la pièce n'en justifiait, par un autre côté, le bien-fondé. Le drame de Musset est constitué, en effet, d'intrigues entrecroisées dont le déroulement respectif est simultané. Chaque intrigue a sa vie propre, dont une partie seulement affleure à l'existence théâtrale de premier plan. En ménageant précisément des plans de profondeur, des degrés différents d'existence théâtrale, Krejca ne fait que suivre l'esprit de la pièce et en respecter la construction. Il a même traduit, avec efficacité et par un moyen strictement théâtral, ce second degré d'existence à la scène, en inventant de petits masques souples et transparents, moulés à l'effigie des comédiens, et qui se bornent à figer les traits du visage, à en pétrifier l'expression. Ainsi peut-on mêler librement les vivants du premier degré, qui jouent à visage découvert, et les moins vivants du second, en attente et comme en sursis, qui portent leur propre masque, par quoi se décèle leur absence momentanée de l'action de première ligne. La force de cet artifice de théâtre

---

11. D. Bablet, art. cit., p. 14.
12. L'expression est de Bernard Dort, art. cit., p. 32.
13. Par exemple, *Ivanov* d'Anton Tchekhov.
14. « Entretien avec Otomar Krejca et Karel Kraus », in *Lettres françaises,* 13 mai 1970, p. 14.

est si grande que l'invraisemblable a force de vérité. Tel le dialogue de la confession entre le cardinal et la marquise, assis de part et d'autre du lit de l'adultère, sur lequel est juché, en retrait et quasiment entre eux, le duc, immobile, le visage recouvert de son masque. Cette énorme masse de chair pétrifiée, enjeu redoutable d'un dessein politique et d'une vie morale, obsède la conscience des deux interlocuteurs avec assez de puissance pour qu'elle encombre aussi l'horizon sur le lieu même où va se jouer le combat décisif. L'audace est grande, on le voit, à tous les plans. Mais s'agissant d'une pièce où la dialectique des masques et du visage occupe la place centrale, on peut penser qu'il n'était pas abusif ni hors de saison de se servir du masque comme moyen privilégié d'expression théâtrale. Ce qui ailleurs serait maniérisme ou fantaisie est ici loyauté envers l'œuvre et respect de sa dramaturgie.

La même loyauté conduira Krejca à d'autres découvertes. Et d'abord celle de la violence toute shakespearienne du texte de Musset, pourvu qu'on le débarrasse de ses scories d'époque et qu'on le relise d'un œil neuf. La nécessité de le traduire en langue tchèque n'a sans doute pas été étrangère à cette lecture régénératrice. Si, comme le note un observateur, « la violence s'avoue, s'affiche, plus proche en cela de Shakespeare que de Musset, du moins du Musset édulcoré par nos préjugés sur la sensiblerie romantique [15] », c'est que les violences dites sont ici des violences faites ou du moins physiquement représentées sur la scène. Le style souvent « expressionniste » du jeu théâtral dans le *Lorenzaccio* du théâtre Za Branou ne saurait avoir en tout cas pour seule explication une certaine tradition propre aux comédiens et aux spectacles d'Europe centrale. Rares, en effet, sont les scènes où l'outrance ne trouve sa justification dans un détail ou une indication du texte de Musset, que Krejca s'est contenté de mettre en scène ou du moins de prendre à son compte. Aussi les scènes de violence, jouées à pleine intensité physique et psychique, abondent-elles sur la scène du Théâtre Za Branou. Louise Strozzi, par exemple, meurt dans les spasmes d'une agonie qui prend tout le plateau pour champ d'exercice et se prolonge de longs instants. L'agonie du duc, enfoui sous le dais du lit qui lui sert de linceul, n'est pas moins convulsive. Le choc entre étudiants et soldats est d'une brutalité sauvage, et les casques à longues cornes des porteurs de piques éveillent dans la mémoire panique des spectateurs des visions d'horreur barbare. La mort de Lorenzo n'est plus confiée au récit de Pippo ; on assiste, sur scène, au coup de poignard dans le dos, qui met fin pour toujours à ses promenades vénitiennes. Les fils Strozzi, enchaînés au pilori après leur arrestation, disent au regard la souffrance des prisonniers, et un torturé, descendu des cintres au bout d'une corde, témoigne physiquement des frasques meurtrières, dont Giomo et son maître s'entretiennent gaiement au début de la scène du portrait. C'est un Salviati atrocement mutilé qui vient se jeter aux

15. B. Poirot-Delpech, in *le Monde*, 13 mai 1970.

pieds du duc ; on le reverra, boitillant sur sa jambe de bois, au cours de la seconde partie du spectacle.

La violence peut avoir d'autres champs d'exercice que celui de la pure contrainte physique. Le goût exacerbé des plaisirs ou le débridement de l'instinct sexuel sont d'autres formes de contrainte exercées sur soi-même ou sur autrui. Ainsi le duc est-il sur la scène du Za Branou, toujours entouré d'une cour de femmes, de musiciens et d'échansons, qui manifestent au regard ses occupations et ses pensées favorites. Les scènes d'alcôve se jouent dans un franc déchaînement de pulsions érotiques, et la marquise, toute violence charnelle, se livre sans retenue à des ébats qui dévoilent au duc beaucoup plus que sa jolie jambe. Le cardinal manifeste d'une autre manière sa convoitise charnelle en se prêtant, autour du lit de sa belle-sœur, à des jeux de mains et de coussins rien moins qu'innocents. Presque tous les rôles importants, d'ailleurs, sont joués en force plus qu'en nuances, en puissance expressive plus qu'en intériorité contenue. Le duc, superbement interprété par l'athlétique Milan Riehs, est tout rondeur, décontraction, hilarité, avec çà et là de brusques et féroces tensions. La marquise est toute sensualité. Le jeu de Lorenzo lui-même, qu'incarne l'excellent Jan Triska, a quelque chose de discontinu, de névrotique, tout en contrastes, en secousses, en accès de fièvre ou de désespoir ; « adolescent fou de malheur, hagard d'impuissance », note à son sujet Bertrand Poirot-Delpech.

Tout s'organise comme si Krejca s'était fait un devoir de montrer ce qui est dit. D'un détail enfoui dans le texte, auquel le lecteur distrait n'a pas pris garde, Krejca fait surgir une image théâtrale, qui en exprime la substance et en fait exploser la charge. Ainsi les fantasmes de Lorenzo qui se bousculent dans le grand monologue au clair de lune deviennent ici des réalités concrètes ou du moins des visions représentées et mimées dans l'espace théâtral. Quand Lorenzo évoque le rendez-vous imaginaire du duc avec Catherine, c'est Catherine elle-même qui lui présente le flambeau allumé et le reprend, dès lors qu'il a choisi d'éteindre la lumière. S'agit-il d'évoquer les tailleurs de pierre et leur Christ de marbre ? Une croix gigantesque, à ce point du discours, est montée, en plan incliné, pièce à pièce, sur le plateau et un Christ en effigie y est crucifié ; puis dans un feu roulant d'images en délire, une femme se met à son tour sur la croix, et Lorenzo, prenant le relais, grimpe finalement sur la croix, qui devient, comme dans un rêve à transformations, les poutres et le tas de gravats où satisfaire ses envies de danser.

Le cas-limite, où apparaît ce souci de confier à l'expression théâtrale tout ce que Musset réservait au discours et au spectacle intérieur, est l'intervention sur scène de l'ombre de Lorenzo. A la représentation et plus encore à la réflexion, on mesure très vite l'intérêt de cette initiative hardie. D'abord, elle autorise un déchiffrage instantané de l'être intérieur de Lorenzo. La psychologie des profondeurs se fait ici spectacle. C'est le triomphe du théâtre. La dissociation de la personnalité, sensible dans plus d'un passage du dialogue de la pièce, est ouverte à l'évidence du théâtre ; l'acte, loin de se substituer au discours, le corrobore et l'authentifie. Ce double qui accompagne Lorenzo, vêtu comme lui, — maillot lie de vin, gilet noir, le visage pétrifié sous le masque souple, — est à la fois l'ami et l'ennemi de Lorenzo, son sosie et son contraire, un intime et un imposteur. Loin d'être à l'effigie du « Lorenzino d'autrefois » entrevu par sa mère, il est la mauvaise part du Lorenzo d'aujourd'hui, son malin génie, son « masque de plâtre » qui n'a « point de rougeur au service de la honte [16] ». Tantôt proche, tantôt lointain, tantôt singeant son modèle, tantôt libre de tout contrôle, il désaccorde sans cesse la conscience de Lorenzo tout occupé à ressaisir en vain son intégrité personnelle.

Le dédoublement de Lorenzo a d'autres vertus. Brouillant les pistes, semant le doute et l'inquiétude, il donne au tourment du héros une crédibilité quasi hallucinatoire. La hantise du gouffre y prend son visage de théâtre. Le jeu du moi avec l'ombre dont il n'est plus le maître nous comble d'images fascinantes, qui froissent la sensibilité profonde et réveillent de vieilles terreurs ; « Lorenzaccio abattu et ténébreux est assis, tandis que son double s'est figé en un geste ostentatoire et pathétique devant le miroir. Lorenzaccio ricane et son sosie le fixe d'un regard amer et immobile [17] ». L'intervention du double s'accorde enfin au choix fondamental opéré par le metteur en scène du spectacle. Rien n'est plus « théâtral », en effet, que ce Lorenzo au four tandis que son double est au moulin, que cet éclatement de la vision binoculaire, que ce merveilleux don d'ubiquité dont le spectateur est, par la grâce du théâtre, momentanément gratifié. Comble de la « théâtralité » : c'est par son propre double que Lorenzo sera poignardé, à la fin de la représentation. Et l'événement est doublement théâtral, puisqu'on le voit sur scène, quand le texte de Musset se bornait à nous en transmettre le commentaire, et que l'image en est vertigineusement ambiguë : ni meurtre, ni suicide, mais un jeu de scène équivoque où la victime meurt de la main d'un meurtrier qui n'est autre que lui-même.

Au reste, Lorenzo n'a pas à proprement parler qu'un double sur la scène. Quelques jeunes visages, satellisés alentour, sont, à leur manière, des Lorenzo en puissance ou en sursis. Déjà, nous l'avons vu, le spectacle du T.N.P. suggérait ce jeu de miroirs. Mais la présence simultanée en scène de tous les personnages de la pièce fait apparaître ici ses avantages. Scoronconcolo et Tebaldeo, constamment visibles et présents sur le plateau, même quand ils n'ont pas de part directe à l'action du premier plan, donnent au jeu savant des ombres et des miroirs la figure à la fois fixe et mouvante d'une constellation. Au demeurant, Krejca s'est autorisé des liens particuliers qui unissent Lorenzo à ces deux personnages pour les créer tous deux à sa ressemblance et les placer dans son sillage ; ils ne le quitteront pas d'une semelle. Scoronconcolo est l'image virile de son meurtre, Tebaldeo l'image radieuse de sa jeunesse. Mais tandis qu'il

16. III, 3, p. 345, l. 635.
17. Sergej Machonin, « Notice sur *Lorenzaccio* » publiée dans le livret officiel du Théâtre des Nations, saison 1970, p. 30.

affine la rudesse du spadassin, Krejca affermit, au contraire, la douceur de Tebaldeo. Loin d'être l'enfant timide et éloquent que la surface du texte de Musset laisse apparaître, il est ce jeune courage qu'on sent vibrer dans ses profondeurs, l'homme au stylet à la ceinture, qui se défend si on l'attaque. Aussi bien, dans la scène du portrait, le voit-on sur le plateau du Théâtre Za Branou, ruer dans les brancards et manifester dans l'impatience sa jeune témérité. Il sera, en un sens, l'héritier de Lorenzo. Dans la toute dernière scène, c'est lui qui porte le manteau du héros mort, cet étrange manteau noir en filet de laine, dont l'apparence est celle d'une cotte de mailles. Il n'est pas jusqu'aux étudiants en révolte qui ne soient eux aussi, des doubles de Lorenzo. « Ainsi, commente Bernard Dort, son drame n'est plus celui d'un seul individu : il est celui de toute une jeunesse impuissante à agir, qui ne trouve d'autre issue que dans la folie, le crime, l'art ou une vaine révolte, au milieu d'une société qui entend maintenir à tout prix son ordre sous l'apparent désordre des masques [18] ».

Rien de moins gratuit, on le voit, que ce jeu théâtral en action, dont on a essayé de suggérer le constant et furieux dynamisme. Pas un geste, pas un visage, pas un mot, en définitive, qui ne trouve sa place dans un ensemble, où il s'intègre et prend son sens. L'espace théâtral est bien ici celui d'une société, dont on nous livre l'image globale et qu'on nous donne à la fois en spectacle et en leçon. Tout l'art de Krejca consistera même, aux limites extrêmes des moyens spécifiques du théâtre, dans le soin qu'il apporte à rendre toujours intelligible le spectacle, toujours spectaculaire la leçon. Tout se joue d'abord simultanément au grand jour du théâtre : sa lumière n'a pas d'ombres si opaques qu'une action puisse en masquer une autre. Simplement, tandis qu'une action se joue au premier plan, d'autres actions se jouent, d'autres événements se produisent à l'arrière-plan ou alentour déroulant leur logique, développant leurs conséquences, croisant leurs effets, traversant, à leur manière, l'action du premier plan. Ainsi, note Bernard Dort, « le duel entre Pierre Strozzi et Salviati toujours visible, interrompu puis repris, unifie la succession des scènes qui composent le second acte de la pièce de Musset ; la présence de Pierre et de Thomas Strozzi enchaînés et comme attachés à un pilori, tout au fond de la scène, est l'élément permanent de la séquence qui suit [19] ». Ainsi la cotte de mailles, dont l'enlèvement est à elle seule un spectacle, devient un signe, un emblème qu'on brandit, qu'on jette en l'air, qui passe de main en main. Ainsi la mère de Lorenzo meurt-elle à petit feu, sous nos yeux, pathétique et innocente victime de la conduite inexplicable de son fils. Il n'est pas jusqu'à Corsini qui, le casque empanaché sur la tête, ne traverse la pièce tout du long, promu, en qualité de provéditeur de la forteresse, au rang d'une sorte de maréchal du Palais ou de commandant de

18. B. Dort, art. cit., p. 35.
19. *Ibid.*, p. 32.

garnison, dont dépend en définitive l'ordre public et la force de l'Etat. De ce qu'il a offert aux républicains les clés de la forteresse [20], on infère qu'il a quelque pouvoir et des velléités libérales. Aussi joue-t-il, au cours de la pièce, un jeu actif et équivoque, semblant rallier au cinquième acte le camp de la liberté, finalement retournant sa veste, choisissant l'ordre et ordonnant aux soldats de disperser les étudiants en colère. Maffio sera tué au cours de la manifestation.

L'interdépendance de ces actions simultanées, qui traduisent la solidarité interne d'un monde où tout est lié, chacun à l'autre, l'un et l'autre à l'ensemble, est soulignée de façon fort complexe tant par le jeu savant d'images théâtrales en contrepoint que par la qualité propre de ce que Bernard Dort appelle la « substance sonore [12] » du spectacle, qui est tout autre chose qu'une musique de scène. De l'art du contrepoint, le meilleur exemple, qui n'est pas isolé, est cette étrange valse lente qu'exécutent ensemble Philippe Strozzi et Marie Soderini tandis que, dans un autre coin du plateau, Lorenzo et Scoronconcolo se livrent au jeu des armes et répètent l'assassinat. Une gerbe de sens jaillit de ces perceptions simultanées : voici l'ultime danse d'un monde ancien meurtri et condamné tandis que sonne l'heure de l'action et que s'élance une génération nouvelle à la conquête du pouvoir ; voici un père et une mère, que la pièce de Musset sépare, mais que le metteur en scène réunit, l'espace d'un instant, dans une solidarité de destins dont il exprime ici le chant profond : Lorenzo reconnaît en eux ses vrais parents ! Et peut-on renvoyer plus clairement Philippe à sa pusillanimité profonde qu'en lui donnant un tour de valse au bras d'une vieille femme gémissante, tandis qu'à deux pas de là se prépare, dans une petite chambre pleine de bruit et de fureur, le destin de Florence ? Quant à la « substance sonore », elle est, comme le spectacle lui-même, à la fois une et diverse, éclatée et concentrée, à l'image de l'univers qu'elle exprime : « Tour à tour, remarque Denis Bablet, coups de sifflets, plaintes étouffées, gloussements de plaisir et rires qui s'achèvent en sanglots tragiques rythment l'action et élargissent son univers ; renforcées ici et là, les voix fusent du dialogue pour se répercuter au loin dans notre conscience, et la musique même pénètre et soutient le drame : chœurs d'église enregistrés aux leitmotive lancinants auxquels se mêle parfois la voix de comédiens qui fredonnent, ou, contraste violent, musique de mascarades et de fêtes populaires [22] ».

Mais bientôt se dessinent, dans l'alternance de l'ordre et du chaos, du mouvement et du repos, de la violence et de la volupté, quelques lignes de force, dont l'évidence peu à peu s'imposera. Ce n'est pas un hasard, par exemple, si deux acteurs seulement jouent presque coup sur coup et de manière à être reconnus le marchand et l'orfèvre, l'historien et le poète, Bindo et Venturi, le premier et le deuxième des Huit, le premier et le deuxième banni, le premier et le deuxième

20. V, 5, p. 458, l. 518-519.
21. B. Dort, art. cit., p. 35.
22. D. Bablet, art. cit., p. 14.

moine, Alamanno Salviati et François Pazzi ; quatorze rôles, qui vont
par paires, à eux deux ! Impossible d'invoquer l'économie, comme
chez Baty, ou l'ingéniosité, comme au T.N.P. C'est la permanence
d'un certain comportement bourgeois que l'on veut ici mettre en
valeur, sous la diversité des noms et le renouvellement des fonctions :
« A tous les niveaux, commente Bernard Dort, ils incarnent ainsi le
même comportement : ils comprennent la situation, parfois ils en
souffrent, mais à aucun prix ils ne veulent la regarder en face, moins
encore lutter pour qu'elle change ; ils se contentent de pieuses protestations et essaient, chacun pour soi, de tirer tant bien que mal
quelque profit du malheur commun [23] ».

Ce phénomène de récurrence des personnages, récurrence linéaire,
si l'on veut, prélude à une autre forme de récurrence, plus angois-
sante que la précédente, parce qu'elle est en quelque sorte de figure
circulaire. La mise en scène du cinquième acte, séquences 25, 26 et 27,
est un chef-d'œuvre d'anéantissement de l'action et du mouvement
par retour pur et simple au point de départ. Ce que le cinquième
acte de Musset se contentait de suggérer à petites touches prend,
sur la scène du théâtre Za Branou, la rigueur éclatante d'une démonstration. C'est naturellement le cardinal Cibo qui sera l'ordonnateur
de ce grand cérémonial didactique. Déjà, au cours de la pièce, partout visible et partout présent, tout sourire, mais toute vigilance, le
cardinal s'est placé en arbitre des forces et en maître du jeu. Dès
que Lorenzo a tué le duc Alexandre, tout indique que son heure est
venue ; il apparaît, au lointain, surélevé et en pleine lumière. Son
chef-d'œuvre sera le couronnement de Côme, qu'il règle, comme à la
parade, en frappant dans ses mains. Après le meurtre, le corps du
duc assassiné a été, sur scène, comme il est expliqué chez Varchi et
noté chez Musset [24], roulé dans un tapis ; la dépouille ainsi ficelée
restera à la même place pendant toute la durée du cinquième acte.
Les événements se précipitent alors selon le canevas tracé par Musset : appel des Huit à Côme de Médicis, manifestation des étudiants
réclamant des élections, écrasement de la rébellion et mort de Maffio
(séquence 25) ; exil à Venise et assassinat de Lorenzo dans la rue
(séquence 26). La voie est désormais libre pour une restauration de
l'ordre public dont le cardinal se chargera méthodiquement. Déjà
les masques ont repris possession du plateau, comme au début du
spectacle. La mise en scène tient alors de l'escamotage. Sur un signe
du cardinal, manipulateur tout puissant, on déroule le tapis, préalablement amené au centre du plateau, et le duc assassiné se relève.
Revêtu du manteau de Cour, il va prendre place sur le trône. Tandis
qu'un drap sanglant, largement déployé comme une relique de
l'assassinat, dérobe un instant le duc à nos regards, le tableau qui
s'organise s'apprête à effacer toute trace d'une action désormais révolue. Sur l'ordre du cardinal, on retire l'écran taché de sang. Alexandre

23. B. Dort, art. cit., p. 36.
24. Genèse, p. 61, 1. 1760-1762, et V, 1, p. 436, l. 73-74.

est appelé à régner sous le nom de Côme, qui lui ressemble comme son double, et un autre Lorenzaccio, le visage recouvert d'un masque blanc qui nous dissimule encore ses traits, est assis à ses pieds, prêt à reprendre du service ; entre temps, Tebaldeo, le stylet à la ceinture, a revêtu le manteau de Lorenzo. Tout est désormais en place et en ordre. La fête peut reprendre. La pièce de Musset n'aura été, après tout, qu'un long, tumultueux et fertile entracte.

L'étonnant spectacle tchèque, dont nous venons de tracer les grandes lignes et de suggérer les intentions, nous offre à tout le moins l'occasion d'un bilan instructif. A travers les six spectacles évoqués successivement, c'est à une métamorphose de la pièce de Musset que nous avons finalement assisté. J'entends métamorphose au sens biologique du terme, c'est-à-dire passage d'un plan d'organisation à un autre plan d'organisation qui, pour en être issu, n'en est pas moins substantiellement différent. On peut même situer et dater l'instant du passage : Avignon, 1952. C'est en effet dans ce lieu et à cette date que deux changements majeurs se sont produits : Lorenzo est un homme, et c'est une pièce en cinq actes que l'on joue. Il semble bien qu'auparavant nul ne s'était avisé que toute la force dramatique et didactique de la pièce est dans son organisation dramaturgique. Découronnée de son cinquième acte, elle n'a plus ni sens ni mouvement. L'accent se porte alors tout entier sur le drame personnel d'un Lorenzo outrageusement féminisé, dont l'épilogue est la mort à Venise. Dans de telles conditions, le maintien de la scène du couronnement relève du pieux respect plus que de la nécessité dramatique.

A compter du moment où le cinquième acte est joué sinon intégralement, du moins dans ses articulations essentielles, la perspective change et la pièce retrouve son équilibre. Héros et victime d'un drame individuel qui intéresse l'intégrité de sa conscience personnelle, Lorenzo l'est aussi, dans une mesure au moins égale, d'une aventure collective qui engage la liberté de tout un peuple. On peut maintenir la balance égale entre ces deux faces, ces deux volets d'une même action dramatique : c'est ce qu'ont fait, avec force et intelligence, Jean Vilar et ses camarades du T.N.P. On peut hardiment faire pencher la balance du côté où s'exerce la plus forte attraction, le magnétisme le plus violent : c'est le choix de Krejca et de ses collaborateurs au théâtre Za Branou.

Dès lors les conséquences sur l'ensemble du spectacle sont considérables. Au T.N.P. le drame individuel de la débauche et le drame collectif de la liberté cheminent, pour ainsi dire, côte à côte, étroitement serrés, jamais confondus. Au théâtre Za Branou, la synthèse s'opère en une mutation décisive. Le drame de la débauche passe au second plan ; l'ombre de Lorenzo paraît avoir été créée pour en assumer le fardeau et laisser le héros libre pour d'autres tâches plus exaltantes. L'omniprésence du cardinal remet le duc à sa vraie place, qui n'est qu'apparence et illusion ; tandis qu'il règne et vaque à ses plaisirs, le cardinal gouverne et l'emporte au cinquième acte. Un seul drame demeure, en fin de compte, que la présence continuelle

en scène de tous les personnages de la pièce affirme avec force :
celui d'une société travaillée de forces contraires, d'un peuple incapable de secouer le joug de ses tyrans et d'imposer la liberté.

Mais cette mutation ne s'est pas opérée spontanément. Il a fallu
quelque audace et même quelque violence pour confronter ainsi la
pièce avec elle-même. L'opération porte en elle-même sa propre critique. Le travail de Krejca sur le texte de Musset s'est exercé dans
deux directions complémentaires : la simultanéité des intrigues et la
circularité de l'action dramatique. Sur le premier point, la présence
en scène et en situation de toute la troupe d'un bout à l'autre du
spectacle facilite bien des choses et vole au secours de Musset. Mais
le système perd de sa force et de sa spécificité en ce qu'il n'a pas
été inventé pour la pièce de Musset et pour elle seule. Il est ici particulièrement efficace, mais il agit comme un révélateur externe, comme
une grille de déchiffrage ou de décodage applicable à d'autres œuvres.
Il froisse, en tout cas, quelque peu l'intimité de l'œuvre en donnant
à la vision directe du spectateur ce que Musset avait réservé initialement à l'imagination du lecteur. Le rythme de la pièce et l'atmosphère générale en sont changés. Faut-il s'en plaindre ? Disons que
ce n'est plus tout à fait Musset que l'on joue, mais la pièce d'un
poète qu'un homme de théâtre vient d'accoucher au terme d'une
très subtile maïeutique. Les creux deviennent reliefs, les filigranes
surimpressions. A la parole poétique succède parfois le mimodrame.
On comprend que les familiers du poète, même ayant les vues larges,
soient quelque peu dépaysés.

Les mêmes remarques sont valables pour le second point. La
circularité de l'action dramatique est, il faut en convenir, accusée
avec force par quelques coups de pouce donnés au texte de Musset.
Le carnaval tout-puissant du début et le retour des masques à la fin
du spectacle mettent, non sans quelque artifice, en communication
et en continuité la première et la dernière scène. Musset n'avait rien
prévu de tel. Le cinquième acte surtout est joué dans un ordre et
dans un rythme complètement inédits. Ce n'est pas le cinquième
acte de la pièce que l'on joue, mais un commentaire du cinquième
acte, où la chronique de Varchi viendrait au secours des défaillances
de Musset. La petite scène des étudiants en révolte, par exemple,
prend les dimensions d'un événement capital et envahit tout le cinquième acte. Des six mots d'une information lancée par l'orfèvre [25],
des sept répliques d'une scène qui ne figure pas dans toutes les éditions publiées du vivant de Musset [26], Krejca a fait le noyau central
de la fin de son spectacle. Le moins qu'on puisse dire est que les
proportions n'ont pas été respectées.

Ici comme ailleurs, on l'a vu, Krejca semble avoir pris Musset au
mot et saisi la balle au bond. « Que voulez-vous que fasse la jeunesse
sous un gouvernement comme le nôtre ? [27] », dit un bourgeois à un

---

25. V, 5, p. 458, 1. 512.
26. V, 6, p. 463 ; seules les éditions de 1834, 1840, 1848 et 1851 reproduisent cette
scène, qui figure dans le manuscrit sous le numéro VI.
27. I, 5, p. 234-235, 1. 856-857.

autre bourgeois à la foire de Montolivet ; « Les étudiants seuls se sont montrés ! » dit l'orfèvre à son voisin le marchand au matin de la « nuit de six Six [28] ». Entre ces deux répliques incidentes, un champ de forces soudain s'organise : Lorenzo n'est plus seul, toute une jeunesse l'entoure ; le soulèvement des étudiants explose au terme d'une lente préparation que rien dans le texte de Musset n'interdit de supposer, que tout même permet de présumer. Mais le poète ayant négligé de nous en informer, il fallait bien que l'homme de théâtre montrât moins de discrétion ! Ainsi opère l'imagination de Krejca : par prélèvements subtils de notations isolées que le jeu théâtral organise en schémas dynamiques et met en mouvement et en tension. A pratiquer ainsi une lecture sélective, Krejca bouleverse bien des situations acquises ; un certain Musset convenu s'estompe, un Musset caché apparaît ; le texte avoue ses intentions secrètes, masque ses expressions avouées. Rien là qui excède la mission légitime du théâtre, qui est de révéler la pièce au public et éventuellement à elle-même.

Mais entre l'aveu légitime, même quelque peu provoqué, et l'aveu extorqué par la contrainte, la marge est quelquefois étroite. A trop interroger un texte on risque de le soumettre à la question. Un très grand respect des hommes et des textes ont prémuni finalement l'équipe du théâtre Za Branou contre tout abus de pouvoir, tout terrorisme idéologique. Pour les mêmes raisons, les hommes du T.N.P. n'avaient pas davantage été tentés de solliciter un texte qui veut d'abord être servi et non pas asservi à des considérations qui lui sont étrangères. Ces deux entreprises exemplaires, l'une dans l'audace, l'autre dans la retenue, plaident en faveur des hommes libres, mais ne suffiront pas à préserver la pièce de Musset de l'aveuglement des médiocres ou de la logomachie des idéologues. L'histoire passée et sans doute à venir des représentations de *Lorenzaccio* est celle même de la liberté de l'esprit en lutte contre tous les conformismes et toutes les servitudes.

28. V, 5, p. 457, l. 489.

CONCLUSION

La fête s'achève, les feux s'éteignent ; la pièce s'éloigne. Le spectateur quitte son fauteuil. Du livre refermé, du théâtre rendu au silence et à la nuit, qu'emporte-t-il dans sa mémoire, dont son cœur et son esprit seront instruits, changés, augmentés ? Rude bilan, dont il faut bien, mais à regret, grouper les richesses sous quelques rubriques de commodité. J'en admets trois, qui sont essentielles.

I

Lorenzaccio nous apparaît d'abord et dans tous les sens du terme comme une *œuvre de jeunesse*. De la jeunesse, elle a les vertus et les excès : l'insolence, la liberté, la gravité.

L'insolence, quand elle s'exerce dans le domaine de la création littéraire, prend la livrée de la désinvolture. Désinvolte, la pièce de Musset l'est sans vergogne. Ce disant, je ne songe guère aux libertés prises par le dramaturge avec l'histoire ou la chronologie, qui sont de règle dans tous les ouvrages d'imagination et singulièrement au théâtre ; elles ne sont pas plus pendables chez Musset qu'elles ne l'étaient chez Corneille ou Racine. Je parle de la vitesse d'exécution dont témoignent la méthode de composition et certaines particularités du manuscrit que j'ai décrites. Musset ouvre des brèches, colmate, ravaude, recolle avec une audace tranquille qui ne s'embarrasse ni des contradictions ni des invraisemblances. L'œuvre achevée garde quelque chose de ce travail exécuté à la main et à la hâte, dans le feu de l'improvisation heureuse et de l'abondance inspirée. On dirait d'un arbre au printemps, dont la sève fait éclater l'écorce. Pour le lecteur d'aujourd'hui, ce printemps parfois dure encore.

L'insolence est aussi dans le regard porté sur le monde. Elle ne saurait être équitable. Dans l'affrontement des générations, en quoi consiste, pour une part, son grand drame, la plume d'un poète de vingt-trois ans reconnaît aisément les siens. Des adultes, en tout cas, le portrait n'est pas flatté : à eux le « cou court et les mains velues [1] », le « vautour à tête chauve [2] », l'éloquence à la bouche et la terreur au

1. I, 4, p. 227, l. 723.
2. III, 5, p. 363-364, l. 993-994.

ventre ; prélats et dignitaires, professeurs et marchands sont renvoyés dos à dos sans pitié. Si Philippe et Marie sont épargnés, c'est
d'abord qu'ils sont père et mère, envers qui le respect filial est de
droit naturel ; comme citoyen et chef de parti, Philippe recevra aussi
son paquet, à Venise, où l'espérance et l'éloquence ne peuvent plus
être que fausse monnaie. Tout ce qui est jeune, au contraire, dans
Lorenzaccio, sera d'une certaine manière préservé. L'honneur de Maffio, l'énergie de Pierre, l'ardeur mystique de Tebaldeo, la grâce de
Catherine, la douceur de Louise, la bravoure des étudiants ont, sous
la plume de Musset, le charme lisse des cœurs et des corps de vingt
ans. Sur Lorenzo veille l'ombre protectrice du Lorenzino d'autrefois,
et, malgré ses vices, « il est encore beau quelquefois dans sa mélancolie étrange [3] ». C'est au talisman de la jeunesse [4] que le duc doit
de n'être ni tout à fait odieux ni tout à fait condamné. Cibo et Sire
Maurice n'auront pas droit à la même indulgence et peu s'en faut que
Musset ne fasse des conseillers du duc les vrais responsables de la
tyrannie. Toute la pièce est un vibrant plaidoyer en faveur d'une jeunesse qui ne trouve pas sa juste place dans une société tenue enchaînée par des adultes rapaces, veules, cyniques ou tarés. Chaque nouvelle génération peut y reconnaître son propre cri, surtout quand ce
cri est : liberté !

De cette revendication fondamentale de liberté, *Lorenzaccio* témoigne également à tous les plans. Ce n'est pas à proprement parler
une œuvre engagée ou militante, au sens où on l'entend aujourd'hui,
mais c'est une œuvre ouverte à tous les vents libérateurs qui soufflent
sur la France de 1830 par la médiation de sa jeunesse. Liberté politique, d'abord, moins sensible dans les morceaux d'éloquence justement fustigés par l'ironie de Lorenzo que dans ces petites phrases
glissées au ras du dialogue [5], parfois traduites mot pour mot de
Varchi [6], auxquelles la sincérité de Musset imprime le frémissement
d'une grande passion vécue et déçue. Liberté de plume également, qui
ne s'embarrasse pas de règles ni de modèles, mais ajuste sur mesure,
à la demande, la forme à la vision. Liberté des sentiments et des
passions, qui ne fuira l'excès ni dans l'exaltation aux sommets de
l'idée ni dans la plongée aux gouffres intérieurs. La force intacte et
les scories du discours ont ici la même source.

Mais cette liberté recueillie dans l'air du temps, aux quatre vents
de l'histoire, s'accompagne d'une sincérité et d'une gravité qui sont
aussi la marque de la jeunesse. *Lorenzaccio* est une pièce qui exclut
les dilettantes, sinon les sceptiques. Les petits badauds à la porte du

---

3. I, 6, p. 246, l. 1071-1072.

4. « Le Duc est jeune, marquise... » (I, 3, p. 216, l. 511) ; « tu es étourdi, je le
sais, mais tu n'es pas méchant » (III, 6, p. 368, l. 1088-1089) ; « Il a fait du mal aux
autres, mais il m'a fait du bien, du moins à sa manière » (IV, 4, p. 392, l. 163-165).

5. « La liberté est mûre ; venez, vieux jardinier de Florence, voir sortir de terre
la plante que vous aimez » (III, 2, p. 326, l. 250-252) ; « Nous voulons mourir pour nos droits »
(V, 6, p. 463).

6. « Mes ouvriers, voisin, les derniers de mes ouvriers, frappaient avec leurs instruments
sur les tables, en voyant passer les Huit, et ils leur criaient : « Si vous ne savez ni
pouvez agir, appelez-nous, qui agirons » (V, 5, p. 457, l. 490-494 et p. 64, l. 1830-1835).

bal ou les fils de famille qui se battent dans la rue sont encore à l'âge des plaisirs et des jeux. Le temps viendra où ils seront porteurs de messages dont les témoins se feraient égorger : Maffio exilé, Pierre et Thomas emprisonnés, Lorenzo assassiné... Vraiment, en racontant l'histoire de Lorenzino de Médicis, ce n'est pas un mélodrame historique que Musset cherchait à composer, car il s'est mis dedans tout entier. A cette œuvre du hasard et des circonstances, un dramaturge de vingt-trois ans confie le plus précoce de son expérience, le plus haut de ses aspirations, le plus noir de son désenchantement. Lorenzo mort et son cadavre jeté à la mer, c'est tout un monde de pensées et de sentiments qui meurt et dérive avec lui : celui de l'engagement actif et total au service de la liberté et du bonheur des hommes. Disparu en route, mais non pas oublié, Tebaldeo veille en un coin du tableau, disponible et sûr de sa route. Sur la scène du Théâtre Za Branou, c'est lui, on s'en souvient, qui hérite du manteau de Lorenzo. Belle et juste invention de théâtre, pourvu qu'on en interprète correctement le sens. Tebaldeo s'engage, mais dans une autre voie, se dispose à témoigner, mais par une autre vie, une vie consacrée à l'art, seule puissance de transformation du monde, seule activité capable d'exprimer les rêves profonds de l'homme, d'assurer son bonheur et peut-être son salut. De Lorenzo, devenu « plus vieux que le bisaïeul de Saturne [7] », à Tebaldeo, dont la « barbe n'est pas encore poussée [8] », il y a comme la promesse immanente d'une régénération », dans laquelle le poète puise rétrospectivement quelque consolation et la pièce son invincible jeunesse.

II

L'étude de *Lorenzaccio* confirme la place à part qu'occupent les *Comédies et Proverbes* dans la querelle du théâtre littéraire. Entre un théâtre « théâtral », né aux alentours de la scène, — théâtre élizabéthain, théâtre classique français, — qui, sans cesser d'être à l'aise et vivant dans les livres, n'est pleinement lui-même qu'à la représentation, et un théâtre « littéraire » qui, n'ayant été écrit ni pour une salle ni pour une troupe, se passe à la rigueur d'être représenté, — théâtre de Goethe, de Claudel —, Musset a composé un théâtre original qui n'est littéraire que par contingence et choix momentané, qui n'est de lecture qu'en attendant d'être représenté. Du reste, les mots ne nous trompent pas. *Spectacle* dans un fauteuil n'est pas théâtre de lecture, théâtre non joué n'est pas théâtre injouable. Théâtre intérieur dit en deux mots l'essentiel : que le théâtre de Musset, préservé à sa source même de l'extériorisation, a choisi transitoirement le livre pour tréteau, l'imagination du lecteur pour lieu dramatique, « l'accord d'une multiplicité d'admiration particulière [9] » pour public. Mais le rendez-vous avec le tréteau, les acteurs et le

---

7. V, 6, p. 465, l. 636.
8. II, 2, p. 261, l. 193-194.
9. Expression de Jean Hytier, citée par Henri Gouhier, *l'Essence du théâtre*, Paris, Plon, 1943, p. 211.

public n'est que partie remise. A des temps meilleurs, semble penser Musset qui n'a, on s'en souvient, pas dit à la « ménagerie » adieu pour toujours, mais « pour longtemps [10] ». Le théâtre intérieur est, pour une large part, un théâtre en esprit et en liberté qui, sans impatience, attend son heure.

Dans l'intervalle, les conditions exceptionnelles qui ont présidé à l'élaboration de ce théâtre portent leurs fruits. Bienheureuse la liberté créatrice qui place le dramaturge à l'écart des contingences de la scène, des modes éphémères, des caprices ou des tyrannies de hasard ! Mis en scène dans l'imagination du dramaturge, joué dans l'imagination du lecteur, ce théâtre singulier est au point de jonction de deux libertés réunies sans intermédiaire, sans pesanteur, sans contrainte. Est-ce seulement l'influence de Shakespeare et de Schiller qui donne, par exemple, à *Lorenzaccio* cette souveraine liberté d'allure qui nous enchante ? Au vrai, cette liberté, c'est avant tout celle d'être soi, d'écrire la pièce à sa main, de voir le monde à sa guise, en l'occurrence de le percevoir par fragments, dans la discontinuité, la rupture, la simultanéité, comme peu le voient, comme Musset, par nature, ne peut pas ne pas le voir. Directement écrit pour la scène et des comédiens, le grand drame eût été autrement construit, guindé sans doute, organisé selon des règles et des modèles. Les lauriers de M. Scribe eussent peut-être empêché Musset de vagabonder à son aise. Libre de toutes amarres, — exigences des directeurs, susceptibilité des comédiens, paresse tyrannique du public, — *Lorenzaccio* est un vaisseau de haut bord qui prend le large. Il reviendra à quai quand la saison sera meilleure.

Que meilleure soit la saison environ 1896, que le hasard et les caprices d'un monstre sacré aient bien ou mal fait les choses compte assez peu. Ce qui compte, en revanche, c'est le retour désormais irréversible de *Lorenzaccio* vers la scène. Ni hasard, ni caprice dans cet appel lancé par la pièce aux hommes de théâtre de tout temps et tout pays. En fait, la force dramatique qui est dans ce théâtre intérieur pousse l'œuvre vers la scène irrésistiblement. Elle a besoin de chair, d'espace réel, du corps des acteurs, de l'adhésion du public, de la féerie théâtrale pour trouver son équilibre, son rayonnement, son poids. Il n'y a pas de vrai théâtre sans une société pour l'accueillir, ni de communion des sentiments sans le rituel de la présence réelle des spectateurs. Un double mouvement de conquête s'amorce : la pièce tente, attire, fascine les hommes de théâtre de plus en plus ouverts à sa forme et à son message ; les hommes de théâtre, en retour, cherchent à porter à la scène une pièce de moins en moins truquée ou adaptée pour les besoins prétendus de la représentation. Toute l'histoire de la pièce au théâtre tient dans la reconquête lente, obstinée, finalement victorieuse du cinquième acte.

Mais il en va de *Lorenzaccio* comme de tous les chefs-d'œuvre dramatiques. La représentation n'est jamais qu'une lecture possible de la pièce, faite avec des moyens différents et sous un éclairage

---

10. P. de Musset, *Biographie d'A. de Musset*, p. 98.

nouveau. Incarnée, la pièce rêve aussitôt de faire éclater l'espace où on l'enferme, de secouer la pesanteur qui l'alourdit, de retrouver sa liberté bridée par l'opacité des comédiens, de franchir ses propres limites. La lecture redevient souveraine, le théâtre intérieur triomphe, jusqu'à ce qu'une nouvelle extériorisation vienne libérer du texte de lecture une énergie gestuelle et vocale impatiente de s'employer. Cette tension permanente entre théâtre lu et théâtre joué, ce va-et-vient du fauteuil au tréteau et du tréteau au fauteuil dessinent, en tout cas, les grandes lignes d'une méthode d'approche et d'examen du théâtre de Musset adéquate à son objet. Le mouvement même de notre ouvrage montre à l'évidence que nous n'avons eu garde de l'oublier.

III

Lorenzaccio est enfin une pièce qui a, pour ainsi dire, cessé d'appartenir à son auteur. C'est du reste le sort commun de bien des chefs-d'œuvre, singulièrement au théâtre, art de la contingence, appelé à périr avec son temps ou à survivre dans une sorte de maturité souveraine. Les représentations successives de la pièce ont joué dans cette métamorphose un rôle capital. Elles ont contribué, par leur diversité même, à déplacer les accents et à faire apparaître progressivement la pièce sous un jour inédit, imprévu, souvent inconnu de son auteur. Finalement *Lorenzaccio* gagne à avoir été porté tardivement à la scène, en un temps où la volonté de Musset, puis celle de son substitut fraternel n'avaient plus le pouvoir de s'exercer directement. Ainsi l'extrême liberté de la création a pu être préservée. Aucune tradition sclérosante portant l'aval de l'auteur ou de son frère Paul n'a pu modifier la forme initiale de la pièce ni en réduire la portée. Son ampleur a été pour elle la meilleure sauvegarde contre l'entreprise des adaptateurs en tout genre.

a) On assiste dès lors à toute une série de glissements de sens qui jalonnent l'histoire de la pièce tant au théâtre que dans l'opinion des commentateurs. Le premier de ces glissements s'opère sous l'influence des comédiennes. Il y a un *Lorenzaccio* des comédiennes, qui s'est prolongé près d'un demi-siècle sous l'impulsion de la plus célèbre d'entre elles : Sarah Bernhardt. Joué en travesti par une vedette féminine, le personnage attire à lui l'action de la pièce et concentre sur lui les feux. Même les efforts les plus méritoires, à la Comédie-Française par exemple, pour restituer à la pièce son ampleur et sa diversité sont impuissants à changer l'image que toute une tradition d'interprétation féminine, de Sarah Bernhardt à Marguerite Jamois, a imprimée à l'opinion : celle d'un héros de mœurs efféminées et de sexualité douteuse aux prises avec un destin que sa faiblesse congénitale est impuissante à conjurer. Image si fort ancrée dans les esprits qu'il y aura des critiques pour regretter le changement de sexe et d'habitude imposé par la présentation de la pièce au T.N.P.

b) Le deuxième glissement de sens est le fruit de la lente et sûre révolution dans la conception de la mise en scène et du décor de théâtre qui domine la première moitié du xxᵉ siècle. Pour que *Lorenzaccio* retrouve sa plénitude, il fallait que le héros cessât d'occuper le centre d'une intrigue jugée principale, à laquelle certains adaptateurs ont cru habile de subordonner, fût-ce par la mutilation pure et simple, les intrigues réputées secondaires et donc superflues. Mais cette restauration de la pièce dans son intégrité originelle ne pouvait s'opérer que par une profonde mutation accomplie aux deux pôles de l'entreprise théâtrale : du côté des spectateurs et du côté des régisseurs. Du côté des spectateurs, cette mutation se produira sous l'influence des arts de l'image et principalement du cinéma. La perception à cadence rapide d'images séparées, le découpage d'un récit en plans et en séquences qui en brisent la continuité spontanée, l'organisation du discours filmique par le montage qui, reconstituant à sa guise l'espace et le temps, modifie les conditions naturelles de notre perception du réel, sont autant d'exercices d'assouplissement auxquels ont été soumis le regard et l'entendement des spectateurs. Inconcevable naguère, ce mode singulier de perception du réel est devenu quasiment naturel pour beaucoup. Le spectateur formé par le cinéma voit plus vite, comprend d'intuition un récit ou une démonstration organisés selon une savante discontinuité d'images ou, si l'on préfère, selon une continuité de type nouveau qui réside moins dans l'objet perçu que dans le sujet percevant. Assurément la discontinuité de *Lorenzaccio* n'est plus un problème pour un spectateur habitué au langage cinématographique ; il y retrouve les procédés de découpage et de montage auxquels il est depuis longtemps accoutumé, avec tous les avantages que ce type de perception peut lui donner.

Quant à la mise en scène d'une pièce conçue selon une esthétique assez inhabituelle dans le théâtre français, elle cessera de poser des difficultés insurmontables, dès lors que seront modifiées les habitudes invétérées touchant la structure de la scène et la fonction du décor au théâtre. Du moment, en effet, où le décor illusionniste aura cessé d'être une règle intangible et comme une nécessité du théâtre, un grand pas aura été fait pour apprivoiser à la scène une pièce réputée injouable à raison même des multiples changements de décors qu'elle semblait exiger. L'influence conjuguée de théoriciens comme Appia ou Craig, de praticiens comme Stanislavski, Copeau, Dullin, Pitoëff, Baty, Jouvet, Vilar finira par imposer un théâtre libéré de servitudes que l'on croyait liées à l'essence du spectacle dramatique et qui n'étaient que contingences historiques. Dès lors qu'un metteur en scène fait appel à la collaboration du spectateur pour construire avec lui le décor de chaque séquence de la pièce, il retrouve les conditions même du spectacle intérieur imaginé par Musset. *Lorenzaccio*, sur la scène du T.N.P., n'aura pas besoin d'être mutilé, seulement allégé, pour parvenir au spectateur dans l'ordre et selon le rythme des images voulues par Musset. De la Comédie-Française au Théâtre Za Branou de Prague, la conquête du rythme et de la totalité de la pièce se fait dans une ligne de continuité qui est celle des grands libérateurs de la scène théâtrale dans la première moitié du xxᵉ siècle. C'est à eux en définitive que la pièce de Musset doit d'être devenue ce qu'elle est.

c) Le troisième glissement est la conséquence directe de cette double révolution qu'on vient de décrire. Dès lors que rien n'empêche plus de jouer intégralement la pièce de Musset dans son rythme et sa prolifération même, l'organisation des intrigues n'a plus besoin d'être artificiellement clarifiée et simplifiée. Du coup, c'est la vision globale d'une société en fonctionnement qui s'impose à nous, non plus seulement l'aventure d'un individu privilégié, dont l'action directe s'interrompt, du reste, à la fin du quatrième acte. Le plateau plein à craquer de personnages, de masques, de figurants, d'objets en constante transformation est le point d'aboutissement extrême, excessif peut-être, de cette globalisation d'un univers voué jusque-là aux manipulations et aux émondages mutilateurs. Le héros de Musset finit par être la victime de l'opération. Noyé parmi ses doubles, ses émules, ses frères de combat ou de misère, il rentre, pour ainsi dire, dans le rang et risque d'être réduit à l'insignifiance personnelle. Mais après tout il n'y a pas de révolution, même réussie, qui n'appelle par quelque côté le choc en retour et les réactions salutaires. La dialectique du progrès théâtral est à ce prix.

d) Le quatrième glissement est en quelque sorte intérieur au précédent ; il en est un aspect particulier. Il est clair, en effet, qu'une pièce née en partie de circonstances historiques déterminées, — la révolution escamotée de 1830, — se charge d'une substance nouvelle pour peu que des situations voisines et des problèmes politiques analogues viennent à se poser au cours du développement ultérieur de l'histoire des peuples et des nations. Ainsi l'expérience de nouvelles formes de tyrannie politique et de violence collective, de nouvelles formes d'aliénation des consciences et d'oppression des individus enrichira la portée de la pièce de Musset en lui donnant une vigueur renouvelée. Il est trop clair, par exemple, que la terreur nazie et quatre années d'occupation de la France par les troupes allemandes ont influencé, malgré qu'il en ait, la reprise de la pièce par Baty en 1945 ; de même, l'expérience historique des fascismes et des totalitarismes en Europe dans l'entre-deux guerres a donné à la terreur policière et militaire présente dans le drame de Musset un dynamisme plus intense, un fonctionnement plus systématique et plus barbare, dont les reprises du T.N.P. et surtout du Théâtre Za Branou portent la marque. La pièce s'assombrit du raffinement de nos turpitudes, mais s'exalte aussi de notre exigence plus absolue de liberté.

e) Parallèlement, et c'est le cinquième glissement, le développement des idéologies politiques et l'élargissement du champ des sciences humaines ouvrent la pièce à des interprétations plus cohérentes qui l'enrichissent souvent, la grandissent quelquefois, à la limite risquent de la soumettre à des traitements liquidateurs. Elle constitue, en tout cas, un champ d'exercice passionnant. Ainsi la dialectique marxiste peut chercher à interpréter en termes socio-politiques l'aliénation psychologique et morale de Lorenzo. La psychanalyse de Freud et de ses disciples peut nous aider à plonger moins à tâtons dans les abîmes de son psychisme perturbé. Les théories de l'acte libre, les perspectives existentielles de Sartre, de Camus ou de Malraux jettent des lueurs nouvelles sur certains comportements bizarres du héros de Musset. La pièce, par la plasticité même de sa forme et la vigueur de ses analyses, semble faite pour accueillir bien des nouveautés qui ne sont pas seulement des modes ou des artifices : la « théâtralité » s'y trouve à l'aise, comme on l'a vu sur la scène du Théâtre Za Branou ; l'esprit de la fable brechtienne pour un peu s'y acclimaterait.

Peut-être est-ce là la découverte essentielle à laquelle notre enquête permet d'aboutir. Ce drame romantique, imprévisible dans l'œuvre de Musset et presque dépaysé au sein des *Comédies et Proverbes*, est une pièce prodigieusement moderne de facture et de finalité. Même son langage, dont pourtant plus d'un pan tombe en ruines, est généralement d'une verdeur, d'une netteté, d'une modernité qui surprend. Cette pièce-bilan est ouverte sur l'avenir ; cette pièce sans lendemain dans l'œuvre de son auteur est faite pour toutes les renaissances. De ce tombeau d'or et de marbre, où Musset rêvait d'ensevelir les illusions de sa vingtième année, la jeunesse, le théâtre et la poésie n'en finissent pas de ressusciter.

ANNEXES

ANNEXE I

PROPOSITIONS NOUVELLES
SUR LES PLANS DE « LORENZACCIO »

Autopsie de l'imagination créatrice

LE TÉMOIGNAGE DES MANUSCRITS

On sait que trois plans de Lorenzaccio et deux scènes entièrement rédigées, mais restées finalement sans emploi constituent le manuscrit F. 968 de la bibliothèque Spoelberch de Lovenjoul à Chantilly. Ces documents occupent 12 feuillets (in-folio, 410 mm × 250 mm) reliés, paginés et munis de feuillets intercalaires par les soins du vicomte de Lovenjoul, qui en a restitué l'ordre vraisemblable en s'appuyant sur un principe des plus fragiles. Constatant, en effet, que sur les trois plans, l'un comptait trois actes, tandis que les deux autres étaient en cinq actes, le vicomte de Lovenjoul a cru pouvoir en inférer que le plus incomplet des trois était aussi le plus ancien ; en vertu du même principe, les deux plans en cinq actes furent à leur tour classés selon leur longueur et leur volume respectifs. C'est sur ces bases que le vicomte de Lovenjoul a établi sa pagination : Plan I, f° 3 ; Plan II, f°ˢ 4 et 5 ; Plan III, f°ˢ 6 et 7. M. Dimoff a eu beau jeu de montrer que ce système de classement obéissait plus à l'esprit de géométrie qu'à celui de finesse ; et l'on ne peut qu'approuver le nouveau principe de restitution, raisonné et cohérent, auquel il s'est rallié : « l'ordre réel des plans ressort de l'augmentation du nombre de scènes de l'un à l'autre, et de l'apparition progressive des noms de personnages du drame définitif venant remplacer des noms qui disparaissent de la pièce [1] ». L'ordre d'ancienneté des plans, selon M. Dimoff devient alors, compte tenu de la pagination primitive, le suivant : Plan I, f°ˢ 6 et 7 ; Plan II, f° 3 ; Plan III, f°ˢ 4 et 5. L'existence d'un plan incomplet en trois actes ne lui paraît pas faire difficulté : « En fait, peut-il ajouter, dans le plan qui est vraiment le plus ancien, l'écrivain a tellement raturé l'énoncé des scènes des trois premiers actes, qu'il a jugé nécessaire de récrire à part le plan de ces actes, en en profitant d'ailleurs pour les remanier encore [2] ». Ainsi les parties du puzzle semblent s'emboîter si parfaitement que M. Dimoff, d'ordinaire plus réservé dans ses conclusions, a cru pouvoir considérer la question comme close et la contestation comme impossible [3]. L'examen attentif des pièces du dossier, pourtant minutieusement déchiffrées et décrites par M. Dimoff, me semble au contraire appeler la contestation, au nom de cette rigueur dans l'observation et le raisonnement dont M. Dimoff nous a donné lui-même l'exemple.

---

1. *Genèse*, p. xxxvi, n. 1.

2. *Op. cit.*, p. xxxvi, n. 1.

3. « Je ne crois pas qu'il puisse y avoir lieu à contestation sur ce point » (*op. cit.*, p. xxxv, n. 1).

404 ANNEXES
404

La version imprimée des Plans, tels qu'on les trouve dans *la Genèse de Lorenzaccio*[4], est extrêmement trompeuse pour celui qui s'interroge sur ces textes et cherche à en sonder les secrets. En dépit, en effet, de la précision de son apparat critique, M. Dimoff a omis de remarquer ou du moins de signaler les notables différences d'écritures dont fourmillent les textes en question. Ceux-ci gardent alors pour eux leur mystère : on dirait d'un visage fermé et atone, incapable de stimuler la sensibilité d'observation. C'est seulement en examinant directement les manuscrits qu'on peut raisonnablement ébranler les certitudes acquises et proposer des certitudes nouvelles. Au premier coup d'œil, en effet, — et le fac-similé publié ci-après n'a malheureusement pas le même pouvoir de persuasion que l'original —, il apparaît que les noms propres de personnes qui figurent sur le f° 5, disposés en deux listes inégales à gauche et à droite du feuillet, ne sont pas de la même plume que le reste du texte qui remplit la page[5]. Et, pour nous en tenir strictement pour l'instant à ces questions graphiques, il convient d'ajouter que : 1° Les listes de noms qu'on vient d'évoquer sont manifestement de la même plume que l'ensemble du f° 4 (encre plus noire, plume plus large, graphisme plus empâté que le reste du f° 5) ; 2° L'ensemble du f° 5 (hormis les listes de noms) est de la même plume que le f° 3 ; 3° Les indications marginales qui figurent sur le f° 4 offrent elles-mêmes de surprenantes différences graphiques : tandis que l'indication portée en haut, à droite,

[Francesco Pazzi Tommaso Strozzi masaccio rue des Archers]

est apparemment de la même plume que le reste du feuillet, les deux indications portées en bas à droite non seulement ne sont pas de la même plume que le reste du feuillet, mais présentent entre elles de notables différences d'écriture ; la mention « Innocenzo Cibo Malaspina fils d'une sœur de Léon X » est d'une écriture plus appliquée, plus pointue ; la mention « Giovan Baptista Cibo archevêque de Marseille » est d'une plume entièrement différente, plus étroite et plus maigre.

Même si l'on prend garde de manier avec prudence les résultats de cet examen externe, fait d'un point de vue particulier, — après tout, un changement de plume au cours d'un travail est une chose assez ordinaire —, on ne peut s'empêcher de penser que les manuscrits ont entre eux des connivences naturelles que l'écriture ne saurait trahir et devrait même révéler. Le classement des plans selon les écritures paraît devoir s'ordonner ainsi : 1° Plan I, f°s 6 et 7 ; la contestation n'est pas possible sur ce point et l'argumentation de M. Dimoff n'a rien perdu de sa force ; 2° Plan II, f°s 3 et 5 ; 3° Plan III, f° 4. On retrouve, naturellement, un plan incomplet en 3 actes, mais restitué et placé autrement. A l'ordre du vicomte de Lovenjoul, dont le signe arithmétique est 3,5,5, à l'ordre de M. Dimoff, généralement admis jusqu'ici sous sa forme 3,3,5, je crois pouvoir raisonnablement substituer l'ordre inédit 5,5,3, qui me paraît serrer de plus près la vérité. Ce plan incomplet en trois actes, constitué par le seul f° 4, s'explique, au demeurant, d'une manière assez simple, par les mêmes raisons qui ont imposé leur évidence à M. Dimoff : les deux derniers actes du drame ayant trouvé d'emblée leur organisation et leur contenu quasi définitifs, — Varchi était, à cet égard, une mine qu'il suffisait de savoir exploiter —, Musset, économe de sa peine à son ordinaire, n'a pas jugé utile de les recopier sur le troisième plan, bornant son effort à remanier entièrement les trois premiers actes et comptant, pour les deux derniers, sur la mobilité des feuillets indépendants, dont il a fait un système pour toute la rédaction de sa pièce.

Mais il va de soi qu'une redistribution des feuillets d'un manuscrit fondé sur le seul examen des graphismes serait un travail singulièrement fragile et peut-être vain. Il est heureux qu'un faisceau serré d'arguments tirés de la critique interne des textes puisse, en seconde ligne, confirmer, voire exiger ce reclassement imposé par le jeu des écritures.

4. P. 149-166.
5. Pour être tout à fait précis, il faut même établir une distinction entre les deux listes : celle de droite est d'une écriture appliquée, signe d'un relevé soigneux et précis ; celle de gauche est écrite à la diable, avec parfois des finales en abrégé.

L'organisation en cinq actes du Plan III, tel que M. Dimoff le reconstitue, me paraît tout d'abord donner le spectacle d'une bizarre incohérence. On sait, en effet, que le f° 5 comporte, comme je l'ai rappelé plus haut, deux listes de noms propres, dont j'ai dit qu'elles n'étaient pas écrites de la même plume que le reste du feuillet. M. Dimoff a retrouvé sans peine, avec sa science coutumière, l'origine de tous ces noms : Musset a puisé dans Varchi à pleines mains ; sur les vingt et un noms cités, douze seront retenus, soit comme personnages actifs, soit comme personnes citées dans la rédaction définitive du drame. Mais le problème posé par ces listes est le suivant : pourquoi Musset éprouve-t-il le besoin de noter, pour mémoire et en cas de besoin ultérieur, sur le deuxième feuillet de ce Plan III, des noms de personnages, qui figurent déjà dans le premier feuillet de ce même plan ? Philippe, Pierre, Léon, Louise Strozzi et Julien Salviati occupent, en effet, leur place et leur fonction définitives dans l'économie du drame, telle que nous l'offre le f° 4 [6]. N'y a-t-il pas quelque illogisme à mettre en réserve, d'une plume au demeurant nouvelle et vraisemblablement postérieure à la rédaction globale du plan, des personnages qu'on a déjà mis en service et dont la liste nominative perd désormais toute utilité ?

Les choses deviennent au contraire limpides, dès lors qu'on redistribue les feuillets comme je l'ai proposé plus haut : Plan II, f°s 3 et 5 ; Plan III, f° 4. Il est en effet probable qu'insatisfait de ce deuxième plan, qui rappelle plus le premier plan qu'il n'annonce le troisième et le drame définitif, Musset a éprouvé le besoin de se replonger dans Varchi et d'y faire provision de faits et d'hommes susceptibles de nourrir les péripéties de son drame. Cet enrichissement se manifeste, entre autres, par des listes de personnages, auxquels sont liés des événements précis conservés par la chronique florentine [7]. On notera que la liste de gauche comporte des personnages appelés à jouer, à une exception près (Niccolo Strozzi), un rôle précis dans l'action dramatique, celle de droite des personnages secondaires, dont l'usage est peut-être déjà fixé dans l'esprit de l'écrivain, mais que le Plan III ne fait pas encore apparaître. Musset ne juge pas utile, en tout cas, de jeter ces noms sur un feuillet autonome ; les blancs du f° 5 suffisent à cet usage et facilitent la continuité de travail d'un plan à un autre. Se mettant aussitôt à la rédaction du Plan III, comme en fait foi la similitude de plume et d'écriture, Musset intègre à son plan cinq des six personnages de la liste de gauche : Louise Strozzi et Julien Salviati, Pierre et Léon Strozzi font, pour la première fois, leur apparition dans la pièce.

Quant au cas de Philippe Strozzi, il mérite d'être examiné à part ; on ne saurait, en effet, le considérer comme un personnage nouveau puisqu'il figure déjà dans les Plans I et II [8]. Toutefois on pourra remarquer qu'il intervient dans le Plan III sous une forme tellement insolite qu'il est impossible de la mettre au compte de la seule inadvertance ; il est des inadvertances qui se trouvent assez bien d'être soumises à un système cohérent d'explication. Alors que partout ailleurs Philippe Strozzi est désigné soit sous son seul nom de famille, soit précédé de son prénom, abrégé et traduit en français [9], il apparaît soudain, vêtu de son seul prénom, reproduit sous la forme hybride de « filippe » — orthographe italienne, désinence française —, dans le Plan III [10]. Etrange anomalie, irritante à souhait, qui ne reçoit d'explication satisfaisante qu'au cas où l'on veut bien admettre que le f° 4 est postérieur, dans le temps, au f° 5 et que les listes de

---

6. Philippe Strozzi : II, 5, p. 162, l. 25 ; III, 4, p. 164, l. 32 et 34 ; Pierre Strozzi : II, 1, p. 161, l. 16 ; Léon Strozzi : I, 4, p. 161, l. 10 ; Julien Salviati : I, 1, p. 160, l. 3 ; I, 4, p. 161, l. 10 ; II, 1, p. 161, l. 16 ; Louise Strozzi : I, 1, p. 160, l. 3 ; II, 5, p. 162, l. 24.

7. On notera à ce sujet que, contrairement à ce que la version imprimée pourrait laisser croire (cf. Genèse, p. 164 et 165, n.c. 39), la liste de droite est divisée en séquences homogènes séparées par des blancs : séquence Nasi ; séquence des gentilshommes au service du duc ; Palla Rucellai, écrit plus gros, isolé et souligné ; séquence des gentilshommes réunis après la mort du duc. Dans l'esprit de Musset, chaque séquence trouve son unité dans un épisode précis, dont l'auteur se réserve la possibilité de faire usage le moment venu. On sent là un travail sélectif, non un relevé mécanique et indifférencié.

8. Plan I : I, 3, p. 151, l. 18 ; II, 2, p. 152, l. 25 ; III, 4, p. 154, l. 44 ; Plan II : I, 4, p. 158, l. 14 ; II, 3, p. 159, l. 20 ; III, 4, p. 159, l. 29 ; V, 3, p. 166, l. 43.

9. « Phil. Strozzi » (Plan I : I, 3, p. 151, l. 18 ; II, 2, p. 152, l. 25).

10. II, 5, p. 162, l. 25.

noms qui y figurent ont servi à dessiner le nouveau visage des trois premiers actes de la pièce, tel que nous l'offre le f° 4. C'est assez dire qu'influencé par l'orthographe italienne sous laquelle il a consigné le prénom de Philippe Strozzi sur la liste de gauche du f° 5, Musset l'intègre sous cette forme dans le remaniement des trois premiers actes de son drame, sans trop se soucier de la conformité idiomatique du prénom ainsi rédigé.

Quant à savoir l'origine du lapsus qui l'a amené à italianiser l'orthographe d'un prénom jusqu'ici présenté sous sa forme française, il n'est que de reconstituer la démarche probable de l'écrivain au travail entre le deuxième et le troisième plan. Reprenant son Varchi dans la langue originale[11], y circulant en eau profonde pour y puiser les personnages et les faits dont il a besoin afin d'étoffer et d'amplifier son drame, il n'est pas étonnant qu'il finisse par s'en imprégner et que les graphies italiennes lui viennent naturellement sous la plume. Ainsi, sur la liste de gauche, si trois prénoms sont traduits[12], deux sont cités en langue originale (Niccolo, Lione) et le troisième sous sa forme à demi-italienne (Filippe) ; sur la liste de droite, pour 15 personnes citées, un seul prénom l'est en français[13]. Il ne faut certes pas chercher trop de logique dans une rédaction de travail, faite sans doute au courant de la plume et sans surveillance rigoureuse. Du moins, dans le système d'explication qu'autorise notre reconstitution de l'ordre des manuscrits, même l'inadvertance trouve sa place ; inadvertance de qui prend un bain de langue italienne et, passant d'une langue à l'autre, fait de Philippe Strozzi la victime involontaire d'une contamination orthographique, qui n'est du reste pas sans saveur.

Pour en finir avec ces questions orthographiques, il convient de dire un mot de l'orthographe assez aberrante donnée par Musset au prénom de son héros et des hésitations touchant la forme italienne ou française à donner au prénom de la tante de Lorenzo. On constatera, une fois encore, que notre réorganisation des manuscrits introduit quelque logique dans un domaine apparemment livré aux caprices de l'écrivain ou au hasard des circonstances. D'une manière générale, dans les trois plans de la pièce, Musset orthographie le prénom de son héros d'une manière presque toujours fautive : « Laurenzaccio » revient 11 fois dans le Plan I, « Laurenz. », forme abrégée de la précédente, 7 fois ; dans le Plan II, tel que le conçoit M. Dimoff, « Laurenz. » revient 13 fois ; dans le Plan III, les choses se compliquent en se diversifiant : on trouve « Laurenzaccio » une fois, « Laurenz » 5 fois, « Laurenzo » 2 fois, « Lorenzaccio » 2 fois, « Lorenzo » une fois. Que d'incohérence et de fantaisie ! Incohérence suspecte, au demeurant, car il n'est pas prouvé que la vérité, captée à sa source, s'accommode mieux de l'illogisme que de la limpidité. En joignant, au contraire, les f°ˢ 3 et 5 pour en faire le Plan II, les singularités retrouvent un aspect moins absurde. Ce plan présente, en effet, une entière continuité orthographique : Lorenzo de Médicis y apparaît 15 fois sous sa forme aberrante (et abrégée) : « Laurenz ». Quant au Plan III, formé du seul f° 4, il offre sinon l'homogénéité, du moins une certaine progression vers une orthographe plus idiomatique et mieux fixée. S'il est vrai que le prénom du héros de Musset tend à prendre, pour ne plus le quitter[14], sa forme italienne correcte, il nous est donné précisément d'assister à la métamorphose : dans les 2 premiers actes de ce Plan III, « Laurenz » et « Laurenzaccio » alternent entre eux et avec la forme nouvelle, mais toujours aberrante, « Laurenzo[15] » ; puis à l'acte III, tout rentre dans l'ordre ou plutôt s'organise selon un choix auquel la reprise en main du texte italien de Varchi n'a sans doute pas été étrangère ;

---

11. On sait que Musset a travaillé dans l'édition des « Classici Italiani », publiée à Milan (cf. *Genèse*, p. xix et xx).

12. Encore peut-on déceler, dans le ms., un *g.* sous le *J.* de Julien, amorçant, dans un premier mouvement, !a forme italienne : Giuliano.

13. Encore est-il précédé de sa forme italienne : Gugliemo (*sic*), biffée et remplacée par : Guillaume Martelli.

14. Encore que les ratures du ms. de la Comédie-Française soient instructives d'une certaine propension spontanée à écrire ce prénom italien selon une orthographe hybride, inspirée de l'orthographe française.

15. Cf. *Genèse*, p. 160, l. 3 ; l. 7 ; p. 161, l. 12 ; l. 15 ; p. 162, l. 19.

« Lorenzaccio » et « Lorenzo [16] » apparaissent tels qu'ils figureront dans la rédaction définitive de la pièce.

Même cohérence retrouvée en ce qui concerne le prénom de la tante de Lorenzo, lequel, à l'inverse de celui de son neveu, tend à se franciser et à recevoir progressivement sa forme familière de Catherine. Il est remarquable, à cet égard, que, c'est au moment précis où Musset corrige l'orthographe fautive du prénom de son héros qu'il substitue Catherine à la forme italienne Caterina, presque exclusivement employée jusqu'ici [17]. En constituant le Plan III du seul f° 4, on assiste derechef à la métamorphose du prénom en sa forme définitive : Caterina (I, 5, p. 161, l. 11-12, II, 3, p. 162, l. 19) puis Catherine, en surcharge de Caterina (II, 3, p. 162, l. 20-21) ; enfin « Catherine » définitivement installée, conjointement avec « Lorenzaccio » (III, 1, p. 163, l. 23-29). Cette harmonie satisfaisante, vous la verrez aussitôt s'effondrer dès lors que vous prolongez le f° 4 par le f° 5 ; vous retombez alors dans le jeu des fantaisies sans conséquence ou des inadvertances sans raison et vous retrouvez soudain, sur votre route, « Caterina, Laurenz » (IV, 1, p. 164, l. 36) inexplicablement embrassés. Il serait tout de même très singulier qu'un plan, dont on est fondé à penser qu'il nous rapproche de la conception définitive du drame, laissât quelques personnages, et non des moindres, dans une sorte d'indétermination flottante. Retrouver le mouvement créateur qui les fixe, pour ainsi dire, dans leur propre existence, c'est assurément témoigner pour la vérité.

Reste un dernier argument, que j'ai cru bon de réserver jusqu'ici, non qu'il soit plus spécieux ou, au contraire, plus décisif que les autres, mais parce qu'il ne prend toute sa valeur que préparé et épaulé par des arguments plus modestes de patiente critique interne. Il appartient en effet à la critique externe et il est d'abord si frappant qu'on est contraint de se défendre contre sa trop prégnante évidence. Il s'agit de deux taches jaunâtres, vaguement piriformes et d'aspect graisseux, d'environ deux centimètres de hauteur sur trois centimètres de large, et qui sont situées respectivement à huit centimètres des bords supérieur et inférieur du feuillet 3. Or, fait troublant, ces deux taches se retrouvent, forme pour forme et aspect pour aspect, sur le feuillet 5 ; mêmes coordonnées, superposition parfaite. Franchement, le doute n'est pas possible : les feuillets 3 et 5 ont été tachés ensemble par le même agent chimique. Par contre, le feuillet 4 est indemne de toute tache de cette nature et de cette forme. On pourra s'en faire une idée assez convenable en examinant la reproduction en fac-similé publiée ci-après. Que conclure de ces particularités des manuscrits, sinon que les feuillets 3 et 5 ont été assez longtemps appariés et superposés pour que les altérations propres à tous les manuscrits soumis aux aléas d'une destinée capricieuse les aient atteints tous deux ensemble ? Dans le même ordre d'idées, on peut

---

16. Cf. *Genèse*, p. 163, l. 27 ; l. 28 ; p. 164, l. 34. Une difficulté toutefois subsiste, qu'on ne saurait passer sous silence : pourquoi cette volte-face dans l'orthographe du héros précisément à l'acte III ? Je ne vois pas d'explication satisfaisante. Mais il n'est pas interdit d'émettre une hypothèse, fondée sur l'observation de certains faits. On se rappelle que les deux premiers actes du Plan III bouleversent assez sérieusement l'organisation prévue, à la même place, dans le Plan II ; il y a eu travail d'invention ; la documentation puisée dans Varchi a surtout nourri ces deux premiers actes. L'acte III, par contre, témoigne d'un travail beaucoup moins créateur : Musset semble avoir recopié, en le mettant au net, l'acte similaire du Plan II. Un examen comparatif ne saurait laisser de doute sur ce point. On peut même ajouter que le travail a été assez passif et automatique pour qu'une erreur d'inattention puisse s'y glisser : car il ne fait guère de doute que la scène 5, où paraît Scoronconcolo, n'est pas à sa place à l'acte III ; c'est à l'acte II qu'elle occupe cette cinquième place dans les Plans I et II (cf. *Genèse*, p. 153, l. 33 et p. 159, l. 22). S'avisant de son erreur, Musset a, du reste, rajouté Scoronconcolo, à sa place normale, à l'acte II (*op. cit.*, p. 162, l. 23), tout en omettant de biffer le nom du spadassin placé par inadvertance à l'acte III. Moins accaparé par le travail d'invention, il est assez vraisemblable que Musset a pu accorder une attention plus soutenue à quelques détails jusque-là négligés ; notamment à l'orthographe cohérente d'un prénom dont il a choisi de conserver la forme italienne. On devrait donc cette louable correction à un certain relâchement du travail proprement créateur. Simple hypothèse, je le répète, et que je propose avec toute la prudence qu'elle implique.

17. A une exception près : cf. Plan I : I, 3 (*Catherine* en surcharge de *Caterina*).

ajouter les précisions suivantes, résultant d'un examen minutieux à la loupe et
en transparence du manuscrit F. 968 : trois plis verticaux et un pli horizontal
au centre de la page se retrouvent, exactement superposables, sur les f°s 3 et 5 ;
par contre, le f° 4 comporte au moins cinq plis verticaux, auxquels s'ajoutent
d'autres plis en losange au centre et en triangle sur le côté droit du feuillet ;
j'ajoute que ces plis sont invisibles tant sur microfilm que sur reproduction en
fac-similé, mais que l'examen direct des manuscrits ne permet aucune contestation
sur ce point.

Certes, il faut convenir qu'on est là en présence d'arguments à la fois massifs
et friables. Pris en eux-mêmes et isolés d'une démonstration d'ensemble, ils
seraient assez peu probants ; car, après tout, on ignore les manipulations successives dont les feuillets en question ont été l'objet avant de parvenir entre les
mains du vicomte de Lovenjoul ; on ignore notamment où, quand et comment
ces taches ont été faites et ces pliages exécutés. Mais, épaulés par un réseau
serré d'arguments plus modestes, ces signes laissés sur le papier même prennent
soudain une éclatante valeur de preuve ; ils montrent nettement une direction,
déjà repérée par d'autres moyens. Il n'est plus permis dès lors de douter que
notre reconstitution des plans de *Lorenzaccio* ne soit la plus satisfaisante pour
l'œil et pour l'esprit, c'est-à-dire, en d'autres termes, la plus conforme à la vérité.

On trouvera ci-après, outre la reproduction en photocopie des manuscrits en
question, une lecture critique des trois plans de *Lorenzaccio*, dans l'ordre même
où nous les avons restitués. Quoique la version imprimée procurée par M. Dimoff
soit des plus minutieuses, je me suis avisé que ses lectures n'étaient pas toujours inattaquables et que, la plupart du temps, vraisemblablement par souci de
clarté, il ne tenait qu'un compte restreint des particularités d'orthographe ou
de ponctuation propres à Musset. S'agissant d'un manuscrit de travail, d'une
sorte de brouillon, à la publication duquel l'auteur n'avait sans doute jamais
songé, j'ai cru bon, pour ma part, de reproduire scrupuleusement et, si je puis
dire, passivement le texte brut, dans ses incohérences et ses scories même.
C'était, à mon sens, la seule méthode valable pour surprendre Musset la plume
à la main et sonder les arcanes de la nébuleuse d'où est sorti le chef-d'œuvre
que l'on sait. J'ai même cru devoir respecter systématiquement, dans la version
imprimée que j'en propose, les retours à la ligne, avec ou sans ponctuation, du
manuscrit. D'une manière générale, j'ai signalé dans les notes critiques toutes
les singularités du manuscrit, ratures, biffages, repentirs de plume, même les
plus insignifiants. Dès lors, en effet, qu'on publie un texte de travail, on devient
mauvais juge de ce qui offre ou non un intérêt et une signification. Chaque
fois que je me suis écarté de la version Dimoff ou de la leçon Gastinel [18], les
deux seules éditions qui, à ma connaissance, présentent toutes les garanties d'être
de première main et recueillies sur les manuscrits eux-mêmes, je l'ai ponctuel-
lement indiqué. J'ai fait suivre, enfin, avec beaucoup de prudence, cette nouvelle
édition des plans de quelques considérations proprement littéraires, susceptibles
d'éclairer l'idée, forcément subjective, que nous nous faisons de la genèse
interne de la pièce.

---

18. *Gastinel II*, p. 353-356.

TROIS PLANS DE « LORENZACCIO »

[PREMIER PLAN]

[f° 6]   Premier acte

————

I Sc. devant le Palais des Pazzi
deux soldats,
quelques bourgeois — ant° Fiamma — Laurenzaccio entre,
5   avec Ottavien — dispute — exit Laurenz — Anton^{io} seul — Arrest^{on}.
Giomo Fiamma arrive — entre Laurenz avec Ott^{en} et le Duc — réclamation
de Giomo — scène de l'épée — exit le Duc & Laurenz. Giomo resté
seul, — Laurenz honni — passe Julia Fiamma — discours
de quelques républicains.

10   ### 2 Sc. dans le Palais

Le Cardinal Cibo, Valori — arrivent Capponi, et Bindo. Exeunt
Card^{al} et Valori — on apporte Laurenzaccio — scène des républicains
devant le Duc — le Duc et Laurenzaccio restent seuls.

3 Sc. — le bord de l'arno

15   Maria Soderini, Catherine —
— Laurenz. Freccia — Bannis — passe Phil. Strozzi.
exit Laurenz & Frcc — Adieu des Bannis —

————————

Second Acte

————

1 Sc chez la C^{sse} Cibo

————

20   Le C^{al} C., Agnolo. — le Cardinal, la C^{sse} — la C^{sse} — Agnolo —
La C^{sse} le Duc. la C^{sse} —

(2) *le Palais* en surcharge de : *l'église.*
(3) Après la virgule, une ligne entière noircie et illisible.
(4) Avant *quelques,* plusieurs mots noircis et illisibles ; *Fiamma* en surcharge de *Rucellai ;*
 entre en surcharge de *passe ;* l'éd. Gastinel donne *Fiama.*
(5) *Anton^{io}* en surcharge de *Fiamma ;* avant *arrest^{on}* un mot biffé : *arrivent.*
(6) *Fiamma* en surcharge de *Ruccellai.*
(8) Après *seul,* un mot biffé et noirci ; M. Dimoff lit *bafoué ;* je lirais plutôt *outré ;* au demeurant, les deux leçons sont possibles simultanément : superposées, puis biffées par l'auteur.
 L'éd. Gastinel donne *Fiama.*
(10) Avant *dans le Palais,* leçon biffée : *chez Laurenz,* elle-même en surcharge d'une leçon
 primitive où je crois déchiffrer : *ruccellai.*
(11) Avant *arrivent,* 1re leçon biffée : *ils sortent.*
(11-13) Le texte de ces lignes est écrit au-dessus d'un texte primitif que Musset a biffé de
 longs traits horizontaux ; ce texte est le suivant : *Le Cardinal & Valori — Le Cardinal,
 Agnolo — le cardinal, La Csse Agnolo — la Csse ;* et un mot biffé et noirci,
 illisible à l'exception de l'article : *le.*
(15) *Catherine* est en surcharge d'une première leçon : *Caterina ;* à la suite de ce mot,
 1re leçon biffée que voici : *Capponi, les 2 rucellai, Laurenz.*
(16) Avant *Bannis,* un mot biffé, *Cateri,* surchargé par *Bannis ;* le tout devenu illisible, Musset
 a biffé cette leçon et a récrit le mot à côté.

phil Strozzi. les Moines.   2 Sc.

                                              3 Sc.

25   Le Duc, Laurenz — Freccia — le hongrois — Benvenuto
        Cellini

                                              4 Sc.
        la C^sse — la Duchesse — la C^sse le Cardinal. — le Duc

                                              5 Sc.
30   Laurenzaccio — Scoronconcolo

[f° 7]   Trois^e. Acte

                                          ⎯⎯⎯

                                          Sc. 1
        Maria Soder. — Caterina — Laurenzaccio.
        Message du Duc.

                                    ⎯⎯⎯⎯⎯⎯⎯

35   Sc. 2 les 2 Ruccellaï, 2 autres convives — à souper — Laurenzaccio.

                                          Sc. 3
        L'Eglise — Sermon du Cardinal.

                                          Sc. 4
        Chez les Moines — Strozzi — Laurenzaccio.

                                          ⎯⎯⎯

40   Quatrième Acte

                                    Sc. 1 — Carrefour —

        Le Duc, Laurenzaccio, à la chasse — la C^sse Cibo le
        Duc, — le Cardinal Cibo les surprend. — Exit le
        Duc — le C^al reste avec la C^sse — la C^sse — Laurenz.

45   Sc. 2

        Caterina, — Laurenzaccio.   ⎯⎯⎯

                                          ⎯⎯⎯

(25) Avant *Benvenuto*, 1re leçon biffée et noircie : *entre.*
(28) *Duchesse* en surcharge de *Reine.*
(32) A gauche de Sc. 1, 1re leçon biffée : *chez Ruccellaï.*
(33-34) La mention *Message du Duc* est dans l'interligne ; un trait horizontal énergique souligne
        la mention et sépare la sc. 1 de la sc. 2.
(36) Le *3* résulte de la transformation d'un *2* primitif ; ce qui est naturel, du moment où la
        sc. 2 est née d'une scission de la scène 1.
(38) *4* en surcharge de *3* ; même explication que ci-dessus.
(46) Caterina en surcharge de *Maria.*

Sc. 3

———

le Duc, s'habillant. laurenzaccio.

Sc. 4

50   La Cour — le hongrois.

Sc. 5

assassinat du Duc —

Cinquième acte

———

Sc. 1. Le peuple devant le Palais.
55   Sc. 2. l'Intérieur du Palais — arrivée de Côme —
Sc. — chez la C^{sse} Cibo —
Sc. 3. à Venise. Laurenzaccio chez Strozzi.
Sc. 4. Le Couronnement de Côme.

(56) Cette scène a été rajoutée après coup, sans numérotation.

[DEUXIÈME PLAN]

Acte I

—

Sc. I devant le palais — 2 soldats, bourgeois — pierre Mondella,
Laurenz — exit Laurenz. Mondella seul — arrest^{on} — Jean Mondella
rentre Laurenz avec le Duc. — Scène de l'épée — exit
5 Laurenz & le Duc — Mondella — passe Juliette. Benvenuto
Sc. II. adieux de la C^{sse} à son mari.
la C^{sse}. Le Cardinal. — le Cardinal, agnolo. agnolo, la
C^{sse}. —

Sc. III. Valori, le Duc. Ser maurizio. on apporte
10 Laurenz. — Le Cardinal, Valori.

Sc. IV. le bord de l'Arno. Maria Soderini, Caterina.
Freccia. — Laurenz. — bannis. — Strozzi — adieux
des bannis —

Acte II

15 Sc. I. La C^{sse} la duchesse — le Cardinal — la C^{sse}, le Duc.

Sc. II. Maria, Cateri, Laurenz. — Laurenz — Capponi
Bindo. — Scène des républ. — le Duc —

Sc. III. les Moines Strozzi.

Sc. IV. Confession —

20 Sc. V. Scoronconcolo —

Acte III

Sc. I. Le Duc, Laurenz, sommeillant. — Freccia chantant,
Benvenuto, le Duc Laurenz —

Sc. II. Le sermon dans l'Eglise.

25 Sc. III. La chasse. Le Duc, Laurenz. la C^{sse}.
Le Cardinal. — Le C^{al}, la C^{sse} — la C^{sse}, Laurenz.

Sc. IV. chez les Moines, Strozzi, Laurenz.

Acte IV

—

Sc. I. Caterina, Laurenz.

30 Sc. II. Le Duc, le Hongrois. Laurenz — souper —

(3) *Jean* en surcharge d'un mot commencé ; sans doute « *gio...* », forme italienne du prénom,
à laquelle Musset a préféré la forme française.
(5) *Laurenz* en surcharge d'un mot commencé : sans doute *Mon[della]* ; *Benvenuto* semble
rajouté après coup, d'une écriture un peu différente et hors alignement.
(6) Avant *adieux*, 1re leçon biffée : *Le Cardinal, Val[ori]*.
(10) *Le Cardinal* en surcharge de : *Laurenz* ; le Duc, avant *Valori*, 1re leçon biffée dont on lit
les deux premières lettres : *fr[eccia]*.
(15) *La duchesse* rajoutée après coup, au-dessus de la ligne et de travers.
(16) Après *Sc. II*, 1re leçon biffée : *Capponi, Bindo* ; les mots *Maria, Cateri[na]* ont été écrits,
en remplacement, dans l'interligne inférieur.
(22) M. Dimoff lit *cherchant* ; il n'est pas douteux, à mon sens, qu'il y ait *chantant* ; l'éd.
Gastinel porte également *chantant*.
(24) Après *Sc. II*, 1re leçon biffée et noircie : *La chasse* ; M. Dimoff lit : *les Strozzi* ; ni la
graphie parfaitement identifiable des *ss*, ni l'absence de point sur l'*i* n'autorisent cette
lecture ; au demeurant la famille Strozzi n'apparaît qu'au troisième plan ; seul Philippe
figure sur les deux premiers plans. Ma lecture a d'autre part l'avantage de s'expliquer
simplement : Musset a d'abord inscrit *la chasse* ; puis, se ravisant, il remplace cette
notation par une autre, incompatible avec la première ; dès lors, il réserve *la chasse*
pour la scène suivante.
(29) Le *C* de Caterina est en surcharge d'un *M[aria ?]*.

Sc. III. la place — le hongrois.
Sc. IV. le coup —

Acte V
Sc. I. le palais.
35   Sc. II. chez la C^sse. retour de Cibo
Sc. III. Venise. Laurenz, chez Strozzi.
Sc. IV. Couronnement de Côme.

[Listes de noms figurant sur le f° 5]

[Liste de gauche, située sur la moitié inférieure du feuillet « filippe
Strozzi » chevauchant la ligne médiane]

38   filippe Strozzi
pierre Strz
40   Niccolo Strozzi
Lione Strozzi
    prieur de Capoue
Julien Salviati
Louise Strozzi

[Liste de droite, située sur l'ensemble du côté droit du feuillet et
répartie en 4 groupes distincts séparés par des intervalles inégaux]

45   Guillaume Martelli
beaupère Nicolo Nasi.
    a Marietta

——

Lionetto Attavanti
Luca Mannegli
50   Lorenzo Pucci
filippo Valori

Palla Rucellai.

——

alamanno Salviati
    débauché
55   pandolfo. Martegli
filippo Mannelli
    dit Barbuglia
Antonio Niccolini
    dit Capecchio
60   Batista Venturi
Bartolommeo Rontini
Bertoldo Corsini
provveditore de la forteresse.

(32) 1re leçon biffée et noircie : assassi[nat].
(34) le laisse deviner un l' primitif : peut-être l'[intérieur du Palais], comme en V, 2, du
Plan I.
(40) Rajouté après coup dans l'interligne et de travers.
(41) Une légère hésitation sur la forme italienne ou française à donner au prénom se remarque
sur le i de Lione, qui a l'épaisseur d'un e.
(43) Le J de Julien en surcharge d'un G, amorçant sans doute G[iuliano].
(45) 1re leçon biffée : Gugliemo.
(46) beaupère [sic] rajouté après coup et d'une encre très pâle.
(52) Ecrit plus gros, largement, souligné d'un trait énergique et nettement isolé, on sent le
désir de lui faire un sort particulier.
(57) dit semble rajouté après coup et légèrement déporté vers la gauche.

[TROISIÈME PLAN]

Acte I

———

Sc.   I. sortie du bal — bourgeois — le duc sort, avec
         Laurenz — (Benv.) Louise — julien.
Sc. II. adieu de la Cˢˢᵉ à son mari — la Cˢˢᵉ le
5   Cardinal — le Cardinal, agnolo, — agnolo la Cˢˢᵉ —
Sc. III. Valori, le Duc, le Cardinal Laurenzo. —
         le Cardinal, Valori. (dans la cour du palais — manège, scène de
         l'épée)
Sc. IV. Léon Strozzi —, Julien Salviati.
Sc.   V. le bord de l'Arno — Maria Soderini,
10   Caterina — Laurenzaccio, freccia — bannis —
         Adieux des bannis.

                    Acte II

———

Sc.   I. Laurenz chez les Strozzi, Capponi, nouvelle de la mort de Julien,
         on vient saisir pierre Strozzi.
15 Sc. II. La Duchesse, la Csse — le cardᵃˡ, le Duc.
Sc. III. Maria Soderini, Caterina, Laurenzo — Scène des
         républicains — le Duc ; (il voit Catherine)
Sc. IV. la Confession.
Sc.   Scoronconcolo —
20 Sc.   V. Chez les Strozzi. Mort de Louise. départ de
         filippe —

(2) Le *a* de *avec* en surcharge de *et*.
(3) (*Benv*.) rajouté après coup dans l'interligne supérieur.
(2-5) Un trait de plume vertical réunit les deux premières scènes entre elles.
(10) Le *L* de *Laurenzaccio* en surcharge de *F[reccia ?]* ; avant *bannis*, quelques lettres biffées
    et noircies, difficilement lisibles ; je crois lire *Str[ozzi]*.
(13) Après *Sc. I*, 1ʳᵉ leçon biffée et noircie : un mot commençant par *L* ; M. Dimoff propose
    Les ; c'est peu probable, compte tenu de la manière habituelle dont Musset forme les *s*
    en fin de mot ; d'autre part, on comprend mal que l'auteur ait biffé un mot pour le
    répéter dans l'interligne supérieur (« Laurenz chez *les* »). Je propose, pour ma part, de
    lire : *L[oui]s[e]* ; cette lecture présente un double avantage : 1º Elle tient compte des
    habitudes d'écriture de Musset ; l'*s* en position intervocalique, tel que Musset le forme,
    correspond assez bien au mouvement ascendant esquissé par la dernière lettre (inache-
    vée) de ce mot biffé ; l'inachèvement du mot explique également l'absence du point
    sur l'*i*, habitude à laquelle Musset est ordinairement fidèle ; 2º Elle permet de justifier
    la 1ʳᵉ leçon biffée, ligne 14, qui ne saurait faire de doute : c'est bien *la* qu'il faut lire ;
    la ne peut être que Louise, jugée moralement responsable de la mort de Julien. Les
    mots *Laurenz chez les* sont écrits dans l'interligne supérieur, tout comme Capponi, lui-
    même précédé d'un mot entre parenthèses, biffé et noirci ; je crois déchiffrer :
    rep[ublicains].
(14) Après *vient*, 1ʳᵉ leçon biffée : *la*.
(15) *Card* en surcharge de *Duc* ; avant *le Duc*, l'article *le* biffé, suivi d'un mot raturé illisible.
(17) Le *v* de *voit* en surcharge d'un *a[perçoit ?]* ; *Catherine* en surcharge de *Caterina*.
(18) Article *la* rajouté après coup, en petits caractères.
(19) La mention *Sc*. est tachée d'encre ; *Scoronconcolo* est dans l'interligne, en petits carac-
    tères et d'une encre très pâle.

Acte III

———

Sc.   I.   Sc.   I.   Le Duc, Lorenzaccio sommeillant — freccia chantant
              Benvenuto — le duc, Lorenzaccio parlent de Catherine.

25   Sc.   II.   Sc.   II.   la D^{sse} — la C^{sse} — le Duc.

Sc.   III.   Sc.   IV.   Strozzi chez les Moines.

Sc.   IV.   Sc.   III.   La chasse.

Sc.   V.   Sc.   V.   Scoronconcolo —

Sc.   VI.   Strozzi, Lorenzo.

[Indications marginales]

[En haut du feuillet, à droite de : acte I]

30   Francesco Pazzi   Tommaso Strozzi
          Rue des Archers   masaccio

[En bas, à droite, à la hauteur de la scène 3 du 3ᵉ acte]

Innocenzo Cibo Malaspina

            fils d'une sœur de Léon X.
Giovan Baptista Cibo

archeveque de Marseille

(23) Cf. Plan II, n. 22.
(24) Avant *parlent* une rature, qui ressemble à une parenthèse qu'on ferme et qui aurait été
     biffée.
(23-29) La numérotation des scènes est doublée ou plutôt précédée d'une surnumérotation,
     tracée d'une écriture nettement différente, que Musset a pris soin d'entourer d'un trait
     de plume circulaire, comme pour lui donner le pas sur la numérotation primitive.
(25) Hormis l'article *la*, tous les mots de cette scène sont écrits dans l'interligne supérieur,
     au-dessus d'une 1re leçon biffée, noircie et réputée illisible par M. Dimoff ; par compa-
     raison avec la scène similaire du 2ᵉ plan (acte III, sc. 11), je crois pouvoir restituer ainsi
     le texte biffé : *Sermon dans l'Eglise* ; la longueur de l'indication, la nette lisibilité d'un
     d[ans] central, la forme même des ratures (dessinant le modelé du mot *Eglise*), la
     logique, enfin, de cette indication à cette place sont autant d'arguments propres à
     appuyer cette reconstitution de l'illisible.
(28) *Scoronconcolo* semble avoir été écrit sur les ratures d'un mot primitif impossible à
     reconstituer ; un trait horizontal long et énergique, immédiatement à droite de ce mot,
     semble indiquer la fin de l'acte. Sur la place insolite de cette scène, je partage entiè-
     rement le point de vue de M. Dimoff (cf. *Genèse*, p. 164, n. 3).
(29) Mention rajoutée après coup dans une écriture différente ; de toute évidence, le gra-
     phisme est identique à celui des numéros encerclés ; droit et appliqué.
(30-31) Ces indications sont de la même plume que le reste du feuillet ; la mention *rue des
     Archers* pourrait se lire : *Un des archers* (cf. *Théâtre*, p. 215) ; mais des deux premières
     lettres de *Archers* sont en surcharge des deux lettres suivantes : *Ba* ; il s'agit naturel-
     lement de l'amorce du mot italien *Balestrieri*, tel que Varchi le fournissait à Musset
     (cf. *Genèse*, p. 36, l. 959 : « ...sbocca nella via de Balestrieri ») ; dans ces conditions, la
     lecture *rue des Archers* ne permet aucune contestation.
(33-34) Cette mention est d'une plume un peu différente, plus appliquée et plus pointue.
(35-36) Cette mention est d'une plume entièrement différente, très soignée et surtout beaucoup
     plus maigre. M. Dimoff croit pouvoir identifier la source ou plutôt les sources de cette
     note : mélange, écrit-il, d'« indications prises à Varchi et au *Dictionnaire historique* de
     Moreri » (p. 163, n. 3). Je pense qu'il n'en est rien et que la source est à chercher du
     côté des *Mémoires* de Cellini. On se reportera au chapitre du présent ouvrage consacré
     à l'examen de cette source importante.

Trois plans

de

" Lorenzaccio "

Premier acte

1 Sc. devant le Palais des Pazzi

[biffé] des pédants, [biffé] quelques bourgeois — art [biffé] Lorenzaccio [biffé] avec Octavien — dispute — [biffé] Laurence — [biffé] il [biffé] [biffé] Giomo [biffé] arrive — arte Lorenz avec Ott et le Duc — [biffé] de Giomo — feu de l'épée — sort le Duc et Laurenz. Giomo est seul, [biffé] — Laurenz, Louise — passe Julie Frama — discours de quelques républicains. —

Le Cardinal Cibo, valet 2 Sc. [biffé] le Palais [biffé] le Cardinal [biffé] [biffé], servant Capponi et Bride. [biffé] [biffé] valet — lui apporte [biffé] — [biffé] [biffé] [biffé] le Cardinal [biffé] — le Pape et Lorenzaccio [biffé] [biffé] [biffé] [biffé] [biffé]

3 Sc. — le bord de l'Arno

Maria Soderini, Catherine — [biffé] [biffé] — Laurenz, Freccia — [biffé] Bannis — passe Phil. Strozzi dit Lorenz et Freccia — Adieu des Bannis

Second acte

1 Sc. chez Philip Cibo.

Le Cardinal Cibo, Agnolo — le Cardinal, le [biffé] — la [biffé] — Agnolo — la [biffé] le Duc. le [biffé]

2 Sc.

Phil. Strozzi. les bannis.

3 Sc.

le Duc, Laurenz — Freccia — le bourgeois — [biffé] Benvenuto Cellini —

4 Sc.

la [biffé] — la [biffé] la [biffé] le Cardinal. — le Duc

5 Sc.

Lorenzaccio — je vais en cour

Troisième Acte

Sc. 1.
Maria fedis — Caterina — Lorenzaccio.

C2 les 2 Ruccellai, l'autre cousins — à souper — Lorenzaccio.

Sc. 3.
à l'Eglise — Sermon du Cardinal.

Sc. 4.
Alph. Strozzi — Strozzi — Lorenzaccio.

—

Quatrième Acte
Sc 1 — Canzon —
Le Duc, Lorenzaccio, à la chasse. — la Cfft libo le
Duc p. le Cardinal libo les Nyprend. — lait le
Duc — le Cd retoew. la Cft — la Cfft — Lorenz.

Sc. 2.
——
Caterine, — Lorenzaccio.

——
Sc. 3

le Duc, 1'l'habitant. Lorenzaccio.
Sc. 4.
La cour — le Strozzi.
Sc. 5.
assassinat du Duc. —

Cinquième acte

Sc. 1. le peuple devant le Palais.
Sc. 2. l'Interieur du Palais — arrivée de Côme —
Sc. 3. à Venise. Lorenzaccio chez Strozzi.
Sc. 4. le couronnement de Côme.

—

Acte 1   2.º 7.ᵇʳᵉ

Sc. I. .... — ...., ...,
.... — .... — ....
.... — .... — .....
.... — .... — .... Benvenuto

Sc. II. ~~..............~~, ... de la C.ᵗᵉˢ ....
le C.ᵗᵉ. Le Cardinal. — Le Cardinal, ..., la
C.ᵗᵉ. —

Sc. III. Valori, le Duc, ..., on ....
.... — ~~.............~~ ..... Valori.

Sc. IV. Le .... del Arno. Maria ....; Caterina
.... — .... — .... — Strozzi — ....
... . — .

      Acte II

Sc. I. La C.ᵗᵉ .... — le Cardinal — la C.ᵗᵉ, le Duc.

Sc. II. ~~............~~ ...., ... — .... — ....
.... — .... — ....
Sc. III. .... Strozzi —
Sc. IV. .... —
Sc. V. .... —

      Acte III
Sc. I. Le Duc, ..., ... — ....
Benvenuto — le Duc ....
Sc. II. ~~............~~ Le .... dans l'Église.
Sc. III. La Chapelle. Le Duc, ..., la C.ᵗᵉ.
le Cardinal. — Le C.ᵗᵉ, la C.ᵗᵉ — ..... C.ᵗᵉ, ...
Sc. IV. Chez le ...., Strozzi, ...

Acte IV

Sc. 1 ulhatonia, Lautrec.
Sc. 11. le Duc, les Strozzi.
Sc. 111 la place — les Strozzi.
Sc. IV ~~~~~~ le camp —

Acte V

Sc. 1 le palais.
Sc. 11 chapla Cth. retour de Cibo
Sc. III. Venise. Lautrec, chez Strozzi.
Sc. IV canionnement de Côme. Pella Racellai.

filippo Strozzi
pien Stro
nicolo Strozzi
Leone Strozzi
piria de Capon

Quilien Salviati

louise Strozzi

Gaspano
Giuliano Strozzi
Nicolo Nasi
Luigi — son fils Leonardo

Lionetto atavanti
Luca Mannegli
Lorenzo Pucci
filippo Valori

alamanno Salviati
Sbaul
pandolfo Marteghi
filippo Mannelli
dit Barbaglia
Antonio Niccolini
dit capentin
Batista Venturi
Bartolomno Rontini
Bertoldo Corfini
provreditore dlaforza

Acte I *Francesco Molti complot, strozzi, / un des Pazzi ... massacre!*

[Sc. I. Sortie de bal — bourgeois — le duc fort, ...
Lorenzo (Brutus) ? Juif. Julien.

Sc. II action de la Cte à ... main — La Cte le
Cardinal — le Cardinal, ... la Cte

Sc. III — Valori, le Duc, le Cardinal. Lorenzo. —
le Cardinal, Valori. (dans la cour du palais — manège; dans le
(l'épée)
Sc. IV — Léon Strozzi y Julien Salviati.

Sc. V. le bord de l'Arno — Marie je désire,
Caterina — ... , procès — ... bannis —
adieu des bannis.

Acte II.

Sc. I. ... Strozzi, ... de la mort de Julien, on
vient de saisir frère Strozzi.

Sc. II La Duchesse, la Cte le ..., ... le Duc.

Sc. III Marie Salviati, Caterina, Lorenzo — ... des
républicains — le Duc; (il avait Caterina).

Sc. IV. la Confession.

Sc. V. Chez les Strozzi. mort de Louise. départ de
filippo —

Acte III

Sc. I Le Duc, Lorenzaccio ... — procès ...
Benvenuto — le Duc Lorenzaccio ... palais de Caterina.

Sc. II la ...

Sc. III La chasse.

Sc. IV Strozzi chez les moines.

Sc. V — Lorenzaccio —
Strozzi, Lorenzo.

Innocenzo Cibo malaspina / fils d'un ... de Léon X / Giova Baptista Cibo / archevêque de marseille.

RÉFLEXIONS ET BILAN

Cette restitution faite, il convient d'en tirer, s'il se peut, les enseignements les moins contestables. Avant tout, comme M. Dimoff a déjà très amplement défriché le terrain tant dans l'introduction que dans les notes abondantes dont il a assorti son édition des trois plans [1], on voudra bien admettre que je doive borner strictement mes observations aux seuls points où mes lectures et mes supputations me séparent de ses propres conclusions. Je conçois, d'autre part, que refaire la genèse interne d'une œuvre littéraire à partir de documents bruts et, pour ainsi dire, passifs, dont on n'est pas sûr au demeurant de posséder la totalité, est une entreprise souvent hasardeuse. Du moins peut-on tenter, avec prudence, de se représenter la démarche non point tant poétique qu'artisanale de Musset au travail. Sous ce rapport, la restitution que j'ai proposée peut nous permettre d'assurer nos prises et d'établir sur quelques fondements solides les inévitables bonds de l'imagination.

Au point de départ, l'écrivain, comme on sait, dispose, en toute propriété, de la scène historique de George Sand ; son principal souci semble avoir été d'emblée de l'utiliser à fond, tout en cherchant sans cesse à s'en distinguer autant qu'il se peut. Attitude paradoxale, certes, et qui trahit, à l'origine, une certaine hésitation dans la conception et l'esthétique du drame en chantier. C'est ce dont témoigne clairement le premier des trois plans que nous possédons.

D'une part, en effet, Musset conserve soigneusement les six scènes d'*Une conspiration en 1537*, qu'il répartit dans son propre drame en fonction d'une conception plus large, d'un univers théâtral plus ouvert et dans une division très classique en 5 actes où l'ample matière historique se laissera brasser plus à l'aise : scène de l'épée (I, 1) ; scène des républicains devant le duc (I, 2) ; scène du spadassin (II, 5) ; scène du départ du duc pour le rendez-vous galant (IV, 3) ; scène de plein air qui précède l'assassinat (IV, 4) ; scène de l'assassinat (IV, 5). Mais, dans le même temps, Musset semble s'ingénier à apporter à la plupart de ces scènes des modifications de détail souvent importantes, comme pour se donner bonne conscience et se prouver à lui-même qu'il fait œuvre non de plagiaire, mais de créateur. Ainsi en va-t-il, par exemple, de la scène de l'épée, que Musset situe en plein air, dans la rue, devant le palais des Pazzi, en présence de personnages inconnus de la scène historique de G. Sand (Ottavien de Médicis, Giomo Fiamma). Là où G. Sand suggérait, mais pour l'éliminer [2], l'idée de rapporter Lorenzo évanoui chez sa mère, Musset retient l'indication (I, 2) ; encore en fausse-t-il entièrement l'esprit en faisant rapporter Lorenzo au Palais, au moment de la visite de Bindo et de Capponi chez le Duc. Ainsi se trouve également transformée la scène des républicains, qui n'a plus pour cadre la maison des Soderini, comme chez G. Sand [3], mais le Palais, où les deux républicains croisent, non plus Marie et Catherine, mais le Cardinal et Valori. Il n'est pas jusqu'à la courte scène 4 de l'acte IV, qui ne comporte sa petite modification de principe ; là où G. Sand titre : « La Place Saint-Marc » [4], Musset note : « La Cour » ; il reviendra, du reste, à « la place », mais dans le Plan II.

Cette passion de se distinguer de son modèle entraîne également Musset à chercher ailleurs que chez Varchi des sources d'inspiration ; les « Mémoires » de Cellini, notamment, ont laissé des traces importantes, non seulement dans la version définitive, comme j'ai eu l'occasion de le montrer, mais dès le premier travail de recherche qui nous a été conservé. Il ne fait pas de doute que l'inspiration cellinienne est à chercher aussi bien dans les scènes où Benvenuto figure nommément que dans de menus détails qui concernent des personnages épisodiques ; Fiamma, Ottavien de Médicis, Agnolo témoignent entre autres d'une

---

1. Voir *Genèse*, p. XLVI-XLVIII et p. 149-166.
2. *Genèse*, p. 99, l. 323-331.
3. *Genèse*, p. 100, l. 354 sq.
4. *Genèse*, p. 131, l. 1066.

lecture récente et attentive de la « vie » de Cellini par lui-même ; on se reportera au chapitre de cette étude, où je me suis expliqué sur tous ces points. En tout cas, tant d'obstination à glisser Benvenuto là où sa présence ne semble rien moins qu'indispensable trahit le désir de faire honneur à un homme et à une source qui ne semble pas avoir été connue ou du moins retenue par sa devancière.

Mais, dans le même temps qu'il cherche à se donner des garanties extérieures d'originalité, Musset a déjà avec précision fixé les contours et conçu la trajectoire de son drame : cinq actes, sans doute, parce que ce nombre est d'essence quelque peu magique pour l'amateur de théâtre sérieux et de tradition classique ; mais il en fait l'usage le plus efficace. En inventant de toutes pièces le 5ᵉ acte, dont il n'existe qu'un élément potentiel dans *Une conspiration en 1537* [5], en donnant à l'événement historique une prolongation dans le temps qu'avait ignorée George Sand, Musset n'étend pas seulement les circonstances de la pièce aux dimensions d'un drame historique. En couronnant un édifice inachevé, il modifie entièrement la perspective historique dans laquelle se situe l'assassinat d'Alexandre. La ligne de partage entre le héros tonique de George Sand et le héros désespéré de Musset passe par ce terrible cinquième acte, déjà fortement charpenté dès ce premier plan. En inscrivant l'action du héros à l'intérieur d'une succession dynastique qui en annule entièrement l'effet, Musset invente la part la plus personnelle de sa pièce : une forme théâtrale qui porte en elle-même, par le seul jeu de son déroulement progressif, la leçon politique et philosophique qu'implique l'événement mis en scène. L'exacte superposition de chacune des scènes de l'acte I et de l'acte V de ce premier plan suggère du reste fort nettement cette structure significative, d'emblée conçue et mise en forme. A la scène première, — « devant le Palais des Pazzi », — du premier acte correspond la scène première du cinquième acte, sur le même décor. Même décor, même envers du décor, pourrait-on dire, — « l'intérieur du Palais », — pour les scènes 2 du premier et du cinquième acte. Au passage de Philippe Strozzi, sur les bords de l'Arno (I, 3) répond la rencontre de Lorenzo avec le même Philippe Strozzi, à Venise (V, 3) ; au pathétique adieu des Bannis (I, 3) font écho les fanfares du couronnement de Côme (V, 4) ; une scène « chez la comtesse Cibo », ajoutée dans l'interligne qui sépare les scènes 2 et 3 du 5ᵉ acte, appelle à l'existence une scène similaire au 1ᵉʳ acte ; ce sera chose faite dans le Plan II, où des « adieux de la Comtesse à son mari » seront balancés par une scène du 5ᵉ acte qui est son exact pendant : le « retour de Cibo » (V, 2). Cet emboîtement parfait du 1ᵉʳ acte et du 5ᵉ acte, que le schématisme propre à un plan met mieux à nu qu'un texte composé, fait apparaître sans équivoque le paradoxe qu'offre, à tous les stades de sa rédaction, une pièce où la rigueur la mieux maîtrisée dans la conception d'ensemble s'allie à la plus constante incertitude dans l'invention et la mise en place du détail. Le génie de Musset dans *Lorenzaccio* consistera même, pour une part, à corriger l'improvisation par la virtuosité.

A plus d'un point de vue, le Plan II apparaît, ainsi que l'a remarqué M. Dimoff [6], comme un remaniement et une mise au point du premier plan. Toutefois, je considère que ce remaniement concerne l'ensemble du plan et non pas seulement les trois premiers actes. Il n'est pas douteux, en effet, que, dans une certaine mesure, Musset a été incommodé par la souplesse même de la méthode de composition en scènes séparées et discontinues que lui imposait l'ample matière dramatique qu'il avait à manier. Il est donc assez naturel qu'il ait cherché à donner autant que possible place fixe et structure précise à ce qui risquait de n'être que poussière de tableaux indépendants les uns des autres. A cet égard, les deux derniers actes n'ont offert que peu de difficultés. Très tôt ils ont trouvé leur rythme ; et Musset, dans le Plan II, s'est contenté d'ajustements de détail. Ainsi, par exemple, a-t-il « remonté » à l'acte III (scène 3) une scène de chasse qui risquait de distraire l'intérêt du lecteur à l'instant décisif. Du coup, l'acte IV, réduit à quatre scènes, prend une rigueur d'épure : Sc. 1, l'appât ; Sc. 2, le

5. « Et toi, prends la clef de cette chambre. Je veux la porter à Venise à notre Strozzi » (*Genèse*, p. 144, l. 1403-1404).
6. *Genèse*, p. 157, n. 1.

départ ; Sc. 3, le piège ; Sc. 4, le coup. On retrouve une concentration assez analogue dans le cinquième acte, lui aussi réduit à quatre scènes : une scène pour évoquer les lendemains de l'assassinat (sc. 1, le palais), une scène pour en finir avec l'intrigue Cibo, déjà fortement charpentée (quatre scènes dans le Plan I, cinq dans le Plan II, six dans la rédaction définitive) ; une scène pour clore l'intrigue Strozzi (mais peut-on parler ici d'une « intrigue Strozzi » ? Elle ne comporte, dans le Plan II, que quatre scènes, alors qu'elle en comptera treize dans la rédaction définitive) ; un tableau final pour évoquer la nouvelle situation dynastique et dresser (ou plutôt déposer) le bilan politique de la pièce.

Dans le même temps, Musset tâche à fixer et à parfaire ce qui peut l'être dans les trois premiers actes, mais sans rien inventer de vraiment neuf. La scène de l'épée n'a pas encore trouvé ou plutôt retrouvé l'équilibre interne que lui avait donné G. Sand. Mais voici que son décor se met en place progressivement (I, 3) : Valori, le Duc, Ser Maurizio, — le témoin, l'arbitre, le provocateur —, sont là, en attente ; dans le Plan III, Musset n'aura plus qu'à glisser la victime sous leurs regards croisés. L'adieu des Bannis a trouvé, de son côté, sa place définitive, en fin de premier acte ; seuls en seront chassés les hôtes importuns ou inutiles : Strozzi, dès le Plan III, Lorenzo et Freccia dans la version définitive. La scène des républicains devant le Duc a, quant à elle, renoué avec son modèle. Musset s'est rendu à l'évidence et lui a redonné le cadre, la structure, la valeur que cette scène avait dans *Une conspiration en 1537*. Sans doute le poète s'est-il souvenu qu'on pouvait être original aussi dans l'imitation. Quelques tableaux secondaires se précisent ou trouvent momentanément un emplacement stable : la confession (II, 4 du Plan II) remplace une scène au contenu très indécis (II, 4 du Plan I) ; la scène du spadassin se confirme en fin du deuxième acte. Quant au troisième acte, qui était singulièrement vide de substance et d'intérêt dramatique dans le premier plan, Musset entreprend de lui donner quelque consistance, en empruntant aux actes contigus : une scène avec Benvenuto, qu'il retire de l'acte II ; une scène de chasse qu'il prélève sur l'acte IV ; encore s'avise-t-il d'intercaler une scène « laïque » et mondaine entre deux scènes à décor religieux, comme le montre à l'évidence la correction de la ligne 24, pour laquelle je ne propose pas la même lecture que M. Dimoff.

Mais cette méthode d'enrichissement est évidemment dangereuse, car elle appauvrit d'autant les actes sur lesquels est opérée la ponction. Musset se rend bien compte qu'il lui faut une réserve de sang frais. C'est en remontant à la source que cette réserve pourra se constituer ; en l'occurrence, la source se nomme Varchi. Encore faut-il localiser la carence et irriguer le point faible. Musset n'hésite guère : le point faible porte le nom illustre des Strozzi. Qui est donc, en effet, Philippe Strozzi, tant dans le premier que dans le deuxième plan ? une ombre, un être déraciné, désincarné, sans lien avec l'action à laquelle son nom se trouve mêlé ; une silhouette solitaire, qu'on regarde passer sur les bords de l'Arno ; et, loin de s'affirmer au fil des actes, cette silhouette s'évanouit peu à peu, en quittant prématurément les lieux où se joue l'action : chez les moines (Plan I : II, 2 ; III, 4 ; Plan II : II, 4 ; III, 4) ; puis à Venise (Plan I : V, 3 ; Plan II : V, 3). Il faut, à la lettre, inventer les Strozzi ; et, tant qu'à faire, amasser une réserve de personnages dont les silhouettes animeront une action dramatique qui concerne précisément tout un peuple. D'où les listes de noms du f° 5 : celle de gauche, qui regarde les Strozzi ; celles de droite les personnages et les épisodes mis en réserve. Avant d'entamer un troisième plan, rendu nécessaire par l'impasse où l'enfermait le Plan II, Musset a clairement compris qu'il ne pouvait progresser qu'en se renouvelant et non plus seulement en redistribuant, fût-ce parfois avec bonheur, une matière trop appauvrie.

Le troisième plan témoigne précisément de ce renouveau non point tant de l'inspiration que de la documentation ; et comme cette documentation ne concerne qu'accessoirement les deux derniers actes, jugés satisfaisants dans leurs grandes lignes, Musset n'éprouve pas le besoin de recopier ce qui est fait ; il bornera son effort à reprendre ce qui mérite de l'être, c'est-à-dire les trois premiers actes.

C'est naturellement Philippe Strozzi qui sera le principal bénéficiaire de l'opération. D'abord, il n'est plus seul, mais chef d'un clan, patriarche d'une famille. Les Strozzi font leur apparition dans le drame. Outre Philippe, trois sur quatre des Strozzi figurant sur la liste du f° 5 trouvent leur emploi définitif : Pierre (II, 1), Léon (I, 4), Louise (I, 1 ; II, 5). C'est là une nouvelle preuve que la lecture de M. Dimoff : les Strozzi (Plan II, ligne 24, première leçon biffée après « Sc. 2 ») est à peu près impossible. Il est bien improbable, en effet, qu'ayant eu l'idée féconde du clan Strozzi, fût-ce sous la forme d'une brève intuition, il l'ait écartée du Plan II, sans l'exploiter. S'il ne l'a point fait, c'est que cette idée ne l'avait point encore effleuré. Flanqué de trois de ses enfants, Philippe peut alors être solidement lié à l'action par le destin de chacun d'eux : confidence faite par Léon (I, 4), arrestation de Pierre (II, 1), mort de Louise (II, 5).

Dès lors le souci de la progression des intrigues et de l'action l'emporte sur celui du spectacle dramatique. La scène de l'épée retrouve l'unité, la concentration, l'efficacité qu'avait su lui donner déjà G. Sand ; mais un décor original, qui concilie tout ensemble les nécessités de l'imitation et la liberté de l'invention, porte la marque propre de son créateur. La scène des républicains, devant le Duc, qui avait trouvé son cadre et son rythme dans le Plan II, voit ses liens renforcés avec l'intrigue centrale, en même temps qu'une petite notation suggère qu'une imitation, même serrée, ne saurait être un esclavage [7]. La même remarque est valable pour la scène 1 de l'acte III, fidèlement reproduite de la scène homologue du Plan II, à un petit détail près, ce petit détail justement qui intègre plus étroitement le tableau au progrès général de l'action dramatique [8].

Mais c'est surtout l'intrigue Strozzi qui fait l'objet des soins vigilants du dramaturge. Philippe cesse d'être une ombre vide, errant sur les bords de l'Arno ; il a désormais un palais où se retrouvent des républicains, où il fréquente Lorenzo, où s'opère l'arrestation de son fils Pierre (II, 1). Il va, du reste, devoir payer durement le prix de l'honneur vengé. La mort de Louise (II, 5) aura du moins l'avantage de justifier clairement une conduite, sur laquelle, dans les plans précédents, on se perdait en conjectures [9]. Dans ce plan-ci, la visite aux moines (III, 4), première étape sur le chemin de l'exil, obéit à la plus douloureuse nécessité : rendre à sa fille morte les honneurs funèbres. En dissociant, toutefois, l'entrevue de Philippe et de Lorenzo, prévue d'abord chez les moines (Plan I et Plan II : III, 4), Musset obéit moins à des considérations de vraisemblance psychologique qu'il ne cède à une nécessité dramaturgique. Une pièce aussi longue ne saurait, en effet, se passer de ce point de rassemblement et d'équilibre, d'où le héros mesure le chemin parcouru et de répondre à son destin. Ce point d'équilibre, ce nœud vital, l'entrevue capitale entre deux personnages aussi complémentaires et différents que Lorenzo et Philippe peut l'assurer. D'où cet ajout, in extremis, mais net et volontaire, d'une scène 6, où Philippe et Lorenzo s'affrontent en tête à tête et sans témoins, opposant deux caractères, incarnant deux attitudes contradictoires devant la vie, entre lesquelles Musset lui-même s'est trouvé plus d'une fois écartelé. Certes, il y a encore bien des maladresses à redresser dans la conception ou plutôt la situation de cette entrevue ; Musset saura les corriger au moment de la rédaction définitive. En faisant mourir Louise après l'entrevue (II, 7), en repoussant à l'acte IV la cérémonie chez les moines (IV, 6), le dramaturge ménage mieux l'intérêt et la progression, répartit mieux les péripéties de l'action dans le temps, permet surtout au dialogue entre les deux hommes de ne point être hypothéqué par le rude chagrin personnel de Philippe. Du moins, dès le Plan III, Musset a-t-il jeté les bases d'une scène centrale où convergent les intérêts en jeu, où s'ouvrent librement les esprits et les cœurs.

---

7. « Il voit Catherine » (Plan III, acte II, sc. 3, l. 17) ; chez G. Sand, on pouvait lire : « Mais pourquoi ai-je trouvé cette maison vide de femmes ? Il y en a quelquefois aux fenêtres... » (*Genèse*, p. 118, l. 799-800).

8. « Le duc, Lorenzaccio parlent de Catherine » (III, 1, l. 24).

9. A cet égard, les supputations de M. Dimoff, pour justifiées et ingénieuses qu'elles soient, ont des fondements très précaires (cf. *Genèse*, p. 152, n. 2).

*
* *

Au terme de cette exégèse, un rapide bilan peut être dressé, qui ne laisse pas d'être éclairant sur les desseins et les méthodes de Musset composant *Lorenzaccio* :

1° D'emblée, un des traits saillants apparaît : la composition par tableaux séparés, eux-mêmes divisés en volets et formant diptyque ou triptyque, selon les cas. Ce système de composition, Musset le doit sans doute autant à des raisons esthétiques d'inspiration shakespearienne qu'à la dramaturgie propre d'*Une conspiration en 1537*, qui lui en offre un modèle satisfaisant dont il fait son profit.

2° Cette composition par tableaux autonomes, commode en ce qu'elle laisse au dramaturge une grande liberté d'exécution, a pour revers de ne pas imposer à chacun d'eux une place nécessaire et définitive. D'où un effort, sensible d'un plan à l'autre, pour donner une certaine fixité à des séquences de tableaux suffisamment élaborés. Les raisons d'ordre esthétique (variété, contrastes, effet pathétique) semblent, dans cette opération, l'emporter sur les raisons de fond.

3° En gonflant, d'entrée de jeu, la courte pièce de George Sand, en inventant épisodes et personnages nouveaux, en mettant en réserve d'autres personnages et les épisodes auxquels ils sont mêlés, Musset transforme les vingt-quatre heures d'une tyrannie agonisante en chronique d'une cité, d'une époque et d'un régime politique, dont les plans esquissent déjà le mouvant kaléidoscope.

4° Mais cette chronique ne saurait être pur déroulement romanesque. Elle doit porter en elle-même sa leçon, sa signification. D'où la conception d'un espace clos et d'un temps circulaire, qui ramène à Florence la tyrannie qu'un assassinat devait chasser.

5° Cette structure significative de la chronique ne saurait faire fi des moyens propres à toute action dramatique. Musset s'emploie, surtout dans le troisième plan, à donner aux diverses intrigues amorcées un profil dramatique, en inventant des ressorts, dont la plupart sont d'ordre familial. Il s'agit en quelque sorte de mettre les Cibo et les Strozzi en compétition avec Lorenzo, de telle sorte que le meurtre importe aux deux groupes en présence. Cette compétition est déjà en partie ébauchée au 3ᵉ acte du Plan III. Il ne reste qu'à parfaire le travail en remplissant mieux la durée dramatique et en donnant plus de rigueur à la succession des scènes.

ANNEXE II

LES LEÇONS DU MANUSCRIT
Radiographie d'un chef-d'œuvre

On n'échappe pas au manuscrit de *Lorenzaccio*. Non que toute étude sérieuse de l'œuvre doit commencer par là, mais il vient toujours un temps où l'on ne peut en faire l'économie. On ne s'étonnera donc pas que les deux monographies les plus minutieuses consacrées à ce jour au grand drame de Musset [1], aient l'une et l'autre, à des degrés divers, l'examen du texte manuscrit pour condition préalable et, en un sens, pour matière première.

Encore convient-il de ne pas attendre de ce texte quelque révélation foudroyante. Si somptueux qu'il soit d'apparence, par son ampleur, son ordre un peu tremblant, son élégance cavalière, il est, à bien des égards, un document inerte, qui demande à être stimulé. Habilement questionné, il se répand alors en confidences suspectes. Sollicité avec ingéniosité, manipulé avec talent, il restitue aisément en certitude ce qu'on lui proposait en hypothèses ; et c'est la voie ouverte aux mécomptes les plus cuisants. On se souvient, à ce sujet, de la mésaventure survenue à M. Merlant, qui avait cru pouvoir tirer de l'examen critique des écritures du manuscrit une chronologie satisfaisante des étapes de composition du chef-d'œuvre, jusqu'au jour où la publication d'une pièce unique, mais décisive, — la lettre à Buloz du 27 janvier 1834, — jetait bas le château de cartes et rendait d'un coup caducs les fruits d'une recherche fondée pourtant sur deux vertus cardinales, la patience et le talent [2].

Faudrait-il donc s'en tenir à la prudence un peu sèche de M. Dimoff, qui s'est borné volontairement, — avec le bonheur que l'on sait, — à un travail de déchiffrement, et convenir avec lui que le manuscrit de *Lorenzaccio* est un polypier de questions insolubles ? Faut-il le suivre quand il prétend qu'il n'y a guère d'espoir « que l'on parvienne à reconstituer avec précision les phases de cette croissance progressive du drame, en distinguant les scènes et les parties de scène plus anciennes de celles qui peu à peu leur ont été adjointes ? [3] » Outre qu'en ce domaine comme ailleurs il n'est pas nécessaire d'espérer pour entreprendre, il nous a semblé que le succès d'une démarche critique dépendait en partie des limites raisonnables qu'on impose volontairement à son ambition. On trouve un peu quand on ne prétend pas à tout retrouver. Entre le périlleux vol d'aigle et la marche bornée au ras du sol, nous aurons, quant à nous, à emprunter le plus souvent la voie médiane où le coup d'œil synthétique féconde de loin en loin l'investigation minutieuse et lui restitue l'horizon.

---

1. P. Dimoff, *la Genèse de Lorenzaccio* ; J.-C. Merlant, *le Moment de Lorenzaccio dans le destin de Musset.*
2. Voir *Pommier II*, p. 20-89.
3. *Genèse*, p. XXXVIII.

Nous avons tout d'abord rompu avec le dessein et les méthodes de ceux qui nous ont ouvert la voie, non sans avoir, le cas échéant, rendu à leurs découvertes l'hommage qu'elles méritaient. C'est ainsi que nous avons été amené à relire intégralement le manuscrit de la pièce, comme si M. Dimoff ne nous avait pas précédé dans cette tâche. Les lectures de M. Dimoff donnent, en effet, une telle impression de vérité tranquille, elles sont presque toujours si habiles et si ingénieuses qu'il nous a fallu de l'audace et même un brin d'impertinence pour ne pas les tenir pour infaillibles et les considérer parfois d'un œil critique. On verra, à l'occasion, que notre désaccord sur quelques points de détail a été pourtant fécond, en permettant, ici ou là, de débloquer une recherche momentanément embourbée.

Instruit par l'exemple malheureux de M. Merlant, nous avons d'autre part abandonné l'examen critique des écritures comme moyen privilégié de datation. Je dis bien : des écritures, car la description de l'aspect graphique du manuscrit qu'ont donnée, par exemple, M. Dimoff ou M. Pommier [4], pour globalement exacte qu'elle soit, n'en risque pas moins d'induire en erreur le lecteur pressé ou confiant. Ce n'est pas deux, mais quatre ou cinq espèces de graphisme qu'on trouve dans le manuscrit de la Comédie-Française, sans qu'on puisse jamais donner de ces variations une explication systématique. Tant de facteurs peuvent entrer en ligne de compte qu'il est presque toujours illusoire de conférer à l'un d'eux valeur capitale. Chez un nerveux hypersensible comme Musset, le graphisme peut se modifier au gré de l'humeur, selon qu'il est calme ou agité, sobre ou stimulé, diurne ou nocturne, en verve ou en peine. Plus d'une fois, le passage du « gras » au « maigre », loin d'indiquer un changement de « main », donc d'époque, est tout bonnement le fait d'un changement de plus en cours de rédaction [5]. En ce domaine délicat tout amateurisme est déplacé ; il y faut la science d'un expert graphologue, dont le champ de compétence ne saurait du reste empiéter sur les rivages qui sont les nôtres. Mieux vaut, dans ces conditions, chercher la vérité ailleurs et d'autre façon.

Nous avons enfin borné notre ambition. Convaincu, comme M. Dimoff lui-même, que « de la chronologie de Lorenzaccio, le détail échappera probablement toujours aux investigations les plus minutieuses [6] », nous avons seulement cherché à surprendre sur le vif des éléments caractéristiques du projet créateur. Notre dessein s'est voulu exclusivement esthétique et dramaturgique ; s'agissant d'une œuvre d'art et singulièrement d'une pièce de théâtre, nous avons toujours cherché à la traiter dans son ordre et selon sa finalité propre. En ce sens, nous n'avons demandé à l'étude du manuscrit rien ni plus ni moins que ce qu'on attend généralement, mutatis mutandis, de la radiographie d'une peinture. En mettant en évidence les repentirs, les repeints, le toucher de l'artiste, le travail propre de la main du peintre sur la surface à peindre, l'examen radiographique nourrit l'œil qui regarde et écoute d'une foule de petites certitudes de détail et le met en garde contre les divagations aventureuses. Ainsi l'examen attentif du texte écrit de la main même de Musset nous permettra-t-il, par places, de retrouver l'impulsion créatrice, la dramaturgie en mouvement, l'œuvre d'art en quête de son accomplissement.

Un tel dessein, à la fois fluide et limité, appelait une méthode appropriée, sans raideur ni système. On s'est borné, en l'occurrence, à une lecture critique qui s'est choisi par priorité trois points d'observation : la numérotation des scènes, souvent d'humeur vagabonde, qui nous renseigne sur la structure profonde de l'œuvre ; certaines particularités du manuscrit, notamment les découpages et les collages, qui jettent des lumières inattendues sur le fonctionnement de l'esprit créateur chez Musset ; les repentirs de plume et les hésitations d'ordre dramaturgique, qui nous révèlent, par éclairs successifs, l'intention directrice de l'écrivain et nous fait assister au spectacle éblouissant et singulier d'une œuvre inquiète de sa définitive maturité.

---

4. Voir Genèse, p. xxxv-xxxvi ; Pommier II, p. 58.

5. Voir, par exemple, le f° 16 de l'acte V, où le passage du gras au maigre s'opère au milieu d'une phrase ; dans l'indication des personnages, on lit : « l'orfèvre et le marchand » (en gras), « de soie assis » (en maigre). Et ce n'est pas le seul exemple.

6. Ibid., p. xxxviii.

Un coup d'œil d'ensemble sur les hésitations du dramaturge touchant l'ordre des scènes à l'intérieur de chaque acte fait apparaître d'emblée des disparités instructives. Si l'on convient de nommer « stables » les scènes dont la numérotation ne comporte aucune retouche nettement apparente et « flottantes » celles qui offrent une correction ou une hésitation caractérisées, on obtient un tableau modulé différemment selon les actes. Le premier acte a la régularité lisse des créations bien venues. Seule la scène VI offre une biffure remarquable : elle était d'abord numérotée VII ; Musset a surchargé de hachures le dernier I. On en rendra compte en détail un peu plus loin. Le deuxième acte est d'un dessin déjà moins ferme. Sur sept scènes, trois sont flottantes : la 2e, la 4e et la 5e. Au troisième acte les hésitations se multiplient. Quatre scènes sur sept sont marquées d'une retouche plus ou moins voyante : les scènes II, III, VI et VII. Le quatrième acte bat tous les records. Sept scènes sur les onze que compte l'acte ont l'humeur instable : les scènes IV, V, VI, VII, IX, X et XI ; et il n'est même pas sûr que les scènes III et VIII aient occupé du premier coup la place qui leur a été finalement assignée [7]. Au cinquième acte, on retrouve une certaine stabilité. Les cinq premières scènes sont dans un ordre qui semble couler de source ; et si les trois dernières offrent quelque confusion, l'explication en est simple : la scène des étudiants n'ayant pu trouver d'emblée sa place, l'ordre des scènes qui lui sont contiguës a subi le contrecoup logique de cette hésitation.

Ce premier bilan appelle aussitôt des nuances importantes. Car les hésitations du dramaturge ne sont pas toutes du même ordre. Si l'on examine, par exemple, d'un peu près l'acte IV, on s'aperçoit que Musset est comme embarrassé par un jeu complexe de feuillets susceptibles d'être ventilés de multiples façons ; c'est d'abord question de montage, de rythme dramatique. Par contre, les hésitations touchant les principales scènes des deuxième et troisième actes tiennent au fond même de l'œuvre, à la succession historique des faits, à la causalité et à la finalité des événements constituant l'action dramatique. Selon que Philippe Strozzi quitte Florence à la fin de l'acte II ou à la fin de l'acte IV, c'est l'économie de la pièce tout entière qui est en question, sa distribution équilibrée en cinq actes, sa signification même. Dès lors, une seule méthode légitime d'examen s'impose d'elle-même : on essayera de retrouver pas à pas, c'est-à-dire acte par acte, la genèse interne d'un ordre dramatique d'ensemble qui n'a atteint que progressivement et par approximations son état définitif. Et l'on se consolera aisément d'avoir à poser souvent une foule de questions sans réponse, si cette méthode très empirique nous donne la chance de saisir sur le vif, fût-ce par bribes, l'intention profonde d'une œuvre où semblent régner en maîtres l'improvisation créatrice et le hasard heureux.

Lu sur le manuscrit, le premier acte offre l'image d'une création faite dans l'aisance et le bonheur d'écrire. Et c'est bien naturel. Quand on sait le mal que s'est donné Musset pour construire ce premier acte, — comme en témoignent les trois plans que nous avons analysés en leur temps, — c'est le contraire qui surprendrait. A partir du moment où Musset a conçu le mécanisme dramatique par lequel le premier acte échappe aux maladies infantiles qui le menaçaient, — simple ouverture d'atmosphère (Plan I) ou juxtaposition de scènes autonomes (Plan II) —, tout s'ordonne à souhait. L'injure publique faite par Julien à Louise à la sortie d'un bal, puis les hâbleries de ce même Julien en présence de Léon Strozzi déterminent un courant d'énergie morale qui mobilise les volontés et appellent les réactions. Un vecteur dramatique s'établit de la scène I à la scène IV du Plan III, une continuité dans le temps s'installe, et déjà on voit

---

7. Dans l'indication « Sc. III », le troisième bâton semble recouvrir un point, or il est dans les habitudes de Musset de ponctuer la plupart du temps d'un point final les chiffres romains qui désignent les scènes ; ici « Sc. III », pourrait donc se lire : « Sc. II », modifiée après coup en « Sc. III ». Même remarque et même raisonnement pour la scène VIII.

s'amorcer les conséquences en chaîne, proches ou lointaines, — mort de Julien, mort de Louise —, qui innerveront un deuxième acte désormais mieux charpenté et moins statique. Passant du Plan III à la rédaction manuscrite, le dramaturge n'aura garde de négliger ces solides enchaînements ; il les renforcera plutôt. Inventant, par exemple, une nouvelle scène I, à peu près entièrement inédite, il la liera fortement à la fois à l'ancienne scène I du Plan III, devenue désormais scène II, par un jeu d'allusions au bal chez Nasi, et à la dernière scène du premier acte par la récurrence de Maffio dans le chœur des bannis.

Autre signe d'une élaboration précise et heureuse : la forte charpente des scènes à volets. Du Plan III à la rédaction définitive, la continuité en ce domaine est évidente. Musset inaugure à cette occasion, une méthode de rédaction dont il mesure d'emblée les avantages. Découpant la matière dramatique en scènes, comme tout écrivain de théâtre, il fragmente à leur tour ces scènes en séquences, comme le ferait un scénariste de cinéma. L'autonomie relative dont jouissent ces séquences, sensible jusque dans la présentation matérielle du manuscrit, — non seulement chaque scène, mais souvent chaque séquence appelle un changement de feuillet —, doit faciliter leur déplacement éventuel en vue d'autres possibles regroupements. Mais, pour le premier acte, l'humeur n'est pas aux vagabondages. La route est sûre, nettement tracée dans le Plan III. Musset s'y conformera parfois à la lettre. Ainsi, la scène II du premier acte comportait, dans le Plan III, les séquences suivantes : « Adieu de la Comtesse à son mari. La Comtesse, le Cardinal — Le Cardinal, Agnolo — Agnolo, la Comtesse ». La scène III du premier acte, dans la rédaction manuscrite, exécute fidèlement, — à une exception près, — ce programme : « le Marquis en habit de voyage, la Marquise, Ascanio - Le cardinal Cibo, assis » (f° 14) ; « La Marquise reste seule avec le Cardinal - un silence... » (f° 16) ; « le Cardinal, seul, soulève la tapisserie et appelle à voix basse : Agnolo ! » (f° 18). C'est un modèle d'équilibre et de cadence dramatiques.

On retrouve une sûreté de main analogue dans la dernière scène du premier acte. Le Plan III prévoyait les séquences suivantes : « Le bord de l'Arno - Maria Soderini, Caterina - Laurenzaccio, Freccia - Bannis - Adieux des bannis ». A l'exécution, le programme est réalisé, à une exception près, et parfois dans les mêmes termes : « Scène VI. Le bord de l'Arno - Marie Soderini, Catherine » (f° 33) ; l'arrivée des bannis occupe les f°s 36 et 37 ; les adieux des bannis le f° 38. Seule manque l'entrevue entre Lorenzo et Freccia, prévue pourtant, à cette place et dans ce décor, dans les trois plans. Que s'est-il passé ? C'est une histoire singulière, qui vaut la peine d'être contée.

Lu sur le texte imprimé, l'entretien entre Lorenzo et Tebaldeo (acte II, scène II) paraît d'une belle venue. Fermement conduit comme une épreuve de force de plus en plus périlleuse, avec ce qu'il faut de surprise et de détours pour qu'il porte la marque du tentateur voletant autour de sa proie. Tout juste s'étonnera-t-on du curieux décor où Musset a cru bon de le situer : ce portail d'une église que rien n'annonce, ces pompes de l'office divin que rien ne justifie à cette place ; la désinvolture du dramaturge semble ici passer les bornes.

Déchiffrée sur le manuscrit, la scène offre un aspect tout autre : celui d'un bric-à-brac composite, d'une sorte de rapsodie en manteau d'Arlequin. Une lecture, même cursive, saisit d'étonnement le lecteur le moins prévenu. Seule, une description systématique des curiosités du manuscrit permettra de juger sur pièces. D'entrée de jeu, la surprise commence. Contrairement à ce qui se passe pour toutes les autres scènes, c'est l'indication « Entrent Lorenzo et Valori » qui occupe, sur le f° 4, la place d'honneur ; la mention « Scène VI. Le portail d'une Eglise » est rejetée, en pénitence, au coin gauche du feuillet, comme une précision ajoutée après coup dans un espace réduit et assortie d'un nombre exceptionnel de repentirs, c'est-à-dire de ratures, dont M. Dimoff a proposé, d'une manière indiscutable, le déchiffrement complet [8]. Nous y reviendrons. Pour l'instant, on se bornera à déduire avec certitude de cette anomalie que cette scène ne devait être initialement qu'une séquence à l'intérieur d'une scène complexe, à la façon d'un volet de polyptyque. De quelle scène ? Le doute ne paraît guère permis : de la scène V, assurément, « devant l'Eglise de Saint-

---

8. *Ibid.*, p. 257, n.c. 110.

Miniato à Montolivet ». « La foule sort de l'Eglise », et, parmi, cette foule, entre autres, Valori, — devenu cardinal par la grâce de Musset, — qui déplore l'absence de cet impie de duc et célèbre, en présence de Lorenzo, les fastes et les douceurs d'une religion esthétique issue, en droite ligne, du *Génie du christianisme*. Dans cette foule encore, le prieur de Capoue, — lui aussi fait prêtre par l'inadvertance de Musset —, qui conteste le sermon qu'on vient d'entendre, au nom d'une esthétique de la mesure et d'une éthique de la miséricorde. Ces deux séquences sont, comme on voit, d'une pâte très homogène et leur appariement n'est pas douteux. Que, par la suite, devenue trop ample, elle ait accédé normalement à la dignité de scène autonome, c'est ce qui ressort des indications portées au haut du feuillet : le II provient clairement d'un VI, dont le V a été surchargé, noirci et transformé. Comme le VI de la scène au bord de l'Arno provient non moins clairement d'un VII dont on a biffé le dernier I, on voit les choses s'organiser d'elles-mêmes, dans leur ordonnance primitive : scène V, Saint Miniato ; scène VI, le portail d'une église ; scène VII, le bord de l'Arno.

Et si cette argumentation chiffrée ne convainc pas, il suffit de fouiller les décombres accumulés alentour pour trouver la pièce à conviction. Parmi les cinq leçons relevées et déchiffrées par M. Dimoff, l'une d'elles crève les yeux et lève tous les doutes : « Une place derrière San Miniato ». C'est dire, en peu de mots, que la scène II du deuxième acte, prudemment située devant « le portail d'une Eglise », est, en réalité, une scène interpolée, que tout incline vers le décor et l'atmosphère auxquels elle est liée congénitalement : l'Eglise de San Miniato, un jour de pèlerinage solennel, quand tout Florence est rassemblé. Il faudra l'insolence et la fantaisie d'un dramaturge, soucieux d'abord de ne pas surcharger son premier acte, pour faire passer telle quelle cette scène par-dessus la barrière du deuxième acte et la dépayser étrangement entre le cabinet de Philippe Strozzi et les appartements de la marquise Cibo. Mais l'auteur de *Lorenzaccio* était trop jaloux de sa liberté créatrice pour avoir de ces scrupules petits-bourgeois.

Passé le seuil de cette singulière ouverture, le texte manuscrit de la scène au « portail d'une église », si raturé qu'il soit, se fait moins incertain. Tout porte à croire — écriture, encre, présentation matérielle — que les f⁰ˢ 4, 5 et 6 (soit les pages 257 à 262 inclus dans l'édition Dimoff) ont été rédigés d'une seule coulée. Quelques particularités toutefois méritent d'être relevées. Valori joue, dans ces trois feuillets, un rôle proportionnellement plus important que Lorenzo (six répliques pour Valori, dont une fort longue ; cinq pour Lorenzo ; Tebaldeo intervient, pour sa part, huit fois) ; à bien des égards, il mène le jeu. Le petit peintre, d'autre part, ne semble être désigné primitivement que sous son seul prénom. Son nom de famille, Freccia, deux fois cité sur le f⁰ 4, n'apparaît qu'en surcharge d'une version initiale qui ne le comportait pas : dans l'indication « Tebaldeo Freccia, s'approchant de Valori, « Freccia » est en surcharge de « peintre Tebaldeo ». Ces deux surcharges sont faites d'une plume grasse et d'une encre très noire, qui dénotent des corrections exécutées après coup, vraisemblablement lors d'une révision globale de la scène. Mais ce sont là des vétilles.

Des singularités plus sérieuses nous attendent au f⁰ 7, qui est fait de deux morceaux distincts reliés par collage. M. Dimoff a donné de ce rapiéçage une description précise, sur laquelle il n'y a pas lieu de revenir[9]. Je l'augmenterai seulement de quelques détails complémentaires. Par exemple, la bande de papier collée sur le haut du feuillet est à l'évidence le bas d'une page antérieure : le filigrane (une coquille Saint-Jacques), nettement apparent, prouve qu'on a bien affaire à l'extrémité d'un feuillet normal. L'aspect quelque peu dentelé du papier dans sa partie supérieure dénote un découpage fait à la main ou au coupe-papier. Tout laisse à penser qu'il s'agit là d'un reste de feuillet, le dernier, sans doute, d'une séquence, dont les f⁰ˢ 4, 5 et 6 ont fourni l'armature. De ce feuillet sacrifié, Musset n'a jugé bon de conserver que les deux dernières répliques dans un effet de rupture du meilleur aloi. Brisant la continuité d'un dialogue, il fait éclater la surprise, vibrer le scandale, restituant, du même coup, l'intonation brusque, par saccades et banderilles, du démon tentateur. Encore a-t-il pris soin de biffer l'ultime réplique, par laquelle Tebaldeo rompait l'entretien, et d'enchaîner sur

9. *Ibid.*, p. 263, n.c. 215.

d'autres propos [10]. Le feuillet ordinaire, collé au bas de cette bande de papier, recevra très naturellement la suite de l'entretien ainsi relancé, qui mènera les deux interlocuteurs vers de nouveaux développements. On notera, en tout cas, qu'à partir de cette étrange page composite Valori disparaît de l'horizon. De celui qui avait partagé avec Lorenzo la responsabilité du dialogue des trois premiers feuillets, il ne reste plus trace, comme si, à la faveur d'un incident rédactionnel, on était entré dans une séquence entièrement nouvelle.

Le f° 8, loin d'éclairer la question, la complique encore. Ce ne sont plus, en effet, Lorenzo et Tebaldeo qui y dialoguent, mais, — ô surprise ! —, Lorenzo et Freccia. L'occultation de Tebaldeo est aussi totale que celle de Valori. Il est vrai qu'il s'était déjà éclipsé à demi au cours du f° 7, où, à partir de la réplique « je me placerai (sic) à l'orient », il ne figure plus que sous la forme abrégée : « Tebal » [11]. Avec le f° 9, nouvelle surprise : à part la première mention du nom de Lorenzo, en caractères gras, tout en haut du feuillet, toute la page (f° 9) et celle qui suit (f° 10) sont écrites d'une plume très maigre, qui donne à ces deux pages une allure entièrement différente. S'agit-il d'un changement de plume ? Sans doute. Mais rien n'indique que ce changement de plume soit intervenu en cours de rédaction et que les f°s 8, 9 et 10 soient d'un seul tenant, d'une même coulée, en dépit de la présence des deux mêmes interlocuteurs, Lorenzo et Freccia. C'est là, en tout cas, une nouvelle source de disparité, dont on aurait volontiers fait l'économie.

Le f° 10, enfin, pour ne pas être en reste, offre, à son tour, sa petite singularité [12]. Musset a collé, avec quatre pains à cacheter, sur une feuille ordinaire le passage qui va de « passe les journées à l'atelier » à « j'aime ma mère et ma maîtresse ». Il a coupé le feuillet qui contenait ce passage sur une réplique de Lorenzo dont on devine encore quelques lettres, notamment, à l'extrémité droite de la découpure, le haut d'un point d'interrogation, — preuve évidente que le dialogue entre Lorenzo et Freccia se poursuivait par questions et réponses. Le collage une fois fait, l'auteur a posé, sur la partie blanche de la feuille servant de support, l'ultime réplique de Lorenzo : « viens, demain à mon palais... » — « demain » étant du reste substitué à « jusqu'à », jugé sans doute équivoque ou intemporel. On notera au passage l'intérêt de la précision : rendez-vous donné à « demain », c'est, à coup sûr, rendez-vous au deuxième acte ; rendez-vous donné « à (son) palais », c'est rendez-vous donné non chez le Duc, mais chez lui, peut-être dans une « petite chambre » qui servira au peintre d'atelier. Le destin mystérieux de la scène IV, entièrement rédigée, puis abandonnée, tient dans ces cinq mots, par lesquels Lorenzo s'assure la complicité involontaire du jeune artiste. Nous y reviendrons.

Tant de singularités en 7 feuillets posent de redoutables énigmes. Il n'est pas interdit, du moins, de tenter d'y voir clair, en prenant soin de distinguer, dans les explications qu'on sera amené à proposer, ce qui est certitude et ce qui relève de l'hypothèse ou de la probabilité. Du côté des certitudes, le bilan est peut-être mince, mais il est ferme. Tout d'abord, — et c'est un point essentiel —, le doute n'est désormais plus permis sur la place initialement réservée à l'entretien entre Lorenzo et le jeune peintre. C'est au premier acte qu'il devait

---

10. Dans un souci vétilleux d'exactitude, il me faut noter un point sur lequel je suis en désaccord avec le zèle critique de M. Dimoff. Dans la description qu'il donne du f° 8, on lit : « le f° 8 est formé de deux demi-feuillets de même dimension collés bout à bout » (*ibid.*, p. 265, n.c. 258) ; après vérification minutieuse sur le manuscrit original, je crois pouvoir affirmer que ce que M. Dimoff a pris pour un collage (bout à bout, sans support ? c'est bien improbable) est en vérité un pli du papier, serré et ancien. La remarque est de peu d'importance ; mais elle pourrait le devenir, si l'on croyait devoir tirer de ce prétendu collage des conclusions qu'un feuillet homogène récuserait aussitôt.

11. Le f° 7 comporte 14 répliques : « Lorenzo » apparaît deux fois, « Tebaldeo » deux fois, « Lorenz » cinq fois, « Tebal » cinq fois. Dans les trois feuillets précédents, le prénom du peintre n'est jamais estropié ; « Lorenzo apparaît une seule fois, au f° 6, sous la forme abrégée : « Lor » ; mais il s'agit d'une réplique entièrement biffée, au-dessus de laquelle Musset a composé un texte neuf (*ibid.*, p. 262, n.c. 201-202).

12. De cette singularité, M. Dimoff a donné une description quelque peu erronée (*ibid.*, p. 269, n.c. 336) ; pour minime que soit l'erreur, j'ai cru bon de la signaler et d'apporter les corrections utiles.

figurer, dans un décor impliquant la proximité de l'église de San Miniato, un jour de pèlerinage, l'un des vendredis du mois de mars [13]. Seconde certitude : la scène définitive témoigne, sur le manuscrit, de deux campagnes de rédaction distinctes. Elle est composée, au moins, de deux séquences nettement individualisées : une première séquence à trois personnages, — Valori, Lorenzo, Tebaldeo, — occupant trois feuillets complets (les f°s 4, 5 et 6) et le fragment final d'un quatrième (f° 7, partie supérieure) ; une seconde séquence à deux personnages, — Lorenzo, Freccia —, occupant également trois feuillets (f°s 8, 9 et 10), d'une grande unité dramatique, mais de deux « mains » successives. Entre les deux séquences, jeté comme un pont, un texte de liaison, — ou plutôt de relance du dialogue sur d'autres chemins, — qui met en scène deux personnages, — Lorenzo, Tebaldeo, — et occupe la majeure partie du f° 7.

De cet ensemble composite, on peut tirer deux conséquences logiques : 1° Dans la mesure où, chronologiquement parlant, on ne peut sérieusement mettre en doute que Tebaldeo soit postérieur à Freccia, — je veux dire que le prénom du petit peintre ne s'est imposé que tardivement à l'imagination créatrice de Musset pour l'occuper ensuite exclusivement —, il va de soi que la première séquence est de conception relativement tardive, probablement contemporaine de la rédaction de la scène devant l'église de San Miniato, à laquelle elle devait s'intégrer ; 2° Trop longue pour demeurer simple séquence intégrée à un ensemble plus vaste, elle est de nature à se constituer en scène à part entière, pour peu que l'auteur l'étoffe et la complète à son gré. Ainsi naît le point de suture du f° 7 et la poursuite d'un discours dont la virtuosité du poète s'emploie à dégager toutes les harmoniques.

A partir de là, on entre dans le domaine de l'hypothèse. Musset prolonge-t-il la séquence initiale en créant un texte neuf dans la mouvance du premier ? Utilise-t-il plutôt un texte ancien et déjà rédigé, selon la technique du « remploi » des matériaux, dont il est coutumier ? Les deux hypothèses ont chacune des zones d'ombre et de lumière et le choix de l'une d'elles ne peut obéir qu'à des raisons subjectives. Dans le premier cas, on s'explique mieux la vigoureuse continuité d'un texte où les coutures n'apparaissent qu'à l'œil inquisiteur du déchiffreur de manuscrits. En revanche, on comprend mal pourquoi, à partir du f° 8, Tebaldeo devient Freccia, brusquement, en haut d'une page, et ne cesse plus d'être désigné sous ce nom. L'inadvertance a bon dos, mais elle laisse l'esprit critique sur sa faim. Dans la deuxième hypothèse, il faut reconnaître que les choses s'emboîtent mieux. Mais il faut supposer l'existence d'une première rédaction de la scène, sans doute dans un autre décor, peut-être au bord de l'Arno, comme prévu d'abord, hors de la présence de Valori ; et cette supposition est invérifiable.

Ceci posé en hypothèse de travail, tout s'enchaîne désormais assez bien. Musset, en peine de prolonger l'entretien avec Tebaldeo, utilise de larges fragments d'une rédaction antérieure de la scène, où le peintre est Freccia et n'est pas encore Tebaldeo Freccia. Pour joindre au mieux les deux séquences hétérogènes, l'écrivain soigne sa transition, qui mise à la fois sur deux tableaux opposés : rupture et continuité. Comme il l'a fait ou le fera pour d'autres détails, — Benvenuto Cellini, le sermon, la chasse —, il se refuse à laisser perdre toute idée jugée bonne et l'intègre à son texte sous la forme d'une allusion inexploitée. Ainsi naît le dialogue touchant le meilleur point de vue sur Florence et l'évocation du bord de l'Arno, où devait se situer primitivement l'entretien entre Lorenzo et Freccia. Relisant l'ensemble de son texte pour corrections et s'avisant de la disparité entre le début et la fin, entre Tebaldeo et Freccia, il rajoute le nom de famille au prénom, en surcharge, dans deux passages du f° 4, mais juge superflu d'en faire davantage, puisqu'aussi bien l'identité et l'unité de la personne sont assurées par ces deux corrections. Il sera toujours temps de faire sur épreuves les alignements nécessaires, surtout si c'est Paul qui se charge de leur correction [14]. En tout cas, quelle que soit l'hypothèse retenue, il reste que

13. Voir *Genèse*, p. 232, n. 2 et 3.

14. « Je suppose que mon frère s'est chargé des épreuves » (lettre de Musset à Buloz du 27 janvier 1834).

Tebaldeo ne deviendra pleinement et continûment lui-même, au cours de la pièce, qu'à la faveur du texte imprimé [15].

Telle est l'histoire singulière d'un personnage épisodique, — qui cherchait son nom —, et d'une scène secondaire, qui cherchait sa place. Et cette histoire n'est pas achevée, on en retrouvera un nouvel épisode, en examinant le second acte.

Ce deuxième acte offrait à l'écrivain plus de résistance que le premier, et c'est bien naturel. Dans le Plan III, la structure d'ensemble du premier acte était déjà si complètement élaborée qu'il n'y avait, pour ainsi dire, plus qu'à le rédiger, ce qui fut fait, à une exception près, comme on l'a vu, dans un constant bonheur de plume. Ce n'est pas que, dans le même plan, le second acte ait été d'une construction plus lâche, d'un profil moins ferme. Quatre scènes sur cinq ont, au contraire, un contenu précis et une nécessité dramatique incontestable. Du reste, on les retrouvera, à d'autres places, dans la rédaction définitive. Paradoxalement, c'est par excès de rigidité que semblerait plutôt avoir péché ce squelette du deuxième acte. Faire mourir Julien Salviati au début et Louise Strozzi à la fin du même acte, c'est peut-être provoquer un bel effet de vengeance implacable, mais c'est du même coup, précipiter à l'extrême le cours des événements. D'où le risque, à l'usage, de vider le troisième acte d'une grande partie de sa substance, en mettant hors jeu trop tôt un personnage dont Musset n'entendait pourtant pas se priver, Philippe Strozzi. Pour le dramaturge la marge de manœuvre était donc assez mince. Etant entendu qu'il revient au premier acte d'annoncer les trois intrigues parallèles, que la préparation immédiate de l'assassinat et son exécution doivent occuper le quatrième acte, la liquidation du conflit le cinquième, il fallait bien que les deuxième et troisième actes fussent substantiellement liés entre eux par une commune matière dramatique. Musset n'hésite pas et tranche dans le vif. Il transporte carrément la mort de Louise de la fin du deuxième acte à la fin du troisième, jouant à plein sur l'éclatement du temps et le desserrement des circonstances. Mais peut-on reconstituer autrement qu'en imagination cette nouvelle distribution des scènes, cette genèse interne d'une action dramatique dans sa phase finale, du dernier plan que nous possédions à la rédaction définitive dont nous avons le manuscrit entre les mains ? Oui, sans doute, — du moins en partie —, grâce à quelques témoignages de ce manuscrit même, dont il convient ici de faire état.

On se souvient que l'acte II, tel du moins qu'il est prévu au Plan III, se développe en trois bonds successifs : l'annonce de la mort de Julien (scène I), la scène des républicains devant le Duc (scène III), la mort de Louise (scène V) ; entre ces trois scènes d'un ferme contour flottent deux tableaux d'un contenu moins décidé (scène II et scène IV). Or, de cette structure ancienne de l'acte II, dont les trois scènes précitées forment l'épine dorsale, le manuscrit porte des cicatrices aussi irrécusables qu'instructives. Et d'abord, au fronton même d'un feuillet, où l'on souhaitait de l'y voir, sans oser trop l'attendre. Tout en haut du f° 27, en effet, là où M. Dimoff signale avec prudence « une indication scénique en trois ou quatre mots biffés et illisibles [16] », je crois pouvoir restituer à coup sûr l'illisible. Ce ne sont pas trois ou quatre mots, mais très exactement deux mots, soulignés d'un trait long, soigné et continu, comme Musset le fait au début de chaque acte, et là seulement. De la confrontation, lettre par lettre, entre la mention « acte second », telle qu'elle apparaît en tête du f° 1, et la mention réputée illisible qui surmonte le f° 27 jaillit brusquement l'étincelle : c'est « acte second » qui se cache sous la biffure initiale du f° 27.

La confirmation, du reste, ne se fait pas attendre et M. Dimoff lui-même y prête la main. C'est bien, en effet, le chiffre I que surcharge le V de la mention « scène V » [17] sur le f° 27. Dès lors les choses deviennent claires. La scène qui ouvrait primitivement le deuxième acte, c'est tout simplement, l'actuelle scène V

---

15. Voir *Pommier II*, p. 69-70.
16. *Genèse*, p. 294, n.c. 862.
17. *Ibid.*, p. 294, n.c. 862.

du même acte dans la rédaction définitive. Au reste, ce transfert n'a pas dû coûter beaucoup de peine à l'écrivain, car, contrairement à l'avis de M. Dimoff, qui voit dans la scène V du deuxième acte « une scène nouvelle qui n'est prévue dans aucun des trois plans de *Lorenzaccio* [18] », il me semble que, dans ses grandes lignes et dans son intention fondamentale, elle reste fidèle à ce qui était primitivement prévu : Lorenzo chez les Strozzi ; Louise Strozzi présente à l'entretien ; la nouvelle de la mort de Julien donnée par Pierre Strozzi. Qu'une foule de modifications de détail aient été apportées ensuite dans la rédaction définitive, qui s'en étonnerait ? Rien n'empêchait Musset, souverain en la matière, de modifier même, dans une première rédaction de la scène, les dispositions jetées à la hâte sur un simple plan destiné à servir de fil conducteur.

Des nombreuses corrections que comporte cette scène dans le texte manuscrit du drame, je ne retiendrai, à titre d'exemple, que la plus caractéristique, qui est aussi la plus riche de sens. D'entrée de jeu, en effet, apparaît une importante biffure et un ajout, fait d'une encre et d'une écriture nettement différentes, sur l'indication scénique initiale [19]. Voilà, à coup sûr, le signe d'un remaniement d'ensemble de la scène à compter du moment où elle change de place et doit s'adapter à une situation nouvelle. On retrouve cette « main » corrective tout au long du texte, sans qu'on puisse en inférer quoi que ce soit sur l'époque à laquelle ces corrections ont été faites. Il est même assez vraisemblable que des remaniements plus importants, notamment à la fin de la scène, ont eu lieu. J'en verrais volontiers la trace dans une singulière contradiction entre deux détails, pourtant situés à une courte distance l'un de l'autre. Au f° 31, Pierre évoquant le déroulement de l'agression contre Salviati, précise : « Thomas l'a frappé à la jambe » ; au f° 32, Lorenzo, dit à Thomas : « En sorte que vous l'avez frappé à l'épaule ? » Distraction ? Tout de même !... Mais si l'on veut bien noter que le f° 31 est écrit d'une plume grasse et négligée, le f° 32 d'une plume beaucoup plus maigre et d'un graphisme plus soigné, ne serait-il pas tentant de constater là un de ces artifices de montage, dont le manuscrit est rempli et Musset coutumier ? En écrivain pressé et économe de ses peines, il use, chaque fois qu'il le peut, des facilités que lui laisse son système de feuillet mobile afin d'opérer toutes les substitutions, interpolations ou manipulations utiles.

La scène III, prévue au Plan III, figure, elle aussi, fidèlement, dans le texte manuscrit. Musset l'a seulement déplacée. Biffant la mention « scène III », encore lisible sous les traits d'encre qui la noircissent, il écrit au-dessus « scène IV ». Mais structure d'ensemble et contenu sont ceux-là même qui étaient initialement prévus : « Maria Soderini, Caterina, Laurenzo ; scène des républicains ; le Duc ; (il voit Catherine) ». Sans doute la scène a-t-elle fait l'objet de nombreux remaniements, comme en témoigne le collage du f° 21, qui trahit le remploi d'une première rédaction. Je serais même enclin, dans cet ordre d'idées, à penser que primitivement la scène s'arrêtait au bas du f° 25, où figure, lisible sous la biffure, la mention « ils sortent », qui marque une fin de tableau.

Mais alors quand et pourquoi l'ajout du f° 26 ? A ce sujet on me permettra la simple hypothèse que voici : s'avisant que la confession serait sans objet ou du moins sans intérêt dramatique si elle ne précédait pas la scène des républicains, au cours de laquelle il est formellement prévu que le Duc aperçoit Catherine et songe à cette nouvelle conquête, le dramaturge dispose les événements dans une succession plus logique ; il compose la confession, dont la fonction est d'enclancher le mécanisme de l'adultère, et, dans l'appendice, — composé après coup [20] ? —, qui la prolonge, nous donne à voir que la chute

---

18. *Ibid.*, p. 394, n. 1.

19. Première leçon biffée : « (Louise) et Lorenzo causent à voix basse à quelque distance » ; leçon définitive : « Louise occupée à travailler. Lorenzo couché sur un sopha. » Dans l'intervalle de ces deux indications, on sent le travail de réflexion de l'écrivain et que l'esprit de la scène a changé.

20. Ce qui le donnerait à penser, c'est la singularité suivante : au bas du f° 10, une indication scénique, entre parenthèses et biffée avec soin, a tout l'air de pouvoir se lire : « elle sort ». La dernière ligne du f° 10 (« maintenant, que ferai-je ? est-ce que j'aime Alexandre ?) s'est comme faufilée, à l'étroit, de part et d'autre du texte biffé. Assurément cette dernière ligne est un prolongement qui n'était pas d'abord prévu ; mais rien ne prouve que cet appendice n'a pas été composé dans la continuité de la première rédaction.

de la marquise est imminente. C'est l'actuelle scène III, qu'il fait suivre de la
scène des Républicains, — devenue désormais scène IV, — au terme de laquelle,
— c'est-à-dire au f° 25 —, nous savons l'adultère consommé et le Duc las déjà
de cette encombrante maîtresse. Quant au f° 26, il n'a de sens que par rapport
à une nouvelle organisation des faits que l'acte II du Plan III exclut résolument.
C'est au f° 26, en effet, qu'il est question du dîner que Lorenzo doit prendre chez
les Strozzi. Or ce dîner est annoncé à la fin de la scène I [21], qui est précisément
le premier maillon d'une chaîne d'événements inconnue du Plan III. C'est encore
au f° 26 que Lorenzo fait allusion à un peintre qu'il protège et se propose
d'amener au duc ; fait nouveau, qui implique et annonce la séance de pose et
le vol de la cotte de mailles, sur lesquels le Plan III reste muet. De là à conclure
que le f° 26 est un ajout, dont la fonction est de servir avant tout de relais sur
le chemin des événements dramatiques, il n'y a qu'un pas, et l'on ne tourne pas
le dos au bon sens en le franchissant.

Quant à la scène V, qui devait clore les événements du deuxième acte dans
le Plan III, on peut en retrouver aisément la trace, à condition d'aller la chercher
assez loin de là. Car Musset l'a exilée à la fin du troisième acte. Une fois de plus,
on sent partout présente la révision tardive, faite la plume à la main, d'un texte
primitif. Par exemple, la mention « Sc. VII » provient d'un V, que l'auteur a
flanqué, après coup, à la plume grasse, de deux bâtons. Par contre, l'indication
« chez les Strozzi », tracée d'une plume maigre comme l'ensemble du feuillet,
reproduit exactement celle qui figure en tête de la scène V du Plan III. L'indication « les quarante Strozzi, à souper », substituée à un texte primitif biffé,
est un ajout, exécuté après coup d'une plume assez empâtée. Quant au texte
biffé, — que M. Dimoff a parfaitement déchiffré [22], il est écrit de la même plume
maigre que le reste de la page. Et ainsi de suite, tout au long de la scène. Mais
que celle-ci, au moins dans ses premiers feuillets, ait appartenu à l'organisation
primitive du deuxième acte, telle qu'elle apparaît dans le Plan III, on peut en
voir la preuve dans un détail, qui est, comme l'a bien vu M. Dimoff, « en contradiction avec le début de la scène II de l'acte III, où Philippe Strozzi dit que
Salviati vit et n'est que blessé [23] ». En fait, Musset n'est en contradiction qu'avec
lui-même, et les deux termes de la contradiction témoignent seulement de deux
phases différentes d'un même créateur. Si, à la scène VII de l'acte III, Philippe
prétend que « Pierre et Thomas ont tué Salviati » et qu'« Alexandre de Médicis
les a fait arrêter pour venger la mort de son ruffian », alors qu'au début de
la scène II du même acte, Pierre se lamente, devant son père, d'« avoir manqué
cette canaille », c'est que la scène VII est contemporaine du Plan III, tandis
que la scène II, composée postérieurement, entre dans une nouvelle organisation
des événements. On peut seulement s'étonner qu'en revoyant cette scène ancienne
pour lui donner sa place définitive, Musset n'ait pas été frappé des contradictions
entre une rédaction primitive et les modifications intervenues en cours de route.
Cette inadvertance-là s'appelle de la désinvolture.

C'est probablement à la même désinvolture qu'on doit, quelques feuillets plus
loin, une incohérence, dont s'est avisé également M. Dimoff. Au bas du f° 43,
Louise s'écrie : « Je vais mourir, je vais mourir... », tandis que Philippe, affolé,
réclame à grands cris un médecin ; suit l'indication fatale, « elle meurt ». Le
f° 44 semble ignorer que Louise est morte et nous fait assister à l'agonie de la
jeune fille et aux efforts que déploie son entourage pour conjurer l'impossible,
jusqu'au moment où le médecin entre et constate le décès. Le f° 45 enchaîne
sur ce constat, mais une indication biffée laisse à penser que l'ordre des feuillets
a dû subir, en cours de route, quelques perturbations. On lit, en effet : « au bout
de quelque temps un médecin arrive, et déclare que Louise est morte ». M. Dimoff fait, à ce sujet, la supposition suivante : « cette leçon semble prouver que
le f° 45 a été écrit avant le f° 44, qui remplace probablement une première
rédaction sacrifiée [24] ». En réalité, les choses se sont passées beaucoup plus
simplement, comme on va voir. Si l'on fait abstraction, en effet, du f° 44 et

21. « Allons dîner, le dîner est servi » (ibid., p. 256, l. 107).
22. Ibid., p. 373, n.c. 1189.
23. Ibid., p. 374, n. 1.
24. Ibid., p. 379, n.c. 1307.

qu'on établisse, par hypothèse, une continuité entre le f° 43 et le f° 45, on aperçoit aussitôt un emboîtement si parfait qu'il ne fait pas de doute qu'initialement l'ordre des feuillets se présentait ainsi :

f° 43   *Philippe :* (...) un médecin ! vite, vite, il n'est plus temps.

   Louise : Je vais mourir, je vais mourir. (*Elle meurt*).

f° 45   (*Un profond silence règne dans la salle ; au bout de quelque temps un médecin arrive, et déclare que Louise est morte. Philippe est toujours* [« toujours » rajouté dans l'interligne supérieur] *à genoux auprès de Louise* [« Louise » en surcharge d'elle »] *et lui tient les mains*). *Un des convives :* C'est du poison des Médicis...

On voit clairement, sur cet exemple, ce qui a pu se passer. Désireux d'exploiter le pathétique de la situation, en renforçant les effets de mélodrame, Musset ne s'embarrasse pas de subtilités. Il intercale purement et simplement entre les deux feuillets anciens un feuillet nouveau (f° 44) et tâche de gommer les aspérités trop voyantes. D'où l'indication biffée au haut du f° 45, pour éviter l'incohérence chronologique, et l'ajout de « toujours » à la phrase : « Philippe est toujours à genoux auprès de Louise », afin que cette nouvelle rédaction cadre avec l'indication donnée au f° 44 : « il tombe à genoux près de Louise ». Mais il néglige un détail qui signale l'arrangement à la vigilance du lecteur attentif : la mention « Elle meurt », laissée au bas du f° 43. Ainsi travaille parfois Musset, dans la hâte et même le rapetassage. Et il serait imprudent de prétendre que la force du drame tire toujours profit de ces manipulations.

De ces coups de sonde dans le manuscrit du deuxième acte, le bilan est loin d'être négligeable. Nous avons, en effet, confirmation par les faits de diverses théories, qui n'étaient soutenues jusqu'ici qu'à titre d'hypothèses de l'esprit. Ainsi pouvons-nous, par exemple, accorder à M. Dimoff le bénéfice d'avoir vu juste, quand il supposait que le drame s'était construit de la façon suivante : « Après le troisième plan, Alfred de Musset n'en aurait plus établi d'autre, mais aurait commencé, au gré de ses lectures et de son inspiration, à écrire des scènes, dont les unes réalisaient plus ou moins exactement les indications de son plan, mais dont les autres étaient neuves et venaient par conséquent rompre l'ordonnance de ce plan. Un jour est arrivé où l'écrivain, ayant tiré de sa matière à peu près toutes les scènes qu'elle pouvait comporter, s'est mis en devoir de les grouper. Il a procédé par arrangements successifs, auxquels le troisième plan a servi de base [25] ». La théorie est séduisante, mais elle suppose que le troisième plan a vraiment joué, dans l'élaboration progressive de la pièce, le rôle capital que M. Dimoff lui attribue. Or l'analyse qui vient d'être faite de trois scènes importantes du drame en fournit la preuve. Le Plan III a bel et bien reçu un commencement d'exécution. Le manuscrit de la pièce en porte clairement le témoignage, jusque dans ses blessures et dans ses roueries. S'avisant, par la suite, que la trame trop serrée et l'intrigue close sur elle-même du deuxième acte provoquaient en retour un troisième acte lâche et mou, pour ainsi dire flottant hors des lieux du combat, Musset s'est ingénié à desserrer l'intrigue, à donner de l'air, du jeu aux événements. Les scènes se multiplient, s'allègent, cherchent leur place. Le poète pratique la méthode de composition qui lui convient le mieux : l'improvisation créatrice. Découpage de la matière dramatique en scènes autonomes et montage par effets concertés de continuité ou de discontinuité deviennent la règle. Ainsi, du Plan III à la rédaction définitive, le manuscrit nous révèle, sur le vif d'un document d'archives, une singulière métamorphose dans la dramaturgie d'un créateur : de la progression rigoureuse et homogène des scènes, requise par l'art du théâtre, à la construction desserrée et à la succession des plans, chères à l'art cinématographique.

De ce changement de perspective et de méthode, de cette liberté créatrice recouvrée en chemin, le manuscrit du deuxième acte offre d'intéressants témoignages, qu'on identifiera sans peine. Dès lors, en effet, que Musset renonce à

___

25. *Ibid.*, p. XXXVII.

faire mourir Julien Salviati, comme l'y invite la vérité historique, et qu'il reporte la mort de Louise à la fin du troisième acte, comme l'art dramatique l'y convie, il ne peut plus se passer de scènes-outils ou plus exactement de scènes-relais, chargées d'éclairer les situations et de relancer sans cesse le mouvement des intrigues. De là l'invention de la scène I et de la scène VII, aux deux extrémités du deuxième acte. Par la scène I, Musset sacrifie au démon du spectacle : le récit du Prieur et la fureur de Pierre nous sont donnés à voir, tandis que, dans la première inspiration du dramaturge, nous n'avions de la scène que l'écho indirect conservé dans la mémoire de Philippe Strozzi. L'esthétique même du drame en est changée. Les mêmes faits nourrissent la scène I et le début de la scène V, seuls changent les modes narratifs ; le récit du combat succède à ce combat lui-même ; l'ellipse fait place à la redondance. Le maillon qui eût manqué à la chaîne entre l'insulte et son châtiment, voici qu'il nous est physiquement restitué. La trajectoire des événements, de la foire de Montolivet à la rue des Archers, passe par le cabinet de Philippe Strozzi, qui sert de pont entre le premier et le deuxième acte, de plan incliné vers la vengeance et la mort. La scène VII procède de la même esthétique. Elle nous fait constater « de visu » que Salviati est seulement blessé, elle nous apprend de la bouche même du Duc que le châtiment des coupables est imminent, que la vengeance rôde aux portes du palais Strozzi.

Reste la scène VI, — le vol de la cotte de mailles —, qui est aussi, à sa manière, une scène-relais, mais qui pose des problèmes plus complexes, car elle appartient à la série des tableaux où le peintre Freccia joue un rôle. Dès que paraît ce personnage, difficilement sorti de la nébuleuse qui l'a enfanté, il semble qu'aussitôt le brouillard s'épaissit. Pour y voir clair, on nous permettra de reprendre la question au point précis où nous l'avions laissée à l'acte précédent. Deux certitudes s'imposaient alors : d'une part, la grande scène avec Tebaldeo, au portail d'une église, était destinée originairement au premier acte ; d'autre part, il y a toute apparence que Musset n'était pas très fixé au départ sur la fonction exacte à donner au jeune artiste dans l'économie du drame. L'hypothèse de M. Dimoff selon laquelle Freccia serait, à l'origine, « un graveur, élève de Benvenuto Cellini, que celui-ci aurait chargé en quittant Florence, d'achever la médaille du Duc[26] », me paraît des plus vraisemblables. Peu à peu ses talents allaient s'étendre à d'autres secteurs de l'activité artistique, — sculpture, peinture, musique même, — et rien n'empêchait Musset, au deuxième acte, de remettre derechef en tête-à-tête Lorenzo et Freccia pour une nouvelle scène de séduction et de tentation. Cette scène, nous la possédons : c'est la scène IV, située dans « une petite chambre », que l'auteur, n'en trouvant plus l'emploi, a finalement remisée dans ses cartons. Mais il est probable qu'il n'en a pas toujours été ainsi. Car cette scène, contrairement à une opinion communément admise, dont M. Dimoff s'est fait, à son tour, discrètement le tenant[27], est formellement distincte de la rencontre au portail d'une église. Loin de se confondre, l'une étant, pour ainsi dire, le brouillon de l'autre, les deux scènes ont été conçues pour se faire suite et appartiennent à la même trajectoire dramatique. Tebaldeo, fidèle au rendez-vous que lui a fixé Lorenzo, vient subir, cette fois à domicile, l'assaut de ses prévenances empoisonnées.

L'examen de quelques détails, dans l'ordre même où les présente la lecture simultanée des deux textes, devrait lever tous les doutes à cet égard : « Hier elle me disait t'avoir vu à l'église[28] ». A l'église ? Parce que « ce sont les seules occasions[29] » où Tebaldeo va en public ; hier, c'était précisément le pèlerinage à San Miniato, auquel nous savons que le peintre a assisté.

---

26. *Ibid.*, p. 169, n. 1.

27. « Dans la rédaction définitive, cette scène, complètement remaniée, sans pourtant que le fond en soit vraiment changé, donnera la scène 2 de l'acte II » (*ibid.*, p. 176, n. 1) ; M. Merlant semble être d'un avis tout différent : « elle [la scène II de l'acte II] doit être à peu près contemporaine de la « scène 4 », rejetée (...), qui, à mon sens, lui fait suite » (J.-C. Merlant, *le Moment de « Lorenzaccio »*, p. 77, n. 1).

28. *Ibid.*, p. 176, l. 9-10.

29. *Ibid.*, p. 268, l. 328-329.

« Ne m'as-tu pas refusé aussi le portrait de la Mazzafirra [30] ? » Et quand l'a-t-il refusé ? Précisément dans la première conversation au portail de l'église [31]. « Il y a au fond de Sainte-Marie [32] ». Sainte-Marie ? L'une des églises que fréquente Tebaldeo et où il fait sa « partie dans les chœurs [33] ».

« Il faut laisser là tes pinceaux et ta damnée musique [34] ». Cette dernière remarque est incompréhensible, si on ne la met pas en relation directe avec la première rencontre des deux interlocuteurs. Il n'a pas été question de musique, en effet, depuis le début de la scène. La remarque, par contre, s'éclaire, si Lorenzo sait, parce que Tebaldeo le lui a confié au cours de leur première entrevue, que « le chant de l'orgue [lui] révèle [la] pensée » de Raphaël et de Michel-Ange, qu'il a lui-même « de la voix » et qu'il fait parfois « un petit solo [35] » dans le chœur des moines, sous la robe blanche et la calotte rouge.

Ainsi la cause paraît entendue. Les deux scènes, écrites en fonction l'une de l'autre, probablement à une époque voisine, devaient primitivement coexister dans la pièce et se faire suite, à distance, dans une même série. On peut même pousser un peu plus loin l'analyse et retrouver par calcul la place probable de la scène IV, finalement abandonnée, dans l'économie du deuxième acte, bien qu'elle ne soit formellement prévue dans aucun des trois plans. Cette place, c'est le délogement d'une autre scène jusque-là fortement implantée à la quatrième place dans les deux derniers plans, — la confession —, qui a dû la déterminer. En faisant passer la confession avant la scène des républicains, pour les raisons d'intrigue que j'ai dites, Musset libérait du même coup une place momentanément sans emploi, où insérer la deuxième entrevue, « intra muros », entre Lorenzo et Freccia. Il est remarquable, en tout cas, qu'aucune des autres scènes appelées à occuper une fonction définie au sein du deuxième acte ne porte originellement la mention « scène IV ». C'est par un déplacement latéral, je l'ai dit, consécutif à un remaniement du Plan III, que la scène des républicains se verra surmontée d'un IV substitué à un III d'origine et biffé.

Une question, toutefois, demeure : quand et surtout pourquoi cette scène IV, entièrement rédigée, a-t-elle été finalement éliminée ? A défaut de preuve, la pesée critique des mérites et des insuffisances donnera la réponse. C'est son immobilité qui l'a perdue, vice redhibitoire dans une action théâtrale. Scène de préparation, comme du reste la première entrevue, elle n'en finit pas de préparer Tebaldeo au rôle futur qui lui est dévolu. Au bout du compte, le dramaturge, loin de nous révéler, fût-ce à mots couverts, les intentions secrètes de Lorenzo à l'égard de son protégé, se complaît à l'excès dans la brume et le mystère. Il biffe même une précision, pourtant très enveloppée : « C'est un petit portrait... », et renonce à toute révélation prématurée : « Je te dirai ce qu'il faut que tu fasses [36] ». Paradoxalement, on en savait davantage à l'issue de la première rencontre : « je veux te faire faire un *tableau* d'importance pour le jour de mes noces [37] ». Mieux valait désormais l'ellipse que ce piétinement sans profit. Entre la conversation au portail de l'église, par laquelle Lorenzo met le peintre à son service, et la séance de pose, où l'on voit le peintre au travail, le mouvement d'une petite phrase incidente remplacera avantageusement l'immobilité compacte d'un long dialogue : « A propos, ne m'avez-vous pas dit que vous vouliez donner votre portrait, je ne sais plus à qui ? J'ai un peintre à vous amener, c'est un protégé [38] ».

---

30. *Ibid.*, p. 178, l. 39-40.
31. *Ibid.*, p. 263, l. 216-220.
32. *Ibid.*, p. 178, l. 55.
33. *Ibid.*, p. 268, l. 317-323.
34. *Ibid.*, p. 179, l. 73-74.
35. *Ibid.*, p. 268, l. 325-328.
36. *Ibid.*, p. 182, l. 132 et n.c. 131.
37. *Ibid.*, p. 269, l. 339 ; il est possible que cette réplique, dont on a vu plus haut qu'elle a tous les caractères d'un ajout, n'ait été rédigée qu'après que le dramaturge a décidé de renoncer à la scène 4 ; mais de cette supposition plausible on ne saurait donner le moindre commencement de preuve.
38. *Ibid.*, p. 293, l. 849-852.

A cela s'ajoute, pour les raisons d'équilibre et d'allègement du premier acte que j'ai mentionnées, le déplacement sans doute tardif de la première entrevue entre Lorenzo et Freccia de la fin du premier acte au début du second ; très exactement à cette deuxième place, qu'occupait naguère, dans le Plan III, une scène floue de contour et vague de contenu, à laquelle l'écrivain a dû renoncer sans peine [39]. Par ce changement radical, le dramaturge signait l'arrêt de mort du second entretien devenu moins nécessaire que jamais. Tel apparaît Musset au travail, dans la recherche tâtonnante et le classement par approximation. Une intrigue va-t-elle trop vite ? on intercale quelques scènes utiles, qui lui donnent à la fois de l'étoffe et du temps. Une autre piétine et s'alanguit dans la répétition ? L'artisan manie courageusement le tranchet, même si le déchet tombé de l'établi a belle allure. Ainsi tombent parfois de la table de montage plans et séquences qui n'ont pas ou qui n'ont plus leur place dans le film en train de devenir œuvre d'art.

*
* *

La confection du troisième acte posait à l'écrivain des problèmes radicalement différents. La redistribution de quelques scènes importantes au deuxième acte rendait en effet caduque la structure globale du troisième acte initialement prévue dans le Plan III. En particulier ni la première ni la dernière scène ne pouvaient demeurer en place : la première, parce qu'il y était question du départ de Philippe après la mort de Louise ; la dernière, parce que la scène de la mort de Louise devait inéluctablement prendre sa place. Musset va donc devoir organiser son troisième acte de la manière paradoxale qui sied aux tendances contradictoires qui cohabitent en lui : l'esprit de novation du dramaturge conséquent et l'esprit conservateur du dilettante ménager de ses efforts. On retrouvera sans peine dans le texte définitif des traces ou des souvenirs de quelques scènes anciennes qui ont été déplacées et modifiées dans une perspective entièrement renouvelée. Ce passage de l'esprit créateur freiné par l'esprit d'économie, c'est une fois de plus le manuscrit qui nous permettra de le saisir sur le vif et dans sa métamorphose.

Un coup d'œil sur le troisième acte du Plan III nous fait apercevoir trois groupes de scènes inégalement élaborées, correspondant, en gros, aux trois intrigues menées de front dans la pièce : deux scènes pour l'intrigue Lorenzo (scène I : avec Benvenuto ; scène V : avec Scoronconcolo), deux scènes pour l'intrigue Cibo (scène II et scène III) ; deux scènes pour l'intrigue Strozzi (scène IV et scène VI). On note, au passage, que, soucieux de faire alterner autant que possible les intrigues, Musset opère, sur le Plan III lui-même, un reclassement significatif. Il intervertit les scènes III et IV, de sorte qu'entre deux scènes consacrées à l'intrigue Cibo se glisse une scène appartenant à l'intrigue Strozzi. C'est sur ce schéma que doit opérer l'esprit créateur du dramaturge. Il n'est que de suivre, en prenant le texte même du manuscrit pour guide, les phases de l'opération.

Musset élimine tout d'abord radicalement la scène I, pourtant déjà rédigée. Car il n'est pas douteux qu'il faille reconnaître dans la scène « chez le Duc », conservée dans les fragments non utilisés, la scène initialement prévue en tête du troisième acte dans les Plans II et III. Sans doute Freccia en est-il absent, alors que sa présence aux côtés de Benvenuto était formellement indiquée dans les deux plans. Mais j'ai montré, en son temps [40], que M. Dimoff avait fait à son sujet une erreur de lecture susceptible de l'entraîner vers des conclusions excessives. Ce n'est pas « Freccia cherchant Benvenuto » qu'il faut lire, mais « Freccia chantant, Benvenuto » ; ce qui donne à Freccia un rôle moins actif, une sorte de fonction d'accompagnement, au sens musical du terme. Musset a dû renoncer, pour des raisons qu'on ignore, à ce détail pittoresque, au moment de la rédaction de cette scène. Mais l'idée n'en sera pas complètement perdue, puisque la scène VI de l'acte II, où Freccia joue précisément un rôle analogue à celui de Benvenuto, s'ouvre sur cette indication, qui donne une petite secousse à la mémoire affec-

---

39. « Sc. 2, La Duchesse, la Csse, le Cardinal, le Duc » (ibid., p. 162, l. 17-18).
40. Voir ci-dessus, p. 000, n. 23.

tive : « Giomo chantant [41] ». De toutes les manières, de la scène prévue dans le Plan III à la scène rédigée, puis abandonnée, il y a continuité stricte de programme : Le Duc et Lorenzo, sommeillant ; Benvenuto apporte sa médaille ; celui-ci parti, le duc et Lorenzo parlent de Catherine.

Les raisons qui ont amené Musset à renoncer complètement à cette scène sont très claires et ne prêtent pas à discussion. D'une part, le dramaturge ayant décidé de faire partir Philippe Strozzi pour Venise à la fin de l'acte III, toute la fin de la scène devenait sans objet. N'y lit-on pas, en effet : « on a mis cette nuit en prison trente ou quarante braillards [42] » ? — allusion évidente à la révolte des quarante Strozzi sortis dans la rue aux cris de liberté et de vengeance [43] ; et encore : « sais-tu une chose ? Philippe est parti [44] », information nettement prématurée à cet endroit du drame. Musset a, d'autre part, renoncé au personnage de Benvenuto Cellini, dont Freccia a, pour ainsi dire, pris le relais. Une scène qui n'était plus à sa place dans le cours de l'action et qui avait pour personnage principal une figure tombée en disgrâce ne s'imposait plus et s'éliminait d'elle-même comme un fruit hors de saison.

La place de cette scène n'a pas dû rester longtemps vacante. Musset avait, en effet, une scène en trop, tombée lors de la réorganisation du deuxième acte : la scène avec Scoronconcolo. Prévue à la fin du deuxième acte dans les Plans I et II [45], rajoutée après coup, dans l'interligne, entre les scènes IV et V du Plan III [46], comme s'il s'agissait d'un fâcheux oubli qu'on avait voulu réparer, elle attendait son emploi au troisième acte. Il n'est guère étonnant qu'elle ait pris la première place laissée vacante, dans la mesure où sa relative autonomie dans l'action, — on peut faire des armes à toute heure —, ne la fixait nécessairement nulle part. Quant à la scène V du troisième acte [47], qui avait aussi Scoronconcolo pour protagoniste, elle s'imposait d'autant moins qu'elle avait toutes les chances, comme l'a bien vu M. Dimoff [48], d'être là par erreur, égarée à une place où elle n'avait rien à faire.

Les deux scènes consacrées à l'intrigue Cibo dans le Plan III seront récupérées par Musset de la manière ingénieuse qu'on va voir. L'une d'elles, au moins, est toujours apparue ferme et sûre : il s'agit de la chasse, présente dans les trois plans [49], et dont le programme a été assez soigneusement élaboré dès le premier plan pour que la seule mention du décor suffise à y faire implicitement référence. L'autre scène, par contre, semble une improvisation de dernière minute [50], dont les contours et la substance paraissent des plus vagues. Musset en abandonnera l'idée, dès qu'il aura renoncé à faire paraître la duchesse dans la pièce ; comme pour Benvenuto, une simple allusion suffira [51]. Quant à la chasse, on pense bien qu'en dramaturge avisé, Musset ne se contentera pas d'une allusion ; ou plus exactement, il dissociera décor et contenu, jusque-là solidaires. Le décor — une partie de chasse, au cours de laquelle la Marquise se serait montrée importune — laissera une trace fugitive au détour d'un dialogue [52]. Le contenu, lui, — c'est-à-dire la situation dramatique —, sera exploité habilement par l'écrivain, mais dans un décor d'intérieur : le boudoir de la marquise.

On peut suivre, sur le manuscrit, les traces de ce travail d'organisation. Dans un premier temps, Musset, qui a deux scènes à pourvoir (les scènes II et III du Plan III), remplit scrupuleusement son programme. La scène II, elle, occupe le f° 40 du troisième acte. L'aspect du manuscrit est parfaitement éloquent à cet

41. II, 6, p. 304, l. 1052.
42. *Ibid.*, p. 174, l. 76-77.
43. *Ibid.*, III, 7, p. 382, l. 1368-1374.
44. *Ibid.*, p. 174, l. 79-80.
45. *Ibid.*, p. 153, l. 33 et p. 159, l. 22.
46. *Ibid.*, p. 162, l. 23.
47. *Ibid.*, p. 164, l. 33.
48. *Ibid.*, p. 164, n. 3.
49. *Ibid.*, p. 154, l. 47-49 ; p. 159, l. 27-28 ; p. 164, l. 31.
50. *Ibid.*, p. 163, l. 30.
51. *Ibid.*, III, 6, p. 369, l. 1098-1099.
52. *Ibid.*, IV, 1, p. 387, l. 65-66.

égard. Il s'agit bien d'un feuillet autonome, surmonté d'une mention de décor biffée, — « Sc. II, chez la Marquise » —, mais demeurée parfaitement lisible sous la rature. Comme il est d'usage, la scène est introduite par une indication de mise en scène : « La Marquise, seule, tenant le portrait de son mari ». Sans nul doute, il s'agit là d'une scène ou d'un fragment de scène de transition, qui s'enchaîne fort bien avec ce qui devait précéder, — « je vais chez la Cibo », dit le duc à la fin de la scène I abandonnée [53] —, et mieux encore avec ce qui va suivre. Ce qui suit, en effet, c'est l'actuelle scène VI, f° 34 à 39, qui était primitivement une scène III, parfaitement lisible sous le VI qui le recouvre et qui, elle aussi, se passait initialement « chez la Marquise », comme en témoigne clairement une première leçon biffée [54].

Quant au lien interne de ces deux scènes, il est autant dans la continuité du discours que dans l'identité des décors. On sait qu'à la fin du f° 40 le texte manuscrit comporte une phrase qui a sauté à l'impression : « Ricciarda, ta Ricciarda, elle a fait un rêve, un rêve insensé [55] ». Terminer ainsi une scène, sur une apostrophe adressée à un absent, c'était laisser le spectateur sur une ambiguïté qui cadre mal avec les clausules nettes dont aime à jouer tout dramaturge averti et Musset en particulier. Sagement, il a préféré couper et finir sur une phrase close sur elle-même, qui boucle à la fois une journée et une expérience : « ce sera une main tremblante qui t'apportera ton repas du soir quand tu rentreras de la chasse [56] ». Tout autre est l'impression, si on restitue à la clausule supprimée sa place primitive, c'est-à-dire juste avant l'actuelle scène VI. Alors l'ambiguïté se justifie, car elle sera levée quelques lignes plus loin, exactement à la cinquième réplique, en réponse à un propos du duc, qui déclare tout de go à la marquise : « Vous rêvez tout éveillée » [57]. Belle occasion pour Ricciarda d'enchaîner sur son rêve insensé, nous en expliquer le contenu, nous en dessiner l'envol : « Oui, par le ciel ! oui, j'ai fait un rêve... [58] ». L'emboîtement des deux scènes, est, dans cette consécution primitive, parfaitement cohérent.

C'est sans aucun doute pour des raisons de clarté et de progression dramatique que Musset a bouleversé l'ordre de ces deux scènes. Amené à réorganiser l'ensemble du troisième acte, il a dû notamment éprouver le besoin de préparer plus explicitement l'intervention du cardinal Cibo à la fin de la scène VI. De là l'invention de la scène V, qui a tous les caractères d'une scène-outil, destinée à faire rôder le cardinal dans les parages et à nous présenter, dans son mystère raffiné, le lieu qui va abriter les relations luxurieuses du duc et de la marquise. D'autres détails viennent renforcer cette cadence dramatique que Musset entendait manifestement donner à la succession des scènes. Et d'abord l'intervention, assez rare dans la pièce, d'une chronologie. Puisque la fin de la scène VI, — c'est-à-dire l'ancienne scène II —, se situe à « midi passé [59] », Musset, renversant l'ordre des scènes, précise l'heure à laquelle s'ouvre la scène V : « déjà neuf heures [60] » ; du moins l'ordre du temps règnera-t-il au sein du désordre des mœurs. Même souci de cadence et d'équilibre dans les indications de décor et de costume : scène V, « la marquise, parée, devant un miroir », des fleurs embaument ; scène VI : « Le boudoir de la marquise » ; fin de la scène VI (f° 40) : « La marquise, seule, tenant le portrait de son mari », autre miroir qui lui renvoie l'image non de sa beauté, mais de son remords ; à l'intimité close du boudoir succède l'image ouverte d'un coin de campagne familier, symbole de pureté et de liberté. Musset, décidément, connaît son métier, même lorsqu'il fait du ravaudage. Il est vrai qu'en d'autres termes ce ravaudage peut se nommer un montage, où tout est dans le rapport des séquences et le rythme de leur succession.

53. *Ibid.*, p. 174, 1. 64.
54. *Ibid.*, III, 6, p. 364, n.c. 1002.
55. *Ibid.*, III, 6, p. 373, n.c. 1186.
56. *Ibid.*, III, 6, p. 373, 1. 1184-1186.
57. *Ibid.*, III, 6, p. 365, 1. 1018.
58. *Ibid.*, III, 6, p. 365, 1. 1020.
59. *Ibid.*, III, 6, p. 372, 1. 1173.
60. *Ibid.*, III, 5, p. 363, 1. 971.

La suite des scènes concernant l'intrigue Strozzi n'offre pas moins de singularité. On se souvient que, dans le Plan III, deux scènes, au troisième acte, devaient avoir Philippe Strozzi pour héros. L'une d'entre elles, numérotée d'abord IV, puis III, prévoyait même un décor : « Strozzi chez les moines [61] ». Notons que cette scène, dans ce décor, était prévue à la même place dans les deux plans précédents, mais sous une forme un peu plus complète : « chez les moines ; Strozzi ; Laurenzaccio » (III, 4, Plan I) ; « chez les moines, Strozzi, Laurenz » (III, 4, Plan II). C'est du démembrement de cette scène, comme l'a bien vu M. Dimoff [62], que semble être née l'autre scène consacrée à Strozzi : la scène VI, rajoutée après coup à la fin du troisième acte dans le plan III, sans autre indication que celle des deux interlocuteurs : « Strozzi, Lorenzo [63] ». Que s'est-il passé au moment de la rédaction ? Une fois de plus, il faut interroger le manuscrit. A défaut de certitudes, qui manqueront toujours à l'appel, on y pourra recueillir une foule d'indices capables d'étayer nos probabilités.

Et d'abord, plus de scène « chez les moines » au troisième acte. Celle-ci est remise à plus tard, exactement après la mort de Louise, ce qui est logique. A la place, deux scènes enchaînées, où domine l'élément dramatique. Musset, conséquent avec lui-même, se méfie d'un troisième acte tenté par les commodités de la conversation. Le coup de théâtre y règnera donc en maître. On part conspirer chez les Pazzi (scène II) ; en route Pierre et Thomas sont arrêtés par la justice du duc (scène III). Notons, enfin, que ces deux scènes enchaînées étaient primitivement placées dans la deuxième moitié de l'acte. Si ma lecture est exacte, je crois, en effet, déchiffrer, — péniblement, j'en conviens, — sous les biffures en haut du fᵒ 5 le chiffre IV, en haut du fᵒ 10 le chiffre V. De toutes les manières, les deux biffures sont de la même encre et de la même main et ont été pratiquées conjointement. Nul doute que les deux scènes, où qu'elles fussent placées, étaient faites pour se suivre et se suivaient. La volonté d'innerver le dialogue d'une constante énergie dramatique va se retrouver dans la scène III, dont la longueur insolite défie pourtant les lois de la scène. Je suis persuadé, quant à moi, que, dans l'idée primitive de Musset, le dialogue de Lorenzo avec Philippe Strozzi devait se présenter tout autrement. En dernière analyse, Musset l'a intégré à une situation et une mise en scène dramatiques, qui lui ôtent une part de sa gratuité et le mettent sans cesse en relation dynamique, avec le mouvement de l'intrigue. Sans qu'on puisse prétendre que l'opération ait été toujours dominée et partout réussie, on lit, du moins, sur le manuscrit, — dans les froissements d'épiderme et jusque dans les verrues —, l'effort tenace d'un écrivain pour maintenir un dialogue sans cesse grossissant dans le droit fil de l'action théâtrale.

Les trois premiers feuillets, les fᵒˢ 10, 11 et 12, sont consacrés à l'arrestation de Thomas et Pierre Strozzi. Même si, du point de vue purement graphique, on ne sent pas entre la scène II, fᵒˢ 5 à 9, et les trois premiers feuillets de la scène III une coulée unique, la continuité de conception et d'intrigue est patente. C'est sur le chemin qui mène au palais Pazzi qu'a lieu l'arrestation et l'évocation des Pazzi sert de dénominateur commun aux huit feuillets. La première rupture de continuité se produit au centre même du fᵒ 12. On sait, en effet, que le fᵒ 12 est en deux parties et que Musset a collé sur un feuillet vierge un demi-feuillet assez grossièrement découpé dans cette première rédaction. Le reste de la page constitue une nouvelle rédaction, un enchaînement dans une nouvelle direction. Le texte nouveau est d'une écriture différente, d'un caractère maigre et d'un aspect élégant et soigné ; cela sent l'attaque de pied ferme dans un dessein déterminé. L'indication primitive, — « Philippe seul », suivi d'un point —, sur l'ancien feuillet est, au moment du collage, heureusement précisée ; une virgule recouvre le point et un détail de mise en scène prépare non l'achèvement d'une scène par un monologue qui la clôt, — comme cela se fait d'ordinaire —, mais la relance d'un dialogue dans un décor qui lui sied. L'indication scénique « s'asseyant sur un banc », de la même écriture que le bas du feuillet, annonce l'indication jumelle,

61. *Ibid.*, p. 164, l. 32.
62. *Ibid.*, p. 164, n.c. 2.
63. *Ibid.*, p. 164, l. 34.

au f° 15, « Il s'asseoit près de Philippe », qui dessine une mise en scène et installe les deux interlocuteurs dans les conditions d'un dialogue que le décor de plein air ne semblait pas d'abord faciliter.

L'énergie de cette relance sera préservée jusqu'au f° 18 inclus : écriture assez homogène, pas de découpage ni de collage, et surtout une grande cohérence interne dans le discours. L'arrestation des fils Strozzi et le choix du meilleur moyen de les délivrer servent de fil conducteur au dialogue. Pas un feuillet qui n'en renvoie l'écho direct ou indirect [64]. Il s'agit bien d'un dialogue « en situation », non d'une conversation, fût-elle capitale, entre deux amis qu'un malentendu séparait et que la pression des circonstances contraint à l'épreuve de vérité.

A partir du f° 19, les choses se gâtent ; c'est là qu'apparaît l'ambiguïté du dessein de Musset. L'étreinte du temps se fait moins stricte, le mouvement en avant d'un dialogue s'enlise peu à peu dans l'examen en profondeur d'une conscience. La plongée introspective se fait au détriment du dynamisme dramatique et il faut parfois des rouéries de rhéteur pour relancer artificiellement un entretien qui a perdu de son énergie. Du reste, il y a des signes qui ne trompent pas. C'est à partir du f° 19 que le rapiéçage s'installe à nouveau. C'est encore du montage, mais laborieux, et le coup de ciseaux n'abolit le plus souvent la continuité que pour laisser la place à de nouveaux développements. Cet enlisement, on le sent, dès le f° 18, au coup de ciseaux qui prive le feuillet d'une réplique de Lorenzo, dont on ne voit que l'amorce. A partir de là, il n'est guère de feuillets qui ne portent une blessure : le f° 19 est en deux tronçons, le f° 22 s'achève sur un papier collé, le f° 24 a été tronqué dans sa partie supérieure, les f°ˢ 25 et 26 sont chacun en deux parties et dénotent des rédactions d'époques différentes, le f° 28 est, lui aussi, fait de deux morceaux, le f° 30 porte cette dichotomie à son comble, en nous offrant, bout à bout, deux « mains » complètement dissemblables.

Le chercheur désemparé n'a pas d'autre ressource que de mettre un peu d'ordre et de continuité dans ce jeu de cache-cache en manteau d'Arlequin. C'est ce qu'après d'autres, on a voulu tenter. Nous avons, pour notre part, entrepris de rechercher systématiquement les coulées homogènes, ou, si l'on préfère, les séquences, c'est-à-dire les groupes de feuillets que la forme de l'écriture, la couleur de l'encre, l'élan créateur rapprochent. Sont apparues, alors, au moins deux campagnes de construction différentes. La première révèle un texte bref, dense, riche d'indications, demeurées inemployées, la seconde répond au développement systématique des germes, à la ruée vers l'explicite et la formulation.

Ce que j'appelle la première coulée ou, si l'on préfère, le premier état du texte, dans sa forme concise et serrée, s'aperçoit assez aisément, pour peu qu'on veuille bien associer étroitement l'examen des écritures et la critique interne du contenu. Si l'on prend, en effet, pour point de départ le f° 19, à partir duquel on a vu s'installer un certain cafouillage, par entremêlement de rédactions d'époques différentes, on peut déterminer une première continuité à la fois externe, — encre très noire, similitude d'écriture, — et interne, — enchaînement logique, — entre le f° 19 (demi-feuillet supérieur), le f° 25 (demi-feuillet supérieur) et le f° 26 (demi-feuillet inférieur). Sans doute l'ajustement est moins parfait entre le f° 19 et le f° 25, où il y a, de toute évidence, solution de continuité, fût-elle brève [65], qu'entre le f° 25 et le f° 26, qui pourraient se rejoindre bord à bord. Du moins, la continuité créatrice, symbolisée par les mêmes particularités graphiques, est patente. Ainsi, par exemple, la première réplique du f° 19, « tel que tu me vois, Philippe, j'ai été honnête », — trouve son écho naturel dans une réplique biffée du f° 26 (demi-feuillet inférieur) : « je te l'ai dit, Philippe, j'ai été honnête ». Eloignés l'un de l'autre par des remaniements ultérieurs, les deux feuillets cessaient d'être solidaires et les répliques de s'articuler entre elles. Musset biffe « je te l'ai dit » et le remplace, dans l'interligne supérieur, par « Philippe », dont le redoublement donne à l'affirmation de Lorenzo une certaine

---

64. *Ibid.*, III, 3, p. 333, l. 381-382 ; p. 335, l. 423-430 ; p. 336, l. 437-448 ; p. 339, l. 509-510 ; p. 340, l. 531-537.

65. Au minimum le demi-feuillet dont le f° 19 a été amputé.

connotation pathétique tout à fait de circonstance. D'autres liens intérieurs, s'ils éclatent moins au regard, n'en apparaissent pas moins clairement à l'analyse et révèlent des filières d'images ou des chaînes de pensées. Ainsi en va-t-il des notations suivantes, groupées deux à deux : « Il faut que je sois réellement une étincelle du tonnerre » (f° 19) et « suis-je un Satan ? lumière du ciel ! » (f° 25) ; « pendant vingt ans de silence » (f° 19) et « mes vingt années de vertu étaient un masque étouffant » (f° 25) ; « l'humanité souleva sa robe » (f° 25) et « la main qui a soulevé une fois le voile de la vérité » (f° 26) ; « je marchais dans mes habits neufs de la grande confrérie du vice » (f° 25) et « tu jetteras ce déguisement hideux qui te défigure » (f° 26). Et l'on pourrait sans doute trouver encore d'autres correspondances.

A cette même campagne de rédaction semblent appartenir le f° 27 et le demi-feuillet supérieur du f° 28. Outre la cohérence du discours [« tu jetteras ce déguisement hideux » (f° 26) et « le vice a été pour moi un vêtement ; maintenant, il est collé à ma peau » (f° 27)], des signes objectifs ne laissent pas d'apparaître à la surface. Ainsi, sur le f° 27, d'encre très noire, se détache, écrite à l'encre bistre, une phrase ajoutée après coup [« Prends le chemin que tu voudras, tu auras toujours affaire aux hommes »] ; or cette phrase est de la même écriture et de la même encre bistre que le demi-feuillet inférieur du f° 25, le demi-feuillet supérieur du f° 26 et le demi-feuillet inférieur du f° 28. L'existence des deux campagnes de construction est inscrite ici sur le papier, comme elle l'est ailleurs parfois sur la toile peinte ou dans la pierre. On ne saurait rêver de preuve plus sûre. La bande de papier collée au bas du f° 22 et l'ensemble du f° 24 sont-ils de la même veine ? A en juger sur la couleur de l'encre, très noire, on le jurerait. Mais, isolée, c'est une preuve trop fragile pour qu'on puisse avancer une certitude, voire une probabilité. Mieux vaut ne pas vouloir trop ni tout prouver.

Ce qu'on peut, en tout cas, tirer des remarques précédentes, ce sont des enseignements concernant les processus de création familiers à Musset. Outre le remploi, que nous connaissons bien, et dont témoigne ici avec éloquence la petite bande de papier collée au bas du f° 22, relique d'une rédaction antérieure que l'écrivain n'a même pas pris la peine de recopier et qu'il s'est contenté d'ajuster avec des pains à cacheter, Musset pratique ici deux autres formules commodes : *la brèche* et *la relance*. La brèche, c'est cette ouverture béante que le dramaturge ouvre au sein d'une rédaction primitive pour y loger un ou plusieurs développements nouveaux jugés nécessaires. De ces brèches, comblées à ras bord de matériaux neufs, nous trouvons ici deux exemples d'inégale netteté. La première est constituée par le demi-feuillet inférieur du f° 19, les f°s 20, 21, 22 (sauf la bande de papier inférieure) et 23. Tout, en effet, concourt à l'impression de continuité : l'encre, qui tire sur le bistre, l'écriture assez épaisse, l'enchaînement du discours. Musset a éprouvé le besoin de donner une suite chronologique aux indications biographiques contenues dans la partie supérieure du f° 19, c'est-à-dire dans une première rédaction. Ainsi Lorenzo racontera, de façon détaillée, ce qu'ont été les principales étapes de sa vie depuis le jour, — ou plutôt la nuit, — où sa vocation de Brutus moderne lui a été révélée de façon fracassante.

Le choquant de cette méthode, c'est évidemment la difficile jonction de ce texte nouveau avec l'autre bord de la brèche. Même si l'on admet que le f° 24 est un texte de transition, ce qui n'est pas sûr, même si, entre l'image du « tentateur » et le nom de Satan, le lien ontologique est évident, le texte [ancien] du f° 25, par son contenu, s'ajuste très laborieusement aux feuillets précédents. Nous savons tout, en effet, de l'expérience douloureuse du mal universel qu'a faite Lorenzo. Or voici qu'il reprend le récit de sa vie, en remontant, pour ainsi dire, à sa source, à ce moment capital d'une vocation dont les feuillets précédents nous ont progressivement éloigné. Il y a là une répétition, qu'on pourra toujours justifier par mille bonnes raisons, mais que le recours au manuscrit permet d'expliquer objectivement et à moindres frais. Lorenzo recommence brusquement un récit qu'il a déjà fait en détail et en un autre langage, tout simplement parce que Musset utilise un texte ancien à une place qui n'est pas la sienne ; toutes les roueries de la rhétorique n'y changeront rien. Il est seulement heureux que sa qualité intrinsèque lui donne une force dramatique qui ne doit rien à la situation et qui doit tout au langage. Tel est souvent la revanche des poètes.

Du reste, comme pour exprimer tout le suc des anciens discours, Musset ouvre à l'intérieur du texte primitif une nouvelle brèche. Il l'ouvre carrément, aux ciseaux, en plein dialogue, de sorte que l'on pourrait, si la fantaisie nous en prenait, réunir bord à bord le haut du f° 25 et le bas du f° 26 ; les ciseaux ont même tranché « phil » [Philippe Strozzi] en deux moitiés, qui se ressouderaient à la demande. Entre ces deux bords, le poète a coulé un texte nouveau, d'une encre bistre et d'une grosse écriture empâtée, qui l'apparentent au f° 23 et plus encore au f° 28 (bas), 29 et 30 (haut). Pour que l'amalgame des textes d'origine différente s'opère sans trop de rugosité, on voit l'écrivain passer la lime après le tranchet. Une phrase de transition, commencée au bas du demi-feuillet supérieur du f° 25, — « lorsque je parcourais les rues de Florence », — s'achève sur la feuille blanche qui lui sert de support, — « avec un fantôme à mes côtés... » —, comme pour signifier l'abolition des frontières ; un texte en mouvement est substitué à un texte figé, lisible sous la rature [66]. Pareil ajustement se retrouve sur l'autre bord de la brèche. A l'ancien texte, — « pauvre enfant, tu [méprises les hommes »], — lisible sous la rature à la première ligne du demi-feuillet inférieur du f° 26, et rendu, du reste, impossible par une petite phrase du texte nouveau, — « tu ne veux voir en moi qu'un mépriseur d'hommes », — Musset substitue une réplique plus générale, dont la coloration pathétique est postulée par les propos qui précèdent : « pauvre enfant, tu me navres le cœur ». Sur la même lancée, le « mépris » disparaîtra une seconde fois au bas du f° 26 sous la plume du correcteur : « Toutes les maladies se guérissent ; [le mépris des hommes en est une], et le vice en est une aussi ». Dans le texte imprimé, la rédaction sera moins laborieuse : « Toutes les maladies se guérissent, et le vice est aussi une maladie [67] ». Ainsi travaille parfois Musset, dans la jonglerie et l'escamotage.

Autre technique d'enrichissement d'une rédaction primitive : la relance. Elle est fréquemment employée au cours de la pièce. Tel croyait pouvoir « sortir » qui ne sort plus et poursuit son discours. Ici, la relance est particulièrement soignée, car elle met en question l'équilibre esthétique du dialogue et le profil psychologique du héros. La fin de la scène pourtant était proche. Déjà le dramaturge sur le haut du f° 28 avait écrit « ils sortent », qu'il biffe, et le texte repart. Un coup de ciseaux, un collage sur une feuille blanche, que sa blancheur ne défend pas, et voici la scène relancée ou plutôt épanouie en un éloquent réquisitoire, qui donne à l'ample symphonie un final digne d'elle [68]. Derechef, voici l'encre bistre et la grosse écriture empâtée, qui ont été, au cours de la scène, le signe constant d'un second souffle, d'un nouvel afflux d'inspiration, d'un lyrisme dévorateur.

Quant au dernier échange de répliques [69], il demeure d'origine mystérieuse : l'encre est bistre, mais l'écriture est maigre et soignée ; elle ne correspond vraiment à aucune des écritures rencontrées jusque-là au cours de la scène. Ce morceau de feuillet coupé et collé sur le dernier tiers du f° 30 représente-t-il, selon l'expression de M. Dimoff, « une rédaction antérieure ? [70] » Mais antérieure à quoi ? Le mystère reste entier. Une scène aussi insolite dans sa structure et dans son étendue pouvait-elle, du reste, s'achever autrement que sur une énigme ou du moins sur une ambiguïté ?

Autre ambiguïté : y a-t-il eu, au cours de la scène III, entremêlement de deux textes complémentaires, mais d'époque ou d'origine différentes, ou développement quasi monstrueux du tissu conjonctif à partir d'un texte primitif réduit à ses tronçons significatifs ? Il est impossible d'en décider. On peut préférer une hypothèse à une autre, non pas trancher une difficulté pour laquelle manquent les critères de décision. Ce qu'on peut dire, en tout cas, c'est que ce texte démesuré devait poser au dramaturge un assez rude problème d'emplacement.

66. Ibid., III, 3, p. 351, n.c. 741-742.
67. Ibid., III, 3, p. 353, n.c. 789-790.
68. Ibid., III, 3, p. 357-359, 1. 855-901.
69. Ibid., III, 3, p. 359-360, 1. 902-915.
70. Ibid., III, 3, p. 358, n.c. 837.

Le laisser, comme d'abord prévu, à la fin du troisième acte était impossible : la mort de Louise s'imposait à cette place. Où caser désormais cet énorme dialogue, sans que l'équilibre de l'acte tout entier soit rompu ? Avec une sûreté de touche qui est d'un homme de théâtre, Musset précise à cette occasion l'un des principes d'architecture, qui vaudra également pour les deux derniers actes de la pièce : l'alternance des intrigues.

Placée au centre de l'acte, comme le fléau d'une balance ou plutôt le transformateur d'un courant d'énergie qui attendait sa relance, la grande scène III a probablement commandé la redistribution des autres scènes. Tout d'abord, une translation s'est opérée entre les scènes consacrées à l'intrigue Cibo et les scènes consacrées à l'intrigue Strozzi ; celles-ci précèderont désormais celles-là. Comme, d'autre part, la scène des armes et le souper des Strozzi ont trouvé d'emblée leur place respective, l'une parce qu'elle ne s'imposait vraiment nulle part, l'autre parce qu'elle s'imposait absolument là où on l'a mise, il fallait inscrire, entre les deux groupes de scènes précités, une sorte de scène-relais qui eût des vertus complémentaires : brève, après la longue scène III, mais efficace ; neutre, mais fortement liée à l'action centrale de la pièce ; ce sera la petite scène IV, sur laquelle le manuscrit apporte un témoignage intéressant.

Plusieurs commentateurs ont été frappés par un détail qui fait tache : la marquise Cibo y est nommée « comtesse de Cibo [71] ». S'il ne s'agit pas d'une distraction, c'est que la scène est, si l'on peut dire, archaïque, c'est-à-dire rédigée en un temps où Musset songeait à donner à Ricciarda Cibo un titre nobiliaire qui n'était pas le sien. A l'appui de cette opinion, qui est aussi la mienne, j'apporte ici un argument supplémentaire. Un examen attentif du manuscrit fait apparaître que la mention « sc. IV », qui figure en haut du f° 31, n'est pas de composition homogène : le I est d'encre bistre, le V d'encre très noire, le S de « Sc » semble avoir été repassé à l'encre noire ; pour l'ensemble de la scène, l'encre bistre domine, mais toutes les corrections sont faites à l'encre noire. On peut inférer de ces remarques que cette scène ne s'est imposée que tardivement à la place définitive qui est la sienne et qu'elle a de bonnes chances d'être une ancienne scène I. Or c'est dans le Plan I qu'il est prévu, au début du troisième acte, une scène ainsi conçue : « Maria Soder-Caterina, Laurenzaccio. Message du Duc [72] ». A un détail près, — la présence de Lorenzo —, c'est le schéma de notre scène IV, qui trouverait ici une nouvelle preuve de son ancienneté, « une des plus anciennes de la rédaction définitive [73] », suggère M. Dimoff, qui pourrait bien avoir raison.

Quoiqu'il en soit, on voit se dessiner, à travers les repentirs du manuscrit, une architecture triomphante, par quelque côté qu'on l'examine. A une extrémité de l'acte, on fait semblant de donner la mort (sc. I), tandis qu'à l'autre bout, c'est pour de bon que l'on tue (sc. VII) ; l'étoile de Catherine monte (sc. IV), mais celle de la marquise Cibo s'estompe (sc. VI) ; un concurrent, Philippe Strozzi, s'éveille (sc. II), s'affirme (sc. III), s'effondre (sc. VII). Tout est mouvement, tout est rythme, en dépit des tâtonnements et des replâtrages. Jamais mieux qu'ici, où la tâche était rude, n'est apparu aussi nettement le génie paradoxal du montage dramatique, qui exprime la continuité par la rupture et l'unité par le morcellement.

*
* *

Le quatrième acte n'était sans doute pas le plus difficile à composer, mais c'était, à coup sûr, celui pour lequel les plans fournissaient le moins de matière. Cinq scènes dans le premier plan, dont la première inutilisable parce que déjà utilisée, quatre dans le second, et fort laconiquement évoquées. Le bilan est maigre. Musset, à partir de quelques détails historiques empruntés à Varchi, devra tout inventer. Il s'en tirera à son honneur. Deux problèmes distincts, mais connexes s'offraient à sa sagacité : d'une part, le classement des scènes

71. *Ibid.*, III, 4, p. 361, l. 946.
72. *Ibid.*, p. 153, l. 35-37.
73. *Ibid.*, III, 4, p. 361, n. 1.

en fonction des exigences de la progression dramatique ; d'autre part, l'organisation de l'acte en fonction des intrigues secondaires que l'intrigue centrale ne devait en aucune manière étouffer. Sur ces deux points le manuscrit fournit une documentation brute, dont on pourra mesurer, chemin faisant, l'intérêt.

A envisager les choses en bloc et de l'extérieur, on s'aperçoit d'abord que Musset a rencontré d'assez grandes difficultés de classement. Sur les onze scènes que comporte le quatrième acte dans sa rédaction définitive, trois seulement ont pu être classées d'un premier mouvement : la scène I, la scène II et la scène VIII. On remarquera, au passage, que la scène II et la scène VIII ont toutes deux Pierre Strozzi pour héros, et que le fait n'est peut-être pas tout à fait dénué de signification. Les huit autres scènes ont toutes, peu ou prou, inscrite à leur fronton, la marque d'une incertitude. M. Dimoff, qui s'est avisé du phénomène, a quelquefois péché par timidité en déclarant illisibles des ratures qu'un examen en transparence, à l'aide d'une loupe et d'une source lumineuse, permet en réalité de déchiffrer sans contorsion de l'esprit. On donne ci-dessous la récapitulation de ces déchiffrements :

SCÈNE III. C'était d'abord une scène II, le troisième I recouvrant, sans le masquer tout à fait, le point final dont Musset ponctue ordinairement toutes les indications chiffrées.

SCÈNE IV. Le IV est en surcharge de III, comme l'a bien vu M. Dimoff [74].

SCÈNE V. C'était à l'origine un IV, dont Musset a biffé le I.

SCÈNE VI. VI est en surcharge d'un II.

SCÈNE VII. Selon M. Dimoff, VII est en surcharge de chiffres illisibles [75] ; or cette description ne correspond ni aux apparences ni à la réalité. Il s'agit d'un V, qui a été flanqué après coup de deux I, d'une écriture très appuyée. On voit encore, au pied du premier I, le point final qui ponctue la mention « sc. V ».

SCÈNE IX. Le IX est flanqué de deux ratures latérales, placées l'une au-dessus de l'autre ; la rature inférieure comporte un IX recouvrant un chiffre illisible ; la rature supérieure recouvre, à peu près certainement, un VIII.

SCÈNE X. Le « chiffre assez long, biffé et illisible [76] », dont parle M. Dimoff est, de façon certaine, un VIII ; le X provient d'un IX dont Musset a biffé le I.

SCÈNE XI. Le XI est précédé d'un I biffé ; Musset a écrit d'abord IX, puis il a biffé I pour obtenir X et rajouté I pour obtenir XI.

Ce tableau de corrections serait d'un faible intérêt, s'il devait être à lui-même sa propre fin. Mais s'il permet de reconstituer presque à coup sûr la démarche créatrice de Musset, on conviendra que l'obstination à exhumer ce que Musset a enfoui sous les ratures n'aura pas été tout à fait vaine.

Il semble bien que, dans un premier temps, le dramaturge ait conçu d'affilée cinq scènes du 4ᵉ acte. Ce sont, dans l'ordre qu'autorise le déchiffrement des ratures :

SCÈNE   I. Au Palais du duc (sc. I).
SCÈNE   II. Une rue (sc. III).
SCÈNE III. Chez le marquis Cibo (sc. IV).
SCÈNE   IV. La chambre de Lorenzo (sc. V).
SCÈNE   V. Le bord de l'Arno (sc. VII).

On voit sans peine l'inconvénient d'une telle disposition. Sur cinq scènes, quatre appartiennent à l'intrigue principale, — l'intrigue dite Lorenzo, — la cinquième boucle définitivement l'intrigue Cibo. Si l'on admet qu'à partir de la scène sur « le bord de l'Arno » (sc. VII), la marge de l'invention créatrice se resserre et que la voie vers l'assassinat est désormais tracée, on pouvait craindre que l'intrigue Strozzi ne fît les frais d'une structure dramatique conçue d'abord de façon trop linéaire. D'où le correctif apporté par Musset dans un deuxième temps, dont les ratures du manuscrit portent le témoignage.

---

74. *Ibid.*, IV, 4, p. 393, n.c. 185.
75. *Ibid.*, IV, 7, p. 414, n.c. 570.
76. *Ibid.*, IV, 10, p. 424, n.c. 779.

Entre les deux premières scènes, Musset glisse tout d'abord la scène II, qui est dans le droit fil des événements qui ont dominé la fin du troisième acte. Sortis de prison, Pierre et Thomas Strozzi rentrent à la maison paternelle et découvrent l'étendue du malheur qui a frappé leur famille. Un peu plus tard, exactement entre la scène IV, devenue scène V, et la scène V, qui devient VII, Musset glisse une suite chronologique aux aventures de Pierre Strozzi. C'est la scène VI, dont la figure étrange, telle du moins qu'elle apparaît sur le manuscrit au f° 20, mérite quelques commentaires. Deux campagnes de rédaction sont, en effet, nettement repérables sur le f° 20 : le monologue de Philippe appartient à la première, le dialogue entre Pierre et son père à la seconde. Il n'est pas douteux que Musset a utilisé une ancienne scène « chez les moines », annoncée dans les trois plans de la pièce, et qu'il en a poursuivi la rédaction à une autre place et dans un autre contexte que prévu. Les quatre lignes d'indications scéniques qui ouvrent le f° 20 comportent au moins trois écritures et deux encres différentes, signes habituels de remaniements successifs. Enfin le II, lisible sous le VI, semble bien renvoyer à une organisation assez ancienne de la pièce. Signalons, pour mémoire, qu'une scène : « phil. Strozzi, les moines » est prévue dans le Plan I en qualité de deuxième scène du second acte. S'agit-il de notre scène en son premier mouvement ? On serait tenté de le penser.

Poursuivant son effort pour mettre en compétition les deux intrigues, Musset intègre une nouvelle scène Strozzi entre deux scènes Lorenzo. Ainsi naît la scène VIII, — « une plaine », — entre deux tableaux florentins. Il n'y a plus qu'à jalonner d'heure en heure le chemin qui mène à l'assassinat. C'est ce que fait Musset dans les trois dernières scènes du quatrième acte. Solidaires, elles subiront en chaîne le contrecoup de tous les repentirs du dramaturge. Ainsi s'expliquent les corrections rigoureusement coordonnées dont le classement de chacune d'elles sera l'objet.

Il reste qu'au terme de cette reconstitution on voit apparaître à nouveau le principe de classement des scènes dont on avait remarqué l'usage au moment de la rédaction et de l'organisation du troisième acte : celui de l'alternance des intrigues. A part les trois scènes finales, chronologiquement enchaînées et donc inséparables, il n'est pas une scène du 4e acte qui ne respecte cet entrecroisement. Jusqu'à la fin de la pièce, Musset restera fidèle à ce principe de structure, dont on aura plus d'une fois l'occasion de mesurer la fécondité. Mais on ne saurait, pour l'instant, quitter l'examen du quatrième acte, sans avoir fait un sort à quelques singularités du manuscrit et aux réflexions qu'elles suggèrent.

La première concerne une réplique de la première scène, au f° 3. Le duc, excédé des états d'âme de la marquise, se plaint à Lorenzo qu'il ait fallu, hier encore, « l'avoir sur le dos pendant toute la chasse ». M. Dimoff a fort justement noté que ceci ne s'accorde guère avec un passage de la scène VI du troisième acte, où l'on voit le duc quitter la marquise pour « aller à la chasse [77] ». Contradiction ? Certes, mais dont il convient de rendre raison. Je peux, quant à moi, verser au dossier une remarque qui a son prix. Comparé au f° 1 et au f° 2, le f° 3 est d'une apparence entièrement différente. L'encre, qui était très noire sur les deux premiers feuillets, est ici bistre, l'écriture est plus soignée, et tracée d'une plume très fine à partir de la correction : « Le duc de Florence sera mort ». Tout se passe comme s'il s'agissait d'un feuillet autonome appartenant à une rédaction antérieure et que Musset aurait purement et simplement ajouté aux deux feuillets précédents pour leur servir de chute. Le f° 2 ayant lui-même sa clausule, — « je vous dirai cela », — l'enchaînement des deux feuillets était sans risque et l'amalgame pouvait passer inaperçu dans le texte imprimé. Toutefois, Musset ne semble pas s'être avisé que les propos du duc faisaient référence à une scène de chasse que, dans la rédaction définitive, le dramaturge avait abandonnée. On se souvient que la même mésaventure lui est arrivée déjà deux fois : à la scène V du deuxième acte (f° 32) et à la scène VII du troisième acte (f° 41). Dans les deux cas, il s'agissait d'un feuillet interpolé ou du remploi d'une ancienne rédaction. L'inadvertance dont on fait parfois grief à Musset semble bien s'apparenter ici à l'esprit d'économie d'un homme pressé.

77. *Ibid.*, IV, 1, p. 387, n. 1.

Le cas du f° 7 (IV, 3) est un peu différent. On sait que le feuillet est en deux morceaux. Musset a collé sur une feuille blanche un monologue de Lorenzo provenant sans doute d'une rédaction antérieure, et sur la partie supérieure restée libre a écrit deux répliques d'introduction. Les différences d'écriture et surtout d'encre, noire ici, là plus pâle et même un peu jaunâtre, attestent clairement deux campagnes de rédaction séparées. Mais il s'agit davantage en l'espèce d'un renouvellement de la mise en scène que du remploi pur et simple d'un texte antérieur. Il est probable que Musset comptait, dans un premier temps, établir une continuité directe entre le f° 3 et le monologue de Lorenzo ; un seul mot — « à ce soir » — y eût servi de fil conducteur. Par la suite, soucieux de clarté dramatique, il a, pour ainsi dire, corsé la mise en scène, en redoublant les liens entre les deux scènes. D'où l'évocation de Scoronconcolo à la fin du f° 3 et son apparition physique, même fugace, au début du f° 7. Ce n'est qu'après son départ que commence le monologue.

Dans l'ordre de la manipulation des textes, le f° 13 offre un exemple impressionnant. On se souvient que dans la scène IV du quatrième acte, au cours du dramatique entretien entre le cardinal et sa belle-sœur, la même réplique revient deux fois, sous une forme très voisine : « allez au Palais ce soir, ou vous êtes perdue » ; « allez ce soir chez le duc, ou vous êtes perdue [78] ». La répétition, en soi, n'est pas choquante, surtout dans un texte de théâtre. Elle peut même être l'effet d'un art concerté et se prêter aux plus brillants commentaires. Mais l'aspect du manuscrit à cet endroit nous oblige sinon à déchanter, du moins à mettre une sourdine à notre enthousiasme. Les exigences d'un raccord sont seules responsables de ce bel effet dramatique. Le manuscrit nous offre, en effet, le spectacle suivant : du f° 9 au f° 12, écriture et encre sont homogènes, — plume assez épaisse, couleur bistre dominante — ; brusquement le f° 13 choque par sa disparité : écriture serrée et fine, encre très noire ; manifestement ce feuillet est d'une autre veine. Avec le f° 14, tout rentre dans l'ordre premier. Il y a consécution indiscutable d'encre et d'écriture entre le f° 12 et le f° 14, — consécution tellement indiscutable qu'en faisant purement et simplement abstraction du f° 13, on ne dérange pas le moins du monde la continuité logique du dialogue. Voici, du reste, ce qu'on obtient en suivant la pente première et naturelle du discours :

F° 12 [deux dernières lignes]. « Me connaissez-vous pour un homme qui a deux paroles ? Allez au palais ce soir, ou vous êtes perdue ».

F° 14 [deux premières lignes]. « Perdue ? et comment ? — *Cardinal* — Ton mari saura tout ! »

On voit mieux ainsi la supercherie ou plutôt la dextérité du manipulateur. Pour consolider sa fin de scène et en étoffer les dialogues, Musset a purement et simplement intercalé après coup un feuillet supplémentaire, dont la clausule, par commodité, reproduit à peu près mot pour mot la dernière réplique du feuillet précédent. Par cette répétition, la continuité du dialogue entre le f° 14 et les deux feuillets précédents ne pouvait manquer d'être convenablement assurée.

Une difficulté, toutefois, subsiste : le f° 13 appartient-il à une ancienne rédaction, sur laquelle Musset aurait prélevé le fragment susceptible de s'intercaler sans peine entre ces deux feuillets de la rédaction primitive ? C'est peu probable. L'hypothèse la plus vraisemblable consiste à voir dans le f° 13 une rédaction postérieure, faite exprès pour s'ajuster entre deux feuillets d'une rédaction primitive et la compléter. Ainsi s'explique le soin, au demeurant fort économe de ses peines, avec lequel Musset ménage la transition.

Quant aux raisons qui ont pu l'amener à augmenter cette fin de scène d'un développement supplémentaire, elles ne me paraissent pas faire difficulté. Du point de vue dramaturgique, il était à la fois plus vraisemblable et plus poignant qu'un certain laps de temps s'écoulât, en un suspens redoutable, entre le moment où le cardinal rappelle à la marquise l'imminence du retour de son mari [79] et

---

78. *Ibid.*, IV, 4, p. 399, l. 309-310, et p. 400, l. 350.
79. *Ibid.*, IV, 4, p. 393-399, l. 306-308.

le bruit des sabots d'un cheval qui entre dans la cour [80]. Et si l'on examine le contenu du fº 13, il ne subsiste guère de mystère. Ne fallait-il pas qu'enfin un coin de voile se levât sur les ambitions secrètes du cardinal, au moment où va se consommer, dans la colère et dans les larmes, l'échec d'une manipulation politique, dont la marquise allait être l'instrument trop indocile. Ce n'est pas la dernière fois, en tout cas, que nous verrons un ajout de dernière heure ou la prolongation d'un dialogue profiter à la signification politique du drame tout entier. L'expression en est ici seulement plus probante qu'en bien d'autres endroits. Nous aurons à y revenir.

Décidément, le retour du marquis a donné au dramaturge bien du fil à retordre. Car le manuscrit de cette même scène IV du quatrième acte comporte aux fº[s] 15 et 16, ainsi que l'ont signalé la plupart des éditeurs [81], un long appendice qui ne se retrouve pas dans l'édition imprimée. On peut exclure d'emblée l'hypothèse d'un oubli ou d'une distraction d'imprimeur, puisque la suppression intervient après la deuxième réplique du fº 15, dans la chair même d'un dialogue dont on brise volontairement la continuité. Quant aux raisons qui ont pu motiver ce retranchement, elles ne s'imposent pas avec la force de l'évidence. Raisons de fond, comme le pensent notamment M. Ségu et M. Pommier ? [82] Sans doute. Mais je me demande si la clé de l'énigme n'est pas inscrite sur le visage du manuscrit lui-même, qui respire, si l'on peut dire, la perplexité et l'hésitation. Jugeons sur pièces.

Le fº 15 comporte d'abord quatre répliques de la même coulée, d'encre et d'écriture, que l'ensemble du fº 14, puis l'indication biffée : « ils sortent ». Un petit trait net et énergique, placé à gauche de la biffure, manifeste que là se terminait, dans sa première inspiration, la longue scène IV du quatrième acte. Une rallonge de dix répliques (8 sur le fº 15, 2 sur le fº 16), d'une écriture assez différente, moins épaisse et plus soignée, marque la volonté du dramaturge de prolonger le tête à tête des deux époux et de liquider, si l'on peut dire, le malentendu qui les sépare. Mais c'est sur la « manière » que semble porter l'hésitation. Car, à la fin du fº 16, l'écrivain éprouve comme un repentir et biffe trois lignes d'un texte primitif, ainsi que l'indication scénique « il sort » par où il s'achevait. Il remplace ces trois lignes biffées par une réplique nouvelle, d'écriture plus épaisse, qu'il ponctue d'un : « Ils sortent », griffonné à la hâte. Entre la réplique biffée et celle qui la remplace, les différences sont sensibles : dans l'une, le marquis songe à repartir pour Massa [83], dans l'autre, il affirme sa volonté d'embrasser son fils Ascanio, avant de souper à la maison [84]. Visiblement, la situation est glissante, et le marquis ne sait trop que faire ; Musset pas davantage. Dans le doute et l'hésitation, le dramaturge tranche hardiment et, pour ainsi dire, dans le vif : il choisit la surprise et l'énergie. Le rideau tombe sur la marquise évanouie. Le tête à tête, au réveil, est laissé à la discrétion des spectateurs, qui l'imagineront selon leur humeur ou leurs sentiments. Par une ellipse, qui est d'un homme de théâtre, nous retrouverons, sans un mot, les deux époux réconciliés au 5e acte [85]. Le secret de leur vie privée aura été protégé ainsi jusqu'au bout des confidences indiscrètes par le tact d'un poète, qui avait eu le courage de se taire, d'un trait de plume.

*
**

Avec l'acte V, nous retrouvons l'écoulement net et presque lisse du premier acte. Tout y respire la rédaction sans problème. Tout juste quelques scènes ont-elles subi un léger déplacement latéral ; mais on verra que ce déplacement ne trahit aucune douloureuse incertitude. Il est vrai que les deux plans, où

80. *Ibid.*, IV, 4, p. 401, l. 363.
81. *Ibid.*, IV, 4, p. 402-403, n.c. 385.
82. *Voir* éd. Ségu, p. 180-181, n. 10 ; *Pommier II*, p. 71-72.
83. IV, 4, p. 403, n.c. g.
84. *Ibid.*, p. 403, n.c. 385.
85. *Ibid.*, V, 3, p. 452-453, l. 395-417.

figure une ébauche de cinquième acte, n'offraient qu'un faible support à l'élan créateur. Trois scènes seulement y étaient prévues ou du moins utilisables dans l'économie générale d'un drame parvenu à son point de maturité et de chute : l'aspect de la cour au lendemain de l'assassinat, la rencontre de Philippe et de Lorenzo à Venise, le couronnement de Côme [86]. Le reste était à faire. Selon quels principes généraux ? Question délicate, sur laquelle le témoignage du manuscrit pourrait ne pas rester lettre morte.

Si l'on veut bien faire le compte des scènes stables et des scènes flottantes, on voit d'abord que sur les huit scènes du cinquième acte, les cinq premières ont d'emblée trouvé leur juste place ; les trois dernières seulement portent la marque non pas d'une hésitation, mais d'un déplacement en chaîne. De fait, la scène VI provient d'une scène IV, dont la numérotation a été modifiée sur le f° 22 du manuscrit : le I de IV a été biffé, le V restant a été flanqué d'un I sur sa droite. Par voie de conséquence la scène VII est une scène VI, que l'écrivain a modifiée à l'économie, en ajoutant un I nettement reconnaissable à son tracé différent sur le f° 23. La scène VIII, pareillement, comporte un troisième I clairement ajouté après coup sur le f° 27. Rien là donc qui sente l'effort pour maîtriser un ordre qui se dérobait.

Il ressort de ces constatations que le cinquième acte devait avoir initialement sept scènes. Une scène a été glissée après coup, mais laquelle ? Le manuscrit peut encore nous aider à la découvrir. C'est, en effet, le déplacement de la courte scène des étudiants, passée de IV en VI, qui a laissé la place libre pour une scène nouvelle. Cette scène nouvelle ne peut être que le court tableau où paraît pour la dernière fois Pierre Strozzi (scène IV, f° 15). Philippe, dans son cabinet de Venise, au début de la scène II, nous avait informé des intentions belliqueuses de son fils et d'une correspondance échangée entre ce dernier et le Roi de France. Le petit tableau ajouté confirme de visu ce que nous savions déjà. Bel exemple d'ubiquité, au demeurant, ou plutôt de télépathie qu'un père, à Venise, informé des événements qui concernent son fils à peu près au moment où ceux-ci se produisent ! Aussi bien le dramaturge n'a-t-il que faire de vraisemblance chronologique. Sa vérité est autre, comme on sait.

En tout cas, nous retrouvons ici un procédé que nous avait déjà révélé le quatrième acte : Musset classe ses scènes en fonction de subtiles alternances, dont la chronologie peut bien pâtir un peu, sans qu'il songe à en prendre ombrage. Et d'abord l'alternance des intrigues. Si la scène III jette une dernière lumière sur les Cibo, il est bien naturel que la scène IV fasse paraître pour la dernière fois Pierre Strozzi. Quatre scènes pour dénouer l'intrigue principale, — les conséquences politiques de l'assassinat —, soit les scènes I, V, VI, VIII ; trois pour fixer le sort des Strozzi : les scènes II, IV, VII ; une pour servir d'épilogue au roman de la marquise Cibo : la scène III ; le compte y est, les proportions sont bonnes. Nous savons désormais tout ce que nous devons savoir.

Une autre alternance semble avoir joué dans le classement des scènes : celle des lieux. Puisqu'aussi bien l'ubiquité est la tentation permanente du dramaturge, il veillera à faire alterner scènes à Florence et scènes hors de Florence. Ainsi le cabinet de Strozzi à Venise succède au palais du duc à Florence ; c'est au bord de l'Arno, sans doute, que déambulent les époux Cibo, mais l'auberge où Pierre reçoit son messager est en rase campagne.

Il n'est pas impossible enfin que Musset ait voulu jouer d'une troisième alternance, celle des scènes longues et des scènes courtes. Ainsi s'expliquerait le déplacement, pour le moins curieux, de la scène des étudiants, qui brillera, le temps d'un éclair, entre deux longs dialogues où agonise, dans les convulsions de l'ironie, la liberté d'un peuple (scène V) et, dans les fureurs populaires, le cadavre d'un homme (scène VII). Annoncé dans la scène V par une allusion discrète du vieil orfèvre ajoutée après coup et amputée de quelques précisions [87], orchestré par Lorenzo, qui fait à la fois le bilan et l'oraison funèbre des jeunes gens morts pour la liberté et pour rien [88], le petit tableau des étudiants n'est

---

86. *Ibid.*, p. 155-156, 1. 59-63 ; p. 165-166, 1. 41-44.
87. *Ibid.*, V, 5, p. 458, 1. 512 et n.c. 512.
88. *Ibid.*, V, 7, p. 465-466, 1. 643-645.

qu'un cri pathétique et semble vouloir tisser comme un lien d'amère solidarité et d'héroïsme vain entre le coup de hallebarde qui a blessé le vieil orfèvre sur le marché neuf de Florence et le poignard qui, à Venise, embroche Lorenzo par derrière. On pourra regretter sa disparition pure et simple de la pièce à partir de 1856. Dans un drame où, le plus souvent, tout est montré et non pas seulement dit, l'héroïsme, même inutile, a des vertus que la parole, même éloquente, n'a pas toujours le poids de restituer.

Cet examen radioscopique d'une œuvre littéraire recueillie, pour ainsi dire, à sa source serait incomplet, si nous négligions, pour finir, une des particularités les moins spectaculaires et les plus constantes de l'imagination créatrice de Musset au théâtre. Nous voulons parler de cette dramaturgie spontanée, — instinctive ou contrôlée, selon les cas, — qui règle si librement les entrées et les sorties des personnages, la durée quelque peu sauvage de leur temps de parole, l'orientation souvent mouvante de leurs propos. Il n'est pas rare, en tout cas, de rencontrer, au détour d'un dialogue, les mentions « il sort » ou « ils sortent », biffées de loin en loin, signe évident d'une intention première qu'un repentir a soudain traversée, qu'une intention secondaire a contrariée ou gauchie. Cette dramaturgie jaillissante, qui court, pour ainsi dire, avec la main du scripteur, est, de soi, grandement instructive des habitudes créatrices et des idées directrices qui ont présidé à l'élaboration du grand drame. Il eût été certainement dommage, même si toutes ne sont pas intéressantes, ni intelligibles, de laisser perdre dans l'apparat critique de la savante édition Dimoff tant de biffures qui ont leur prix. Choisies et groupées, contrôlées sur le manuscrit même et replacées dans l'environnement, elles garderont souvent le lecteur des faux-pas et le guideront de surcroît sur les chemins de traverse qui mènent en fin de compte à l'œuvre accomplie.

Ce qui frappe d'abord, surtout au premier acte, c'est ce qu'on pourrait appeler la dramaturgie improvisée. Musset semble inventer d'instinct son chemin. Le texte dramatique s'organise sous nos yeux, à mi-chemin entre le hasard heureux et l'intuition juste. Dès la première scène du premier acte (f° 3), l'hésitation commence. Le trio malfaisant, — le duc, Lorenzo, Giomo, — est sorti, tandis qu'entre Maffio. Qui va rentrer sur scène avec le duc ? Giomo ou Lorenzo ? Musset balance. Il écrit d'abord : « rentrent Lorenzo et le duc », il surcharge « Lorenzo » par « Giomo », récrit au-dessus de la rature « Lorenzo » qu'il surcharge à nouveau par « Giomo ». Finalement Giomo l'emporte dans ce combat singulier ; son nom recouvre celui de Lorenzo à la reprise du dialogue. Musset fait les deux ou trois corrections qu'impose cette nouvelle distribution des répliques [89], mais néglige d'en modifier l'attaque, teintée pourtant d'un humour un peu trop subtil pour un rustre : « ce sera le bonhomme de frère, pris de somnambulisme ». Ce trait, écrit pour Lorenzo, lui allait comme un gant, collait merveilleusement à son ironie corrosive d'intellectuel ; pour Giomo, qui en hérite, c'est un texte d'emprunt, qui enrichit artificiellement le glossaire de l'homme de main.

Une hésitation analogue se remarque au f° 5 (I, 2). Après que le marchand de soiries et l'orfèvre ont prélude sur l'air du temps et les circonstances, voici deux hommes qui passent. Ce sont d'abord deux « bourgeois » et « le premier bourgeois » se prépare à parler. Musset change brusquement d'avis en marche, surcharge « bourgeois » par « écoliers » et c'est « le premier écolier » qui se substitue de justesse au « premier bourgeois » pour tenir le rôle du badaud florentin. Dans la patrie des arts, il est vrai que l'étudiant des beaux-arts rayonne plus que le bourgeois, sécrète du moins un pittoresque moins rassis. Avec les deux hommes d'âge mûr qui ont parlé les premiers, ces jeunes gens forment de surcroît un vigoureux contraste. Le conflit des générations est une recette assurée en tout temps du succès.

89. *Ibid.*, I, 1, p. 194, n.c. 83.

Cette improvisation un peu à la sauvette pourrait même jouer de vilains tours au dramaturge, s'il n'y prenait garde. Par exemple, à la scène V du premier acte (f° 27), le couplet vengeur sur la « Citadelle » a failli être entonné par le marchand de soieries. Quand on connaît son opportunisme de négociant soucieux d'abord de son chiffre d'affaires, — tel qu'il est apparu sans ménagement à la scène II —, on s'étonne d'une telle indignation, fût-elle verbale. Musset s'en avise à temps. Il flanque, après coup, le marchand de son inséparable orfèvre, — « devant leur boutique [90] », bien que celui-ci ait prétendu n'aller à Montolivet que par piété et non pour le commerce [91] —, et rajoute, dans la marge, « l'orfèvre » à l'orée d'une tirade où l'on reconnaît son éloquence familière. « La citadelle ! voilà ce que le peuple ne souffrira jamais » fait écho à un autre beau mouvement de menton, du même sang : « La cour ! Le peuple la porte sur le dos, voyez-vous ». Jusque dans la syntaxe, la tirade porte la marque de son auteur. Il eût été fâcheux, dans ces conditions, pour la vérité des caractères, que les deux personnages fussent interchangeables. D'instinct, Musset s'est aperçu du piège. Il y a des erreurs qu'un dramaturge, si désinvolte qu'il soit, ne commet pas.

C'est à une autre forme de dramaturgie spontanée que ressortit le jeu de la plume et des ciseaux. J'entends par là principalement l'art subtil de l'émondage d'un dialogue pour un effet déterminé. Le f° 10 (I, 2) en propose un bon exemple. On sait que le haut du f° 10 a été amputé d'une ou deux répliques, dont on aperçoit la trace au bord supérieur du feuillet. De ce fait, le f° 10 est un peu plus court que les autres feuillets [92]. En tranchant dans le vif d'un dialogue, Musset obtient, à peu de frais, un merveilleux effet de diversion. Aux propos ménagers d'un bonhomme Chrysale évoquant le mariage de sa fille [93], une Bovary florentine, éblouie par les lumières de la fête, réplique, sans l'entendre, sur la pente de son rêve étoilé [94]. Ainsi s'exerce la pression d'une tyrannie, quand la séduction de ses fêtes mondaines et la fascination d'une puissance qui se donne en spectacle gouvernent l'imagination de tout un peuple.

A l'inverse, faut-il préparer la sortie du duc en suggérant la foule des courtisans qui l'entourent ? Il suffit à Musset d'accorder au plus hardi des deux écoliers florentins une réplique supplémentaire. Après l'indication « la foule s'augmente à la porte », à la cinquième ligne du f° 11 (I, 2), l'écrivain biffe « le duc », met à sa place « l'écolier », auquel il donne de nouveau la parole : « Celui-là, c'est Niccolini ; celui-là, c'est le Provéditeur ». Comme dans un ballet bien réglé, d'être annoncé par quelques dignitaires de son entourage, le duc n'en fera qu'une entrée plus remarquée.

De ce jeu de rallonge et de retranchement combinés, l'exemple le plus éclatant, on l'a vu, se situe à la fin de la scène IV du quatrième acte. On y passe en effet, d'un extrême à l'autre. D'un prolongement qui occupe au moins deux demi-feuillets (f° 15 et f° 16) sur le manuscrit, il ne restera en définitive rien sur le texte imprimé. Bien plus, le texte primitif sera amputé de deux répliques qui lui appartenaient d'origine. Au long final pathétique, issu tout droit du drame bourgeois, Musset substituera in extremis une chute abrupte, en coup de cravache, où s'entrecroisent deux « traits » rapides, qui expriment le fond même de l'être : l'ignoble juron du politique rompant momentanément la partie, l'élan généreux du mari qui porte d'abord assistance à sa femme en danger. Mais, dans ce cas précis, on ne peut plus parler de dramaturgie spontanée. C'est de dramaturgie concertée qu'il s'agit. Car Musset s'entend à prendre les moyens d'un effet recherché. De cette recherche, le manuscrit nous offre plus d'un exemple.

S'agit-il de ménager comme une préparation psychologique à l'affront que Julien fait subir à l'honneur de Louise Strozzi ? Les suites en seront assez dramatiques pour que deux répliques viennent à juste raison grossir le dialogue et éclairer au passage nos réactions instinctives. La plume de Musset hésite.

---

90. *Ibid.*, I, 5, p. 232, l. 816, n.c. 816.
91. *Ibid.*, I, 2, p. 201, l. 234-235.
92. *Ibid.*, I, 2, p. 207, n.c. 324.
93. *Ibid.*, I, 2, p. 205, l. 294.
94. *Ibid.*, p. 205, l. 296-297.

Le f° 31 porte la marque de cette hésitation. Il songe d'abord à donner la parole au prieur, puis à Salviati, qui déjà crache son venin[95]. Il biffe le tout et ébauche, par un détour, une présentation indirecte de Julien. C'est l'orfèvre, champion des justes causes, Caton des anciennes vertus républicaines, qui sera chargé de l'exécution : « ...marié comme il l'est à une femme déshonorée partout ![96] ». Le détail ne sera pas perdu. Un écho affaibli nous en parviendra au moment où la cause engendre l'effet et où Louise tombe empoisonnée : « Il y avait autour de la table un domestique qui a appartenu à la femme de Salviati[97] ».

Même souci de préparation psychologique et dramatique dans une courte scène que Musset prolonge à deux reprises. La scène IV du troisième acte devait d'abord s'achever au bas du f° 31, comme du reste les propos de Marie nous y conviaient de leur propre mouvement : « Viens, je veux lui porter cette lettre ouverte, et savoir devant Dieu comment il répondra[98] ». Musset avait déjà écrit : « elles sortent », qu'il biffe énergiquement. Une première prolongation, au f° 32, permet au dramaturge d'introduire une préparation d'intrigue. La cour que le duc fait à Catherine sera d'autant plus pressante que sa liaison avec la marquise sera détendue. C'est ce que nous apprennent les trois répliques supplémentaires[99], sur lesquelles la scène semblait devoir s'achever. Puis la mention : « elles sortent » est de nouveau biffée. Musset n'a pas tout dit. Le dialogue rebondit, et c'est Marie qui donne le ton. La honte cède le pas à la lassitude. Une sorte d'immense fatigue semble écraser soudain cette mère des douleurs et sa plainte prend une teinte funèbre, qui prélude à sa lente dérivation vers la mort au cours des deux derniers actes[100].

On a remarqué, à propos de l'exemple précédent, que les corrections du manuscrit portent souvent sur les fins de scène. Au reste, il n'y a pas lieu de s'étonner qu'un dramaturge soigne ses chutes. Mais ce souci de la clausule n'est presque jamais gratuit. Musset est un poète plus soucieux d'unité tonale que d'effets appuyés. Il convient que la chute d'une scène soit principalement en harmonie avec la tonalité de l'ensemble. Deux exemples opposés nous convaincront de cet art subtil, moins d'œil que d'oreille, qui s'apparente à la musique.

S'agit-il de terminer à la fois la scène VII et le troisième acte sur un développement digne du pathétique de la situation ? Musset use en virtuose de la modulation et de l'unité tonale. Commencée sur le mode héroïque, la scène s'achève sur le mode plaintif, la voix de Philippe, ferme dans la première partie, se brisant à jamais avec le cri de Louise. Dès lors, toute la scène dérive vers le désespoir et la fuite. Dérivation lente que Musset n'hésite pas à prolonger par l'adjonction d'un feuillet intercalaire (f° 44), dont nous avons parlé en son temps, et par un long lamento final qu'agressent, sans le rompre ni même l'entamer, quelques cris héroïques des comparses. Nous n'y apprendrons rien que nous ne sachions déjà. La chute d'abord prévue tombait au bon moment : « adieu, mes amis, rentrez chez vous ; portez-vous bien[101] ». Si Musset biffe, à cet endroit, la mention : « il sort » et prolonge la scène, c'est que le cœur a ses raisons et qu'il faut l'entendre battre. La nouvelle fin de scène nous entraîne soudain vers d'autres rivages moins familiers : la claustrophobie, le délire de fuite, les confins de la douleur et de la folie. Musset côtoie les frénésies shakespeariennes. Ce n'est plus seulement un pathétique de mélodrame, en dépit de l'orage qui vient à point[102], mais une descente aux abîmes intérieurs, où d'ordinaire naît la tragédie.

S'agit-il, par contre, d'en finir avec l'assassinat du duc ? Musset surveille sa plume. Traitée volontairement dans la concision, voire la sécheresse, — avec juste quelques bouffées de lyrisme pour traduire la détente brusque d'une âme

95. *Ibid.*, I, 5, p. 239, n.c. 952.

96. *Ibid.*, I, 5, p. 240, l. 957-958.

97. *Ibid.*, III, 7, p. 380, l. 1313-1315.

98. *Ibid.*, III, 4, p. 361, l. 941-943.

99. *Ibid.*, III, 4, p. 361-362, l. 945-953.

100. *Ibid.*, IV, 5, p. 404, l. 397 ; IV, 9, p. 420, l. 699-700 ; V, 7, p. 464, l. 610.

101. *Ibid.*, III, 7, p. 381, l. 1355-1356.

102. *Ibid.*, III, 7, p. 383, l. 1388.

longtemps contrainte —, la scène XI du quatrième acte s'achève comme elle a commencé : dans la discrétion feutrée d'un rendez-vous nocturne, fût-ce avec la mort. Le dramaturge pensait d'abord nous laisser sur le jeu très ordinaire de deux hommes sortant d'une maison : « Attends ! Tire ces rideaux. Maintenant, donne-moi la clef de cette chambre. Viens, partons (*Ils sortent*) [103] ». Puis il se ravise, biffe les deux derniers mots et l'indication scénique, lâche pour finir deux répliques de même ton, mais qui vont plus loin : « Ne te souviens-tu pas qu'ils sont habitués à notre tapage ? Viens, partons [104] ». Par son humour noir, cet ultime trait désamorce la peur et suggère déjà le calme, bientôt torpide, où va sombrer, étranger parmi les hommes, l'infortuné Lorenzo. Il renvoie, d'autre part, à la scène des armes, où nous avons vu, au début du troisième acte, s'amorcer la complicité active de Scoronconcolo avec Lorenzo. Par ce simple jeu d'écho, placé au bon moment, Musset connaît l'art de boucler une intrigue en même temps que de sceller un destin.

Même dans les monologues, on retrouve ce don d'achèvement, qui est d'un homme de théâtre. On sait, par exemple, que le grand monologue au clair de lune, avant le meurtre, risquait de ne pas être tout à fait un monologue. On surprend, en effet, dans les ratures du f° 29 (IV, 9), l'amorce d'une rencontre et d'un dialogue avec Freccia. Freccia, en pleine nuit, travaillant à sa chapelle, quelle vraisemblance ! Heureusement, Musset renonce à cette déviation de trajectoire. Le monologue reste ce qu'il devait être : un délire d'anxiété et de prémonition — auquel s'accorde à merveille cette apparition des tailleurs de pierre plus ou moins fantasmagorique.

Pareillement, dans le monologue qui clôt la scène V de ce quatrième acte, Musset semblait pressé de conclure. Parti de Catherine, le monologue allait s'achever, comme à l'ordinaire, sur la contemplation horrifiée de Lorenzo par lui-même et sur l'image de sa déchéance, quand soudain, à la cinquième ligne du f° 19, alors qu'on lit encore sous la biffure un fatidique « il sort », le discours reprend son élan sur le nom même de Catherine. Musset aperçoit là un fil dramatique émouvant auquel accrocher son héros à la dérive. Un visage d'ange éclaire sa nuit intérieure, intercédant peut être en sa faveur au jour du jugement. Lorenzo puisera dans cette intuition une raison altruiste de persévérer dans son dessein criminel. La scène y trouve sa justification et le discours son unité. Parti de Catherine pervertie pour aboutir à Catherine sauvée, le monologue revient sur lui-même dans une spirale d'un dessein très surveillé. En l'occurrence, l'élan créateur n'a pas eu d'autre limite que cette forme parfaite enfin conquise et qui n'est pas toujours pressée de se découvrir.

Le final de la scène III du troisième acte, si lent à venir, ne s'explique pas autrement. La longue scène, par la richesse même de son contenu, ne risquait-elle pas de rester lettre morte dans l'économie du drame et de jeter la confusion dans l'esprit du spectateur, si elle s'achevait sur la note de désespoir et de mépris, qu'avait d'abord envisagée Musset au milieu du f° 28. Susciter pour le héros d'un acte qui va remplir toute la seconde partie du drame un frisson d'horreur [105] n'est peut-être pas, en effet, de bonne politique ni même de bonne dramaturgie. Mais couronner la scène par un vaste discours, où le héros fait le point de l'action dramatique, récapitule sa vie, jette un défi à l'humanité tout entière, c'est évidemment relancer le mouvement d'un drame, qui va maintenant s'accélérer, et l'émotion d'un spectateur, qui connaît désormais Lorenzo tout entier et attend, dans l'angoisse, l'inéluctable.

L'examen des retouches du manuscrit concernant les indications scéniques nous apporte encore un enseignement d'un autre ordre, et qui n'est pas le moins important. Nous avons signalé que, dans la scène IV du quatrième acte, le f° 13, intercalé après coup et d'une autre origine que les feuillets environnants, contribuait à la révélation du rôle et des ambitions politiques du cardinal Cibo. Or les ajouts de ce type ne sont pas rares dans l'ensemble de la pièce. C'est même grâce à eux que plusieurs scènes changent de sens et basculent du mélo-

---

103. *Ibid.*, IV, 11, p. 432, l. 931-932.
104. *Ibid.*, p. 432, l. 936-937.
105. « Tu me fais horreur » (III, 5, p. 356, l. 336).

drame pittoresque ou sentimental vers la tragédie politique et sociale. Il en va ainsi, par exemple de la scène du bal (I, 2), qui, par une habile répartition des rôles entre l'orfèvre et le marchand, — le bourgeois Tant-pis et le bourgeois Tant-mieux, comme les appelle drôlement M. Lebois [106] —, cesse progressivement d'être un tableau de rue pour devenir un tableau de société. Par deux fois, la scène menace de tourner court avant qu'elle ait atteint son entier pouvoir de révélation. Une première fois, au bas du f° 6, Musset semble avoir réglé définitivement le sort des deux interlocuteurs par une indication scénique sans surprise : « Il rentre dans sa boutique, le marchand se mêle au curieux ». Or jusque-là la conversation ne s'est pas élevée au-dessus des commérages et des petits potins de quartier, avec une pointe plus vive contre l'impécuniosité de l'aristocratie. Musset a l'heureuse idée de se raviser. D'une encre plus noire, il biffe l'indication scénique devenue sans objet et, saisissant, comme une balle au bond, un propos du marchand, relance le discours de l'orfèvre qui aurait tourné court : « que les grands seigneurs s'amusent, c'est tout simple... ». Désormais, c'est à une charge en règle contre les mœurs des aristocrates que se livre l'orfèvre, avec la complicité du marchand, dont l'esprit cancanier a le don de susciter chez son compère les tirades d'indignation vertueuse.

La relance de leur dialogue se produira une seconde fois, au f° 8, quand le marchand manifeste l'intention de prendre congé : « A revoir », dit-il à l'orfèvre, qui demeure seul. Musset, modifiant ce projet initial, biffe la formule d'adieu, tranche d'un coup de ciseaux la parole et le chef à l'orfèvre, colle la relique sur une page blanche et, redonnant au père Mondella une nouvelle ardeur, enchaîne sur la dernière réplique du marchand de soieries : « La cour ! le peuple la porte sur le dos, voyez-vous... ». Dès lors, le propos est résolument politique. On assiste à un petit cours d'histoire florentine, où les Médicis, le duc Alexandre et les Princes qui le gouvernent n'ont pas le beau rôle. Le couplet terminé, aux deux tiers du f° 9, on voit reparaître la formule qui avait été biffée au f° 6 : « il rentre. Le marchand se mêle aux curieux ». La scène, on l'a vu, s'est développée par rallonges successives, comme sur un plan incliné qui mène immanquablement des frémissements de la conscience morale à l'éveil de la conscience politique.

Les propos de Marie suivent paradoxalement la même pente que ceux de l'orfèvre, comme en témoignent quelques particularités manuscrites de la scène VI du premier acte. Cette scène, qui occupe six feuillets sur le manuscrit (f°ˢ 33 à 38), présente la même anomalie que la scène IV du quatrième acte : un feuillet intercalaire d'une encre et d'une écriture différentes, qui épouse généralement sans peine le cours du dialogue, mais offre un visage et un contenu singuliers. La scène au bord de l'Arno possède, elle aussi, son feuillet interpolé ; c'est le f° 35, fait d'une plume moins épaisse et d'une encre bistre, les cinq autres étant de la même écriture grasse et très noire. Ce feuillet appartient-il à une rédaction antérieure ? ou bien a-t-il été rédigé postérieurement à l'ensemble de la scène pour s'y insérer et la compléter ? Je pencherais pour la seconde hypothèse, mais sans pouvoir rien prouver. Le remarquable, en tout cas, c'est que, comme pour le f° 13 du quatrième acte, l'ensemble du f° 35 est d'accentuation nettement politique. Marie reprend le fil d'une pensée à peine ébauchée au bas du f° 34 [107] et parle pour la première fois des espérances, voire des ambitions qu'elle a placées en la destinée princière de son fils. La même orientation se retrouve au feuillet suivant, quand la séquence de l'adieu des bannis succède au dialogue des deux femmes. Musset biffe la mention : « elles s'éloignent » à la troisième ligne du f° 36 et enchaîne sur un nouveau couplet de Marie, qui confirme plusieurs informations que nous connaissions indirectement : le bannissement des républicains, le double jeu de Lorenzo, le prestige personnel de Philippe Strozzi. La conjoncture politique à la fin du premier acte est tissée en partie de ces fils entrecroisés.

Lorenzo lui-même confirmera à son tour les informations avancées ici par sa mère, à la fin de la scène IV du second acte, et précisément dans un feuillet

---

106. A. Lebois, *Vues sur le théâtre de Musset*, p. 49.

107. « Que de fois je l'ai baisé au front en pensant au père de la patrie » (I, 6, p. 245, l. 1051-1053).

qui a l'apparence d'avoir été, lui aussi, ajouté après coup. Le f° 26 est, en effet, d'une encre plus noire et d'une main plus appliquée que le f° 25. Au bas du f° 25, Musset avait écrit : « ils sortent », qu'il biffera énergiquement ; et c'est au f° 26 que Lorenzo fera écho aux propos de sa propre mère, en annonçant son intention d'aller dîner chez Philippe Strozzi et d'en rapporter « quelque charmante petite fredaine qui pourra faire lever de bonne heure demain matin quelques-unes de toutes ces canailles ». On ne saurait démonter plus cyniquement le mécanisme de la délation, qui est la force et la faiblesse de toutes les tyrannies.

*
**

Au cours de cette radioscopie du manuscrit de *Lorenzaccio*, quelques lignes de force se sont dégagées, dont on peut maintenant dresser l'inventaire. Et d'abord le caractère presque constamment improvisé de la création dramatique. Tout y respire la hâte heureuse, l'hésitation vite tranchée, l'habile utilisation des restes, la désinvolture des raccords. Dans l'édition imprimée, cet aspect des choses est déjà sensible ; sur le manuscrit, ce qui était impression devient certitude. Cette œuvre de jeunesse est une œuvre jeune, qui a la croissance effervescente des plantes habitées par une sève puissante.

Mais cette croissance n'est pas anarchique. Pour improvisées que soient ses méthodes de composition, le dramaturge ne semble jamais en perdre le contrôle. Trois principes directeurs se sont révélés au cours de nos observations, qu'il faut rappeler ici : 1° l'alternance des intrigues et l'organisation systématique de leur entrecroisement, par le jeu de multiples scènes-relais qui transmettent comme un courant d'énergie dramatique sans cesse renouvelé ; 2° le goût du spectacle et la volonté partout affirmée de donner à voir, fût-ce en éclair, ce qu'un dramaturge plus économe de ses moyens se fût borné à faire raconter ; 3° l'éclairage politique sans cesse élargi et accentué d'un drame qui met à chaque minute en présence et en conflit les citoyens et le pouvoir, l'individu et la société, la liberté et l'oppression, la conscience et l'action. Tout examen ultérieur de la pièce, de sa structure comme de son contenu, sera bien inspiré de s'appuyer sur ces observations premières. L'imagination critique ne saurait souffrir de se glisser par cette porte étroite : sa rigueur et sa liberté sont à ce prix.

BIBLIOGRAPHIE

Cette liste ne saurait constituer une bibliographie méthodique des études sur Musset et sur son théâtre. Elle ne mentionne que les documents, ouvrages et articles cités ou consultés. On pourra la compléter utilement à l'aide des instruments de travail suivants, classés dans l'ordre chronologique de leur parution :

CLOUARD (Maurice) : *Bibliographie des œuvres d'A. de Musset*, Paris, Rouquette, 1883.

— *Documents inédits sur A. de Musset*, Paris, Rouquette, 1900.

MORGULIS (Grégoire) : *Alfred de Musset, essai de bibliographie*, Odessa, 1929.

MERLANT (Joachim-Claude) : « Connaissance de Musset, esquisse d'un bilan », *l'Information littéraire*, sept.-oct. 1958, p. 150-158 ; janv.-fév. 1959, p. 1-9 ; mai-juin 1959, p. 101-112.

JEUNE (Simon) : *Musset et sa fortune littéraire*, Bordeaux, éd. Ducros, coll. « Tels qu'en eux-mêmes », 1970.

I. SOURCES MANUSCRITES ET DOCUMENTS D'ARCHIVES

a) Archives nationales

a) ARCHIVES DE LA CENSURE DES THÉÂTRES

F. 18, 1269 : Livret broché, couverture rouge, format 270 × 210 mm, contenant, de la main d'un copiste (« copies dramatiques et littéraires O. Carpentier »), le texte de *Lorenzaccio* adapté pour le théâtre de la Renaissance.

Sur la couverture : en haut, à gauche, « censure » ; en bas, « 3 décembre 1896, Lorenzaccio ».

Sur la page de garde : cachet de la Direction des Beaux-Arts, inspection des théâtres, enregistré le 20 novembre 1896, n° 18771.

b) ARCHIVES PRIVÉES : Jean Vilar, 295 AP

Du très volumineux dossier d'archives touchant *Lorenzaccio* nous ne mentionnons ici que les documents qui nous ont été le plus utiles.

1. Trois volumes des *Comédies et Proverbes*, coll. « Génie de la France » ; deux d'entre eux portent la mention : « Régie », le troisième la mention, « Souffleur » ; nombreuses notes au crayon.

2. Un livre de conduite broché, sans date, et portant la mention : « Régie-mise en scène » ; le texte de la pièce, dans sa version T.N.P., est ronéotypé sur la

page de droite, les indications de régie sont manuscrites au crayon sur la page de gauche ; nombreux croquis.

3. Un livre de conduite, même présentation que ci-dessus, portant la mention : « Régie, 1958 ».

4. Une liste dactylographiée intitulée : « accessoires Lorenzaccio ».

5. Une liste dactylographiée donnant la composition de l'orchestre d'accompagnement pour Lorenzaccio.

6. Une liste dactylographiée intitulée : « Inventaire de Lorenzaccio, 1953, costumes, armes, chaussures » ; classement par comédiens.

7. Cinq feuillets manuscrits présentant, en colonnes, acte par acte, la liste des personnages présents à chaque scène.

8. Plusieurs listes de comédiens donnant les diverses distributions effectives ou projetées de la pièce (Avignon 1952, Chaillot 1953 et 1958).

9. Diverses notes de service et lettres administratives.

10. Une lettre manuscrite de Jean Vilar à Gérard Philipe, en date du 17 mai 1952.

b) Bibliothèque de l'Arsenal

Fonds Gaston Baty

1. Lorenzaccio, drame d'A. de Musset « adapté en deux parties et dix-neuf tableaux », par Gaston Baty ; manuscrit autographe, 149 ff, 270 × 210 mm ; ce document est fait d'un texte manuscrit de G. Baty et d'extraits de l'édition imprimée des « classiques Larousse », collés sur les feuillets et corrigés de la main de Baty.

2. Lorenzaccio, drame d'A. de Musset, « adapté en deux parties et vingt et un tableaux », par G. Baty ; livret broché et dactylographié, 126 ff, 270 × 210 mm ; ce document reproduit, avec de très nombreuses variantes, l'adaptation précédente.

3. Programme XLI, théâtre Montparnasse, saison 1945-1946 ; contient une notice de G. Baty sur la pièce et son adaptation.

4. Un lot de photographies de scène (Cl. Lipnitzki).

5. Deux textes dactylographiés, sous la signature de G. Baty, qui ont servi à nourrir les déclarations faites à la presse ou insérées dans le programme.

6. Un croquis du dispositif scénique avec surcharges et indications de la main de G. Baty.

7. Une note de mise en place des éléments, meubles et accessoires de scène à l'intention des machinistes ; document manuscrit d'une écriture non identifiée.

c) Bibliothèque de l'Association des régisseurs de théâtres

L 9 : Lorenzaccio adaptation, en 5 actes et 6 tableaux, d'A. d'Artois ; document composé d'un texte manuscrit et d'extraits d'une édition imprimée collés sur les feuillets ; 45 ff, 220 × 170 mm, écrits recto verso.

Deux photographies par Walery des représentations du Théâtre de la Madeleine (1927).

d) Bibliothèque de la Comédie-Française

1. *Lorenzaccio*, pièce de théâtre ; manuscrit autographe, ayant servi à l'impression de la pièce ; 185 ff, 410 × 250 mm.

2. Une lettre d'Edouard Thierry à Paul de Musset, 2 mai 1863 ; copie figurant dans le registre de la correspondance administrative, décembre 1859 - décembre 1863.

3. Deux lettres de Paul de Musset à Emile Perrin, 2 juillet 1872 et 16 juin 1874 ; cette dernière est accompagnée d'« Observations sur la mise en scène de *Lorenzaccio* » datées du 15 juin 1874.

4. Une copie des « Observations » ci-dessus mentionnées faite de la main de Mme Lardin de Musset.

5. Registres des séances du Comité d'administration (1914 ; 1926 ; 1927).

6. Registres des séances du Comité de lecture (1914 ; 1917).

7. *Lorenzaccio*, pièce en cinq actes et vingt-quatre tableaux, mise en scène de M. Emile Fabre ; livre de conduite dactylographié, comportant la mise en scène complète du spectacle de 1927 et les croquis des dispositifs scéniques.

8. Un lot de photographies de scène relatives au spectacle de 1927.

e) Bibliothèque Spoelberch de Lovenjoul à Chantilly

E 848-849 : *Une conspiration en 1537*, scène historique ; manuscrit autographe ; 23 ff, 205 × 130 mm.
Copie par Lovenjoul ; 52 ff, 270 × 210 mm.

F 968 : *Lorenzaccio*, drame en cinq actes ; trois plans de la pièce et fragments du manuscrit autographe, 19 ff, 410 × 250 mm.

F 982 : Correspondance générale d'A. de Musset et de sa famille ; copies faites et annotées par M. Clouard ; tome III, 173 ff, 240 × 160 mm (lettres de Paul de Musset à Charles de la Rounat, 3 août et 13 octobre 1864, 26 mai 1865).

F 984 : Lettres autographes de Mme Lardin de Musset à M. Clouard (1882-1899) et lettre de Clouard, 259 ff, 330 × 240 mm.

F 991 : Lettres relatives à A. de Musset, la plupart adressées à M. Clouard ; copies avec table, 74 ff, 240 × 160 mm.

II. OUVRAGES IMPRIMÉS (livres et articles)

ADAM (Antoine) : *Le Secret de l'aventure vénitienne*, Paris, Perrin, 1938.
— « Son romantisme est le nôtre », *les Nouvelles littéraires*, 9 mai 1957.

AGEL (Henri) : *Le Cinéma*, Paris, Casterman, 1960.

ALCIATORE (J.-C.) : « Stendhal A. de Musset et l'orgueil féminin », *Modern Language Notes*, novembre 1953.

ALLEM (Maurice) : *Alfred de Musset*, édition revue et corrigée, Grenoble, Arthaud, 1948.

ALMEIDA DE PAULA ARANTES (Lilian) : *La Révolte et le doute chez A. de Musset*, thèse, Université de Paris, 1965, dactylo.

ANCONA (A. d') : *Varieta storiche e litterarie*, Milano, Treves, 1883-1885, 2 vol.

ANTOINE (André) : *Mes souvenirs sur le théâtre Antoine et sur l'Odéon* (première direction), Paris, Grasset, 1928.

Aragon (Louis) : « A. de Musset », *les Lettres françaises*, 18 avril 1957.

Araujo (Coelho de) : « Une étude sur *Lorenzaccio* de Musset », *Letras*, Paraná, nº 14, 1965, p. 77-87.

Artois (Armand d') : « La Mise à la scène de *Lorenzaccio* », *Le Mussettiste*, 4e année, nº 2, décembre 1910, p. 210-213.

Bablet (Denis) : « Rencontre avec Léon Gischia », *Théâtre populaire*, juillet-août 1954, p. 105-108.

— *Esthétique générale du décor de théâtre de 1870 à 1914*, Paris, éditions du C.N.R.S., 1965.

— *La Mise en scène contemporaine* ; 1. 1887-1914, Paris, La Renaissance du Livre, coll. « Dionysos », 1968.

— « *Lorenzaccio* à Prague : un univers, des hommes, un triomphe », *les Lettres françaises*, 5 novembre 1969.

Barbiera (R.) : *Nella citta dell'amore : Passioni illustri a Venezia* (1816-1861), Milano, Trèves, 1923.

Bargellini (P.) : *Florence*, Paris, P.U.F., coll. « Nous partons pour... », 1964.

Barincou (Edmond) : *Machiavel*, Paris, Aux éditions du Seuil, coll. « Ecrivains de toujours » (1962).

Barine (Arvède) : *Alfred de Musset*, Paris, Hachette, 1893.

Baschet (Robert) : « Vitet, Mérimée, Musset », *R.S.H.*, oct.-déc. 1962, p. 573-587.

Bastide (F.-R.) : « *Lorenzaccio* ; le héros du pouvoir étudiant », *les Nouvelles littéraires*, 14 novembre 1968.

Baty (G.) et Chavance (R.) : *Vie de l'art théâtral des origines à nos jours*, Paris, Plon, 1932.

Baty (Gaston) : *Rideau baissé*, Paris, Bordas, 1949.

Bauduin (Michèle) : « Réflexions sur la structure de *Lorenzaccio* », *Annales du centre d'enseignement supérieur de Chambéry*, 1970, 8, p. 53-141.

Bellessort (André) : « Le Théâtre d'A. de Musset », *R.D.M.*, 1er février 1930.

Benoist (Antoine) : *Essais de critique dramatique*, Paris, 1898.

Bertier de Sauvigny (G. de) : *La Restauration*, Paris, Flammarion, 1955.

Betbeder-Matibet (Marie) : *L'Influence de Shakespeare sur Musset dans les Comédies et Proverbes*, Paris, Didier, 1921.

Bibliothèque Nationale : *A. de Musset (1810-1857)*, Exposition organisée pour le centenaire de sa mort, Préface de Julien Cain, Paris, 1957.

Bibou (Henry) : « Le Théâtre d'A. de Musset », *Conferencia*, 14e année, nº 21, (15 octobre 1920) ; nº 22 (1er novembre 1920) ; nº 23 (15 novembre 1920).

Bisi (Alceste) : *L'Italie et le Romantisme français*, Milano, Albrighi, 1914.

Blanchart (Paul) : *Gaston Baty*, Paris, éd. Nouvelle Revue critique, coll. « Choses et gens de théâtre », 1939.

Bock (Margarete) : *Symbolistisches in den Dramen von A. de Musset*, Munich, 1936.

Bouvet (Alphonse) : « Musset, l'amour, l'érotisme et le messianisme de la souffrance », *R.S.H.*, avril-juin 1968, p. 199-208.

Brun (A.) : *Deux proses de théâtre*, Gap, éd. Ophrys, 1954.

Bulgarini (Abbé A.) : *Guide de Florence et de ses environs*, trad. par A. Le Rendu, Florence, 1842.

Burckhardt (Jacob) : *Die Kultur der Renaissance in Italien*, Basel, Schweighauser, 1860.

— *La Civilisation de la Renaissance en Italie*, Paris, éditions Gonthier, 1958, 2 volumes.

Burnand (R.) : *La Vie quotidienne en France en 1830*, Paris, Hachette, 1943.

Cahiers Gaston Baty : Association des amis de Gaston Baty, IV, 1966 [Gaston Baty et le renouvellement de théâtre contemporain] ; VII, 1970.

Callen (A.) : « The place of *Lorenzaccio* in Musset's theatre », *Forum for Modern Language Studies*, juillet 1969, p. 225-231.

CAMP (Aimé) : *L'Influence des études classiques sur A. de Musset*, Montpellier, 1891.

CANTEL (J.) : « Un précurseur du pessimisme contemporain, le *Lorenzaccio* d'A. de Musset », *La Revue hebdomadaire*, 12 décembre 1896, p. 262-276.

CASTEX (Pierre-Georges) : « Quelques cadres d'études pour *Les Caprices de Marianne* », *l'Information littéraire*, mars-avril 1956.

Catalogue des livres composant la bibliothèque de MM. Alfred et Paul de Musset, Paris, Adolphe Labitte, 1881.

Catalogue d'une précieuse collection d'autographes et de dessins provenant d'Alfred de Musset et Paul de Musset, Paris, Etienne Charavay, 1883.

CELLA (Annie) : *La Tragédie de la femme dans le théâtre d'A. de Musset*, Paris, 1926.

CELLINI (Benvenuto) : *Vita di Benvenuto cellini, orefice e scultore Fiorentino, da lui medesimo scritta*, Milan, coll. « Classici Italiani », 1806, 2 volumes.
— *Vie de Benvenuto Cellini, orfèvre et sculpteur florentin, écrite par lui-même*, et traduite par D.D. Farjasse, Paris, Audot, 1833, 2 vol.
— *Vie de Benvenuto Cellini écrite par lui-même*, traduction et notes de Maurice Beaufreton, Paris, Julliard, coll. « Littérature », 1965, 2 vol.

La Censure sous Napoléon III ; Rapports inédits et in extenso (1852-1866), Paris, 1892.

CHARPENTIER (John) : *La Vie meurtrie d'A. de Musset*, Paris, Piazza, 1928.
— *Alfred de Musset*, Paris, Tallandier, 1938.

CHASTEL (André) : *L'Art italien*, Paris, Larousse, coll. « Arts, styles et Techniques », 1956, 2 vol.

CLARETIE (George) : « Le Manuscrit de *Lorenzaccio* », *R.H.L.F.*, 1920, p. 478.

CLAVEAU (A.) : *Alfred de Musset*, Paris, Lecène et Oudin, 1894.

CLOUARD (Maurice) : *Notice bibliographique sur la correspondance d'A. de Musset*, Paris, N. Charavay, 1898.
— *Quelques œuvres inédites ou peu connues d'A. de Musset*, Paris, Colin, 1898.
— *Documents inédits sur A. de Musset*, Paris, Rouquette 1900.
— « Deux lettres inédites de Paul de Musset », *l'Amateur d'autographes*, 33e année, 2e série, 1900, p. 77-80.

COGNIAT (Raymond) : *Gaston Baty*, Paris, Presses littéraires de France, coll. « les Metteurs en scène », 1953.

COLET (Louise) : *Lui*, Paris, Librairie nouvelle, 1860.

COPEAU (Jacques) : « Le Théâtre d'A. de Musset », *Revue universelle*, 1er octobre 1931, p. 1-24.

CORDROCH (Marie) et PIERROT (Roger) : « A. de Musset, lettre sur la mort de son père », *R.H.L.F.*, juillet-septembre 1957, p. 353-355 ; « François Buloz, éditeur et confident de Musset et de Sand, lettres et fragments inédits », *ibid.*, p. 366-383.

Cours historique et élémentaire de peinture, ou Galerie complète du Musée Napoléon, publié par Filhol, graveur..., Paris, chez Filhol, 1802-1815.

DAIX (Pierre) : *Sept siècles de roman*, Paris, Editeurs français réunis, 1955.

DELAVILLE LE ROULX (J.) : *Cartulaire général de l'Ordre des Hospitaliers de St-Jean de Jérusalem*, Paris, Leroux, 1894.

DENOMME (R.T.) : « The Motif of the « Poète maudit » in Musset's *Lorenzaccio* », *l'Esprit Créateur*, Minneapolis n° 5, 1965, p. 138-146.

DIMOFF (Paul) : « Une Conspiration en 1537, par G. Sand », *R.P.*, 15 décembre 1921.
— *La Genèse de Lorenzaccio*, textes publiés avec introduction et notes par P. Dimoff, Paris, Droz, « Société des textes français modernes », 1936.
— *La Genèse de Lorenzaccio*, 2e édition revue et corrigée, Paris, Marcel Didier, « Société des textes français modernes », 1964.

DOLDER (Ch.) : *Le Thème de l'être et du paraître dans l'itinéraire spirituel d'A. de Musset*, Zurich, Juris Verlag, 1968.

Donnay (Maurice) : *Alfred de Musset*, Paris, Hachette, 1914.
— *La Vie amoureuse d'A. de Musset*, Paris, Flammarion, 1926.

Dort (Bernard) : « Tentative de description de *Lorenzaccio* », *Travail théâtral*, automne 1970, p. 29-37.

Duchet (Claude) : « Musset et la politique, formation des idées et des thèmes : 1823-1833 », *R.S.H.*, octobre-décembre 1962, p. 515-549.
— « Un poète dans la société : Musset », *Revue des travaux de l'Académie des sciences morales et politiques*, 122, 1 (1er semestre 1969), p. 95-101 ; avec une discussion, p. 101-105.

Dumoulin (M.) : *Les Ancêtres d'A. de Musset*, Paris, Emile-Paul, 1911.

Dussane (B.) : *Le Comédien sans paradoxe*, Paris, Plon, 1933.
— « Un théâtre de la jeunesse », *les Nouvelles littéraires*, 9 mai 1957.

Eggli (E.) : *Schiller et le romantisme français*, Paris, J. Gamber, 1927, 2 vol.

Encyclopédie du théâtre contemporain, Paris, les Publications de France, coll. « Théâtre de France », tome I (1850-1914), 1957 ; tome II (1917-1950), O. Perrin, 1959.

Engel (C.E.) : « Le Chevalier de Malte type littéraire au XVIIIe siècle », *R.S.H.*, fasc. 71, 1953.

Essarts (E. des) : *Le Théâtre d'A. de Musset*, Clermont-Ferrand, 1889.

Estève (E.) : *Byron et le romantisme français, essai sur la fortune et l'influence de Byron en France de 1812 à 1850*, Paris, Hachette, 1907.

Falk (Eugène H.) : « The Formative Effects of Romantic Commitments », *Symposium*, nos 3-4, 1969, p. 225-234.

Fert (Ludovic) : « Un *Lorenzaccio* inédit de G. Sand ; épisode du roman de Venise », *R.H.L.F.*, 1920, p. 478.

Feugère (A.) : *Un grand amour romantique : George Sand et Alfred de Musset*, Paris, Boivin, 1927.

Fortoul (H.) : « Un spectacle dans un fauteuil », par M. A. de Musset, *R.D.M.*, 1er septembre 1834.

Frenzel (E.) : « Musset's *Lorenzaccio*, ein mögliches Vorbild für *Dantons Tod* », *Euphorion*, n° 58, 1964, p. 59-68.

Frycer (Jaroslav) : « L'Œuvre dramatique d'A. de Musset », *Etudes romanes de Brno*, Universita J.E. Purkyné, vol. III, 1967, p. 85-166.

Gastinel (Françoise) : « Critique et poète : Sainte-Beuve et A. de Musset », *Mélanges Bonnerot*, Paris, Nizet, 1955.

Gastinel (Pierre) : *Le Romantisme d'Alfred de Musset*, Paris, Hachette, 1933.

Gauthiez (Pierre) : *Lorenzaccio [Lorenzino de Médicis], 1514-1548*, Paris, Fontemoing, 1904.

Gautier (Théophile) : *Histoire de l'art dramatique en France depuis vingt-cinq ans*, Paris, Magnin, Blanchard et Cie, 1858-1859, 6 vol.

Gérard Philipe : Souvenirs et témoignages recueillis par Anne Philipe et présentés par Claude Roy, Paris, Gallimard, coll. « l'Air du temps », 1960.

Ginguéné (P.-L.) : *Histoire littéraire d'Italie*, tome I-IX ; continuée par F. Salfi, tome X-XIV ; Paris, Michaud, 1811-1835, 14 vol.
— *Histoire littéraire de l'Italie*, 2e édition revue, Paris, Michaud, 1824, 9 vol.

Giraud (Jean) : « A. de Musset et trois romantiques allemands : Hoffmann, Jean-Paul et H. Heine », *R.H.L.F.*, 1911, p. 297-334 ; 1912, p. 341-355 ; p. 355-375.
— « A. de Musset et Schiller », *R.H.L.F.*, 1917, p. 394-413.
— « A. de Musset et l'histoire littéraire d'Italie de Ginguené », *Mélanges Lanson*, Paris, Hachette, 1922, p. 398-406.

Glaesener (H.) : « Au pays des conspirations : quelques complots d'Italie sur la scène », *R.L.C.*, 1935, p. 17-25.

Gochberg (H.S.) : *Stage of Dreams : the dramatic Art of A. de Musset (1828-1834)*, Genève, Droz, 1967.

GRAVIER (Maurice) : « Georg Büchner et A. de Musset », *Orbis Litterarum*, fasc. 1, 1954.

GRIMSLEY (R.) : « The Character of Lorenzaccio », *French Studies*, janvier 1957, p. 16-27.

GUILLEMIN (Henri) : « Notes sur Musset », *Temps modernes*, février 1963, p. 1447-1483.
— « Musset voit mourir son père (8 avril 1832) », *Gazette de Lausanne*, 1-2 août 1964.
— *Pas à pas*, Paris, Gallimard, 1969.

HALDANE (Charlotte) : *The Passionate Life of A. de Musset*, New York, Roy, 1960.

HARTLEY (K.H.) : « Three Lorenzacci », *Aumla*, novembre 1967, p. 227-234.

HENRIOT (Emile) : « Musset, Sand et *Lorenzaccio* », *Le Temps*, 6 décembre 1921.

HENRIOT (Emile) : « Musset, Sand et *Lorenzaccio* », *R.H.L.F.*, 1922, p. 255.
— *A. de Musset*, Paris, Hachette, 1928.
— *Romanesques et Romantiques*, Paris, Plon, 1930.
— *L'Enfant du siècle. A. de Musset (avec une correspondance inédite)*, Paris, Amiot-Dumont, 1953.

HUNT (Herbert J.) : « A. de Musset et la révolution de Juillet : la leçon politique de *Lorenzaccio* », *Mercure de France*, 1ᵉʳ avril 1934, p. 70-88.

JAMIESON (Paul F.) : « Musset, de Quincey and Piranesi », *Modern Language Notes*, février 1958.

JANSEN (Steen) : *Musset som dramatiker*, Copenhague, Gads Forlag, 1967.
— « L'Unité d'action dans *Andromaque* et dans *Lorenzaccio* », *Revue romane*, t. III, fasc. 1, p. 16-29 ; fasc. 2, p. 116-135, 1968.

JEUNE (Simon) : « Souffles étrangers et inspiration personnelle dans *Les Caprices de Marianne* ». *R.S.H.*, janvier-mars, 1966, p. 81-96.
— « *On ne badine pas avec l'amour* et sa source impure », *Revue d'histoire du théâtre*, avril-juin 1966, p. 199-209.
— « Musset caché », *R.H.L.F.*, juillet-septembre 1966, p. 419-438.

JURY (Paul) : « G. Sand et Musset », *Psyché*, mars et juillet 1949.

KEMP (Robert) : « Importance et actualité de *Lorenzaccio*, *Erasme*, janvier-février 1946, p. 53-55.

LAFOSCADE (Léon) : *Le Théâtre d'A. de Musset*, Paris, Hachette, 1901 ; Nizet, 1966.
— « La Genèse de Lorenzaccio », *R.D.M.*, 15 novembre 1927, p. 423-437.
— « De George Sand à Musset. En marge de Varchi avec Giomo le Hongrois », *R.H.L.F.*, 1928, p. 99-101.
— « Note sur deux projets d'A. de Musset, relatifs à Lorenzaccio », *Le Manuscrit autographe*, juillet-août 1931.

LEBÈGUE (Raymond) : « Musset et la Renaissance », *les Nouvelles littéraires*, 9 mai 1957.

LEBOIS (André) : « Analyse spectrale de Lorenzaccio », *Annales publiées par la Faculté des lettres de Toulouse*, Littérature IX, 1961, p. 159-209.
— *Vues sur le théâtre de Musset*, Avignon, Aubanel, 1966.

LECLERC (Guy) : *Le T.N.P. de Jean Vilar*, Paris, Union générale d'éditions, coll. « 10-18 », 1971.

LEDRÉ (Charles) : *La Presse à l'assaut de la Monarchie (1815-1848)*, Paris, A. Colin, 1960.

LEFEBVRE (Henri) : *Musset*, Paris, l'Arche, coll. « Les grands dramaturges », 1955 ; 2ᵉ édition, revue et corrigée, « Travaux », 6, 1970.

LELUC (Lucien) : « Le Vrai Lorenzaccio », *Monde français*, septembre 1948.

LEMAITRE (Jules) : *Impressions de théâtre*, Paris, Lecène et Oudin, t. I, 1888, p. 150-162 ; t. II, 1888, p. 35-48 ; t. VII, 1893, p. 141-147 ; t. IX, 1896, p. 47-55 ; t. X, 1898, p. 55-62.

LENOIR (Raymond) : « La Philosophie de Musset », *R.H.L.F.*, juillet-septembre 1929, p. 337-354.

LEVAILLANT (Maurice) : « L'Univers du cœur », les Nouvelles littéraires, 9 mai 1957.

LINDAU (P.) : A. de Musset, Berlin, Hofmann, 1877.

LOMBARD (Charles) : « Ducis's Hamlet and Musset's Lorenzaccio », Notes and Queries, février 1958.

LUCAS-DUBRETON (J.) : La Restauration et la Monarchie de juillet, Paris, Hachette, 1926.

— La Vie quotidienne à Florence au temps des Médicis, Paris, Hachette, 1958.

LUGNE-POE (A.-M.) : La Parade, II, Acrobaties, souvenirs et impressions de théâtre (1894-1902), Paris, Gallimard, 1931.

LUNDLIE (M.-O.) : « The Influence of the 18th Century on the Theatre of A. de Musset », Dissertation Abstracts, vol. XXV, n° 3, septembre 1964.

LYONNET (Henry) : Les « Premières » d'A. de Musset, Paris, Delagrave, 1927.

MANDOUZE (Christine) : Le Lorenzaccio d'A. de Musset ; Analyse comparée de trois mises en scène (A. d'Artois, G. Baty, G. Philipe) suivie d'une postface sur l'adaptation scénique d'Otomar Krejca..., mémoire de maîtrise, Faculté des Lettres de Strasbourg, année 1969-1970.

MARIETON (Paul) : Une histoire d'amour : Sand et Musset, Paris, Havard, 1897.

MARIX-SPIRE (Thérèse) : Les Romantiques et la musique. Le cas George Sand, 1804-1838, Paris, Nouvelles éditions latines, 1954.

MARTELLET (Adèle Colin, Mme) : Dix ans chez A. de Musset, Paris, Chamuel, 1899.

— A. de Musset intime, souvenirs de sa gouvernante, Paris, Juven, 1906.

MARTINEAU (Henri) : « Stendhal et A. de Musset », le Divan, octobre-décembre 1940, p. 314-323.

MASSON (Bernard) : Lorenzaccio ou la difficulté d'être, Paris, Minard, coll. « Archives de lettres modernes », 1962 ; 2ᵉ édition, 1968.

— « Le Masque, le double et la personne dans quelques comédies et proverbes », R.S.H., octobre-décembre 1952, p. 551-571.

— « L'Approche des problèmes politiques dans Lorenzaccio de Musset », Romantisme et Politique (1815-1851), Paris, Colin, 1969.

MAULNIER (Thierry) : « Lorenzaccio, un héraut de notre temps », Le Figaro littéraire, 4 novembre 1968.

MAURICE-AMOUR (Lila) : « Musset, la musique et les musiciens », R.S.H., janvier-mars 1958, p. 31-58.

MAUROIS (André) : « Alfred de Musset, les comédies », R.S.H., janvier-mars 1958, p. 17-29.

MAURRAS (Charles) : Les Amants de Venise, George Sand et Musset, nouvelle édition augmentée d'une préface, Paris, De Boccard, 1917.

MAUZI (Robert) : « Les Fantoches d'A. de Musset », R.H.L.F., avril-juin 1966, p. 257-282.

MAYER (Gilbert) : « Musset et les peintres italiens », Atti del quinto congresso internazionale di lingue e litterature moderne (27-31 mars 1951), Firenze, Valmartina, 1955.

MENGIN (Urbain) : L'Italie des romantiques, Paris, Plon, 1902.

MENGIN-FONDRAGON (Bᵒⁿ C. de) : Nouveau voyage topographique historique, critique, politique et moral en Italie, fait en 1830, Paris, 1833, 4 vol.

MERLANT (Joachim-Claude) : « Rencontre d'une ombre et d'un poète », Bulletin de l'université l'Aurore, Shangaï, III, 7, n° 1, 1946, p. 79-97.

— Le Moment de « Lorenzaccio » dans le destin de Musset, Athènes, 1955.

MEUNIER (Dauphin) : « Lorenzaccio », R.D.M., 15 juillet 1904, p. 411-436.

MIGNON (Maurice) : A. de Musset et l'Italie, Lyon, 1911.

— « Etudes de littérature italienne (A. de Musset et l'Italie ; la comédie italienne de la Renaissance) », R.H.L.F., 1913, p. 486.

MOLHO (Raphaël) : « L'Automne et le Printemps. Sainte-Beuve juge de Musset », R.S.H., octobre-décembre 1962, p. 637-650.

MOREAU (Pierre) : *Le Classicisme des romantiques*, Paris, Plon, 1932.
— « De quelques difficultés de la critique génétique. A propos d'*On ne badine pas avec l'amour* », *l'Information littéraire*, janvier-février 1956.
— « Le Poète qui ne voulait pas être de son temps », *les Nouvelles littéraires*, 9 mai 1957.
— « Le Classicisme d'A. de Musset », *Annales de l'université de Paris*, juillet-septembre 1958.
— « L'Ironie de Musset », *R.S.H.*, octobre-décembre 1962, p. 501-514.
— « Musset, Stenio, Don Juan », *R.H.L.F.*, avril-juin 1966, p. 253-256.

MORGULIS (Grégoire) : « Musset et Casanova », *Revue des études italiennes*, avril-septembre 1956.

MORONCINI (E.) : *A. de Musset e l'Italia*, Milan, 1921.

MORVAN (Jean-Baptiste) : « Musset, la politique et la France », *Aspects de la France*, 15 septembre 1966.

MUCHA (Alphonse) : « Mes souvenirs sur Sarah Bernhardt », *Paris-Prague*, 20 avril 1923.

MUSSET (Alfred de) :

1° Œuvres complètes

— *Œuvres complètes*, « Edition dédiée aux Amis du Poète », publiée par Paul de Musset, Paris, Charpentier, 1865-1866, 10 vol., in-4°.
— *Œuvres complètes*, Paris, Charpentier, 1866, 10 vol., in-8°.
— *Œuvres complètes*, notices et notes d'Ed. Biré, Paris, Garnier, 1907-1909, 8 vol.
— *Œuvres complètes illustrées*, Paris, Librairie de France, 1927-1930, 10 vol.
— *Œuvres complètes*, p. p. Philippe Van Tieghem, Paris, Seuil, coll. « l'intégrale », 1 vol.

2° Œuvres théâtrales

— *Théâtre complet*, p. p. P. Van Tieghem, Paris, les Editions nationales, coll. « les Classiques verts », Paris, 1948.
— *Théâtre*, p. p. P. Salomon, Paris, Hachette, coll. « Le Flambeau », 1954, 2 vol.
— *Théâtre complet*, p. p. Maurice Allem, Paris, Gallimard, « Bibliothèque de la Pléiade », 1958.
— *Théâtre*, p. p. Gilbert Sigaux, Paris, Club français du livre, 1960-1961, 4 vol.
— *Théâtre complet*, p. p. Roland Chollet, Lausanne, La Guilde du livre, 1964.
— *Théâtre complet*, p. p. Yves Florenne, Paris, Le Livre de poche, 1964, 3 vol.
— *Théâtre complet*, p. p. Henri Guillemin, Lausanne, Editions Rencontre, 1964, 4 vol.
— *Comédies et Proverbes*, Paris, Charpentier, 1840.
— *Comédies et Proverbes*, seule édition complète revue et corrigée par l'auteur, Paris, Charpentier, 1853, 2 vol.
— *Comédies et Proverbes*, p. p. Jacques Copeau, Paris, Cité des livres, 1931, 2 vol.
— *Comédies et Proverbes*, tome I, p. p. Pierre Gastinel, 1934 ; t. II (1952), III (1957), IV (1957), p. p. Françoise Gastinel ; Paris, les Belles Lettres, coll. « les Textes français », 4 vol.
— *Comédies et Proverbes*, p. p. Ed. Biré, revue et complétée par Maurice Allem, Paris, Garnier, 1942, 2 vol.
— *Comédies et Proverbes*, préface d'Alexandre Arnoux, notes de R. Jean, Lyon, Audin, coll. « les Grands maîtres », 1949.
— *Comédies et Proverbes*, p. p. Maurice Vouzelaud, Bordeaux, Delmas, 1949.

— *Comédies et Proverbes*, p. p. Yves Florenne, Paris, le Club du meilleur livre, coll. « Astrée », 1958.
— *Un spectacle dans un fauteuil, seconde livraison, prose*, Paris, Librairie de la R.D.M., 1834, 2 vol.
— *Lorenzaccio*, drame en cinq actes, représenté pour la première fois à Paris sur le théâtre de la Renaissance, le 3 décembre 1896, mis à la scène par Armand d'Artois, Paris, Ollendorff, 1898.
— *Lorenzaccio*, Paris, Larousse, coll. « Classiques Larousse », 1936.
— *Lorenzaccio*, p. p. Frédéric Ségu, Paris, Didier et Privat, 1936.
— *Lorenzaccio*, Paris, l'Arche, coll. « T.N.P. », 1952.
— *Lorenzaccio*, p. p. D. et P. Cogny, Paris, Bordas, coll. « Petits classiques Bordas », 1963.
— *Lorenzaccio* and *Un Caprice*, éd. Marjorie Shaw, London, University Press, coll. « Textes français classiques et modernes », 1963.
— *Lorenzaccio*, p. p. J. Nathan, Paris, Larousse, coll. « Nouveaux classiques Larousse », 1964.
— *Textes dramatiques inédits*, p. p. J. Richer, Paris, Nizet, 1953.

3° Autres œuvres

— *Correspondance*, p. p. Léon Séché, Paris, Mercure de France, 1907.
— *Lettres d'amour à Aimée d'Alton*, p. p. Léon Séché, Paris, Mercure de France, 1910.
— *Poésies complètes*, texte établi et annoté par Maurice Allem, Paris, Gallimard, « Bibliothèque de la Pléiade », 1957.
— *Œuvres complètes* en prose, texte établi et annoté par Maurice Allem et Paul Courant, Paris, Gallimard, « Bibliothèque de la Pléiade », 1960.
— *La Confession d'un enfant du siècle*, préface de Claude Duchet, textes établis, notes et relevé de variantes par Maurice Allem, Paris, Garnier, 1968.
— *Morceaux choisis*, p. p. Joachim Merlant, Paris, Didier, 1917.
— *Œuvres choisies*, p. p. J. Thomas et M. Berveiller, Paris, Hatier, 1932.

MUSSET (Paul de) : *Lui et elle*, Paris, Charpentier, 1860.
— *Biographie d'A. de Musset, sa vie et ses œuvres*, Paris, Charpentier, 1877.

NGUYEN MANH TUONG : *Essai sur la valeur dramatique du théâtre d'A. de Musset*, Montpellier, 1932.

NORDON (Pierre) : *A. de Musset et l'Angleterre. Contribution à la commémoration du 4e centenaire de Shakespeare*, Thèse complémentaire, Paris, 1964, dactyl.
— « A. de Musset et l'Angleterre », *Lettres romanes*, Louvain, n° 20 (1966) à 22 (1968).

NOUTY (Hassan El) : « L'Esthétique de *Lorenzaccio* », *R.S.H.*, octobre-décembre 1962, p. 589-611.
— « Théâtre et Anti-Théâtre au XIXe siècle. Trois héritiers de Vitet : Musset, Gobineau, Henry Monnier », *Publications of the Modern Language Association of America*, New York, décembre 1964, p. 604-612.

Nouveau guide du voyageur en Italie, 6e édition originale Artaria, Milan, 1842.

ODINOT (Dr Raoul) : *Etude médico-psychologique sur A. de Musset*, Lyon, Storck, 1906.

OLIVIER (Just) : *Paris en 1830*, journal p. p. A. Delattre et M. Denkinger, Paris, Mercure de France, 1951.

PAILLERON (Marie-Louise) : *François Buloz et ses amis. La vie littéraire sous Louis Philippe*, Paris, Firmin-Didot, 1930.

PERRENS (F.) : *La Civilisation florentine du XIIIe au XVIe siècle*, Paris, May et Motteroz, 1893.

PIATIER (J.) : « Ombres et lumières sur le drame de Venise », *Le Monde*, 29 octobre 1958.

PICHOIS (Claude) : « Deux interprétations romantiques de Machiavel. De Rousseau à Macaulay », *Hommage au Doyen Gros*, Gap, 1959, p. 211-218.
— *L'Image de Jean-Paul Richter dans les lettres françaises*, Paris, José Corti, 1963.

PIEMME (J.-M.) : « *Lorenzaccio* : impasse d'une idéologie », *Romantisme*, 1-2, 1971, p. 117-127.

PIERRE (Marie-Claude) : *Recherches sur les principales mises en scène françaises de Lorenzaccio de Musset*, Diplôme d'études supérieures, Université de Paris, Institut d'études théâtrales, année 1965-1966.

PIERREDON (M. de) : *L'Ordre souverain et militaire des Hospitaliers de St-Jean de Jérusalem*, Paris, 1925.

POIROT-DELPECH (Bertrand) : « *Lorenzaccio* de Musset par le théâtre Za Branou de Prague », *le Monde*, 13 mai 1970.

POLI (Annarosa) : « La véritable histoire de la correspondance Sand - Pagello, *R.H.L.F.*, juillet-septembre 1957, p. 384-392.
— « Les Amants de Venise et Casanova », *R.H.L.F.*, janvier-mars 1959.
— *L'Italie dans la vie et dans l'œuvre de George Sand*, Paris, A. Colin, 1960.

POMMIER (Jean) : « A propos de *Lorenzaccio* », *Revue des Cours et Conférences*, 15 décembre 1924, p. 49-66.
— « Le Théâtre d'A. de Musset », *Bulletin de la Faculté des lettres de Strasbourg*, janvier (p. 75-82), février (p. 112-117), mars (p. 149-154), 1934.
— « A. de Musset et l'histoire romaine », *Mélanges Huguet*, Paris, Boivin, 1944, p. 460-476.
— *Variétés sur A. de Musset et son théâtre*, Paris, Nizet et Bastard, 1944 ; Nizet, 1966.
— « L'œuvre d'A. de Musset », *Annuaire du Collège de France*, 52ᵉ année, 1952, p. 256-261.
— *A. de Musset*, Oxford, At the Clarendon Press, 1957.
— « I. Lettre de Venise (27 janvier 1834) ; II. Sur une date », *R.H.L.F.*, juillet-septembre 1957, p. 356-365.
— *Autour du drame de Venise, G. Sand et Musset au lendemain de Lorenzaccio*, Paris, Nizet, 1958.

POULET (Georges) : *Etudes sur le temps humain*, II. *La Distance intérieure*, Paris, Plon, 1952, p. 231-248.

PROKAPOWSKI (R.) : *Ordre souverain et militaire jérosolymitain de Malte*, Cité du Vatican, Ecclesia, 1950.

PRONIER (E.) : *Une vie au théâtre-Sarah Bernhardt*, Genève, éd. Alex Jullien, s.d.

QUATREMERE DE QUINCY (A.C.) : *Histoire de la vie et des ouvrages de Raphaël*, Paris, Gosselin, 1824 ; 2ᵉ édition revue et augmentée, Paris, Leclère, 1833.

RAGEOT (Gaston) : « Pourquoi Lorenzaccio est devenu un chef-d'œuvre », *Revue bleue*, 1927, p. 471-472.

REBOUL (Pierre) : « Sur cinq à six marches de marbre rose », *R.S.H.*, octobre-décembre 1962, p. 627-636.

REES (Margaret A.) : « Imagery in the Plays of A. de Musset », *The French Review*, Jannary, 1963, pp. 245-254.

REGARD (Maurice) : *L'Adversaire des romantiques, Gustave Planche*, Paris, Nouvelles Editions latines, 1955.
— « Charles Didier et George Sand », *R.S.H.*, octobre-décembre 1959, p. 465-494.

RENARD (G.) : « Les Opinions politiques d'A. de Musset », *Revue politique et parlementaire*, octobre-décembre 1902.

RENOUARD (Yves) : *Histoire de Florence*, Paris, P.U.F., Coll. « Que sais-je ? » 1964.

Revue d'histoire du théâtre, 1953, (1-2), « Gaston Baty, Notes et documents biographiques et bibliographiques ».

RICHARD (Jean-Pierre) : *Etudes sur le romantisme*, Paris, Seuil, 1970.

RICKEY (H. Wynn) : *Musset Shakespearien*, Faculté des Lettres de Bordeaux, 1932.

ROBICHEZ (Jacques) : *Le Symbolisme au théâtre. Lugné-Poe et les débuts de l'Œuvre*, Paris, l'Arche, 1957.

ROSS-RIDGE (George) : « The Anti-Héro in Musset's Drama », *French Review*, avril 1959, p. 428-434.

ROY (Claude) : *Jean Vilar*, Paris, Seghers, coll. « Théâtre de tous les temps », 1968.

SABA (Guido) : *Memoria e poesia ; scrittori francesi dal preromanticismo al simbolismo*, Rocca San Casciano, Cappelli editore, 1961.

SAINTE-BEUVE (C.-A.) : *Portraits contemporains*, 1889, tome II, p. 177-221.
— *Causeries du lundi*, éd. définitive, I, p. 294-310 ; V, p. 380-400 ; XI, p. 466-469 ; XIII, p. 364-375.

SALLET (A.) : « Le Contenu philosophique du théâtre d'A. de Musset », *Kriterion*, juillet-octobre 1947 et janvier 1948.

SAND (George) : *Elle et lui*, Paris et Naumbourg, G. Poetz, 1859, 2 vol.
— *Lettres à A. de Musset et à Sainte-Beuve*, p. p. S. Rocheblave, Paris, Lévy, 1897.

SAND (George) et MUSSET (Alfred de) : *Correspondance*, publiée par F. Decori, Bruxelles, Denan, 1904.
— *Correspondance ; journal intime de George Sand* (1834), p. p. Louis Evrard, Monaco, éd. du Rocher, 1956.

SAND (George) : *Correspondance*, p. p. Georges Lubin, Paris, Garnier, t. I (1812-1831), 1964 ; t. II (1832 - juin 1835), 1966.

SARCEY (Francisque) : *Quarante ans de théâtre*, Paris, Bibliothèque des « Annales politiques et littéraires », 1900-1902, 8 vol.

SCHNERB (Claude) : « *Fantasio* ou la destruction d'un mythe », *L'Illustre théâtre*, n° 2, printemps 1955.

SÈCHÉ (Léon) : *Etudes d'histoire romantique, A. de Musset*, Paris, Mercure de France, 1907, 2 vol.
— *Etudes d'histoire romantique, La jeunesse dorée sous Louis Philippe*, Paris, Mercure de France, 1910.

SEGNI (Bernardo) : *Storie fiorentine di messer Bernardo Segni...*, Milano, coll. « Classici italiani », 1805, 3 vol.

SERRIÈRE (Marie-Thérèse) : *Le T.N.P. et nous*, Paris, José Corti, 1959.

SHAW (Marjorie) : « A propos du *Fantasio* d'A. de Musset », *R.H.L.F.*, juillet-septembre 1955.
— « Deux essais sur les comédies d'A. de Musset », *R.S.H.*, janvier-mars 1959, p. 47-76.

SICES (David) : « Musset's Fantasio : the Paradise of Chance », *The Romanic Review*, février 1967, p. 23-37.

SIMON (John Kenneth) : « The Presence of Musset in Modern French Drama », *The French Review*, Baltimore, octobre 1966, p. 27-38.

SISMONDI (J. Simonde de) : *Histoire des républiques italiennes du moyen-âge*, Paris, Treuttel et Wurtz, 1818, 16 vol.

SOUPAULT (Philippe) : *A. de Musset*, Paris, Seghers, coll. « Poètes d'aujourd'hui », 1957.

SPOELBERCH DE LOVENJOUL (vicomte Charles de) : *La Véritable histoire de « Elle et Lui »*, Paris, Calmann-Lévy, 1897.

STACKELBERG (Jürgen von) : « El Lorenzaccio d'A. de Musset. Interpretación de un drama romantico », *Finis Terrae*, Santiago de Chile, 2e trimestre, 1963, p. 57-71.
— « Musset : Lorenzaccio », *Das französische Theater vom Barock bis zur Gegenwart*, II, Dusseldorf, 1968.

STAROBINSKI (Jean) : « Note sur le bouffon romantique », *Cahiers du Sud*, avril-juin 1966, p. 270-275.

STEGMANN (André) : « La Remise en cause des valeurs dans le *Lorenzaccio* de Musset », *le Théâtre tragique*, Paris, éd. du C.N.R.S., p. 335-340.

STOWE (R.-S.) : « A. de Musset and his contemporaries : a study of the man and the artist as he appeared in his day », *Dissertation abstracts*, vol. XXIV, n° 9, mars 1964.

SUARÈS (André) : *A. de Musset au théâtre*, Paris, Champion, coll. « les Amis d'Edouard », 1923.

TAINE (Hippolyte) : *Histoire de la littérature anglaise*, tome V et complémentaire, Paris, Hachette, 1890.

THIBAUDET (Albert) : *Physiologie de la critique*, Paris, Nouvelle Revue critique, 1930.
— *Histoire de la littérature française de 1789 à nos jours*, Paris, Stock, 1936.

TONGE (Frederick) : *L'Art du dialogue dans les comédies en prose d'A. de Musset. Etude de stylistique dramatique*, Paris, Nizet, 1967.

VALÉRY (M.) : *Voyages historiques et littéraires en Italie pendant les années 1826, 1827 et 1828, ou l'Indicateur italien*, Paris, Le Normant, 1831, 5 vol.

VAN TIEGHEM (Philippe) : *Musset, l'homme et l'œuvre*, Paris, Boivin, coll. « le Livre de l'étudiant », 1944 ; nouvelle édition mise à jour, Paris, Hatier, coll. « Connaissance des lettres », 1969.
— « L'Evolution du théâtre de Musset des débuts à *Lorenzaccio* », *Revue d'histoire du théâtre*, octobre-décembre 1957, p. 261-275.

VANTORRE (Maurice) : « Musset et la tragédie », *R.S.H.*, octobre-décembre 1962, p. 613-620.

VARCHI (Benedetto) : *Histoire des révolutions de Florence sous les Médicis*, traduite par M. Requier, Paris, Musier fils, 1765, 3 vol.
— *Storia Fiorentina di Messer Benedetto Varchi*, Milano, coll. « Classici Italiani », 1803, 5 vol.

VASARI (Giorgio) : *Vie des peintres, sculpteurs et architectes*, traduite par L. Leclanché, Paris, 1839-1842, 10 vol.

VIAL (André) : « A propos d'*On ne badine pas avec l'amour*. Complément à l'étude d'une genèse littéraire », *R.S.H.*, janvier-mars 1961.

VIER (Jacques) : « La Religion d'A. de Musset », *l'Ecole*, 1er mars 1952.
— « Le Secret de *Lorenzaccio* », *l'Ecole*, 27 février et 13 mars 1954.

VIGUIER (Gaston) : *Du sentiment de la solitude morale et de quelques états névropathiques chez A. de Musset*, Bordeaux, 1933.

VILAR (Jean) : *De la tradition théâtrale*, Paris, l'Arche, 1955 ; Gallimard, coll. « Idées », 1963.

VILLIERS (André) : « Le Mal de Musset », *Mercure de France*, 15 mai 1939, p. 51-76.
— *La Vie privée d'A. de Musset*, Paris, Hachette, 1939.

VIROLLE (Roland) : « Le Héros romantique à la recherche de son moi », *l'Ecole*, 31 mai 1958.

WHITEHOUSE (H.-R.) : *Une Princesse révolutionnaire (Christine Trivulzio Belgiojoso, 1808-1871)*, Lausanne, Payot, 1907.

INDEX

Cet index ne retient pas les noms de personne figurant dans des citations ou des références bibliographiques.
La lettre n indique les noms cités dans les notes.
Alfred de Musset, présent à toutes les pages du livre, est naturellement exclu de cet index.

TABLE DES MATIÈRES

Achevé d'imprimer
sur les presses de
L'IMPRIMERIE CHIRAT
42540 Saint-Just-la-Pendue
en mars 1974
Dépôt légal 1er trimestre 1974 No 1136
No A. Colin : 6356

CHEZ LE MÊME ÉDITEUR

(suite)

Louis LE GUILLOU — « Les Discussions critiques », journal de la crise mennaisienne

Yves LE HIR — Lamennais écrivain

Renée LELIÈVRE — Le Théâtre dramatique italien en France 1855-1940

Jean LEVAILLANT — Les Aventures du scepticisme : essai sur l'évolution intellectuelle d'Anatole France

Michel LIOURE — L'Esthétique dramatique de Paul Claudel

Sylviane MARANDON — L'Image de la France dans l'Angleterre victorienne

Robert MAUZI — L'Idée du bonheur dans la littérature et la pensée françaises au XVIIIe siècle

Jean MILLY — Les Pastiches de Proust

Raphaël MOLHO — L'Ordre et les Ténèbres ou la Naissance d'un mythe du XVIIe siècle chez Sainte-Beuve

André MONCHOUX — L'Allemagne devant les Lettres françaises, de 1814 à 1835

Jacques MOREL — Rotrou, dramaturge de l'ambiguité

Daniel MORNET — Les Origines intellectuelles de la Révolution française

Jean MOUROT — Chateaubriand. Rythme et sonorité dans les « Mémoires d'outre-tombe »

Annarosa POLI — L'Italie dans la vie et dans l'œuvre de George Sand

(suite au verso)

CHEZ LE MÊME ÉDITEUR

(suite)

Jacques PROUST — Diderot et l'Encyclopédie

René RANCOEUR — Bibliographie littéraire

Gustave REYNIER — Le Roman sentimental avant l'Astrée

Robert RICATTE — La Création romanesque chez les Goncourt

Jacques ROGER — Les Sciences de la vie dans la pensée française au XVIIIe siècle

Jean ROUSSEL — Jean-Jacques Rousseau en France après la Révolution, 1785-1830

Guy SAGNES — L'Ennui dans la littérature française, de Flaubert à Laforgue

Philippe SELLIER — Pascal et saint Augustin

André STEGMANN — L'Héroïsme cornélien, 2 vol.

Jean TOUCHARD — La Gloire de Béranger, 2 vol.

Jean TOUCHARD — Aux Origines du catholicisme social : Louis Rousseau, 1787-1856

Jacques VAN DEN HEUVEL — Voltaire dans ses Contes

Jacques VIER — La Comtesse d'Agoult et son temps, 1805-1870, 6 vol.

Roger ZUBER — Les « Belles Infidèles » et la formation du goût classique

N 4616